Gibson (Dublín, 1939) es un hispanista internacio-
mente reconocido y, desde 1984, ciudadano español.
re sus libros más destacados figuran *La represión na-
nalista de Granada en 1936 y la muerte de Federico
rcía Lorca* (París, Ruedo Ibérico, 1971) —Premio In-
nacional de la Prensa (Niza, 1972)—, prohibido por el
imen franquista, la magna biografía *Federico García
rca* (1985-1987) —reeditado en un solo volumen en
1—, *La vida desaforada de Salvador Dalí* (1998),
a, *pasión y muerte de Federico García Lorca* (1998),
rca-Dalí. *El amor que no pudo ser* (1999), *Ligero de
ipaje. La vida de Antonio Machado* (2006), *Lorca y el
ndo gay* (2007), *El hombre que delató a García Lorca*
07), la novela *La berlina de Prim*, ganadora del Pre-
o Fernando Lara (2012), *Luis Buñuel. La forja de un
easta universal* (2013) y *Poeta en Granada. Paseos
Federico García Lorca* (2015). Gibson vive actual-
te en el popular barrio madrileño de Lavapiés.

Autorretrato del poeta en Nueva York.

Ens

Biog

Ian Gibson

Vida, pasión y muerte
de Federico García Lorca
1898-1936

Edición corregida y revisada

DEBOLS!LLO

Título original: *Federico García Lorca. A Life*

Primera edición: junio de 2016
Tercera reimpresión: abril de 2018

Printed in Spain — Impreso en España

ISBN: 978-84-663-3388-7
Depósito legal: B-7.353-2016

Compuesto en M. I. Maquetación, S. L.
Impreso en Black Print CPI Ibérica,
Sant Andreu de la Barca (Barcelona)

P 3 3 3 8 8 7

Penguin
Random House
Grupo Editorial

Para Carole Elliott, sin cuya colaboración desde el principio no habría sido posible la aventura. Su valentía, su buen humor y su aguante han sido pasmosos, así como esencial su agudo sentido crítico. Le debo más de lo que podría decir. También quiero recordar aquí a nuestra querida Üte Körner, muy involucrada en este proyecto e ida tan antes de tiempo.

Yo creo que el ser de Granada me inclina a la comprensión simpática de los perseguidos. Del gitano, del negro, del judío..., del morisco que todos llevamos dentro.

García Lorca, 1931[1]

> *Madre, cuando yo me muera*
> *que se enteren los señores.*
> *Pon telegramas azules*
> *que vayan del Sur al Norte.*

García Lorca, «Muerto de amor»
(Romancero gitano)[2]

> *Lo que en otros no envidiaban,*
> *ya lo envidiaban en mí.*
> *Zapatos color corinto,*
> *medallones de marfil,*
> *y este cutis amasado*
> *con aceitunas y jazmín.*

García Lorca,
«Muerte de Antoñito el Camborio»
(Romancero gitano, 1928)[3]

Todo él desborda, como fuente que parece imposible y criminal cese de fluir un día.

Luis Cernuda, 1931[4]

Los mitos crean el mundo, y el mar estaría sordo sin Neptuno y las olas deben la mitad de su gracia a la invención humana de la Venus.

García Lorca, sobre la pintora
María Blanchard, 1932[5]

Yo soy un poeta telúrico, un hombre agarrado a la tierra, que toda creación la saca de su manantial.

García Lorca, 1935[6]

PUNTUALIZACIÓN

La primera edición de este libro se publicó en 1998, centenario del nacimiento de Federico García Lorca. Se trataba de una traducción, hecha por otra mano, corregida y puesta al día por nosotros, de la versión inglesa de la biografía (Londres, Faber and Faber, 1989). Versión basada, a su vez, en la edición original española, publicada por Grijalbo, en dos tomos escalonados, en 1985 y 1987.[*]

IAN GIBSON
Madrid
17 de marzo de 2016

NOTA PREVIA A LA PRIMERA EDICIÓN DE ESTE LIBRO (1998)

A Federico García Lorca, uno de los seres humanos más artísticamente dotados de todos los tiempos, se le seguía negando hasta hace muy poco tiempo —hasta ayer mismo— su condición de homosexual, de homosexual para quien asumir plenamente su condición de tal, en una sociedad intolerante, fue una lucha cotidiana nunca del todo resuelta antes de que los fascistas acabaran con su vida a la edad de treinta y ocho años. Se la seguían negando incluso estudiosos de prestigio, acarreando con ello la extrañeza de otro homosexual, e íntimo de Lorca, Vicente Aleixandre. Hoy las cosas han cambiado, y ningún crítico, español o extranjero, puede dejar de tener en cuenta algo tan obvio y fundamental

---

[*] *Federico García Lorca. I. De Fuente Vaqueros a Nueva York (1898-1929)*, Barcelona, Editorial Grijalbo, 1985; *Federico García Lorca. II. De Nueva York a Fuente Grande (1929-1936)*, Barcelona, Editorial Grijalbo, 1987.

a la hora de entender al poeta. En este sentido, sendos estudios de Paul Binding (1985) y, sobre todo, de Ángel Sahuquillo (1986), han marcado hitos esenciales en nuestro conocimiento del Lorca profundo.

En esta biografía reivindico a un Lorca que, pese a ser «capaz de toda la alegría del mundo» (Aleixandre), pese a su carisma y a sus múltiples dones, de todos reconocidos, conoce la depresión y sabe «con sus huesos» —acudo al poema «Vuelta de paseo»—, como lo supo Oscar Wilde, lo que es ser tenido, tan injustamente, por repelente y nefasto. Reivindico a un Lorca comprometido con todos los que sufren, con los rechazados, los marginados, los perseguidos, los avergonzados, los que no encajan. Al Lorca revolucionario que en realidad fue. Al Lorca consciente de que iban a por él.

Pese a los silencios y las ofuscaciones de tanta gente, estamos empezando a ver más claro en el genial poeta. En este sentido han sido hechos de innegable importancia, además de los estudios mencionados, la publicación de la *juvenilia* lorquiana, en 1994, y, en 1997, de la nueva edición de la correspondencia, a cargo de Andrew Anderson y Christopher Maurer (indebidamente titulada, con todo, *Epistolario completo*, algo que no es y no será nunca).

De hecho, se han perdido muchas cartas. Entre ellas, las de Lorca a Lorenzo Martínez Fuset, Emilio Aladrén y José María García Carrillo, tal vez destruidas por sus respectivas familias; la mayor parte de las cruzadas entre el poeta y Rafael Rodríguez Rapún y Adolfo Salazar; y casi todas las del poeta a Dalí. Tales lagunas epistolares —y hay otras muchas— son trágicas.

También grave, pero subsanable, es el hecho de que todavía no se haya editado la correspondencia recibida por el poeta y que obra en poder de la Fundación Federico García Lorca, de Madrid. De dichas cartas, tal vez las más importantes desde el punto de vista biográfico son las de su exigente madre, Vicenta Lorca, que arrojan una intensa luz sobre la relación de ambos.

Al margen del epistolario, y de la pérdida o destrucción de otros documentos, hay que mencionar una fuente biográfica de primer orden que sigue cerrada a los investigadores: el voluminoso diario de Carlos Morla Lynch, del cual sólo dio a conocer (en 1958) una versión afeitada y retocada. De ser publicado en su integridad dicho diario, se iluminarían momentos aún nebulosos de la vida del poeta. Esperemos que futuros biógrafos tengan acceso a él.

Entregadas al editor las pruebas de imprenta de este libro, mi archivo se trasladará al Centro de Estudios Lorquianos en Fuente

Vaqueros, cuya apertura se prevé para 1998, centenario del nacimiento del poeta. Con ello pongo punto final a mis largas investigaciones sobre aquel entrañable ser tan cruelmente sacrificado por el odio y la ignorancia de quienes, en 1936, se sublevaron contra la Segunda República.

IAN GIBSON
Restábal (Granada)
3 de noviembre de 1997

NOTA PREVIA A ESTA NUEVA EDICIÓN (2016)

Desde la aparición de este tomo en 1998 la bibliografía sobre Lorca no ha dejado de crecer. Dedicado a otras tareas, me ha sido imposible leer todo lo publicado, pero he tratado de mantenerme al tanto de las novedades más destacadas. Entre ellas me ha sido muy provechoso poder disponer del hermoso libro póstumo de Isabel García Lorca, *Recuerdos míos* (2002), que arroja más luz sobre los primeros años de la familia en Granada y sus estancias veraniegas en Asquerosa, complementando así el ya conocido libro, también póstumo, de su hermano Francisco, *Federico y su mundo* (1980). La lástima es que su hermana Concha muriera (en accidente de coche) sin dejar una aportación que habría sido de gran trascendencia, quizá sobre todo en relación con lo ocurrido en Granada aquel trágico verano de 1936.

Han sido fundamentales para mi revisión del texto dos ensayos de Carlos Jerez Farrán: *Un Lorca desconocido. Análisis de un teatro «irrepresentable»* (2004) y *La pasión de San Lorca y el placer de morir* (2006). Demuestran, así como los trabajos anteriores de Binding y Sahuquillo, que hoy nadie puede escribir con sensatez sobre la obra del granadino sin tener en cuenta su homosexualidad, algo muy difícil en España hasta hace muy poco tiempo.

Muy importante ha sido también la nueva edición del diario del diplomático Carlos Morla Lynch, *En España con Federico García Lorca*, prologado por Sergio Macías Brevis (2008), que aclara unas fechas, añade unos datos y aporta algún papel inédito. Es una pena, con todo, que no tengamos el documento completo —tal vez sólo la cuarta parte del original—, guardado sigilosamente por sus herederas y quizá en parte destruido.

En cuanto a las cartas enviadas por Lorca desde Nueva York a

Rafael Martínez Nadal, ¿las quemó éste realmente o están esperando el momento de darse a conocer? Cuesta trabajo creer que el recipiente hubiera sido capaz, por razones de pudibundez, de acabar para siempre con un testimonio tan único sobre la estancia allí del poeta y de la intimidad de su amistad, pero tal vez fue así.

Al releer los dietarios de mis pesquisas lorquianas —ocho tomos manuscritos que, corregidas las galeradas de este libro, se depositarán en mi archivo en Fuente Vaqueros— me he dado cuenta otra vez de cuánta documentación relacionada con el poeta se ha perdido: cartas, testimonios, papeles... Una vez más es difícil no encontrar en Lorca el máximo símbolo de la tragedia de la Guerra Civil y sus secuelas, de lo que ha perdido España —y el mundo— a consecuencia de la criminal sublevación de 1936.

Si 2016 significa el 80.º aniversario del inicio de la conflagración fratricida y del asesinato del poeta, también es el centenario del primer escrito suyo conocido: *Mi pueblo*. Causa asombro constatar que compuso en sólo veinte años la prolífica obra hoy tan universalmente admirada.

Quiero recalcar una vez más el valor incalculable del *Epistolario completo* de Lorca (1997) compilado por Christopher Maurer y Andrew Anderson, con un magnífico índice que facilita mucho su consulta y utilización. Falta todavía, sin embargo, una edición de la copiosa correspondencia recibida por el poeta y conservada en la Fundación que lleva su nombre. En este sentido un importantísimo paso ha sido la publicación, por mi amigo Víctor Fernández, de las misivas dirigidas por Vicenta Lorca a su primogénito y que nos permiten conocer mucho mejor su relación.

Repasando sendas listas de agradecimientos correspondientes a los dos tomos originales de mi biografía (1985 y 1987), reproducidas al final del presente volumen, constato que, de las muchísimas personas entrevistadas, siguen hoy con vida sólo un puñado. ¡Las cruces serían hoy incontables! y oigo la voz de la Tía en *Doña Rosita la soltera*: «Ya nos queda poco tiempo en este teatro». Me complace que estos centenares de nombres queden unidos a mi quehacer biográfico, que ahora concluye definitivamente, pues sin ellos no existiría el libro. Ha sido un privilegio tratar a tantos amigos y conocidos del poeta desparramados por esos mundos de Dios, y me alegra haber podido poner a salvo sus recuerdos.

Por lo que respecta a este texto revisado, quiero expresar mi profundo agradecimiento a Inmaculada Hernández Baena, archivera del Museo-Casa Natal Federico García Lorca en Fuente Vaqueros, cuya colaboración ha sido siempre eficacísima. El ya mencionado Víctor Fernández, gran investigador, nunca me ha faltado y siempre he podido contar con sus sugerencias y su pericia, muy superior a la mía, a la hora de encontrar información pertinente en internet. Mi agradecimiento también al personal de La Casa de los Córdova en Granada (Margarita Jiménez y María Socorro Rodríguez Heras), Eduardo Ruiz Baena (Casa-Museo Federico García Lorca, Valderrubio), Adrián Ausín, Jorge Martínez Ramírez, María Casas y Laura Tomillo —mis simpáticas editoras en Penguin Random House—, Silvia Bastos y Guenny Rodewald.

IAN GIBSON
Madrid
28 de diciembre de 2015

INFANCIA (1898-1909)

La Vega de Granada. Fuente Vaqueros

Federico García Lorca gustaba de proclamar que era granadino. A veces, hilando más fino, explicaba que no le trajeron al mundo en la afamada ciudad de la Alhambra sino en el pequeño pueblo de Fuente Vaqueros, situado en medio de su hermosa Vega, y que era hijo de un rico terrateniente, Federico García Rodríguez, y de una maestra, Vicenta Lorca Romero.[1]

Su alumbramiento tuvo lugar el 5 de junio de 1898 en momentos de auténtico trauma nacional. Estados Unidos había declarado la guerra contra España tras la voladura del *Maine* en el puerto de La Habana, y a principios de mayo llegó la noticia de la destrucción de la flota en la bahía de Manila, con cuatrocientas bajas españolas y ni una sola norteamericana. Produjo rabia, estupor, vergüenza y un sentimiento de impotencia generalizada. Se desencadenó en la prensa un histerismo revanchista. La gente se lanzó a la calle, con gritos contra el Gobierno, la monarquía, las fuerzas armadas. En julio es el desastre final: la pérdida de Cuba, el último retazo de los antes inmensos dominios al otro lado del Atlántico.[2]

Por lo que le toca a Granada, 1898 significa una tristeza añadida: el suicidio del escritor Ángel Ganivet, que aquel noviembre se tira a las heladas aguas del Dvina, cerca de Riga —hoy capital de Letonia— a los treinta y dos años.

Tal vez por todo ello habría en García Lorca una tendencia a situar su nacimiento, no en 1898, sino en el más prometedor 1900.

El futuro poeta pasó sus primeros once años en la feraz llanura granadina. En Fuente Vaqueros hasta 1906 o 1907, luego en la cercana aldea de Asquerosa. En 1909 su familia se instalaría en la capital de la provincia.

n todo la sencillez —declaró—. Este modo de ser senci-
ndí en mi infancia, allá en el pueblo.»[3]

as las vegas de España, la de Granada siempre se ha
considerado la más bella. Dominada por la imponente mole de Sierra Nevada, ceñida por otras montañas y atravesada por el río
Genil y su afluente el Cubillas, la planicie, de unos 1.360 kilómetros cuadrados, fue durante cientos de años un mundo aparte, cerrado sobre sí mismo, donde la vida discurría mansamente y el
hombre vivía en íntima compenetración con la tierra. Los viajeros
románticos del XIX quedaban deslumbrados ante su lozanía, en
primer lugar Richard Ford, autor de la mejor guía de España de
todos los tiempos. La llanada, escribió, era como «una verde alfom-
bra» tendida al pie de su Sierra, «de alpina majestuosidad».[4]

Hoy, agredida cada vez más por el crecimiento de sus pueblos,
cruzada por autovías, aquejada de contaminación lumínica nocturna y sometida al ruido de un aeropuerto internacional, su de-
gradación es patente y trágica, quizá irreversible.

Los árabes granadinos, expertos horticultores, crearon en la
Vega un complicado sistema de riego que mejoró notablemente
el dejado por los romanos, y la convirtieron en paraíso terrenal.[5]
Pero con la «toma» de Granada por los Reyes Católicos en 1492
entró en una fase de rápida decadencia. Los cristianos practicaban técnicas agrícolas más primitivas que los musulmanes y se
mostraron incapaces de adaptarse a las elaboradas y perfeccio-
nadas por éstos durante ocho siglos. El declive culminó en 1609
con la brutal expulsión definitiva de los moriscos.

En el corazón de la Vega se extendía una amplia finca conocida, a partir de la caída de Granada, con el nombre de Soto de
Roma. Había pertenecido anteriormente a los reyes moros. Los
entendidos no se han puesto de acuerdo con respecto a los orígenes de la palabra *Roma*, que no guarda relación alguna con su
homónima italiana. Lo más probable es que proceda de una raíz
árabe que significa «cristiana».[6] Dicha derivación se avala por el
hecho de que, no lejos del Soto, en la orilla izquierda del Genil,
hay un pueblecito llamado Romilla o Roma la Chica donde, según cuenta la tradición, vivió Florinda, la hija del conde don Julián, el personaje a quien se culpa de haber abierto las puertas
de la Península Ibérica a los árabes en 711.[7] En cuanto a *soto,*
no plantea problemas: viene del latín *saltus*, «prado» o «hacienda». Parece, pues, que Soto de Roma equivale a «Soto de la Cristiana».

A los habitantes de Romilla se les conoce por *romerillos* o *romanos*, denominación que permite identificar el origen de Pepe el romano en *La casa de Bernarda Alba*. Cabe añadir que entre Romilla y el Genil hay una ruina árabe, designada por los ribereños como Torre de Roma, que servía antiguamente de mojón indicador del límite sur del Soto. Le daba miedo al Federico niño penetrar en aquella ruina húmeda y llena de sapos que, según se decía, cobijaba a culebras y hasta a un lagarto gigantesco «que se comía crudas a las mujeres» pero no tocaba a los hombres.[8]

Fernando e Isabel repartieron las fértiles tierras de la Vega entre sus nobles, si bien tuvieron buen cuidado de reservarse el Soto de Roma para su uso exclusivo y el de sus descendientes, por lo que al nombre de la finca le fue concedido pronto el título de Real Sitio.

En el siglo XVI estaba espesamente arbolado y albergaba abundante caza.[9] Ginés Pérez de Hita, autor de *Guerras civiles de Granada* (1595), se refiere en la primera parte de su monumental obra a la densidad de la vegetación que cubría el lugar. «Hoy día quien no tiene muy andadas las veredas se pierde en él», nos asegura.[10] Más de cuatrocientos años después el incauto todavía puede perderse en los bosques del Soto, hoy espesas y lozanas choperas.

El Soto permaneció en manos de la Corona durante tres siglos, sometido únicamente a una mínima explotación agrícola y utilizado para satisfacer las proclividades cinegéticas de los monarcas de turno que, durante sus raras visitas, se alojaban, a partir de la llegada de los Borbones, en la Casa Real, noble edificio levantado al lado del Cubillas a menos de un kilómetro de Fuente Vaqueros, entonces pueblo minúsculo.

En 1765 Carlos III otorgó el Soto a Richard Wall, hijo de inmigrantes irlandeses que entre 1754 y 1764 había sido embajador de España en Londres y secretario de Estado.[11] Inició en Fuente Vaqueros la construcción de la iglesia parroquial de Nuestra Señora de la Anunciación, pero murió en 1777 antes de verla terminada.[12] La hacienda revirtió entonces a la Corona y no mucho más tarde fue cedida a Manuel Godoy, ministro de Carlos IV entre 1792 y 1797, y amante de María Luisa, la oronda esposa del rey cruelmente representada por Goya en sus retratos de la familia real.[13] Parece que Godoy no visitó nunca el Soto de Roma. Cuando el llamado Príncipe de la Paz cayó en desgracia tras la victoria de Nelson en Trafalgar volvió de nuevo a la Corona.

En 1813 su destino cambió súbitamente de signo cuando las Cortes de Cádiz lo regalaron al duque de Wellington, Arthur Welles-ley, vencedor de Napoleón en Salamanca, así como otra finca, Moli-no del Rey, situada cerca del pueblo de Íllora en el borde noroeste de la Vega. También le otorgaron el título de duque de Ciudad Ro-drigo. Durante más de cien años el Soto de Roma pertenecería en plena propiedad a los ingleses.[14]

Aquel mismo año de su cesión, 1813, tenía setecientos habi-tantes, distribuidos en varias aldeas, la mayor de ellas Fuente Va-queros.[15] Sir Arthur no se dignó nunca visitar sus fincas granadi-nas, administradas por agentes normalmente incompetentes y a menudo corruptos. Constituyó una excepción a la regla el primero, el general O'Lawlor, español, como Richard Wall, de origen irlan-dés. Edecán de Wellesley durante la guerra, aunó después su car-go de gerente del Soto de Roma con el de capitán general de Gra-nada.

En 1831, Richard Ford pasó unos días en Fuente Vaqueros con O'Lawlor y dejó para la posteridad tres o cuatro delicados dibujos a lápiz de la Casa Real.[16] En su manual, publicado en 1845 en dos apretados tomos de pequeño formato por el famoso editor londi-nense John Murray, incluyó algunas páginas muy bien documen-tadas sobre Fuente Vaqueros, donde se apuntaba que, gracias a los desvelos de Wall y O'Lawlor, el Soto debía a irlandeses por dos veces los trabajos de mejora realizados en él.[17]

Hasta finales del siglo XIX, época en que se construyeron mu-ros de contención en las riberas del Genil, el Soto estuvo sujeto a frecuentes y a veces desastrosas inundaciones. Todos los otoños, cuando empezaban las lluvias, tanto el Genil como el Cubillas se desbordaban, al igual que las acequias del contorno, y solían venir abajo los frágiles puentes de madera que salvaban los ríos. Al re-sultar éstos infranqueables, quedaba cortada la comunicación en-tre las gentes del Soto y el mundo exterior.

El Genil discurría anteriormente por el norte de Fuente Va-queros.[18] Pero, en 1827, después de unas lluvias torrenciales, se salió de madre cerca de Santa Fe, modificó su curso, y se desvió hacia el sur del pueblo, que es donde lo encontramos hoy.[19] Debido a la humedad de la zona, La Fuente, nombre con que familiar-mente se conoce el lugar entre las gentes de la Vega, era conside-rado insalubre hasta comienzos del siglo XX.[20]

Horace Hammick, amigo y posteriormente administrador del segundo duque de Wellington, intentó visitarlo en el otoño de 1854, pero se lo impidieron las lluvias.[21] Tuvo más suerte en el de 1858, después de incontables dificultades. Encontró el lugar, y el Soto de Roma en general, en un estado lamentable. Muchos de los vecinos sufrían duras penalidades, pululaban mendigos medio desnudos por las calles, el cultivo de las tierras estaba en punto muerto, había una gran escasez de pan y eran numerosas las víctimas mortales de las fiebres. «Nos pidieron encarecidamente que le informásemos al dueño, el duque de Ciudad Rodrigo, acerca de su deplorable situación», escribió Hammick, que encontró la Casa Real prácticamente en ruinas, sin puertas ni ventanas, con los muros agrietados y, en el piso superior, una muchedumbre de gitanos.[22]

Pero si cada año las inundaciones llevaban hambre y desolación al Soto de Roma, también es verdad que la propiedad debía su feracidad a las capas de lima que a lo largo de siglos habían depositado sobre ella el Genil y el Cubillas.

La población del Soto crecía, y en 1868 los setecientos habitantes censados en 1813 habían aumentado a unos tres mil.[23] La expansión era el resultado en parte de las innovaciones agrícolas introducidas por los ingleses, que, sin ser espectaculares, mejoraban los métodos antiguos. Otro estímulo fue una fuerte demanda industrial de cáñamo y lino, ambos florecientes en la Vega.[24] Según Hammick, el enfiteusis, el sistema que permitía a los colonos del Soto arrendar y subarrendar sus terrenos casi *ad infinitum*, contribuyó también a la explosión demográfica.[25]

Alrededor de 1880 se dio otra circunstancia mucho más decisiva para la economía no sólo del Soto de Roma sino de la Vega en general: el descubrimiento de que aquellas tierras eran muy idóneas para el cultivo de la remolacha de azúcar.[26] La pérdida de Cuba en 1898 ayudó poderosamente este proceso, ya que con ella se acabó la importación de azúcar barato procedente de la isla. Por todos lados empezaron a surgir fábricas de azúcar, con sus altas chimeneas, y en poco tiempo amasaron grandes fortunas los terratenientes vegueros. Entre ellos el padre del poeta, Federico García Rodríguez.

El bisabuelo paterno de éste, Antonio García Vargas, procedía de Santa Fe, donde estaba emparentado con «ricas y antiguas familias de aquella histórica ciudad», según Francisco García Lorca, hermano del poeta, nacido en Fuente Vaqueros en 1902, en su libro póstumo *Federico y su mundo*.[27] Histórica ciudad donde los Reyes Católicos firmaron las capitulaciones con Boabdil y el acuerdo con Colón, y por cuyas puertas muradas hubieron de cruzar los García Lorca muchas veces camino de Granada en su coche de mulas.[28]

En 1831 el bisabuelo Antonio García se casó con una joven de Fuente Vaqueros, Josefa Paula Rodríguez Cantos, y se trasladó al pueblo como secretario del Ayuntamiento, cargo que desempeñaría durante muchos años.[29]

Josefa Paula, apodada «la abuela rubia», era una belleza notable y, según tradición de la familia, tal vez de origen gitano.[30] Más probable, quizá, es que lo fuera la madre de Antonio, dada la frecuencia del apellido Vargas entre los calés andaluces. Cabe inferir, de todos modos, que la sospecha de tener aquella sangre en las venas, por muy diluida que estuviera, complacía al futuro autor del *Romancero gitano*.

Los García Vargas —eran diez hermanos y hermanas— poseían una extraordinaria aptitud para la música.[31] El bisabuelo Antonio tenía una hermosa voz y tocaba bien la guitarra. Cuenta Francisco García Lorca: «Por lo visto se divertía en hacer *fiorituras* e ilustraciones con la guitarra, dificultando el canto de los nietos, y se ha perpetuado en la memoria de mis tías la frase malhumorada de mi padre niño, que decía al abuelo: "Toca llano y no puntees."»[32]

A otro hermano, Juan de Dios, dueño de un oído finísimo, se le daba bien el violín, instrumento poco corriente por aquellos contornos.[33]

Antonio y Josefa Paula tuvieron seis hijos y una hija.[34]

De ellos, Enrique García Rodríguez, abuelo del poeta, fue el más serio. Ferviente católico y, en política, liberal —combinación bastante insólita en aquella España—, heredó de su padre el cargo de secretario del Ayuntamiento de Fuente Vaqueros y transmitió a sus hijos «una viva afición por la música». Era presidente de la Cofradía de las Ánimas, culto floreciente en el pueblo. Los vecinos le respetaban por su sentido común y su sensatez a la hora de dar consejos.[35]

Federico, el mayor de los hermanos, heredó la tradicional afición a la música de la familia, llegó a ser bandurrista profesional y se hizo célebre en Málaga, donde tocaba en el famoso Café de Chinitas.[36] Francisco García Lorca opinaba que el amor a Málaga que profesaban los suyos tenía algo que ver con la prolongada estancia allí de aquel antepasado.[37] Sea como fuera, Enrique García Rodríguez puso el nombre de Federico a su primer hijo, futuro padre del poeta, en homenaje al hermano a quien tanto admiraba.[38]

Baldomero García Rodríguez era el más excéntrico, bohemio, artístico y original de los cuatro hermanos (el otro, Narciso, de quien se recuerda poco, era maestro con talento para el dibujo).[39] Interpretaba con consumada pericia su papel de oveja negra de la familia, y resultaba para ella una figura tan «poco grata» que no le gustaba hablar de él.[40] Cojo a causa de un defecto congénito, se le conocía en toda la región por sus espectaculares borracheras, sus amoríos y las maliciosas coplas que improvisaba con extraordinaria facilidad. Una de ellas decía:

> *Tengo una novia pura*
> *que Purita se llama,*
> *no porque fueran puras*
> *ni sus acciones ni sus palabras.*[41]

Baldomero era dueño de dotes musicales excepcionales y tocaba magistralmente tanto la guitarra como la bandurria. Ejercía, a veces, de maestro. Y, en 1892, fue secretario del Ayuntamiento del pueblo de Belicena, situado no lejos de Fuente Vaqueros.[42] En su repertorio de canciones populares figuraba como especialidad la *jabera*, variedad de flamenco que hoy se escucha muy poco.[43] La madre de Lorca solía recordar que cantaba «como un serafín».[44] Era, de hecho, un juglar («una especie de juglar pueblerino», dice Francisco García Lorca),[45] pero no sólo eso. En 1882 había publicado en Granada un librito, *Siemprevivas*, subtitulado *Pequeña colección de poesías religiosas y morales*. El tono de las composiciones es menos austero de lo que daba a entender la portada. El poeta ensalza en ellas, con gracia, la bondad de Dios y la insensatez de quienes no saben apreciarla, elogia la Naturaleza, donde ve la mano siempre presente del Creador, y exhorta al lector a que abjure de la búsqueda de los vanos éxitos mundanos.[46]

Murió en el hospital de San Juan de Dios, de Granada, el 4 de noviembre de 1911, a la edad de setenta y un años.[47] No hay duda de que el joven García Lorca llegó a conocer y a respetar a aquel descarriado tío abuelo, algunos de cuyos poemas parece que conocía de memoria. La tradición familiar registra una ocasión en que su madre exclamó, al oír a su primogénito expresarse de una manera muy exagerada: «¡Ya tenemos a otro Baldomero!». A lo cual Federico replicaría: «¡Sería un honor para mí ser como él!».[48] En 1931 aludió a Baldomero, pero sin mencionarlo por su nombre, durante un discurso pronunciado en Fuente Vaqueros. «Mis abuelos sirvieron a este pueblo con verdadero espíritu —dijo— y hasta muchas de las músicas y canciones que habéis cantado han sido compuestas por algún viejo poeta de mi familia.»[49]

Las mujeres de la familia no les iban a la zaga de los hombres en lo que a talento se refería, y a menudo eran de gran originalidad. La esposa del abuelo Enrique, Isabel Rodríguez Mazuecos, por ejemplo. Al igual que su marido era liberal en política, pero, en cambio, anticlerical. Muy sociable, muy comunicativa, siempre con una palabra amable para todo el mundo, tenía una vitalidad desbordante. Todos los miembros de aquella numerosa familia la adoraban. Debido a ello el nombre Isabel proliferaría entre ellos.[50]

La abuela compartía la pasión por la literatura de su esposo Enrique y solía ir a Granada específicamente para comprar libros. Además tenía el don de la lectura en voz alta y le encantaba ponerlo en práctica, no sólo para deleite de sus hijos sino de sus vecinos y amigos, muchos de ellos analfabetos. Francisco García Lorca comenta que aquella aptitud no era infrecuente en la familia y que Federico sería su «máximo ejemplo».[51] Los poetas favoritos de la abuela eran Zorrilla, Espronceda, Bécquer y Lamartine. Sus novelistas, Dumas padre y, de manera especial, Víctor Hugo. De hecho, casi idolatraba al gran escritor francés y tenía sobre un aparador, expuesto con todos los honores, un busto de yeso, tamaño natural, de éste.[52]

El tío abuelo Baldomero también admiraba a Hugo y en 1902 estampó una elegante diatriba al frente de una edición de *Los miserables* que había llegado a sus manos. «A la imperdonable ligereza de los cajistas —empezaba— se debe la infinidad de errores cometidos en la impresión de los libros de esta grandiosa obra. Muchas letras, sílabas y aun palabras de más. Muchas letras y sílabas y aun palabras de menos. Letras y sílabas que desfiguran la frase hasta el extremo de hacer decir una cosa muy contraria de la que deben expresar».[53]

Francisco García Lorca recuerda que la familia no sólo poseía las obras completas de Hugo en una edición de lujo encuadernada en piel —se trataba de la traducción en seis tomos de Jacinto Labaila, publicada por Terraza, Aliena y Compañía en Valencia en 1888—, sino que aquellos libros, ilustrados con bellas láminas de color, constituyeron sus primeras lecturas y probablemente las de Federico también. En la obra temprana del poeta hay, de hecho, numerosas alusiones admirativas a Hugo.[54]

Isabel Rodríguez no era ni mucho menos la única persona de Fuente Vaqueros aficionada a la lectura: en la Vega, los del pueblo tenían fama de ser amantes de los libros.[55] Tal vez por el hecho de pertenecer el Soto de Roma al duque de Wellington, circunstancia que diferenciaba a sus vecinos de las demás gentes de la llanura y quizá les confería, gracias a su contacto con otra mentalidad, una visión más amplia tanto del mundo como de la vida. Por otra parte les dolía la espinilla de ser arrendatarios de un aristócrata extranjero, por mínimo que fuera el canon e importante que hubiera podido ser la contribución de su magno antepasado al bienestar de España. Probablemente ello serviría también para agudizar el sentido de la ironía de los lugareños.[56]

En cuanto a los ingleses, tenían muy mala opinión de sus colonos y no confiaban en ellos. Hablaban de la «dudosa fama» de Fuente Vaqueros y de «agitadores de izquierdas» que hacían lo posible por sembrar el malestar.[57] Parece que los Wellesley creían que, en el siglo XVIII, Carlos III había poblado la zona con presidiarios, lo que explicaría su «veta rebelde», siempre dispuesta a ponerse de manifiesto.[58] Pero el alegato no se sustenta documentalmente y la presunta rebeldía de La Fuente no tiene por qué necesitar una explicación tan recóndita. A lo mejor se trataba de que los ribereños se sentían, en el fondo, humillados al pertenecer su pueblo a otros. Lo cierto, de todas maneras, es que Fuente Vaqueros era especial. «Un hatajo de levantiscos, siempre dispuestos a ir contra la autoridad», según uno de los administradores. Bastante indiferentes a las cuestiones religiosas, sus gentes, apunta por su parte Francisco García Lorca, eran notablemente alegres y liberales, «un ejemplar humano abierto y comunicativo, más gracioso y más culto que el de ningún pueblo circunvecino».[59]

Enrique García e Isabel Rodríguez tuvieron cuatro hijos y cinco hijas. Preocupado por su formación intelectual, Enrique llegó, según Isabel García Lorca, la hermana menor de Federico, a organizar él mismo una escuela para su formación.[60] Todos heredaron la habilidad musical de la familia. Sobre todo Luis, excelente pianista, tan excelente que unos parientes de Santa Fe le compraron un piano. Improvisaba que daba gusto y poseía un oído impecable que le permitía ir a una zarzuela en Granada y reproducir, a su vuelta a casa, las melodías escuchadas. También tocaba la guitarra, la flauta y la bandurria.[61] Más tarde, en Granada, se haría amigo de Manuel de Falla, quien admiraría sus dotes.[62]

No sólo a Luis sino a todo el clan García de Fuente Vaqueros les encantaban las zarzuelas. El hermano del poeta cuenta cómo, al enterarse de que una compañía granadina especializada en ellas se acababa de deshacer por razones económicas, su padre y sus tíos se pusieron de acuerdo en llevar al pueblo a la troupe, alojándolos en sus casas, donde se quedaron varios meses. Miembros de la familia sustituían los papeles que faltaban en las representaciones, Luis dirigía la orquesta y otros vecinos participaban en los coros. A Federico le dieron el papel del niño en la zarzuela *Las campanadas* (con letras de Carlos Arniches y Gustavo Cantó, y música del maestro Chapí). Entre el reparto había «una bellísima muchacha» que iba a ser intérprete famosa, Pepita Meliá. Años después participaría en un acto de desagravio al poeta en México y recordaría haber estado de joven en Fuente Vaqueros. Y sigue Francisco: «Pero no se dio cuenta de que donde ella y su madre habían estado viviendo fue en mi casa, ni de que el niño que trabajó con ella en *Las campanadas* era el poeta cuya memoria se conmemoraba».[63]

No es difícil imaginar que para el futuro dramaturgo —y director de escena— el hecho de tener en casa a unos artistas musicales profesionales y de actuar con ellos fue una experiencia inolvidable, alentadora y formativa.

Una de las primas favoritas de Lorca, Clotilde García Picossi, recordaba una representación parecida, la de la zarzuela *La alegría de la huerta*, en la cual, con diez años, aparecía conduciendo de la mano a Federico, «que iba vestido de gitanillo».[64]

En cuanto a la tía Isabel García Rodríguez, cantaba «con extraordinaria afinación y voz delicada», acompañándose a la guitarra.[65] Más tarde el poeta le dedicaría un ejemplar de su primer libro, *Impresiones y paisajes*, con palabras de acendrada gratitud: «A mi queridísima tita Isabel, que me enseñó a cantar siendo ella una maestra artística de mi niñez. Con todo mi corazón».[66]

El mayor de los nueve hermanos, Federico García Rodríguez, el padre de Federico, había nacido en Fuente Vaqueros en 1859. Una fotografía de cuando tenía veinte años sugiere una personalidad en la que se amalgaman de manera armoniosa seriedad, sensibilidad y decisión.[67] El poeta heredaría sus ojos, las gruesas cejas, la amplia frente, los labios delicadamente modelados y, según Francisco García Lorca, las manos.[68] Ya vimos que Lorca atribuía a García Rodríguez, además, su «pasión».[69] El padre era tolerante, sensato, moderado en sus juicios, dispuesto siempre a ayudar a quien le hiciese falta y dotado de una dignidad innata, de un excelente sentido del humor y de una total ausencia de presunción. Tenía, según Francisco, «un verdadero señorío» y «un profundo sentido familiar que se extendía a parientes igualmente alejados».[70] No es sorprendente que, dueño de tales cualidades, llegara a ser muy respetado en toda la comarca y «el jefe indiscutible» de los suyos. También se le admiraba por excelente jinete y por manejar bien la guitarra.[71]

En 1880, a los veinte años, García Rodríguez se casó en Fuente Vaqueros con Matilde Palacios, que tenía su misma edad. Era de Alomartes, pueblo situado cerca de Íllora, al norte de la Vega. Su padre, Manuel Palacios Caballero, era un labrador acomodado. Desde el punto de vista material, pues, se trataba de una unión ventajosa para el novio. Manuel Palacios construyó una espaciosa casa para la pareja en el número cuatro de la calle de la Trinidad, y parece muy probable que durante los primeros años de su matrimonio García Rodríguez trabajase para su suegro.[72]

En apariencia todo le sonreía a la joven pareja, por lo que el descubrimiento de que Matilde no podía tener hijos debió de ser un golpe cruel. García Rodríguez, entretanto, sustituyó a su padre en el cargo de secretario del Ayuntamiento de Fuente Vaqueros y, en 1891, lo encontramos ejerciendo provisionalmente de juez municipal. A los treinta años, es decir, ya ocupaba una posición considerable en el pueblo.[73]

El 4 de octubre de 1894 Matilde Palacios murió de «obstrucción intestinal». La casa pasó de por vida al viudo, que también heredó de su mujer una considerable cantidad de dinero en metálico.[74]

Años más tarde, cuando Lorca escribía *Yerma* y reflexionaba sobre la acuciante frustración que suponía para una mujer de campo la esterilidad, es muy posible que tuviera presente a la infortunada Matilde. Su infancia, dijo en una ocasión, era «la obsesión de unos cubiertos de plata y de unos retratos de aquella otra "que pudo ser mi madre"».[75]

García Rodríguez resultó ser un sagaz hombre de negocios, con buena cabeza para los números y la compraventa de fincas rústicas. Al morir su esposa decidió invertir en tierras el dinero de que disponía y, en 1895, adquirió varias excelentes propiedades en las proximidades de Fuente Vaqueros, fuera ya del Soto de Roma y del control de los ingleses.[76]

Figuraban entre ellas una enorme y hermosa finca, Daimuz, situada cerca de la confluencia del Genil y del Cubillas, que se convertiría en la base de su riqueza. Topónimo árabe que tal vez significaba «Alquería de la Cueva» (aunque allí no se conoce actualmente cueva alguna), la propiedad había pertenecido, tras la caída de Granada, a uno de los almirantes de Fernando e Isabel, y a partir de entonces, durante siglos, a una familia aristocrática de la ciudad. Comprendía extensas tierras de regadío, además de parcelas de secano laborable y, a orillas del Cubillas, espesos bosques de chopos. «Los primeros recuerdos de mi vida son de Daimuz —escribe Francisco García Lorca—, así como la primera imagen que guardo de mí mismo, de Federico y de mis padres.» Recordaba haber escudriñado más adelante, con su hermano, los títulos de propiedad del cortijo: remontaban hasta el tiempo de los árabes.[77]

Hoy la finca sigue casi igual, presidida por el inmenso telón de fondo de Sierra Nevada. Hacia el oeste, descarnada, se yergue Parapanda, montaña pelada cuya fama de barómetro se celebra en una copla famosa en toda la comarca: «Cuando Parapanda se pone la montera llueve aunque Dios no lo quiera»; o sea, cuando la cubre una nube.

Podemos tener la seguridad de que el Federico niño se familiarizó temprano con el dicho. En un poema adolescente apostrofa los «montecicos ingenuos» que bordean la Vega, surcados de hileras de olivos. Parapanda es «La sierra arlequinesca / Que tiene una joroba / En su cumbre serena».[78]

García Rodríguez compró Daimuz pensando no sólo en las ventajas que podía reportarle personalmente, sino también con la idea de mejorar la situación económica de sus ocho hermanos y hermanas, entre los cuales distribuyó hazas de la propiedad.[79]

Eran los tiempos del espectacular auge de la remolacha de azúcar. Aprovechó la oportunidad que se le brindaba y sembró sus tierras con la planta. Se convirtió en poco tiempo en uno de los hombres más ricos de toda la comarca.

Es probable que, antes de la muerte de Matilde Palacios, ya conociera a Vicenta Lorca Romero, oriunda, como hemos dicho, de Granada, que consiguió el puesto de maestra de la escuela de niñas de Fuente Vaqueros a finales de 1892.[80] No sabemos casi nada del noviazgo, pero se ha transmitido la indignación de los hermanos del labrador ante la posibilidad de que él, cabeza de la familia y ahora acaudalado, se «rebajara» hasta el punto de casarse con una pobre profesora que no aportaba al matrimonio más que su persona y su cultura.[81] Con todo, la resistencia familiar resultó inútil y la boda se celebró en la iglesia parroquial del pueblo el 27 de agosto de 1897.[82] García Rodríguez tenía entonces treinta y siete años; Vicenta, nacida el 25 de julio de 1870, veintiséis.[83]

La familia de Vicenta no era ni tan numerosa ni tan dotada de originalidad como la de su marido. Hija única, sus padres eran Vicente Lorca González, de Granada, y María de la Concepción Romero Lucena, de Santa Fe.[84]

El abuelo paterno, Bernardo Lorca Alcón, había nacido en Totana, en la provincia de Murcia, en 1802;[85] se ignora cuándo y por qué se trasladó a Granada, donde se casó con Antonia Josefa González.[86] En un documento de 1840 consta que era «de ejercicio del campo».[87]

El apellido del abuelo indica la posibilidad de que la familia tuviera origen judío. Importante lugar murciano próximo a Totana, Lorca contaba con una floreciente comunidad hebrea en la Edad Media y, como es bien sabido, los judíos, llegada la hora de la Inquisición y de la forzosa conversión al cristianismo (o exilio), cambiaban a menudo sus nombres por el de su lugar de origen, esperando disfrazar así su origen. El poeta, de todas maneras, no sólo estaba convencido de que había heredado sangre judía de su madre, por aguada que fuera (como la gitana), sino contento de que su segundo apellido le vinculara a una localidad de Murcia con importantes antecedentes hebreos. Es un factor que hay que tener en cuenta: creía que corría en sus venas, entre otras sangres, la de conversos.[88]

Vicenta Lorca no llegó a conocer a su padre, que murió en 1870 a la edad de veintisiete años, mes y medio antes de que naciera ella.[89] La viuda, que tenía la misma edad que su difunto marido, era, como él, de origen humilde, y su padre, así como consta en documentos de la época, «de ejercicio del campo». Pertenecía, es decir, a la misma modesta categoría social que el abuelo Bernardo Lorca Alcón.[90]

Los primeros años de Vicenta Lorca fueron sin duda difíciles, y los padrones municipales granadinos demuestran que la familia cambió a menudo de domicilio, se infiere que a causa de problemas económicos.[91]

En 1883, después de la muerte de Bernardo Lorca, Vicenta es interna de una escuela de beneficencia regentada por monjas, el Colegio de Calderón, fundado poco antes para la formación de niñas pobres.[92] Los años pasados en esa institución la marcaron hondamente y le provocaron una acusada reacción contra la vida conventual. Era una criatura delicada que no olvidaría en su vida que las monjas —casi todas francesas— la habían obligado en una ocasión a comer lentejas, plato que detestaba. Debido a aquella experiencia se mostraría siempre indulgente con sus hijos en lo que a comidas se refería.[93]

Recordaba otras cosas desagradables que le habían ocurrido durante su estancia en el colegio, donde las peleas, las envidias y las zancadillas estaban a la orden del día.[94] Años más tarde su hija Concha frecuentaría el mismo establecimiento (no reservado ya a niñas desafortunadas) y habría de pasar por similares pruebas y tribulaciones.[95] El poeta aludiría a las experiencias escolares sufridas por ambas en su última, e inacabada, obra de teatro, *Los sueños de mi prima Aurelia*, en la que la protagonista evoca los terrores del establecimiento dirigido por «las madres calderonas».[96]

Estando en el colegio Vicenta decidió que quería ser maestra de enseñanza primaria. En 1888 ingresó en la Escuela Normal de Granada, donde demostró tener cualidades de alumna aplicada y, en 1892, obtuvo el diploma. Poco después consiguió la plaza de maestra de enseñanza primaria de Fuente Vaqueros.[97] Su madre fue a vivir con ella al pueblo, pero murió casi enseguida, en 1893.[98] Fue un durísimo golpe. «Después de tanta lucha, de tantos esfuerzos, saco el título y ¿qué pasa? Pues mi madre va y se muere», comentó años después a una de sus nietas.[99]

El 5 de junio de 1898, nueve meses tras la boda, cuando, como sabemos, los periódicos rebosaban de noticias sobre la desastrosa guerra de Cuba, Vicenta dio a luz al futuro poeta.[100] El día 11 fue bautizado, en la iglesia parroquial, con los nombres de Federico del Sagrado Corazón de Jesús.[101]

Vicenta no gozaba de muy buena salud en aquellos momentos, por lo que no pudo dar el pecho al niño, que fue confiado, durante los primeros meses de su vida, a una nodriza, la mujer del capataz de García Rodríguez, José Ramos, que vivía en la casa de enfrente.[102] Una de sus hijas, Carmen, apodada Niña Ramicos, seis años mayor que Federico, sería compañera suya durante los años de Fuente Vaqueros.[103]

El psicoanalista Emilio Valdivielso Miquel ha comentado el hecho de que, cada vez que daba luz, Vicenta Lorca enfermaba y era incapaz de amamantar a su bebé. Deduce que a lo mejor padecía depresiones posparto o psicosis puerperales. «Lógicamente —razona— hay que pensar que Vicenta sufría una depresión crónica, en el mejor de los casos, o un estado prepsicótico que agudizaba en el momento de responsabilidad y de entrega ante el nacimiento del nuevo hijo, con una negación de esa parte importantísima de la mujer, que es la crianza de su hijo.»[104] También le han llamado la atención las fotografías que se conocen de la madre, «por la expresión de frialdad, distancia, desinterés, ausencia, desgarro e incomunicación» que parecen desprender (ilustración 35).[105] Y es cierto que en ninguna de ellas se la ve risueña, feliz, relajada. Valdivielso Miquel cree encontrar en la poesía de Lorca indicios de que en su fuero interno se sentía un niño abandonado —es cierto que estos indicios existen, como veremos más adelante— y piensa que ello se relaciona con la experiencia de la separación de la madre en los primeros meses de su vida. Pero hay más. Para el médico, este episodio, «de un claro abandono por parte de la madre», es el núcleo que originó la posterior evolución de Lorca hacia la homosexualidad, la tristeza y la angustia, evolución favorecida, claro está, por otros factores. A Vicenta Lorca no se la puede culpar de ello, naturalmente, puesto que ella misma era víctima de circunstancias infantiles poco favorables.[106]

El nombre de Federico, como hemos visto, era muy popular entre el clan García de Fuente Vaqueros. Federico García Rodríguez acababa de confirmar la tradición en la persona de su primogénito. Hay que suponer, por ello, que aquel 18 de julio, día del santo, se celebró la efeméride por todo lo alto.

Se ha dicho que, unos pocos meses después de su nacimiento, Federico padeció una grave enfermedad que le impidió caminar hasta los cuatro años cumplidos.[107] Él mismo solía declarar que, si no sabía correr, era porque de niño había sufrido una lesión en las piernas.[108] En la familia, sin embargo, no hay tradición de ésta, omisión improbable de haber existido realmente.[109] Carmen Ramos, por su parte, negaría siempre que hubiera sufrido tal percance, aunque, eso sí, decía que era «blandillo para andar».[110] Es un hecho que tenía los pies absolutamente planos[111] y, además, la pierna izquierda bastante más corta que la derecha, defectos congénitos que prestaban a su andar un balanceo característico recordado después por diversos amigos.[112] En un poema temprano se queja de sus «torpes andares», alusión a la deficiencia que vamos comentando y que considera motivo suficiente para ser rechazado en el amor.[113] Varias personas recordarían, además, el temor que experimentaba al cruzar la calle, al temer que, por su falta de agilidad, le atropellasen. Y no se sabe de nadie que lo viera alguna vez correr.[114]

Se ha asegurado que el niño tuvo dificultades para hablar y que no supo articular bien las palabras hasta los tres años.[115] No parece cierto. Su hermano Francisco, informado al respecto por su madre, aseguraba que, por el contrario, habló con «una extraordinaria precocidad».[116]

Más precoz aún fue la aparición de la habilidad musical propia de los García. Francisco apunta que, según su madre, «entonaba canciones con singular afinación antes de poder articular sonidos».[117] En otra declaración Vicenta diría que, antes de hablar, no sólo tarareaba canciones populares sino que se entusiasmaba con la guitarra.[118] Aunque la madre no tocaba ningún instrumento le gustaba la música e iba a alentar aquella disposición innata de su primogénito, que tan buenos frutos daría después.[119]

La falta de agilidad física de Federico le imposibilitaba para participar plenamente en los juegos infantiles que exigían rapidez y destreza.[120] No era huraño, sin embargo, y sería un error considerarle un niño solitario y sin amigos. Al contrario, era muy popular, muy solicitado, y se le invitaba tanto a comer en casas de deudos y vecinos que a veces su madre se quejaba.[121]

En una temprana prosa, *Mi pueblo*, escrita a principios de 1916 cuando tenía dieciocho años, evocaría con nostalgia, desde Granada, el Fuente Vaqueros de su infancia: la alargada plaza con su prado y la fuente que, al inicio de ella, da nombre al lugar —lugar antaño de ganadería, debido a la humedad de la comarca—, las campanadas, los olores, las brumas y las escarchas, las choperas y las acequias, los albercones, los cuentos, la miseria que padecían las familias pobres del lugar… y los juegos que solía organizar en unas habitaciones en lo alto de la amplia casa a la que se trasladó su familia en 1902, situada en la calle de la Iglesia y hoy desaparecida. El texto da la impresión de que, si se encargaba precisamente de orquestar aquellos juegos, entre ellos «Las ovejicas» y «Los lobicos» (éste, con las ventanas cerradas y en oscuridad absoluta, les infundía «un miedo atroz»), era, en cierto modo, para compensar la falta de agilidad física comentada por su hermano.[122]

Es probable, además, que tal falta sirviera para estimular su imaginación y su facultad de observación. Desde sus primeros años, de todas maneras, se mostró extraordinariamente atento al mundo que lo rodeaba.[123]

Jamás olvidaría las canciones de corro de su infancia, o «rondones» como se llamaban en el pueblo, no pocas de las cuales reaparecerán transformadas, aludidas o levemente sugeridas, en su poesía y teatro. Entre ellas «El gavilán», «La pájara pinta», «La viudita que se quiere casar» (reelaborada en una de sus primeras piezas dramáticas, así titulada), «El arroyo de Santa Clara» o «Tengo una choza en el campo». Francisco García Lorca cita unos versos de ésta:

> Tengo una choza en el campo.
> Tengo una choza en el campo.
> El aire la vela vela,
> El aire la está velando...

y señala que los dos últimos afloran años después en el «Romance de la luna, luna» del *Romancero gitano* (referidos ya a una fragua). Añade que la melodía de la canción es el origen de la danza en *El amor brujo* de Manuel de Falla y sentencia, contundente: «Los cantos y los juegos infantiles son las primeras fuentes musicales que se incorporan al alma de Federico».[124]

Musicales... y poéticas. Cabe destacar aquí la canción inspirada por Mariana Pineda, la joven heroína granadina ejecutada por el régimen dictatorial de Fernando VII en 1831. «Fue una de las más grandes emociones de mi infancia —dijo Lorca en 1933—. Los niños de mi edad, y yo mismo, tomados de la mano en corros que se abrían y cerraban rítmicamente, cantábamos con un tono melancólico, que a mí se me figuraba trágico:

> ¡Oh! Qué día tan triste en Granada
> que a las piedras hacía llorar
> al ver que Marianita se muere
> en cadalso por no declarar.
> Marianita, sentada en su cuarto,
> no paraba de considerar:
> «¡Si Pedrosa me viera bordando
> la bandera de la libertad!»[125]

«Esta mujer ha paseado por el caminillo secreto de mi niñez con un aire inconfundible —escribió en una carta de 1922—. Mujer entrevista y amada por mis nueve años [sic] cuando yo iba de Fuente Vaqueros a Granada en una vieja diligencia, cuyo mayoral tocaba un aire salvaje en su trompeta de cobre.»[126]

Podemos deducir que, antes de que su familia se estableciera en la ciudad, ya había contemplado allí, en la plaza de su nombre, la estatua de la heroína. No por nada, Mariana le seguiría obsesionando hasta que, un buen día, decidió aceptar lo inevitable y dedicarle una obra de teatro.

Los otros ocho hermanos y hermanas del padre de Federico tuvieron amplia descendencia en Fuente Vaqueros, con el resultado de que el futuro poeta iba a estar rodeado allí de casi cincuenta primas y primos: «Los innumerables y jamás finitos primos de García Lorca», que diría uno de sus amigos granadinos.[127] Siempre agradecería tal circunstancia y se interesaría por los vaivenes de cada uno.

Entre las primas tenía sus favoritas, algunas de las cuales aparecen, a veces disfrazadas y a veces no, en su obra. Aurelia González García, la hija de la tía Francisca, por ejemplo, protagonizaría la inacabada *Los sueños de mi prima Aurelia*. Había nacido alrededor de 1885, por lo que tenía unos trece años más que Federico y, como confirma la obra que lleva su nombre, él la adoraba.[128] Tanto a Aurelia como a su madre las aterraban las tempestades eléctricas. «Me contaba Federico que la prima Aurelia, medio desmayada durante una tormenta, y no sin cierta teatralidad, decía, recostada en una mecedora: "¡Mirad cómo me muero!"», relata Francisco García Lorca.[129]

Aurelia llegaba incluso a desplomarse en aquellas ocasiones, como presa de un ataque y con los dientes apretados. Ello pese a haber instalado en su casa, para conjurar el peligro, una especie de capillita llena de velas, imágenes y santos, bautizada por el tío Luis como «gabinete meteorológico».[130]

Al igual que otros miembros de la numerosa familia García, Aurelia se acompañaba maravillosamente a la guitarra. El hermano del poeta recuerda que, con sus «enormes ojos soñadores», cantaba lánguidas habaneras que dejaron mella en la sensibilidad de Federico.[131] Además se expresaba con un lenguaje metafórico que le brotaba con toda naturalidad. «Echa los huevos cuando se ría el agua», le oyó decir alguien. Podría ser una frase sacada de los dramas rurales de Lorca.[132]

Hemos mencionado a otra de las primas favoritas en el pueblo, Clotilde García Picossi, hija del tío Francisco (Frasquito), el «más comunicativo» de ellos.[133] El traje «verde rabioso» que lleva la protagonista de *La zapatera prodigiosa* y el de igual color que, en un gesto de rebeldía, se pone Adela en *La casa de Bernarda Alba* son remedos de uno que tenía Clotilde y que, para gran disgusto suyo, no le dejaron lucir en una época de luto.[134]

Luego estaba la prima Matilde Delgado García, hija de la tía Matilde. Tenía ocho o diez años más que Federico y siempre se mostraba dispuesta a jugar con él:

> Que por cierto era muy miedoso, y cuando llegaba a mi casa, que no tenía más que cruzar la calle, se quedaba en la puerta sin querer pasar. «Pero pasa, Federico, lucero, pasa», le decíamos, y contestaba, aún sin levantar un palmo del suelo: «No, no voy a pasar, porque le temo mucho al peligro». Lo que nos reíamos de sus cosas. El «peligro» era el escaloncillo que hay a la entrada de las casas de pueblo.[135]

Lorca declaró, como vimos, que, si de su padre heredó la pasión, debía su inteligencia a su madre.[136] Inteligente era, sin duda, Vicenta Lorca... y socialmente comprometida. Se llevaba bien con los numerosos García que pasaron a ser parientes suyos por su matrimonio, y era respetada en el pueblo. En 1932, en una carta a su amigo Carlos Martínez Barbeito, el poeta recalcó que su madre, pese a abandonar la profesión de maestra al casarse, no por ello renegó de su vocación y enseñó a leer a «cientos» de campesinos de Fuente Vaqueros. Al igual que los García, admiraba profundamente a Víctor Hugo, cuyas obras, siguiendo el ejemplo de la abuela Isabel Rodríguez, solía leer en voz alta a la servidumbre y a todo aquel que se dignara escucharla. Lorca le dijo a Martínez Barbeito:

> Uno de los más tiernos recuerdos de mi infancia es la lectura del *Hernani* de Víctor Hugo en la gran cocina del cortijo de Daimuz para gañanes, criados y la familia del administrador. Mi madre leía admirablemente y yo veía con asombro llorar a las criadas aunque, claro es, no me enteraba de nada... ¿de nada?... sí, me enteraba del *ambiente poético*, aunque no de las pasiones humanas del drama. Pero aquel grito de «Doña Sol, doña Sol...», que se oye en el último acto,* ha ejercido indudable influencia en mi aspecto actual de autor dramático.[137]

También se acordaría de aquella lectura en un temprano poema, «Realidad»:

---

* En el desgarrador último acto de *Hernani* no figura en absoluto esta exclamación, que culmina con la muerte por envenenamiento de los dos amantes y el suicidio del celoso don Ruy Gómez.

Mi madre leía
un drama de Hugo.
Los troncos ardían.
En la negra sala
Doña Sol moría
como un cisne rubio,
de melancolía...[138]

Consideraba, y no nos puede extrañar, que tenía con su madre una deuda cultural extraordinaria. «Ella me ha formado a mí poéticamente, y yo le debo todo lo que soy y lo que seré», le declaró a Martínez Barbeito.[139]

La deuda con la madre incluía el fervor religioso de aquellos primeros años. Vicenta Lorca era católica practicante y Federico la acompañaba a menudo a misa, para disfrutar de la liturgia así como de las procesiones y de las festividades eclesiásticas locales. En *Mi pueblo* recuerda la torre de la iglesia, «tan baja que no sobresale del caserío y cuando suenan las campanas parece que lo hacen desde el corazón de la tierra».[140] La fachada del edificio —actualmente bastante cambiada, así como, con la excepción de la torre, la iglesia misma— estaba entonces coronada por una estatua de la Virgen de las Paridas con el Niño en brazos, estatua por lo visto muy respetada de todos los vecinos del pueblo y especialmente por las mujeres embarazadas.[141] Detrás del altar había otra imagen de la Virgen y Niño. Sigue *Mi pueblo*:

Cuando sonaba el órgano mi alma se extasiaba y mis ojos miraban muy cariñosos al niño Jesús y a la Virgen del Amor Hermoso que estaba siempre riendo bobalicona con su corona de lata y sus estrellas de espejos. Cuando sonaba el órgano me emocionaba el humo del incienso y el sonar de las campanillas y me aterraba de los pecados que hoy no me aterro.[142]

Fascinado por los ritos de la Iglesia, empezó pronto a imitarlos a su manera. Uno de sus juegos favoritos era «decir misa», según gustaba de recordar Carmen Ramos. Detrás de la casa había una tapia baja donde colocaba una imagen de la Virgen y unas cuantas rosas. Después hacía sentarse a las criadas, los familiares y amiguitos mientras, envuelto en un extraño atuendo que se fabricaba con ropas abandonadas en la buhardilla, «decía misa» con gran fervor. Antes de empezar imponía una sola condición: que todos llorasen durante el sermón. La madre de Carmen Ramos —la que había sido su nodriza— no dejaba nunca de derramar lágrimas de verdad.[143]

Es casi seguro que fue en la aludida finca de Daimuz donde ocurrió un incidente que, según el poeta, contribuyó decisivamente al desarrollo de su sensibilidad artística:

> Fue por el año 1906. Mi tierra, tierra de agricultores, había sido arada por los viejos arados de madera, que apenas arañaban la superficie. Y en aquel año, algunos labradores adquirieron los nuevos arados Brabant —el nombre me ha quedado para siempre en el recuerdo—, que habían sido premiados por su eficacia en la Exposición de París del año 1900. Yo, niño curioso, seguía por todo el campo al vigoroso arado de mi casa. Me gustaba ver cómo la enorme púa de acero abría un tajo en la tierra, tajo del que brotaban raíces en lugar de sangre. Una vez el arado se detuvo. Había tropezado en algo consistente. Un segundo más tarde, la hoja brillante de acero sacaba de la tierra un mosaico romano. Tenía una inscripción que ahora no recuerdo, aunque no sé por qué acude a mi memoria el nombre de los pastores, de Dafnis y Cloe. Ese mi primer asombro artístico está unido a la tierra. Los nombres de Dafnis y Cloe tienen también sabor a tierra y a amor.[144]

Federico García Rodríguez visitó de hecho la Exposición Universal de París y gustaba de describir, para sus hijos, los stands que más le habían impresionado.[145] Pero ¿ocurrió realmente la escena del arado? Francisco García Lorca lo pone en duda. ¡Federico era un fantasioso! ¡Se trataba de una de sus famosas «medias verdades» o «verdades bordadas»! Añade que, si por aquellas fechas se habían encontrado indicios romanos en la finca cercana de Daragoleja, no había ocurrido lo mismo en Daimuz.[146] Unos años después, sin embargo, fallecido ya Francisco, aparecieron restos de una villa o alquería romana bajo el fértil suelo de Daimuz. Centenares de monedas romanas se han extraído de allí —todas pertenecientes al período de Constantino—, gran cantidad de mosaicos, y una preciosa estatuilla en bronce de la diosa Minerva que se conserva hoy en el Museo Arqueológico de Granada.[147]

Parece cierto, pues, que al evocar su primera experiencia de «asombro artístico» el poeta recordaba un hecho real que, de manera repentina e impresionante, le había abierto una página de la

antiquísima historia de Andalucía. ¡En la finca que ahora pertenecía a su padre habían vivido labradores romanos, muchos siglos
antes de la llegada de los árabes que luego le dieron el nombre de
Daimuz! Resulta difícil no relacionar aquella experiencia, recordada de manera tan gráfica, con la Andalucía del *Romancero gitano*. Andalucía mítica, milenaria, palimpsesto de distintas razas
del Mediterráneo y, en el caso de los gitanos, de tierras mucho más
lejanas.

No por nada los recuerdos que guardaba el poeta de su niñez,
intensamente vívidos, estarían vinculados de manera inseparable
a este maravilloso paisaje.

Entretanto crecía la familia. Luis, el segundón, nacido el 29 de
julio de 1900, había fallecido el 30 de mayo de 1902 de una neumo-
nía, enfermedad corriente en Fuente Vaqueros, cuando Federico
tenía cuatro años.[148] Una referencia en una de las *suites* juveniles
del poeta da a entender que la desaparición del pequeño le afectó
profundamente.[149]

Luego, el 21 de junio de 1902, había nacido Francisco,[150] seguido, el 14 de abril de 1903, por María de la Concepción (Concha).[151]

Si Carmen Ramos había amamantado a Federico, la nodriza
de Francisco era una mujer extraordinaria procedente del pueblo
de Láchar, Dolores Cuesta, la Colorina. Analfabeta, ocurrente,
muy buena gente y un pozo de sabiduría y lenguaje populares, iba
a desempeñar un papel importantísimo en la vida de la familia, a
la que acompañaría durante casi treinta años, y en la obra de Lorca. Francisco, recordando su infancia en Fuente Vaqueros, apunta
que su madre trató sin éxito de enseñarle a leer y que, entre las
ideas religiosas particulares de su «ama», el culto a las ánimas,
tan arraigado en La Fuente, era «el único en que creía».[152]

Parece ser que la inquietud que siempre padecería Federico
García Rodríguez en relación con la salud de sus hijos derivaba en
cierta medida del fallecimiento de Luis en 1900. Estaba obsesionado con la higiene, y Francisco recuerda que el médico aparecía
por casa «en cuanto nos dolía un dedo».[153] Su hermana Isabel ha
dado fe del miedo casi patológico que experimentaba el padre ante
la enfermedad. Siempre que salían de excursión al campo, imaginando la arremetida de serpientes venenosas, llevaba consigo una
buena provisión de suero. Y si algún miembro de la familia estaba
malo, no se apartaba un momento del teléfono.[154] Se encargaba de
que en cada propiedad nueva suya se instalara inmediatamente
un pararrayos, para prevenir el peligro que conllevaban las tor-

mentas, a veces violentas en la Vega.[155] Están documentadas parecidas inquietudes en el caso del poeta, transmitidas, cabe inferirlo, por García Rodríguez. Bastaba el más mínimo malestar para que se creyese en las mismísimas puertas de la muerte.

«Cosas de Federico»

La feria anual de Fuente Vaqueros se celebra los tres primeros días de septiembre y tenía antaño tanto esplendor que se la conocía en todo el entorno por «el Corpus chico». Hoy, forzosamente, ha perdido mucho, ¡los tiempos ya son otros!, pero sigue habiendo columpios y bailes, y no falta la procesión de la imagen del Cristo de la Victoria, con acompañamiento de fuegos artificiales. A Lorca le encantaba la feria de su pueblo y en años posteriores procuraría visitarlo en estas fechas.[156]

Hay una anécdota que vale la pena recoger. Federico García Rodríguez era uno de los accionistas principales de la fábrica de azúcar La Nueva Rosario, situada en la vecina población de Pinos Puente, y muy amigo de los miembros de la familia Torres López, que dominaban entre ellos el consejo administrativo del próspero negocio. En la feria de Fuente Vaqueros de 1905 o 1906, Rafael López, director de la fábrica, visitó a los García Lorca acompañado de su esposa e hijos. Al poco de llegar apareció Federico y, sin dudarlo un momento, pidió permiso para inspeccionar los pies de las niñas. Concedido, no sin extrañeza, los examinó detenidamente y luego, dirigiéndose con gran seriedad a ellas, exclamó: «¡Estaréis *mataícas*! ¡Os han puesto los zapatos nuevos como me han hecho a mí porque es la fiesta del pueblo! ¡Y no podéis ni andar! ¡Y a mí me han vestido además con el trajecillo nuevo, y no me dejan ni comer tejeringos ni hacer *ná*! ¡Estoy ya *aburrío*!».[157]

Las «cosas de Federico» ya llamaban para entonces la atención… y no dejarían de hacerlo nunca.

Más o menos por esta época —la fecha es imposible de precisar— llegó a La Fuente un teatrico de títeres. Federico no cabía en sí de emoción, ya que no se daban con frecuencia en el pueblo. Carmen Ramos nunca olvidaría la reacción del futuro dramaturgo: «Federico, que volvía de la iglesia con su madre, vio a los titiriteros que levantaban su retablillo, y a partir de aquel momento no abandonó la plaza. Por la noche no quiso cenar y se moría por asistir al espectáculo. Volvió a casa en un terrible estado de excitación. Al día siguiente el teatro de títeres sustituyó al "altar" de la tapia del jardín».[158] La madre de Carmen se encargó de confeccionar los muñecos con trapos y cartón. En las cámaras altas de la espaciosa casa había baúles llenos de ropa vieja. Federico escogió las prendas que le llamaron más la atención, y su antigua nodriza pasó horas y horas adaptándolas a las exigencias del novel titiritero. Carmen solía añadir que, poco después, Vicenta Lorca volvió un día de Granada con un regalo muy especial para Federico, comprado en La Estrella del Norte, de la calle Reyes Católicos, la mejor tienda de juguetes de la ciudad: un teatro de títeres de verdad.[159]

En aquel primer contacto con la tradición guiñolesca andaluza podemos encontrar no sólo el origen del amor que a Lorca le suscitaba el género, y que le inspiraría varias obras propias, sino también del entusiasmo con la cual dirigiría después La Barraca, el teatro universitario itinerante fundado por la República en 1932 y que recorrería durante cuatro años los caminos de España, levantando su escenario en las plazas y poniendo dramas clásicos ante públicos que nunca habían visto antes una representación teatral.

A los cinco o seis años Federico debió percatarse de que su padre era uno de los hombres más ricos de los alrededores, y que él, por su condición de primogénito de tal potentado, ocupaba una situación social privilegiada. Existen claras indicaciones de esta actitud en *Mi pueblo*, como también de la temprana conciencia que tuvo de la pobreza y de las injusticias existentes en su entorno. Más tarde diría: «Mi infancia es aprender letras y música con mi madre, ser un niño rico en el pueblo, un mandón».[160]

Mi pueblo contiene una viñeta particularmente significativa en este sentido, la titulada «Mi amiguita rubia». En Fuente Vaqueros malvivían entonces familias en situaciones casi tan abyectas como las que había encontrado Horace Hammick cuarenta años antes. En una de ellas había una niña con la que trabó amistad Federico. Su padre era un jornalero envejecido y reumático, y a la madre la habían agotado numerosos partos. Los visitaba a menudo en su destartalada vivienda, pero no podía hacerlo el día que la madre lavaba la ropa porque entonces toda la familia permanecía encerrada y casi desnuda mientras se secaban sus únicas prendas. «Por eso —apunta— cuando volvía a mi casa y miraba al ropero cargado de ropas limpias y fragantes sentía gran inquietud y un peso frío en el corazón.»[161]

El escritor principiante afirma que aquella familia le reveló por vez primera la dura realidad que se escondía tras la cara risueña de la vida rural andaluza. Demuestra sentir una especial compasión por las mujeres, que a menudo pagan con la vida alumbramientos no deseados y acaecidos en condiciones sumamente precarias. Al meditar sobre el destino que a buen seguro le habrá deparado la vida desde entonces a su amiguita, levanta indignado la voz: «Nadie se atreve a pedir lo que necesita. Nadie osa a rogar el pan, por dignidad y por cortedad de espíritu. Yo lo digo, que me he criado entre esas vidas de dolor. Yo protesto contra ese abandono del obrero del campo».[162]

Esta voz de denuncia nunca dejará de sonar en la obra del poeta.

De los personajes rememorados en *Mi pueblo,* el descrito con más detalle y más profundo afecto es «el compadre pastor», no identificado por su nombre. Se trata de Salvador Cobos Rueda, que, como la primera mujer de Federico García Rodríguez, para quien trabajaba, era natural del pueblo de Alomartes. De hecho, Cobos fue uno de los consejeros oficiosos más apreciados por el padre (incluso parece que fue quien le recomendó la compra del cortijo de Daimuz).[163] Aunque en La Fuente le conocían por «el pastor», en realidad no practicaba ya esta profesión. ¿A qué venía el mote? *Mi pueblo* nos da la pista, al contarnos que había vivido de joven en las Alpujarras, donde pasaban el verano muchos rebaños de las tierras más bajas.

Cobos vivía cerca de la primera casa que había ocupado García Rodríguez en la calle de la Trinidad, casa natal del poeta y de su hermano Francisco, y era como de la familia.[164] En *Mi pueblo* Lorca recuerda las maravillosas historias de «cosas religiosas» que le contaba, las historias de duendes y hadas, los cuentos de lobos y de almas en pena. Cuando hablaba Cobos, todos los que estaban reunidos alrededor de la chimenea de la cocina de los García se callaban. Cuando recomendaba algún remedio natural, no hacía falta llamar al médico. Conocía las virtudes de las hierbas, y con tomillo y malvarrosa preparaba ungüentos para calmar el dolor. Sabía leer en las estrellas cuándo iba a llover o a haber niebla. Era un auténtico compendio de sabiduría popular. Un día cae gravemente enfermo. Los médicos no pueden hacer nada por él. Federico, que le visita, se queda impresionado. Aquella noche muere. En *Mi pueblo* cuenta pormenorizadamente cómo amortajaron el cadáver, luego el entierro. «Tú fuiste el que me consoló en mis pesadillas —terminan estas páginas—. Tú fuiste el que me hizo amar a la Naturaleza...Tú fuiste el que alumbró a mi corazón.»[165]

Parece ser que la visión del cadáver, el cambio súbito operado por la muerte en los rasgos del amigo, dejó una marca indeleble en la sensibilidad del futuro poeta. A lo largo de su obra la muerte será una presencia o amenaza constante, y en algunos momentos habrá una marcada tendencia a demorarse en el proceso de la putrefacción. En la evocación del cadáver del torero Ignacio Sánchez Mejías, por ejemplo, fatalmente cogido en 1934, parece evidente la reminiscencia, consciente o no, del de Cobos, aun cuando se sabe que Lorca se negó a ver el del espada:

> *¿Qué dicen? Un silencio con hedores reposa.*
> *Estamos con un cuerpo presente que se esfuma,*
> *con una forma clara que tuvo ruiseñores*
> *y la vemos llenarse de agujeros sin fondo.*[166]

Si hemos de creer al poeta, vio de niño otros cadáveres, pues en 1934 reflexionaría así ante un periodista:

> No puedo estar con los zapatos puestos, en la cama, como suelen hacer los tofos cuando se echan a descansar. En cuanto me miro los pies, me ahoga la sensación de la muerte. Los pies, así, apoyados sobre sus talones, con las plantillas hacia el frente, me hacen recordar a los pies de los muertos que vi cuando niño. Todos estaban en esta posición. Con los pies quietos, juntos, con zapatos sin estrenar... Y eso es la muerte.[167]

A ello también alude en su célebre conferencia *Juego y teoría del duende*, donde cree identificar una manera específicamente española de afrontar, o de enfocar, la muerte: «En todos los países la muerte es un fin. Llega y se corren las cortinas. En España, no. En España se levantan. Muchas gentes viven allí entre muros hasta el día en que mueren y los sacan al sol. Un muerto en España está más vivo como muerto que en ningún sitio del mundo: hiere su perfil como el filo de una navaja barbera».[168]

Francisco García Lorca ha evocado la sorpresa experimentada por su madre cuando, años después de la muerte del «compadre pastor», Federico alegó que la recordaba perfectamente. Vicenta Lorca habría insistido: «No es posible, hijo mío, si tú eras muy chico y te llevé en brazos». Pero el poeta no se dejó arredrar e hizo una descripción tan detallada de aquélla, y del entierro, que su madre no pudo por menos de exclamar, asombrada: «¡Calla, calla, hijo, qué memoria te ha dado Dios!».[169]

Francisco García Lorca ha dicho que su hermano tenía, en efecto, una memoria «excepcional», «enorme», «extraordinaria».[170] Pero en el caso que nos ocupa no tuvo que esforzarse demasiado en ejercerla puesto que, cuando murió Cobos, a los cincuenta y cinco años —fue el 23 de octubre de 1905— él tenía siete. Una nieta del «compadre», basándose en la tradición de su familia, ha confirmado el intenso dolor del niño ante aquella pérdida.[171]

Si Lorca hubiera terminado *Mi pueblo*, lo que al parecer no hizo, cabe la posibilidad de que habría evocado a quien fuera maestro de la escuela de la localidad durante dieciséis años, Antonio Rodríguez Espinosa.

Natural del pueblo de Gabia la Grande, situado no lejos de Granada en las estribaciones de Sierra Nevada, a Rodríguez Espinosa le había sido adjudicada, en enero de 1885, su primera plaza, la de Fuente Vaqueros. Allí permaneció hasta 1901, cuando se fue a Jaén.[172] Es posible que conociera a Vicenta Lorca en Granada antes de que los dos se trasladaran a La Fuente, pero fuera así o no, se hizo gran amigo de ella y de su marido durante la época vivida allí.

Maestro excelente, apreciado tanto por los alumnos como por sus padres, Rodríguez Espinosa pertenecía a una nueva casta de profesores profundamente influidos por las ideas progresistas que emanaban de la Institución Libre de Enseñanza. O sea, de la célebre escuela laica madrileña fundada en 1876 por Francisco Giner de los Ríos y otros pedagogos disidentes hostigados por las autoridades de la monarquía borbónica, restablecida el año anterior en la persona de Alfonso XII después de la caída de la Primera República (1873-1874). A lo largo del siglo XIX la Iglesia española, todavía casi medieval en sus planteamientos, había monopolizado la enseñanza primaria y secundaria, oponiéndose con energía a cualquier intromisión en el que consideraba su territorio exclusivo. Como Giner de los Ríos, Antonio Rodríguez Espinosa creía firmemente que la formación escolar pública debía ser práctica y acorde con la sociedad moderna.[173]

Federico sólo tenía dos años y medio cuando Antonio Rodríguez abandonó el pueblo. Por consiguiente parece difícil que, como afirma Francisco, fuera su maestro de primeras letras, aunque es posible que ayudara a la madre en este sentido.[174] Se ha conservado una interesante fotografía del pedagogo con sus alumnos: en el centro de la primera fila, con aire un tanto desorientado, aparece Federico sentado en el suelo, muy emperejilado y con sombrero de paja, atuendo que contrasta llamativamente con los vestidos humildes de los demás niños. Es evidente que se encuentra allí más en calidad de invitado que como alumno precoz (ilustración 3).

Si Federico no frecuentó la escuela primaria de Fuente Vaqueros en tiempos de Antonio Rodríguez Espinosa, sí empezó allí su formación unos pocos años después. Su evocación del establecimiento en *Mi pueblo* no tiene nada de halagadora. Hubo, sin embargo, compensaciones. Entre ellas, la amistad con dos muchachos de familias pobres. Con ellos intercambiaba caramelos y bombones, y acudían en su ayuda siempre que se veía amenazado. La proximidad de la escuela de las niñas contribuía también a aliviar la monotonía:

> Carlos, que era ya muy mayor, se acercaba a mi oído y me decía: «Mira que si pusieran a todas las niñas desnudas y nosotros todos desnudos... ¿te gustaría, Quico?». Y yo, tembloroso y aturdido, decía: «Sí, sí que me gustaría mucho», y todos hacían comentarios hasta que el profesor dando en la palmeta muy fuerte sobre la mesa imponía el silencio y entre el ras de las plumas sobre el papel y el suspirar fatigoso del maestro se oía a las niñas cantar con voces de vírgenes: «Habiendo abrazado Santa Elena la religión cristiana...». ¡Horas de tedio y fastidio que pasé en la escuela de mi pueblo! ¡Qué alegres erais comparadas con las que me quedan! Los niños compañeros míos sentían dentro de sí los misterios de la carne y ellos abrieron mis ojos a las verdades y a los desengaños.[175]

En sus referencias posteriores a Fuente Vaqueros el poeta gustaría de recordar la abundancia de agua que lo define y le da su nombre. El pueblo no sólo está situado cerca de la confluencia del Genil y el Cubillas, en campos regados por múltiples acequias, sino que se levanta casi literalmente sobre el agua, ya que debajo corren numerosos veneros que, según los lugareños, arrancan de Sierra Nevada. Hay un inconveniente, empero: cuando arrecian las lluvias sube el nivel de estos cauces subterráneos, aflorándose el agua casi a la superficie y aumentándose la humedad que invade suelos y paredes.

En 1931, al llegar la República, Fuente Vaqueros honraría a su poeta al dar su nombre a la calle donde había vivido a partir de los cuatro años, la de la Iglesia. En el discurso que pronunció con este motivo, elogió, cargando un poco las tintas, al pueblo en que se había moldeado su sensibilidad de artista:

> Todos podéis creer que os lo agradezco de corazón, y que yo, cuando en Madrid o en otro sitio me preguntan el lugar de mi nacimiento, en encuestas periodísticas o en cualquier parte, yo digo que nací en Fuente Vaqueros para que la gloria o la fama que haya de caer en mí caiga también sobre este simpatiquísimo, sobre este modernísimo, sobre este jugoso y liberal pueblo de la Fuente. Y sabed todos que yo inmediatamente hago su elogio como poeta y como hijo de él, porque en toda la Vega de Granada, y no es pasión, no hay otro pueblo más hermoso, ni más rico, ni con más capacidad emotiva que este pueblecito. No quiero ofender a ninguno de los bellos pueblos de la Vega de Granada, pero yo tengo ojos en la cara y la suficiente inteligencia para decir el elogio de mi pueblo natal.[176]

Para Francisco García Lorca, Federico, de alguna manera, «con su alegre vitalidad y despreocupación aparente, con su abierta simpatía, un poco elusiva a la explicación, era un hijo de Fuente Vaqueros».[177] El propio poeta lo entendía así. Sus años de infancia en el pueblo y las temporadas pasadas en la cercana finca de Daimuz permanecerían siempre dentro de él como un presente inmarcesible, al abrigo de la acción demoledora del tiempo. Declararía en 1934:

> Amo a la tierra. Me siento ligado a ella en todas mis emociones. Mis más lejanos recuerdos de niño tienen sabor de tierra. La tierra, el campo, han hecho grandes cosas en mi vida. Los bichos de la tierra, los animales, las gentes campesinas, tienen sugestiones que llegan a muy pocos. Yo las capto ahora con el mismo espíritu de mis años infantiles. De lo contrario, no habría podido escribir *Bodas de sangre* [...] Mis primeras emociones están ligadas a la tierra y a los trabajos del campo. Por eso hay en mi vida un complejo agrario, que llamarían los psicoanalistas.[178]

Y en 1935, cuando le quedaba poco más de un año de vida, insistiría otra vez:

> Toda mi infancia es pueblo. Pastores, campos, cielo, soledad. Sencillez en suma. Yo me sorprendo mucho cuando creen que esas

cosas que hay en mis obras son atrevimientos míos, audacias de poeta. No. Son detalles auténticos, que a mucha gente le parecen raros porque es raro también acercarse a la vida con esta actitud tan simple y tan poco practicada: ver y oír [...] Yo tengo un gran archivo en los recuerdos de mi niñez; de oír hablar a la gente. Es la memoria poética y a ella me atengo.[179]

En otro momento, volviendo a aludir a aquel «gran archivo» de la memoria, diría: «Las emociones de la infancia están en mí. Yo no he salido de ellas. Contar mi vida sería hablar de lo que soy, y la vida de uno es el relato de lo que se fue. Los recuerdos, hasta los de mi más alejada infancia, son en mí un apasionado tiempo presente».[180]

No exageraba. Ya hemos visto que tenía una retentiva extraordinaria. Numerosos amigos suyos han dejado constancia de que, al rememorar episodios de su infancia, daba la impresión de estar viviéndolos otra vez en toda su prístina intensidad. Aquel hontanar de experiencias tempranas sería una de las constantes nutricias de su obra creativa. A diferencia del dramaturgo irlandés J. M. Synge, cuyo *Jinetes hacia el mar* admiraría, no tuvo que hacer ningún esfuerzo por asimilar el lenguaje popular de su tierra, sus canciones y su poesía, pues los había absorbido con toda naturalidad al nacer en Fuente Vaqueros y vivir en el seno de una familia que, como hemos visto, tenía innatas dotes artísticas y musicales. Dadas estas circunstancias, y otras ya comentadas, no ha de sorprender que en años posteriores se enorgulleciese de proclamar no sólo que era oriundo del Reino de Granada, sino que había venido al mundo en «el corazón» de su hermosa Vega.[181]

Asquerosa

Los años de Fuente Vaqueros finalizaron en 1906 o 1907 —la fecha exacta no se ha podido establecer—, cuando la familia se trasladó a Asquerosa, pedanía de Pinos Puente distante unos cuatro kilómetros al otro lado del Cubillas.

El malsonante nombre del pueblo, sustituido en 1943 por el de Valderrubio, no tenía nada que ver con el poco halagador adjetivo homófono. El topónimo se remonta por lo menos a tiempos romanos. Lo más probable es que su raíz sea el latín *aqua* y que el término signifique o bien «acuerosa», «con mucha agua» —referencia quizá al cercano Cubillas—, o «aguarrosa», agua dulce. También se ha propuesto, con menos probabilidad, «arquerosa», abundante en arqueros, lo cual podría llevar a la conclusión de que hubiera habido allí un campamento romano (se han encontrado tumbas romanas en el pueblo).

En 1895 Federico García Rodríguez había comprado en Asquerosa dos viviendas, una de ellas hoy casa-museo del poeta, además de acrecentar sus adquisiciones de terrenos en la colindante Vega de Zujaira, conocida así por encontrarse en su borde el pueblo de este nombre. Los había dedicado al cultivo de la remolacha de azúcar, como en Daimuz, y las cuantiosas cosechas se refinaban en la fábrica de San Pascual, con cuyas tapias lindaba la finca y de la cual iba a ser uno de los principales accionistas.

Había otra ventaja: la proximidad de una pequeña estación de ferrocarril, el apeadero de San Pascual, vinculado a la fábrica de azúcar y hoy desaparecido, que permitía acceder a Granada con mucha más rapidez que desde Fuente Vaqueros.

A diferencia de Fuente Vaqueros, Asquerosa, según ha señalado Isabel García Lorca, tiene una naturaleza doble: a sus espaldas están los secanos, revestidos de olivos, que caracterizan las estribaciones de los montes que bordean la Vega, mientras, por delante, se orienta hacia el Cubillas, con sus hazas de remolacha de azúcar, choperas y tierras de regadío. Ella entendía que el hecho influía en la personalidad de los vecinos. Por un lado, «la alegría que da a sus gentes la tierra verde y fértil», por otro «el retraimiento y la austeridad que da el secano a los suyos». «Asquerosa —seguía— no es abierta y alegre como Fuente Vaqueros, que está en pleno verdor entre dos ríos; es más taciturno, más cerrado, como lo son los pueblos de tierras secas.»[182]

Su hermano Francisco estaba de acuerdo: no podían darse «dos pueblos de carácter más distinto». El segundo era «más reconcentrado, más medido y menos alegre» que Fuente Vaqueros, tan sobrio que ¡hasta bebían té en el casino en vez de alcohol! Además, a diferencia del pueblo natal del poeta, no tenía fuente pública —con lo que habría significado de sociabilidad— sino que era un pueblo de pozos, cada casa con el suyo.[183]

Federico frecuentó por lo menos un año la escuela primaria de Asquerosa, pero ni en su obra ni en sus cartas ni en las entrevistas periodísticas que se le conocen hay una referencia explícita a tal circunstancia. Allí, según Francisco, estudió el «elemental catecismo» del padre Ripalda con vistas a su confirmación.[184] Ésta tuvo lugar el 23 de junio de 1907, oficiada por el arzobispo de Granada, José Meseguer y Costa. Al lado del futuro poeta estuvieron, entre otros muchos niños y niñas del lugar, su hermano y dos primos lejanos, Horacio y Gabriela Roldán Quesada, pertenecientes a una familia muy derechista con la cual el padre tenía, y tendría, una relación conflictiva.[185]

El hecho es que, para la etapa de Asquerosa, no tenemos nada correspondiente a *Mi pueblo*, con sus pormenorizados recuerdos de la infancia del poeta en Fuente Vaqueros. Pero sí, por suerte, las páginas dedicadas al pueblo por sus hermanos Francisco e Isabel.

En junio de 1908 cumplió diez años. Aquel otoño debía empezar inexorablemente el primer curso del bachillerato. Y fue entonces cuando volvió a entrar en escena el maestro Antonio Rodríguez Espinosa, que había seguido en Jaén hasta 1903, año en que fue nombrado director de una escuela de Almería.[186] Allí, para ganarse un poco más de dinero —los maestros recibían entonces salarios de miseria («más pobre que chupa de dómine», se decía)— había adoptado la práctica de aceptar en su casa, como pensionistas, a un reducido número de alumnos particulares. Tutelaba sus estudios y les añadía alguna lección complementaria además de brindarles un ambiente familiar y acogedor. Entre ellos solía haber algunos procedentes de Fuente Vaqueros e incluso algún primo de Federico.[187] García Rodríguez y su mujer, que no habían perdido el contacto con su viejo amigo, decidieron, llegado el momento en que su primogénito debía iniciar su formación secundaria, confiarle al maestro durante una temporada. El 28 de agosto de 1908 Federico rellenó la solicitud de admisión al instituto de Almería.[188] Aprobó el examen de ingreso, realizado el 21 de septiembre. Se componía de un breve dictado del *Quijote* y de una operación elemental de división aritmética.[189]

Eran días prósperos para Almería, que contaba entonces con unos cincuenta mil habitantes, debido a la expansión de sus minas de mineral de hierro y, especialmente, a la exportación masiva de frutas, sobre todo a Inglaterra. Las relaciones de la ciudad con la isla se habían estrechado tanto que era corriente que los hijos de familias acomodadas almerienses se educaran en escuelas inglesas. Durante todo el año un servicio marítimo semanal comunicaba la ciudad con Liverpool y Londres y, en la época de la vendimia, tres o cuatro barcos diarios transportaban hacia allí las famosas uvas de la zona.[190] Dadas estas circunstancias era inevitable que en la ciudad se sintiera la necesidad de una buena escuela privada de enseñanza secundaria, tanto más cuanto que la burguesía local consideraba que el instituto era un foco peligroso de liberalismo y de ideas nocivas.[191] En 1888, pues, se había fundado, con el fin de cubrir tal demanda, el Colegio de Jesús, que a pesar de su nombre no era una institución jesuita. Fue allí donde Federico inició su formación secundaria.

Casi todo lo que sabemos acerca del breve período pasado en Almería, y es poco, procede de las memorias en gran parte inéditas de Rodríguez Espinosa, escritas cuando estaba ya cargado de años.

El documento explica que, cuando Federico se instaló a vivir con él y su esposa, dos de sus primos de Fuente Vaqueros ya estaban allí. Todos los domingos el pedagogo llevaba de excursión a sus alumnos, ya fuera al campo o al mar, y les impartía «pequeñas enseñanzas prácticas». Apunta que Federico no dejaba nunca de contestar las preguntas que se le hacían. «Las respuestas podían ser correctas o equivocadas; pero siempre eran rápidas e ingeniosas», nos asegura.[192]

¿Dejó la breve estancia en Almería alguna impronta duradera en la sensibilidad del futuro poeta? La única vez que menciona la ciudad en su obra ocurre en el romance «La monja gitana», del *Romancero gitano*, donde hay una alusión a los dulces que antes se preparaban en algunos conventos de Granada:

> *Cinco toronjas se endulzan*
> *en la cercana cocina.*
> *Las cinco llagas de Cristo*
> *cortadas en Almería.*[193]

Francisco García Lorca sugiere que, en otro romance de su hermano, «Thamar y Amnón», puede haber reminiscencias del aspecto casi africano de la localidad. Es posible.[194] En una carta al escritor José Bergamín, por otro lado, diría que Almería, con la aspereza de su ambiente y su polvo azafranado, le hacía pensar en Argel.[195] Y hay que añadir que los hechos reales que inspiraron *Bodas de sangre*, acaecidos en 1928, tuvieron lugar a unos treinta kilómetros al este de Almería, cerca del pueblo de Níjar. Dados sus recuerdos de aquel paisaje árido y calcinado (hoy afeado, si bien enriquecido, por los plásticos de incontables invernaderos) no debió de ser difícil para el poeta imaginar la escena donde tuvieron lugar aquellos trágicos sucesos.

No se sabe con exactitud cuántos meses del año escolar 1908-1909 pasó en Almería. Contó, en una «nota autobiográfica» de 1928, que allí empezó a estudiar música y fue víctima de una enfermedad de boca y garganta que le impidió hablar y le puso «en las puertas de la muerte», episodio que daría lugar a la composición de su primer «poema humorístico», en el cual se comparaba con «el gordo sultán de Marruecos Muley Hafid».[196] Su hermano Francisco recordaba su regreso a Asquerosa con la cara tremendamente hinchada. ¿Cuándo? Lo más probable es que en los primeros meses de 1909.[197]

Aquella primavera Federico García Rodríguez se trasladó con su familia a Granada, donde había alquilado una espaciosa casa a dos pasos de Puerta Real, epicentro de la ciudad, en la Acera del Darro. El 15 de mayo Federico presentó una instancia al director del Instituto General y Técnico de Granada para que le autorizase a presentarse a los exámenes de junio correspondientes a las asignaturas estudiadas durante el primer año de bachillerato: lengua castellana, geografía general y de Europa, nociones de aritmética y geometría, religión (opcional) y caligrafía.[198] Aprobó lengua castellana, pero suspendió en geografía y en nociones de aritmética y geometría. No se presentó en caligrafía ni en religión.[199] En septiembre conseguiría aprobar geografía[200] y, durante el año, caligrafía y nociones de aritmética y geometría.[201]

Su infancia en la Vega de Granada había terminado. Ahora la cuestión imperativa era el bachillerato, y la perspectiva de tener que pasar cinco años estudiando no le gustaba en absoluto. Pero sus padres estaban decididos a que tanto él como Francisco hicieran carrera, y no había más remedio que doblegarse a sus exigencias, por otro lado perfectamente razonables en una familia cuyas perspectivas, gracias al milagro azucarero, habían mejorado de manera espectacular.

GRANADA

Quiero vivir en Granada
porque me gusta oír
la campana de la Vela
cuando me voy a dormir

Copla popular

Acera del Darro, 66

«Se ha descrito la Granada moderna, con más o menos justicia, como una "ruina viviente" —aseguraba la primera edición de la guía Baedeker de España y Portugal en 1898—. Algunas de sus calles principales se han adecentado hasta cierto punto para complacer al turista de otros países, pero las calles secundarias están llenas de suciedad y abandono, y algunas de las que se encuentran alejadas del centro urbano ni tienen alumbrado por la noche.» Apuntaba a continuación que la aristocracia local no se dignaba vivir en la ciudad, prefiriendo gastar sus rentas en Madrid, y que buena parte de la población mendigaba. Había, sin embargo, la esperanza de que Granada empezara pronto a progresar, gracias a la pujanza de la nueva industria azucarera de la Vega y de la proyectada mejora de unas minas en Sierra Nevada.[1]

La esperanza no estaba sin justificación, y poco después la riqueza generada por las fábricas de azúcar, si no por la minería, se hizo sentir. Fue creciendo la convicción de que ya era hora de «europeizar» la ciudad, de ponerla al día. Consecuencia espectacular de ello fue la construcción, en su corazón mismo, de una avenida amplia y brutalmente recta a la que se le dio el pomposo nombre de Gran Vía de Colón. La obra requirió la demolición de numerosos edificios de interés histórico y artístico, tanto árabes como renacentistas, y con sus altos inmuebles modernos (y algunos hasta modernistas) traicionaba el carácter introvertido y reservado de Granada. No tardó en recibir el apodo de «Gran Vía del Azúcar».

En 1909, cuando la familia García Lorca se trasladó desde Asquerosa a la ciudad, tenía unos 69.000 habitantes.[2] No había comenzado todavía a invadir la Vega, y sus calles se fundían casi imperceptiblemente con las huertas, alquerías, acequias y cultivos de la fértil y bellísima llanura. Nada más alejado del triste espectáculo de hoy, cuando una larga barrera interrumpida de bloques ha destruido muchos millares de hectáreas de feraces tierras y, con ello, perspectivas únicas en el mundo.

La amplia propiedad alquilada por Federico García Rodríguez se hallaba en la Acera del Darro, número 66, a dos pasos de donde todavía emergía entonces al aire libre el río después de pasar, encarcelado en un lóbrego túnel, por debajo del centro de la ciudad. Era de las que se llamaban en Granada «casas solas» y la familia la ocuparía hasta 1916 (hoy, irreconocible e incorporado al hotel Montecarlo, es el número 46).

Aquí nació, el 24 de octubre de 1909, Isabel García Lorca. Si no le fallaba la memoria, casi noventa años después, había delante, en la orilla del río, un jardincillo con cipreses y un cedro. La vivienda, que evoca con nostalgia en su libro de memorias póstumo, *Recuerdos míos* (2002), ostentaba un portal noble y se componía de tres plantas, con torre y azotea, un patio con cuatro columnas de granito, emparrado y una cocina grande y un establo con corral al final de un pequeño jardín. Isabel nunca olvidó los «rumores de agua» de la casa y la fuente con surtidor del jardín, «"fuente saltadora", como se dice en Granada». El jardín, «algo sombrío y melancólico», tenía abundancia de geranios, violetas y siemprevivas, y un magnífico magnolio. En la fuente ella instaló una rana que le habían regalado y a la que se encargó de comer su gato rubio. También había galápagos. Un día el jardinero plantó unas anémonas, según ella flor nunca vista antes en Granada. ¿Por qué se asociarían luego con la muerte en la poesía de Federico? Nunca lo logró entender.[3]

Peligro mortal, sin necesidad de explicaciones, suponía la enorme tinaja que había en el patio con agua procedente de la famosa fuente del Avellano, reputada la mejor de Granada (todavía no había agua corriente). A Isabel le estaba prohibido acercarse porque, unas casas más abajo, se había ahogado una criatura al levantar la tapa de una tinaja parecida. Años más tarde, releyendo un poema neoyorquino de Federico, «Niña ahogada en un pozo», creería percibir un eco de aquella tragedia, así como, en «1910 (Intermedio)», una alusión a la rana devorada por su gato.[4]

Hablando del agua de Granada, hay que señalar que, debido al antiquísimo y muy defectuoso sistema de alcantarillado de la ciudad, era muy insalubre. El tifus suponía en consecuencia una amenaza permanente. Francisco García Lorca recuerda que Federico no se libró de ella y que, cuando tenía unos catorce años, le atacó la enfermedad con una virulencia tan tremenda que casi le puso a las puertas de la muerte. «El tratamiento fue a base de baños calientes —explica— y se instaló en nuestro dormitorio, que yo tuve que abandonar, una gran bañera de cinc. Recuerdo el trasiego de cubos de agua que subían desde la cocina. De todo aquel episodio no he olvidado la contenida angustia de mis padres…»[5]

Acera del Darro, número 66 era una vivienda digna de un rico terrateniente, con la ventaja añadida de estar en el corazón de la ciudad, a dos pasos de Puerta Real. La evocación de Francisco, anterior a la de Isabel, añade unos pormenores. Recuerda que en el jardín había un enorme limonero, una espesa madreselva y olorosas celindas, y que en el piso alto él criaba palomas.[6]

El traslado a Granada no supuso una ruptura tajante con lo anterior. Hubo continuidad. Para empezar, la tía Isabel García Rodríguez, hermana menor del padre, los acompañó y vivió con ellos hasta que se casó en 1914.[7] «Fue para mi madre compañera singular —escribe Francisco—; se tenían cariño de hermanas. Era alta, esbelta, muy García».[8] Todos la adoraban. Le había dado a Federico en Fuente Vaqueros sus primeras lecciones de cante, y tal vez de guitarra, como vimos, y sentía por ella una veneración que iría creciendo con los años. Llegaban a menudo parientes y amigos de Fuente Vaqueros o de Asquerosa con las últimas noticias. Nunca faltaban frutas y verduras procedentes de las fincas del padre. A finales de cada julio, terminadas las fiestas de Corpus Christi, tan arraigadas en Granada, la familia solía pasar varias semanas en Asquerosa para presenciar la cosecha. Y, quizá lo más importante, en casa siempre había criadas de la Vega.[9]

Entre ellas la más querida era Dolores Cuesta, la Colorina, también conocida como «la *Mae* Santa», nodriza de Francisco en Fuente Vaqueros y reina de «la maravillosa cocina» de la casa.[10] La exuberancia de su personalidad y de su habla campesina, así como su sentido común y su independencia de criterio se reflejarían en la Vieja Pagana de *Yerma,* el Ama de *Doña Rosita la solte-ra* y la Poncia de *La casa de Bernarda Alba.*[11] En su conferencia sobre las canciones de cuna el poeta la tendría muy presente:

> Estas nodrizas, juntamente con las criadas y otras sirvientas más humildes, están realizando hace mucho tiempo la importantí-sima labor de llevar el romance, la canción y el cuento a las casas de los aristócratas y los burgueses. Los niños ricos saben de Geri-neldo, de don Bernardo, de Thamar o de los Amantes de Teruel, gra-cias a estas admirables criadas y nodrizas que bajan de los montes o vienen a lo largo de nuestros ríos, para darnos la primera lección de historia de España y poner en nuestra carne el sello áspero de la divisa ibérica: «Solo estás y solo vivirás».[12]

Dolores era la Vega de Granada trasladada a la Acera del Da-rro. Sus risas llenaban la casa, estaba en todo, se ocupaba de todo, controlaba todo.

Vicenta Lorca cayó enferma después de nacer Isabel y se vio obligada a pasar un largo período de convalecencia en el muy re-putado Hospital Noble de Málaga. Allí la visitaron varias veces el padre, Federico, Francisco y Concha. El viaje en tren, que duraba seis horas, era una aventura, sobre todo en su tramo final al ir ba-jando por los túneles del desfiladero del Chorro.[13]

Durante la ausencia de Vicenta la tía Isabel y Dolores toma-ron provisionalmente las riendas del hogar. Francisco García Lor-ca sugiere que los ligeros conflictos jurisdiccionales que surgen entre la Tía y el Ama en *Doña Rosita la soltera* quizá están en deuda con escenas desarrolladas entre las dos madres suplentes, escenas que hacían las delicias de Federico.[14]

Isabel García Lorca ha recordado por su parte que Vicenta y Dolores —mujer de carácter «muy fuerte»— se trataban «de ma-nera íntima y distante a la vez» y que entre las dos el tira y afloja era constante.[15] No ayudaba el hecho de que Dolores siempre se refiriera a Francisco como «mi Paco» y a Isabel como «mi niña».[16] «Todos los domingos se peleaban como la Tía y el Ama de *Doña Rosita* —apunta Isabel—, y mi madre siempre acababa con la misma frase: "No sé por qué la aguanto".»[17]

La aguantaba porque desde hacía años la necesitaba, porque se complementaban —Vicenta, según Isabel, era «una persona muy contenida»— y porque había entre ellas una profunda com-plicidad y un mutuo respeto.[18]

Teatro, disfraces, bachillerato

Cabe deducir que para Vicenta Lorca fue un alivio encontrarse de nuevo en su ciudad natal, con las ventajas culturales y sociales que ello suponía. Entre éstas el teatro, al que era muy aficionada. Había entonces en Granada dos coliseos: el Cervantes, que daba a la plaza de Mariana Pineda —con su estatua de la heroína—, y el Isabel la Católica, en la cercana plaza de Campos. A ellos llegaban en gira las mejores compañías del país y la familia frecuentaba asiduamente ambos. En 1934 el poeta recordaría cómo se había aburrido a veces en ellos: «De pequeño, cuando tenía ocho años [sic], empezaba a llorar cuando, en el teatro, veía que los personajes iban a empezar a dialogar. "¡Mamá! —exclamaba—. ¡Se están sentando! ¡Se están sentando, mamá! ¡Vámonos!"»[19]

Uno de aquellos estrenos hizo época: el de *El alcázar de las perlas*, tragedia en verso del poeta almeriense Francisco Villaespesa, hoy muy olvidado pero entonces en la cumbre de la fama. Fue en 1911. Su tema: el origen mítico de la Alhambra. Federico, que entonces tenía trece años, asistió acompañado de su amigo Manuel Ortiz, luego conocido pintor. La obra le impresionó tan profundamente, según su hermano, que vistió de musulmana a una de las criadas de la casa, Julia la de Gabia, le pintó la cara con polvos de arroz y le hizo recitar una y otra vez, con su fuerte acento veguero, los versos que más le habían conmovido.[20]

Quizá se trataba de los muy celebrados:

> *Las fuentes de Granada...*
> *¿Habéis sentido*
> *en la noche de estrellas perfumada,*
> *algo más doloroso que su triste gemido?*
> *Todo reposa en vago encantamiento*
> *en la plata fluida de la luna...*[21]

Fue una más de las «pequeñas pantomimas» orquestadas por Federico y en las cuales, según Francisco, la servidumbre, con Dolores, la Colorina a la cabeza, no tenía más remedio que participar.[22]

También gustaba de disfrazarse a sí mismo. Siguió con sus «misas», inauguradas en Fuente Vaqueros, para lo que construyó a propósito unos altares en la parte alta de la casa.[23] Y un día, ataviado de moro, ocasionó un «grave disgusto» en el vecindario. «En las casas andaluzas, como en las árabes —recuerda Isabel—, era muy fácil pasarse por los tejados de una a otra, y a Federico se le ocurrió vestirse con turbante, barba, y haciendo como que hablaba en árabe, saltar a casa de las vecinas. Las pobres se llevaron un susto horroroso. Él se quitó rápidamente el disfraz, pero a una de ellas, pobre, que no recobraba el conocimiento, hubo que llevarla al hospital.»[24]

Dolores, como sabemos, tenía también su punto de superstición. Solía aflorar cuando había amenaza de tormenta. Entonces suplicaba a Vicenta que rezasen juntos el trisagio. «Se cerraban puertas y balcones —cuenta Isabel—; todo se quedaba en una total oscuridad.» Dolores guardaba para tales ocasiones una vela grande, casi un cirio (¡una vela corriente no servía para alejar truenos y rayos!). Vicenta sabía de memoria la oración y la recitaba «divinamente»:

> *El trisagio que Isaías*
> *escribió con grande celo*
> *lo oyó cantar en el cielo*
> *a angélicas jerarquías.*

Todos repetían:

> *Ángeles y serafines,*
> *arcángeles y querubines*
> *dicen: Santo, Santo, Santo.*[25]

Vicenta Lorca no sólo sabía de memoria el trisagio sino que tenía muy interiorizada, debido a su formación con las monjas del Colegio de Calderón, la liturgia católica. Transmitió a Federico el fervor que ésta le inspiraba. Le gustaba entonar los latines aprendidos entonces, quizá sobre todo durante el mes de mayo, mes de María, cuando le solía dar por recitar la letanía en el idioma universal de la Iglesia.[26]

Hombre de ideas liberales, Federico García Rodríguez no quería en absoluto matricular a sus dos hijos en una escuela dirigida por curas.[27] De no haber sido así habrían ingresado en el célebre colegio de los Padres Escolapios, el establecimiento docente predilecto de las familias de clase media. Decidió confiarlos al cuidado de Joaquín Alemán Barragán, primo de su mujer, que regentaba un pequeño establecimiento libre de influencias clericales pese a su nombre: colegio del Sagrado Corazón de Jesús.

El edificio, un amplio inmueble de típica arquitectura granadina, con patio que servía para los juegos de los niños, se situaba en la diminuta placeta de Castillejos, a unos pocos pasos de la catedral y la universidad, en la calle de San Jerónimo. Francisco García Lorca afirma que estaba «lejos de nuestra casa». Pero la aseveración sólo tiene sentido si tenemos en cuenta la reducida geografía de la Granada de entonces, pues en realidad distaba de ella sólo unos ochocientos metros.[28]

En el colegio del Sagrado Corazón Federico iba a pasar los cinco años de bachillerato que le quedaban, mientras por la mañana asistía a las clases oficiales del instituto.

Su hermano no tardó en demostrar mucha mayor aptitud que él para los trabajos escolares, colmando con ello todas las esperanzas de su madre. Al recordar aquellos años consigna que Vicenta Lorca estaba constantemente regañando, «con su voz tan cultivada», a Federico, insistiendo en que se concentrara en sus estudios.[29] Veinte años después de la muerte del poeta, Joaquín Alemán, por su parte, declararía que, pese a ser encantador y simpático, resultaba absolutamente imposible como alumno, ya que «no hacía más que dibujar, llenando sus libretas de figuras y caricaturas».[30]

José Rodríguez Contreras, más tarde médico forense y personaje popular en Granada, había nacido, al igual que Federico, en 1898, y fue compañero suyo en el instituto. Le recordaba como un chico tímido que, quizá por el hecho de proceder de la Vega, se sentía algo acomplejado entre los jóvenes de la capital, socialmente más sofisticados. Parece, además, que tenía que soportar las cuchufletas y pullas que se hacían a sus expensas, y que había incluso quien le pusiera el apodo de Federica por considerarle afeminado. «Era el peor de la clase —contaba Rodríguez Contreras— no porque no era inteligente sino porque no trabajaba, porque no le interesaba. Muchas veces no iba a clase. Además tuvo problemas con uno de los profesores, cuyo nombre lamento no recordar, que era un hombre muy poseído de macho y que no le podía ver. Federico estaba siempre en el último banco.»[31]

Entre los versos compuestos en Estados Unidos hay algunos que parecen aludir a aquellos primeros tiempos del instituto. En «Poema doble del lago Eden», por ejemplo, leemos:

> *Quiero llorar porque me da la gana,*
> *como lloran los niños del último banco,*
> *porque yo no soy un poeta, ni un hombre, ni una hoja,*
> *pero sí un pulso herido que ronda las cosas del otro*
> *lado.*[32]

Y en «Infancia y muerte» hay una alusión a su temprana ansiedad erótica:

> *Niño vencido en el colegio y en el vals de la rosa herida,*
> *asombrado con el alba oscura del vello sobre los muslos,*
> *asombrado con su propio hombre que masticaba tabaco*
> *en su costado izquierdo.*[33]

¡Niño vencido en el colegio! El triste Don Martín, en *Doña Rosita la soltera*, está calcado en parte sobre uno de los maestros de Federico en el colegio del Sagrado Corazón, Martín Scheroff y Aví, encargado de Literatura y Retórica. Personaje que ya tenía sus años, era muy atildado y se teñía cuidadosamente el cabello y el bigote para dar una imagen de eterna juventud y prestancia. Vivía solo, había editado una colección de narraciones cortas, y los poemas y críticas de teatro que publicaba en los periódicos y revistas locales tenían habitualmente un estilo ampuloso y anticuado.[34] En *Doña Rosita* Lorca recuerda con ternura las perrerías que le hacían los chicos, así como a sus desgraciados colegas. Allí se queja Don Martín:

> «Vengo de explicar mi clase de Preceptiva. Un verdadero infierno. Era una lección preciosa: "Concepto y definición de la Harmonía", pero a los niños no les interesa nada. ¡Y qué niños! A mí, como me ven inútil, me respetan un poquito; alguna vez un alfiler que otro en el asiento, o un muñequito en la espalda, pero a mis compañeros les hacen cosas horribles. Son los niños de los ricos y, como pagan, no se les puede castigar. Así nos dice siempre el Director.»[35]

Hay a continuación una alusión a las tribulaciones de un profesor de latín llamado Consuegra, a quien los muchachos le han colocado una cagaruta de gato en el asiento. Francisco García Lorca relata una interesante anécdota en relación con aquel desafortunado pedagogo. Un día los dos hermanos estaban hablando con él y Joaquín Alemán en una habitación del piso superior de la escuela donde éste, muy aficionado a la cría de canarios y palomas, tenía instaladas sus jaulas. Consuegra era muy supersticioso, y Federico, que lo sabía, soltó, con toda intención, la palabra «culebra». Inmediatamente emitió un quejido lastimero uno de los canarios más preciados del director y cayó fulminado. Consuegra, convencido de que la temida palabra era responsable de lo ocurrido, repitió entonces varias veces: «¿Lo ves, niño, lo ves?». Francisco creía que el incidente marcó profundamente a su hermano.[36]

Uno de los profesores de Federico en el instituto, y que se le quedó grabado en la memoria, fue el de Lengua y Literatura Castellana, Manuel Gutiérrez Jiménez, que recitaba versos de Zorrilla mientras iba y venía por la clase, y solía terminar la sesión con la lengua fuera y echando espumarajos por la boca.[37]

Lorca dijo en una ocasión que en el instituto le dieron «cates colosales».[38] Su expediente escolar demuestra, sin embargo, que no hizo tan mal papel como quiso dar a entender y que, durante aquellos cinco años, sólo suspendió cuatro veces, arreglándoselas en cada caso para acabar aprobando. Es indudable, sin embargo, que no era buen estudiante, y el expediente revela que ni en uno solo de los veintiocho exámenes pasados entre 1909 y 1915 recibió un «sobresaliente», y únicamente en doce un «notable». Todo lo contrario del aplicado Francisco.[39]

Entretanto iba creciendo Isabel, que recuerda en su libro los maravillosos juegos que organizaban para entretenerla Federico y Francisco. Fueron casi siempre los que ella llama «juegos de imaginación». «Mis hermanos, quizá por mi culpa —sigue—, jugaron hasta bastante mayorcitos. Mi madre siempre decía: "¡Estos hijos míos son tan aniñados!"» Se ha conservado una entrañable fotografía en que Federico, con Isabel sentada sobre las rodillas, le enseña a leer música.[40]

La Colina Roja

Aunque poseemos relativamente poca información acerca de los primeros años en la ciudad del futuro poeta, podemos tener la seguridad de que un niño tan vivaracho y observador empezaría enseguida a explorarla, empezando con la Alhambra y el Generalife.

La Guerra de la Independencia (1808-1814), con la masiva llegada a España de tropas francesas y británicas, había catapultado los asombrosos palacios orientales de Granada a la fama univer-

sal. No había nada comparable en Italia o Francia, y el Grand Tour
de los aristócratas europeos nunca había incluido a España. Ahora, de repente, se empezó a desviar hacia Andalucía. La Alhambra
no tardó en convertirse en meta predilecta de los románticos, todos los caminos conducían a ella.

El magnífico y sentimental cuento de Chateaubriand, *Las
aventuras del último Abencerraje* (1826), dio el pistoletazo de salida (aunque hubo algún antecedente del siglo XVIII). Después no
había vuelta atrás. Quien no conocía la Alhambra, sobre todo bajo
la luna llena, no había vivido.

Para alcanzar el santuario había que aventurarse por caminos
a veces infames, pero ello añadía a la visita otro aliciente, sobre
todo dado el peligro (bastante exagerado) de tropezar con bandi-
dos y la certeza de encontrar ventas poco «modernas», así como ca-
ravanas de arrieros apenas cambiadas desde los tiempos de Don
Quijote y Sancho Panza, modelos y espejos de viajeros dialogantes.

Era bastante típico el comentario al respecto del escocés Robert Dundas Murray (1849), quien, después de comentar las dificultades del recorrido iniciático, escribe: «Si uno no participa de
los sentimientos del peregrino apenas podrá dirigir la mirada sobre estas torres quemadas por el sol, pues la Alhambra es para el
viajero en Andalucía lo que el Santo Sepulcro de Jerusalén para
los peregrinos: el punto álgido de todo lo que tiene interés en el
país circundante».[41] Otros preferían la comparación con la romería a la Meca. Washington Irving, por ejemplo, en su famosísimo
Cuentos de la Alhambra (1832): «Para el viajero imbuido de sentimiento por lo histórico y lo poético, tan inseparablemente unidos en los anales de la romántica España, es la Alhambra tan objeto de devoción como lo es la Caaba para todos los creyentes
musulmanes».[42]

Irving y los románticos —como luego Lorca— lamentaban la
destrucción de la Granada árabe, último bastión del islam en España. Para el norteamericano significaba un auténtico desastre:

> Jamás se vio aniquilamiento más completo de un pueblo como
> el de los musulmanes en España. Y ahora, ¿dónde se encuentran?
> Interrogad a las costas de Berbería y sus lugares desérticos. Los
> restos de un imperio en el exilio, en otro tiempo poderoso, desapare-
> cieron entre los bárbaros de África y murieron como nación [...]
> Unos pocos monumentos ruinosos es todo lo que queda para atesti-
> guar su poderío y soberanía, y como rocas solitarias desechadas en

el interior, dan testimonio del alcance de alguna vasta inundación. Tal es la Alhambra; una roca musulmana en medio de tierra cristiana; un elegante recuerdo de un pueblo valeroso, inteligente y artista, que conquistó, gobernó, floreció y desapareció.[43]

¡Las costas de Berbería! Desde el Pico de la Veleta, la segunda cumbre más alta de Sierra Nevada, se vislumbran en días claros, recordando el terrible exilio impuesto a los musulmanes (y judíos) granadinos. Los viajeros románticos a veces subían hasta allí con la esperanza de disfrutar el insólito espectáculo. También lo haría el joven Lorca.

Siguieron a Irving todo un tropel de escritores extranjeros, sobre todo ingleses y franceses, entre ellos Henry David Inglis, Richard Ford, Théophile Gautier, George Borrow, Alexandre Dumas (padre), el barón Charles Davillier, Thomas Roscoe y Prosper Mérimée. Granada también ejerció su fascinación sobre los compositores. En 1845 el ruso Mijaíl Ivánovich Glinka pasó varios meses en la ciudad y trabó amistad con un célebre guitarrista, Francisco Rodríguez Murciano, que le introdujo en las cuevas del Sacromonte donde conoció el *cante jondo* de los gitanos. Atento a las posibilidades que la música popular española podía aportar a su propia obra, Glinka empezó los experimentos que le llevaron a *Jota aragonesa* (1845) y *Noche de verano en Madrid* (1849), que a su vez despertaron entre sus compatriotas un nuevo interés por el acervo folclórico ruso, muy rico, e impulsaron todo un alud de obras de inspiración española, por lo general de escasa enjundia.[44]

Entre los compositores extranjeros hay que destacar a Debussy. Nunca puso los pies en Granada, pero en 1900, en la Exposición de París, le llamó la atención un grupo de gitanos andaluces, posiblemente granadinos, que interpretaban *cante jondo*.[45] De allí procedió su obra para dos pianos *Lindaraja* (1901). Vino después *La Soirée dans Grenade*, publicada en 1903; luego, en 1910, *Iberia*, y, en el primer libro de los *Préludes, La Sérénade interrompue*. El segundo libro de *Préludes*, publicado en 1913, contenía *La Puerta del Vino*, inspirada por una postal del célebre arco de este nombre en la Alhambra.

En cuanto a los compositores españoles adictos a Granada, el más famoso, antes de la aparición de Falla, fue Isaac Albéniz.

Tampoco escaseaban los pintores. En el siglo XIX los grabados de Gustave Doré, David Roberts, John Lewis y muchos más alcanzaron una inmensa popularidad en toda Europa. Y, a principios del XX, el catalán Santiago Rusiñol visitó la ciudad con frecuencia, para captar con sutileza los colores, fuentes y luces de sus jardines.

Al joven Federico le debieron de contar más de una vez, allá en Fuente Vaqueros y Asquerosa, la triste historia de Boabdil, el Rey Chico —último monarca musulmán de Granada—, y su abatimiento al atisbar por postrera vez, ya emprendida la vía dolorosa del exilio, las torres de la Alhambra. «Lloras como mujer por lo que no pudiste defender como hombre», le diría su madre, Aixa. El futuro poeta no tardaría en identificarse con aquella Granada perdida para siempre en 1492.

Música y universidad

Vicenta Lorca insistió en que Federico, Francisco y Concha estudiasen piano y los confió a Eduardo Orense, organista de la catedral y pianista del casino.[46] Federico demostró enseguida tener dotes musicales extraordinarias. Cuando sus padres le encontraron otro profesor más idóneo, sus progresos fueron impresionantes.

Antonio Segura Mesa había nacido en Granada en 1842 y, por consiguiente, estaba ya entrado en años cuando el joven Lorca empezó con él. Había soñado en su juventud con ser un gran compositor, pero el sueño no se había hecho realidad. Férvido admirador de Verdi, había compuesto una ópera en un acto de inspiración bíblica, *Las hijas de Jepthé* —«ópera colosal», según el poeta—,[47] que al parecer fue objeto de un sonado pateo el día de su estreno, presumiblemente en Granada (a Don Martín, en *Doña Rosita la soltera*, se le atribuye, convertida en obra de teatro, la malhadada obra). Era buen pianista, compuso alguna zarzuela y, antes de conocer a Federico, fue maestro de dos notables músicos granadinos: Ángel Barrios y Paco Alonso.

Lorca diría que fue Antonio Segura quien le «inició en la ciencia folclórica». Para desgracia no tenemos más información al respecto.[48]

Acabaría venerando al viejo profesor, que, además de estimular su aptitud musical innata y de ayudarle a adquirir una excelente técnica pianística y unos conocimientos sólidos de armonía, le fue cogiendo mucha confianza. Incluso le solía hablar con resignación de los altibajos de su vida de compositor fracasado. «Que yo no haya alcanzado las nubes no quiere decir que las nubes no existan», insistía. Federico no se cansaba nunca de repetir aquella frase, «con emoción religiosa», a sus amigos.[49]

A la tía Isabel García le gustaba recordar, años después, las visitas diarias de Antonio Segura a la casa de la Acera del Darro. En cierta ocasión en que Federico había tocado con especial brillantez, el maestro le dijo emocionado a su madre cuando se despedía: «Le ruego que abrace a su hijo por mí. No sería correcto que lo hiciera yo. ¡Es que toca divinamente!». No es de extrañar que al muchacho, sabiéndose pianista dotado capaz de embelesar a sus oyentes, le costara trabajo dedicar tiempo a los estudios.[50]

Sus padres, empero, estaban empeñados en que tanto él como Francisco tuviesen una carrera que les permitiera acceder a una profesión capaz de garantizar su futuro. En consecuencia, no le quedaba más remedio al Lorca adolescente que resignarse e ingresar en la Universidad de Granada. Así pues, en octubre de 1914, antes de terminar del todo el bachillerato, se matriculó en el curso común que daba acceso a las facultades de Filosofía y Letras y de Derecho. Eran las únicas opciones que se le ofrecían, en realidad, ya que las demás —Medicina, Ciencias y Farmacia— eran impensables.

Coincidiendo con su ingreso en la Universidad se desencadenó en la prensa local un furioso debate en torno a los viejos y nuevos valores artísticos. Debate al cual no se podía sentir ajeno. Lanzó la primera piedra un joven periodista de *El Defensor de Granada*, Constantino Ruiz Carnero, luego íntimo amigo suyo. Arremetió contra la estrechez de miras de la sociedad granadina de entonces y la trivialidad del ambiente literario, que hacía imposible ejercer una crítica ecuánime, y lamentó las actitudes cada vez más aburguesadas del Centro Artístico, que a su juicio únicamente servía ya para pasar gratas veladas jugando al ajedrez. Hizo un repaso a los libros editados en Granada entre 1909 y 1914 y llegó a la conclusión de que el balance era muy negativo, pues en su mayoría adolecían del mismo provincianismo de siempre. La poesía granadina seguía moviéndose dentro del círculo cerrado de la introspección y de la obsesión por la felicidad perdida que durante tanto tiempo la había caracterizado. El panorama era lamentable.[51]

Espoleado por los artículos de Ruiz Carnero entró en acción un joven escritor mucho más agresivo, José Mora Guarnido, que no tardó en hacerse amigo íntimo de Lorca y que más tarde, desde el exilio, escribiría un libro fundamental sobre él. Hijo de un maes

tro de escuela, había empezado a escribir en los periódicos granadinos alrededor de 1913. Era no sólo muy combativo sino absolutamente valiente a la hora de expresar sus opiniones. Odiaba a los
«poetas de la Alhambra», despreciaba *El alcázar de las perlas* de
Villaespesa y, en cuanto a los escritores locales del momento, no
aguantaba sobre todo a Manuel de Góngora, hijo predilecto del
Centro Artístico. Entre Mora y Góngora se ventiló una acerba polémica que se prolongó durante semanas. Cuando se extinguió, los
paladines del nuevo orden estaban convencidos de que habían ganado la batalla y de que aquella Granada romántica («perla de
Oriente», «sultana de Andalucía», etc.) había tocado a su fin. Pero
aún daría coletazos. E incidiría sobre el primer Lorca.[52]

A finales de octubre de 1914 Federico aprobó la primera parte
del examen final del bachillerato, pero falló en la segunda, por lo
cual en febrero de 1915 volvería a intentarlo, esta vez con éxito.[53]

En aquellas fechas la Universidad de Granada difícilmente
habría podido vanagloriarse de ser preclara sede del saber («esa
decadente universidad», la llamaría Lorca en 1921).[54] Fundada
por el emperador Carlos V en 1526 con la finalidad de propagar
la cultura cristiana y europea allí donde hacía tan poco tiempo
había dominado la islámica, se encontraba a principios del siglo XX en una situación de lamentable decadencia.

Cuando Lorca inició en ella sus estudios albergaba, sin embargo, a unos cuantos profesores nuevos y excelentes. Entre ellos,
Martín Domínguez Berrueta, titular de Teoría de la Literatura y
de las Artes, y Fernando de los Ríos Urruti, el de Derecho Político
Comparado.

Domínguez Berrueta había nacido en 1869 en Salamanca. Su
madre era de Burgos, ciudad donde de joven pasó numerosas vacaciones y por la cual llegaría a sentir un fervor ilimitado, estimulado por su tío, Francisco Berrueta y Corona, provisor y secretario
del arzobispado y gran conocedor de la famosa catedral. Berrueta
se consideraría siempre hijo de Burgos, estimando que su nacimiento en Salamanca, donde estudió Filosofía y Letras, había sido
meramente accidental.[55]

En 1893 publicó su tesis doctoral sobre san Juan de la Cruz.
A partir de 1907 enseñó en su *alma mater* y dirigió un periódico
católico, *El Lábaro*, de tendencia moderadamente liberal. Combativo y dueño de profundas convicciones, no tardó en verse envuelto en controversias con numerosos adversarios de la línea editorial de la publicación, entre ellos Miguel de Unamuno. Cuando

llegó a defender la separación de Iglesia y Estado, el obispo de Salamanca consideró que había que cortar por lo sano y tuvo que dimitir. Al año siguiente, en 1911, ganó la cátedra de Teoría de la Literatura y de las Artes en la Universidad de Granada.[56]

Hondamente influido por el espíritu de la Institución Libre de Enseñanza, fundada en Madrid por Francisco Giner de los Ríos y otros disidentes en 1876, Domínguez Berrueta entendía que la universidad española ignoraba las necesidades de la sociedad contemporánea. Deploraba sobre todo la falta de contacto entre estudiantes y profesores, barrera que había que derrumbar en beneficio de todos. De hecho, lo que pregonaba era un sistema tutorial parecido al británico, entonces casi inexistente en España.[57]

Su cátedra granadina le brindó la posibilidad de llevar a la práctica su proyecto, actividad que desarrolló con el entusiasmo que lo caracterizaba, tanto en clase como fuera, ganándose de paso muchos amigos y no pocos adversarios. Con sus alumnos era a la vez padre y compañero, y podían estar siempre seguros de ser bien recibidos con afecto en su casa, donde su esposa aportaba, además, un toque maternal.

Domínguez Berrueta orientaba sus clases hacia el estudio de los monumentos y lugares de interés de Granada, sintiendo, incurable romántico que era, una predilección por los conventos, sobre todo los de clausura. Federico le acompañaría a menudo en esas visitas, ampliando así sus conocimientos de la historia y la arquitectura de la ciudad.[58]

La contribución más original del maestro a la formación práctica de sus alumnos era, con todo, la organización, a partir de 1913, de viajes de estudios. Tenían lugar durante las vacaciones de primavera y verano, y constituían una novedad absoluta en aquella España. Su meta principal solía ser Castilla la Vieja, con Burgos como epicentro.

Hombre fervoroso, emotivo, enfático y hasta dogmático en la expresión de sus opiniones, capaz de reaccionar con rabia ante las críticas, Domínguez Berrueta poseía una habilidad notable para estimular entre sus alumnos la devoción al arte, y la mayoría de los que asistían a sus clases —siempre reducidas— apreciaban su empeño y su entrega.[59]

Fernando de los Ríos, que tomó posesión de su cátedra granadina en marzo de 1911, pocos meses antes que Domínguez Berrueta, era hombre de otra índole y, como intelectual, muy superior. Andaluz de Ronda, donde había nacido en 1879, procedía de una familia liberal de clase media. Su madre era pariente de Francisco Giner de los Ríos, quien la había convencido de la importancia de que sus hijos estudiasen con él en la Institución Libre de Enseñanza.[60]

La influencia de Giner sobre el desarrollo de Fernando fue decisiva y éste acabaría percibiéndose como «nieto espiritual» del insigne maestro.[61] En la Institución Libre se convenció de que España estaba desesperadamente necesitada de una revolución moral e intelectual... y de que quería participar en la gran aventura. Eran los días del «desastre» de la pérdida de las últimas colonias americanas, así como de Filipinas. De los Ríos recordaría en una conferencia de 1926 el impacto del acontecimiento:

> Difícilmente aquellos que me escuchan podrán darse cuenta del dolor enorme que sintió el alma española en 1898; difícilmente los jóvenes que me escuchan podrán apreciar la impresión que a nosotros, niños recién ingresados en las universidades, nos causó aquella enorme derrota que hoy bendecimos, porque en 1898 se encontró la clave psicológica del renacimiento intelectual, e incluso del económico de España...[62]

El conferenciante insistió en que fue su pariente Francisco Giner quien percibió, con más clarividencia que nadie, que el «desastre» podía y debía tener un efecto catártico, y que, liberada de los últimos vestigios de su imperio (menos algunos en África), España podía velar finalmente por sus propias necesidades internas y poner en orden su casa.

Fernando de los Ríos había ido a Alemania con una beca concedida por la Junta para Ampliación de Estudios, fundada en 1907. Allí conoció el llamado «socialismo neokantiano», que hizo profunda mella en él. Al regresar a España era ya un europeísta confirmado, convencido de que su generación estaba llamada a realizar la ingente obra de «reconstrucción cultural» que necesitaba urgentemente el país.[63]

De los Ríos y sus compañeros, entre ellos el filósofo Ortega y Gasset, acabarían siendo conocidos como la Generación de 1914. En 1918 se incorporaría al Partido Socialista Obrero Español, pasaría a ser diputado por Granada y, con el advenimiento de la Segunda República en 1931, sería ministro de Justicia y luego de Enseñanza Pública. Se trata de uno de los españoles más preclaros del siglo XX... y de una de las personas más decisivas en la vida de nuestro poeta.[64]

Exiliado en Estados Unidos, De los Ríos evocaría en 1937 su primer encuentro con Lorca. Ocurrió en el Centro Artístico de Granada, del que era entonces presidente, y en el que Federico se había dado de alta en marzo de 1915. Un día, en su despacho del local, se sorprendió al darse cuenta de que alguien tocaba una sonata de Beethoven en el salón de actos. Férvido admirador del compositor, bajó a enterarse de quién podía ser. Estaba sentado al piano un muchacho de cabello negro, impecablemente vestido. Se presentó. Era Federico, quien, a partir de aquel momento, se convirtió en uno de los protegidos del catedrático y le empezó a visitar asiduamente en su casa del paseo de la Bomba.[65]

Exceptuando a Domínguez Berrueta y De los Ríos, no parece que otros catedráticos o profesores de la Universidad de Granada le impresionaran, a no ser que fuera, un poco más adelante, Agustín Viñuales. Llegó a sentir aprecio, eso sí, por el bibliotecario, hombre de espíritu cultivado que disfrutaba recomendando libros a sus jóvenes amigos y que, fuera de las horas de apertura, compartía con ellos su experiencia de cuarenta años, «encadenado como Prometeo en este antro del saber», según gustaba de decir. Antro encantador, a decir verdad, asomado al Jardín Botánico, donde en verano zumbaban las cigarras y, en primavera, cantaban ruiseñores.[66]

Contamos con pocos datos acerca del primer año universitario de Lorca, es decir 1914-1915. Su expediente académico demuestra que aprobó las tres materias estudiadas, recibiendo un «notable» en Lengua y Literatura Españolas y sendos «aprobados» en Lógica Fundamental e Historia de España.[67] Después de esta proeza en tono menor se matriculó simultáneamente en las facultades de Derecho y de Filosofía y Letras. Se trataba de un procedimiento bastante corriente en la época para dejar abiertas más posibilidades profesionales futuras. Y, como el trabajo tampoco era muy exigente, muchos estudiantes conseguían sin demasiados problemas las dos licenciaturas.[68]

Su carrera universitaria, al igual que la escolar, distaría mucho de ser brillante y, aunque en 1915-1916 trabajó con relativo empeño en ambas facultades, durante los dos o tres años siguientes no se molestaría siquiera en acudir a los exámenes.[69] No ha de sorprendernos, pues, que su madre estuviera cada vez más disgustada con él ni que acusara a sus amigos de distraerle. Tampoco nos puede extrañar que el padre, encantado con los progresos académicos de Francisco, también se exasperara con la actitud de su hijo mayor.[70]

En sus primeros tiempos universitarios Federico fue sobre todo un pianista dotado, a quien tanto sus amigos como su profesor auguraban una brillante carrera musical. Bajo las directrices de Antonio Segura, además, empezó a componer, y varias de sus breves obras pianísticas convencieron a sus oyentes de que también poseía aptitudes excepcionales en este sentido.

Lo que no sabía casi nadie era que «el músico», como solían llamarle sus compañeros, era, por añadidura, poeta y dramaturgo en ciernes.

Algo de Granada

Granada, como Fuente Vaqueros, se sitúa en la confluencia de dos ríos cuya presencia no falta en la obra lorquiana: el pequeño Darro, con un recorrido de sólo dieciocho kilómetros, y el mucho más importante Genil, que lame la ciudad por el sur.

El Darro cruza por el corazón de Granada, pero subterráneamente, hasta juntarse con el río hermano. El motivo principal de tal ultraje, realizado en su tramo principal entre 1854 y 1884,[71] estribaba en el intento de domeñar la fiera en la que se transformaba la corriente, habitualmente apacible, cuando se abatía sobre sus riberas, valle arriba, una de las espectaculares tormentas de lluvia que, de vez en cuando, se desatan sobre Granada. En tales casos era capaz de causar verdaderos estragos, desbordando su cauce, inundando las calles y llevándose por delante todo cuanto encontraba en su camino. Lo decía todo una copla que se hizo célebre:

> *Darro tiene prometido*
> *el casarse con Genil,*
> *y le ha de llevar en dote*
> *Plaza Nueva y Zacatín.*[72]

En 1909, cuando los García Lorca se instalaron en la Acera del Darro, el río, como hemos dicho, salía de su túnel un poco más arriba y pasaba delante de su casa, abierto al cielo, antes de fundirse con el Genil al final de la calle. Hoy es completamente invisible —e inaudible— desde la plaza de Santa Ana, donde, según el Lorca adolescente, «el río de oro gime al perderse por el túnel absurdo», hasta la confluencia de las dos corrientes.[73]

Habría que añadir que su nombre en árabe —Hadarro— dio en español dos versiones diferentes, Darro y Dauro. «Darro» llegaría a significar en Granada, con el tiempo, «alcantarilla», pues el río era poco más que una cloaca y un vertedero de basura, infestado de ratas (hoy todavía se habla de «los darros» de la ciudad). La derivación «Dauro», etimología popular, se debía a la coincidencia de ser aurífero el río, aunque nunca ha prodigado muchos granos del valioso metal. El nombre Darro prevaleció, pero los poetas del siglo XIX y luego el propio Lorca preferían la versión Dauro, por considerarla más «poética». En su copiosa *juvenilia* y en *Impresiones y paisajes* nombra numerosas veces el río, evocándolo sobre todo en su bellísimo tramo más arriba de la ciudad, donde, al pie de las colinas del Albaicín y de la Alhambra, corre entre fértiles vergeles.

Del Genil —el Singulis de los romanos— hay menos que decir. A diferencia del Darro es larguísimo. Nace en Sierra Nevada, baja hasta Granada (donde últimamente se ha adecentado y ensanchado), cruza la Vega y se junta con el Guadalquivir en Puente Genil. Así como parte de las aguas del Darro se capta detrás de Granada para alimentar los estanques y las fuentes de la Alhambra y del Generalife, el caudal del Genil se ha aprovechado desde hace siglos, antes de llegar a la ciudad, para alimentar la Acequia Gorda, importante canal de riego construido por los árabes y que sigue funcionando. Sólo a su paso por la Vega empieza a crecer, gracias sobre todo a la aportación del Cubillas.

Lorca contrasta a ambos ríos en un poema temprano, «El Dauro y el Genil», impregnado de empalagoso romanticismo.[74] Unos años más tarde, en «Baladilla de los tres ríos», encuentra la clave de las muy distintas personalidades de Sevilla y Granada en sus ríos, ancho y abierto al mundo el Guadalquivir («Río Grande» en árabe), mínimos el Darro y, a su paso por Granada, el Genil:

> *Para los barcos de vela*
> *Sevilla tiene un camino.*
> *Por los ríos de Granada*
> *sólo reman los suspiros...*[75]

Aludiendo a la abundancia de agua que recibe Granada de Sierra Nevada, y a la que debe su esplendor, dirá que la ciudad tiene «dos ríos, ochenta campanarios, cuatro mil acequias, cincuenta fuentes, mil y un surtidores y cien mil habitantes».[76] Ochenta años antes Théophile Gautier había escrito una bellísima descripción del bosque de la Alhambra en plena canícula, descripción hoy tan válida como entonces:

> El ruido del agua que murmura se mezcla con el bordoneo ronco de cien mil cigarras o grillos, cuya música no cesa jamás, y que forzosamente os recuerdan, a pesar de la frescura del lugar, las ideas meridionales y tórridas. El agua brota por todas partes, bajo el tronco de los árboles, a través de las grietas de los viejos muros. Cuanto más calor hace, más abundantes son los manantiales alimentados por la nieve. Esta mezcla de fuego, nieve y agua hace del de Granada un clima sin igual en el mundo, un verdadero paraíso.[77]

Sierra Nevada domina la ciudad y la Vega y, al ponerse el sol, ofrece un hermoso espectáculo evocado por Gerald Brenan en *Al sur de Granada*. En los años veinte el inglés frecuentaba la colonia británica que vivía cerca de la Alhambra y conoció allí a Charles Temple, ex gobernador del Protectorado Nigeriano y una de las personas más llamativas de aquella excéntrica comunidad. En la casa de Temple, situada cerca del cementerio y hoy desaparecida, se celebraba cada atardecer una extraña ceremonia:

> Después del té, a la hora en que el sol iba a ponerse, la señora Temple llevaba solemnemente a sus invitados hacia la barandilla o, si hacía frío, al gran ventanal que daba al sur, y anunciaba con su lenta, enfática y cuidadosamente medida voz: «No creo que tarde mucho ya». Mirábamos y esperábamos. Paulatinamente las cumbres lisas, onduladas, que hasta aquel momento habían parecido remotas y ultraterrestres, empezaban a volverse color rosa pálido, exactamente como si el rayo de un proyector de tecnicolor las estuviera iluminando. «Ya está —decía ella—. Ahora.» Enseguida nos callábamos todos y seguíamos sentados sin movernos, mirando cómo el rubor rosado se hacía más profundo y luego, poco a poco, desaparecía. En cuanto se había desvanecido del todo, la gente empezaba a hablar otra vez, con el alivio que se siente después de salir de la iglesia el domingo, y sin que nadie hiciera la menor alusión a lo que se acababa de presenciar.[78]

Aunque parece que Lorca nunca tomó el té con la señora Temple, no por ello dejaba de ser adicto de las extraordinarias puestas de sol granadinas, culpables a menudo de que llegara tarde a casa para la cena.[79]

Varios escritores del siglo XIX observaron con sorpresa que los granadinos parecían padecer cierta apatía, cierta falta de curiosidad. Mostraban poco interés por salir de su patria chica, y hasta experimentaban una desidia que les impedía hacer el esfuerzo de subir a la Alhambra. «Pocos granadinos visitan el monumento —comenta con asombro Richard Ford— ni entienden el absorbente interés, la devoción concentrada, que despierta en el extranjero. La familiaridad ha provocado en ellos el mismo desprecio con que los beduinos contemplan las ruinas de Palmira.»[80] Tal vez la razón de tal indiferencia resida en el hecho de que la belleza del paisaje granadino es tan excepcional que provoca una reacción netamente contemplativa en el espectador y le induce a permanecer donde está, quieto y atento.

Granada se conoce a menudo como «la ciudad de los cármenes». La palabra viene del árabe *karm*, «viñedo», y designa la típica casa de sus escarpadas colinas (Albaicín, Alhambra, Mauror), con su jardín interior rodeado de altas tapias que lo protegen de las miradas ajenas. Desde la calle no se ve nada, si no es la silueta de un ciprés. Dentro, todo son flores, árboles frutales, macetas y juegos de luz, agua y sombra (no falta nunca una fuente o surtidor), y hay siempre unas vistas sobre el espectacular paisaje granadino. Los cármenes del Albaicín gozan de un panorama especialmente insólito: Silla del Moro, Generalife, Alhambra, valle del Darro, la ciudad misma, la Vega y, como sin par telón de fondo, Sierra Nevada.

Pocos turistas han tenido la suerte de penetrar en el jardín secreto de un carmen. Rubén Darío fue una excepción a la regla. En *Tierras solares* (1904) leemos:

> Jóvenes enamorados, parejas dichosas de todos los puntos de la tierra: si sois ricos, venid a repetiros que os amáis, en el tiempo de la primavera, a un carmen granadino; y si sois pobres, venid en alas de vuestro deseo, en el carro de la ilusión, en compañía de un poeta favorito...

Contemplando la belleza de Granada, aunque en un inclemente febrero de principios de siglo, Darío no pudo por menos de reflexionar, coincidiendo con Washington Irving, sobre «la atroz expulsión de los moros, de aquellos moros cultos, sabios, poetas, con industrias hermosas y pueblo sin miserias».[81]

Es probable que Lorca conociera estas páginas del nicaragüense, cuya poesía tanto influyó en su sensibilidad. Estaba de acuerdo, de todas maneras, con la apreciación del maestro y declaró en 1924 que Granada le gustaba «con delirio, pero para vivir en otro plan, vivir en un carmen, y lo demás es tontería; vivir cerca de lo que uno ama y siente. Cal, mirto y surtidor».[82]

De todo cuanto escribió acerca de Granada, su conferencia sobre el poeta barroco granadino Pedro Soto de Rojas (1585-1658) es sin duda el texto fundamental. En el título del largo poema de Soto, *Paraíso cerrado para muchos, jardines abiertos para pocos*, creía haber encontrado la definición más acertada de Granada. Meditando sobre el poema, identifica en lo que llama «la estética de lo diminutivo» —el amor a las cosas pequeñas, el cuidado del detalle, el primor— la esencia del arte granadino. La tradición de los arabescos de la Alhambra pesa, opina, en todos los verdaderos artistas de esta tierra. Otras expresiones de la misma tendencia son el camarín, las virgencitas del escultor granadino Alonso Cano (1601-1667) y «el mirador de bellas y reducidas proporciones». A ellas se pueden añadir la taracea, la cerámica y el bordado (labor en que se especializó la madre del poeta, con primorosos resultados).[83] No es sorprendente que Granada, en la visión del poeta, aún se asuste de la «gran torre fría» de su catedral renacentista, construida encima de la que fue mezquita principal de la ciudad islámica.[84]

El granadino, según la misma conferencia, es hombre de pocos amigos y, en vez de salir de su lugar natal para acometer la conquista del mundo, prefiere contemplar éste desde la seguridad de su jardín: todos los granadinos tienen el «germen contemplativo», y lo que más les gusta es observar «con los gemelos al revés» (era lo que había apuntado casi un siglo antes Richard Ford). Granada, ciudad alta y aislada, no tiene sed de aventuras. Está «llena de iniciativas, pero falta de acción», «la narración de lo que ya pasó en Sevilla», y se percibe en ella «un vacío de cosa definitivamente acabada». La visión, tan en deuda con la de los viajes románticos del siglo XIX, es de una melancolía desoladora.[85]

Tenía razón al afirmar que, si bien en Granada no han faltado nunca iniciativas colectivas por parte de sus artistas y escritores, éstas han sido casi siempre de corto aliento. Constituía una excepción el Liceo Artístico y Literario, fundado en 1833, que duró más de setenta años.[86] Entre sus socios y simpatizantes figuraron Pedro Antonio de Alarcón, autor de *El sombrero de tres picos*, que inspiraría el ballet de Manuel de Falla del mismo nombre, y quizá también algunos aspectos de *La zapatera prodigiosa* de Lorca; el cantante de ópera italiano Giorgio Ronconi, que se quedó a vivir cerca de la Alhambra; y un autor de novelas históricas que gozó de gran popularidad en su día, Manuel Fernández y González (nacido en Sevilla).

El último acontecimiento memorable organizado por el Liceo fue la «coronación» como Poeta Nacional, en 1889, del vallisoletano José Zorrilla, entre cuyas obras figuraban numerosos poemas de inspiración granadina, hoy casi totalmente olvidados. Tenía a la sazón setenta y dos años, y el acto, que se celebró en el palacio de Carlos V, al lado de la Alhambra, se llevó a cabo con una pomposidad que hoy parece ridícula. Terminados los fastos, y de regreso Zorrilla en Madrid (donde descubrió que su corona no era de oro), la vida del Liceo comenzó a languidecer hasta que finalmente acabó por extinguirse a finales del siglo.

Al margen del moribundo Liceo había en la Granada de la última década del siglo un grupo de jóvenes escritores unidos en su admiración por el inquieto novelista, ensayista y poeta Ángel Ganivet, mencionado de pasada en el primer capítulo. Diplomático de profesión, había publicado en 1896 un pequeño libro que haría época, *Granada la bella*, donde expresaba su preocupación por los desmanes urbanísticos que se venían cometiendo en su ciudad natal. Uno de ellos, y no el menos grave, había sido cubrir el Darro. «Yo conozco muchas ciudades atravesadas por ríos grandes y pequeños, desde el Sena, el Támesis o el Spree hasta el humilde y sediento Manzanares —escribe—; pero no he visto ríos cubiertos como nuestro Darro y afirmo que el que concibió la idea de embovedarlo la concibió de noche, en una noche funesta para nuestra ciudad».[87]

Lorca y sus amigos estaban de acuerdo. Se trataba de un crimen deleznable. Y el Embovedado, como se conocía popularmente el amplio espacio que se extendía desde Puerta Real hacia abajo, era un ultraje sin nombre.

«Mi Granada no es la de hoy —declara Ganivet en la primera página de su libro—; es la que pudiera y debiera ser, la que ignoro si algún día será.»[88] Proliferaba ya por entonces la «epidemia del ensanche», como la designa, y los empresarios locales se habían enamorado de la línea recta, que a su juicio nada tenía que ver con el verdadero espíritu de Granada. No le cabía la menor duda de que ésta corría mortal peligro. Creía, como luego Lorca, que definían su esencia lo pequeño, lo íntimo, lo delicado, lo recatado, y abominaba del trasnochado orientalismo de muchos poetas locales, orientalismo reforzado por la obra «granadina» del recién coronado Zorrilla. En la Granada con la que soñaba Ganivet, y que no sabía si algún día sería, lo viejo y lo nuevo se combinarían armoniosamente. También sería el sueño de Federico y sus amigos. Y no en vano, en 1935, Ganivet sería calificado por el poeta como «el más ilustre granadino del siglo XIX».[89] De hecho cabe pensar que, sin *Granada la bella*, el concepto que tenía Lorca de Granada, y hasta de sí mismo como escritor, habría sido otro.

Mi pueblo

Desde los «altos miradores» de la Alhambra, mirando hacia el oeste a través de la Vega, el joven Federico podía «entrever», allí al fondo, el emplazamiento de su pueblo natal, oculto entre las choperas. Así le imagina Francisco en una bella página, y es probable, en efecto, que muchas veces, deambulando por la Colina Roja, solo o con amigos, se le ocurriera dirigir la mirada hacia las praderas donde había transcurrido su «infancia apasionada».[90]

Isabel García Lorca apunta en *Recuerdos míos* que, en la casa de la Acera del Darro, su madre y la tía Isabel García Rodríguez «hurgaban» a veces en los papeles de su hermano y que un día dieron con la prosa titulada «El compadre pastor». Leyó Vicenta las cuartillas a las allí reunidas (Isabel y unas primas suyas) con el resultado de que... ¡todas lloraron![91]

Se trataba de uno de los apartados de *Mi pueblo*, evocación de la infancia del poeta en Fuente Vaqueros a la cual hemos recurrido liberalmente en el primer capítulo de este libro.

El manuscrito tiene unos sesenta folios, escritos, según señala Francisco, «con letra sin hacer, grande y clara».[92] Lo integran un breve prólogo y, respectivamente, las secciones «El pueblo quieto», «Mi escuela», «El compadre pastor», «Mi amiguita rubia», «Mis juegos», «Los carámbanos» y «Mi primer amor». No consta el año de composición, solo lleva las indicaciones «Marzo 22 Noche» («Mi primer amor»), «1 de abril» («El compadre pastor»), «3 de abril» («Mis juegos») y «7 de abril» («Mi amiguita rubia»).[93]

A la vista del testimonio citado de Isabel García Lorca, parece seguro que *Mi pueblo* se compuso en 1916, toda vez que unos meses después la familia abandonaría la casa de la Acera del Darro.[94] ¿O deberíamos remontarnos quizá un año más en el tiempo? Es posible. Aunque en 1915 Federico estaba entregado en cuerpo y alma a su vocación musical, hay un indicio —uno sólo hasta la fecha— de que ya para entonces había empezado a aventurarse, sigilosamente, por el camino de la literatura. Viene en un ejemplar de *El Libro de Granada* de los jóvenes periodistas Constantino Ruiz Carnero y José Mora Guarnido, amigos suyos, publicado en el verano de 1915. El ejemplar del poeta se conserva en la Fundación Federico García Lorca. Lleva una dedicatoria manuscrita que dice: «Para mi amigo Federico García Lorca, inspirado músico, intenso prosista y poeta de altos vuelos con todo el afecto de Constantino Ruiz Carnero». Por desgracia la dedicatoria no está fechada. Si se estampó aquel verano, lo cual parece probable, demuestra que unos pocos íntimos de Lorca sabían ya que no sólo era un músico muy dotado, sino un escritor prometedor. Quizá un día aparezca algún documento que nos permita conocer mejor esta etapa literaria preparatoria.[95]

Lo importante, de todas maneras, es que, seis o siete años después de su llegada a Granada, experimentó la necesidad imperiosa de estampar con su puño y letra un detallado relato de sus años en Fuente Vaqueros. El texto, por ello, constituye un hecho biográfico de enorme interés.

Su pequeño prólogo, de tono claramente elegíaco, demuestra el afán de establecer con el lector una comunicación cálida:

> Cuando yo era niño vivía en un pueblecito muy callado y oloroso de la Vega de Granada. Todo lo que en él ocurría y todos sus sentires pasan hoy por mí velados por la nostalgia de la niñez y por el tiempo. Yo quiero decir lo que sentía de su vida y de sus leyendas, yo quiero expresar lo que pasó por mí a través de otro temperamento, yo ansío referir las lejanas modulaciones de mi otro corazón. Esto que yo hago es puro sentimiento y vago recuerdo de mi alma de cristal… Todas las figuras que desfilen por estas hojas desabridas unas habrán muerto, otras están ya transformadas y el pueblo es otro completamente distinto. El monstruo de la política le quitó su virginidad y su luz. En ese pueblo yo nací y se despertó mi corazón. En ese pueblo tuve mi primer ensueño de lejanías. En ese pueblo yo seré tierra y flores… Sus calles, sus gentes, sus costumbres,

su poesía y su maldad serán como el andamio donde anidaran [sic, al parecer por anidarán] mis ideas de niño, fundidas en el crisol de la pubertad. Oíd...[96]

No es cuestión de repetir aquí lo ya citado en el capítulo anterior. Llama la atención el intenso recuerdo de «la humedad» del pueblo, «besado» por sus dos ríos (característica del lugar también subrayada por Francisco).[97] Era tal que por las mañanas lo solía cubrir a menudo una neblina que el sol sólo lograba disipar hacia el mediodía. Entonces se apreciaba la «manta de verdor» que lo envolvía. También llama la atención la precisión con la cual se evocan los olores del pueblo en las distintas estaciones del año: en primavera y verano, hinojos, apio silvestre, habares en flor, paja, rosales; en invierno, agua estancada y paja quemada. En la cocina, cerca de la chimenea, aroma de membrillo y morcillas puestas a secar en la lumbre.

No faltan tampoco los sonidos. Entre ellos las campanadas que regulaban la vida del pueblo (y a las cuales Federico estará muy atento luego en Granada).

¿Y la plaza? Es un escenario inolvidable, presente en la memoria del novel escritor como si la acabara de cruzar. «En la plaza hay un prado donde las mujeres tienden la inmaculada ropa al sol y donde los chiquillos se revuelven como potrillos salvajes al salir de la escuela. En la primavera se cubre de margaritas, que son pasto delicioso de gallinas y lechones, y cuando el sol llena de luz y calor al pueblo, se ve invadido de una legión de niñas que hacen rondones y de niños que juegan al salto de la muerte.»[98]

El poeta, como ya se ha señalado, nunca se olvidará de aquellos rondones, cuyas letras, interiorizadas, volverán a aparecer en muchas de las composiciones de su primera época y no pocas de las posteriores.

Como en todos los pueblos hay cuentos, anécdotas y chismorreo alrededor de la chimenea. Las historias que escucha la Noche de Ánimas le llenan de pavor y fascinación, entre ellas la de un joven amante del pueblo que se suicida al enterarse de que su chica está viendo a otro admirador (ya apunta el tema del amor que no puede ser).[99]

El flamante memorialista no olvida describir los alegres despertares de la casa y el rito que los acompañaba, denotador del férvido catolicismo de Vicenta Lorca: «Mi madre lo dirigía todo y haciendo la señal de la cruz nos hacía que rezáramos la oración matinal: "Ángel de mi guarda, dulce compañía, no me desampares ni de noche ni de día". ¡Qué dulzura y qué candor tan rosado tiene esa oración!».[100]

El autor se muestra muy consciente de haber sido, y de seguir siendo, hijo del rico del pueblo y recuerda que en la escuela vestía mejor que casi todos los otros chicos: «En las mañanas iba yo con una capita roja con su cuello de piel negra y por eso me envidiaban los demás niños».[101]

Hemos visto que, al visitar a su «amiguita rubia» y constatar la miseria en que vive con su familia, se le llenaba el alma de congoja. En *Mi pueblo* le atribuye a la misma criatura una revelación temprana e inquietante acerca del Dios bíblico. La niña ha perdido hace poco a un hermanito, resultado, según ella, del pecado cometido por la Primera Pareja. ¡Aquella maldita serpiente, aquella maldita manzana! En la casa de Federico hay un libro con un cuadro que representa la expulsión del Paraíso, con el Creador «aposentado entre rayos y nubes con el entrecejo fruncido». Aquella tarde le acribilla a su madre, tan católica ella, con preguntas insistentes al respecto. Vicenta Lorca contesta que Dios es «infinitamente bueno». Pero su primogénito no se deja convencer. ¡Echar a Adán y Eva del Paraíso por comer una manzana! ¡Condenar a la humanidad al trabajo y a la muerte por una falta tan liviana![102]

No tardará en desarrollar el tema del Dios cruel del Antiguo Testamento.

Es muy interesante el momento en que, por la mudanza a Granada, evoca la despedida de sus compañeros de escuela, pues parece haber una confusión aquí entre la de Fuente Vaqueros y la siguiente en Valderrubio:

> Yo los quería a todos con todo mi corazón y cuando los dejé para marchar hacia esta vida mis ojos preñados de lágrimas dieron un tierno adiós a la escuela. El hijo del amo (decían) se va a estudiar, y yo sentía dentro de mí al oír esto una desilusión grande al alejarme de mi casa y de mi escuela con sus cantos monótonos y durmientes y un gran desaliento por la lucha que iba a emprender, acostumbrado a aquella paz y aquel estado angélico… Los niños de mi escuela son hoy hombres…[103]

Hijo de labrador convertido en «señorito de ciudad», más consciente que nunca de pertenecer a una familia privilegiada, reflexiona sobre el destino que les esperaba a sus compañeros de clase:

> Los niños de mi escuela son hoy trabajadores del campo y cuando me ven casi no se atreven a tocarme con sus manazas sucias y de piedra por el trabajo. ¿Por qué no corréis a estrechar mi mano con fuerza? ¿Creéis que la ciudad me ha cambiado? No. Mi cuerpo creció con los vuestros y mi corazón latió junto con los corazones de vosotros. Vuestras manos son más santas que las mías. Vuestros corazones son más puros que el mío. Vuestras almas de sufrimiento y de trabajo son más altas que mi alma. Yo soy el que debiera estar cohibido ante vuestra grandeza y humildad. Estrechad, estrechad mi mano pecadora para que se santifique entre las vuestras de trabajo y castidad.[104]

Lorca nunca renegaría, durante los escasos veinte años que le quedaban, de sus orígenes en el corazón de la Vega granadina, ni de que allí se encontraban las raíces de su mundo poético y dramático.

Es posible que, mientras escribía *Mi pueblo*, Antonio Segura Mesa ya estuviera en su lecho de muerte. Falleció el 26 de mayo de 1916. De pronto, en un momento crítico de su vida, perdía a su mejor aliado. Decidido a emprender una carrera de música, y esperando proseguir sus estudios en París, había contado con el apoyo de Segura para poder convencer a sus padres de que le permitieran dedicarse exclusivamente a su arte. Ahora, con la desaparición del maestro, aquella esperanza se vino abajo. La negativa de García Rodríguez fue tajante: no estaba convencido de que tuviera auténtica vocación musical y, de todos modos, consideraba imprescindible que contara con un título académico antes de lanzarse a cualquier aventura.[105]

«Como sus padres no permitieron que se trasladase a París para continuar sus estudios iniciales, y su maestro de música murió, García Lorca dirigió su (dramático) patético afán creativo a la poesía»: así se refirió en 1929, en tercera persona, a este momento de su vida.[106]

Los primeros viajes de estudio con Berrueta

Contribuyó a la nueva dirección de aquel «patético afán» el hecho de que el 6 de junio de 1916, menos de dos semanas después de la muerte de Antonio Segura, Lorca salió de Granada, rumbo a Bae-

za, en su primer viaje de estudios con Martín Domínguez Berrueta, acompañado de otros cinco compañeros de curso.[107]

Allí conocieron a Antonio Machado, quien, desde 1912, año en
que había perdido en Soria a su joven esposa Leonor, enseñaba
francés en el instituto. Machado —como Fernando de los Ríos,
alumno de la Institución Libre de Enseñanza— tenía amistad con
Domínguez Berrueta y admiraba su energía, liberalismo y talante
emprendedor. Hizo, pues, un esfuerzo en esta ocasión por abandonar su habitual distanciamiento y se mostró cordial con los estudiantes granadinos. El 10 de junio éstos visitaron oficialmente el
instituto, donde les leyó algunos poemas de su ya famoso libro
Campos de Castilla y recitó versos de su amigo Rubén Darío, muerto aquel febrero. Después actuó Lorca en su calidad de músico del
grupo, interpretando una selección de piezas clásicas así como varias composiciones suyas de inspiración andaluza.[108]

Federico conoció en Baeza a Lorenzo Martínez Fuset, hijo de
un acomodado abogado de la vecina ciudad de Úbeda, que estudiaba entonces en el instituto de Granada y era un fervoroso entusiasta de la música y de la literatura. El joven le presentó, rebo-
sante de orgullo, a su familia. Lorca interpretó para ellos un tango
de factura propia, *Murmullos del Albaicín*, y prometió enviarles
una copia de la partitura tan pronto estuviera otra vez en casa. La
copia no llegaría, sin embargo, pese a las frecuentes protestas de
Martínez Fuset durante el verano y el otoño. De la correspondencia cruzada entre ambos, que duró varios años, sólo han sobrevivido, por desgracia, las cartas de Fuset (quien, asesor jurídico de
Franco durante la Guerra Civil, quizá decidió que era prudente
deshacerse de las del poeta). Demuestran que la relación, por lo
que a él le tocaba, fue apasionada. Llegó a creer que era el mejor
amigo de Federico, su único compañero del alma, y en sus encen-
didas misivas afloran a menudo los celos. El poeta tendría que hacer frente a lo largo de su breve vida a numerosas situaciones parecidas.[109]

Después de Baeza el grupo siguió hasta Córdoba, donde permaneció tres días. Domínguez Berrueta solía mantener a sus alumnos en constante actividad durante los viajes, y las noticias aparecidas entonces en la prensa cordobesa demuestran que allí no se
desperdició un solo momento. La mezquita fue objeto de visitas
tanto de día como de noche, y una exposición del pintor sevillano
Juan Valdés Leal (1630-1691) acaparó la atención de Lorca. Fue
la primera vez que pudo contemplar el famoso *Finis Gloriae Mun-*

di, prestado por el hospital de la Caridad de Sevilla, y la visión de los despojos del obispo, infestados de gusanos, le hizo una impresión inolvidable. Después diría que el prelado parecía estar «sonriendo satánicamente» y que el cuadro era otro síntoma de la inquietud experimentada por los españoles ante la contemplación de la muerte.[110]

La excursión terminó con una breve visita a Ronda, ciudad natal de Fernando de los Ríos y notable, entre otras razones, por el fervor que le inspiró a Rainer Maria Rilke.[111]

El breve recorrido había sido planeado como preparación de otro mucho más ambicioso que debía realizarse aquel verano, pero Domínguez Berrueta cayó enfermo poco después del regreso a Granada y hubo que posponerlo hasta el otoño.

Durante estos meses la familia tuvo que abandonar la casa de la Acera del Darro, donde llevaba viviendo desde 1909. El dueño quería vender el inmueble y Vicenta Lorca se opuso a que lo comprara su marido: el jardín daba demasiado trabajo, dijo, y prefería un apartamento. «Se equivocó. Todos lo sentimos», comenta Isabel García Lorca en *Recuerdos míos.*[112]

Se instalaron provisionalmente en un apartamento de la Gran Vía, número 34, frente al monasterio de Santa Paula.

En una carta de estas fechas a Lorenzo Martínez Fuset le habló Federico de una vecina suya en la rectilínea avenida, la guapísima y extravagante Amelia Agustina González Blanco, feminista y sufragista conocida como La Zapatera por tener su padre un establecimiento de calzado en la calle de Mesones. Amelia Agustina, no sin razón, le fascinaba. Cuatro o cinco años después fundaría un excéntrico partido político, El Entero Humanista, con el lema «Paz y libertad», que, entre otras iniciativas, preconizaba la revisión del alfabeto de acuerdo con unos criterios más racionales. En 1936 los fascistas de Granada se encargarían de eliminarla como a Federico.[113]

El 15 de octubre de 1916 empezó el segundo viaje de estudios organizado aquel año por Domínguez Berrueta. El Gobierno había contribuido con una módica subvención y el entusiasmo rayaba a gran altura porque esta vez se trataba de un trayecto bastante ambicioso: Madrid, El Escorial, Ávila, Medina del Campo, Salamanca, Zamora, Santiago de Compostela, La Coruña, Lugo, León, Burgos y Segovia.

Se han conservado algunas de las numerosas cartas enviadas por Federico a sus padres durante la excursión. En ellas relata pormenorizadamente las peripecias de ésta, entre preguntas por la salud de la familia —además de por la de primos y primas (sobre todo su querida Clotilde García Picossi), tíos y tías—, quejas de que sólo le escribe su madre, nunca el padre, y grandes elogios a Domínguez Berrueta, todo ello en un tono coloquial que anticipa el de las mejores cartas posteriores («Mamá, hace un frío que tengo la cara cortada y los labios hechos una lástima»).[114]

En Ávila, don Martín consigue un permiso especial para que el grupo entre en el convento de clausura de la Encarnación, impregnado de recuerdos de Santa Teresa, «la mujer más grande del universo» según les cuenta Federico a sus padres. «Eso no lo ha visto más que el rey y nosotros», sigue. Por la noche dan un concierto en el instituto. Federico, presentado por su compañero Luis Mariscal, toca composiciones suyas de inspiración andaluza, así como había hecho en Baeza, «que me aplaudieron y felicitaron muchísimo».[115] Según el *Diario de Ávila* explicó al público que Andalucía, contrariamente al tópico, «no es país de la alegría y de la pandereta, sino el país de la melancolía sentimental de las corrientes internas del espíritu».[116]

En Salamanca, ciudad natal de Domínguez Berrueta, los granadinos conocen a Unamuno, entonces rector de la universidad, y Federico toca en su casa.[117] Desde allí se dirigen a Zamora y luego a Galicia. En un artículo publicado al año siguiente Lorca recordaría los prados luminosamente verdes de aquella tierra y observaría que, viendo su paisaje, era fácil entender la tristeza de la poesía y de la música gallegas.[118]

El grupo pasó tres días en Santiago de Compostela, estudiando con su energía habitual los muchos lugares de interés que encierra la vieja ciudad. La prensa local, como la de todas los lugares visitados, entonó los elogios de Domínguez Berrueta, y uno de los periódicos comentó que Lorca era «discípulo del malogrado maestro Granados».[119] El famoso pianista y compositor había sucumbido en el Canal de la Mancha a bordo del *Sussex*, torpedeado por un submarino alemán, lo que nos recuerda que al otro lado de los Pirineos estaba desarrollándose en esos momentos una guerra espantosa que tenía divididos en dos bandos enfrentados a los ciudadanos de una España neutral: los germanófilos y los que apoyaban a los aliados.

Visitaron el manicomio de Conjo, donde conversaron con algunos pacientes. Años después Ricardo Gómez Ortega, uno de los discípulos más aventajados de Domínguez Berrueta, recordaba que, entre aquellos desafortunados, había un hombre afable y apocado, muy versado en filosofía y literatura, quien, según supieron más tarde, había matado (y despedazado) a su mujer en un acceso de locura.[120]

Otro día visitaron el sórdido hospicio compostelano de Santo Domingo de Bonaval, que produjo una profunda impresión en el ánimo de Federico. En un indignado arrebato de su primer libro, *Impresiones y paisajes* (1918), evocará dos años después el miserable edificio, el lamentable aspecto de los niños allí abandonados, el desagradable olor de la mala comida, la humedad y la desolación. Sus ojos se clavan en la maciza puerta principal del hospicio, roída por la carcoma, y expresa la esperanza de que algún día caiga encima de una comisión de beneficencia municipal, haciendo con tan indigestos ingredientes «una hermosa tortilla de las que tanta falta hacen en España». Este grito de protesta, oído por vez primera en *Mi pueblo* y que difícilmente podemos desvincular de la influencia de Domínguez Berrueta y de Fernando de los Ríos, es característico de los primeros escritos del poeta y, como hemos dicho, se escuchará frecuentemente en su obra posterior.[121]

Después de su estancia en Santiago de Compostela siguieron hasta Lugo y León y, finalmente, alcanzaron Burgos, meta última de todas las excursiones. La madre de Domínguez Berrueta era burgalesa, ya lo sabemos, y él había pasado, de niño y adolescente, frecuentes temporadas en la ciudad. Habría que añadir que, todavía joven, publicó sus primeros textos literarios en el destacado periódico local *El Diario de Burgos,* y que, a partir de 1908, había colaborado en las escuelas de verano organizadas en la ciudad por Ernest Mérimée, de la Universidad de Toulouse.[122] Es posible que su contacto con aquellos jóvenes estudiantes franceses le abriera los ojos por primera vez a la importancia de los viajes de estudios. Sea como fuera, se sentía profundamente identificado con Burgos y era natural que hiciera lo posible por inculcar un fervor similar en sus alumnos. Lorca disfrutó especialmente de la visita a la Cartuja de Miraflores, según se desprende de otra carta a sus padres, y la evocará luego en *Impresiones y paisajes.*[123]

En la primera semana de noviembre, después de una breve estancia en Segovia, los viajeros llegaron a Madrid, donde Domínguez Berrueta dio una conferencia ante la Academia de la Historia. El 8 estuvieron de vuelta en Granada.[124]

Allí descubrió Federico que su padre, que había tenido varios puestos administrativos en Fuente Vaqueros, ya se preparaba para participar activamente en la vida política de Granada. A finales de diciembre sería elegido concejal por el Partido Liberal.[125]

Aquel primer contacto con otras regiones de España, sobre todo con Castilla la Vieja, influyó hondamente en el flamante escritor, como lo demuestra *Impresiones y paisajes*, y parece seguro que fue durante aquellas semanas cuando se convenció de que tenía una vocación literaria además de musical.

El primer resultado impreso de tal convencimiento sería la breve prosa poética, *Fantasía simbólica*, publicada unos meses después en un número especial del boletín del Centro Artístico y Literario dedicado a José Zorrilla con ocasión del centenario de su nacimiento.[126] El escrito demuestra que estuvo presente en Lorca desde el principio una tendencia dramática, pues se trata en realidad de una pequeña obra de teatro, aunque no pensada para su representación, en la que el novel autor intenta definir la personalidad de Granada.

Es significativo, además, que en la primera línea del primer texto publicado por el poeta encontremos la frase: «La ciudad está dormida y acariciada por la música de sus románticos ríos». Francisco García Lorca ha señalado, con razón, que el escrito está impregnado de influencias «muy marcadas del lenguaje musical».[127] En esta época, además, Lorca no desperdiciaba ocasión de declararse romántico, adjetivo que prodiga en *Impresiones y paisajes*. Los personajes del texto son voces —las de la campana de la Vela, Zorrilla, el Darro, Ángel Ganivet y de la propia Granada—, y está claro que, en los siete años y medio que llevaba viviendo en la ciudad, se había imbuido de la visión romántica de ésta, con su insistencia sobre el brillante pasado musulmán del lugar, el «misterio» de la Alhambra, la melancolía ante la pérdida de una cultura tan rica como variada, y así por el estilo. Su interpretación de la ciudad, como ya hemos indicado, seguiría fundamentalmente igual y encontraría su expresión más sutil en *Doña Rosita la soltera*.

El Rinconcillo del café Alameda

Las aspiraciones culturales y renovadoras de los ya mencionados amigos de Lorca, Constantino Ruiz Carnero y José Mora Guarnido, y de otros jóvenes afines, habían encontrado cauce en dos revistas efímeras que nacieron y murieron en 1915: *Andalucía. Re-*

vista regional (dos números) y *Granada. Revista quincenal* (seis).
Lorca, según Mora, era «demasiado joven» para colaborar en ellas
aunque ya destacaba como músico.[128]

Los redactores y sus amigos solían reunirse cada noche en el
café Alameda, situado en la plaza del Campillo. Mora Guarnido
describe el ambiente:

> Por las mañanas y hasta las primeras horas de la tarde, sus
> clientes eran los bravucones de los mataderos, la pescadería y el
> mercado de abastos, gentes de «pelo en pecho» como se dice tonta-
> mente, que iban a sus negocios; por las tardes y noches, acudían allí
> los torerillos, los aficionados al flamenco, tocaores y cantaores del
> café cantante La Montillana, situado en las cercanías, abastecedo-
> res de chulos y «amigos» de La Maniagua (barrio galante), el público
> del frontero teatro Cervantes, donde las compañías de *género chico*
> daban en las primeras horas de la noche zarzuelas morales para
> las familias, y en las últimas horas piezas pornográficas para los
> prudentes caballeros que se dan de cuando en cuando el lujo de lan-
> zar una cana al aire. Lo curioso del caso es que, no obstante aquella
> heterogénea clientela, el café mantenía permanentemente un quin-
> teto de piano e instrumentos de cuerda que daba todas las noches,
> hasta las doce, conciertos con programas de música clásica, y, lo
> más curioso, que, contra todo lo que se dice respecto a la capacidad
> de recepción de los públicos, aquella clientela escuchaba con gusto
> y respeto los conciertos.[129]

Al fondo del establecimiento, detrás del pequeño tablado donde actuaba el quinteto, había, debajo de la escalera que conducía a
la sala de billares, un rincón con dos o tres mesas. Allí se reunía el
grupo. Después de la desaparición de las revistas siguió allí la tertulia, cada vez más concurrida. Acabó siendo conocido como el
Rinconcillo.

El sumo sacerdote del cónclave —«especie de presidente honorario» lo llama el hermano del poeta—[130] era el brillante y excéntrico Francisco «Paquito» Soriano Lapresa (1893-1934). Objeto de
acalorados debates ciudadanos, casado con una llamativa granadina, Concha Hidalgo, escandalizaba a la gente de derechas. Alto,
extremadamente gordo, con el pelo negro y lacio, labios gruesos y
sensuales, y una cara redonda y pálida, vestía de manera tan inmaculada como extravagante. Tenía medios privados y podía permitirse el lujo de satisfacer sus antojos. Sus aficiones abarcaban

desde la música y la poesía actuales hasta la pintura, la arqueología, las lenguas y literaturas orientales y la política. Su biblioteca era fabulosa. Dominaba a los «rinconcillistas» una insaciable sed de lecturas y varios de ellos, Lorca incluido, recordarían con gratitud la generosidad de Soriano a la hora de prestar libros.[131] La sección erótica era particularmente solicitada (sobre todo los volúmenes del marqués de Sade, entonces prácticamente inencontrables). También su colección de poesía francesa contemporánea. Se rumoreaba que su interés por la literatura picante no era sólo pasivo y que en su casa se celebraban extrañas orgías sexuales. Pero probablemente se trataba sólo de chismorreo. Pertenecía al Partido Socialista Obrero Español y participaba en la organización de las actividades culturales de la Casa del Pueblo. Era una de las figuras más interesantes y originales de Granada y no debe sorprendernos que su influencia sobre los demás contertulios fuese considerable. Lorca, cinco años más joven, le admiraba profundamente y le debería mucho.[132]

Melchor Fernández Almagro (1893-1966), nacido en Granada el mismo año que Soriano, era otra figura estelar del grupo y, más adelante, autor de importantes trabajos sobre cuestiones literarias e históricas además de crítico teatral de nombradía. Había sucumbido, de niño, al hechizo de *Granada la bella*, de Ganivet, y se convirtió en destacada autoridad sobre la ciudad. «Dotado de una retentiva prodigiosa —escribe Francisco García Lorca—, no había anécdota, sucedido, imputación, chisme, lío amoroso que no tuviese, y tenga, en la cabeza, lo mismo de personajes vivos que muertos.»[133]

Fernández Almagro fue uno de los primeros en darse cuenta del talento literario de Lorca y, como codirector del número especial sobre Zorrilla editado por el Centro Artístico en 1917, fue probablemente quien consiguió su colaboración (con *Fantasía simbólica*). En 1918 se trasladó a Madrid. La extensa correspondencia epistolar cruzada entre él y Lorca da fe del respeto que al poeta le merecía su criterio en cuestiones literarias. De hecho, acudiría siempre a Melchor cuando necesitara un consejo, y el amigo solía ser el primero en conocer sus nuevos proyectos literarios. No podía volver a Granada con la frecuencia que hubiera deseado, pero se mantuvo en contacto permanente con la ciudad, enviando artículos a los periódicos y revistas locales y comentando con cierta frecuencia en la prensa madrileña las iniciativas culturales de los compañeros que había dejado atrás. Por todo ello éstos decidirían, en julio de 1922, nombrarle «cónsul general del Rinconcillo en Madrid».[134]

Otro miembro del grupo que dejaría huella en la sociedad granadina y española fue Antonio Gallego Burín (1895-1961), recordado como el alcalde más enérgico de la ciudad durante la posguerra. De inteligencia precoz, no había tardado en desarrollar un apasionado interés por el arte y la historia, y publicó sus primeros artículos en la prensa granadina con sólo catorce años. Fernández Almagro recuerda en el libro *Viaje al siglo XX* su primer encuentro y el interés temprano que ambos compartían por «las cosas de Granada».[135]

Brillante estudiante y, antes de entrar Lorca en escena, discípulo predilecto de Martín Domínguez Berrueta, Gallego participó, en 1914, en uno de los primeros viajes de estudios organizados por el maestro y, en 1918, publicó un librito de evocaciones sentimentales, *El poema del convento*, que revelaba su fuerte influencia.

Gallego demostró ser de la raza de granadinos que no podían vivir fuera de su patria chica. Sabía que aquella incapacidad resultaría quizá fatal para su carrera, pero, viéndose impotente para librarse de ella, acabó aceptando lo inevitable.[136]

Era de salud precaria, pero ello no conseguía disminuir su extraordinaria energía. Serían proverbiales su capacidad de trabajo y su buena disposición para adquirir nuevos compromisos, precisamente en una ciudad donde, según comentó él mismo, «se matan todas las energías y se procuran anular todos los esfuerzos».[137]

Fue durante algunos años íntimo amigo del poeta. «A Federico García Lora, que se va a morir una noche de estrellas, sintiendo a Chopín en su alma y una mano suave sobre su carne y su corazón. Fraternalmente, Antonio»: con tal efusividad le dedicó una fotografía en 1917.[138]

Miguel Pizarro Zambrano (1897-1956), uno de los fundadores de la revista *Granada*, era «el eterno adolescente» del grupo, un hipersensible poseído de un ardiente deseo de vivir a tope tanto la vida intelectual como la de los cinco sentidos. Enamorado cada día de una muchacha diferente —casi siempre a prudente distancia—, acostumbraba mantener a sus compañeros al tanto de sus progresos, o fracasos, amatorios. Lorca le dedicó uno de sus primeros poemas, «Albaicín», con las palabras: «A Miguel Pizarro, amigo raro y lleno de pasión».[139] Como cabía esperar de una persona con tal apellido, era un aventurero nato, constantemente en busca de nuevos horizontes. En 1919, un año después de Melchor Fernández Almagro, se trasladaría a Madrid para trabajar en la redacción del gran periódico liberal *El Sol*. En 1922 satisfaría su anhelo de visitar Japón y pasaría ocho años recorriendo el país de cabo a rabo, dando clases en la Universidad de Osaka y arreglándoselas para volver de vez en cuando a España.[140]

A Lorca le fascinaba la actitud desenfadada de Pizarro ante la vida y la determinación de aquel «exquisito enamorado» de múltiples facetas, de aquella «flecha sin blanco», de experimentar todos los placeres que le pudiera ofrecer el mundo.[141]

Ya hemos mencionado varias veces al periodista Constantino Ruiz Carnero (1890-1936). Pequeño de estatura, gordo, homosexual, prematuramente calvo, ingenioso y entusiasta, odiaba, según comentaría en 1919 su gran amigo José Mora Guarnido, «el trabajo de noche y tan se ha hecho a él que no sabe trabajar de día».[142] Llegaría a ser director del diario más influyente de la ciudad, *El Defensor de Granada*, desde cuyas columnas seguiría con entusiasmo la carrera de Lorca.

En cuanto a José Mora Guarnido (1896-1969) habría que añadir a lo ya dicho que, al igual que Melchor Fernández Almagro y Pizarro, se trasladó pronto a Madrid para proseguir allí su carrera de periodista. Como Ruiz Carnero se mostró gran valedor de Federico. Después, a partir de 1923, se establecería en Montevideo. Su libro sobre el poeta, publicado en Buenos Aires en 1958, es extremadamente valioso en lo que se refiere al ambiente granadino de su adolescencia.

El filólogo del grupo era José Fernández-Montesinos Lustau (1897-1972), cuya ferviente admiración por el teatro de Lope de Vega contagió a los demás contertulianos, Lorca incluido. También se mudaría pronto a Madrid.

Otro «rinconcillista» notable era José María García Carrillo, íntimo amigo de Federico. Vivía en la Acera del Darro, al lado de los García Lorca. Su hermano Francisco alcanzaría renombre local como pianista. José, aparejador de oficio, era un bohemio aficionado a las artes, un fauno imaginativo y simpático que ni de lejos se avergonzaba de sus proclividades homosexuales. Los escasos fragmentos que se han encontrado de las cartas que le escribió Lorca demuestran que existía entre los dos una profunda complicidad. Algunos testigos de su amistad han declarado que fue exultante y que, cada vez que Federico volvía a Granada, las primeras personas a las que visitaba eran García Carrillo y Constantino Ruiz Carnero.[143]

El Rinconcillo contaba también con un arabista, José Navarro Pardo (1890-1971), profesor de la facultad de Filosofía y Letras, y dos pintores: el ya mencionado Manuel Ortiz (después Ángeles Ortiz) e Ismael González de la Serna.

Ortiz (1895-1984), oriundo de Jaén, se había trasladado a Granada cuando todavía era niño. Tanto la ciudad como sus alrededores pasarían a convertirse en tema central y obsesivo de toda su obra. Había conocido por primera vez a Federico en Asquerosa durante las fiestas del pueblo, cuando éste todavía llevaba pantalón corto,[144] y la amistad se consolidó cuando los García Lorca se mudaron a la ciudad. En 1912 se fue a Madrid para estudiar con el artista valenciano Cecilio Pla.[145] Ya para entonces llegaban noticias del enjambre de artistas jóvenes e innovadores que estaban rompiendo moldes en París. Flotaba en el aire el nombre de Pablo Picasso. ¡Un pintor malagueño, nada menos, triunfando en París! En Madrid, los artistas consagrados de la época —Zuloaga, Sorolla y Gutiérrez Solana— se mantenían al margen de las nuevas tendencias, pero los jóvenes se morían por instalarse en la capital francesa. Ortiz lo conseguiría a principios de los años veinte.

Ismael González de la Serna (1898-1968) era un bohemio empedernido y totalmente indiferente a los comentarios críticos que provocaban en Granada sus extravagantes vestimenta y modales. A partir de 1914 su obra, publicada en revistas locales y expuesta en el Centro Artístico, empezó a llamar la atención por su negativa a hacer concesiones a la «escuela de la Alhambra». Poco tiempo después, adelantándose a Manuel Ortiz, se trasladaría a París donde, reconocido como uno de los mejores artistas de la llamada Escuela Española, viviría hasta su muerte.[146]

El Rinconcillo tenía también su escultor, Juan Cristóbal González Quesada (1898-1961), prodigio adolescente que se haría famoso en Madrid; su grabador, Hermenegildo Lanz (1893-1949); su compositor y guitarrista, Ángel Barrios (1882-1964); y otro guitarrista destinado a la fama internacional, Andrés Segovia (1893-1987) quien, al igual que Manuel Ortiz, procedía de Jaén pero vivía en Granada y recalaba a menudo en la tertulia cuando no estaba de gira. Había también varios jóvenes que iban para diplomáticos: Luis Mariscal (1895-1941) —partícipe con Lorca en varios viajes de estudio con Domínguez Berrueta—, Francisco García Lorca (1902-1976), Juan de Dios Egea González (1888-¿1970?) y Francisco Campos Aravaca (1893-1948).

Un «rinconcillista» difícil de encasillar fue Ramón Pérez Roda (1887-1943), muy estimado por todos al haber sido expulsado de un colegio jesuita acusado de hereje. Era excelente matemático, autoridad en todo lo relativo a Inglaterra y admirador fervoroso de Byron, Shelley, Rubén Darío, Ravel y Oscar Wilde.

Las obras del escritor irlandés habían empezado a publicarse en Madrid en 1917, y Lorca, tal vez bajo la influencia de Pérez Roda, tenía un ejemplar de la primera edición española del *De profundis*, editado en 1919, y subrayó los pasajes que más le llamaban la atención. Los sufrimientos de Wilde, y la tristeza de su ocaso poco después de salir de la cárcel, le impresionaron en momentos en que se daba paulatinamente cuenta de su propia condición homosexual y, por ello, de marginado.[147]

Así, brevemente, eran los que formaban el núcleo del Rinconcillo. Hubo otros muchos jóvenes granadinos —escritores, artistas e intelectuales— que lo frecuentaron esporádicamente. Se trataba de un cónclave abierto y flexible, sin exigencia de carné.

No era infrecuente que escritores y artistas españoles de paso por Granada se acercaran al grupo, que, además, tenía sus «socios honorarios», figuras de la talla de Manuel de Falla y Fernando de los Ríos, por ejemplo. También llegaban escritores, artistas y músicos extranjeros que, adoptados por los «rinconcillistas», eran iniciados en una Granada abierta a pocos turistas. Entre ellos H. G. Wells, Rudyard Kipling, Wanda Landowska, Arthur Rubinstein y el hispanista sueco Carl Sam Osberg, quien, hasta que el azar dirigió sus pasos hacia el café Alameda, había estado deambulando por las calles como alma en pena.[148]

Un día apareció un joven diplomático japonés, Nakayama Koichi, que se hizo amigo de los contertulios. También les frecuentó un estudiante inglés, Charles Montague Evans, que pasó varios meses en Granada en 1922. Muchos años después recordaría con nostalgia las apasionadas discusiones que seguían hasta altas horas de la noche.[149]

Una de las actividades predilectas del Rinconcillo consistía en colocar azulejos conmemorativos en las casas de Granada donde habían vivido artistas y escritores famosos, nacionales y extranjeros. De esta manera se honró la memoria de Théophile Gautier, Isaac Albéniz, Glinka y el mencionado poeta granadino del siglo XVII, Pedro Soto de Rojas.[150]

A veces los de la peña practicaban alguna broma pesada, siendo su mayor éxito en esta línea la creación de un poeta apócrifo, Isidoro Capdepón Fernández, cuya obra expresaba los estereotipos artísticos granadinos deplorados por el grupo. El ficticio Capdepón había emigrado de joven a América del Sur, y había alcanzado allí cierta celebridad antes de regresar a su Granada natal en edad ya provecta. Algunos de sus versos fueron publicados por los «rinconcillistas» en la prensa granadina, y la fama del poetastro ficticio llegó hasta Madrid donde, participando en la propagación de la burla, Melchor Fernández Almagro y otros publicaron artículos sobre el bardo en periódicos respetables, sugiriendo incluso que debía ingresar en la Real Academia. Federico colaboraría en la composición de unas efusiones del personaje, algunas de las cuales son verdaderas joyas paródicas.[151]

El Rinconcillo tendría su máximo auge entre 1918 y, más o menos, 1922. Luego empezaría a desintegrarse al irse muchos de sus componentes a Madrid y otros lugares, fuera y dentro de España, a ganarse la vida.

La fecha media de nacimiento de los diecisiete contertulios más asiduos rondaba el año 1893, y para Lorca el apoyo y aliento de estos compañeros, casi todos algo mayores que él, fue altamente estimulante. De hecho, su vida y por extensión su obra habrían sido muy diferentes si no hubiera coincidido en Granada con un grupo tan inteligente, tan creativo y tan poco convencional.

LA *JUVENILIA* OCEÁNICA, ATORMENTADA Y REBELDE DE UN GRAN POETA EN CIERNES (1917-1919)

Malaventurado de malaventurados, que en mis noches sin fin sueño con un amor que es mi misma carne y que nunca conseguiré alcanzar...

Mística en que se trata de una
angustia suprema que no se borra nunca
(mayo de 1917)[1]

¿Por qué te perdí por siempre
En aquella tarde clara?
Hoy mi pecho está reseco
Como una estrella apagada

«Alba»
(abril de 1918)[2]

Tu sed de sexo
Nunca se apaga;
¡Bien aprendiste
Del padre Pan!

«El macho cabrío» (1919)[3]

El tema acuciante del primer amor desmoronado

Una carta de Lorenzo Martínez Fuset, redactada en Baeza la noche del 31 de marzo de 1917, refleja la emoción que le produce la importante confidencia que le acaba de hacer su «hermano» en una misiva por desgracia hoy desconocida (como todas las que recibió del poeta). «Me [h]alaga infinitamente —le dice— la idea de que hayas entrado de lleno en la clase "Literaria".. —Y de veras deseo saborear las enormes frases del novel escritor.»[4]

La frase «de lleno» da a entender que estaba al tanto de los esfuerzos literarios anteriores del amigo (¿conocía quizá *Mi pueblo*?), así como de sus dudas acerca de su verdadera vocación. ¿Escritor o músico? La disyuntiva había sido angustiosa. Ahora parecía resuelta.

Federico, de hecho, acababa de entrar «de lleno» en la «clase "Literaria"» y manaba desde hacía unos meses un torrente de prosas apasionadas, confesionales y atormentadas. Casi todas ellas fechadas, lo cual nos permite, como si de un diario íntimo se tratara, seguir su estado de ánimo a veces día a día.

El 2 de enero de 1917 redactó *Nocturno apasionado. Lento*, tal vez la primera de la serie. «¡Qué misterio tan profundo el de la noche…! —empieza—. Todo está aletargado. La sombra cubre a las cosas como un sudario inmenso. Las estrellas chisporrotean en el infinito. Hay un vago sonido en el aire. Parece que lo producen las estrellas al moverse. El espectro azul de Chopin está oculto en la luna invisible…» El «yo» oye sollozar en la oscuridad —el escenario es un prado— y ruega a la inquietante presencia que se identifique. Contesta una voz de hombre: «Yo suspiraré eternamente. Yo gemiré siempre mis desengaños. Soy casto. Nunca fui sacerdote en el sacrificio del amor. Yo me abrasé de ese fuego santo en la tierra. Las mujeres no me amaron nunca. Fui horrible. Soy un alma errante, eterna y universal. Mi cantar de dolor llena toda la tierra. Yo soy amor que no muere. Yo soy pasión que no se mustia a través de los siglos…».

Resulta, pues, que uno de los primeros personajes que aparece en la obra de Lorca se percibe como fracasado en el amor. «Yo formo parte de todas las cosas —continúa—. Muchos ojos han derramado amargura por mi culpa. Muchos pechos engendran suspiros por mi causa. Mi piano está mudo. Su alma sueña eternamente con mis manos. Algunas noches mi sombra lo besa con pasión. Soy inmortal.» Estamos, pues, en presencia del fantasma de un músico. ¿Del ya mencionado Chopin?, se pregunta el lector. P[...] puede ser, dada la intensa vida amorosa del polaco, por lo de[...] nada «horrible» físicamente.

Otras voces intervienen ahora para compadecer a la desgraciada sombra: la de las rosas, la de los árboles, la del «pájaro rey» (el águila). Y sigue el fantasma: «Soy corazón de corazones. Soy sangre de fuego. Soy cerebro de la música. Mis sollozos son sonidos de violonchelos...». En este momento un nuevo interlocutor, «El poeta», le pregunta quién es, por qué no está con los justos, por qué llora siempre. La presencia, ya «esfumándose», contesta: «Peno siempre mis desengaños de amor. Soy un alma en pena. Yo enseño a cantar a los ruiseñores». «El poeta», que ya cree adivinar su identidad, insiste. ¿Cómo se llama? Y la voz, que se va extinguiendo, contesta: «Beethoven». [5]

¡Beethoven! La compenetración del Lorca joven con el compositor se evidencia en otros textos de 1917. «Nadie, con palabras, dirá una pasión desgarradora como habló Beethoven en su *Sonata appassionata*», nos asegura en *Divagación. Las reglas en la música*.[6] En el poema «Elogio. *Beethoven*» le califica de «canto doloroso de amor imposible» y alude a su «cuerpo espantoso».[7] Sabemos por distintos testigos que interpretaba al compositor con profundo sentimiento. Ello tenía mucho que ver con su llorado maestro Antonio Segura Mesa, a quien dedicará su primer libro, *Impresiones y paisajes*.

Nocturno apasionado. Lento termina con la llegada paulatina del amanecer. Las campanas comienzan a sonar, llamando a misa del alba. Una de ellas «marca el ritmo lúgubre del allegretto de la sinfonía séptima».[8]

El Lorca joven encuentra en la música de Beethoven, está claro, la expresión de la honda angustia erótica del compositor, quien, al ser «horrible» para las mujeres, debido a su «cuerpo espantoso», no tiene más remedio que cantar en ella sus «desengaños de amor». Impresiona que sea precisamente este Beethoven fracasado quien presida la iniciación literaria del granadino.

Vuelve a compadecer, en otros textos de 1917, a quienes, por carecer de atractivo físico o sufrir algún grave defecto, saben o presienten que nunca gozarán del amor. «"¿Qué hago yo?", gritan los feos, los que nacieron deformes y espantosos, pero con alma superior», leemos en *Comentarios a Omar Kayyam*.[9] Adelaida, en *Retablo de dolor ingenuo,* es una chica de campo «delgada, pálida y feísima». Sus padres han emigrado, abandonándola. Vive sola en

...gunos animalitos, su única compañía, y es po-
... Tiene todo en contra. Los hombres huyen de
...ida de que no la querrá nunca ninguno y «que
...o cuando se nace con ello». Se entabla entre ella
...co diálogo. «Si usted supiera lo que me entra en
...veo la felicidad», le confiesa la pobre criatura. El
«yo» no qui... ...ne le mire, por la pena que le da la expresión de
sus ojos: «Que sé y veo lo que te encierran esos diamantes de
amargura, y siento ansias de blasfemar y de no vivir».[10]

A Adelaida podemos añadir la poco agraciada Trinidad, que en
la prosa incompleta *La soñadora* espera inútilmente al Lohengrin
que no llegará nunca.[11]

La segunda composición de la serie de prosas iniciáticas, fechada el 13 de enero de 1917, tiene, como la anterior, título musical, *La sonata de la nostalgia*. Se divide en cuatro «tiempos» y es
temáticamente más sujetiva que la primera. «Las noches de septiembre son claras y frías», empieza. El «yo», delante de su piano
con la música de Chopin, piensa en la amada que le ha abandonado y la imagina en el acto de romper en mil pedazos una carta
suya. Hay un apasionado diálogo entre los dos. La muchacha explica que, si antes le amaba, ya no puede: se considera «imposible
para ningún hombre de la tierra» e insiste en que morirá «virgen
sin ningún contacto carnal», «virgen de contacto con los hombres».

Se trata de una chica «toda marfil y oro»: pálida, de pelo dora-
do, manos blancas y «figura de espuma». Son características que
se repiten una y otra vez en estos textos.

Al final de la composición vuelve la oración inicial, «Las noches de septiembre son claras y frías». Y sigue el «yo»: «En una de
esas noches vino al suelo la balumba de mis ilusiones. Las estrellas no brillan... A lo lejos veo una estrella roja que es la vida. Allí
iré y encontrará mi espíritu tranquilidad... La fiebre de la actividad sea conmigo y estaré salvado de las nostalgias traidoras...
Los árboles agonizan lentamente. Septiembre tiene unas noches
claras y con luna azul. Mi primer amor se desmoronó en una noche clara y fría de ese mes».[12]

En el cuento *Historia vulgar* —estamos todavía en enero de
1917— el tema es parecido, proyectado esta vez sobre una pareja
de jóvenes campesinos de la Vega de Granada cuya pobreza impide que puedan casarse como está pidiendo a gritos la Naturaleza.
Al final, emigrada ya la novia con su familia sin despedirse de su
amante, éste se suicida. El «yo» se indigna: «Vosotros, los que de-

rrocháis el dinero en cosas inútiles, no sabéis que hay muchas gentes que serían felices quizá toda la vida con unas cuantas monedas con que empezar a vivir». Y pide al final de la «historia» que el lector tenga misericordia de la desafortunada víctima, muerto por amor.[13]

Unos meses después, en *Mística que trata del dolor de pensar,* se incluye a sí mismo como alguien necesitado de piedad:

> Yo me arrodillo ante la grandeza de espíritu de los hombres geniales. Yo soy de oraciones en su honor. Yo los amo y les pido que tengan misericordia de mí. Beethoven que moriste de amar, ten misericordia de mí. Chopin que moriste de pasión, ¡ten misericordia de mí! Hugo que moriste de grandeza, ten misericordia de mí. Juan de la Cruz, que moriste de dulzura, ten misericordia de mí [...] Rubén Darío que moriste de sensualidad, ten misericordia de mí.[14]

En *Estado sentimental. La primavera* nos asegura que, en dicha estación del año, los corazones «que son amargura y recuerdo sufren las nostalgias de lo que pasó» y vuelven a experimentar el dolor de «la primera desilusión de amor». Cuando llega el hálito de la vida nueva, el olor de la Naturaleza para tales corazones «es puñal»: «La primavera la siento llegar y de mi espíritu nacen las rosas de pasión que el frío del invierno logró marchitar». No hay remedio, llega fatalmente, con la vuelta de la luz, «el olor de la que se fue que el corazón tenía en sus cámaras ocultas y que la primavera esparció con ayuda de los recuerdos». El «yo» no lo duda: «Ahora he bebido las hieles de la primera desilusión de amor y en mi corazón se ha clavado una espina de rosa que lo hará sangrar hasta que deje de latir».[15]

En otras páginas de 1917 y luego 1918 y 1919 se incidirá obsesivamente sobre el mismo tema: la llegada de la primavera es mortal porque aviva el dolor y el recuerdo, amortiguado por el invierno, del «viejo amor único» vivido el año anterior y luego «desmoronado».[16] Habla por sí mismo el título del poema «Aria de primavera que es casi una elegía del mes de octubre» (30 de abril de 1918).[17] En «Romanzas con palabras» (31 de marzo de 1918) el desvalimiento es absoluto:

> *Un velo blanco de desposada*
> *Cubre a la novia que nunca veré.*
> *Ella era dulce y vaga y sentida,*

> *Era sagrario donde iba mi vida.*
> *Pero una noche callada y dormida*
> *Como princesa de cuento se fue...*[18]

La chica perdida tiene ojos azules imposibles de olvidar. En «El madrigal triste de los ojos azules» (6 de diciembre de 1918) leemos: «Mi madrigal no lo sabréis nunca, / Ojos azules que mirar no quiero, / Pero que sin mirarlos dan la muerte / Con el puñal azul de su recuerdo».[19] En *Mística que trata de la melancolía* el yo percibe «en el fondo, allá entre los celajes brumosos de las nubes heliotropo, unos ojos azules que me miran apasionados» y que le producen «nostalgia infinita».[20] En *Pierrot. Poema íntimo*, el protagonista, claro trasunto del poeta, entona una apasionada canción a los ojos de la amada perdida:

> *Me matan los ojos azules*
> *Sexos de espíritus vagos.*
> *Me matan los ojos azules*
> *Que sueñan entre abetos y abedules*
> *En países de nieve brumosos y magos.*[21]

En «Madrigal apasionado» (abril de 1919) es, otra vez, el pelo de la adorada. «Quisiera en tu cabellera / De oro soñar para siempre».[22] «Rubia eres como el mismo sol. Tus cabellos son rayos de sol» empieza *Sonata que es una fantasía*, en cuyo «cuarto tiempo» solloza un piano, otra vez, música de Beethoven.[23] Tan rubia es la muchacha que no sólo posee «rubia carne» sino un «imposible corazón rubio».[24] En *Estado de ánimo de la noche del 8 de enero* el yo exclama: «¡Ah, tu alma de espuma! ¡Tus ojos azules! ¡Tus carnes doradas! ¡Tus cabellos rubios!».[25] Y en *Un vals de Chopin* la mujer que se aleja para siempre, «esbelta y rubia», tiene «cabellos dorados».[26] En *Mística de amor infinito y de abandono dulce* se recuerdan «la música de unas manos blancas, los ojos azules que miraban y adormecían».[27] «Tu figura de oro / Aún la guardo en el pecho», leemos en «Canciones verdaderas».[28] «La rubia mujer huyó de mí / Entre tenues celajes rubí. / Desde entonces jamás la vi. / Su corazón se oculta en pianos sombríos», rezan unos versos de «Bruma del corazón».[29]

En *Mística que trata de un amor ideal* encontramos otra vez la asociación musical: «Tu música... son mis manos y Chopin. ¿Por qué eres tan dulce? ¿Por qué eres tan pálida...? ¿Por qué tu aurora de vida fue mi muerte...? Eres tan augusta y tan ligera al mismo tiempo. Apenas fuiste niña cuando te convirtieron en esencia de mujer que lo sabe todo... Yo fui el primero...».[30] La alusión al piano vuelve en *Mística de amor infinito y de abandono dulce*: «La música de unas manos blancas, los ojos azules que miraban y adormecían».[31]

En la prosa *El poema de mis recuerdos* se evocan los ojos azules y «la boca de rosa» de la amada, otra vez en presencia de Beethoven y Chopin, los dos compositores más aludidos en la *juvenilia*. «Tu corazón fue mío... pero como una estrella loca de verano», se lamenta el «yo».[32] La posibilidad de que la amada fuera pianista se confirma en *Mística de amor infinito y de abandono dulce*: «¡Aquellos dedos que eran vida de Beethoven! ¡Aquellos labios que eran sangre y diamantes! ¡Aquellos oros de cabellera, río de suavidades!».[33]

El poema «[Por qué será tan triste]» (18 de mayo de 1918) es quizá uno de los más reveladores:

> ¡Cuánto sufro contigo!
> En mis brazos echada
> Como un lirio muy blanco
> Muy cerca de mi cara,
> Con tus ojos azules
> De pájaro o de hada,
> Con tus rubios cabellos
> Flotando en las espaldas [...]
> Cuánto sufro contigo en mis brazos echada.
> Sufro porque te quiero tan niña y tan mimada
> Con el pelo de oro y el vestido de gasa,
> Como si en vez de nena fueras paloma blanca...

Al final del poema aparece otra vez el piano. Va siendo evidente que el instrumento se asocia habitualmente con la amada. Cabe la sospecha de que el intérprete es el propio poeta:

> El piano de cola de sonido sangraba
> Con un vago nocturno que un muchacho tocaba.
> Ella vino a mi lado con su oro y su gasa.
> ¿Es Chopin?... Sí, Chopin...
> Y no dije nada.
> ... Después de separarnos
> La tristeza me ahogaba...[34]

En otros muchos momentos de los primeros escritos de Lorca recurren estos mismos motivos. Además el «yo» insiste en que está hablando de lo que sabe. En «Canción desolada», por ejemplo, fechado en diciembre de 1917, se acusa de felonía a los «poetas de falsa lira» cuyos cantos amorosos, porque no han vivido las experiencias que dicen, son «siempre bellos / Y casi ninguno desgarrador»:

> *¿Qué sabéis de Amor cuando cantáis*
> *Fuertes escenas que os figuráis,*
> *Alejados del mar de la vida...?*[35]

¿Tema literario nada más? No parece, dada la machacona insistencia del «yo» sobre la autenticidad de lo que está expresando y sintiendo. Ante la abrumadora evidencia de estos textos, tanto las prosas tituladas *místicas* como los poemas que empiezan a surgir, irreprimibles, a mediados de 1917, es muy difícil negar la realidad de una temprana y lacerante experiencia amorosa.

Los sentimientos de fracaso se siguen proyectando sobre otros seres. En «Viejo sátiro» (25 de diciembre de 1917) aparece un «hombrecillo encorvado de cabellos de plata» que, a pesar de su edad avanzada, seguirá soñando con la «locura del sexo» hasta que «un viejo sátiro del gabán raído» (clara alusión a Paul Verlaine) le cierre los ojos en algún desierto hospital.[36] En «Elogio. *Beethoven*» vuelve a haber una evocación, igualmente deprimente, del compositor.[37] Pierrot, abandonado por Colombina, aparece en varias composiciones, a veces identificado explícitamente con el poeta.[38] En «Elegía a doña Juana la Loca», ésta es víctima del apasionado amor no correspondido que profesa a su marido, Felipe el Hermoso.[39] En «Elegía» (diciembre de 1918) —uno de los poemas más intensos de la *juvenilia*— el «yo» apostrofa a una hermosa soltera que, «espejo de una Andalucía / que sufre pasiones gigantes y calle», espera detrás de sus celosías al amante que es probable que no llegue nunca.[40] Se llamaba Maravillas Pareja, se encontraba, según Mora Guarnido, «en la cumbre fatal de los treinta años», y era, para Francisco García Lorca, «la más espléndida belleza morena» que recordaba su memoria:[41]

> *Llevas en la boca tu melancolía*
> *De pureza muerta, y en la dionisíaca*

Copa de tu vientre la araña que teje
El velo infecundo que cubre la entraña
Nunca florecida con las vivas rosas
Fruto de los besos.

En tus manos blancas
Llevas la madeja de tus ilusiones,
Muertas para siempre, y sobre tu alma
La pasión hambrienta de besos de fuego
Y tu amor de madre que sueña lejanas
Visiones de cunas en ambientes quietos,
Hilando en los labios lo azul de la nana...[42]

Esto ya es Lorca «auténtico», Lorca como le conoceremos después, empatizando con otro ser dolorido, en este caso una mujer condenada por una sociedad injusta y machista a no poder vivir la vida que le pertenece, y que padece, en consecuencia, una «melancolía de pureza muerta». La palabra «melancolía» recurre una y otra vez en la *juvenilia* en un contexto de profunda frustración amorosa. Y es que el joven Lorca, en lo más hondo, padece la de no poder vivir su vida auténtica, la de «labios cansados de besar en el aire».[43]

La protagonista de «Elegía», la viudita, la carbonerita, Adelaida, Trinidad, María Elena —agostada por la ausencia del novio que se marchó—,[44] Juana la loca... todas ellas «gustaron marfil de la muerte / Sin haber vislumbrado el amor»[45] y son las precursoras de las mujeres sedientas de felicidad que poblarán la obra posterior. No hace falta aducir más ejemplos para demostrar hasta qué punto Soledad Montoya, Mariana Pineda, Yerma, Doña Rosita la soltera y los demás personajes femeninos de Lorca, a los cuales se puede añadir Don Perlimplín, se anticipan en los textos juveniles... y hasta qué punto son proyección de la angustia del propio poeta. Para todos ellos la búsqueda del amor, siempre abocada al fracaso, constituirá la principal motivación de su vida.

Acera del Casino, 31

En enero de 1917 el «Índice de los habitantes de Granada» incluido en el *Anuario de Granada* de Luis Seco de Lucena, le aseguraba al interesado que Federico García Rodríguez, propietario, vivía en la Acera del Casino números 33, 35 y 37. La misma página dice que Federico García Lorca (no consta profesión) reside en Gran Vía, 34.[46] No se podía pedir a Seco de Lucena y sus colaboradores el acertar, en una obra de tal naturaleza, con cada dato aportado. Lo cierto es que en esas fechas se efectuaba el traslado de la familia desde el apartamento provisional de la Gran Vía a un inmueble considerado, según Isabel García Lorca, «una de las mejores casas de Granada», situada en el Embovedado a dos pasos de Puerta Real. Y sigue la hermana del poeta: «Era el ideal de mi padre, cerca del casino, del Café Suizo y de los teatros. Entonces dijeron que el irnos allí y el pagar una renta de doscientas veinticinco pesetas al mes era una extravagancia de mi padre». Extravagancia que el labrador, enriquecido con el negocio del azúcar y otras inversiones, se podía permitir con holgura. Isabel añade que los números correctos del inmueble eran 31-33-35 aunque, como dirección postal, sólo se usaba el 31. Así fue, efectivamente, como demuestra la correspondencia del poeta.[47]

Se trataba de un edificio y propiedad de una de las familias más acaudaladas de Granada, los Moreno Agrela, realmente espléndido, con una hermosa fachada (ilustración 5). Fue derribado en el franquismo para dar paso a la que Isabel denomina, con razón, «horrorosa» casa de apartamentos.[48]

Menos mal que tenemos su evocación de cómo era antes. La familia ocupó el segundo y tercer pisos, unidos por una escalera interior, «casi de caracol»[49]:

> La vivienda tiraba a lujosa, con escalera de mármol y pasamanos de caoba. En el piso de abajo, como lo llamábamos, estaba la entrada, que daba al patio. Era un patio octogonal con un balcón a cada lado, balcones con unas tallas preciosas como las que tenían todas las puertas de la casa. En los del comedor mi madre puso unos visillos con entredoses de encaje ligeramente azulados. Tenían bordadas la G y la L con que mi madre marcaba todas las sábanas, toallas y manteles.
>
> A la izquierda del amplio pasillo estaba el comedor, muy hermoso, empapelado con un papel precioso de grandes flores y hojas en tonos sepia y dorado, con una repisa de caoba en alto para poner platos y cacharros, el aparador en el centro...[50]

No había habitación sin gran espejo, era una particularidad de la casa. A García Rodríguez le gustaba muchísimo dirigirse a sí mismo delante de ellos, sin importarle quien estuviera oyendo. «Nosotros, escuchándole —sigue Isabel—, nos enterábamos del dinero que tenía, del que le debían, de las jugadas del tresillo, de las cosas de la labor, de los gastos de mis hermanos, de todo.» Uno de los espejos, el predilecto del patriarca, tenía «una jardinera llena de plantas, perchas a los lados, unos trenzados de madera para colgar abrigos y sombreros y los apartados laterales con una especie de barandilla para dejar los bastones y paraguas». Isabel recordaba uno de aquellos monólogos: «Se había peleado con alguien y, después de llamar a su contrincante "cabrón" e "hijo de puta", hizo una pausa y añadió: "¡Además, es un sietemesino!"». Federico, a quien le encantaban tanto como a su padre los espejos, lo oyó y a partir de aquel momento el dicho pasó a formar parte del «vocabulario familiar».[51]

El calor permanente del cuarto de la chimenea de mármol, donde no daba el sol, hacía que fuera muy confortable. García Rodríguez, que «le temía mucho al frío», apenas usaba otro. Allí recibía sus visitas y leía cada día tres periódicos locales: *El Defensor de Granada*, *La Publicidad* y *El Noticiero Granadino*. Otro, *La Gaceta del Sur*, «extraordinariamente carca y reaccionario», nunca entraba en la casa.[52]

Vicenta Lorca estaba siempre en el gabinete, donde había una mesa camilla, cerca de un cierre de cristales que daba al Embovedado. Isabel la recuerda como habitación «sumamente alegre», con un estrado rojo y una chaise longue.

También recuerda la torrecita acristalada de la casa. Los vidrios superiores eran de colores, había una mesita y dos butacas de mimbre. La vista desde allí era «extraordinaria» y Federico subía mucho. Se veía Sierra Nevada, la Vega, la Alhambra, el Albaicín y, sobre todo, el cerro de San Miguel, con la iglesia dedicada al arcángel en su cumbre. «Yo me pasaba las horas muertas mirando a través de aquellos cristales de colores —apunta Isabel—. El morado, que tenía luz de tormenta, me daba mucho miedo, me parecía el color del fin del mundo.»[53]

En la casa acompañan a los seis miembros de la familia dos hermanas oriundas del pueblo de Íllora, Petra y Amor Soriano Ramos (cocinera y «cuerpo de casa», respectivamente), la lavandera —que acude tres días por semana— y Dolores, la Colorina. La antigua nodriza ya no vive en ella pero está allí siempre «con su gracia y sus salidas comentándolo todo». Hay, además, visitas constantes de primos y primas, tíos y tías, compañeros de Federico y

Francisco y, para Isabel, la presencia asidua de quien será su amiga del alma vitalicia, Laura, la hija de Fernando y Gloria de los Ríos.[54]

Federico y Francisco comparten, en el segundo piso, un cuarto grande y un «despachillo». Allí se sienta a leer Isabel cuando los hermanos no están. Desde el balcón se ven la torre de la Vela y, otra vez, el cerro de San Miguel. Según ella Federico escribió mucho en él sugerido por aquel panorama tan hermoso.[55]

También se apreciaba desde la misma atalaya, allí abajo, el «barrio galante» de Granada, La Manigua, cuyo sórdido comercio le explicó la cocinera a una Isabel horrorizada después de que la niña fuera testigo, desde el balcón, de un episodio orgiástico.[56]

El acontecimiento más importante que recordaba de la casa, con todo, fue la llegada para Federico del piano de media cola. «Era el mejor que había en Granada, por eso lo alquilaban para algunos conciertos; al comprarlo, mi padre impuso como condición que no se moviera de casa. Fue una gran alegría para todos. Aquel piano sonó incansable, a todas horas.» Incluso avanzada la noche, por lo cual Vicenta Lorca pedía perdón a los vecinos de abajo.[57]

María Luisa Natera Ladrón de Guevara

En 1987 Televisión Española estrenó la serie de Juan Antonio Bardem *Muerte de un poeta,* con el actor inglés Nickolas Grace en el papel de Lorca. En el primer episodio aparecía una bella granadina, María Luisa Egea González, admirada por Federico en 1917-1918 y, según el pintor Manuel Ángeles Ortiz, «musa» del Rinconcillo, uno de cuyos contertulios, mencionado antes, era su hermano Juan de Dios, futuro diplomático.[58] Otro hermano, llamativamente guapo, sería un famoso actor con el nombre de Fernando Granada.[59]

Fue grande la sorpresa de quien escribe estas líneas al recibir, poco después de estrenada la serie de Bardem, una carta firmada por una señora de nombre María del Carmen Hitos Natera. Resultaba que en la vida afectiva del Lorca joven había habido una María Luisa previa a María Luisa Egea González:

> Esa joven era mi madre. Se llamaba M.ª Luisa Natera Ladrón de Guevara, era cordobesa, su hermano (el amigo de Lorca) era Mariano y su padre era un ganadero cordobés. Se conocieron un vera-

no en un balneario de Granada y Lorca se enamoró de aquella niña rubia, de ojos azules, de trenzas doradas, tan bella, y que tocaba el piano con él a cuatro manos. Mi madre guardaba sus cartas, no se enamoró ella de él (le parecía poco varonil), pero sobre todo era muy pequeña, 14 o 15 años, nació en 1903 o 4. Mi madre se casó luego, a los 25 años, con otro granadino, también artista, pintor, pero andaluz y celoso, que un día, siendo sus hijos aún pequeños, rompió las cartas de Lorca... así de terrible...

No tenemos, pues, documentos de esto que le cuento, pero supongo que me cree. Cuando vi por TVE la serie, puse boca abajo mi casa, porque sé que había una foto en el balneario y estaban mi madre y Lorca... tampoco la encontré...

Poco tiempo después María del Carmen Hitos adujo otros datos: «Sé que tocaban el piano a cuatro manos y que él la llamaba "mi niña, la de los ojos azules y las trenzas rubias"». Añadió que ella siempre había creído que su madre inspiró el poema «Balada interior», de *Libro de poemas*, que empieza:

> *Mi primer verso,*
> *La niña de las trenzas*
> *Que miraba de frente,*
> *¿Está en ti*
> *Noche negra?*[60]

¿En qué balneario tuvo lugar el encuentro? María del Carmen Hitos no lo sabía. El de Villahorta, en Córdoba, no parecía muy probable. Se trataría casi seguramente de Lanjarón, que frecuentaba la madre del poeta.[61]

Pero ¿estamos realmente ante el primer amor del poeta, evocado con tanta insistencia en la *juvenilia*? «Amor de un verano» llamaba aquel encuentro María del Carmen Hitos Natera, tal vez recogiendo una frase de su madre. «Tu corazón fue mío... pero como una estrella loca de verano», escribe el yo lorquiano en la prosa *El poema de mis recuerdos*, probablemente de 1917.[62]

La iglesia parroquial de la Inmaculada Concepción de Almódovar del Río, lugar natal de María Luisa, fue incendiada durante la Guerra Civil, con la pérdida de su archivo. Allí el investigador no encontrará la partida de bautismo de la muchacha. Por suerte, cuando en 1930 se iba a casar con el granadino Enrique Hitos Rodríguez en el Sagrario de Córdoba, el párroco de Almódovar remitió la copia requerida. El documento da fe de que María Luisa nació el 12 de abril de 1902 y de que su padre era Antonio Natera Junquera y su madre, Luisa Guevara Casti.[63]

En la familia, según otra hija de María Luisa, Pilar, se la conocía como Luisa o Luisita, si bien no queda claro cuándo se le añadió el nombre de María.[64]

Si el encuentro indocumentado de Federico y la muchacha cordobesa ocurrió, como parece, en 1916, ella tenía catorce años y él dieciocho. Por las fotografías que se conservan podemos apreciar su gran belleza y delicadeza.[65]

En cuanto al físico del Lorca de esta época, las imágenes nos muestran a un joven de pelo negrísimo, hermosos ojos oscuros, mirada intensa, lunares en la cara —procedentes de la madre— y sensibilidad a flor de piel (ilustración 8). ¿De buen ver? Depende de la fotografía. En algunas, sí. El incontestable guapo de la familia, de todos modos, era Francisco, y es posible que ello constituyera un problema para Federico, nunca muy satisfecho, al parecer, con su aspecto físico, quizá sobre todo por sus «torpes andares».

Según Pilar Hitos Natera, a su madre le gustaba mucho la música popular andaluza y tocaba bien a Granados y Albéniz. Tenía buen oído y era capaz de improvisar. No es sorprendente que el músico y escritor principiante se enamorara de ella.[66]

Pero en absoluto pudo ser. Eran demasiado jóvenes, vivían lejos el uno de la otra, a ella le parecía, pese a su simpatía y sus talentos artísticos, «poco viril» y, según María del Carmen Hitos, el padre, Antonio Natera, le diría por añadidura algo así como «hija mía, un artista se muere de hambre en esta España inculta. ¿Cómo vas a ser novia de un poetilla sin carrera?». En Córdoba se decía, con graciosa rima: «Si quieres hacer carrera, cásate con un Natera». Eran gentes de postín y es posible que la idea de tener a un joven lírico en la familia no les hiciera mucha gracia. Oposición a la posible relación hubo, pues.[67]

Hoy las hijas de Luisa Natera lamentan profundamente la destrucción, en el Madrid de la Guerra Civil, de las cartas de Federico a su madre y, después, la pérdida o extravío de la fotografía en que se les veía juntos en el balneario.

María Luisa Natera murió en Madrid en 1983, diecisiete años después de su marido. Ambos están enterrados en el cementerio madrileño de La Almudena. Fue, según sus hijas, lectora voraz y tenía en casa las obras de Lorca. Es difícil creer que en los últimos años no pensara de vez en cuando, quizá a menudo, en aquel «amor de verano», amor que parece haber marcado de modo indeleble al poeta.

Hay que reconocer, sin embargo, que hay un problema. Se trata de la breve prosa *Estado sentimental. Canción desolada*, fechada «23 de enero» —casi seguramente de 1917— en que el «yo» culpa a la sociedad circundante de haberle separado de la amada:

> En el frío y la oscuridad de una noche de otoño me mataste con lo que decías, mi cuerpo se aletargó, mis ojos querían llorar, y la vida futura cayó sobre mi espíritu como una gran losa de hielo... Las terribles palabras las dijiste llorando y, pasándome las tibias manos por la cara, suspiraste: «Así tiene que ser. La sociedad sanguinaria nos separa. A mí también se me destroza el corazón...»[68]

Unas líneas más adelante el «yo» confirma que la separación se ha debido a «las espantosas conveniencias sociales», y surgen las preguntas y las imprecaciones:

> ¿Por qué no me puedes pertenecer? ¿Por qué tu cuerpo no puede dormir junto al mío, si lo quisieras así? ¿Por qué tú me amas con locura y no nos podemos amar? La sociedad es cruel, absurda y sanguinaria. ¡Maldita sea! Caiga sobre ella, que no nos deja amarnos libremente, nuestra maldición.
>
> ¿Qué importa que haya diferencia de clases si nosotros somos una sola alma? ¿Qué importa que tu familia sea infame y esté prostituida tu madre si tú eres pura y eucarística...? Mi pecho quisiera estallar y muchas veces llamo a la muerte..., pero no puede ser... La sociedad nos separa y nos mata...[69]

Los datos sobre la familia «infame» de la amada, y la condición prostituida de la madre, no encajan para nada con lo sabemos de María Luisa Natera y los suyos, aunque sí el tema de la separación o imposibilidad por razones sociales. Pero, a la hora de ir convirtiendo su experiencia en literatura, nadie le puede exigir a un escritor que no mezcle hechos «reales» de su vida con otros inventados. Queda en pie, de todas maneras, la hipótesis de que, detrás de la angustia amorosa que impregna la *juvenilia*, está la relación imposible con la bella cordobesa.

Domínguez Berrueta otra vez

A finales de abril o principios de junio de 1917 Federico regresa
con Domínguez Berrueta a Baeza. Allí los vuelve a atender Antonio Machado, cuyas *Poesías completas*, editadas en Madrid por la
Residencia de Estudiantes, están en prensa. Lorca ya admira profundamente al poeta y en un ejemplar del libro estampará al año
siguiente unos versos muy elocuentes al respecto. Empiezan:

> *Dejaría en el libro*
> *Este toda mi alma.*
>
> *Este libro que ha visto*
> *Conmigo los paisajes*
> *Y vivido horas santas.*[70]

En Baeza entabla amistad con una joven pianista de talento,
¡otra pianista!, María del Reposo Urquía, hija del director del instituto, con quien luego se carteará románticamente. Como el año
anterior, hay un concierto. María del Reposo toca una *Romanza
sin palabras* de Chopin, Machado lee algunos trozos de *La tierra
de Alvargonzález,* y Federico interpreta música de Falla y canciones populares andaluzas, entusiasmando al público.[71]

El 27 de junio, otra vez en Granada, escribió, en una «noche de
inspiración», *Mística de luz infinita y de amor infinito*. Tenía una
sección, *Ansia mortal*, con un epígrafe general de Juan de la Cruz
(«Y el alma incliné sobre la amada») y luego otro de Juan Ramón
Jiménez («Pena que no mata y que hace sufrir mucho»). Se trata
de un apasionado panegírico, si bien inspirado por el citado verso
del autor de *Cántico espiritual*, más digno de *El cantar de los can-
tares*, dirigido a los senos de la amada anhelada. No hay nada
comparable en toda la *juvenilia*:

> No sé si mi alma resistirá el goce supremo de inclinar la cabeza
> sobre los senos del amor escondido. ¿Quién no cantaría los senos de
> una mujer? En ellos está oculto el misterio ancestral de lo infinito y
> sus pomas son las piedras arrebatadoras del pecado. Eva tuvo sus
> pechos en la boca de Adán. Julieta gustó los escalofríos de las ma-
> nos de Romeo. Leda tuvo en ellos el pico del cisne Júpiter. La virgen
> Cecilia sintió en sus hostias de pureza el aire varonil del órgano…
> Cleopatra se estremeció de la viscosa carne de la víbora… y Marga-

rita murió de espasmos en ellos causados por bocas tísicas. En ellos se esconde una parte del alma femenina. Ellos son la leche blanca y caliente que corre por las gargantas de los ángeles. En sus arcanos de caminitos azules y manchas de constelación está nuestra sangre y nuestro pensamiento. Son instrumentos de placer y de dolor. Causan desmayos y lágrimas. Producen en nosotros deseo y temor, pasión y adoración. Ellos, tan blancos y tan inmaculados, son los que rigen a la edad de Dios y son tibios reposos de madre para el que llega destrozado por un corazón lejano o por una cabalgata de dolor. Ellos son la novia y la madre, el olvido y el recuerdo. ¿Quién no cantará y se arrodillará ante unos senos de mujer? No sé si mi alma resistirá el goce supremo de reclinar la cabeza dolorida sobre los senos del amor escondido... Senos los míos de ensueño. De agua, de rosa, de nácar, de miel, de trigo, de violeta, de rubíes, de corazón, de nube, de aire de verano, de calor de agosto, de nieve de invierno. Goce sublime el reclinarme sobre ellos y al son de ningún son, ser todo y ser nada... como el filósofo de la oscuridad.[72]

Uno se pregunta qué habrían pensado los padres de Federico al conocer este texto donde nada indica, todo lo contrario, que sea consciente aún de la posibilidad de ser homosexual.

Dos días después, el 29 de junio, escribe el poema que su hermano Francisco ha asegurado, con «absoluta certeza», ser el primero suyo: «Canción. Ensueño y confusión».[73]

El asunto no parece tan claro, sin embargo, a la vista del testimonio de Constantino Ruiz Carnero, citado antes. Cabe inferir que hubo antecedentes, titubeos quizá, del año anterior e incluso de 1915.[74]

«Canción. *Ensueño y confusión*» constituye, de todas maneras, un documento muy revelador:

> *Fue una noche plena de lujuria.*
> *Noche de oro en Oriente ancestral,*
> *Noche de besos, de luz y caricias,*
> *Noche encarnada de tul pasional.*
>
> *Sobre tu cuerpo había penas y rosas*
> *Tus ojos eran la muerte y el mar.*
> *¡Tu boca! Tus labios, tu nuca, tu cabello...*
> *Y yo como la sombra de un antiguo Omar...*

El sueño de las telas de Argel y Damasco
Perfumaba lánguido nuestro corazón.
Tus trenzas decían una melodía
Sobre las estrellas de tu gran pasión.

Después, el mordisco, el beso incoloro,
El roce apretado de carne en olor,
Una sombra vaga de vago consuelo…
Y las almas locas en rojo sopor…

Antonio sublime lloraba en el cielo.*
Martino cantaba cantos con dulzor.**
Las nubes se iban tristonas con duelo
Y las almas lúbricas miraban al NO.

Toda la locura de los sexos dulces
Se llora en las noches del estío feroz.
Se llora por ansias de amor que no llega.
Se sufre por carne vista a lo Berlioz.

Y llega la noche negruzca y callada,
Y llega la carne con fe y esplendor,
Y llega el placer con el dulce extravío.
Mas, ¡ay!, que la muerte llegó y el dolor.

Werther huye trágico por la negra senda.
Nerón ríe sangriento sobre vil león.
Larra está callado con luna en los ojos.
Isabel se esfuma sobre alado son…***

Mahoma reposa sobre carnes blancas.
Luis Gonzaga aspira la infinita flor.
Barbarroja besa al odio en su alma.
Rubén el magnífico merodea en Luksor.

---

* Al parecer san Antonio, el anacoreta, inquebrantable ante las tentaciones.
** Tal vez san Martín de Tours, conocido por su dulzura.
*** Se trata, probablemente, de Isabel de Segura, desventurada protagonista, con Diego Marsilla, de *Los amantes de Teruel*, de Hartzenbusch, también evocada en «Elegía a doña Juana la loca», de *Libro de poemas*.

Y sombras y sombras y luz y silencio.
Y besos y manos y nieve en fulgor.
Y risas y llantos y carnes en aguas.
Y Venus y Carmen y ojos de Almanzor.

Las almas ardientes se besan cansadas.
Las telas se llenan de vida y sudor.
Un hálito acre de tierra mojada...
Y más abrazarse, y más. Luego el sol.

Y el sueño se acaba entre ramerías
De hojas de parra y un sufrir sereno.
Las caras muy pálidas, los ojos cerrados,
Reposada el ánima y horror a Galeno.

El mundo imponente sigue su carrera.
Los hombres son en él incidente banal.
Los sueños son la vida de sabios y de amantes.
El que sueña se adueña de la luz fantasmal.

Y aquel que recorra la enorme llanura
Sin soñar, pensando en el más allá,
Que se quede blanco sobre blanca albura
O que un cuervo horrible lo trague voraz.[75]

Si el escenario del poema procede en parte de la trasnochada tradición orientalista granadina y del aludido Omar al Khayyam —poeta admirado por Lorca, que tenía una edición del *Rubaiyat* con prólogo de Rubén Darío— su erotismo, su ritmo y su vocabulario revelan sobre todo la influencia del nicaragüense, elogiado como «el Magnífico» y apostrofado dos meses antes en *Mística que trata del dolor de pensar*, como vimos: «Rubén Darío que moriste de sensualidad, ten misericordia de mí».[76]

Con su incorporación de temas franceses *fin de siècle,* su refinado erotismo, su musicalidad y su exotismo, la obra de Rubén había llegado como un hálito primaveral a una España donde la poesía se caracterizaba entonces por su academicismo y su trivialidad aburguesada. La revolución desencadenada por el nicaragüense fue comparada por Dámaso Alonso con la iniciada por Garcilaso de la Vega siglos antes al incorporar a su poesía maneras de sentir y de decir procedentes de Italia. Otros poetas de la

generación de Lorca, entre ellos Vicente Aleixandre y Luis Cernuda, reconocerían su deuda para con Rubén. De hecho les había
sido imposible desoírle (luego vendría la reacción).[77] En cuanto al
poema que acabamos de reproducir, el verso «Una sombra vaga de
vago consuelo» resulta casi un plagio, pues procede de una fórmula inventada por Darío en *Prosas profanas* («la libélula vaga de
una vaga alusión», «el ala aleve del leve abanico»), mientras la estrofa final, como señala Francisco García Lorca, glosa unos versos
de «La canción de los pinos»:[78]

> *Románticos somos... ¿Quién que Es, no es romántico?*
> *Aquel que no sienta ni amor ni dolor,*
> *aquel que no sepa de beso y de cántico,*
> *que se ahorque de un pino: será lo mejor...* [79]

Entre los libros de la biblioteca del joven Federico y su hermano que se conservan sólo figuran dos de Darío: *El mundo de los
sueños* y *Parisiana*, ambos en ediciones de 1917 (el segundo con la
firma del poeta y la precisión «31.12.1917»).[80] Todo indica que tenían muchísimos más y veremos más adelante otras instancias de
la influencia de Rubén sobre Lorca: sobre su poesía y sobre su manera de ser. Influencia tan honda que no dudamos en afirmar que
sin el nicaragüense no es el mismo.

El 15 de julio de 1917, quince días después de redactar el torrencial poema que acabamos de reproducir y cuyo primer verso
confirma la obsesión erótica que ya impregnaba sus prosas, Federico salió otra vez de Granada con Domínguez Berrueta y su grupo de alumnos de Teoría de las Artes y de la Literatura. La meta
única, esta vez: Burgos.

Estuvieron poco tiempo en la capital, que al flamante escritor
ya le atrae como un imán. «Siempre que he pasado por Madrid me
han entrado ganas de venirme a estudiar aquí —les escribe a sus
padres—, no por la ciudad, porque al fin y al cabo Granada es infinitamente mejor que esto, sino por las gentes que son bien distintas y porque aquí pudiendo estar sin fatigas económicas es muy
fácil triunfar en cualquier orden de cosas.»

Niño de papá rico, Lorca nunca tendría serias «fatigas económicas» antes de independizarse finalmente de los autores de sus
días. Era muy consciente de ser, en este sentido, un auténtico privilegiado.

En Madrid coincide con el «rinconcillista» José Fernández-Montesinos, quien, gracias al aval de Fernando de los Ríos, ha conseguido un puesto en el Centro de Estudios Históricos bajo la dirección de Américo Castro.[81] «Me dice que venga el año que viene con él», añade en la misma carta a sus padres, entusiasmado con el proyecto.[82]

Desde Madrid viajan a Palencia, donde Federico pasa su día, el 18 de julio, y ven la basílica de Baños, la iglesia cristiana más antigua de España, levantada por el rey visigodo Recesvinto. Luego se trasladan a Burgos.[83]

Transcurridas allí tres semanas de intensa actividad, el resto del grupo regresa a Granada, pero Federico, tal vez por disfrutar de una situación económica más desahogada que sus compañeros («nuestro Epulón», le llamaba Domínguez Berrueta en broma),[84] prolonga su estancia un mes, quedándose a solas con don Martín.

Las siete semanas pasadas en Burgos aquel verano —verano convulsionado por una huelga general— le impresionaron fuertemente. Una de las visitas más intensas fue al Real Monasterio de las Huelgas, fundado por Alfonso VIII. Consideró el antiguo panteón real «enorme de interesante y en el cual el Escorial es una zapatilla al lado de su arte y su solemnidad». Pero lo que más le gustó fue la abadesa, quien, báculo en la mano, los fue sentando uno por uno en la silla prioral y haciéndoles preguntas acerca de sus familias. Contó a sus padres que allí vio escenas dignas de *Canción de cuna*, la famosa comedia de monjas de Gregorio Martínez Sierra: «Parecían niñas hablando de buenas y como había unas guapísimas se dejaron retratar a hurtadillas de las viejas gruñonas que no quieren quebrantar la orden».[85]

Lorca y Luis Mariscal comentaron aquella visita en sendos artículos publicados —gracias a la influencia de Domínguez Berrueta— en la prensa burgalesa. Mariscal se fijó en los aspectos históricos del monumento mientras que Federico mostró más interés por los motivos que pudieran haber inducido a aquellas mujeres a renunciar al mundo. Su conclusión era que su aparente abnegación tenía una raíz neurótica, y que la vida monástica en general suponía renunciar innecesariamente al don de la vida y del amor regalado con generosidad por Dios. Comentó a sus padres que el artículo, titulado *Las monjas de las Huelgas*, era «algo atrevidillo de ideas» y le había merecido el elogio, entre otros, del jefe local de los radicales. Cabe pensar que, al cuestionar la sinceridad de la vida de clausura, el escrito resultó bastante ofensivo para algunos lectores del conservador *Diario de Burgos*.[86]

La estancia del grupo en el monasterio benedictino de Santo Domingo de Silos le confirmó en su análisis del ascetismo. Lo demuestra una estremecedora escena narrada en *Impresiones y paisajes*. Entre los personajes algo raros entonces en Silos había un monje que, según se decía veladamente, había ingresado en la casa, ya de mediana edad, con el objeto de expiar las faltas de una vida desordenada. Una tarde, cansado de oír canto gregoriano, Federico subió al órgano e interpretó los primeros compases del *Allegretto* de la *Séptima Sinfonía* de Beethoven (ya mencionado en la prosa *Nocturno apasionado. Lento* de primeros de año). Apenas había comenzado cuando el monje apareció de repente a su lado gritando: «¡Siga usted! ¡Siga usted!». Pero sólo fue capaz de recordar un poco más y el instrumento volvió a sumarse en el silencio. El monje, como hipnotizado, parecía mirar hacia algo muy lejano con «toda la amargura de un espíritu que acababa de despertar de un ensueño ficticio». Más tarde, recobrada la calma, se explicó: apasionado amante de la música y, temiendo en consecuencia por su vida espiritual, había decidido renunciar a ella para siempre. ¿Y dónde mejor que en Silos, con su canto gregoriano tan sobrio? ¡Y ahora un joven melómano de Granada le había recordado, sin pretenderlo, todo lo que había querido olvidar![87]

Dos compañeros de Federico fueron testigos de lo ocurrido. No inventó el episodio.[88]

A solas con Domínguez Berrueta en Burgos publicó dos artículos más en la prensa local y anunció que estaba trabajando en un libro titulado *Caminatas románticas por la Vieja España* (luego *Impresiones y paisajes*).[89] Uno de ellos, *Divagación. Las reglas en la música*, ya mencionado de pasada, tiene especial interés. En él, con una vehemencia digna del propio Domínguez Berrueta, afirma que, si en arte las reglas son necesarias para los principiantes, después sólo sirven para los mediocres. El verdadero artista trabaja movido por la intuición, no por las reglas y, en lo que a música se refiere, lo que necesita un compositor en ciernes, una vez adquiridos los rudimentos de su quehacer, es una imaginación original y un corazón apasionado. Nada más. En cuanto a preferencias, como el buen romántico que es y que declara ser, insiste en que la única reacción aceptable en música es decir «me gusta, no me gusta» (nunca «esto es malo o bueno»), y recuerda a sus lectores que Beethoven, en su tiempo, tuvo que enfrentarse con los que se creían con derecho a imponer a los demás su particular concepto del buen gusto musical. Termina con una evidente alusión a su reciente experiencia en la capilla de Santo Domingo de Silos:

> Yo conozco a personas que se retiraron de oír música, abrumadas por las ideas que sentían. Un arte así no cabe en las reglas. La noche no tiene reglas ni el día tampoco. Ahora bien, que muy pocos son y serán los que hablen trágicamente con ella... Es una vampiresa que devora lentamente el cerebro y el corazón...

Rebeldía, una ilimitada confianza en su visión personal de la música, una profunda admiración por Rubén Darío, el respeto que le inspira la vanguardia europea, sarcasmo, sentido del humor, entusiasmo: este temprano artículo demuestra que el Lorca que se encontraba entonces con Domínguez Berrueta en Burgos tenía pocas dudas acerca de su propia vocación como artista auténtico y revolucionario.[90]

Estaba obsesionado entonces con María Luisa Egea González, a quien ya hemos aludido. Era, como María Luisa Natera, hermosa, rubia y buena pianista, pero, a diferencia de ella, cinco años mayor que él.[91] Los sentimientos que abrigaba por ella, tal vez nunca declarados, le atormentaban durante su estancia en Burgos. Aludió a ellos en varias cartas a José Fernández-Montesinos que, al parecer, no se han conservado. Por una de las respuestas de éste sabemos que le había dicho que era «fría». Fernández-Montesinos procuró consolarle.[92] Lorenzo Martínez Fuset, su amigo ubetense, le rogó repetidas veces por su parte, sin éxito, que aclarase las enigmáticas alusiones a la muchacha contenidas en sus comunicaciones. ¿Quién era? Tendría que esperar un poco para saberlo.

Rebelión religiosa, angustia sexual

El Lorca de los textos juveniles admira profundamente a Jesús pero, como proclama en *Mística de nuestro mundo interior desconocido*, ha llegado a odiar al Dios judeocristiano —«todo bajeza y temor iracundo»— y a despreciar al clero de la Iglesia católica.[93]

Ya vimos cómo el joven Federico atribuía a su «amiguita rubia», en *Mi pueblo*, la revelación de la crueldad del Creador al echar del Paraíso a Adán y Eva por la veleidad de morder la manzana. Varios textos de la primera época vuelven a incidir sobre lo ocurrido bajo el Árbol de la Ciencia... y sus injustas consecuencias. La composición «Poema», por ejemplo, donde la pareja, consumada su desobediencia, «llenan la floresta de sombra».[94] Y, sobre todo, la pequeña obra teatral *El primitivo auto sentimental*, en la cual «El Fantasma Poeta», evidente trasunto del escritor principiante, critica a Dios en los siguientes términos:

> Él creó al primer hombre y la primera mujer; les permitió de todos los goces menos el goce del amor. ¿Por qué no arrancó la rosa del amor del paraíso y le dio la eterna libertad? Indudablemente el amor no era obra de Dios, pero era tan fuerte como Él. Adán y Eva arrastraron las iras de Dios para entregarse al amor y ni la visión de la desgracia y del sufrimiento les causó miedo. Ni fuera del paraíso dejaron de amarse hasta la muerte. Y es que el Amor, que es la causa de las causas, fue hecho prisionero por Dios.[95]

En la prosa *Fray Antonio (Poema raro)* éste exclama: «Me ahoga de angustia al pensar que la base de los hombres, Adán y Eva, fueron el mal porque la serpiente triunfó... y eran obra de Dios como también el mal había sido suyo... El mal está escondido en todo lo agradable de la tierra. El bien es una cruz de espinas, que quien lo ama muere traspasado por sus púas...».[96]

La denuncia resuena por doquier. En «Un tema con variaciones pero sin solución» (7 de diciembre de 1917), por ejemplo, leemos:

> *Esto es reino del dolor*
> *Y no existe el Dios de Amor*
> *Que nos pintan.*
> *Contemplando los cielos*
> *Se adivina el imposible de Dios,*
> *Dios que es eterno mudo,*
> *Dios inconsciente, rudo,*
> *El abismo.*
> *El Dios que dice el Cristo*
> *Que habita en los cielos, es injusto.*
> *Truena sobre los buenos,*
> *Truena sobre los malos,*
> *Inclemente...*[97]

En *Mística en que se habla de la eterna mansión* se formula la pregunta: «¿No pudiera ser que fuéramos creados para servir de juguetes al Altísimo?». El yo considera contundente el testimonio al respecto del Antiguo Testamento: «Parece que estamos destinados a movernos por las manos del Dios inflexible que nos tiene para su reír como metidos en una jaula».[98] ¿Cómo podemos amarle de veras, con su «suprema inflexibilidad»?:

> Siempre estamos bajo el peso de la amenaza tremenda. ¡La mano de Dios! ¡La mano de Dios...! Y temblamos sin amarlo nunca... amándolo por el miedo, rogándole por el miedo a castigos que algunas gentecillas creen. Y cuando estamos alegres y nos acordamos de él temblamos también, porque aquella felicidad la destruirá en momentos...[99]

Está claro que, si el poeta adolescente se rebela contra el Dios cristiano, es sobre todo porque, a diferencia de las deidades de la Grecia antigua —de quienes tiene noticias gracias sobre todo a su pormenorizada lectura, en una bellísima edición, adquirida en 1918, de *La Teogonía* de Hesíodo, con ilustraciones de John Flaxman—, no tolera el erotismo y carga con prohibiciones mortales una actividad que debería ser fuente de gozo y de bondad.[100] Así, en «Balada sensual» (compuesto el 20 de marzo de aquel año):

> *¡Ah el sexo! Nácar divino sobre oro,*
> *Jardín de sueños irisados,*
> *Manantial grave de pecados,*
> *¡Genial y único tesoro!* [101]

Y en «Manantial. Fragmento» (1919):

> *¡Mi corazón es malo, Señor! Siento en mi carne*
> *La inaplacabla brasa*
> *Del pecado. Mis mares interiores*
> *Se quedaron sin playas.*
> *Tu faro se apagó. ¡Ya los alumbra*
> *Mi corazón de llamas!* [102]

Para Lorca, como para el inglés Swinburne —otro joven poeta que odiaba al Dios de las prohibiciones y los castigos— sólo una deidad repugnante sería capaz de crear el deseo sexual y luego condenarlo, convirtiéndolo en sufrimiento y angustia. Además, como a tantos adolescentes entonces, la masturbación, aludida de manera explícita en estos textos juveniles, es motivo de sentimientos de vergüenza, otro elemento del «calvario carnal».[103]

No extraña que el sueño de huir a la vecina Francia, tan sexualmente desinhibida en comparación con España, obsesionara entonces a tantos jóvenes, Lorca incluido.

Al Dios de los castigos, de las plagas y lapidaciones, que ha creado un mundo donde el sufrimiento es norma, no está dispuesto a perdonarle el poeta adolescente. Dios es tan nefasto que hasta odia a su propio hijo. «Ten mucho cuidado con él —le hace decir en la obrita teatral *Jehová*—; un loco así nos puede dar un disgusto el día menos pensado.»[104] Pero Cristo, «socialista divino» para *Mística de negrura y de ansia de santidad*,[105] no es ningún loco, sino la expresión suprema de la caridad, la piedad y la compasión. Así lo pregona la incompleta *Mística. El hombre del traje blanco*:

> Era el amor. Predicó la dulzura de las lágrimas y el encanto de la hermandad… Clamó contra los odios y contra la mentira. Esparció su melancolía de fracasado por las montañas, por los bosques, por las playas. Fue azucena y lago, inmensidad y flor silvestre, corazón y maravilla del desconocido. Vio y lloró. Sus ojos miraban y convencían. Sus largas andanzas por los campos las empleó en hacer amar a todos los seres. Explicó la igualdad y se llenó de pasión por la pobreza… y por eso lo amaron los humildes.[106]

Los escritos juveniles demuestran que Lorca ha llegado a la convicción de que el ejemplo y el sacrificio de Cristo fueron inútiles. En «Aurora del siglo XX» el «yo» nos asegura que ya no se escucha el sermón de la montaña y que «el Evangelio dulce se pierde en el abismo».[107] No duda que, si la humanidad se niega a escuchar el mensaje de amor predicado por Jesús, la culpa la tienen en gran parte los representantes «oficiales» del Salvador en la tierra, empezando con el Papa (cuya figura le inspira el más profundo desdén). Considera que el clero traiciona metódicamente a Cristo, y la repugnancia que le inspiran estos célibes, según él radicalmente hipócritas, es virulenta. «Ya sé que el mundo que ha sido educado por vosotros es un mundo imbécil con las alas cortadas», despotrica en *Mística en que se trata de Dios* (octubre de 1917).[108]

Los primeros escritos lorquianos tienen una clara raíz evangélica y revelan una fuerte tendencia por parte de su autor a identificarse con el Cristo al que tanto admira. Este aspecto de la *juvenilia* aparece con toda claridad en la obra inacabada *Cristo*.

Tragedia religiosa, cuyo primer esbozo corresponde casi seguramente a 1917-1918. En ella Jesús tiene diecinueve años, los mismos que el poeta. Su vocación, que choca con los deseos de su familia, nos recuerda la insistencia de los padres de Federico en que consiguiera como fuera un título universitario. Al enterarnos de que este Jesús, de niño, «se iba muy despacio siguiendo a una hormiga», nos acordamos de que el futuro poeta, allá en Fuente Vaqueros, solía hablar con estos y otros insectos.[109] Luego Cristo, como el joven Federico, pasa horas y horas charlando con la gente del pueblo, y a menudo su familia tiene que ir a buscarle. Declara que su espíritu está «triste desde que nació» y que está «hecho para el dolor»,[110] sentimientos que, como sabemos, se expresan obsesivamente, en primera persona, en los textos juveniles del poeta. Y, quizá lo más notable, este Jesús, como él, está sumido en un mar de desesperación erótica.

El momento más conmovedor de la tragedia inacabada ocurre cuando Jesús intenta explicarle a su madre la incapacidad que experimenta para corresponder los sentimientos amorosos de Ester. Por mucho que quiera, le resulta imposible. Como luego tantos personajes lorquianos, es prisionero en una cárcel de deseos frustrados. Pero sólo en *Cristo* presenciamos la tristeza de una madre que advierte que su hijo no es como los demás. «¡Dios mío! Quitad a mi hijo la amargura infinita que tiene en el corazón!», exclama María.[111] Nos preguntamos si el joven Federico no tendría presente a su propia madre al escribir estas palabras, pues ¿cómo no se iba a dar cuenta Vicenta Lorca, a la altura de 1917, de que su primogénito, pese a todas sus cualidades artísticas, su encanto y su aparente alegría, era en el fondo un alma atormentada?

Si el joven Lorca odia al Dios cristiano, también ha llegado a despreciar el militarismo en una época en que las primeras planas de la prensa traen noticias día tras día acerca de las sangrientas luchas que se están librando al otro lado de los Pirineos, así como de los centenares de vidas españolas que se están segando en la inútil e interminable guerra africana contra Abd el-Krim. En *El patriotismo* (27 de octubre de 1917) ataca frontalmente a quienes engañan a los niños con nociones nacionalistas falsas, incompatibles con la caridad. La alianza de la cruz y la espada, tan predominante en la historia española, le produce especial repugnancia, y en la adulación de la bandera rojigualda descubre una flagrante negación de Cristo. Lo peor de todo es que el nombre de Jesús, utilizado con finalidades espurias, ha sido causa de innumerables atrocidades. «España tomó para encubrir sus maldades a Cristo crucificado —se lamenta—. Por eso aún vemos su ultrajada imagen por todos los rincones. Con el nombre de Jesús se tostaban hombres. En el nombre de Jesús se consumó el gran crimen de la Inquisición. Con el nombre de Jesús se echó a la ciencia de nuestro suelo. Con el nombre de Jesús ampararon infamias de la guerra. Con el nombre de Jesús inventaron la leyenda de Santiago guerrero.»[112] La única solución radica en la escuela, en una nueva manera de enseñar cuyo propósito fundamental sea liberar a la juventud del miedo y del odio. Aquí es patente la fuerte influencia de Martín Domínguez Berrueta y de Fernando de los Ríos. O sea, de la Institución Libre de Enseñanza:

> Debemos de formar en las escuelas ciudadanos amantes de la paz y conocedores del Evangelio. Debemos de crear hombres que no sepan que existió el desdichado Fernando el santo ni Isabel la fanática ni Carlos el inflexible ni Pedros ni Felipes ni Alfonsos ni Ramiros. Debemos de resucitar las almas niñas contándoles que España fue la cuna de Teresa la admirable, de Juan el maravilloso, de Don Quijote divino y de todos nuestros poetas y cantores [...] Hay que arrancar las nefastas ideas patrióticas de la juventud como hay que arrancar a los patrioteros por honor a nuestras madres el concepto de la patria madre. ¡Nunca puede ser madre nuestra la que según decís tenemos que dar la última gota de nuestra sangre por ella! [...] Hay que ser hijos de la verdadera patria: la patria del amor y de la igualdad...[113]

El Lorca joven que reivindica, como verdadera patria, la del amor y de la igualdad está obsesionado por el deseo de experimentar la plenitud sexual. En estas páginas encontramos, una y otra vez, expresiones como «angustiosos deseos de abrazar»,[114] «la pasión hambrienta de besos de fuego»,[115] «mi corazón está sediento de amor y mi cuerpo quemado de deseos»,[116] y hasta de confesiones como ésta: «Por ti sería carne sin alma para gozarte en una cópula que haría sonrojar de vergüenza y de espanto a la misma Venus».[117]

También son ubicuas las frases que insisten sobre el inevitable fracaso de cualquier empresa amorosa futura: para el poeta la vida es «un camino triste / Que ilumina el sexo que en vano buscamos»[118].

¡El sexo que en vano buscamos! Todos los protagonistas de la obra lorquiana, casi sin excepción y empezando con el «yo» de los primeros escritos, están empeñados en la búsqueda obsesiva del sexo o del amor, siempre sin éxito y a menudo atormentados por una efímera felicidad perdida tiempo atrás, irrevocablemente. Lo dice una vez más el poema «Romanzas con palabras» (31 de marzo de 1918) con su estribillo memorable: «Ay mis trágicas bodas / Sin novia y sin altar». Contiene los versos:

> *Y fui por los caminos,*
> *Cansado y doloroso,*
> *Juglar extraño de un extraño amor,*
> *En busca de la novia*
> *Que se fue aquella noche*
> *En que apuré mi cáliz de dolor.*[119]

El poema «Lluvia» (enero de 1919) añade un interesante matiz. Resulta que el poeta es consciente ya de tener una rémora interiorizada que le incapacita para la búsqueda del amor, que le inhibe para tomar la iniciativa:

> *Tengo en el horizonte un lucero encendido*
> *y el corazón me impide que corra a contemplarlo.*[120]

¿Qué es lo que le impide correr a contemplar lo que tanto anhela? Por mucho que el «yo» exprese en estos textos su vehemente repulsa de la moral sexual católica, parece claro que se ha hecho carne de su carne y que, aunque intenta liberarse de ella, sigue siendo víctima de una aguda conciencia «interiorizada» —en términos freudianos un *superyó*— que le imposibilita buscar con desenfado el disfrute de lo deseado.

Desenfado que por otra parte resultaba entonces difícil para todos los jóvenes, o casi todos, especialmente para la mujer. En el Lorca de la *juvenilia* el sexo o la pasión amorosa son inseparables de la angustia. O, dicho de otra manera, la angustia —sean las que sean sus raíces— es lo que le impide ir en busca de la fruición amorosa. No se trata ya sólo de una represión impuesta desde fuera (religión, sociedad), sino de que la prohibición, internalizada, se ha convertido en angustia:

> *Se pierde la carne entre rosales*
> *Se da neblina en la pasión.*
> *Brota en el alma la impotencia*
> *Y la ansiedad en el corazón.*[121]

Choca encontrarnos aquí («Balada sensual», 1918) con la palabra impotencia. ¿Al joven Lorca le atormentaba la posibilidad de encontrarse impotente ante la mujer? Varios pasajes de estos textos primerizos lo dan a entender. «Yo soy un hombre hecho para desear y no poder conseguir. ¿Qué tienen los labios de las mujeres? ¿Por qué su contacto me hace morir? Sin contestación», confiesa en *Estado de ánimo de la noche del 8 de enero*. Un poco más adelante en el mismo texto pregunta: «¿Por qué suspiramos por lo inmenso si luego de oficiantes del amor no sabremos ser sacerdotes supremos en la mujer ni tener los desfallecimientos que merecen sus encantos...?».[122] Ello recuerda, casi literalmente, lo afirmado por el fantasma de Beethoven en *Nocturno apasionado. Lento*: «Nunca fui sacerdote en el sacrificio del amor».[123]

El «yo» de los escritos juveniles ha perdido, ya lo hemos visto, al gran amor de su vida. Está convencido de que ya no habrá otro. Es «un náufrago en la pendiente escabrosa del amor», un «náufrago de amor doliente».[124] En «Meditación bajo la lluvia» nos dice que su «ilusión de ser grande en el amor» ha sido un fracaso y añade: «Se fueron mis historias, hoy medito, confuso / Ante la fuente turbia que del amor me brota».[125] «El amor / bello y lindo se ha escondido / bajo una araña», leemos en «Canción menor».[126] En «Los álamos de plata» está carcomido.[127] El adjetivo vuelve en «Canciones verdaderas»: «Soy un Apolo viejo, / Húmedo y carcomido / Blanco donde Cupido / Agotó su carcaj».[128] En «Carnaval. *Visión interior*» nos asegura que «las rosas que huelen a mujer» se marchitan ante su «lento sollozar».[129]

La amargura que le produce su «vida sin fruto» es «infinita».[130] Es «una amargura inmensa tan grande como el mar» («Oración»).[131] En «Ángelus» (7 o 9 de febrero de 1918) leemos:

> *Amargura.*
> *¿Dónde mi amor se esconderá?*
> *Está muerto.*[132]

Según gustaba de recordar Miguel Cerón Rubio, los «chicos bien» de Granada solían iniciarse sexualmente en los burdeles del barrio de La Manigua —como hemos visto ubicado a unos pocos pasos de la sede del Rinconcillo y de la casa de los García Lorca en la Acera del Casino—, algunos de ellos excepcionalmente lujosos. Cerón, que admitía haberlos frecuentado con asiduidad, contaba que, si a Federico le obsesionaba el sexo —casi imposible entonces con una chica de familia burguesa— no por ello estaba dispuesto a poner los pies en un lupanar. Al contrario, le horrorizaba la idea de estar con una prostituta.[133] Algo de esto se filtra en estos textos juveniles, donde expresa su compasión por tales desafortunadas y, en uno de ellos, arremete contra los ricos que utilizan sus servicios: «Vosotros, los que solamente acariciáis a putas, no sabéis nunca la emoción de abrazar y besar a un animal recién nacido».[134]

En medio de tal desasosiego, el haber encontrado a Rubén Darío, de sensibilidad tan afín a la suya, le consoló y estimuló en su deseo de vivir plenamente, pese a su angustia. El desdén rubeniano por los filisteos, su indiferencia ante cualquier noción convencional de lo poético, su negativa a dejarse encasillar en tal o cual «escuela», su fe en el arte, en el individualismo, su sentido del misterio profundo de la vida, su curiosidad intelectual, su arrolladora energía creadora, su capacidad de admiración, su fervor panteísta, su sinceridad... todo ello le ayudó a encontrar su propio camino en la poesía y a seguir luchando.

Sobre todo, tal vez, es la apuesta de Rubén por una síntesis de lo apolíneo y de lo dionisíaco, de lo pagano y de lo cristiano, lo que tiene especial peso para él en estos momentos de rebelión contra una religión obsesionada con los pecados de la carne. Así pues, cuando en el prólogo de *Impresiones y paisajes* insiste en la necesidad de ser a la vez «religioso y profano», en «reunir el misticismo de una severa catedral gótica con la maravilla de la Grecia pagana», es indudable que tiene muy presente el poema «Divina psiquis», donde Rubén compara su alma con una mariposa que vuela equilibradamente entre las ruinas paganas y una catedral.[135] Por otra parte, la profunda admiración que profesa Darío a Paul Verlaine, a quien había conocido brevemente en París en 1893, refuerza la de Federico. En la *juvenilia* hay numerosas alusiones al poeta francés, de quien Rubén dice en su libro *Los raros* —colección de viñetas de escritores «excéntricos» del siglo XIX, en su mayoría franceses— que «raras veces ha mordido cerebro humano con más furia y ponzoña la serpiente del Sexo».[136] Lorca conocía bien *Los raros* —su impronta es fácil de identificar en *Impresiones y paisajes*—, lo que le aproximó aún más al autor de *Las fiestas galantes*.[137]

Los escritos tempranos dan fe, en resumen, de una honda angustia sexual, de un acuciante sentimiento de fracaso amoroso, de una «tristeza nativa»[138] y de un tremendo conflicto entre Dios y Dionisio, entre las necesidades y urgencias de su libido y las pulsiones represivas instaladas en su ánimo por una formación católica ahora rechazada. El joven Lorca es un alma en pena entregado a la difícil tarea de salvarse por obra y gracia de su arte. Por algo se refiere a 1917 como primer año en que salió «al bien de la literatura».[139]

A principios de 1918 siguen manando imparablemente prosas y poemas, con el mismo tema predominante del amor perdido o imposible.

El 10 de enero termina «Soneto» con dos tercetos desoladores:

Nunca más la veré pues ya mi alma
Entró en el reino del placer sombrío,
Jardín sin luna, sin pasión, sin flores.

Marchitose la flor y quedó en calma
Mi ilusión. Ya lejano el vocerío,
El corazón penetró en los dolores.[140]

Imágenes de esterilidad y marchitez, ausencia de pasión, hasta de luz lunar, se supone consoladora... la visión no podría ser más tétrica, más depresiva. Ni más llamativa la alusión al «placer sombrío», quizá indicación de una naciente toma de conciencia homosexual.

No por nada, el psicoanalista Emilio Valdivielso Miquel ha señalado que los textos juveniles de Lorca revelan «unos sentimientos totalmente depresivos».[141]

El 22 de enero la prosa *El corazón. Estado sentimental* vuelve a «la roja visión del verano feliz... una sonrisa y un echar de cabeza sobre mi hombro de la no poseída». El «yo», su corazón de fuego «sediento de amor y de ansiedad», sale al campo. Y es, otra vez, el piano: «Por mis oídos pasa rumoroso y exquisito un andante de Franz Kuhlau* dicho por la que nunca más besaré [...] El espíritu de la que nunca poseeré está flotando en la niebla [...] mi corazón se está quedando sin sangre y mis ojos no miran sino a la que no puede ser mía».[142]

---

* Algunas de las obras del alemán Friedrich Kuhlau (1786-1832) se utilizaban entonces con frecuencia para que el alumno lograra una buena técnica (Percy A. Scholes, *The Oxford Companion to Music*, 9ª ed., 1955, p. 565).

Federico había descubierto entusiasmado, en la biblioteca de Fernando de los Ríos, los diálogos de Platón. Luego se haría con su propio ejemplar de *El banquete o del amor*, o sea del *Simposio*.[143] En la prosa *El poema de la carne. Nostalgia olorosa y ensoñadora*, fechada «12 de marzo» y con toda probabilidad de 1918, un intercambio entre el filósofo y Safo sugiere que ya va sospechando que es homosexual o, quizá, bisexual. Para él, así como para su admirado Rubén Darío —lo demuestra el poema «La religión del porvenir» (1918)—, «la cálida Grecia» tiene una actitud ante la vida y la divinidad muy superior a la del cristianismo, sobre todo porque las deidades griegas, a diferencia del Dios cristiano, no sólo no condenan el erotismo sino que lo disfrutan extraordinariamente ellas mismas.[144] No podía ser indiferente ante el hecho de que en aquella Grecia se consideraba normal la homosexualidad. Dice el Platón lorquiano:

> Yo soy el sabio que aprendió lo que el gran Sócrates proclamaba. Yo soy el que adora y ama a los efebos... Sus pechos serán rectos, pero tienen un olor genial... Sus cabelleras serán cortas pero tienen luz y aroma de naranjas en sus bocas... ¡Safo! ¡Safo! Tú eres mi hermana del espíritu, tú eres en tu sexo lo que yo en el mío... ¿Por qué lloras?

Y contesta Safo:

> Lloro porque deseo demasiado. Mi alma es ardiente y grande y ansía lo que es imposible. Las doncellas de Lesbia, tan rubias y tan blancas, no me aman todas, y yo las deseo. Cuando poseo a una de ellas, al agotar sus caricias siento dentro de mí la aguja del deseo de otra y así, siempre insaciable y ardorosa, suspiro amores y paso las noches en vela, recostada sobre los senos de una doncella.[145]

Un año antes, en la prosa *Ansia mortal*, el «yo» había imaginado el placer indecible de «inclinarse» sobre los senos de la amada. Ahora proyecta el afán sobre un personaje femenino, emblema del erotismo lésbico.

Impresiones y paisajes

Federico García Rodríguez se sentía perplejo y turbado ante el aflorar repentino y frenético de la vocación literaria de su hijo mayor. Quizá, si hubiera leído estos textos que vamos comentando, lo cual es poco probable, su turbación habría sido mayor. Era evidente, por otra parte, que iba a tener que encargarse de la factura de *Caminatas románticas por la Vieja España*, ahora *Impresiones y paisajes*, casi listo para la imprenta. ¿Merecía realmente ser publicado? Aquellas descripciones de ciudades castellanas, praderas gallegas, de puestas de sol granadinas, de monjes y monjas, ¿tenían interés para el lector? El terrateniente decidió consultar a varias personas en su opinión calificadas para decidir el caso, entre ellas Luis Seco de Lucena, editor de *El Defensor de Granada*, Miguel Cerón Rubio y Andrés Segovia, que a sus veintitrés años ya iba camino de ser guitarrista afamado. Después de escudriñar el manuscrito los tres abogaron unánimes a su favor. «Nos gustó —recordaría Segovia—, y enseguida hablamos con don Federico y le manifestamos que, a nuestro juicio, su hijo tenía un gran talento como escritor y un espléndido porvenir literario.» García Rodríguez aceptó la decisión del triunvirato y pagó la edición.[146]

El 17 de marzo de 1918, con el libro en prensa, Federico leyó algunos extractos en el Centro Artístico y Literario. La velada fue un éxito. El *Noticiero Granadino* comentó los múltiples dones del joven poeta:

> Federico García Lorca une, a su buen natural, sólida cultura y cualidades que le aseguran un envidiable puesto en la república de las letras. ¿De las letras, nada más? No. Oígasele ejecutar al piano las más escogidas composiciones clásicas particularmente, y se verá en él no el poseedor pleno de la técnica, sino el sentimental, el hombre cuya alma vibra al compás de los dulces acentos musicales.
>
> Escúchense sus juicios sobre cualquier obra pictórica de los más diversos géneros y se le tendrá forzosamente por un crítico concienzudo y en su rostro se verá reflejarse la emoción del que siente hondamente. Oírle tratar de arquitectura es incluirle en la categoría del «verdadero artista».[147]

Uno de los muchos amigos del novel escritor presentes en el acto, José Murciano, redactor de la revista estudiantil *El eco del aula*, reveló en su reseña de éste a un Federico ya capaz de conmover a los demás no sólo con su música: «Durante todo el tiempo en que la voz clara y armónica de su autor resonó en la sala puede decirse que jugó con el público; unas veces emocionándolo intensamente con sus descripciones de asuntos de tristeza y miseria;

otras, con rasgos de humorismo lleno de gracia y perspicacia; no sabíamos si reír o llorar...». Murciano auguró al final de su comentario que Lorca no tardaría en escaparse de su jaula granadina, pues la ciudad era demasiado pequeña y estrecha de miras para retener a tan exquisito artista. No se equivocaba.[148]

Impresiones y paisajes salió a la venta la segunda semana de abril de 1918 con una portada de Ismael González de la Serna: una escena bucólica ingenua con algún toque modernista. A las evocaciones de Castilla, que la nucleaban, y a las de Baeza, se habían añadido algunas pinceladas granadinas, unas cuantas meditaciones sobre jardines y una miscelánea de páginas sobre temas diversos. Las críticas aparecidas en la prensa local eran unánimes: acababa de dar su primer paso un escritor de indudable talento.[149]

El libro no podía esperar un éxito de alcance nacional, por supuesto, y Lorca prevé en su prólogo que, después de unos días en los escaparates granadinos, desaparecerá para siempre, víctima de la indiferencia más absoluta.[150] El pronóstico no distaba de ser acertado y, poco tiempo después de su publicación, lo retiró de las librerías y pasaron a amontonarse en algún desván de la Acera del Casino los centenares de ejemplares no vendidos.

Doce años después diría en Cuba que el libro fue comentado positivamente por Miguel de Unamuno. «Nadie me ha enseñado tanto sobre mi arte como Unamuno en aquella ocasión», declaró. Por desgracia la reseña del prolífico pensador, que escribía para docenas de diarios y revistas tanto españoles como americanos, no se ha encontrado todavía.[151]

En Baeza aguardaban con gran impaciencia el libro tanto María del Reposo Urquía, a quien iba dedicado el capítulo sobre la ciudad, como Lorenzo Martínez Fuset. Una carta de éste (9 de mayo de 1918) demuestra que Federico estaba sopesando en estos momentos la posibilidad de ir allí en persona con ejemplares para Antonio Machado y otros amigos: «He hablado con Machado. Éste en su modestia no tiene límites, al enseñarle tu carta se apresuró a indicar que él jamás podía ser objeto de un viaje; no obstante, que se alegraría mucho de verte, encargándome mucho que le remitieses un libro». El autor de *Campos de Castilla* le había dicho a Fuset que, en su opinión, Lorca haría bien en dedicarse plenamente a la música, para la que tenía evidente talento, y en abandonar sus estudios de Derecho. También había opinado (como José Murciano) que Granada era demasiado pequeña para él. Federico debió de sentirse muy orgulloso al saber que el admirado poeta se interesaba por su futuro.[152]

Su talante musical era evidente en muchísimas páginas de *Impresiones y paisajes*. No se trataba sólo de referencias a sus compositores predilectos, sino de sus imágenes:

> El cielo comenzó a componer su sinfonía en tono menor del crepúsculo.[153]

> Al contrario que los demás paisajes sonoros que he escuchado, este paisaje de la ciudad romántica modula sin cesar.[154]

> Nunca se siente un ruido fuerte, únicamente el aire pone en sus encrucijadas modulaciones violentas las noches de invierno.[155]

Había dedicado la sección «Sonidos» de su apartado sobre Granada a la «musa» del Rinconcillo: «A María Luisa Egea. Bellísima, espléndida y genial... Con toda mi devoción».[156] Al recibir su ejemplar, a Martínez Fuset se le disipan por fin las dudas con respecto a la identidad de la joven a quien tanto ha aludido Federico en sus cartas.[157] Aquel julio le abrumará de consejos relativos a cómo debe comportarse con «esa maga blanca y anémica» que le ha traído por la calle de la amargura.[158]

Durante su visita a la Cartuja de Miraflores, en Burgos, aunque adversamente impresionado por la vida ascética de los monjes y por la que consideraba hipocresía de la regla cartujana, Federico había admirado la famosa cabeza de san Bruno de Manuel Pereira, escultor portugués del siglo XVII. En agosto de 1917 Domínguez Berrueta había publicado en *La Esfera*, destacada revista de arte madrileña, un entusiasta comentario sobre la obra, mientras que Lorca redactaba otro tanto para incluirlo en su libro.[159] Al volver a Granada se lo leyó a sus amigos del Rinconcillo. La reacción fue sumamente hostil. Domínguez Berrueta no era santo de la devoción de varios de ellos: le tachaban de grandilocuente, de pedante y de poco acertado en muchos de sus juicios artísticos. Consideraban que Federico estaba demasiado bajo su influencia. El más duro en sus críticas fue José Mora Guarnido, a quien el catedrático había llegado a odiar. Según Mora, los renglones de Lorca sobre la escultura de Pereira eran un mero refrito de las opiniones del maestro. Carecían de autenticidad y, a su juicio, habría que desecharlas. Federico, inquieto, pues respetaba a Mora, reflexionó. Luego cambió radicalmente el pasaje. Cuando se publicó *Impresiones y paisajes* los párrafos dedicados al san

Bruno de Pereira, lejos de ser un elogio, constituían un despiadado ataque que, para empeorar todavía más las cosas, iba acompañado de una alusión velada a la reacción torpemente «extática» de Domínguez Berrueta ante la obra. Al leer estas páginas, don Martín se sintió, con razón, traicionado.[160]

Hubo otros motivos de disgusto, tanto para él como para los demás compañeros de viaje del poeta. En primer lugar, el libro no sólo no llevaba el anunciado prólogo del catedrático, sino que iba dedicado, efusivamente, a Antonio Segura Mesa, el fallecido profesor de piano. No había indicación alguna en el texto acerca de la deuda que tenía contraída el autor con don Martín. Y, como colmo, sólo se le mencionaba, someramente, al final del libro, en un «envío» que rezaba: «A mi querido maestro D. Martín D. Berrueta y a mis queridos compañeros Paquito L. Rodríguez, Luis Mariscal, Ricardo G. Ortega, Miguel Martínez Carlón y Rafael M. Ibáñez, que me acompañaron en mis viajes». Ricardo Gómez Ortega recordaba años después cómo, al ver el libro, se había enfrentado furioso con Federico por su conducta «canallesca» hacia Domínguez Berrueta, y señalaba, además, que él les acompañó a ellos y no al revés.[161]

El reo incurrió luego en otra falta de sensibilidad al llevar al catedrático un ejemplar del libro con una dedicatoria ampulosa: «A mi queridísimo maestro don Martín, fuerte espíritu agridulce lleno de frescura y de infantilidad adorable que tiene una visión honda y primitiva de las cosas y que posee el tesoro inagotable de su enorme corazón de artista. Con toda el alma. Federico. 12 de abril de 1918».[162] Berrueta no se dejó aplacar, al contrario. Unos días después, con motivo de una despreciativa alusión a su relación con Lorca aparecida en el periódico *La Publicidad*, cortó por lo sano y devolvió el libro, explicando en una dolida carta (3 de mayo de 1918) que, en vista de que por parte de Federico no se había producido una reacción enérgica frente a los comentarios del periódico, no tenía más opción que poner fin a su amistad.[163]

No volverían nunca a dirigirse la palabra, que se sepa, e incluso se rompieron totalmente las relaciones existentes entre la familia del poeta y la del catedrático, hasta entonces inmejorables. Don Martín, según su hijo Luis, jamás se repuso del profundo desengaño que le había ocasionado su discípulo más aventajado.[164]

Aunque Lorca tendería después a echar la culpa de lo ocurrido a José Mora Guarnido, sabía de sobra que él mismo era el único responsable del triste desenlace de aquella amistad. Don Martín murió dos años después. El poeta haría lo posible, más adelante, por enmendar el entuerto y reconocer su deuda, muy real, con el maestro. Y era cierto que la insistencia de Domínguez Berrueta sobre la reacción individual ante la obra de arte, fuera libro, cuadro, edificio o partitura, había influido mucho en él, mientras su contagioso entusiasmo y su apoyo habían sido vitales en la etapa crítica en que, frustrada su carrera musical, empezaba a darse cuenta de su vocación literaria. Puntualizaría, pasados los años, que su estancia a solas con Domínguez Berrueta en Burgos, sobre todo, había sido decisiva para conformar su futuro, y que en la vieja ciudad castellana había encontrado «la *puerta estrecha*» por la cual era forzoso pasar para conocerse mejor. No hay razones para dudar de su sinceridad.[165]

«Balada triste. *Pequeño poema*»

Lorca ya va teniendo plena conciencia de que las canciones de corro o «rondones» de su infancia en Fuente Vaqueros, con sus intercambios, sus preguntas, su temática muchas veces amorosa, su música y sus elementos dramáticos, han contribuido decisivamente a la formación de su sensibilidad. Lo demuestra cabalmente «Balada triste. *Pequeño poema*», fechada en Granada en abril de 1918 y una de sus más destacadas composiciones juveniles.

El subtítulo es irónico porque se trata, en realidad, de una composición muy enjundiosa en la cual resuenan por lo menos ocho canciones de rueda interiorizadas por el poeta, tres de ellas en los doce versos iniciales:

> *¡Mi corazón es una mariposa,*
> *Niños buenos del prado!,*
> *Que presa por la araña gris del tiempo*
> *Tiene el polen fatal del desengaño.*
>
> *De niño yo canté como vosotros,*
> *Niños buenos del prado,*
> *Solté mi gavilán con las temibles*
> *Cuatro uñas de gato.*
> *Pasé por el jardín de Cartagena*
> *La verbena invocando*
> *Y perdí la sortija de mi dicha*
> *Al pasar el arroyo imaginario.*

El juego aludido del gavilán era el conocido como *San Juan de Matute*. El niño o niña elegido para desempeñar el papel del halcón colocaba la cabeza en el regazo de quien hacía el de madre, mientras los otros niños se ponían a salvo. Luego había un intercambio:

> MADRE: ¿Hay pájaros en el *nío*?
> NIÑOS: ¡Pájaros hay!
> MADRE: ¿Echo la red?
> NIÑOS: ¡Échela usted!
> MADRE ¿Y si os pillan?
> NIÑOS: ¡Que nos den morcilla!
> MADRE: ¡Ahí va mi gavilán
> con cuatro uñas de gato!
> Como no me traigas carne
> las orejas te las saco.

El gavilán sale flechado en busca de los niños escondidos. El primero en ser atrapado tiene que sustituirle.[166]

En cuanto al enigmático Jardín de Cartagena, se trata de una canción-juego en su día muy popular en toda España, la de la «pájara pinta», cuya letra decía (con las variantes correspondientes):

> *Estando la pájara pinta*
> *Pinta verde del limón,*
> *Con el pico menea la hoja,*
> *Con la cola menea la flor.*
> *¡Ay! ¡Ay! ¡Ay!*
> *¿Cuándo vendrá mi amor?*
> *Verbena, verbena,*
> *Jardín de Cartagena.*[167]

«La canción de la pájara pinta la he cantado yo de niño en Granada —relataba el estudioso Pascual González Guzmán en 1968—. El juego consistía en un corro en el transcurso del cual se cantaba la letra hasta "¿cuándo vendrá mi amor?". Entonces, dos jugadores formaban un arco con los brazos y por debajo de él iban pasando los otros niños unidos por la cintura formando una "cadena". Tras lo de "jardín de Cartagena" el juego continuaba hasta que pasaban todos los jugadores, pero entonces el estribillo se sustituía por "verbena, verbena / que pase la cadena".» Los dos niños que formaban el «arco» bajaban los brazos sin avisar sobre la cabeza de sus víctimas en la cadena, de modo que la excitación y el suspense eran factores esenciales del juego.[168]

Por otras referencias en la obra lorquiana es evidente que le hizo mucha mella la canción de la pájara pinta, sobre todo por la angustiada espera expresada en la pregunta: «¿Cuándo vendrá mi amor?».[169]

En cuanto a la tercera canción aludida se trata de la del «arroyo de Santa Clara», también muy popular:

> Al pasar el arroyo
> de Santa Clara,
> se me cayó el anillo
> dentro del agua.
> Por sacar el anillo
> saqué un tesoro,
> Una Virgen del Carmen
> y un san Antonio.
> San Antonio bendito
> por Dios te pido
> me des buena suerte
> y un buen marido.[170]

La canción-juego terminaba, por lo menos en Granada, con el estribillo: «Chocolate, molinillo, / corre, corre / que te pillo». Entonces se rompía la ruedo y cada niño corría detrás de su preferido o preferida del otro sexo para pillarlo y luego, después de la excitación correspondiente, reempezar el juego.[171]

Para Lorca, el puente de Santa Clara, relacionado con san Antonio, abogado de quienes buscan pareja, es símbolo de la felicidad anhelada. Así volverá a aparecer en *Libro de poemas*.[172]

Las tres canciones-juego remiten a una infancia donde, si bien ya aflora la curiosidad sexual, ésta no conlleva angustia. Angustia que ya va asomando en los versos siguientes del poema de Lorca:

> Fui también caballero
> Una tarde fresquita de Mayo,
> Ella era entonces para mí el enigma,
> Estrella azul sobre mi pecho intacto.

> *Cabalgué lentamente hacia los cielos,*
> *Era un domingo de pipirigallo,*
> *Y vi que en vez de rosas y claveles*
> *Ella tronchaba lirios con sus manos.*

Para captar el sentido profundo de estos versos es imprescindible tener en cuenta la canción popular a que aluden:

> *Una tarde fresquita de mayo*
> *cogí mi caballo y a galope lo eché,*
> *y al pasar por la senda donde*
> *mi morena se sienta a coser,*
> *yo le dije: jardinera hermosa*
> *me das una rosa, me das un clavel.*
> *—Esta rosa que usted me ha pedido*
> *yo al momento se la daré,*
> *si me jura no haber tomado*
> *flores de la mano de otra mujer.*[173]

El poeta recurre a esta canción popular, de resolución tan positiva —o se le hace presente en el ánimo—, para expresar su más absoluto desconsuelo amoroso. En vez de cortarle unas rosas o claveles —se sobreentiende que rojos—, la mujer se dedica a tronchar lirios con sus manos, acción violenta y más, si cabe, en vista del simbolismo de esta flor tan hermosa.

Se trata del lirio morado, no el blanco, relacionado en la tradición andaluza con la pasión de Cristo (según una creencia, surgió de una gota de su sangre y además el morado es color de su túnica cuando camina hacia el Gólgota bajo el peso de la cruz). Otros poemas juveniles confirman el sentido que le atribuía Lorca a la flor. Por ejemplo, «Cantos nuevos»:

> *Yo tengo sed de aromas y de risas.*
> *Sed de cantares nuevos*
> *Sin lunas y sin lirios,*
> *Y sin amores muertos.*[174]

En los versos siguientes el poeta sigue glosando el «romance» (no lo es estrictamente) de la mujer que promete la rosa, y aflora la reminiscencia de otra canción de rueda, muy extendida, la de la viudita del conde Laurel que se quiere casar:

Yo siempre fui intranquilo,
Niños buenos del prado,
El ella *del romance me sumía*
En ensoñares claros.
¿Quién será la que coge los claveles
Y las rosas de Mayo?
¿Y por qué la verán sólo los niños
A lomos de Pegaso?
¿Será esa misma la que en los rondones
Con tristeza llamamos
Estrella, suplicándole que salga
A danzar por el campo?...

En abril de mi infancia yo cantaba,
Niños buenos del prado,
La ella *impenetrable del romance*
Donde sale Pegaso.
Yo decía en las noches la tristeza
De mi amor ignorado,
Y la luna lunera, ¡qué sonrisa
Ponía entre los labios!
¿Quién será la que corta los claveles
Y las rosas de Mayo?
Y de aquella chiquita, tan bonita,
Que su madre ha casado,
¿En qué oculto rincón de cementerio
Dormirá su fracaso?

La canción de la viudita del conde Laurel obsesionaba al joven Lorca. La cita, o se refiere a ella, en el poema «Ensueño de romances» (18 de enero de 1918),[175] *Impresiones y paisajes* —publicado unas semanas antes de la composición de «Balada triste»—[176] y «Balada de un día de julio» (1919).[177] Incluso le inspiró una de sus primera obritas de teatro, titulada, precisamente, *La viudita que se quería casar. Poema trágico* y quizá de 1918.[178] La protagonista —casada contra su voluntad con el viejo Laurel, por suerte ya pasado a mejor vida— espera la llegada del joven príncipe que le ha pedido su mano. Falta el final del drama, pero está claro que la viudita no tendrá el idilio anhelado: los celos de su guardián, vetusto marqués asesino, se encargarán de que muera el galán antes de alcanzar el castillo. Tal vez vale la pena añadir que la apetecible viudita, como María Luisa Natera, tiene «manos de nácar» y «bellísimas trenzas rubias» (no se especifica el color de sus ojos).[179]

En el «Prólogo» de la pieza, ubicado bajo una luna amarilla en «una humilde plaza de pueblo, con las casas destartaladas y la fuente rimadora» —es difícil no reconocer Fuente Vaqueros—, se recoge la letra de la canción infantil revivida:

> CORO: Estrella del prado,
> Al campo salir,
> A coger las flores
> De Mayo y Abril...
>
> VOZ: Yo soy la viudita
> Del conde Laurel,
> Que quiero casarme
> No tengo con quién.
>
> CORO: Y siendo tan bella
> ¿No tienes con quién?,
> Escoge a tu gusto
> Que aquí tienes cien.[180]

Según una versión recogida en Granada, la canción terminaba:

> VOZ: Elijo la rosa
> por ser la más bella
> de todas las flores
> de este jardín.
>
> CORO: Buen gusto has tenido
> cogiendo a la rosa,
> reina entre las flores
> que hay en el jardín.[181]

La viudita del conde Laurel, pues, es otro de los aurorales personajes lorquianos para quienes la incansable búsqueda del amor es la meta primordial de su existencia.

En cuanto a la sonrisa que pone entre sus labios la «luna lunera» en los versos siguientes, como mofándose del amante fracasado, la referencia va por un ensalmo muy comentado por folcloristas como Rodríguez Marín o Guichot y Sierra («Luna lunera / cascabelera, / dile a mi amorcito / por Dios que me quiera...»).[182] «Luna lunera cascabelera / Dicen los niños en su cantar» empieza el poema «Noche de verano», fechado el 18 de enero de este mismo año de 1918»[183]

Pero la luna, en su función de aliada de los enamorados, aquí no puede o se niega a colaborar.[184]

Termina esta sección del poema refiriéndose a una chiquita casada contra su voluntad por su madre y que el yo imagina ya durmiendo su fracaso en algún «oculto rincón» del cementerio. En ella es la propia víctima quien cuenta su triste historia. La versión recogida por Rodríguez Marín dice:

> Me casó mi madre,
> chiquita y bonita.
> yayayay,
> chiquita y bonita,
> con unos amores
> que yo no quería.
> La noche de novios
> entraba y salía,
> con capa y sombrero,
> sayas y mantillas.
> Me fui detrás d'él
> por ver dónde iba
> y veo que entra
> en cá e la querida.
> Y le oigo que dice:
> —Abre, vida mía,
> que vengo e comprarte
> sayas y mantillas,
> y a la otra mujer,
> palo y mala vida.
> Yo me fui a mi casa
> triste y afligida
> y atranqué la puerta
> con mesas y sillas.
> Me puse a leé,
> leé no podía;
> me puse a escribí,
> 'scribí no podía.
> Y oigo que llaman
> a la puerta mía,
> y oigo que dicen:

> —*Abre, vida mía,*
> *Que vengo cansado*
> *De buscar la vida.*
> —*Tú vienes cansado*
> *d'en cá e la querida.*
> —*Pícara mujé,*
> *¿quién te lo decía?*
> —*Hombre del demonio*
> *yo que lo sabía.*[185]

Isabel García Lorca relata que Federico, Concha y ella cantaban con frecuencia en casa un romance parecido, el de la «bella malmaridada». El poeta actuaba de narrador, Concha hacía los otros personajes e Isabel intervenía al final en el papel de la protagonista, pidiendo antes de morir:

> *Y pongan encima un mote,*
> *Señor, que bien diga así:*
> *«Aquí yace Flor de Flores.*
> *Por amores yace aquí».*[186]

Para el joven Lorca no podría haber sufrimiento peor que el de una muchacha forzada a casarse contra su voluntad con un hombre a quien no quiere y además traidor desde el primer momento.

Se va acabando «Balada triste», balada triste de verdad. Después del fracaso de la pobre chiquita tan bonita viene el del propio «yo», asaetado por la nostalgia de su niñez feliz en el pueblo antes de la realización, ya adolescente, de no ser como los demás:

> *Yo solo con mi amor desconocido,*
> *Sin corazón, sin llantos,*
> *Hacia el techo imposible de los cielos*
> *Con un gran sol por báculo.*
>
> *¡Qué tristeza tan seria me da sombra!,*
> *Niños buenos del prado,*
> *Cómo recuerda dulce el corazón*
> *Los días ya lejanos...*
> *¿Quién será la que corta los claveles*
> *Y las rosas de Mayo?*[187]

Queda en la memoria del lector, clavada, la imagen de la mujer aquella tronchando lirios morados, emblema de la muerte, en vez de ofrecer, risueña, como hace la de la canción popular, las rosas de la felicidad amorosa.

Se afianza la vocación literaria.
Adriano del Valle

A lo largo de su breve vida de escritor, Lorca no vacilaría en anunciar, como terminadas, obras que en realidad sólo tenía más o menos pensadas, o incluso resueltas, en la cabeza. Tal costumbre empezó con la lista que, no sin ostentación, dio a conocer al final de *Impresiones y paisajes*. Figuraba como «en prensa» una colección de poesías titulada *Elogios y canciones*. Parece difícil que se estuviera imprimiendo en febrero de 1918 y, de todas maneras, nunca se publicaría. «En preparación» había cinco obras que tampoco se editarían: *Místicas (De la carne y el espíritu)*, *Fantasías decorativas*, *Eróticas*, *Fray Antonio (Poema raro)* y *Tonadas de la Vega (Cancionero popular)*.

De lo que no cabe duda, de todas maneras, es de que a principios de 1918 seguía brotando imparable el manantial creativo.

Si bien *Impresiones y paisajes* había abierto un abismo infranqueable entre Lorca y Domínguez Berrueta, su publicación sirvió de excelente carta de presentación y le procuró no pocos amigos nuevos. Uno de los más interesantes era un joven poeta sevillano, Adriano del Valle y Rossi, a quien acababa de conocer en la capital andaluza uno de los tíos de Federico, Enrique García Rodríguez, que le prestó su ejemplar del libro. Valle se lo leyó de un tirón. Le gustó sobremanera y le rogó a García Rodríguez que le pusiera en contacto con su sobrino. La relación epistolar así establecida resultó muy estimulante para Federico. Aunque prematuramente calvo, Valle tenía veinte años, como él. Y, como él también, era ferviente discípulo de Rubén Darío. Por otra parte Lorca ya tenía un cierto conocimiento de su poesía por las colaboraciones que enviaba a dos modestas revistas estudiantiles de Granada, *El eco del aula*, ya mencionada, y *Letras* (en la cual Federico había publicado, en octubre de 1917, anónimamente, un fervoroso panegírico de Omar al Khayyam y luego, en diciembre, sendos artículos sobre Santiago de Compostela y Baeza).[188]

En su primera carta, fechada «SEVILLA; en la PRIMAVERA DE LA SANGRE DEL AÑO 1918», Valle se declara ardiente francófilo, le pregunta si apoya a los alemanes o a los franceses en la guerra y le dedica abundantes elogios a *Impresiones y paisajes*, donde ha percibido, como no podía dejar de hacerlo, la presencia de Darío: «El libro que más se acerca —en fondo y forma— a *Tierras Solares*, del Pan nicaragüense es, a mi entender, *Impresiones y paisajes*. Es el mayor elogio que creo poder hacerle, de momento».[189]

Lorca contestó inmediatamente con una misiva redactada igualmente en estilo modernista y rubeniano. Merece ser citada casi íntegra, ya que nos permite conocer de cerca la percepción que tenía de sí mismo en estos momentos en que crecen sus dudas acerca de su identidad sexual:

Hoy. Mayo en el tiempo y Octubre sobre mi cabeza.

PAZ

Amigo: Mucho me agradó recibir su carta y puede V. asegurar que ha sido un rato de gran satisfacción espiritual. Yo no me presento a su vista nada más que como un compañero (un compañero lleno de tristeza) que ha leído algunas de sus preciosas poesías. Soy un pobre muchacho apasionado y silencioso que, casi casi como el maravilloso Verlaine, tiene dentro una azucena imposible de regar y presento a los ojos bobos de los que me miran una rosa muy encarnada con el matiz sexual de peonía abrileña, que no es la verdad de mi corazón. Aparezco ante las personas (esas cosas que se llaman gentes que dice [*palabra ilegible*]) como un oriental borracho de luna llena y yo me siento un Gerineldo chopinesco en una época odiosa y despreciable de Káiseres y de La Ciervas (¡que se mueran!).* Mi tipo y mis versos dan la impresión de algo muy formidablemente pasional… y, sin embargo, en lo más hondo de mi alma hay un deseo enorme de ser muy niño, muy pobre, muy escondido. Veo delante de mí muchos problemas, muchos ojos que me aprisionarán, muchas inquietudes en la batalla del cerebro y corazón, y toda mi floración sentimental quiere entrar en un rubio jardín y hago esfuerzos por que me gusten las muñecas de cartón y los trasticos de la niñez, y a veces me tiro de espaldas al suelo a jugar a comadricas** con mi hermana la peque-

---

* Alusión a Juan de la Cierva, político conservador, considerado el responsable, como ministro del Interior, de la brutal represión de los motines de Barcelona ocurridos en 1909.
** Juego con el que se imitan los cotilleos de las vecinas.

ñuela (es mi encanto)..., pero el fantasma que vive en nosotros y que nos odia me empuja por el sendero. Hay que andar porque tenemos que ser viejos y morirnos, pero yo no quiero hacerle caso... y, sin embargo, cada día que pasa tengo una duda y una tristeza más. ¡Tristeza del enigma de mí mismo! Hay en nosotros, amigo Adriano, un deseo de querer no sufrir y de bondad innata, pero la fuerza exterior de la tentación y la abrumadora tragedia de la fisiología se encargan de destruir... Yo creo que todo lo que nos rodea está lleno de almas que pasaron, que son las que provocan nuestros dolores y que son las que nos entran en el reino donde vive esa virgen blanca y azul que se llama Melancolía..., o sea, el reino de la Poesía (no concibo más poesía que la lírica). En él entré hace ya mucho tiempo... tenía diez años y me enamoré... después me sumergí del todo al profesar la religión única de la Música y vestirme con los mantos de pasión que Ella presta a los que la aman. Después entré en el reino de la Poesía, y acabé de ungirme de amor hacia todas las cosas. Soy un muchacho bueno, en suma, que a todo el mundo abre su corazón... Desde luego soy gran admirador de Francia y odio con toda el alma al militarismo, pero no siento más que un deseo inmenso de Humanidad. ¿A qué luchar con la carne mientras esté en pie el pavoroso problema del espíritu? Amo a Venus con locura, pero amo mucho más la pregunta ¿Corazón?..., y sobre todo, ando conmigo mismo, como el raro y verdadero Peer Gynt con el fundidor...; mi yo quiero que sea.

En cuanto [a] las cosas que hago, únicamente le diré que trabajo muchísimo; escribo muchos versos y hago mucha música. Tengo tres libros escritos (dos de ellos de poesías) y espero trabajar más. De música, me dedico ahora a recopilar la espléndida polifonía interior de la música popular granadina.

En cuanto a mi primer libro, le doy a V. las gracias por su elogio. Le digo que para escribir de él no tiene que decirme nada, porque una vez en la calle, ya no es mío, es de todos... En mi libro (que es muy malo) sólo hay una gran emoción que siempre mana de mi tristeza y el dolor que siento ante la Naturaleza... No sé si adivinará V. cómo soy yo de sincero, de apasionado y de humilde corazón. Me basta saber que es su espíritu el de un poeta. Y si esta escasa luz de mi alma que pongo en esta carta no la supiera V. ver o se riera, sólo me quedaría la amargura íntima de haberle enseñado algo de mi relicario interior a un alma que cerró sus ojos y sonrió escéptica. Desde luego descarto esto. Yo soy un gran romántico, y éste es mi mayor orgullo. En un siglo de zepelines y de muertes estúpidas, yo sollozo ante mi piano soñando en la bruma haendeliana y hago versos muy míos cantando lo mismo a Cristo que a Buda, que a Mahoma y que a Pan. Por lira tengo un piano y, en vez de tinta, sudor de anhelo, polen amarillo de mi azucena interior y mi gran amor. Hay que matar a los «pollos bien» y hay a [sic] anular las risas a los que aman a la Harmonía. Tenemos que amar a la luna sobre el lago de nuestra alma y hacer nuestras meditaciones religiosas sobre el abismo magnífico de los crepúsculos abiertos..., porque el color es la música de los ojos... Ahora dejo la pluma para montarme en la piadosa barca del Sueño. Ya sabe V. cómo yo soy en algo de mi vida...[190]

Pese a su ampulosidad y su intencionada apropiación de manierismos modernistas, se trata de una de las cartas más íntimas de cuantas se han conservado del joven Lorca. Demuestra que, ya para mayo de 1918, la conciencia de ser sexualmente «diferente» (rosa roja por fuera, azucena «imposible de regar» por dentro) se va consolidando. Tiende a ratificarlo la referencia a Paul Verlaine —aunque en realidad la imagen de la azucena procede de otro de sus autores predilectos, Maurice Maeterlinck—,[191] ya que, como no podía desconocer, el gran poeta francés era de sexualidad ambivalente.

Es también importantísimo el dato sobre su actividad de recopilador de «la espléndida polifonía interior de la música popular granadina». Demuestra que, en 1918, sigue como estudioso de la «ciencia folclórica» en la cual le había iniciado su maestro de piano Antonio Segura Mesa y que tanta incidencia va a tener sobre su obra poética y teatral.[192]

Un mes después dedicó un ejemplar de *Impresiones y paisajes* a su nuevo amigo sevillano. No se podía ser más descaradamente discípulo de Darío: «A mi amigo Adriano, el poeta que en las Dafnéforas modernas lleva su rama de laurel, y mira apasionadamente a Rubén el maravilloso que con la corona de oro y el soberbio manto hace de Dafnéforo. Cariñosamente, Federico. Hoy 3 de junio, con mucho sol y mucha melancolía. 1918».[193]

Poco después se fue con su familia a pasar unas semanas en Asquerosa, donde siguió trabajando febrilmente. Allí estampó el nombre del pueblo a la cabeza de numerosas composiciones, alguna de ellas escritas junto al Cubillas, entre chopos y mimbres, quizás en la Fuente de la Teja o la de la colindante Carrura, otras «frente al paisaje» o «en el campo». El 17 de julio le escribe Mora Guarnido, que se disculpa por no poder ir a verle en su día. «Mientras tú haces el poema de la Vega, yo ni siquiera veo la Vega y, francamente, la odio», le comunica el siempre contestatario amigo.[194]

En agosto, de regreso a la ciudad, aparece otra hermosa mujer en su vida: Emilia Llanos Medina, diez años mayor. Su personalidad y su físico le impactan. Unos días después le entrega un ejemplar de *Impresiones y paisajes* con una rimbombante dedicatoria (una más a añadir a la lista): «A la maravillosa Emilia Llanos, tesoro espiritual entre las mujeres de Granada; divina tanagra del siglo XX. Con toda mi admiración y fervor». Es el inicio de una amistad que se mantendrá firme hasta la muerte del poeta.[195]

En los primeros días de su relación se ven casi a diario. El 4 de septiembre de 1918 Federico le regala un ejemplar de *Hamlet,* que entonces le obsesiona, y a lo largo de las semanas siguientes le presta o regala libros de Tagore, Oscar Wilde, Maeterlinck, Ibsen (Emilia recordaría que al poeta le gustaba especialmente *El pato salvaje), Platero y yo*, de Juan Ramón Jiménez, y *El silencio*, novela de Edgar Rod que desarrolla el tema de la oculta pasión de un hombre que sufre sin hablar.[196]

Emilia vivía entonces con su hermana Concha cerca de la Alhambra, en una casa, hay que suponer un carmen, con un jardín encantador donde, entre las flores, había una muchedumbre de gatos. Federico estaba encantado con la criada de su nueva amiga, campesina vivaracha y charlatana, de nombre Dolores Cebrián, cuyos comentarios le hacían reír a mandíbula suelta. Algunas de sus expresiones reaparecerían en *La zapatera prodigiosa*, como Dolores no dejaría de proclamar con orgullo al conocer la obra.[197]

Emilia Llanos no tardó en descubrir que a Federico le atraía la filosofía india, influido en ello por su amigo José Murciano, fervoroso estudiante de ésta.[198] Francisco García Lorca ha recordado aquellas lecturas, «que se cruzaban con otras de místicos españoles»,[199] y es de interés constatar que la biblioteca del poeta incluía *La filosofía esotérica de la India* (1914), de Brahmacharin Bodhabhikshu (J. C. Chatterji).[200] Dado su rechazo del monoteísmo cristiano, con su énfasis sobre un Dios personal y castigador, no es sorprendente que le atrajesen el panteísmo, el panerotismo y la ternura de algunos sistemas orientales. Tampoco nos puede extrañar que entre sus poemas juveniles haya uno (fechado en enero de 1918) inspirado por el budismo.[201] Ni que escribiera al final de una prosa de esta época: «Galileo de luz, Buda, Mahoma, sois los grandes consoladores de los hombres, sois la tranquilidad del espíritu, sois caridad en las tinieblas del principio humano».[202]

A Buda y Mahoma, además, los había elogiado en su citada carta a Adriano del Valle. El 19 de septiembre contesta una tarjeta postal suya, en que le ha pedido algo, en verso o prosa, para el número inaugural de la revista sevillana *Grecia*.[203] «He atravesado una crisis de lejanías y de tristezas que ni yo mismo me he dado cuenta —se excusa por no haber escrito antes—. Podría decirse que yo era una sombra borracha de verano y de pasión imposible [...] Por los caminos de la Vega no me he acordado de nadie, ni de mí mismo. En mis meditaciones con los chopos y las aguas, he llegado a la franciscana posición de Francis Jammes [...] Me siento lleno de poesía, poesía fuerte, llana, fantástica, religiosa, mala, honda, canalla, mística. ¡Todo, todo! ¡Quiero ser todas las cosas!» Ha trabajado muchísimo durante la canícula, dice, y ha hecho un poema en verso sobre la Vega «que probablemente saldrá a luz el verano que viene, pues antes tengo que publicar dos libros de poemas titulados *Elegías verdaderas* y *Poema del otoño infantil*». El primero, anuncia confiadamente, saldrá en noviembre (pero no será así). Ahora está trabajando en su *San Francisco de Asís*, «una cosa completamente nueva y rara». Le mandará prosas y versos para que se los publique, entre ellos «La elegía de los sapos» (que se desconoce). «Apolo el divino os salve», termina.[204]

Al final de cada verano Federico García Rodríguez solía llevar a su familia a pasar unas semanas en Málaga, concretamente al lujoso hotel Hernán Cortés, situado, con un encantador jardín, al lado del mar en La Caleta (el edificio alberga hoy la Subdelegación del Gobierno en la provincia). El poeta esperaba con impaciencia estas estancias cerca de las olas. Málaga, a diferencia de Granada, rodeada por sus montañas, aunque tan cerca del Mediterráneo a vuelo de pájaro, era un puerto lleno de actividad mercantil, abierto al mundo. Llegaría a decir que era la ciudad de Andalucía que más quería.[205]

Poco después de escribirle a Valle ya está instalado con los suyos en el célebre establecimiento. Desde allí envía una tarjeta postal a José Murciano. El tono ya no es el pseudomodernista de las comunicaciones al poeta sevillano: «Querido Pepito: Quisiera poderte contar todo lo que miro y observo. Son tantas cosas... El hotel está animado pero sin muchachas. Quisiera ser un tendero de comestibles... pero no. Veo demasiadas cosas sobre el mar. Una parte de mi alma acaba de despertar. Adiós. Federico».[206]

Sin muchachas pero, seguramente, con muchachos. ¿Fue durante esta estancia cuando conoció por primera vez al también joven poeta y malagueño Emilio Prados? Es posible. De todas maneras el encuentro iba a tener lugar pronto.

Su carrera universitaria se encontraba en estos momentos estancada, y no contribuía en nada a enderezarla la brutal ruptura que se acababa de producir entre él y Martín Domínguez Berrueta. Durante el curso 1917-1918 no se había presentado, de hecho, a ningún examen de Derecho o de Filosofía y Letras. Así las cosas, sus padres, hondamente preocupados, empezarían hacia finales de 1918 y casi seguramente aconsejados por Fernando de los Ríos a considerar la posibilidad de que trasladara sus estudios a la Universidad de Madrid.

Entretanto, el 12 de octubre, Adriano del Valle reprodujo, en el primer número de la revista sevillana *Grecia*, unas páginas de *Impresiones y paisajes*.[207] Muy pronto, pese a haber nacido incondicionalmente rubeniana, cambiaría de chaqueta, si no de nombre, se haría, con idéntico fervor, «ultraísta», y daría el salto a Madrid. Estar vinculado a ella no le podía ser indiferente para el poeta en estos momentos en que él también esperaba lograr desplazarse pronto a la capital española.

El 14 de diciembre, como si fuera para celebrar el fin de año, publicó, al parecer por primera vez, un poema. Se titulaba «Crisantemos blancos» y se dio a conocer en la revista granadina *Renovación*, dirigida por su amigo Antonio Gallego Burín. Aunque parezca mentira, la composición se desconoce porque no se ha localizado todavía ningún ejemplar de dicho número de la revista. Tampoco se ha encontrado el original.[208]

Durante los primeros meses de 1919 sigue escribiendo imparable. Ello no le impide participar en una protesta por la muerte del joven estudiante granadino Ramón Ruiz de Peralta, al que mata la Guardia Civil en una revuelta, ni firmar, al lado de otros socios del Centro Artístico, un telegrama indignado al respecto dirigido al presidente del Consejo de Ministros.[209]

Sigue sin dar golpe en la universidad. Y puede congratularse de no tener que hacer el servicio militar, pues según el informe médico correspondiente «presenta síntomas leves de esclerosis espinal» y se le declara «inútil total». El documento incluye el dato de que mide un metro 62 centímetros.[210]

Sus amigos en Madrid ya le están presionando para que se traslade cuanto antes hasta allí. «Debías venir», le insisten, el 27 de febrero, Mora Guarnido, Martínez Fuset y Fernández Almagro.[210]

Para tentar el terreno y asegurarse una plaza para aquel otoño en la famosa y muy solicitada Residencia de Estudiantes, *sine qua non* del permiso paterno, se desplaza a la capital a finales de abril o principios de mayo de 1919. Lleva en el bolsillo una carta de presentación de Fernando de los Ríos para el director de la casa, el malagueño Alberto Jiménez Fraud, y otra para Juan Ramón Jiménez.

El pájaro ya empieza a liberarse —no será nada fácil— de su jaula de provincias.

PRIMEROS PASOS POR MADRID (1919)

La Residencia de Estudiantes

«Una fuerte ciudadela del humanismo español, esto
es la Residencia de Estudiantes.»

ROGER MARTIN DU GARD[1]

Debido sobre todo a su relación con Fernando de los Ríos y Martín
Domínguez Berrueta, hay que suponer que el Lorca universitario
estaba bien informado acerca de la Institución Libre de Enseñanza, de la cual la Residencia de Estudiantes era hija espiritual. Alberto Jiménez Fraud había enseñado en la ILE durante tres años,
en estrecha colaboración con Giner de los Ríos y Manuel Bartolomé
Cossío —con cuya hija Natalia se casaría—, y se sentía profundamente en deuda para con sus maestros. La obsesión por el progreso intelectual, moral y material de España que experimentaba
Giner, su humanidad y su convicción de que tan sólo la creación de
una minoría selecta de hombres y mujeres cultos consagrados a
mejorar el país podría conseguir un cambio en sus destinos: todo
ello había influido en Jiménez, cuya vocación pedagógica no tardó
en ponerse de manifiesto. Entre 1907 y 1909 pasó varios meses en
Inglaterra, donde se interesó vivamente por el sistema tutorial vi-
gente en Oxford y Cambridge, basado en el contacto personal entre profesor y alumno. Cuando, en 1910, Giner le invitó a hacerse
cargo de una modesta residencia universitaria que se iba a establecer en Madrid bajo la égida de la Junta para Ampliación de Estudios, había aceptado con entusiasmo.[2]

La «Resi», como sería conocida popularmente, abrió sus puertas aquel otoño en la calle Fortuny, no lejos de donde terminaba

entonces el paseo de la Castellana. Tenía quince dormitorios, comienzo muy modesto para la que iba ser la iniciativa educativa más trascendental de la España moderna. No existía entonces en el país nada comparable a las residencias universitarias británicas, y los estudiantes que llegaban a Madrid no tenían más remedio que vivir en casas de huéspedes, por regla general muy insatisfactorias. El nuevo albergue se proponía remediar, de manera modesta, algunas de estas deficiencias al ofrecer a sus inquilinos un alojamiento confortable, tutoría extraoficial y un beneficioso contacto entre personas de distintas disciplinas. Jiménez Fraud, como sus maestros, estaba convencido de que la excesiva especialización de los estudios universitarios iba en detrimento de la cultura en su sentido más amplio. Desde sus mismos inicios la Residencia se equipó de unos modestos laboratorios, y Jiménez Fraud seleccionaba cuidadosamente a los estudiantes para asegurarse de que existiese siempre un equilibrio entre las «dos culturas». Se hacía hincapié en la importancia del esfuerzo comunitario y de la responsabilidad personal, y tanto en el funcionamiento como en la decoración de la casa había una marcada austeridad. El director y sus colaboradores se consideraban misioneros de la causa de una nueva España, y durante veintisiete años, hasta que la Guerra Civil puso fin a la aventura, la Residencia formaría a centenares de jóvenes imbuidos de los ideales de sus fundadores.[3]

Desde el primer momento Jiménez Fraud pudo contar con importantes apoyos. En 1911 visitó la casa el joven Alfonso XIII; Miguel de Unamuno la frecuentaba; José Ortega y Gasset formaba parte de la junta directiva; y el poeta Juan Ramón Jiménez vivía en ella.

Muy pronto, al empezar a aumentarse vertiginosamente la demanda de plazas, se hizo evidente que iba a ser necesario encontrar —o construir— locales más espaciosos. Se optó por construir.

El lugar elegido se conocía como los Altos del Hipódromo, grupo de cerros situados a la derecha de lo que entonces era el extremo norte del paseo de la Castellana y que más tarde se convertiría en la plaza de San Juan de la Cruz. Allí terminaba entonces Madrid y empezaba el campo. En medio de la ancha vía se erguía la estatua ecuestre de Isabel la Católica (que más adelante se trasladaría al pie de la primera colina), a la cual daba la vuelta el tranvía número ocho antes de empezar el regreso al centro de la ciudad. En el lado este del paseo se levantaba la Escuela de Sordomudos (hoy Escuela Técnica del Ejército) y, un poco más allá, donde se encuentran ahora los Nuevos Ministerios, se extendía el Hipódromo.

En uno de aquellos altozanos se había construido, en el siglo XIX, el palacio de la Industria y de las Bellas Artes con, en su ala izquierda, donde sigue, el museo de Historia Natural. Detrás del bello edificio se levantaba la colina conocida popularmente como Cerro del Viento, al este de la cual se desplegaban ya los secos y desolados eriales de la meseta castellana. Fue aquí donde Jiménez Fraud y sus colaboradores decidieron establecer el nuevo recinto. El paraje, con impresionantes vistas de la sierra de Guadarrama hacia el norte y a sólo veinte minutos por el mencionado tranvía del centro de Madrid —que entonces albergaba bastante menos de un millón de habitantes—, no podía ser más idóneo. «Al verlo, ya como posesión de la Residencia —recordaría Jiménez Fraud—, tuve la sensación de que habíamos arribado al puerto.»[4]

El arquitecto encargado de los pabellones fue Antonio Flórez, alumno de la Institución Libre de Enseñanza que había ampliado estudios en Roma. Concibió un grupo de edificios de estilo neomudéjar. Los dos primeros, idénticos, se levantaron uno al lado del otro en orientación este-oeste. Eran construcciones esbeltas, con unas graciosas torrecillas, saledizos aleros de madera y veinticuatro dormitorios dobles con grandes ventanales que miraban al sur (hoy, con una planta más, han perdido algo de su garbo). La provisión de duchas y bañeras era liberal.[5] Integraban el tercer pabellón, más bajo que los otros dos, cincuenta dormitorios, las oficinas administrativas, el comedor y un amplio salón donde, a lo largo de los años veinte —la década de máximo esplendor del establecimiento— se darían centenares de conferencias y conciertos y los estudiantes se codearían con algunos de los representantes más destacados de la cultura española y europea de la época.

Los tres primeros edificios se construyeron muy deprisa, lo que permitió inaugurar la nueva Residencia en 1915. El cuarto y el quinto, orientados como el tercero de norte a sur, fueron obra de Francisco Luque, pero respetaron el estilo adoptado por Flórez. No se terminaron hasta el año siguiente. El cuarto, con sus dos elegantes torres, no tardó en ser bautizado como «el Trasatlántico» por la balaustrada de madera que recorría la fachada en toda su longitud a nivel del primer piso y que evocaba, en efecto, la barandilla de un buque. En el sótano y planta baja se instalaron los laboratorios, que irían cobrando eficacia y prestigio gracias a la dirección de lumbreras como Juan Negrín, jefe del Laboratorio de

Fisiología Natural, y el futuro premio Nobel de Medicina, Severo Ochoa.[6]

El estilo neomudéjar de los pabellones hacía pensar más en Andalucía que en Castilla, con un toque aragonés además. A esta impresión iba a contribuir la frondosidad del lugar. Juan Ramón Jiménez participó activamente en la planificación de los jardines y en la selección de árboles, arbustos y flores. Bajo sus directrices se plantaron numerosos chopos junto al canalillo que atravesaba el terreno delante de los edificios, mientras para el espacio comprendido entre los dos primeros pabellones trajo adelfas. Se quedó encantado con el resultado de sus desvelos e, imaginando cómo al cabo de unos años haría susurrar el viento las hojas de los árboles, rebautizó el lugar como la Colina de los Chopos.[7]

El interior de los edificios era austero, continuando la práctica de la primitiva residencia: mobiliario sencillo de pino (a excepción de las sillas de mimbre, poco confortables), con reproducciones de cuadros, azulejos y cerámica de Talavera. En cuanto a las habitaciones, tenían un aire vagamente monástico. La limpieza y el esmero eran la regla. Lorca contaría después cómo un día Alberto Jiménez Fraud le vio tirar una colilla al suelo en un pasillo. El director, sin decir palabra, la había recogido y echado a un cenicero mientras el poeta, rojo de vergüenza, no tuvo más remedio que aguantar.[8]

Una vez terminados los cinco edificios, la Residencia tenía capacidad para alojar a ciento cincuenta estudiantes, cifra que se mantendría estable hasta 1936. Era una comunidad de tamaño casi perfecto.[9]

La mayor parte de los residentes eran estudiantes de Medicina atraídos por el señuelo de los laboratorios y de la instrucción complementaria que podían obtener en ellos. Los seguían los ingenieros industriales, cuya escuela estaba situada, como el museo de Historia Natural, en el colindante palacio de la Industria y de las Bellas Artes. En cuanto a la acusación de elitismo social que se achacaría a veces a la casa, es un hecho que la abrumadora mayoría de los estudiantes procedían —no podía ser de otro modo— de la clase media. La dirección, con todo, era muy consciente de este problema y procuraba que hubiera plazas accesibles para los menos privilegiados.[10]

Una de las principales iniciativas de Alberto Jiménez Fraud consistía en atraer a la Residencia a conferenciantes distinguidos. A partir del momento en que se trasladó a sus nuevos edificios esta actividad aumentó notablemente. La lista completa de las personas distinguidas que acudieron a la llamada ocuparía varios párrafos. Entre ellas podemos mencionar a Albert Einstein, H. G. Wells, G. K. Chesterton, Marie Curie, Paul Valéry, Howard Carter, Le Corbusier, sir Arthur Eddington, Louis Aragon, Leonard Woolley, François Mauriac, Blaise Cendrars, Leo Frobenius, Paul Claudel, Georges Duhamel, Hilaire Belloc, Henri Bergson, John Maynard Keynes y el general Bruce. Es decir, la flor y nata.

La música que se oía en la Residencia también rayaba a notable altura. Participaron numerosos y célebres compositores e intérpretes, entre ellos Manuel de Falla, Andrés Segovia, Wanda Landowska, Ricardo Viñes, Darius Milhaud, Ígor Stravinski, Francis Poulenc y Maurice Ravel. En el salón se escucharon por vez primera obras de los nuevos compositores españoles luego conocidos como Los Ocho —Salvador Bacarisse, Julián Bautista, Rosa García Ascot, Ernesto y Rodolfo Halffter, Juan José Mantecón, Gustavo Pittaluga y Fernando Remacha—, y entre los que dictaron conferencias sobre temas musicales se encontraban Adolfo Salazar, eminente crítico musical, y el futuro titular de Español de la Universidad de Cambridge, John Brande Trend.

Trend era musicólogo de cierto renombre en Inglaterra y ferviente hispanófilo (aunque todavía no se había convertido en hispanista profesional). Bajo, prematuramente calvo, tímido y afable, tenía un simpático tartamudeo que no le ayudaba nada a pronunciar bien el castellano. Escribiría varios libros sobre cuestiones españolas, el mejor de ellos *The Origins of Modern Spain* (1934).

Sorprendido y encantado con la Residencia, Trend subrayaría, en *A Picture of Modern Spain. Men and Music* (1921), la fuerte influencia que había ejercido sobre el pensamiento de Jiménez Fraud y sus colegas la enseñanza universitaria inglesa. «Oxford y Cambridge en Madrid»: así entendió la labor de la casa, y explicó a sus lectores ingleses que el principal objetivo era «despertar la curiosidad (cualidad de la que carecen muchos españoles) y acicatear el deseo de aprender y la facultad de formar juicios personales en vez de aceptar lo que dicen los demás».[11]

En un país lamentablemente desprovisto de bibliotecas atentas a lo actual la «Resi» contaba con una excelente, presidida por un retrato de Goethe, que ocupaba toda la planta baja del quinto pabellón y estaba en constante expansión. Trend había tenido que sufrir en sus carnes el trato con los bibliotecarios españoles, entre los que recordaba de manera especial a un sacerdote de la Universidad de Sevilla que le había impedido consultar el catálogo. Con voz impregnada de horror, el buen hombre había exclamado: «¡Ver el catálogo! ¡El catálogo!». En la Residencia las cosas funcionaban de otro modo y descubrió con gozo que la biblioteca quedaba abierta hasta altas horas de la noche y que, además, se permitía llevar los libros a las habitaciones. ¡Ésta sí que era una España nueva![12] También le complació grandemente constar que se recibían numerosas revistas extranjeras: otro síntoma de un cambio de sensibilidad, de una formidable apertura hacia Europa y el resto del mundo.[13]

Lo que tal vez le gustó más, con todo, fue descubrir que la Residencia editaba.[14] Entre los tomos que habían aparecido ya para 1919 figuraban las *Meditaciones del Quijote* (1914), primer libro de José Ortega y Gasset; tres títulos de Azorín, *Al margen de los clásicos* (1915), *El licenciado Vidriera* (1915) y *Un pueblecito* (1916); las *Poesías completas* de Antonio Machado (1917), como ya dijimos; y, en siete hermosos volúmenes, los *Ensayos* de Miguel de Unamuno (1916-1918).

La «Resi», como era inevitable, tenía detractores para quienes resultaba intolerable su talante laico y liberal. «En la Residencia había católicos y no católicos, y Alberto Jiménez no toleró nunca que se hablara de ello. Pero no había capilla, y esto atrajo furias, porque en España, por lo visto, no bastaba con ser digna y plenamente humano, en alguna de sus innumerables variedades», recordaría el historiador Américo Castro, gran amigo de la casa.[15] El golpe del general Primo de Rivera, en 1923, pondría las cosas aún más difíciles: serían destituidos los miembros de la junta directiva y sustituidos por hombres de mentalidad conservadora, algunos de ellos enemigos mortales de todo lo que defendía la casa. Pero Alberto Jiménez Fraud tenía amigos poderosos y la Residencia lograría salir adelante.[16]

Su emblema era una escultura ateniense del siglo V a. C., *El atleta rubio*, que representa la cabeza de un bello joven de pelo rizado. Para Jiménez Fraud y sus colaboradores expresaba el ideal del «perfecto ciudadano». Si el lema de la casa no era explícitamente *mens sana in corpore sano,* en la práctica casi resultaba así. Tomaban bastante en serio los deportes —fútbol, tenis, carreras a pie, baños de sol, hockey—, consecuencia de las estancias del director en Inglaterra. Las enormes cantidades de té que se consumían en las habitaciones —el alcohol estaba prohibido y ni había vino en las comidas— era una indicación más de la influencia británica que allí se apreciaba.

Cuando Lorca llegó a Madrid aquella primavera de 1919 y se instaló en una pensión de la calle de San Marcos, número 36, propuesta por José Mora Guarnido,[17] la visión de Juan Ramón Jiménez de unos años atrás para la Residencia ya se había hecho realidad. Los chopos crecían con fuerza, los arbustos y las plantas se desarrollaban de manera que daba gusto y lo que había sido una desangelada colina castellana en las afueras de Madrid se iba convirtiendo en un oasis de paz, agua y exuberante vegetación.

Federico se quedó encantado. Años después Jiménez Fraud recordaría la fuerte impresión que le había provocado, durante la entrevista, el vehemente granadino de ojos oscuros, cabellos lacios e impecables traje y corbata. Era evidente que al joven poeta no se le podía negar una plaza para el siguiente curso —pese a que todas estaban ya concedidas—, y se le garantizó un cuarto a partir del 1 de octubre.[18]

Los «rinconcillistas» que habían estado esperando con impaciencia su arribada a la capital —entre ellos, además de Mora Guarnido, Melchor Fernández Almagro, Ramón Pérez Roda, Juan de Dios Egea (el hermano de la bella María Luisa) y José Fernández-Montesinos— quedaron eufóricos con su éxito en la capital, que llevaban meses augurando, y se vieron con frecuencia en el café Gijón.[19] Mora asistió al recital dado por Federico en la Residencia, y su entusiasta reseña periodística del acto dio fe de la reacción muy positiva de personas que ahora le conocían por vez primera. «Se trata de una personalidad extraordinaria —escribió—, de un poeta grande, definitivo, innovador de la poesía española, más rico, más brillante, más universal que cualquiera de los poetas españoles actuales.»[20] «El triunfo del juglar fue fulminante», recordaría cuarenta años después.[21] En cuanto a Melchor Fernández Almagro, escribió jubiloso a Antonio Gallego Burín:

> Empecemos por Federico: muy pronto lo tendrás ahí, y de sus propios labios podrás escuchar las impresiones suyas en este su viaje a la Corte. Yo, desde luego, te anticipo que cuantas personas han tenido ocasión de conocer sus versos, los han celebrado con sincero y caluroso entusiasmo. La noche que leyó en la Residencia fuimos unos cuantos amigos, que entremezclados con la comunidad constituimos un corro devotísimo. Los residentes se mostraron real-

mente encantados, y muy a su gusto hubieran retenido al poeta por toda la noche para continuar embelesados y conmovidos. Pero ningún residente descompuso su actitud con desmesurado entusiasmo; ya sabes que el entusiasmo, como todas las emociones desmedidas, está prohibido en la casa [...] Desde noviembre acá Federico ha progresado enormemente. Y eso que ya antes me parecía un poeta de asombroso temperamento; depurándose día a día, tengo la evidencia de que llegará a representar en nuestra lírica contemporánea algo muy personal, encumbrado y decisivo.[22]

Es difícil imaginar que en sus visitas a la Residencia el poeta dejara escapar la oportunidad de poner a prueba el excelente piano de cola que ocupaba un rincón del salón de actos, con lo cual el impacto de su personalidad artística sobre los inquilinos se habría hecho aún más fuerte. Era obvio que alguien muy especial había llegado a la Colina de los Chopos.

Cada día o dos cumplió con la obligación de tener bien informada a la familia. En cuatro cartas con membrete del Ateneo de Madrid (cuya magnífica biblioteca le parecía, con toda razón, «tentadora») queda patente el regocijo que le produce constar que se le están abriendo de par en par las puertas del Madrid literario, «el único sitio para trabajar y sobre todo para adquirir grandes amistades». Ha descubierto que la capital «va muy bien» con su temperamento: «Esta gran población me hace el efecto de una cosa muy absurda y muy alegre [...] sobre todo esta barahúnda le da a uno fuerza y valentía». Llegar a Madrid con «una cosa bien hecha» ha resultado muy beneficioso (cabe suponer que llevó consigo varios ejemplares de *Impresiones y paisajes* además de una selección de poemas). Así pues, «ese tópico de lo difícil del triunfo no reza conmigo; estoy obteniendo verdaderos éxitos».[23]

Una de sus visitas es al dramaturgo Eduardo Marquina —entonces muy en auge si bien hoy prácticamente olvidado—, tal vez con una carta de presentación de Fernando de los Ríos. Marquina le acoge afablemente en su casa, le presenta a su familia y le lleva consigo a todas partes. Incluso, el 2 de mayo, a un estreno de *La honra de los hombres*, de Jacinto Benavente, en el teatro Lara. Se siente profundamente agradecido por estas atenciones. «Se portó conmigo como si me conociera de toda la vida», escribe a sus padres. Marquina, además, se compromete a presentar un recital suyo en el Ateneo, pero, debido a una indisposición del dramaturgo, se aplaza y no hay constancia de que se llevara a cabo.[24]

También acude a casa de Juan Ramón Jiménez, para quien sí sabemos que llevaba una carta de presentación de Fernando de los Ríos. Conocía bien la obra de Juan Ramón. Además de rendirle ahora el sincero homenaje de su devoción, era importante conseguir su apoyo, pues en el mundillo literario de Madrid el peso del moguereño, que tenía entonces treinta y ocho años, era muy considerable. El encuentro es un éxito. Le recibe en bata negra con cordones de plata, sentado en una butaca «estupenda» y, según Federico le cuenta a su familia al día siguiente, le gustaron tanto los versos que le había leído que le invitó a repetirlos delante de su mujer. Juan Ramón, dueño de una lengua viperina, le dijo pestes «de los poetillas jóvenes de Madrid» y arremetió contra Marquina sin saber cuánto ya le debía. Hizo algo más útil: le llevó al teatro Eslava, en aquella época el más vanguardista de Madrid, y le presentó a su director, Gregorio Martínez Sierra, y a su primera actriz (y amante) Catalina Bárcena.[25]

Martínez Sierra tenía fama como dramaturgo (Lorca conocía, como vimos, su obra más famosa, *Canción de cuna*), novelista y, en menor grado, poeta. A principios de siglo había fundado las revistas literarias madrileñas *Helios* (1903) y *Renacimiento* (1907), que tuvieron un importante papel en la propagación de la cultura europea contemporánea en España. En aquel momento, además de su compañía de teatro, dirigía dos empresas editoriales.

Una pasión precoz por el teatro había sido, en Martínez Sierra, una de las primeras manifestaciones de su amor al arte. Pasión compartida con su esposa, María Lejárraga, con quien se había casado en 1900. Los dos admiraban profundamente la literatura y el arte franceses contemporáneos, hablaban bien el idioma y visitaban a menudo París, donde frecuentaban las salas de vanguardia: el Théâtre d'Art, de Paul Fort; el Théâtre de l'Oeuvre, de Aurélien Lugné-Poe; y el Théâtre des Arts, de Jacques Rouché.[26]

Sólo muchos años más tarde se sabría públicamente que la extraordinaria productividad literaria de Martínez Sierra, que incluía numerosas obras de teatro, se debía a que la mayoría de los títulos editados con su nombre fueron redactados en realidad por su esposa, escritora de excepcional talento de la que se separaría definitivamente en 1922. En los mentideros teatrales e intelectuales de la España de entonces se comentaba que Martínez Sierra tenía mucha suerte: su esposa le escribía las obras y luego su amante, Catalina Bárcena, se las estrenaba.

En 1916 había instalado su compañía en el teatro Eslava de Madrid, en la calle del Arenal (hoy la discoteca Joy Eslava). Entre aquel año y 1919, el coliseo, pese a las limitaciones físicas de su escenario —sólo tenía tres metros y medio de profundidad y carecía de maquinaria apropiada— se había convertido en el más innovador de la capital.[27]

Si por un lado Martínez Sierra era devoto del teatro clásico, al mismo tiempo le entusiasmaban, como empresario, la pantomima, la farsa, el ballet y la música. Consideraba que el teatro debía ser un lugar de encuentro de las distintas artes, y se empeñaba en llevar a la práctica esta convicción. Muchas de las obras montadas en el Eslava tenían acompañamiento musical —de Joaquín Turina y Manuel de Falla, entre otros— y no fue casualidad que *El corregidor y la molinera*, del segundo, prototipo de *El sombrero de tres picos*, hubiera sido representado por vez primera en el Eslava en 1917.[28]

Martínez Sierra había declarado la guerra al servil realismo que todavía impregnaba el teatro español, y era ante todo en los decorados donde se podía apreciar esta actitud rebelde. Para llevar a cabo la renovación teatral que preconizaba había contratado a tres destacados artistas que, con su trabajo en el Eslava, transformarían el arte escenográfico tal como se conocía entonces en el país: el alemán Siegfried Bürmann, que había estudiado con Max Reinhardt en el Deutsches Theater de Berlín; el uruguayo Rafael Pérez Barradas, llegado a España en 1916 después de desembarcar en Europa cuatro años antes; y, de manera muy especial, el catalán Manuel Fontanals. En el momento de conocer Lorca a Martínez Sierra, el Eslava era el teatro más innovador de España, y sin duda se alegró al saber que la compañía iba a actuar muy pronto en Granada durante las tradicionales fiestas del Corpus.[29]

Juan Ramón, a quien debía el encuentro, quedó impresionado por la personalidad y el talento del joven granadino, como se desprende de la carta dirigida unas semanas después a Fernando de los Ríos:

> «Su» poeta vino, y me hizo una escelentísima impresión. Me parece que tiene un gran temperamento y la virtud esencial, a mi juicio, en arte: entusiasmo. Me leyó varias composiciones muy bellas, un poco largas quizás, pero la concisión vendrá ella sola. Sería muy grato para mí no perderlo de vista.[30]

Mora Guarnido presentó a Federico a su círculo de amistades y jóvenes escritores, entre ellos los filólogos Ángel del Río y Amado Alonso y los poetas Guillermo de Torre, Gerardo Diego, Pedro Salinas y José de Ciria y Escalante. Le resultaron muy estimulantes, tal vez en primer lugar Torre quien, a sus diecinueve años, crítico además de poeta, se convertía rápidamente en líder de un nuevo movimiento vanguardista, el ultraísmo, derivado de las innovaciones artísticas que entonces se desarrollaban en Europa, sobre todo en París. Los españoles más admirados del grupo eran el políglota y traductor sevillano Rafael Cansinos Asséns —pariente de Rita Hayworth—, el prolífico escritor madrileño Ramón Gómez de la Serna, Pablo Picasso y Juan Gris. Y, entre los extranjeros, Apollinaire —cuyos caligramas empezaban a abrirse camino en España—, Pierre Reverdy, Jean Cocteau, Serguéi Diáguilev (que en 1916 y 1917 había estado en España con sus Ballets Rusos, y que luego volvería), el futurista Filippo Tommaso Marinetti y, quizá sobre todo, el poeta chileno Vicente Huidobro, que había publicado cuatro *plaquettes* en Madrid en 1918: *Ecuatorial, Poemas árticos, Tour Eiffel* y *Hallali.*

Torre y sus compañeros —entre ellos los poetas Eugenio Montes, Pedro Garfias, Isaac del Vando Villar, Humberto Rivas y el argentino Jorge Luis Borges, que vivía entonces en Madrid— devoraban las revistas literarias francesas del momento. Tenían muy claro que el arte actual debía expresar el espíritu de una época dinámica representada por la torre Eiffel, las máquinas, las pistas de patinaje, el *ragtime* y el *foxtrot*, los automóviles veloces, la radio, el cine, los aeroplanos, la telegrafía y los vapores trasatlánticos. Despreciaban el sentimentalismo y querían acabar con las secuelas del romanticismo y del modernismo representado por Rubén Darío (muerto en 1916). Su revolución no era sólo temática, sino léxica y tipográfica.[31]

Durante la estancia de Lorca la revista madrileña *Cervantes* publicó una nutrida antología de los poetas ultraístas, entre ellos Torre, Juan Larrea y Gerardo Diego. Cuesta un esfuerzo creer que no la leyera con avidez. En su breve introducción, Rafael Cansinos Asséns evocaba la llegada de Vicente Huidobro a Madrid el año anterior y la inspiración que había supuesto para quienes entonces empezaban: «Huidobro fue, sobre todo, un documento personal, un evangelio vivo; su llegada, un hecho poderoso y animador. La guerra terminaba y nos ofrecía sus últimas consecuencias. Era preciso renovarse». En su comentario final Cansinos Asséns estuvo tajante: «Las normas novecentistas que culminaron en Rubén Darío pueden darse por abolidas».[32]

Es posible que, durante esta primera visita a la Residencia, Lorca iniciara dos amistades que le resultarían cruciales: con José Bello y Luis Buñuel, ambos aragoneses.

José «Pepín» Bello Lasierra, nacido en 1904, hijo de un conocido y próspero ingeniero, fue uno de primeros inquilinos de la Residencia, donde ingresó con once años en 1915 (se reservaban unas cuantas habitaciones para alumnos que estudiaban el bachillerato).[33] Todos los que le conocieron han subrayado su extraordinaria simpatía, su ingenio y su inventiva. «Buenazo, imprevisible, aragonés de Huesca, estudiante de Medicina que nunca aprobó un examen —recuerda Buñuel en sus memorias—, ni pintor, ni poeta, Pepín Bello no fue nada más que nuestro amigo inseparable.»[34] El comentario es un tanto injusto, ya que en realidad Bello, si no llegó a conseguir el título de médico, por lo menos aprobaría algunos exámenes. Además tenía un talento artístico innato que nunca se molestaría en desarrollar.

Buñuel, nacido en Calanda en 1900, había llegado a la Residencia, ya instalada en los Altos del Hipódromo, en 1917. Acababa de terminar su bachillerato en Zaragoza. Su padre se había hecho rico en Cuba antes de volver a Calanda y casarse con una mujer mucho más joven. Luis, el primero de siete hermanos, sabía desde niño que podía contar con la incondicional indulgencia de su madre, que le veneraba y le permitía todos sus antojos. Después de ver con espanto las pensiones de Madrid, había sido para ella un inmenso alivio dar, gracias a una recomendación afortunada, con la residencia dirigida por Alberto Jiménez Fraud. Allí —había decidido inmediatamente— estaría a buen seguro su adorado Luis.[35]

Buñuel se amoldaba mejor que Bello a la idea que tienen los demás españoles de los aragoneses. Es decir, que era agresivamente testarudo e independiente. No tardaría en ser reconocido como uno de los personajes más originales de la Residencia. Como empedernido aficionado a los deportes que era, todas las mañanas se le podía ver, con independencia de las condiciones meteorológicas, con pantalón corto y a menudo el pecho desnudo, corriendo, saltando, haciendo flexiones, aporreando un *punch-ball* o lanzando la jabalina. En cierta memorable ocasión llegaría a escalar la fachada de uno de los pabellones. Estaba orgulloso de su torso, considerado por el célebre doctor Gregorio Marañón espécimen perfecto en su género, mientras que la fuerza de sus brazos y de los músculos de su estómago le producía una infinita satisfacción. Se las daba de boxeador (lo que le brindaba otra ocasión de exhibir su espléndido físico), pero no era un púgil serio pese a aquella imagen combativa que se empeñaba tanto en proyectar. Más bien detestaba la violencia.[36]

Buñuel se vio pronto involucrado en las actividades de los ultraístas, y sentía una profunda admiración por Ramón Gómez de la Serna, cuyas greguerías hacían furor en el Madrid de entonces y cuya tertulia, Pombo, que se reunía todos los sábados por la noche cerca de la Puerta del Sol, era la más célebre y concurrida de la ciudad. El aragonés llegaría a tener una excelente amistad con Ramón, y durante sus ocho años en Madrid asistiría asiduamente a la tertulia.[37]

Parece ser que fue durante esa primera visita a la Residencia cuando Lorca adquirió el sexto volumen de los *Ensayos* de Unamuno, editados, como hemos señalado, por la casa. El libro le entusiasmó y marcó varios pasajes en los que el autor insiste sobre la necesidad de ser sinceros. Por ejemplo, uno incluido en el ensayo «Soledad», donde se trata de una «nueva edad» del espíritu imaginada por el pensador de Salamanca:

> La gran institución de aquella edad será la de la confesión pública, y entonces no habrá secretos. Nadie estimará malo el abrigar tal o cual deseo impuro, o el sentir éste o el otro afecto poco caritativo, o el guardar una u otra mala intención, sino el callarlo. Y cuando eso llegue, y anden las almas desnudas, descubrirán los hombres que son mucho mejores de lo que se creían, y sentirán piedad los unos de los otros, y cada uno se perdonará a sí mismo y perdonará luego a todos los demás.[38]

Una carta de Lorca a Adriano del Valle, redactada probablemente aquel septiembre, expresa el fervor que le ha suscitado la lectura de Unamuno: «Me siento lleno de poesía, poesía fuerte, llana, fantástica, religiosa, mala, honda, canalla, mística. ¡Todo, todo! ¡Quiero ser todas las cosas! Bien sé que la aurora tiene llave escondida en bosques raros, pero yo la sabré encontrar... ¿Ha leído V. los últimos ensayos de Unamuno? Léalos; gozará extraordinariamente».[39]

Madrid y la Residencia le cautivan a Federico, y a partir de este momento ve con mayor optimismo su futuro. Después de unas semanas tiene asumido que Granada se le queda pequeña, como había previsto José Murciano. «El año que viene si no me vengo aquí me tiro por el cubo de la Alhambra», escribe a su familia, refiriéndose con ello al nuevo curso universitario que empezará aquel octubre y para el cual ya tiene habitación en la Residencia.[40]

Al volver a casa a mediados de junio, Fernando de los Ríos le transmitiría, cabe deducirlo, las alentadoras palabras de Juan Ramón Jiménez sobre su encuentro en Madrid.

El 16 de junio el Centro Artístico de Granada le ofrece un banquete-homenaje a De los Ríos, su ex presidente, en los jardines del Generalife. Motivo: su elección como diputado socialista a Cortes por la provincia. Entre los invitados están Gregorio Martínez Sierra y Catalina Bárcena, que acaban de llegar a la ciudad para actuar en el teatro Isabel la Católica. Ángel Barrios ameniza el acto con su guitarra, y Lorca y otro poeta granadino, Alberto Álvarez de Cienfuegos, hoy casi olvidado, recitan.[41]

Profundamente impresionados por la actuación de Federico, el empresario teatral y la actriz le rogaron que les dedicase una sesión en privado. El poeta accedió gustoso y, acompañado de su amigo Miguel Cerón, llevó a la pareja a un mirador cercano donde les recitó varias composiciones. Entre ellas había una, por lo visto hoy perdida, que relataba, mezclando poesía narrativa y diálogo, la historia de una mariposa herida que cae a un prado. Allí la asisten una colonia de cucarachas, una de las cuales, inevitablemente, se enamora de la cautivadora criatura y muere de pena cuando recupera el uso de las alas y huye.[42]

Cuando Lorca terminó de recitar, si hemos de fiarnos de la memoria de Miguel Cerón (cuarenta y cinco años después), Catalina Bárcena lloraba y Martínez Sierra apenas podía contener su emoción. «¡Es puro teatro! —exclamaría—. ¡Magnífico!» Según Cerón, el empresario le dio su palabra a Federico, allí mismo, de que, si convertía aquel poema en obrita de teatro, se la estrenaría en el Eslava. Cerón decía recordar la escena con nitidez: las lágrimas de la Bárcena, el entusiasmo de Martínez Sierra, la aceptación por parte de Lorca del ofrecimiento... y su propia satisfacción ante lo que acababa de ocurrir.[43]

Podemos estar seguros de que el poeta volvió a ver a Martínez Sierra y Catalina Bárcena durante la breve estancia de éstos en Granada, donde representaron, entre otras obras, *Las lágrimas de la Trini*, de Carlos Arniches, *Amanecer*, del propio empresario, y *Casa de muñecas*, de Ibsen.[44]

La metamorfosis del poema en obra de teatro no iba a ser tarea fácil. Martínez Sierra azuzó durante el verano a Lorca para que pusiera manos a la obra. «He decidido estrenar muy pronto la deliciosa comedia de las curianas —le escribe—. Te lo advierto para que trabaje en ella deprisa y con todo entusiasmo. No deje de traerla terminada cuando regrese a Madrid».[45] Miguel Cerón recibió varias misivas apremiantes en el mismo sentido. ¿Estaba Federico trabajando en el proyecto? ¿Estaría lista la obra para el otoño, como le había prometido? ¿Querría Cerón ocuparse de que no se olvidara del asunto?[46]

La «canción añeja»

Apenas tenemos documentación acerca de la actividad del poeta durante el verano de 1919. Cabe pensar que, otra vez en Granada, reflexionó muy a menudo sobre su intensísima estancia de mes y medio en Madrid, quizá ante todo sobre su contacto con los ultraístas, capitaneados por Guillermo de Torre, tan impacientes ya con la vieja lírica. Cabe deducir que pasaría horas repasando y desmenuzando los libros y revistas adquiridos en la capital. Sabía que, extinto el modernismo, le incumbía urgentemente podar el árbol demasiado frondoso de sus versos (así se lo había recomendado de modo explícito, además, Juan Ramón Jiménez). A partir de ahora se notará mucho este afán de contención, de depuración.

«Balada de un día de Julio», fechada en julio de 1919 y probablemente redactada en Asquerosa, da fe del proceso. Se trata de una reelaboración de la muy conocida canción popular, ya mencionada, de la viudita del conde Laurel. Escrita en versos heptasílabos, con estribillo popular («Esquilones de plata / Llevan los bueyes»), se estructura como dramático diálogo entre el «yo» y la viudita, tan empeñada en su búsqueda amorosa, y termina con una triste despedida:

> —Ah Isis soñadora,
> Niña sin mieles
> La que en bocas de niños
> Su cuento vierte.
> Mi corazón te ofrezco,
> Corazón tenue,
> Herido por los ojos
> De las mujeres.

> —*Caballero galante,*
> *Con Dios te quedes.*
> *Voy a buscar al conde*
> *De los Laureles…*
>
> *Adiós, mi doncellita,*
> *Rosa durmiente,*
> *Tú vas para el amor*
> *Y yo a la muerte.*
>
> *Esquilones de plata*
> *Llevan los bueyes.*
>
> *Mi corazón desangra*
> *Como una fuente.* [47]

Al comentar brevemente el diálogo entre el «yo» y la viudita, Isabel García Lorca lo califica de «bello y dramático» y observa que, al final, «toma un sesgo personal que nada tiene que ver con el romancillo popular».[48] Es cierto, pero ella no analiza la naturaleza de tal «sesgo personal»: la misma y casi mortal angustia erótica que impregna toda la *juvenilia*.

Este mismo verano posmadrileño Lorca compuso, casi seguramente, «Balada de la placeta», cuyo estribillo, «¡Arroyo claro, / Fuente serena!», procede, como en el caso del poema anterior, de la tradición popular.[49] El diálogo entre el «yo» y los niños demuestra que el poeta ya reconoce que su más honda inspiración surge de su infancia en la Vega de Granada, cuyas canciones —letra y música— son carne de su carne:

> *Cantan los niños*
> *En la noche quieta:*
> *¡Arroyo claro,*
> *Fuente serena!*
>
> Los niños:
> *¿Qué tiene tu divino*
> *Corazón en fiesta?*

Yo:
Un doblar de campanas
Perdidas en la niebla.

Los niños:
Ya nos dejas cantando
En la plazuela.
¡Arroyo claro,
Fuente serena!

¿Qué tienes en tus manos
De primavera?

Yo:
Una rosa de sangre
Y una azucena.

Los niños, atentos al desamparo de la persona que ha interrumpido brevemente su juego y que ahora se va despidiendo, le recomiendan una cura de canción popular como la que ellos están cantando:

Los niños:
Mójalas en el agua
De la canción añeja.
¡Arroyo claro,
Fuente serena!

¿Qué sientes en tu boca
Roja y sedienta?

Yo:
El sabor de los huesos
de mi gran calavera.

Los niños:
Bebe el agua tranquila
De la canción añeja.
¡Arroyo claro,
Fuente serena!

¿Por qué te vas tan lejos
De la plazuela?

Yo:
¡Voy en busca de magos
Y de princesas!

Los niños
¿Quién te enseñó el camino
De los poetas?

Yo:
La fuente y el arroyo
De la canción añeja.

Los niños:
¿Te vas lejos, muy lejos
Del mar y de la tierra?

Yo:
Se ha llenado de luces
Mi corazón de seda,
De campanas perdidas,
De lirios y de abejas.
Y yo me iré muy lejos,
Más allá de esas sierras,
Más allá de los mares,
Cerca de las estrellas,
Para pedirle a Cristo
Señor que me devuelva
Mi alma antigua de niño,
Madura de leyendas,
Con el gorro de plumas
Y el sable de madera.

Los niños:
Ya nos dejas cantando
En la plazuela.
¡Arroyo claro,
Fuente serena!

> *Las pupilas enormes*
> *De las frondas resecas,*
> *Heridas por el viento,*
> *Lloran las hojas muertas.*[50]

Debido en parte, quizá gran parte, a su desaparecido maestro de piano Antonio Segura Mesa, Lorca lleva tres o cuatro años ahondando en el folclore granadino, y al final de *Impresiones y paisajes*, como hemos visto, anunció la publicación de un libro titulado *Tonadas de la Vega*. Está claro, a luz de estas dos baladas, que percibe ahora la «canción añeja» como inspiración primordial de su voz poética, liberada ya del lastre del modernismo rubeniano, vital unos años atrás para su iniciación lírica. Los últimos cuatro versos de la balada, además —variante sobre el *topos* de las «hojas-lágrimas» de los árboles otoñales— confirma la influencia de los ultraístas, empeñado en la elaboración de imágenes poéticas escuetas y llamativas. Está ya en el buen camino.

FALLA, MADRID Y *EL MALEFICIO DE LA MARIPOSA* (1919-1920)

Si en la primavera y verano de 1919 Lorca había tenido la suerte de conocer a Gregorio Martínez Sierra, aquel otoño inició una relación que sería aún más fundamental. Se trata de Manuel de Falla.

Mucho antes de conocer Granada en persona, el compositor, nacido en Cádiz en 1876, se sentía poderosamente atraído por ella y hasta la había tenido presente en su obra *La vida breve* (1904-1905). En París, donde vivió entre 1907 y 1914, se acrecentó su deseo de visitarla. En primer lugar por su amistad allí con el guitarrista y compositor Ángel Barrios, cuyo padre regentaba El Polinario, la célebre taberna próxima a la Alhambra tan frecuentada por artistas y poetas, Lorca entre ellos.[1]

También pudo influir en aquella reforzada querencia Isaac Albéniz, entonces uno de los ídolos de la alta sociedad parisina, que había compuesto numerosas obras de inspiración granadina.[2]

Es casi seguro, por otro lado, que Falla conocía *La Soirée dans Grenade* antes de entrar en contacto personal con Debussy, pero, en cualquier caso, su amistad con éste no pudo por menos de intensificar el deseo de recorrer cuanto antes la Alhambra y el Generalife (nunca pisados, ciertamente, por el francés).

En 1911 había caído en sus manos un bello libro, *Granada. Guía emocional*, publicado aquel año en París por la editorial Garnier Hermanos e ilustrado con excelentes fotografías (de Rafael Garzón). Aunque el nombre del autor figuraba como Gregorio Martínez Sierra, es casi seguro que fue obra, total o mayormente, de su esposa, María Lejárraga. Sea como fuera, fascinó al gaditano.[3] Dos años más tarde, en 1913, conoció a la pareja en Francia. Se llevaron bien y cuando, en 1914, regresó a España huyendo de la guerra, no tardó en empezar a colaborar con ellos.

En su libro *Gregorio y yo* (1953) María recordaría los altibajos de su amistad con Falla y también que le había acompañado en su primera y jubilosa visita a Granada, entre el otoño de 1914 y los primeros meses de 1915. El ballet *El amor brujo*, compuesto con gran celeridad poco después, retomó el hilo granadino de *La vida breve*. Se desarrolla en una cueva y parece fuera de duda que la inspiraron las del Sacromonte, casi seguramente visitadas durante su breve estancia en la ciudad.[4]

El amor brujo se estrenó en Madrid el 15 de abril de 1915. Casi exactamente un año después, el 9 de abril de 1916, fue el turno de *Noches en los jardines de España*, también en la capital, que tuvo un clamoroso éxito. Aquel junio, con el propio Falla al piano, se interpretó en el palacio de Carlos V, tan cerca del Generalife evocado en su primer movimiento.[5] ¿Estuvo el joven Lorca entre el público que abarrotó la espectacular rotonda del edificio renacentista, abierta a las estrellas? No lo sabemos, aunque cuesta creer que se perdiera el acontecimiento.

Acompañaban a Falla en su visita dos personalidades famosas, Serguéi Diáguilev, director de los Ballets Rusos, y el coreógrafo Léonide Massine, que, con Ígor Stravinski, acababan de llegar al país (el segundo para dirigir sendos estrenos españoles de *El pájaro de fuego* y *Petrushka*).[6] Diáguilev había asistido a la *première* de *Noches en los jardines de España* en Madrid, y su entusiasmo fue tal que concibió enseguida el proyecto de convertir la obra en ballet.[7] De ahí el viaje a Granada con el compositor: quería ver la Alhambra y el Generalife con sus propios ojos, escuchar el murmullo de sus fuentes con sus propios oídos. No se llevó una decepción, al contrario, pero el ballet nunca cuajaría.

Se puede añadir que la pantomima *El corregidor y la molinera,* estrenada por Martínez Sierra en el teatro Eslava de Madrid en 1917, tiene, como *La vida breve, El amor brujo* y *Noches en los jardines de España*, su parte de evocación granadina, ya que la obra procede principalmente de la novela homónima del guadijeño Pedro Antonio de Alarcón. Pero no sólo eso. En *El sombrero de tres picos* reaparece, en la escena de «Las uvas», transformado, el tema musical de un conocido villancico granadino armonizado por Falla en *Siete canciones populares españolas*, «Los pelegrinitos», luego retomado por Lorca.[8] En la «Danza de los vecinos», además, se había incorporado una *canción de alborá* recogida por el compositor entre los gitanos del Albaicín.[9]

Como emblema de la presencia de Granada en la música de Falla antes de que se avecindara en la ciudad, podemos señalar, finalmente, el extraordinario apego que tenía al «zorongo gitano», cante eminentemente sacromontano. Había hecho acto de presencia en la última parte de *La Vega* (1897), de Albéniz, obra pianística que es difícil que no conociera antes de trasladarse a París en 1907. Aparece por vez primera en su propia música, veladamente, en *La vida breve*, lo volvemos a oír en la «Danza del juego del amor» de *El amor brujo* y luego adquiere rango de motivo principal en *Noches en los jardines de España*. Años después Lorca gustaría de tocarlo al piano y lo registraría en disco para *La Voz de su Amo* con su amiga Encarnación López Júlvez, la Argentinita. Luego lo incorporaría a *La zapatera prodigiosa* y señalaría, certeramente, en el curso de su conferencia *Cómo canta una ciudad de noviembre a noviembre*, su gran influencia en la música del gaditano.[10]

Dado su amor a Granada antes de haber visitado la Alhambra o contemplado la Vega y Sierra Nevada, no nos puede sorprender que, una vez comprobada la sin par belleza de la ciudad y su entorno, Falla tomara la decisión de fijar en ella cuanto antes su residencia. El proyecto comenzó a cobrar entidad en el verano de 1919. Aquel 22 de julio Diáguilev estrenó *El sombrero de tres picos,* con decorados y vestuario de Picasso, en el teatro Alhambra (¿por casualidad?) de Londres. Unas horas antes recibió un telegrama de Madrid en el que se le informaba de que su madre se encontraba muy grave. Emprendió enseguida la vuelta a España, sin esperar a que se levantara el telón y, al llegar a casa, se encontró con que había fallecido. A principios de aquel mismo año había perdido a su padre.[11] No le gustaba Madrid y, de repente ya solo, no había razón para seguir allí. Le pidió a Ángel Barrios que le buscara alojamiento en la Colina Roja. El guitarrista le informó de que la espaciosa pensión Alhambra, situada al final de calle Real, a dos pasos del Generalife, tenía buenas habitaciones a un precio módico, y le tranquilizó con respecto a la incidencia en la ciudad de una epidemia de tifus, sobre la cual algún periódico había hecho circular exagerados rumores. Llegó a Granada a mediados de septiembre de 1919, acompañado de su hermana María del Carmen y del pintor Daniel Vázquez Díaz y su familia.[12]

Tras unas semanas en dicha pensión se trasladó a otra, Villa Carmona, situada casi enfrente (ambas hoy desaparecidas). Allí trabó amistad con él, aquel septiembre, el hispanófilo y musicólogo inglés John B. Trend, a quien tanto le impresionaba la Residencia de Estudiantes en Madrid. Trend no dejaría de describir el encuentro, para él inolvidable:

> Era la primera sugestión del otoño. Sacudía las copas de los olmos del duque de Wellington* un fuerte viento, y el granado bajo el cual cenábamos dejaba caer sobre el mantel sus granos, envueltos en deliciosos velos pegajosos. De repente se produjo un chaparrón, y cada cual cogió su pan, plato y vaso y corrió hacia la casa. Nunca había comprendido tan bien las posibilidades de una situación romántica como cuando pisé ligeramente sobre un membrillo podrido que yacía en el sendero del jardín. El señor Falla describió el episodio como mezcla de *La Soirée dans Grenade* y *Jardins sous la pluie*.[13]

A través de Ángel Barrios Falla entró en contacto con el grupo de artistas, escritores y amantes de la música que frecuentaban El Polinario. Allí ocurrió un pintoresco episodio relatado por el inglés:

> Una tarde me llevó el señor Falla a una casa justo al lado de la Alhambra. El surtidor del patio había sido amortiguado con una toalla, pero no silenciado del todo; se oía un ligero murmullo de agua que caía en la alberca. Don Ángel Barrios... estaba sentado allí, sin cuello y con toda comodidad, con una guitarra sobre las rodillas. La había afinado en bemoles de manera que, extrañamente, armonizaba con el agua que corría, y estaba improvisando con extraordinario ingenio y variedad. Luego se nos unió su padre, y el señor Falla le preguntó si recordaba algún cante antiguo. El viejo estuvo sentado allí con los ojos semicerrados [...] De vez en cuando levantaba su voz y cantaba una de estas raras, fluctuantes melodías de *cante flamenco*, con sus extraños ritmos y floreos característicos de Andalucía [...] El señor Falla apuntaba aquellas melodías que le gustaban —o aquellas que era posible anotar en pentagrama— porque una de las mejores estaba llena de terceras y sextas neutrales, intervalos desconocidos e inexpresables en música moderna.[14]

No sabemos en qué circunstancias se conocieron Falla y Lorca aquel otoño, pero es indudable que antes de que el compositor re-

---

* Trend se equivoca: los famosos olmos del bosque de la Alhambra, víctimas hace poco de una plaga mortífera, no fueron plantados por el duque.

gresara a Madrid. Trend describe una memorable ocasión en la que estuvieron presentes poeta y compositor. Después de un concierto en honor del maestro celebrado en el Centro Artístico por el Trío Iberia de Ángel Barrios, el inglés subió con el grupo por las empinadas calles del Albaicín hasta el carmen de Alonso Cano, propiedad de Fernando Vílchez, buen amigo de Lorca que no tardaría en serlo también de Falla. Allí, en el jardín, bajo las estrellas, con la Alhambra enfrente, el trío repitió parte de su programa. Luego:

> Antes de despedirnos del carmen, nuestro huésped nos invitó a subir con él a otra terraza superior, justo debajo del tejado. Allí estuvimos por encima de las copas de los cipreses, y se nos ofrecía un inmenso panorama: las curvas lomas de Sierra Nevada, la indistinta silueta de la colina de la Alhambra y sus palacios, el violeta verdáceo de las blancas paredes bañadas de la luz de la luna, con manchas rosa de algunos faroles distribuidos acá y allá, las lejanas campanadas, los repiques que regulaban el riego,* el tranquilo murmullo del agua que caía. Pedimos con entusiasmo música de Falla. Y luego, cuando los músicos habían tocado hasta cansarse, un poeta recitó, con voz resonante, una oda dedicada a la ciudad de Granada. Su voz subía a medida que se sucedían las imágenes y su extraordinario raudal de retórica inundaba el silencio. ¡Qué importaba, concluía, que las glorias de la Alhambra hubiesen partido si era posible disfrutar otra vez noches como ésta, iguales, si no superiores, a cualquiera de las Mil y Una![15]

El poeta era Federico García Lorca.[16] ¿Y el poema? Tal vez «Granada: elegía humilde», publicado el 25 de junio de 1920 en *Renovación*, la revista de Antonio Gallego Burín:

> *Tú, ciudad del ensueño y de la luna llena,*
> *Que albergaste pasiones gigantescas de amor,*
> *Hoy ya muerta, reposas sobre rojas colinas*
> *Teniendo entre las yedras añosas de tus ruinas*
> *El acento doliente del dulce ruiseñor.*
> *¿Qué se fue de tus muros para siempre, Granada?*
> *Fue el perfume potente de tu raza encantada*
> *Que dejando raudales de bruma te dejó.*

---

* Se refiere a la campana de la torre de la Vela.

¿O acaso tu tristeza es tristeza nativa
Y desde que naciste aún sigues pensativa
Enredando tus torres al tiempo que pasó?...[17]

Falla también recordaba haber conocido a Lorca durante aquella estancia en Granada, y le comentó a su biógrafo Jaime Pahissa que le habían presentado como a una de las curiosidades de la ciudad, «un niño precoz de la poesía».[18]

Antes de regresar a Madrid recibió la visita de la princesa de Polignac, que unos ocho meses antes le había encargado una obra para su salón parisino. La princesa (de soltera Winnaretta Eugénie Singer), nacida en 1865, era hija del fabricante de máquinas de coser Singer, cuyos millones heredó. En 1883 se había casado con el príncipe Edmond de Polignac, treinta años mayor que ella, figura elegante de la alta sociedad francesa, compositor de música experimental, brillante conversador, hombre ingenioso, homosexual notorio y amigo de Proust (quien incorporó rasgos suyos a varios personajes de *En busca del tiempo perdido*). Winnaretta, por su parte, era mujer de férrea voluntad, con tendencias lesbianas, pintora impresionista al estilo de su ídolo Manet, buena pianista y apasionada corifea de la música contemporánea. En la época en que Falla la conoció era una de las más destacadas anfitrionas y mecenas de París, amiga y defensora de Debussy (que la había bautizado con el nombre de «Madame Machine à Coudre»), Satie, Fauré, Stravinski y Chabrier, y también de numerosos artistas y escritores, entre ellos Proust, Cocteau y Picasso.[19]

A Winnaretta le interesaba mucho la música española, y en 1908 Falla había empezado a asistir a sus veladas. Diez años más tarde la princesa decidió encargar una obra a «*le petit espagnol tout noir*», según expresión de Paul Dukas,[20] con el tema, acordado entre ambos, del famoso episodio de los muñecos de maese Pedro en *Don Quijote*. Hablaron largo y tendido ahora en Granada acerca del proyecto, y el compositor la llevó, cómo no, a la Alhambra y el Generalife. Una noche Andrés Segovia tocó para ellos junto a una alberca. «Nunca olvidaré la incomparable belleza de aquellos jardines inundados de música y luz de luna», recordaría Winnaretta años más tarde.[21]

Falla disfrutó tanto su estancia en Granada que, antes de regresar a Madrid, decidió establecerse allí cuanto antes. La casa tenía que ser un pequeño carmen —de esto no podía caber la menor duda— y estar situada, de preferencia, cerca de la Alhambra. La búsqueda, dirigida por Ángel Barrios, duraría casi un año.[22]

Lorca había previsto instalarse en la Residencia de Estudiantes a principios de octubre, cuando empezaba el curso, pero aplazó su partida. Tal vez porque creía, o creían sus padres, que antes de sumergirse en el maremágnum madrileño era preferible que tuviera más adelantada, para Martínez Sierra, la versión teatral del poema de la mariposa.

Estaba todavía en casa cuando, de repente, la vida de la ciudad se vio perturbada al descuartizar unos gitanos en Sierra Nevada a dos guardias civiles. Los compañeros de las víctimas llegaron el 7 de noviembre con los reos. Iban atados, descalzos y conducidos por tricornios a caballo. Toda Granada se echó a la calle a ver el espectáculo. Al poeta, acompañado de Manuel Ángeles Ortiz, le afectó profundamente: los calés habían sido apaleados con brutalidad, pero lo peor era que la muchedumbre casi estaba por lincharlos. «Yo veía a Federico lívido —recordaría el pintor—; pero fui yo quien me puse enfermo, descompuesto y el que empecé a devolver.» El episodio incidiría luego sobre *Poema del cante jondo* y el *Romancero gitano*.[23]

Ángeles Ortiz estaba entonces en vísperas de contraer matrimonio con una joven granadina, medio gitana, de nombre Francisca Alarcón Cortés. Federico no ocultaba su emoción, pues era el primer íntimo amigo suyo que se casaba. La boda tuvo lugar el 19 de noviembre y la pareja se trasladó de inmediato a Madrid.[24]

A los pocos días les siguió el poeta, acompañado por su padre, que le alojó provisionalmente en una pensión de la calle del Espejo (no había sitio todavía en la Residencia).[25] Al regresar a Granada, García Rodríguez, impresionado por el bullicio capitalino, le hizo saber, a través de Francisco, que era su obligación escribirles con frecuencia «la verdad» de todo lo que le pasaba con sus «negocios literarios».[26]

Obediente, no tardó en informarles de que Madrid resultaba para él «campo ricamente abonado». En la misma pensión paraba su amigo Ángel Barrios, que acababa de cosechar un gran éxito con su zarzuela *Granada mía*. Veía con frecuencia al dramaturgo Eduardo Marquina quien, después de oírle recitar su pequeña obra teatral *La viudita se quiere casar*, se había ofrecido, entusiasmado, a estrenársela (no sería el caso).[27]

Basada en una canción infantil muy conocida, «La viudita del conde Laurel» («Yo soy la viudita / del conde Laurel, / que quiero casarme / No tengo con quién...»), citada en varios poemas de la *juvenilia* y ya comentada, el argumento de la pequeña pieza —al parecer escrita aquel mismo 1919 y no terminada— gira en torno al tema lorquiano reincidente del amor anhelado que nunca llega.[28]

En la misma carta a sus padres insistió en que, ante tanto canto de sirena, no quería ir demasiado deprisa, en que había que ser cauto, prudente: «En literatura da muestras de cordura extraordinaria el que va con pies de plomo y con una gran faca en la mano. Estoy convencido de que a quien lleva una obra densa se le abren todas las puertas».[29]

También está viendo, claro, a Gregorio Martínez Sierra en relación con el estreno de la pieza de la mariposa. El empresario se ha ofrecido, además, a publicar una selección de sus versos. Sólo falta el prólogo de Marquina para que se empiece a imprimir. Por otro lado se ha hecho socio del Ateneo, donde pasa «grandes ratos en la magnífica biblioteca», y frecuenta, más que teatros y cines, los conciertos, que en estos momentos le parecen maravillosos.[30]

Durante sus primeras semanas en Madrid ve a menudo a los miembros del Rinconcillo ahora instalados en la capital —José Fernández-Montesinos, José Mora Guarnido, Melchor Fernández Almagro y Miguel Pizarro— y acude mucho al estudio de Manuel Ángeles Ortiz, cuya mujer ya espera un niño. Allí, mientras el pintor trabaja ante su caballete, escribe buena parte de la obra que le ha encargado Martínez Sierra. Y allí también, según aseguraría Ángeles Ortiz años después, le confió un día, llorando, que Francisco Soriano Lapresa iba por Granada diciendo que era maricón. Según el pintor, le dolía profundamente a Federico aquella «traición».[31]

Antes de volver a Granada para las vacaciones pudo tomar posesión del cuarto que le habían prometido en la Residencia de Estudiantes.

Allí volvió a tratar al poeta malagueño Emilio Prados. El *Diario íntimo* que llevaba éste nos proporciona unos datos interesantes acerca de los primeros días del granadino en la casa.[32] Tísico desde la infancia —había nacido en 1899, un año después que Federico—, Prados era un muchacho extremadamente sensible, introvertido y angustiado. En las páginas del diario, escrito con intermitencias entre 1919 y 1921, da rienda suelta a su infelicidad, insistiendo una y otra vez en sus amores frustrados con Blanca, la musa de sus primeros poemas, y manifestando un autodesprecio

casi suicida. Creía (como Lorenzo Martínez Fuset) haber encontrado en Federico al amigo perfecto. El diario nos revela que le había
confiado sus inquietudes, que supo comprenderlas, y que habían hablado largo y tendido de sus mutuas e idénticas aspiraciones (el
afán «por subir a la cumbre de la gloria» y el deseo de contribuir a
una mayor justicia social). «Sus ideales políticos, contrarios a su
bienestar, son los mismos míos —apunta Prados—, y esto le hacen
que sea más querido por mí.»[33]

El diario revela que esbozaron un programa conjunto para llevar a la práctica su ideario. Un día, con Lorca ausente, escribe:

> Quisiera tenerlo estos días aquí para poderle contar todo lo que
> en estos días siento, y estoy seguro que sabría consolarme y ale-
> grarme en mis tristezas. Tengo grandes ganas también de que esté
> aquí para organizar la propaganda de nuestros comunes ideales,
> que tantas ganas tengo de ver realizados. Mi sangre toda la daría
> por ver la humanidad unida con amor, y que la igualdad fuera com-
> pleta para todos. Me da horror pensar cuánta hambre y cuántos su-
> frimientos hay que pueden cambiarse en alegrías. En fin, cuando
> venga Federico trabajaremos con ardor por esta causa.[34]

Prados no tardó en desilusionarse, quejándose en su diario de
que Federico ya no le comprendía. Poco tiempo después se tuvo
que internar en una clínica suiza (había empeorado su tuberculosis), donde el declive de la relación seguía preocupándole hondamente. ¿Qué había ocurrido? El diario no es explícito al respecto.
Tal vez, como Martínez Fuset, Prados le exigía demasiado. Quizá
Lorca llegó a encontrar agobiante su insistencia. De todos modos,
la situación no tardaría en arreglarse, al volver el malagueño poco
después a España.

Federico regresó a Granada para pasar las Navidades con su
familia. Allí recibe varias comunicaciones apremiantes de Martínez Sierra, entre ellas una carta que demuestra que la intención
inicial del empresario era que la obrita, titulada por Lorca *La comedia ínfima,* se realizara con títeres, no con actores. Rafael Pérez Barradas ya había hecho los decorados e iban a probar algunos de los vestidos. Por ello, ¿cuándo pensaba enviarle por fin el
texto acabado de la pieza? A Martínez Sierra no le gustaba esperar... y consideraba que ya había esperado más de la cuenta.[35]

Ante tanta insistencia Lorca logró terminar la obra, pero no
sin muchos titubeos. Estaba muy inquieto en los días anteriores

al estreno. Mora Guarnido recuerda que llegó incluso a considerar la conveniencia de retirar la obra, que Martínez Sierra insistió en rebautizar *El maleficio de la mariposa*, y que les pidió a los «rinconcillistas» establecidos en la capital su opinión al respecto. Hubo división de criterios, pero la insistencia de Mora sobre la absoluta necesidad de seguir adelante acabó ganando la partida. Mejor correr el riesgo de un fracaso que perder la oportunidad de estrenar en el vanguardista Eslava, oportunidad por la que muchos dramaturgos con más veteranía darían un ojo de la cara. Federico se dejó convencer.[36]

Melchor Fernández Almagro estuvo en los ensayos. Uno de los grandes atractivos de la obra, según él, era el uso que hacía de elementos del ballet. ¿Y quién mejor que la espléndida bailarina Encarnación López Júlvez para ejecutar los vacilantes pasos de la mariposa herida, al compás de los acordes de Grieg? Estaba convencido de que el baile de Encarnación en los momentos culminantes de la obrita bastaría para garantizar el éxito. Pero se equivocaba.[37]

Federico García Rodríguez, siempre dispuesto a propiciar las carreras profesionales de sus hijos, les había abierto una cuenta con el librero granadino Enrique Prieto, cuyo establecimiento estaba en la calle de Mesones. Es probable que allí fuera donde, a finales de 1917 o principios de 1918, se hiciesen con las *Obras completas* de Shakespeare en ocho tomos, traducidas por R. Martínez Lafuente.[38] Para Federico la lectura de *Sueño de una noche de verano* fue decisiva. El prólogo de *El maleficio de la mariposa* lo atestigua y un poema sin título, fechado el 23 de octubre de 1917, demuestra que, para el joven Lorca, el tema de la obra es que el enamorarse es un fenómeno puramente fortuito, producto del azar, y que a todos nos pasa lo que a Titania y Bottom:

> ¡El demonio de Shakespeare
> Qué ponzoña me ha vertido en el alma!
> ¡Casualidad temible es el amor!
> Nos dormimos y un hada
> Hace que al despertarnos adoremos
> Al primero que pasa.[39]

Es evidente que el joven Lorca proyectó sus deseos eróticos, sus miedos y sus dudas metafísicas sobre el desesperado Curianito el Nene, ya que las quejas del ortóptero repiten, casi palabra por palabra, las que encontramos, en primera persona, en numerosos de sus poemas juveniles, por ejemplo «Canción menor» y «Alba».[40] *El maleficio de la mariposa*, de hecho, es una excusa apenas disfrazada para la expresión de su propia angustia erótica, y llama la atención el que, para su amante frustrado, haya escogido un insecto considerado repugnante. Nos recuerda, con ello, otros momentos de su obra temprana en que alude, en voz propia, a la que considera su falta de atractivo para el otro sexo.

No por nada, en la Residencia de Estudiantes, algunos dieron en apodarle Curianito el Nene.[41]

Nunca han sido encontradas las últimas páginas del autógrafo de la obra. Francisco García Lorca aventura que al final se suicida Curianito. Lo parece confirmar una de las notas aparecidas entonces en la prensa, según la cual, al final de la obra, «la ilusión se trunca y la existencia del audaz soñador también».[42]

Cuando, la noche del 22 de marzo, se levantó el telón sobre *El maleficio de la mariposa*, ni Encarnación López Júlvez, ni Catalina Bárcena (en el papel del amante fracasado), ni la música de Grieg, ni el vistoso decorado de Mignoni, ni el vestuario de Pérez Barradas, ni la dirección de Martínez Sierra, ni la claque organizado por los amigos del flamante dramaturgo, ni los varios méritos intrínsecos de la obrita... consiguieron vencer la hostilidad del público, parte del cual estaba decidida a reventarla desde el primer momento. Nada más subir el telón hubo abucheos, pateos, insultos, pullas... y el alboroto se hizo ensordecedor cuando, al decir Alacranito: «Ahora mismo me acabo de comer un gusano que estaba delicioso, blando y dulce, ¡qué rico!», exclamó un gracioso, provocando estruendosas carcajadas: «¡Que le echen Zotal!» (un famoso insecticida).

Al segundo acto no le fue mucho mejor, si bien parece que mientras bailaba Encarnación López se calmaron un poco los ánimos. Al caer el telón final quedó patente que el público madrileño se negaba a aceptar una comedia en verso centrada en los amores contrariados de un curianito.[43]

En Granada la familia aguardaba con ansiedad noticias. A la una de la madrugada llegó un telegrama, enviado por un amigo del padre. Decía sencillamente: «La obra no gustó. Todos coinciden Federico es un gran poeta».[44]

Estuvieron sentados en el Eslava aquella noche al lado de Manuel Ángeles Ortiz y su mujer la bella granadina María Luisa Egea González, tan admirada por el joven Lorca, y su marido, un rico joyero judío alemán.[45] Se dice en Íllora, pueblo natal de la hermosa, que la pareja tuvo que huir luego de los nazis a Argentina, donde desapareció de la vista.[46] María Luisa nunca habló con ningún periodista, que se sepa, de su relación con Lorca y el Rinconcillo. Es una pena.

Al día siguiente la prensa de Madrid comentó en unas pocas líneas el fracaso de *El maleficio de la mariposa,* no sin añadir que la farsa sobre la vida estudiantil estrenada a continuación había gustado bastante al respetable. Algunos críticos tuvieron el detalle de admitir que, debido a la algarabía, no habían podido seguir la obra; unos sentenciaron que, aunque su versificación era digna, carecía de dramatismo; y otros se encargaron de señalar sus posibles fuentes literarias, entre ellas *Chantecler* de Rostand, *Le roman de Renart, El espectro de la rosa* (ballet de Diáguilev montado recientemente en París), *El caballero lobo* de Manuel Linares Rivas y la obra medieval *Calila y Dimna.* Ninguno tuvo en cuenta sus elementos irónicos o humorísticos ni intentó analizar su temática, mientras que varios rechazaron de plano que unos seres tan desagradables como las cucarachas pudiesen decentemente ser personajes de una pieza teatral (objeción que Lorca se había adelantado a rechazar en su prólogo). En resumen, ni el público ni los críticos estuvieron a la altura.[47]

Según varios testigos Federico encajó bien el contratiempo y se acercó después a La Granja del Henar, en la calle de Alcalá, para comentar la velada. Rafael Alberti, cuya amistad con él se iniciaría cuatro años después, recordaba que le comentó lo ocurrido con carcajadas.[48] En 1935 seguía insistiendo en que su reacción ante aquel «pateo enorme, ¡enorme!» había sido su risa de siempre, su «risa de infancia y de campo».[49] Bien pudo ser, sin embargo, que lo ocurrido le hiriera considerablemente, ya que manifestaría en varias ocasiones que su primera obra de teatro fue *Mariana Pineda,* estrenada en 1927, omitiendo cualquier referencia al bochornoso episodio, siete años antes, de *El maleficio de la mariposa*, episodio bautizado por algún gracioso «El maleficio de don Gregorio».

Había esperado ganar con su primer estreno un dinero razonable con el cual compensar en algo a su padre por los gastos sobrellevados a lo largo de años y convencerle de que con la literatura se podía vivir. Pero no cobró nada. Durante las siguientes semanas le aseguraría al autor de sus días de que trabajaba mucho, sin apenas salir de la Residencia, y de que tenía varios proyectos sólidos en marcha. Pero cometió el error de mencionar su participación en una fiesta artística celebrada en el Eslava. García Rodríguez se enfadó y en abril le escribió una carta muy dura que por desgracia parece no haberse conservado. La respuesta del poeta, un auténtico *cri de coeur*, es un documento biográfico clave para entender su relación, en estos momentos críticos, con sus padres, la Residencia… y Granada:

> Querido papá: Recibo una carta tuya en tono serio y discreto y en tono serio y discreto te contesto yo también. Mucha más gana de veros tengo que vosotros porque ahí estáis todos juntos y yo aquí solo. Pero cuando las circunstancias y la vocación lo imponen, no queda más remedio que resignarse. Yo no puedo resistir este «mete y saca» de «ya voy ya vengo» porque me perjudica extraordinariamente y yo tengo que adoptar una actitud fuerte de trabajo y *mano izquierda* en estos momentos de tantísimo interés para mí. Yo sé perfectamente lo que tú piensas (¡desgraciadamente!). Pero yo te digo y te prometo solemnemente, por lo muchísimo que te quiero, que cuando un hombre se coloca en su camino ni lobos ni perros deben hacer que vuelva atrás y yo, afortunadamente para mí, tengo una lanza como la de Don Quijote. En mi camino estoy, papá. ¡No me hagas volver la vista atrás! Yo sé que vosotros me queréis mucho, pero no hacéis más que pagarme en la misma moneda, porque yo os quiero a vosotros mucho más. Yo sé también que quisierais tenerme a vuestro lado, pero esto es cosa que imponen las circunstancias. ¿Qué hago yo ahora en Granada? Escuchar muchas tonterías, muchas discusiones, muchas envidias y muchas canalladas (esto naturalmente no les pasa más que a los hombres que tienen talento). Y no es que a mí se me importa nada, porque gracias a Dios estoy muy por encima, pero es molestísimo, molestísimo. A los tontos no se les discute y a mí me están discutiendo en Madrid gentes muy respetables, y eso que no he hecho más que salir, que ya será la gorda cuando estrene otras cosas y así hasta probablemente tener un gran nombre literario. Triunfar de pronto en toda la línea es perjudicial para el artista. Esto aparte, yo estoy preparando mis libros y voy muy despacio, porque me ando con pies de plomo para dar a luz un libro sensacional. Aquí escribo, trabajo, leo, estudio. Este ambiente es maravilloso. Casi no salgo. Las gentes (que son muchas) vienen a visitarme aquí. No salgo nada más que para ir a casa de Martínez Sierra y a la redacción de *España* con un grupo de intelectuales fuertes y jóvenes. Pero lo más principal para no poder

marcharme no son mis libros (que ya que [sic] tiene peso) sino que estoy en una casa de Estudiantes. *¡Que no es ninguna fonda!* Aquí cuesta entrar muchísimo trabajo y si yo por mis méritos y simpatías personales y por mis amistades pude entrar sin solicitud y sin engorro haciendo el director chanchullos y quitando a otros ¡10! que tenían hecha solicitud para ponerme a mí, que llegué con las manos lavadas, es una incorrección a esta casa, que tanto me ha de ayudar, y una grosería imperdonable decirles de pronto en medio del curso: «¡Ea, me voy! ¡Queden Vds. con Dios!». Y yo que antes iba a venir y no vine y (ya sabes todo)… dirán que soy una veleta y quedaré descalificado y ridículo. Yo por esto más que por otra cosa te suplico que me dejes aquí. Yo, queridísimo papá, ¡soy un hombre formal! ¿Te he dado nunca un disgusto? ¿No te he hecho caso siempre? Yo me porto aquí como uno debe portarse, mejor que en casa porque aquí tengo que adoptar una actitud seria. Tu carta diciéndome que me vaya porque, si no, tú vienes por mí, me ha producido un gran disgusto y una gran inquietud, porque esa actitud tuya revela el estado de un padre al que su hijo hace una travesura imperdonable y el padre lo recoge o para darle dos azotes o meterlo en Santa Rita. Eso revela un estado tuyo que no quiero creer. Me dices: «Vente por dos meses y después vuelves». ¿Cuándo, querido papá? ¿Cuándo? ¿En agosto? Ven, si quieres, que tengo mucha gana de verte como a toda la familia. Ven y si quieres que me vaya contigo porque te empeñes me iré, pero te aseguro que no tardarás en arrepentirte. Yo te obedezco porque ese es mi deber, o creo que es mi deber, pero me habrás dado un golpe de muerte, porque me llenaré de pesadumbre y de desanimación, y se me quitará el entusiasmo que tengo y me hace falta animar. Yo te suplico de todo corazón que me dejes aquí hasta fin de curso y entonces me marcharé con mis libros publicados y la conciencia tranquila de haber roto unas espadas luchando contra los filisteos para defender y amparar al Arte puro, al Arte Verdadero. A mí ya no me podéis cambiar. Yo he nacido poeta y artista como el que nace cojo, como el que nace ciego, como el que nace guapo. Dejadme las alas en su sitio, que yo os respondo que volaré bien. Así es, papá, que no insistas en que me vaya, porque semejante idea me llena de angustia. Yo he dado, creo, mis razones. ¿Son razones o no? Pero si es que os soy gravoso decídmelo… que yo sabré responder como un hombre. Cuesta muy poco ganar dinero teniendo buena cabeza. Afortunadamente pienso así y creo que tengo razón. La vida y el mundo hay que verla [sic] con ojos claros y llenos de optimismo y yo, papá, soy optimista y tengo mucha alegría. Contéstame como yo te he contestado y por último te suplico de todo corazón que leas bien la carta y recapacites. Piensa además que yo no soy un objeto que te pertenece y que amas mucho; piensa que tengo vida propia, resolución, y que este ir y venir me perjudica y no es formal. Hay que ser audaces y valientes. Lo mediocre y el término medio es fatal. No consultes estas cosas con amigos abogados, médicos, veterinarios, etc. —gentecilla mediocre y antipática—, sino con mamá y los niños. Creo que tengo razón. Sabes que te quiere de corazón tu hijo.[50]

Era cuestión de vida o muerte. Es muy interesante la comparación con Don Quijote —se sobreentiende que su primera salida—, la seguridad de estar ya en su camino y el dato sobre *España,* la extraordinaria revista fundada en 1915 por José Ortega y Gasset. En su redacción se reunía la flor y nata de la intelectualidad madrileña de la época y no cuesta trabajo imaginar su euforia al ser aceptado allí, a sus veintiún años, como par entre pares.[51]

Escribió al mismo tiempo a su madre, insistiendo sobre «la vida seria y buena y provechosa» que llevaba en la Residencia e implorando su apoyo (y la de sus hermanos) para convencer a García Rodríguez, obsesionado con la maltrecha carrera universitaria de su primogénito, de la absoluta necesidad de dejarle seguir en Madrid en circunstancias tan alentadoras para su creatividad.[52]

Entre todos consiguieron aplacar provisionalmente al irritado patriarca y Federico podría seguir en «la Resi» hasta junio del año siguiente.

NUEVAS DIRECCIONES (1920-1922)

Otra vez la Residencia

Al llegar el verano de 1920 estaba ya claro que, si la carrera universitaria de Francisco García Lorca se prometía brillante, la de su hermano no iba a ninguna parte. No por ausencia de inteligencia, claro, sino por una falta absoluta de voluntad. Sendos fracasos económicos de *Impresiones y paisajes* y ahora de *El maleficio de la mariposa* no ayudaban a tranquilizar al padre. ¿Cómo iba su hijo a ganarse la vida? ¿Qué sería de él? García Rodríguez seguía insistiendo en que era su obligación conseguir como fuera un título. Luego se vería.

Fallecido Domínguez Berrueta aquel julio y, por tanto, eliminado el problema de tener que vérselas con el ofendido catedrático por los pasillos universitarios, Federico decidió reanudar su «naufragada carrera de Letras», como la describió en una carta desde Asquerosa a Antonio Gallego Burín, que acababa de ganar una plaza de profesor en la facultad de Filosofía y Letras. Le explicó que le había dicho su padre que, si aprobaba unas cuantas asignaturas en septiembre, le permitiría volver a Madrid. ¡Qué alegría! Luego venía una serie de preguntas. ¿Cuál era la mejor manera de salir bien librado de su complicada situación académica? ¿Cuántas asignaturas tendría que preparar? ¿Ayudaría el «rinconcillista» ocasional José Navarro Pardo, especialista en el idioma? («¿Cuándo sabré hebreo ni árabe? ¡Me deben aprobar inmediatamente!») Era evidente que tenía el propósito de trabajar lo menos posible y de sacar el máximo partido de los amigos que enseñaban en la Universidad de Granada.[1]

Escribió también a José Fernández-Montesinos, que seguía en Madrid, con una petición: que le dejara un ensayo suyo sobre Lope de Vega para presentarlo como propio al examen de Literatura Española. Fernández-Montesinos accedió, pero a regaña-dientes.[2] Gracias a su complicidad el poeta no sólo salió airoso del reto sino que incluso obtuvo un premio. Aprobó como pudo Historia Universal, pero se embarrancó en Historia de la Lengua Castellana, hecho que desató el desdén y las iras del Rinconcillo contra el catedrático responsable, que recibió un virulento comunicado del grupo en verso. Empezaba:

> *Eloy Señán,*
> *los cuervos te comerán.*[3]

Según consta en su expediente universitario, Lorca se trasladó el 30 de octubre de 1920 desde la Facultad de Filosofía y Letras de Granada a la de la Universidad de Madrid.[4] Se infiere que el hecho de aprobar dos asignaturas había sido suficiente para que García Rodríguez accediera a que regresara a la Residencia.

Allí se hizo pronto buen amigo de Luis Buñuel. En su autobiografía, *Mi último suspiro*, publicada en 1982, un año antes de su muerte y no siempre muy fidedigna, el cineasta asegura que la relación no tardó en ser estrecha, a pesar de —o tal vez a causa de— sus diferencias temperamentales («aragonés tosco» y «andaluz refinado»).[5] Atribuye a Lorca su descubrimiento de la poesía («fui transformándome poco a poco ante un mundo nuevo que él iba revelándome día tras día»)[6] y se complace recordando su afición a pegar a conocidos homosexuales a la salida de los urinarios públicos de la capital, sus experimentos con la hipnosis, sus bromas pesadas (entre ellas vaciar cubos de agua por debajo de las puertas de los dormitorios de la «Resi»), su pasión por el jazz, sus veladas con Guillermo de Torre y los ultraístas, y sus visitas a los burdeles de Madrid («sin duda alguna los mejores del mundo»). Tenía dinero y todavía dispondría de más al morir su padre en 1923. Ello se notaba en su comportamiento a veces chulesco, el de un señorito con posibles y, además, un físico impresionante.[7]

En cuanto a los prostíbulos, José Bello ha dicho que, cuando él, Buñuel y otros amigos «iban de putas», tenían buen cuidado de no jactarse de ello ante Federico. El poeta, según Bello, era extremadamente pudoroso en cuanto a su vida personal y, aunque no daba la impresión de ser homosexual, todos sabían que lo era.[8]

¿Todos? Parece ser que Buñuel tardó en darse cuenta. En su libro alega recordar cómo uno de los «residentes», un vasco de nombre Martín Domínguez, comenzó a propagar el rumor de que Lorca era gay. Buñuel, desagradablemente sorprendido, dice —ya que según su propia admisión detestaba a los «pederastas»—, que abordaría enseguida al poeta para pedirle, con su habitual brusquedad, una aclaración. ¿Era o no «maricón»? «Tú y yo hemos terminado», contestaría, tajante, Federico, levantándose y marchándose. El cineasta alega, aunque pronto hicieron las paces, que Lorca se sentía «herido en lo más vivo».[9] Es imposible comprobar la veracidad de la anécdota, pero de todas maneras nos dice más acerca de Buñuel que del granadino. Muy inquieto ante el hecho de la homosexualidad, resulta significativo que en sus memorias no mencione para nada que su hermano Alfonso, quince años más joven y fallecido en 1957, no solo era gay sino de manera desinhibida. En este sentido el caso de Buñuel es muy parecido al de Francisco García Lorca, que en su libro póstumo sobre su hermano no alude para nada a su homosexualidad.

Los antiguos compañeros del poeta en la Residencia se mostrarían siempre reticentes al hablar de ella. Lo que está fuera de duda es que, dadas las costumbres dominantes en la España de la época, la mayoría de los que tenían inclinaciones homoeróticas hacían lo posible por enmascararlas. Lorca no fue excepción a la regla, pero no por ello su homosexualidad dejaba de ser evidente a ojos de muchos, entre ellos el pintor y poeta malagueño José Moreno Villa, brazo derecho de Jiménez Fraud. En su autobiografía *Vida en claro*, publicada en México en 1944, dice: «No todos los estudiantes le querían. Algunos olfateaban su defecto y se alejaban de él. No obstante, cuando abría el piano y se ponía a cantar, todos perdían su fortaleza». Llama la atención la palabra «defecto», quizá utilizada con ironía. Que Moreno Villa no diera más detalles sobre la cuestión es ya de por sí sintomático de una reserva que, incluso hoy en día, dificulta a menudo investigar la vida de un artista gay en las comunidades de habla española.[10]

Desde Madrid Federico les contó a sus padres que se había matriculado en dos asignaturas de filosofía, que estudiaba griego, que se había comprado una «maquinita *Gillette*» con la cual se afeitaba todos los días «para seguir como buen residente» y que, para el día de Todos los Santos, iban a representar en la casa el *Tenorio* y que él haría dos papeles y «un monólogo graciosísimo».[11]

Buñuel, quizá asesorado por el poeta, había decidido montar, efectivamente, como parte de una Gran Función Teatral, una «profanación» suya de los actos quinto y sexto de la famosa obra de Zorrilla, reservando para sí mismo, por supuesto, el papel del protagonista, y con Lorca en el del Escultor. Existe una fotografía algo borrosa de la representación en la que aparecen Buñuel con espada y el poeta con linterna y plumero.[12]

Hay que añadir que, en la misma línea, los improvisados actores capitaneados por Buñuel solían representar —en una especie de trastero donde había un piano vertical antiguo— sesiones de ópera bufa. Según Alfredo Anabitarte, uno de los participantes, Luis hacía los libretos, que tenían cierto parecido con el de *Rigoletto*, y Lorca, desde el piano, «pedía vez», cuando se sentía inspirado, para soltar «unos gorgoritos, tipo soprano lírica, que le salían muy graciosos».[13]

No todo en la «Resi» era seriedad, ni mucho menos.

Por sus misivas de estas semanas, y las respuestas de Vicenta Lorca, es evidente que sus padres continuaban apremiándole para que estudiara. García Rodríguez alegaba injustamente, además, que sólo les escribía cuando necesitaba más dinero.[14] Las cartas de la madre combinan ternura y exigencia. «Dices que estudias regular y lees desaforadamente —le escribe el 18 de noviembre—; esto último me parece exagerado y si te molesta la cabeza debes hacerlo con moderación, pues lo primero es la salud. Escribes también, y eso me agrada muchísimo, porque yo no quiero que abandones lo tuyo, lo que te gusta; ni decaigas en tus aspiraciones hasta que consigas, si Dios quiere, todo lo que tú desees; pero quisiera que me dijeras algo de lo que piensas hacer con tantas preciosidades como tienes guardadas; porque no serán únicamente para formar un archivo. Si todo esto es un secreto, bien, pero si no, cuéntame a mí sola en una cartita que yo la guardaré sin enseñársela a nadie».[15]

Unos días después se insinúa otra vez el velado reproche: «No me dices nada de venir, ni tampoco de tus cosas con Martínez Sierra. Verdad que te has hecho un estudiante (aparentemente) para que no te molestemos, pero yo, hijo mío, no puedo por menos de decirte algo, tanta es la gana que tengo de leer tus cosas en letra de molde, porque en la tuya no se pueden leer los versos sin desentonarse a cada momento y francamente no se les toma sabor ninguno».[16]

No era fácil satisfacer a la exigente ex maestra.

A principios de diciembre Federico recibió otra carta irritada de su padre (no se conoce). La contestó, como pedía García Rodríguez, a vuelta de correo. El labrador, adoptando una actitud que el poeta caracteriza de *árabe* («desde luego en broma»), actitud de «*vente enseguida o yo iré por ti*», había insistido, como en la carta citada anteriormente, en que volviera cuanto antes a casa. Federico le explicó la absoluta necesidad de seguir en Madrid hasta el 18 o el 20 de diciembre: tenía que terminar primero un trabajo sobre Platón que le habían encargado en la Facultad de Filosofía y Letras y, además, estaba «en un momento crítico», entregado a «la gran aspiración de levantar un vuelo atrevido por encima del arte actual». Que su padre, a quien tanto quería, tratara de comprenderlo.[17]

Regresó a Granada para las Navidades. Parece ser que fue entonces cuando coincidió allí con Ramón Menéndez Pidal, que andaba por esas fechas transcribiendo romances populares. El gran filólogo recordaría así sus andanzas conjuntas:

> Recuerdo que cuando en 1920 hice un viaje a Granada, un jovencito me acompañó durante unos días, conduciéndome por las calles del Albaicín y por las cuevas del Sacromonte para hacerme posible el recoger romances orales en aquellos barrios gitanos de la ciudad. Este muchacho era Federico García Lorca, que se mostró interesadísimo en aquella para él extraña tarea recolectiva de la tradición, llegando a ofrecerme recoger y enviarme más romances. Pero juventud y poesía le hicieron olvidadizo de su oferta.[18]

Durante su visita, Menéndez Pidal, que entonces tenía cincuenta y un años, recogió varios romances de labios de una criada de los García Lorca (¿Dolores, la Colorina?).

Federico transcribió para él otros, entre ellos «Gerineldo» y «La condesita», oídos en la plaza de Mariana Pineda a una señora de nombre Isabel García, como su hermana. Es probable que Pidal volviera a Madrid con versiones, además, de «Don Bueso» (luego armonizado por el poeta), del romance infantil de Mariana Pineda y acaso de «Los pelegrinitos» (también armonizado por Lorca) y del romance de Tamar.[19]

Podemos inferir que, durante su breve estancia, que quizá incluyera una visita con Federico a las Alpujarras,[20] ambos hablaron largo y tendido del romance como modalidad poética a la vez popular y culta. El joven Lorca tenía en su biblioteca los dos tomos del *Romancero general*, compilado por Agustín Durán, en una edición de 1916.[21] Y en sus primeros poemas ya se había ensayado en el género. Es más, parece probable que la visita del filólogo reforzara el atractivo que ya tenían para él, desde hacía varios años, el Sacromonte, sus gentes y su cultura musical.[22]

En enero de 1921 regresó a la Residencia, donde se quedaría hasta julio. El viaje a Madrid duraba entonces unas doce horas y se mareó. Repuesto, ofreció a sus compañeros una charla sobre el cancionero granadino que, según escribió a sus padres, gustó mucho.[23]

El 16 de enero le contestó Vicenta Lorca, otra vez displicente (respetamos su ortografía):

> Queridísimo hijo: Siento tanto que tu viage fuera tan malo, hasta el estremo de que no hayas podido escribir en ocho dias y poquita cosa. Yo creía que estarías esperando ver a Dn Antonio [Rodríguez Espinosa] y su familia para darle a tu padre algunas noticias de ellos que tanto le agradan lo mismo q. a todos: pero nada, tú no has nacido nada más que para hacer lo que a ti te agrada y trepe el que trepe. Todo esto lo siento muchísimo; primero por ti, porque serás el primero en recojer el fruto de no ser un hombre regular y hacer las cosas a su tiempo y con talento, (hablo de todo en general) y segundo porque la responsabilidad de todas las contrariedades que pudieran resultarte a ti seré yo.
>
> Quiera Dios que todo salga bien y en este caso a El solo daremos las gracias sin tener que mezclar a nadie.
>
> Aunque te parezca un poco cansada no quiero dejar de recordarte que para lo mucho que tienes en plan de trabajo no quedan mas que unos cuatro meses y por lo tanto no puedes perder ni un día ni dejar nada para mañana como te acostumbras que el tiempo vuela y muy pronto cumplirás veintitres años y es la hora de trabajar y lanzarse decididamente a ser: pero con entusiasmo y valentía sin temerle a nada ni a nadie, desde luego que estás en Madrid por tus aficiones literarias y que como pretexto has tomado dos asignaturas que tienes que cumplir con ellas sin abandonar lo demás y basta ya de camelos.
>
> De salud estamos todos bien, deseando que tú también lo estés. Recuerdos de todos, besos de tus hermanos y de papá y un abrazo de tu madre que muchísimo te quiere y te desea muchísima suerte
>
> VICENTA[24]

El 24 de enero hubo otro rapapolvo de la madre. «Todos los días pienso escribirte —empezó—, pero esperando recibir carta tuya lo dejó y ya en vista de que no llega lo hago yo porque es mucha la gana que tengo de saber de ti. Dime qué haces y si estás tan ocupado que no puedes dedicarnos de vez en cuando siquiera diez minutos para que sepamos de ti, cuando yo te dedico el día entero y la mayor parte de la noche, aunque a ti te parezca que exagero.»[25]

¿Le parecía exagerada a Lorca la insistencia de su madre en que le escribiera con tanta frecuencia? No conocemos ningún comentario suyo al respecto, pero cabe inferir que a veces encontraba onerosa la obligación. Por otro lado tenía que agradecer su afán por verle convertido en un escritor famoso, afán que permea toda la correspondencia. «Aunque a ti no te guste —le escribe Vicenta el 7 de febrero—, no puedo dejar de decirte (pero nada más que a ti) que tengo unas ganas locas de conocer lo que estás haciendo, y también me gustaría que cuando lo terminaras te dedicaras a publicar un libro, pues mi deseo es que no te venga este año como el anterior, sabiendo desde luego que la única dificultad para estas cosas está en que tú quieras o no.»[26]

No tenía por qué preocuparse tanto la madre, *Libro de poemas* ya iba camino de salir pronto a la palestra gracias a la amistad de Federico con el pintor manchego Gabriel García Maroto, que acaba de abrir una imprenta y se encargará de la edición. Al enterarse de ello Vicenta dice que se alegra.[27]

El 1 de marzo vuelve a lo de siempre: «Me dices que *amenude* con mis cartitas, pero tú bien que me haces desear las tuyas, pues ya hace cuatro o cinco días que la espero y nada, me quedo con la gana. No hagas eso, hijo mío, que siempre tenemos grandes deseos de saber de ti y, para que no ocurran estas tardanzas, debes contestar a mis cartas sin perder una fecha y yo haré lo mismo con las tuyas». Luego insiste una vez más en que no abandone sus estudios, aunque no le gusten, pues, para recoger el fruto deseado, no hay más remedio «que dominarse y trabajar mucho». Habiendo llegado a ser profesora gracias a su tesón y valentía, nunca dejaría de ser muy exigente con los suyos. [28]

Federico comenta a sus padres, hacia finales de marzo, la situación del proyectado libro, sin proporcionar muchos datos. Vicenta, tras regañarle otra vez por su tardanza en escribir, que dice que ha disgustado profundamente a su marido, le contesta el 29:

> No nos dices a quién le das el libro y si tardarán mucho en editarlo. Ya comprenderás que yo como mujer y además madre tuya tengo en todas estas cosas más curiosidad que todos. La publicación del poema por tu cuenta nos parece muy bien, pues ya sabes que tu padre está dispuesto (en trabajando vosotros) a todo lo que sea menester. Nos alegra mucho que te encuentres con ánimo sufi-

ciente para reconocer que tienes condiciones y facultades de artista puro y exquisito, pues así te lanzarás a la lucha que te espera con gran valentía sin que te arredren críticas de ignorantes y la mala intención de los envidiosos que casi siempre, en estos casos, son en mayor número. Yo le pido a la Virgen que todo te salga muy bien y que tú tengas mucha serenidad para que no te des mal rato por nada.[29]

El poeta podía contar, pues, no sólo con el apoyo moral de sus padres sino con los medios necesarios para sufragar, así como en el caso de *Impresiones y paisajes*, los gastos de su segundo libro. También con la perspicacia literaria de su hermano, que el verano anterior le había ayudado a hacer una nutrida selección de los poemas, tarea nada fácil dado el inmenso acopio de versos que se habían ido acumulando a lo largo de los últimos cuatro años.[30]

Para celebrar el día de su madre, 5 de abril, organizó una pequeña fiesta en su habitación de la Residencia. Dio cuenta de ello, feliz, en una carta a casa. Habían acudido sus «más fervientes admiradores», entre ellos, además de sus amigos de la Residencia, García Maroto, Barradas, Regino Sainz de la Maza, Tomás Borrás y Adolfo Salazar. Sólo había gastado «6 pesetas en vino, 6 en dulces y sanseacabó».[31] Creía que su madre estaría encantada con el detalle… y el dispendio modesto. Pero la respuesta no fue la que se hubiera podido esperar en tales circunstancias:

> Nos alegramos tantísimo que pasaras mi día bien y con buenos amigos. Ahora quiero advertirte, aunque quizá no lo necesites, que no te contentes con la admiración de unos cuantos, pues eso no es bastante; hay necesidad de que te conozcan muchos, muchos, todos, para que te hagas de un nombre y con él te crees además de gloria, si la consigues, una posición y puedas vivir por lo menos como estás acostumbrado. Federico, que no pierdas el tiempo, que estás en lo mejor de tu vida; que hagas como tu hermano, que trabaja y mira cómo recoge el fruto: que le des a cada cosa lo suyo y nada más…[32]

¡Qué insistencia! Es como si Vicenta no fuera capaz nunca de pasarlo realmente bien. Y eso que Federico le había enviado una maravillosa «cajita de bombones líricos» para hacerla feliz en su día.[33]

Por estas fechas se esperaba en Madrid la pronta llegada de Rabindranath Tagore, y Federico llevaba semanas montando en la Residencia, con Juan Ramón Jiménez, una obra del poeta indio,

Sacrificio, con el propósito de homenejearle a su paso por la capital. Vicenta Lorca aconseja otra vez cautela. Que no deje de hacer sus cosas, pues a lo mejor tarda «este señor» y Federico se encuentra con que «ha perdido el tiempo lastimosamente». Y remata: «Esto, hijo mío, no es nada más que una advertencia; y respecto a los amigos, te suplico que no pierdas con ellos más tiempo que el del descanso, y que no hagas por Dios y su madre lo que hacías aquí el año pasado con el guitarrista, que por ese camino no se llega a ninguna parte».[34]

No conocemos la identidad del guitarrista, ¿quizá Sainz de la Maza?, ni qué «hizo» Federico con él un año atrás. Pero en relación con Tagore la madre no se equivocó, pues no llegó a Madrid ni entonces ni después.

Libro de poemas

Entre abril y mayo Lorca informó a sus padres que, en cuanto a sus proyectos editoriales, había decidido publicar primero «una selección de poesías viejas» y que quería seguirla, inmediatamente, con otro de «cosas extraordinariamente nuevas en forma de *Suites*, que creo que es lo más perfecto que he producido».[35]

Los dos libros, y su «perfilar», iban a ser cuestión, de manera insistente, durante los próximos meses.

Confió los poemas para el primer tomo, como ya había anunciado, a Gabriel García Maroto. Mora Guarnido refiere que el pintor e impresor casi tuvo que arrebatarle el manuscrito, tanto dudaba de su publicación.[36] El propio Maroto diría décadas después, quizá exagerando, que Federico le había entregado un viejo maletín en el que había «millares de hojas manuscritas sueltas, revueltas, golpeadas, manchadas y sin ninguna relación entre sí por la numeración, el alfiler o el doblado de esquinas».[37] Una vez en su poder el manuscrito, lo copió a máquina y le pidió a Lorca que corrigiera y fechase los poemas.[38] Federico accedió, pero es casi seguro que no revisó luego las pruebas de imprenta porque el libro apareció plagado de erratas. La tirada, que le costó 1.700 pesetas a su padre —una suma considerable— quedó terminada, según el colofón del libro, el 15 de junio de 1921.[39]

Libro de poemas, bellamente impreso, tenía 229 páginas y 67 composiciones. Ninguna de 1917, trece fechadas en 1918, veinticuatro en 1919 y treinta en 1920. La selección reflejaba la inten-

ción del poeta de dar cuenta de su evolución hacia una poesía cada
más depurada, intención subrayada por el hecho de que el poema
inicial de la colección, «Veleta», declaraba ser de 1920.

«A mi hermano Paquito»: así iba dedicado el libro, lo cual era
de justicia no sólo por su ayuda a la hora de ir eligiendo los poemas, sino por su fino instinto crítico.[40] Llevaba unas «Palabras de
justificación» que enfatizaban la intensa subjetividad de la colección:

> Ofrezco en este libro, todo ardor juvenil, y tortura, y ambición
> sin medida, la imagen exacta de mis días de adolescencia y juven-
> tud, esos días que enlazan el instante de hoy con mi misma infan-
> cia reciente.
>
> En estas páginas desordenadas va el reflejo fiel de mi corazón y
> de mi espíritu, teñido del matiz que le prestara, al poseerlo, la vida
> palpitante en torno recién nacida para mi mirada.
>
> Se hermana el nacimiento de cada una de estas poesías que tie-
> nes en tus manos, lector, al propio nacer de un brote nuevo del árbol
> músico de mi vida en flor. Ruindad fuera el menospreciar esta obra
> que tan enlazada está a mi propia vida.
>
> Sobre su incorrección, sobre su limitación segura, tendrá este
> libro la virtud, entre otras muchas que yo advierto, de recordarme
> en todo instante mi infancia apasionada correteando desnuda por
> las praderas de una vega sobre un fondo de serranía.[41]

Enlazado a su propia vida estaba el poemario, desde luego, y
tanto que apenas había composición que no reflejara la angustia
que hemos venido comentando. «*Libro de poemas* es esencialmen-
te un acto de impetuosa afirmación personal», sentencia Francisco García Lorca en *Federico y su mundo*. Pero no analiza para
nada, a continuación, su reincidente y obsesiva temática.[42]

El libro demostraba que el contacto del poeta con Guillermo de
Torre y los ultraístas, así como con Juan Ramón Jiménez, había
sido altamente positivo. Consciente de su tendencia a la verbosidad, había llevado a cabo un considerable ejercicio de depuración,
y los poemas de 1919 y 1920 evidenciaban un claro propósito de
contención expresiva.

Incluía varios romances, entre ellos uno, «El diamante» (fechado en 1920), que el poeta comentaría y citaría unos años después
en su conferencia-recital del *Romancero gitano*. Dijo allí que su
intención en éste había sido fundir el tradicional romance narra-

tivo con el lírico y que, en realidad, ya había encontrado la manera de hacerlo «en los albores» de sus primeros poemas, donde se notaban «los mismos elementos y un mecanismo similar». En «El diamante» —que califica de «crepúsculo»— apuntaba ya, a su juicio, «el gusto de mezclar imágenes astronómicas con insectos y hechos vulgares, que son notas primarias de mi carácter poético». El poema empieza:

> *El diamante de una estrella*
> *Ha rayado el hondo cielo.*
> *Pájaro de luz que quiere*
> *Escapar del firmamento*
> *Y huye del enorme nido*
> *Donde estaba prisionero*
> *Sin saber que lleva atada*
> *Una cadena al cuello.*
>
> *Cazadores extrahumanos*
> *Están cazando luceros,*
> *Cisnes de plata maciza*
> *En el agua del silencio….*

Aparecen luego unos chopos niños recitando la cartilla. Se invita a la rana que empiece a cantar, al grillo a que salga de su agujero. ¡Que hagan «un bosque sonoro» con sus flautas! El «yo» vuelve, intranquilo, hacia su casa. Y el romance termina:

> *Se agitan en mi recuerdo*
> *Dos palomas campesinas*
> *Y en el horizonte, lejos,*
> *Se hunde el arcaduz del día.*
> *¡Terrible noria del tiempo!* [43]

La metáfora del hundimiento del arcaduz del día quizá confirma la influencia de los ultraístas, siempre a la búsqueda de la imagen poética llamativa, imagen para la cual, por otro lado, Lorca tenía una aptitud nativa.

José Mora Guarnido había seguido con fascinación y orgullo el desarrollo artístico del poeta desde que se habían conocido. El 1 de julio de 1921 anunció, en las columnas del *Noticiero Granadino*, la inminente aparición de *Libro de poemas*. En su opinión se trataba del precursor de una necesaria renovación de la lírica española. Aprovechó —así era Mora— para expresar el desprecio que le provocaba el mal gusto literario de sus conciudadanos.[44]

El comentario no trascendió fuera de Granada. Otra cosa fue la reseña aparecida el 30 de julio en la primera plana de *El Sol* de Madrid. Su autor era Adolfo Salazar, el crítico musical más distinguido del país y ya para entonces excelente amigo de Lorca. Señaló que *Libro de poemas* era una obra de *transición* en la cual, antes de publicar su producción actual, el autor había querido ofrecer una selección representativa de su poesía anterior, para mostrar su evolución. Le había informado de su intención de sacar aquel otoño una recopilación de sus versos recientes, y Salazar señala que, de hecho, las últimas composiciones del volumen, correspondientes a 1920, tienen un «perfil moderno» que las distingue marcadamente de las anteriores. Leyendo entre líneas era evidente que, a su juicio, el contacto del poeta con las nuevas tendencias que se afirmaban entonces en Madrid ya ejercía una influencia positiva sobre su lírica.[45]

Vale la pena indicar que Salazar no aludió en su reseña a la angustia erótica que impregna casi cada composición de *Libro de poemas* y que era difícil, si no imposible, pasar por alto. ¿Tal omisión correspondía más a razones de prudencia que a las de una momentánea ceguera crítica? Cabe pensarlo.

A Lorca le entusiasmó la crítica, de todas maneras, así como la larga carta (29 de julio de 1921) en la que Salazar formuló algunas reservas que había omitido en *El Sol*.[46] Estaba de acuerdo con ellas y explicó en su respuesta (2 de agosto) que, aunque en el libro no había encontrado todavía su auténtica voz, ahora sí creía haber dado con «un caminito inefable lleno de margaritas y lagartijas multicolores».[47]

Que sepamos, *Libro de poemas* sólo fue objeto de sendas críticas más, debidas a Cipriano Rivas Cherif y Guillermo de Torre.[48] Ambos se habían percatado del panteísmo que imbuía sus composiciones. Torre, que ya gozaba de notoriedad como principal adalid del movimiento ultraísta, reprochó al poeta sus momentos de excesivo sentimentalismo, que a su juicio dañaba muchos de los poemas. Pero elogió su capacidad metaforizante y citó algunos ejemplos. Terminó augurando que, si lograba desprenderse de los aspectos desfasados de su manera expresiva, se podría convertir en «genuino poeta de la nueva generación de vanguardia».

Torre no lo dice pero en estos momentos no cejaba en sus esfuerzos por convencer a Lorca de que asumiera plenamente los objetivos y técnicas del ultraísmo.[49] El poeta siguió manteniéndose al margen del movimiento, sin embargo, tomando de él sólo lo que consideraba inexcusable. No hay duda, de todas maneras, de que el empeño de los ultraístas en erradicar los últimos vestigios del sentimentalismo romántico y de la verbosidad modernista, y su énfasis sobre la primacía de la imagen poética, influyeron en el granadino, quien antes de sumergirse en la vida literaria de Madrid ya se había dado cuenta de los peligros que entrañaba su tendencia a una excesiva exuberancia verbal («La palabrería es odiosa —escribe a sus padres el 4 de abril de 1921— y nada odio tanto precisamente por llevarlo en el temperamento como la exageración»).[50]

Pese a que la reseña de Salazar se había publicado en la primera página de *El Sol*, parece que los padres del poeta no estaban satisfechos. Confió al crítico que le consideraban «un fracasado» porque el libro no había tenido más resonancia y le preguntó si habían aparecido otras reseñas. Estaba seguro de que, si salían más, le perdonarían el no haber aprobado algunas asignaturas aquel verano y le dejarían en paz con su poesía actual, que le parecía «lo mejor y más exquisito» que había producido hasta la fecha.[51]

Las *suites*

Se trataba de las *suites*, empezadas a finales de 1920 y continuadas ahora en la Residencia: secuencias de poemas breves enlazados temáticamente y construidos por analogía con la suite musical de los siglos XVII y XVIII. Lorca barajaría la posibilidad, luego desechada, de dar el título de *El libro de las diferencias* al proyectado poemario, aludiendo con ello a las variaciones musicales o «diferencias» de vihuelistas como Antonio de Cabezón, Luis Milán y Alfonso Mudarra.[52]

Pese a su optimismo, no conseguiría editar un libro de suites ni aquel otoño ni nunca, pese a que le mantendrían intensamente ocupado entre 1920 y 1923 y se referiría a menudo, en declaraciones y cartas, a su inminente publicación. Sólo en 1983, cuarenta y siete años después del asesinato del poeta, sería «reconstruido» el libro, gracias a la paciente labor de André Belamich. El tomo publicado por el hispanista francés contenía más de dos mil versos que, añadidos a las escasas suites publicadas por Lorca en revistas y en *Primeras canciones* (1936), constituyen una recopilación impresionante.

Belamich descubre en las suites «el punto de partida del gran río negro, meditativo y visionario, radicalmente pesimista que, corriendo por debajo de las *Canciones* y del *Romancero gitano*, anegaría *Poeta en Nueva York* y el *Diván del Tamarit*».[53] Pero ¿punto de partida? Expresan, al contrario, la misma angustia que caracteriza toda la obra primeriza del poeta. Su originalidad radica menos en sus temas que en su estructura y en su manera.

Aquel julio, después del Corpus, la familia se traslada como siempre a Asquerosa. Desde allí el poeta le escribe a Melchor Fernández Almagro. Después del bullicio de Madrid, le dice, su llegada a la Vega, «temblorosa bajo un delirio de neblina azul», le ha llenado de alegría: «Creo que mi sitio está entre estos chopos musicales y estos ríos líricos que son un remanso continuado, porque mi corazón descansa de una manera definitiva y me burlo de mis pasiones que en la torre de la ciudad me acosan como un rebaño de panteras».[54]

Exageración, sin duda, pero es cierto que la vuelta a orillas del Cubillas favorece su creatividad. En las suites compuestas durante el verano son omnipresentes las alusiones a la pérdida y a la frustración definitiva del amor —tema obsesivo, como hemos visto, de la *juvenilia*— y aparece con insistencia la nostalgia de la infancia. En «Canción bajo lágrimas», de la titulada «Momentos de canción» (10 de julio), ambos motivos se fusionan, de la misma manera que había ocurrido en versos escritos cuatro años antes:

> *En aquel sitio,*
> *muchachita de la fuente,*
> *que hay junto al río,*
> *te quitaré la rosa*
> *que te dio mi amigo,*
> *y en aquel sitio,*
> *muchachita de la fuente,*
> *yo te daré mi lirio.*
> *¿Por qué he llorado tanto?*
> *¡Es todo tan sencillo!...*
> *Esto lo haré ¿no sabes?*
> *cuando vuelva a ser niño,*
> *¡Ay! ¡ay!*
> *cuando vuelva a ser niño.*[55]

Son varios los poemas tempranos en los cuales, como aquí, el «yo» opone el lirio, símbolo de su angustia sexual —se trata del lirio morado, asociado en la tradición popular andaluza, como vimos en el poema «Balada triste», con la pasión de Cristo—, a la rosa (o el clavel), emblema del amor heterosexual.[56] ¿Es posible dudar que en este pequeño poema vuelve a aludir —como hiciera en sus confidencias epistolares a Adriano del Valle de 1918— a su marginación sexual?

El 27 de julio, en momentos en que el país se va enterando del desastre de Annual, fecha, en Asquerosa, la suite titulada, primero, *Feria de pueblo,* luego, inmediatamente, *Ferias* y (diez años después) *Poema de la feria*. Para evitar escribir el malsonante topónimo, estampó, al pie de la portada del manuscrito, «Arquerosa».

Durante su última etapa madrileña habían salido los quince primeros números de la revista *Ultra* de Guillermo de Torre y sus compañeros. No podía desconocerlos. *Ferias* es otra demostración de que, pese a no querer pertenecer al grupo, en absoluto es insensible a su insistencia sobre la primacía de la imagen. Es difícil, por ejemplo, no oír un eco de Vicente Huidobro, tan admirado por los ultraístas, en los versos:

> *Aquel hombre,*
> *de la constelación inmensa*
> *Atlante,*
> *de multicolor estrella*
> *va perdido entre las llagas*
> *de las antorchas.*

Los caballos del tíovivo son «pegasos cautivos» encadenados por los hombres «en una rueda que gira / por las noches de verano»:

> *Los círculos concéntricos*
> *del «tío vivo» llegan,*
> *ondulando la atmósfera*
> *hasta la luna*
> *y hay un niño que pierden*
> *todos los poetas*
> *y una caja de música sobre la brisa.*

Escribió primero: «Y hay un niño perdido / que llora en la alameda», versos que recuerdan otros de la *juvenilia* donde el tema del niño perdido o abandonado no es infrecuente.[57]

La amistad con Adolfo Salazar se ha convertido para estas fechas en imprescindible. El crítico llevaba con mayor naturalidad que Federico su homosexualidad (según varios testigos muy obvia), y las cartas suyas al poeta que conocemos —y que forman sólo una mínima parte de éstas— tienden a demostrar que los dos se entendían muy bien. El 2 de agosto de 1921 Lorca le confía: «Veo que la vida ya me va echando sus cadenas. La vida tiene razón, mucha razón, pero... ¡qué lástima de mis alas!, ¡qué lástima de mi niñez seca!».[58] Aunque no lo dice, está componiendo en estos momentos su «Suite del regreso» (fechada el 6 de agosto de 1921), quizá el poema más logrado que tenemos de este verano. Empieza:

EL REGRESO

Yo vuelvo
por mis alas.

¡Dejadme volver!
¡Quiero morirme siendo
amanecer!
¡Quiero morirme siendo
ayer!

Yo vuelvo
por mis alas.

¡Dejadme retornar!
Quiero morirme siendo
manantial.
Quiero morirme fuera
de la mar.[59]

La primera versión, luego descartada, era más explícita en su referencia al paraíso perdido de la infancia:

EL CAMINO CONOCIDO

Yo vuelvo hacia atrás.

¡Dejadme que retorne
a mi manantial!

Yo no quiero perderme
por el mar.

Me voy a la brisa pura
de mi primera edad
a que mi madre me prenda
una rosa en el ojal.[60]

Mientras cada una de las diez «variaciones» o «diferencias» de esta suite desarrolla el tema de la infancia perdida, tal vez la que más llama la atención es la titulada «Realidad» (ya aludida en nuestro primer capítulo). Vuelve a aparecer en ella la figura de Vicenta Lorca que, una oscura tarde de invierno, lee en voz alta, junto a la chimenea, el final de *Hernani*. Y el «yo» reflexiona:

Yo debí cortar
mi rosa aquel día
Pura apasionada
de color sombría
al par que los troncos
dorados ardían.[61]

¿Hay aquí un implícito reconocimiento de que es el excesivo apego a la madre, nunca superado, lo que impide al poeta tener una relación íntima con otra mujer? Es una posibilidad que no se puede descartar.

En las dos últimas secciones de la suite el «yo» expresa su sensación de futilidad ante la visión de una vida sin amor, y recuerda, de nuevo, a la muchacha que ha desaparecido para siempre. Fijación materna, pues, y obsesión con la felicidad perdida o imposible. Son temas que reaparecerán en otros muchos poemas de esta etapa.

Títeres, cante jondo y Falla

Todavía en Asquerosa da clase de guitarra con dos gitanos de Fuente Vaqueros. Se lo cuenta, eufórico, a Salazar el 2 de agosto. Tiene la sensación de haber hecho un descubrimiento extraordinario. Le parece que «lo flamenco es una de las creaciones más gigantescas del pueblo español». Ya acompaña fandangos, peteneras, tarantos, bulerías y romeras. Los dos calés, dice, «tocan y cantan de una manera genial, llegando hasta lo más hondo del sentimiento popular. Ya ves si estoy divertido».[62]

Es la primera indicación que tenemos de que ha empezado a fascinarle esta música de raíces tan antiguas. No se ha encontrado información acerca de las primeras conversaciones que sostuvo con Manuel de Falla al respecto, aunque Miguel Cerón Rubio, amigo de ambos, creía recordar que dos años antes del Festival de Cante Jondo, celebrado en 1922, compositor y poeta ya habían visitado juntos las cuevas del Sacromonte y trabado amistad con cantaores y guitarristas.[63]

Durante el verano de 1921 Federico empieza, además, a escribir una obra de títeres. En Madrid había hablado con Salazar de la posibilidad de colaborar en un intento de resucitar la tradición prácticamente extinguida del teatro cachiporra andaluz. Ahora, en Asquerosa, indaga entre los vecinos acerca de aquel teatro popular chispeante, y a menudo procaz, que le había fascinado de niño en Fuente Vaqueros. «Las cosas que recuerdan los viejos son picarescas en extremo y para tumbarse de risa», le sigue contando a Adolfo:

> Figúrate tú que en una de las escenas un zapatero que se llama *Currito er der Puerto* quiere tomarle medida de unas botinas a Doña Rosita y ella no quiere por miedo a Cristóbal, pero Currito es muy retrechero y la convence contándole en el oído esta copla:
>
> > Rosita por verte
> > la punta del pie
> > si yo te *pillara*
> > veríamos a ver
>
> con una melodía de una chabacanería estupenda. Pero viene Cristóbal y lo mata de dos porrazos.[64]

Estamos ante el punto de partida de la *Tragicomedia de don Cristóbal y de la señá Rosita*, que terminará al año siguiente. «¡Cómo haría esto Massine!», exclama Salazar el 13 de agosto tras leer la carta. Y añade: «Si consiguiéramos interesar a los rusos sería estupendo». Ello quizá indique que habían hablado de que el proyecto pudiera interesar a Diáguilev. Salazar insiste, por otro lado, en que la obra debería incluir una escena en la que el barbero afeita a Cristóbal, sugerencia aceptada por Lorca.[65]

Cabe inferir que, al ir llegando las últimas semanas de las vacaciones, se sentía ya más optimista en relación con su carrera literaria y que le ayudó el hecho de que Juan Ramón Jiménez acababa de editar, en su revista *Índice*, algunos fragmentos de la suite «El jardín de las morenas». Fue la primera indicación pública de la nueva dirección que emprendía ahora su poesía.[66]

Entretanto había abandonado casi por completo sus estudios universitarios. Se matriculó ahora para los exámenes de Árabe, Paleografía y Bibliología pero, como tenía por costumbre, no se presentó.[67] No intentaría ya nunca más finalizar la carrera de Filosofía y Letras, pero decidió terminar Derecho como fuera y aquel mismo otoño reanudaría con desacostumbrada seriedad sus estudios en la facultad granadina.[68]

Manuel de Falla había vuelto a Granada y, después de ocupar provisionalmente diferentes casas próximas a la Alhambra, acabó por instalarse con su hermana en un pequeño y encantador carmen de la calle de Antequeruela Alta. Desde su jardín se disfrutaban espectaculares vistas de la Vega y de Sierra Nevada. Allí viviría hasta el final de la Guerra Civil.

Tener residiendo entre ellos a Manuel de Falla supuso para muchos granadinos un extraordinario aliciente, y el compositor ejerció desde entonces un peso enorme en la vida cultural de la ciudad, que se convirtió, por su presencia, en un punto destacado del mapa musical europeo. Lorca y sus amigos no tardaron en descubrir que se trataba de una persona de profunda modestia y gran humanidad, quien, con tal de que se respetasen estrictamente sus horas de trabajo, disfrutaba del trato con la gente y siempre estaba dispuesto a echar una mano a los demás.

Ocurría que la criada del maestro era tía de la cocinera de los García Lorca. Gracias a tan feliz circunstancia el poeta y su familia recibían copiosa información acerca de sus costumbres y manías, enterándose pronto de que era un abstemio y un maniático de la limpieza, que odiaba las moscas, detestaba el ruido y asistía a misa con obsesiva frecuencia (en la cercana iglesia de San Cecilio). Acababa de quitarse el bigote, era prematuramente calvo y de extremada delgadez. Aunque de sonrisa pronta, solía tener un aire de gravedad y se sumía a menudo en una especie de ensimismamiento, volviendo en sí poco después para escuchar atentamente lo que le decían. Tímido, sí, lo era Falla, y neurótico, pero nadie, observándole con atención o sumergiéndose en su música, podía desconocer el intenso fervor de su alma.[69]

José Mora Guarnido sospechaba que, si el compositor hubiese desembarcado en Granada unos años antes, cuando Federico dudaba entre la música y la literatura, la balanza hubiera podido inclinarse a favor de la primera.[70] Es muy posible, y tanto más si su llegada hubiese coincidido con la muerte de Antonio Segura Mesa en 1916. Lorca afirmaba, ya lo hemos visto, que fue éste quien lo inició en «la ciencia del folclore».[71] Le correspondió a Falla ampliar aquella enseñanza. Asombrado por los múltiples dones del discípulo, entre ellos el de pianista, no tardó en sentir por él, además de una creciente admiración, un cariño casi paternal, cariño correspondido con creces.

No se sabe con seguridad a quién habría que atribuir la propuesta de organizar en Granada, con el propósito de salvar y dignificar el cante jondo, un gran concurso capaz de atraer la atención nacional e internacional. El candidato principal es el culto melómano Miguel Cerón Rubio, íntimo amigo tanto de Lorca como ahora de don Manuel.[72]

Los tres estuvieron de acuerdo en que no habría ninguna posibilidad de éxito si no tomaban cartas en el asunto tanto el Centro Artístico como el Ayuntamiento. Ambos asumieron el compromiso, gracias sobre todo al prestigio de Falla. Se acordó que la fecha idónea para el certamen sería el mes de junio de 1922, durante las festividades del Corpus Christi, siempre animadísimas en Granada.[73]

En octubre visitan a Federico y Falla en Granada Adolfo Salazar y el compositor catalán Roberto Gerhard, a quien Lorca ha tratado en la Residencia de Estudiantes. Idos los dos cae enfermo y en una carta a Adolfo se queja de haber sufrido «terribles neuralgias reumáticas». Además se tiene que arreglar la boca. El médico de casa dice que está «un poco neurasténico», y la familia está «asustada». Por todo ello considera improbable que pueda volver a Madrid antes de mediados de noviembre. Son las exageraciones de siempre, con su toque *camp*. «Ya lo ves —sigue—, yo enfermo y tú sin acordarte de este poetilla de las *suites*». En un posdata le pide que, dada su «afinidad espiritual», Adolfo le representa en las reuniones de la revista *Índice*, de Juan Ramón Jiménez, donde colabora. La relación con el crítico, como se aprecia, es ya crucial.[74]

No volvió a Madrid aquel noviembre. Ya plenamente involucrado en las preparaciones para el proyectado concurso empezó a componer una serie de poemas inspirados por el cante jondo. El 1 de enero de 1922 confió a Salazar que su publicación coincidiría con la celebración del festival, pero de hecho no verían la luz, en forma de libro, hasta 1931. «El poema está lleno de gitanos, de velones, de fraguas, tiene hasta alusiones a Zoroastro —le dijo—. Es la primera cosa de *otra orientación mía* y no sé todavía qué decirte de él […], ¡pero novedad sí tiene! El único que lo conoce es Falla y está entusiasmado…»[75]

Los poemas suponían, efectivamente, una nueva orientación en su obra. En ellos no intentaba imitar las letras del cante, como habían hecho numerosos poetas del siglo XIX e incluso algunos de las dos décadas inaugurales del XX. Tampoco utilizaban la primera persona, tendencia habitual en aquéllas. Lo que procuraba era crear en la mente del lector —o del oyente— la sensación de estar en presencia de las fuentes primitivas de las que brota el cante —esos «remotos países de la pena» del cual proceden los «arqueros oscuros» de «Poema de la saeta»—,[76] siguiendo imaginativamente su trayectoria desde la nota inicial hasta que se extingue la voz del cantaor.

Unos meses antes Miguel Cerón había sido testigo de la escena inspiradora de los primeros versos del «Poema de la siguiriya gitana». Más de cuarenta años más tarde recordaba:

> Una noche de luna llena subimos Federico, Falla y yo a la Silla del Moro, detrás de la Alhambra, siguiendo una vereda que iba serpeando por un olivar. Una brisa movía las ramas de los olivos y, a través de éstas, se filtraba la luz lunar. De repente Federico se detuvo, como si acabara de ver algo raro. Efectivamente. «¡Los olivos se están abriendo y cerrando como un abanico!», exclamó.[77]

La revelación quedó plasmada en los primeros versos del poema:

> *El campo*
> *de olivos*
> *se abre y se cierra*
> *como un abanico.*

> *Sobre el olivar*
> *hay un cielo hundido*
> *y una lluvia oscura*
> *de luceros fríos.*[78]

En cada una de las cuatro composiciones principales de la colección, inspiradas respectivamente por la siguiriya, la soleá, la saeta y la petenera, se personifica en una mujer la modalidad de cante evocado, mujer que encarna la pena. La muerte, el amor malogrado, la desesperación: son los temas de *Poema del cante jondo* donde, con cierta frecuencia, así como en las suites —provisionalmente dejadas ahora de lado pero cuya estructura formal siguen—, encontramos un breve fragmento de diálogo que nos recuerda que en la poesía de Lorca rara vez falta el elemento dramático. La sección «Encuentro», en «Poema de la soleá», con su alusión cristológica, constituye un buen ejemplo. El «yo» se dirige a la persona amada:

> *Ni tú ni yo estamos*
> *en disposición*
> *de encontrarnos.*
> *Tú... por lo que ya sabes,*
> *¡Yo la he querido tanto!*
> *Sigue esa veredita.*
> *En las manos,*
> *tengo los agujeros*
> *de los clavos.*
> *¿No ves como me estoy*
> *desangrando?*
> *No mires nunca atrás,*
> *vete despacio*
> *y reza como yo*
> *a San Cayetano,*
> *que ni tú ni yo estamos*
> *en disposición*
> *de encontrarnos.*[79]

He aquí un mundo mítico, antropomórfico, donde la muerte reina suprema. Y el lenguaje densamente metafórico de los poemas demuestra una vez más que, aunque Lorca nunca se alió estrechamente con los ultraístas, su contacto con ellos agudizó su innata facilidad para la creación de imágenes.

Al mismo tiempo que trabaja en estos poemas, va preparando, orientado por Falla, una conferencia, *Importancia histórica y artística del primitivo canto andaluz llamada 'Cante jondo'*. Dictada el 19 de febrero de 1922 en el Centro Artístico, demuestra la distancia recorrida desde que había empezado a bucear, no hacía mucho tiempo, en las raíces del cante. Es patente que el descubrimiento en profundidad de éste ha ejercido una influencia intensa sobre su sensibilidad y su imaginación.

En la conferencia es explícito el reconocimiento de su deuda, para todo lo referente a los orígenes y evolución del cante y de su estructura musical, con Falla, que acababa de publicar, anónimamente, un folleto sobre estas cuestiones.[80]

Siguiendo al compositor, Lorca afirma que son los gitanos andaluces quienes han dado al cante su forma definitiva, fuesen los que fuesen los antecedentes, por ejemplo la adopción del canto litúrgico bizantino por la Iglesia o la invasión musulmana del año 711. Siguiendo muy de cerca al maestro, declara que la siguiriya gitana constituye la forma arquetípica del género, «el hilo que nos une con el Oriente impenetrable». Y se muestra convencido de que en esta música, con la inequívoca impronta que le llega desde el este, sus cuartos de tono y su patetismo, se expresan los sentimientos más hondos del alma andaluza.

Y no se trata sólo de la música del cante sino también de sus letras, analizadas en la segunda parte de la conferencia, mucho más original que la primera. Hablando ahora en su calidad de joven poeta en contacto con las tendencias vanguardistas de Madrid, inspiradas ellas mismas por las más recientes de Europa, Lorca explica que él y sus amigos encuentran extraordinarias estas coplas: por su concisión, la pena que les impregna, sus llamativas imágenes y su obsesión con la muerte.

Otro de los rasgos que las define es su tendencia a personificar fuerzas u objetos «inanimados». Debido quizá en parte a sus conversaciones con José Murciano acerca de filosofía india, es una de sus características que más le fascinan. Da algunos ejemplos:

> *Todas las mañanas voy*
> *a preguntarle al romero*
> *si el mal de amor tiene cura*
> *porque yo me estoy muriendo.*

> *Subí a la muralla;*
> *me respondió el viento:*
> *¿para qué tantos suspiritos*
> *si ya no hay remedio?*

Parece seguro que el atento estudio del cante jondo llevado a cabo por Lorca en 1921 y 1922, que implicaba la lectura de las colecciones de coplas recogidas por Francisco Rodríguez Marín, Antonio Machado Álvarez (padre del poeta) y otros folcloristas, reavivó lo que él gustaba de llamar la «memoria poética» de su infancia en la Vega de Granada, cuando solía hablar con los insectos y «adjudicaba a cada cosa, mueble, objeto, árbol, piedra, su personalidad».[81]

En su conferencia menciona otro reciente hallazgo suyo: las *Poesías asiáticas* de Gaspar María de Nava Álvarez, antología de poemas árabes, persas y turcos traducidos al español a partir de versiones inglesas de los originales y publicada en París en 1833. Ha percibido una fuerte vinculación tanto lingüística como temática entre ellos y las letras del cante jondo, y el libro le ha servido como una confirmación más de su origen oriental.[82]

La conferencia inició tres meses de actividad frenética por parte de los organizadores del concurso. Se puso en marcha una campaña publicitaria para asegurarse de que desde un extremo al otro del país los cantaores se enterasen del certamen; se cursaron invitaciones a músicos, artistas y escritores españoles y extranjeros; y a raíz de todo ello se produjo una tumultuosa polémica, tanto en la prensa local como nacional, sobre los méritos o no del cante jondo y lo acertado o desacertado de organizar el proyectado certamen. En Granada hubo quienes decían que dejaría exhaustas las arcas municipales y que, debido a los desmesurados gastos previstos, sufrirían un descalabro importante las demás atracciones de las fiestas del Corpus Christi. El resultado fue que el Ayuntamiento no respondió con la generosidad que se hubiera podido esperar, y se negó, por ejemplo, a patrocinar la asistencia de Maurice Ravel y de Ígor Stravinski, pese a que ambos habían manifestado un vivo interés en estar presentes. Aquella mezquindad sacó a Manuel de Falla de sus casillas.[83]

El compositor, Lorca y su hermano Francisco, huyendo durante algunos días de los frenéticos preparativos, pasaron aquella Semana Santa, que empezó el 9 de abril, en Sevilla. Durante su estancia se toparon con el poeta y diplomático cubano José María

Chacón y Calvo, que luego se haría gran amigo de Federico en Madrid. «Encontrarse a Lorca en Sevilla, en medio de las procesiones religiosas, era como encontrarse con la poesía pura», recordaría ocho años después en La Habana.[84]

De repente era junio. El concurso estaba al caer y en Granada la expectación crecía de día en día. A principios de mes Lorca participó en el concierto que cerró los actos preparatorios del magno acontecimiento. Celebrado en el pequeño teatro seudoárabe del suntuoso hotel Alhambra Palace, cerca del carmen de Falla, incluyó la lectura, por Antonio Gallego Burín, del folleto anónimo sobre cante jondo escrito por el compositor, un recital del guitarrista flamenco granadino Manuel Jofré, la lectura por Federico de varias composiciones del *Poema del cante jondo* y, como fin de fiesta, algo insólito: la demostración por Andrés Segovia nada menos, de que, si no era precisamente un gran aficionado al cante, ello no impedía que lo tocara con maestría. Al día siguiente los periódicos convinieron en que Lorca había sido la estrella de la velada, y *El Defensor de Granada* llegó al extremo de profetizar que no tardaría mucho tiempo en convertirse en una celebridad nacional.[85]

El Concurso de Cante Jondo se celebró el 13 y 14 de junio de 1922 en la plaza de los Aljibes de la Alhambra, decorada a propósito por el pintor vasco Ignacio Zuloaga.

Acudieron varios musicólogos extranjeros e hispanistas, entre ellos Kurt Schindler, director de la Schola Cantorum de Nueva York, y el inglés John Trend, tan admirador de Falla.[86]

También arribaron a Granada para no perderse la fiesta numerosos músicos, artistas, periodistas y escritores españoles, Santiago Rusiñol, por ejemplo, y Ramón Gómez de la Serna. La plaza de los Aljibes estuvo abarrotada las dos noches —se calculó que la llenaron cuatro mil personas— aunque, durante la segunda velada, un fuerte chaparrón aguó sin piedad el certamen.

Al regresar a Inglaterra Trend publicó una descripción de aquellas dos inolvidables veladas: «Adondequiera que uno dirigiera los ojos había exquisitas figuras vestidas con alegres mantillas llenas de flores y con altas peinetas. Y muchas mujeres se habían puesto las sedas y los rasos de otros tiempos y aparecieron vistiendo la moda de 1830 o 1840: la de la España de Prosper Mérimée y de Théophile Gautier, de Borrow y de Ford».[87]

Entre ellas no faltó Emilia Llanos, la bella granadina tan admirada por Federico quien imantó las miradas ataviada con un llamativo traje rojo.[88]

La gran sorpresa fue la actuación de Diego Bermúdez Calas, el Tenazas, viejo cantaor casi olvidado que, según se decía, había venido andando a campo traviesa desde Puente Genil, en la provincia de Córdoba. Bermúdez actuó la primera noche con arrollador duende. La segunda, después de haber pasado el día bebiendo (a instancias de sus rivales, según dijeron las malas lenguas), no estuvo tan inspirado. Ello no le impidió ganar un premio de mil pesetas. Otro de los galardonados fue un gitano de trece años, Manuel Ortega Juárez, destinado a convertirse, bajo el nombre de Manolo Caracol, en uno de los grandes cantaores del siglo.[89]

Terminado todo, Falla se refugió con alivio en la paz de su carmen. «No puede usted suponer hasta qué punto es grande la aglomeración de trabajo y de cosas abandonadas durante la larga y laboriosa preparación del concurso», escribió a Trend el 7 de julio.[90] Una de las desafortunadas secuelas de la efeméride fue un agrio y prolongado debate acerca de lo que había que hacer con los beneficios producidos por el acontecimiento. El compositor, escandalizado, decidió que ya bastaba, y a partir de aquel momento participaría poco en las actividades del Centro Artístico.[91]

La preparación del certamen, que había supuesto para Lorca indagar al lado del maestro en lo más profundo del alma andaluza, dejaría una impronta permanente en su sensibilidad. Poco después, a consecuencia de tanta impresión recibida, empezaría a componer sus romances «gitanos».

TÍTERES, *SUITES*, DALÍ, *MARIANA PINEDA*
(1922-1923)

Títeres

El poeta no había olvidado su proyecto de resucitar el teatro cachiporra andaluz con la ayuda de Adolfo Salazar, pospuesto debido al ajetreo que supusieron los preparativos del Concurso de Cante Jondo. Falla, que seguía con el *Retablo de Maese Pedro* para la princesa de Polignac, estaba entusiasmado con la iniciativa y prometió aportar música, asegurándole que convencería a Stravinski y a Ravel para que colaborasen. Creía que incluso podrían llevar sus títeres a Europa y América del Sur. Federico, encantado, instó a Salazar a que trabajara seriamente en su «cristobital» conjunto.[1]

Durante el verano de 1922 la familia hizo su habitual visita veraniega a Asquerosa donde, el 5 de agosto, terminó el borrador de su «farsa guiñolesca», la *Tragicomedia de don Cristóbal y la señá Rosita*, iniciada el año anterior. Muy animado, le escribió a Falla acerca de su proyectado teatro de títeres, que ahora, con más realismo que antes, planeaban llevar a las cercanas Alpujarras.[2]

La *Tragicomedia de don Cristóbal y la señá Rosita*, más adelante reelaborada en profundidad, suponía un notable avance con respecto a *El maleficio de la mariposa*. Nutriéndose de la cultura andaluza que tenía en la sangre, había empezado a encontrar su propia voz como dramaturgo. La pieza contiene varios elementos característicos de su obra posterior, entre ellos una sutil utilización de canciones populares y diálogos ingeniosos e incisivos calcados sobre el habla de los campesinos de la Vega de Granada. El soliloquio de Rosita sobre el amor (mientras borda) anticipa los decires de grandes personajes lorquianos, de raigambre agrícola, como el Ama de *Doña Rosita la soltera* y La Poncia en *La casa de Bernarda Alba*:

Entre el cura y el padre estamos las muchachas completamente fastidiadas. (*Se sienta a bordar.*) Todas las tardes —tres, cuatro— nos dice el párroco: ¡que vais a ir al infierno!, ¡que vais a morir achicharradas!, ¡peor que los perros!...; ¡pero yo digo que los perros se casan con quien quieren y lo pasan muy bien! ¡Cómo me gustaría ser perro! Porque si le hago caso a mi padre —cuatro, cinco—, entro en un infierno, y si no, por no hacerle caso, luego voy al otro, al de arriba... También los curas podrían callarse y no hablar tanto...[3]

Aquel verano también trabajó en las *suites* y mantuvo informado a Melchor Fernández Almagro: «He *compuesto* unos poemas del cuco (admirable y simbólico pajarito) y los *ensueños del río*, poemitas patéticos que siento dentro, en lo más hondo de mi corazón infeliz. No tienes idea qué sufrimiento tan grande paso cuando me veo retratado en los poemas».[4] Sobre todo estaba obsesionado con el tema del agua, inspirado, sin duda, por las largas horas pasadas al lado de las fuentes de la Teja y de la Carrura, a orillas de su querido río Cubillas, a tiro de piedra de Asquerosa:

Veo un gran poema entre oriental y cristiano-europeo, del agua; un poema donde se cante en amplios versos o en prosa *muy rubato* la vida apasionada y los martirios del agua. Una gran Vida del Agua, con análisis detenidísimos del círculo concéntrico, del reflejo, de la música borracha y sin mezcla de silencio que producen las corrientes. El río y las acequias se me han entrado. Ahora se debe decir: el Guadalquivir o el Miño nacen en Fuente Miña y desembocan en Federico García Lorca, modesto soñador e hijo del agua. Yo quisiera que Dios me diera fuerzas y alegría bastantes, ¡oh, sí, alegría!, para escribir este libro que tan bien veo, este libro de devoción para los que viajan por el desierto.[5]

Melchor, por su parte, ha estado viendo con frecuencia en Madrid a Guillermo de Torre, que acaba de terminar un libro de poemas ultraístas, *Hélices,* y está a punto de salir para París. Han hablado de Federico. «Y no es preciso decirte que te tiene en el concepto que mereces —escribe el 4 de agosto de 1922—. Ahora bien, dice él, compungido, "No se atreve Lorca a hacerse ultraísta del todo".»[6] Torre sabe que Federico sigue tenazmente aferrado a su independencia y que es incapaz, por constitución, de identificarse estrechamente con cualquier *ismo*, por mucho que sienta simpatía por éste.

Lorca y Falla no consiguieron llevar aquel otoño a las Alpujarras su proyectado teatro de títeres. La razón principal era que Federico había decidido (¡una vez más!) complacer a sus padres y terminar su carrera de Derecho, para lo cual no había más remedio que prepararse con seriedad, ayudado concienzudamente, eso sí, por su hermano Francisco y contando con la indulgencia previa de algunos profesores comprensivos. Y así se produjo el milagro de que, en septiembre, aprobó diez de las doce asignaturas que tenía pendientes.[7] Al mismo tiempo Francisco terminó su propia licenciatura de Derecho con nota sobresaliente. Con el final de su peripecia universitaria a la vista, Federico optó por hacer un último esfuerzo. «He aprobado *diez* asignaturas y terminaré la carrera en enero —le escribe confiado a Fernández Almagro—. Entonces mi señor papá me dejará correr tierras. Pienso ir a Italia.»[8]

Dada esta decisión no podía ser cuestión, por el momento, de una *tournée* por las Alpujarras, tampoco de pasar una temporada en la Residencia de Estudiantes. Primero los exámenes.

Como compensación, compositor y poeta decidieron organizar algo más factible en casa del segundo: un espectáculo de títeres para niños el 6 de enero de 1923, día de Reyes. Esta vez no hubo problemas y la representación resultó inolvidable para todos. El entremés *Los dos habladores* (entonces todavía atribuido a Cervantes), una pequeña obra para títeres escrita por Lorca, *La niña que riega la albahaca y el príncipe preguntón* (adaptación de un viejo cuento andaluz) y el *Misterio de los Reyes Magos*, del siglo XIII, la primera obra conocida del teatro español: así fue el programa ideado por ambos. Los acompañamientos musicales, interpretados por una modesta orquesta bajo la dirección de Falla, eran esmerados y variados. Incluían pasajes de *L' histoire du soldat* de Stravinski, de *La Vega* de Albéniz y de la *Sérénade de la poupée* de Debussy, una canción de cuna de Ravel y varias piezas españolas antiguas. Isabel García Lorca, que ya tenía trece años, y su amiga Laura, hija de Fernando de los Ríos, interpretaron dos canciones. Los títeres eran obra del grabador Hermenegildo Lanz.[9]

Tanto Falla como Lorca recordarían con nostalgia aquella efeméride. En 1933 el poeta, no sabemos si con cierta exageración, la contó así:

Tres días antes del estreno de nuestro teatro entro yo en casa de Falla y oigo tocar al piano. Con los nudillos golpeo la puerta. No me oye. Golpeo más fuerte. Al fin entro. El maestro estaba sentado al instrumento ante una partitura de Albéniz.

—¿Qué hace usted, maestro?...

—Pues estoy preparándome para el concierto de su teatro.

Así es Falla, para entretener a unos niños se perfeccionaba, estudiaba. Porque Falla es eso, conciencia y espíritu de perfección.[10]

En Buenos Aires, un año más tarde, en una representación del *Retablillo de don Cristóbal y doña Rosita*, Lorca pondría en boca del títere un recuerdo de aquella tarde:

Señoras y señores: No es la primera vez que yo, don Cristóbal, el muñeco borracho que se casa con doña Rosita, salgo de la mano de Federico García Lorca a la escenita donde siempre vivo y nunca muero. La primera vez fue en casa de este poeta, ¿te acuerdas, Federico? Era la primavera granadina y el salón de tu casa estaba lleno de niños que decían: «Los muñecos son de carnecilla, ¿y cómo se quedan tan chicos y no crecen?». El insigne Manuel de Falla tocaba el piano, y allí se estrenó por vez primera en España *La historia de un soldado*, de Stravinski. Todavía recuerdo la cara sonriente de los niños vendedores de periódicos que el poeta hizo subir, entre los bucles y las cintas de las caras de los niños ricos.[11]

Federico no había dirigido la representación de una obra de títeres propia desde su infancia en la Vega de Granada, y es probable que, al volver a hacerlo ahora, y con éxito, se sintiera estimulado para buscar la manera de montar, en un teatro de verdad, su mucho más ambiciosa *Tragicomedia de don Cristóbal y la señá Rosita*.

La fiesta de Reyes tuvo su importancia también para Falla, que en estos momentos estaba acabando su *Retablo de Maese Pedro*. La obra, en versión para orquesta, sería interpretada por vez primera en Sevilla el 21 de marzo de 1923[12] y, en su forma definitiva, tras muchos ensayos, en el salón parisino de la princesa el 25 de junio siguiente.[13]

Hacia finales de enero de 1923 Lorca logró terminar por fin su licenciatura de Derecho. A partir de este momento, según su hermano, no volvería jamás a mencionar su carrera universitaria (la de Filosofía y Letras la había abandonado tiempo atrás).[14] Tenía ahora veinticuatro años y esperaba que su padre mantuviera su promesa de dejarle correr un poco de mundo: «Voy a hacer mi *primera salida* al extranjero —le informa a Regino Sainz de la Maza— y quiero que sea brillantísima».[15]

Pero no tendría lugar. En mayo se queja en una carta a Falla (entonces en París) de que sus padres no le han dejado ir a Roma. ¿Por qué? Lo ignoramos, si bien se puede conjeturar que lo que quería ahora García Rodríguez era que su hijo se dedicase a buscar un puesto de trabajo.[16]

Si el poeta no consigue convencer a sus padres para que le dejen visitar Italia, por lo menos logra su permiso para pasar otra temporada en la Residencia de Estudiantes. Allí le encontramos en febrero de 1923, después de una ausencia de año y medio, acompañado de su hermano. En la estación les había esperado una comitiva de amigos. La «Resi» estaba a tope, pero gracias a la mediación de Luis Buñuel se les había podido conseguir una habitación. Lo que no podía saber Federico era que en la Colina de los Chopos le esperaba una de las mayores sorpresas de su corta vida.[17]

La epifanía de Dalí

En septiembre de 1922, mientras Lorca se preparaba en Granada para terminar su carrera de Derecho, había ingresado en la Escuela Especial de Pintura, Escultura y Grabado de la Real Academia de Bellas Artes de San Fernando un joven pintor catalán, nacido en Figueres en 1904, llamado Salvador Dalí Domènech.[18] Para hacer el examen de ingreso había viajado a Madrid acompañado de su padre, Salvador Dalí Cusí, notario de Figueres, y de su hermana Anna Maria, cinco años más joven. Los Dalí llevaban una recomendación para Alberto Jiménez Fraud del dramaturgo Eduardo Marquina, amigo de la familia, y los había cautivado enseguida el ambiente de la Residencia de Estudiantes, donde el director les proporcionó alojamiento durante su estancia.[19]

Dalí, que tenía dieciocho años cuando llegó a la «Resi» aquel otoño, llamaba fuertemente la atención por su físico, su personalidad y su atuendo estrafalario. Sumamente delgado, llevaba el pelo, negrísimo y muy largo para entonces, hasta los hombros, y unas patillas exageradas que acentuaban el color oliváceo de su rostro ovalado. Solía ir tocado de un sombrero de alas anchas y gustaba de llevar chalina y una chaqueta que le llegaba hasta las rodillas. Enfundaba sus piernas en polainas de cuero y, al andar, rozaba el suelo una voluminosa capa. Apenas hablaba con los otros inquilinos y adoptaba un aire de superioridad para intentar disfrazar su timidez patológica y su tendencia a ruborizarse ante la más insignificante pregunta. Le faltaba cualquier sentido práctico y era del todo negado para las tareas más banales y cotidianas. Otras rasgos suyos eran un sentido del humor sardónico y un absoluto desinterés por las mujeres. También llamaban la atención su profundo conocimiento de la obra de Picasso, todavía casi ignorado en Madrid, y su prodigiosa capacidad de trabajo.[20]

Dalí creía con fanatismo en su vocación artística y había apuntado en una extraordinaria página de su diario íntimo, antes de llegar a Madrid, que un día sería reconocido mundialmente como genio. A conseguirlo dirigía todos sus esfuerzos. Poco tiempo después de llegar a la Residencia de Estudiantes empezó a leer a Freud, cuyas obras completas se publicaban entonces en Madrid, y diría después que *La interpretación de los sueños* había sido una de las experiencias fundamentales de su vida.[21]

Justo antes de llegar a la Residencia había dejado atrás su etapa impresionista y había empezado a aventurarse por los caminos del cubismo, más bajo la influencia del madrileño Juan Gris que de Picasso.

No tardó mucho en ser «descubierto» por uno de los residentes, José Bello, según relata en su *Vida secreta*:

> Un día en que me hallaba fuera, la camarera había dejado mi puerta abierta, y Pepín Bello vio, al pasar, mis dos pinturas cubistas. No pudo esperar a divulgar tal descubrimiento a los miembros del grupo. Éstos me conocían de vista y aún me hacían blanco de su cáustico humor. Me llamaban el «músico», o el «artista», o el «polaco». Mi manera de vestir antieuropea los había hecho juzgarme desfavorablemente, como un residuo romántico más bien vulgar y más o menos velludo. Mi aspecto serio y estudioso, completamente desprovisto de humor, me hacía aparecer a sus sarcásticos ojos como un ser lamentable, estigmatizado por la deficiencia mental y, en el mejor de los casos, pintoresco. En efecto, nada podía formar un contraste más violento con sus ternos a la inglesa y sus chaquetas de golf que mis chaquetas de terciopelo y mis chalinas flotantes; nada podía ser más diametralmente opuesto que mis largas greñas, que bajaban hasta mis hombros, y sus cabellos elegantemente

cortados en que trabajaban con regularidad los barberos del Ritz o del Palace. En la época en que conocí al grupo, especialmente, todos estaban poseídos de un complejo de dandismo combinado con cinismo, que manifestaban con consumada mundanidad. Esto me inspiró al principio tanto pavor, que cada vez que venían a buscarme a mi cuarto creía que me iba a desmayar.[22]

Como los residentes se habían percatado ya de que aquel extraño ser catalán era un inquieto pintor modernísimo dotado de excepcional talento, fue aceptado inmediatamente por el grupo de Bello y sus amigos y, dentro de los límites que le permitía su personalidad, pasó a formar parte del mismo. Unos meses después de su llegada a Madrid había abandonado ya su uniforme bohemio y se había transformado en un joven mundano y refinado. Con su cabello peinado ahora a la manera de Rodolfo Valentino, frecuentaba los mencionados Palace y Ritz, saboreaba las delicias de los vodkas dobles con aceitunas y se recreaba con los ritmos sincopados de la orquesta de jazz negro —los Jackson— que en aquella época cautivaba al público del Rector's Club, situado en el sótano del primero. «Éramos realmente de una magnificencia y generosidad sin límites con el dinero que ganaban nuestros padres con su trabajo», recordaría en su *Vida secreta*. Buñuel y Pepín Bello, que frecuentaban el local asiduamente, habrían estado de acuerdo.[23]

El Dalí a quien conoce Lorca, seis años mayor, en los primeros meses de 1923 está en abierta rebelión contra el conformismo en todas sus expresiones y enemigo declarado del sentimentalismo y de la religión. Por desgracia, ni Federico ni Salvador parecen haber dejado constancia escrita de su encuentro inaugural. Las primeras cartas de éste conservadas entre los papeles del poeta son de 1925 y, a falta de las de Lorca, con alguna mínima excepción, es imposible reconstruir con precisión el desarrollo de una amistad crucial en la vida y la obra de ambos. Podemos dar por sentado, sin embargo, que a partir del momento en que Lorca puso los ojos en Dalí quedó fascinado: por su personalidad, su físico, su enorme talento y su vertiente cómica. En cuanto a Salvador, hay en la *Vida secreta* un pasaje sumamente revelador:

> Aunque advertí enseguida que mis nuevos amigos iban a tomarlo todo de mí sin poder darme nada a cambio —pues realmente no tenían nada de que yo no tuviera dos, tres, cien veces más que ellos—, por otra parte la personalidad de Federico García Lorca

produjo en mí una tremenda impresión. El fenómeno poético en su totalidad y en «carne viva» surgió súbitamente ante mí hecho carne y hueso, confuso, inyectado de sangre, viscoso y sublime, vibrando con un millar de fuegos de artificio y de biología subterránea, como toda materia dotada de la originalidad de su propia forma.[24]

Cabe suponer que cuando Lorca conoce a Dalí ya han iniciado su amistad el pintor y Luis Buñuel, aunque no hay información al respecto ni en la *Vida secreta* ni en las memorias del cineasta, *Mon dernier soupir* (título mal traducido en español como *Mi último suspiro*). Cabe suponer también que, antes de conocer a Lorca en persona, Salvador habría oído hablar de él, y mucho, en la Residencia y tal vez de labios de Eduardo Marquina, su vecino en Cadaqués y valedor en Madrid. De todos modos sabemos que Buñuel, Dalí y Lorca no tardaron en convertirse en inseparables, formando, junto con Pepín Bello —que desempeñaba entre ellos, según él mismo, «un modestísimo papel de enlace»—[25] el núcleo del grupo más original y sorprendente de la «Resi».

En otro momento de su *Vida secreta* Dalí añade unos datos de gran interés sobre su relación con el poeta:

> Durante este tiempo conocía a varias mujeres elegantes, en las que mi odioso cinismo buscó desesperadamente un pasto moral y erótico. Evitaba a Lorca y su grupo, que cada vez se convertía más en su grupo. Era éste el momento culminante de su irresistible influencia personal —y el único momento de mi vida en que creí atisbar la tortura que pueden ser los celos—. A veces estábamos paseando, el grupo entero, por el paseo de la Castellana, en dirección al café donde celebrábamos nuestras habituales reuniones literarias y donde yo sabía que iba a brillar Lorca como un loco y fogoso diamante. De pronto, me escapaba corriendo, y en tres días no me veía nadie… Nadie ha podido nunca arrancarme el secreto de esas huidas, y no tengo la intención de levantar ahora el velo —por lo menos, no todavía—.[26]

Lorca se dedica durante estos primeros meses de 1923 a la vida social madrileña, deslumbrando no sólo a Salvador Dalí. «El lunes pasado estuve en casa de Martínez Sierra que me ha recibido de una manera estupenda y que me da una coba enorme para que le haga cosas de teatro —les cuenta a sus padres en marzo—; pero yo, como ahora estoy considerado en Madrid como una de las *cosas más interesantes de la literatura moderna*, tengo que andar muy recatado como las mujeres con su honor.» Agasajado y mimado por todos, dice haberse acordado el día antes, y con pena, de las «incomprensiones por parte de papá, que no se ha dado cuenta todavía de mi actitud y de mi posición cara al éxito». A continuación menciona un recital poético que ha dado en su habitación, naturalmente muy aplaudido.[27] Pero Vicenta Lorca no se deja impresionar. Molesta al considerar que no parece estar trabajando con suficiente seriedad en el nuevo proyecto que tiene con Manuel de Falla —una ópera cómica, *Lola la comedianta*, empezada unos meses antes— le contesta displicente el 11 de marzo:

> Federico, estamos muy contentos de todo lo que nos dices en la tuya, pero yo te ruego que todo esto te sirva de estímulo para trabajar más y mejor, no olvidando desde luego los compromisos y el compromiso que tienes con el señor Falla, que ya sabes que este señor tenía un empeño grande en que le hubieras terminado la obra antes de irte (así me lo dijo el domingo que estuvimos en su casa), pero ya que no lo has hecho, procura terminarlo lo antes posible, pues ya sabes la necesidad que este señor tiene de preparar la obra y ponerla en condiciones de sacarle pesetas, que si tú no las necesitas porque tienes un padre que te las procura, este señor se las tiene que procurar él, y yo sentiría muchísimo que tú le entorpecieras sus planes en vez de ayudarle.[28]

Vicenta, con la voluntad férrea que la caracterizaba, no abandonaba un segundo la que veía como su misión y obligación de velar por las carreras de sus hijos, ni de recordarles constantemente lo que le debían a su padre. Unas semanas después, cuando dejaron pasar una semana sin escribirles, recibieron de casa una carta urgente sin firma, redactada casi seguramente por ella (el padre escribía mucho menos) en la cual los acusó de «sinvergüencería» y de «desagradecimiento». Se quedaron de una pieza, se apresuraron a pedir disculpas y prometieron nunca más incurrir en un comportamiento semejante.[29]

Francisco, ya encaminada su carrera diplomática, disfrutaría pronto de sus propios medios de vida. Pero la preocupación de los padres por la situación de su hijo mayor iba a seguir durante más de diez años.

Lola, la comedianta y otros proyectos

Tres años antes, cuando Falla se estableció en Granada, acababa de abandonar su participación en una ópera cómica, *Fuego fatuo*, inspirada en música de Chopin y con libreto de María Martínez Sierra. Según ésta el gaditano, profundamente católico, había empezado a tener dudas terminados dos actos. ¿No era tal vez inmoral el argumento, centrado en el amor por el mismo hombre de dos mujeres, una «buena» y otra «mala»? Se había negado finalmente a seguir. Después había ocurrido algo parecido con la adaptación como ópera de una obra de María y su marido, *Don Juan de España*, a la que había accedido a poner música. ¡Don Juan! Tema espinoso, otra vez, para Falla, tan obsesionado con los pecados de la carne, que volvió a batirse en retirada.[30]

Es probable que, al ir conociendo mejor a Lorca, Falla sospechara que había encontrado en él a un libretista capaz de sustituir con ventaja a María Martínez Sierra, toda vez que el poeta no sólo tenía un buen conocimiento de la armonía (gracias a Antonio Segura Mesa) sino que unos años antes había intentado componer, con José Mora Guarnido, unos fragmentos de zarzuela. Federico, es decir, tenía cierta experiencia de la complicada labor de entretejer palabras y música.[31] ¿Por qué no hacer entre los dos una ópera cómica que pudiera tomar el relevo de *Fuego fatuo*? Lorca estaba de acuerdo.

Se puso a trabajar, antes de volver a Madrid, en una sinopsis de la obra que se iba a llamar *Lola, la comedianta*. Falla debió de aprobar su esbozo, ya que añadió unas anotaciones musicales al manuscrito. Además no parecía haber razones en principio para que rechazase el argumento: después de todo se trataba de una ópera cómica y, si la Lola de Lorca disfrutaba jugando con los sentimientos de los hombres, tampoco había que tomarlo demasiado en serio. ¿O sí? Falla, de hecho, actuaba siempre en serio, y tal vez el poeta habría podido prever el peligro. Sin embargo, alentado por la respuesta inicial del maestro, trabajó con entusiasmo y le informó a principios de mayo (Falla estaba entonces en Italia) de que estaba contento con lo conseguido. ¡A ver si un día ponían la obra en la Ciudad Santa![32]

Cuando Falla regresó a Granada le mostró lo que había conseguido hasta la fecha, y aquel verano, en Asquerosa (donde el compositor le hizo una visita), siguió trabajando en el proyecto. El 18 de agosto, en respuesta a una carta suya, Falla le dio a entender que resolvería muy pronto los problemas musicales que quedaban pendientes.[33] Parecía que todo iba viento en popa, y a mediados de octubre Lorca comunicó a Melchor Fernández Almagro que tenía casi terminado el libreto. Pero luego surgirían problemas.[34]

Entretanto seguía en contacto con Gregorio Martínez Sierra. Una carta de éste al poeta (31 de agosto de 1923) demuestra que proyectaba estrenar la *Tragicomedia de don Cristóbal y la señá Rosita* en el Eslava, pero que tenía dudas acerca de la capacidad de Federico para terminar la obra. Se acordaba, sin duda, de la lenta génesis de *El maleficio de la mariposa*. Entendía que sería muy difícil que Federico se concentrara bajo el jazmín persa donde decía estar trabajando. No se equivocaba. La pieza no se estrenaría en el Eslava.[35]

En el verano de 1923, además del tiempo y el esfuerzo dedicados a estos proyectos, continúa trabajando intensamente en sus *suites*, sobre todo en la ambiciosa composición «El jardín de las toronjas de luna» que, como explica a Fernández Almagro y José Ciria y Escalante, «es el jardín de las posibilidades, el jardín de lo que no es, pero pudo (y a veces) debió haber sido, el jardín de las teorías que pasaron sin ser vistas y de los niños que no han nacido».[36] En el prólogo en prosa a la primera versión del texto, titulado *En el bosque de las toronjas de luna*, el yo nos pone al tanto de las razones del «largo viaje» que va a emprender:

> Pobre y tranquilo, quiero visitar el mundo extático donde viven todas mis posibilidades y paisajes perdidos. Quiero entrar frío pero agudo en el jardín de las simientes no florecidas y de las teorías ciegas, en busca del amor que no tuve pero que era mío...[37]

Para André Belamich, editor de las *suites*, Lorca expresa en esta composición «lo más íntimo de su pena». Es imposible no estar de acuerdo con el gran estudioso francés.[38]

Tres secciones de la misma llaman de manera especial la atención: «Arco de lunas», [«Altas torres»] y «Encuentro».

En la primera, escalofriante, aparecen los hijos no nacidos del yo:

ARCO DE LUNAS

Un arco de lunas negras
sobre el mar sin movimiento.

> *Mis hijos que no han nacido*
> *me persiguen.*
>
> *«¡Padre, no corras, espera!*
> *El más chico viene muerto.»*
> *Se cuelgan de mis pupilas.*
> *Canta el gallo.*
>
> *El mar, hecho piedra ríe*
> *su última risa de olas.*
> *«¡Padre, no corras!...»*
>   *Mis gritos*
> *se hacen nardos.*[39]

El fragmento de diálogo contenido en la segunda sección, y que no lleva título, da a entender que el yo no sólo ha llegado ahora al convencimiento de que para él es imposible casarse, sino que además tampoco desea hacerlo:

> *Altas torres.*
> *Largos ríos.*
>
>   HADA
> *Toma el anillo de bodas*
> *de tus abuelos.*
> *Cien manos bajo la tierra*
> *lo echarán menos.*
>
>   YO
> *Voy a sentir en mis manos*
> *una inmensa flor de dedos,*
> *y el símbolo del anillo.*
> *¡no lo quiero!*
>
> *Altas torres.*
> *Largos ríos.*[40]

En «Encuentro», uno de los poemas más conmovedores de Lorca, el «yo» conversa con la muchacha que podría haber sido su compañera:

ENCUENTRO

Flor de sol.
Flor de río.

YO
¿Eras tú? Tienes el pecho
iluminado y no te he visto.

ELLA
¡Cuántas veces te han rozado
las cintas de mi vestido!

YO
Sin abrir, oigo en tu garganta
las blancas voces de mis hijos.

ELLA
Tus hijos flotan en mis ojos
como diamantes amarillos.

YO
¿Eras tú? ¿Por dónde arrastrabas
esas trenzas sin fin, amor mío?

ELLA
En la luna. ¿Te ríes? Entonces,
alrededor de la flor del narciso.

YO
En mi pecho se agita sonámbula
una sierpe de besos antiguos.

ELLA
Los instantes abiertos clavaban
sus raíces sobre mis suspiros.

YO
Enlazados por la misma brisa
frente a frente ¡no nos conocimos!

ELLA
El ramaje se espesa, vete pronto.
¡Ninguno de los dos hemos nacido!

Flor de sol.
Flor de río.[41]

Se trataba de confidencias muy íntimas. Por ello se entiende la confesión hecha, a finales de aquel julio, a José de Ciria y Escalante: «Cada día sufro más de ver que tengo que publicar enseguida mis suites». Comentario que da a entender, además, que considera que el largo ciclo de poemas está terminado.[42] En cuanto a su edición, que no cuaja, la alusión va por una nueva iniciativa, *Cuadernos literarios*, dirigida por el crítico Enrique Díez-Canedo, el poeta José Moreno Villa y el escritor y diplomático mexicano Alfonso Reyes.[43]

Para rematar el verano de 1923 los García Lorca hicieron su acostumbrado viaje a Málaga donde, como siempre, se alojaron en el Hernán Cortés. Se había acordado que Falla, acompañado de su hermana y unos amigos, se reuniría con ellos a orillas del mar, por lo que Federico y Francisco le escribieron instándole a cumplir su palabra. Pero el compositor se encontraba retenido en Granada.[44]

El 13 de septiembre, mientras la familia seguía en Málaga, el general Miguel Primo de Rivera protagonizó en Barcelona un golpe de Estado, alegando que éste hacía falta para salvar la patria de la ineficacia de los políticos. Se nombró a sí mismo presidente de la Junta Militar; proclamó el Estado de Guerra, con la consiguiente supresión de las anteriores libertades públicas y la imposición de la censura de prensa; abolió las Cortes y los sindicatos de izquierdas —a excepción de los socialistas—; y los ayuntamientos legalmente constituidos fueron sustituidos por juntas nombradas por las autoridades militares. El rey Alfonso XIII aceptó la nueva situación, provocando con ello la indignación tanto del pueblo como de los intelectuales. Primo de Rivera declaró, al hacerse con el poder, que su intervención sería provisional. De hecho, la dictadura iba a durar siete años.

Cuando se produjo el golpe, Lorca, además de seguir trabajando en *Lola, la comedianta*, que esperaba terminar pronto,[45] estaba madurando otro proyecto importante: una obra de teatro sobre la heroína granadina Mariana Pineda, ejecutada en 1831, cuando tenía veintisiete años, por el brutal régimen de Fernando VII, acusada de haber bordado una bandera para los conspiradores liberales de la ciudad. Federico se había familiarizado de niño en Fuente Vaqueros, como vimos, con la historia de Mariana Pineda, sobre quien seguían circulando romances populares y cuyo triste final recordaban aún los viejos del pueblo. Mariana se había ido convirtiendo poco a poco en una obsesión suya y cuando la familia se trasladó a Granada en 1909 la cercana estatua de la víctima, en la plaza que lleva su nombre, estimuló más aún su fascinación con su figura.[46]

Había empezado a documentarse sobre ella durante la primavera de 1923, y había comunicado su nuevo proyecto a Antonio Gallego Burín, que trabajaba entonces en un libro sobre la heroína. Le explicó que ya había mencionado el proyecto a Gregorio Martínez Sierra y a Catalina Bárcena, y que la pareja había reaccionado favorablemente. De Gallego Burín sólo le pedía un cierto asesoramiento bibliográfico con respecto a la Granada de entonces y, de manera particular, información relativa al perseguidor de Mariana, el siniestro Pedrosa, jefe de policía de Fernando VII en la ciudad.[47]

En una carta a Fernández Almagro escrita poco antes del golpe de Primo de Rivera, Lorca le explicó que se sentía especialmente fascinado por la vida amorosa de Mariana. El romance escuchado y cantado de niño en Fuente Vaqueros le había hecho pensar entonces que la joven viuda era una mujer apasionada. Las historias que había oído después lo confirmaban. Y siempre había dado por sentado que, si Mariana bordó una bandera para los liberales, fue tanto por razones amorosas como porque creía en la democracia. «Ella resulta mártir de la libertad siendo en realidad (según incluso lo que se desprende de la historia), víctima de su propio corazón enamorado y enloquecido —escribe— . Es una Julieta sin Romeo y está más cerca del madrigal que de la oda.» Estaba decidido, le siguió contando a Melchor, a averiguar más cosas acerca de la vida privada de Mariana. ¿Estaba en relaciones con su primo Fernando Álvarez de Sotomayor, cuya fuga de la cárcel de Granada contribuyó a urdir? Los investigadores no habían conseguido establecer la verdad. Pero la tradición no abrigaba ninguna duda al respecto, y el poeta estaba más interesado en ella que en la historicidad estricta de los hechos.[48]

En su contestación Fernández Almagro aludió al reciente golpe militar, que consideraba un «enorme retroceso» para España.

«Nuestro pueblo continúa en una inconsciencia inverosímil. Han visto ya la avanzada del caos… y no se asustan. ¡Extraordinaria ceguera! Purgamos pecados históricos de difícil remisión […] Si no fuera por Primo de Rivera, el otoño se presentaría espléndido.» En cuanto a la proyectada obra, el tema le parecía excelente y el enfoque —expresar el aspecto poético, no la verdad servilmente histórica— el correcto, en realidad el único posible. Melchor entendía, además, que el hecho de que otro general reaccionario acabara de coger las riendas del país favorecía la «exaltación» de la figura de Mariana Pineda, pues el advenimiento del nuevo dictador significaba el regreso del siglo XIX que «nuestros padres no han sabido superar».[49]

Animado por sus amigos Federico trabajó deprisa y leyó el primer borrador de la obra a José Mora Guarnido antes de fin de año.[50] Parece ser que aquella versión se ha perdido. El texto sería luego revisado, con algunos de los cambios siendo aconsejados, cabe inferirlo, por las adversas condiciones políticas que entonces se daban en España, entre ellas la censura. Durante cuatro años Lorca no cejaría en sus intentos de ver representada *Mariana Pineda*, cuatro largos años de constantes contrariedades y dilaciones que en algún momento casi le harían desesperar.

Aquel crispado otoño de 1923, a medida que la sociedad española fue adaptándose poco a poco a las restricciones impuestas por el nuevo régimen, los muchos amigos de Federico en Madrid aguardaban con intensa impaciencia su regreso a la Residencia de Estudiantes, que por lo visto no ocurrió hasta noviembre.[51] Un mes antes, Fernández Almagro había publicado en la importantísima revista madrileña *España*, ya mencionada, un penetrante artículo sobre el mundo poético del granadino, donde le calificaba como «la gran revelación» de la lírica española contemporánea, pese a no haber editado hasta la fecha más que un solo libro de poemas.[52]

Cuando Federico regresó a Madrid se encontró con que Dalí acababa de ser expulsado por un año de la Academia de Bellas Artes, culpado de haber participado en un alboroto desatado por la elección de un nuevo catedrático.[53]

No volvería a ver al pintor hasta el otoño de 1924, y no hay pruebas de que se escribiesen durante este lapso de tiempo, aunque parece probable.

En estos momentos confía dar a conocer muy pronto una colección de sus suites y otra de «canciones». Dichos cuadernos, informa a sus padres, «tendrán una difusión enorme», llevarán un retrato suyo y serán prologados por su amigo el crítico Enrique Díez-Canedo. Pero las suites no se publicarían nunca en vida del autor y *Canciones* tendría que esperar hasta 1927.[54]

Antes de volver a casa para las fiestas navideñas, parece ser que asistió, el 22 de diciembre, al estreno de *Seis personajes en busca de autor*, de Luigi Pirandello. De haber sido así, la experiencia le haría reflexionar, seguramente, sobre su propio quehacer en *Mariana Pineda*, que, según les cuenta a sus padres, Martínez Sierra ya tiene «el decidido propósito de representar».[55] No habría indicios en ella de que su autor conociera la ya célebre obra del italiano, pero seis años después, al emprender la renovación en profundidad de su teatro, su influencia sería patente.[56]

1924-1925

Camino del *Romancero gitano*

A principios de enero de 1924 Lorca regresa a Madrid acompaña-do de su hermano, que unos días después sale rumbo a París para asistir a clases en L' École des Sciences Politiques. La estancia de Francisco en la capital francesa, donde se integra enseguida en la nutrida colonia de sus compatriotas, será importante también para el poeta, quien, a través de él, seguirá lo que se está cociendo en el mundo literario parisiense en momentos en que empieza a cuajar el surrealismo. Reflexionando sobre el viaje de Francisco, y sobre las aspiraciones propias y de su hermano, escribe a sus pa-dres: «Quedarse en la provincia es cortar las alas y convertirse en señoritos de casino, cosa que nosotros no soñamos». «Todo lo que ahora hacéis por nosotros os lo devolveremos con grandes creces», añade. Es una promesa que repetirá muchas veces durante los próximos años.[1]

Está contento con Martínez Sierra, que lleva desde el verano anterior esperando *Tragicomedia de don Cristóbal y la señá Rosi-ta* para estrenarla en el Eslava. Federico acaba de leer la obra, además, a Enrique Díez-Canedo, Eduardo Marquina, Cipriano Ri-vas Cherif y otros «con un éxito que yo no me esperaba». En cuan-to a la revisión de *Mariana Pineda*, va más lentamente.[2]

Unas semanas después, sin embargo, al trasladarse a otro cuarto de la Residencia —se deduce que cuarto trasero, pues des-de él se divisan «rebaños y sembrados»— confía en terminar la úl-tima escena de la obra.[3] Pero no le resultó tan fácil y en junio le explica a Falla que la está rehaciendo.[4]

El verano llega temprano y ya para junio hace en Madrid un calor asfixiante. Una noche lee la *Tragicomedia* a Jorge Guillén y otros amigos. «Estupendo, perfecto, la *Petrouschka* que busca el arte moderno sin haberla encontrado —escribe Guillén a su mujer francesa—; lírica, muy musical, cómica, [palabra ilegible], dramática, abundante de invención, completamente "réussie", popular, andaluza, con una savia, con una fuerza extraordinarias. Lorca la lee como asumiendo todos los papeles de una compañía y de una orquesta. Lorca es el primero de todos nosotros; hay que inclinarse.»[5]

El «primero entre todos nosotros»: la expresión llama la atención. Y es que ya se va formando la noción de una «generación» de jóvenes poetas que están revolucionando la lírica española contemporánea. Por estas fechas se publica en París un número especial de la revista *Intentions*, que dirige Valery Larbaud, dedicada a «la joven literatura española». Federico ya había anunciado a sus padres que iba a incluir una traducción de su «Poema de la petenera». Y así fue, en versión del hispanista Jean Cassou y dedicada a Manuel de Falla. Figuraban además textos de Dámaso Alonso, José Bergamín, Rogelio Buendía, Juan Chabás, Gerardo Diego, Antonio Espina, Jorge Guillén, Antonio Marichalar, Alonso Quesada, Adolfo Salazar, Pedro Salinas y Fernando Vela.

Poco tiempo después regresó en tren a Granada acompañado por su hermano y Juan Ramón Jiménez, quien, con su esposa Zenobia (que llegaría unos días después), había expresado el deseo de visitar la Alhambra y el Generalife guiado por tan privilegiado conocedor de la Colina Roja y sus maravillas. Fueron días inolvidables, tanto para Federico y su familia como para el matrimonio. Al principio, pese a todo, hubo algunos problemas: el supersensible y quisquilloso Juan Ramón no estaba satisfecho con el hotel y hubo que buscarle otro; la comida trastornaba su delicado estómago; y, como es de imaginar, la nota que apareció en *El Defensor de Granada* que anunciaba su llegada no ayudó nada, pues allí figuraba entre otros viajeros como «Juan Ramírez Jiménez».[6]

Todos hicieron lo imposible por que la visita fuera un éxito: los García Lorca, por supuesto, Fernando y Gloria de los Ríos y su hija Laura, Falla y su hermana María del Carmen, Miguel Cerón, Emilia Llanos (cuya belleza y porte impresionaron al moguereño) y el pintor Manuel Ángeles Ortiz, recién llegado de París. En su libro *Recuerdos míos* Isabel García Lorca, que entonces tenía quince años y le entusiasmó al poeta, recoge varios incidentes de la estancia.[7]

A Juan Ramón le encantaron los jardines y las fuentes de Granada, como era de esperar, pero le disgustaron profundamente las innovaciones modernas que encontraba a su alrededor. De regreso a Madrid se quejó, en una carta de agradecimiento a Federico, de «las terribles edificaciones jactantes y agresivas que levanta por llano y monte granadinos la osadía abarrotada de cobre, en los lugares más bellos de línea y color de ese imponderable paisaje universal».[8] No hacía más que confirmar con ello la opinión del propio Lorca, Fernández Almagro, Mora Guarnido y los demás «rinconcillistas» y, antes que ellos, Ángel Ganivet.

Después de la marcha de los Jiménez la familia pasó su acostumbrada temporada veraniega en Asquerosa.

Allí, el 22 de julio, murió, a los sesenta y cuatro años, la terrateniente Francisca «Frasquita» Alba Sierra, que iba a inspirar *La casa de Bernarda Alba*, terminada en junio de 1936, unas pocas semanas antes del asesinato del poeta.[9] Frasquita ocupaba con su segundo marido y numerosas hijas una amplia casa situada, a dos pasos de la iglesia, en la calle Ancha, la principal del pueblo. Vivían al lado de una tía de Federico, Matilde García Rodríguez, casada con Francisco Delgado Cantero, cuya hija Mercedes era una de las primas favoritas del poeta. Las familias compartían un pozo medianero desde el cual se oía lo que se decía al otro lado. Se infiere que, desde su llegada a Asquerosa hacia 1907, y a partir de 1910 durante sus estancias veraniegas, Federico iría almacenando cada vez más información, tanto de su tía como de su prima, acerca de una mujer de quien se decía que ejercía sobre su prole poco menos que una tiranía.

Isabel García Lorca recuerda en su libro que Frasquita los visitaba de vez en cuando y que tenía con su padre una relación de cierta confianza. Según ella la casa de ésta «estaba como metida para adentro, retranqueada, anunciando el carácter de sus habitantes». Isabel vio por su ventana el cadáver de la difunta entre cuatro cirios. No sabemos si la acompañaba en aquel momento el poeta, que de todas maneras recibiría de su hermana una descripción de la escena.[10]

Una semana después, el 29 de julio de 1924, bajo el rótulo general de *Romancero gitano*, copió en Asquerosa, en una libreta, sin título y después de consignar arriba el número «1», el «Romance de la luna, luna», escrito el año anterior y, según declaró, el inicial de la serie (aunque quizá no fuera cierto).[11]

En otras páginas de la libreta estampó, el 30 de julio, «Romance de la pena negra» y, el 20 de agosto, sin título, «La monja gitana».[12] Por los mismos días envió a Fernández Almagro otro (no se sabe cuál) y le prometió que, si contestaba rápidamente, le haría llegar el «Romance sonámbulo» (fechado el 2 de agosto).[13]

Parece probable que por estos mismos días habría que situar también un fragmento del «Romance de la Guardia Civil española».[14]

Aquel verano, pues, cuajó, como proyectado libro, el *Romancero gitano*, descendiente directo del ciclo inspirado por el cante jondo dos años antes.

No hace falta volver aquí sobre las circunstancias reales que vinculaban a Lorca con el mundo gitano (primero en Fuente Vaqueros, luego en Granada). Tampoco precisa referirnos otra vez al concepto que tenía, procedente sobre todo de Manuel de Falla, de la muy significativa contribución de los calés a la creación del cante. Cuando dictó su conferencia sobre éste en 1922 ya le parecían expresar lo más profundo de la psique andaluza. En el *Romancero gitano* el proceso va a alcanzar su conclusión poética lógica.

Había señalado en la mencionada conferencia la tendencia de las letras del cante a personificar a elementos «inanimados» de la Naturaleza. Los romances retoman esta proclividad.

En «Preciosa y el aire» el viento del sur, ya invocado en un poema temprano, «Veleta», se convierte en un lúbrico san Cristóbal que persigue a la gitanilla con una «espada caliente».[15] En «Romance de la Guardia Civil española» (donde «el coñac de las botellas / se disfrazó de noviembre / para no infundir sospechas»), «vuelve desnudo / la esquina de la sorpresa».[16] Nos encontramos en «Muerto de amor» con que «la noche llama temblando / al cristal de los balcones / perseguida por los mil perros / que no la conocen...».[17] Las «cosas» están mirando a la gitana en «Romance sonámbulo» pero no puede mirarlas ella porque ha muerto ahogada en un aljibe.[18] En «Romance de la luna, luna», el astro nocturno, luciendo un polisón de nardos (flor blanca y lisa cuyo denso aroma impregna las casas andaluzas en verano), aparece a guisa de bailarina mortífera ante los ojos atónitos del niño

> *La luna vino a la fragua*
> *con su polisón de nardos.*
> *El niño la mira, mira.*
> *El niño la está mirando.*
> *En el aire conmovido*
> *mueve la luna sus brazos*

> *y enseña, lúbrica y pura,*
> *sus senos de duro estaño...*[19]

Los ejemplos se multiplican. En el *Romancero gitano* Lorca demuestra que es un poeta telúrico —más adelante lo reconocerá— cuyo sentido de la metáfora se arraiga en una manera primitiva, prelógica, de sentir la Naturaleza.

Hay que insistir en que los cuatro romances compuestos con seguridad antes de finales del verano de 1924 son de ambientación netamente granadina: «Romance de la luna, luna» (con su fragua gitana) y «La monja gitana» (con su convento de clausura) evocan el escarpado barrio del Albaicín, frente a la Colina Roja; el «Romance sonámbulo», el bosque, albercas y «altas barandas» de la Alhambra y el Generalife; y el «Romance de la pena negra», pese a que el poeta lo relacionó una vez con Jaén, hace pensar en el Sacromonte.[20]

Soledad Montoya, protagonista de éste, es uno de los personajes lorquianos más memorables y patéticos, y con la epónima monja gitana constituye otro eslabón en la larga cadena de mujeres sin amor que se extiende desde los textos juveniles hasta llegar a las hijas de Bernarda Alba. El diálogo que tiene lugar poco antes del amanecer entre el narrador y la mujer es memorable. Una vez más la búsqueda ha sido infructuosa:

> *Soledad: ¿por quién preguntas*
> *sin compaña y a estas horas?*
> *Pregunte por quien pregunte,*
> *dime: ¿a ti qué se te importa?*
> *Vengo a buscar lo que busco,*
> *mi alegría y mi persona.*
> *Soledad de mis pesares,*
> *caballo que se desboca,*
> *al fin encuentra la mar*
> *y se lo tragan las olas.*
> *No me recuerdes el mar*
> *que la pena negra brota*
> *en las tierras de aceituna*
> *bajo el rumor de las hojas...*[21]

Muchos de los elementos e incluso versos del *Romancero gitano*, que integrará dieciocho poemas, proceden del acervo tradicional andaluz. Ya vimos que en «Romance de la luna, luna» fue el caso, según el hermano del poeta, de los que dicen, referidos a la fragua: «El aire la vela, vela, / el aire la está velando».[22] La «pena negra» de Soledad Montoya no es invención de Lorca. Figura en muchas coplas populares. En la magna colección de Francisco Rodríguez Marín, que conocía al dedillo, se recoge la siguiente:

> *¿Qué quieres tú que tenga?*
> *Que te busco y no te encuentro.*
> *¡M'ajoga la pena negra!*[23]

En cuanto al «Romance sonámbulo», el célebre verso «Verde que te quiero verde» estaba en deuda con un poemilla temprano de Juan Ramón Jiménez, a su vez de procedencia popular.[24] Cabe imaginar que, como el moguereño, Lorca bebía a veces en la tradición andaluza sin darse cuenta de ello, por tan interiorizada.

Su elección del romance como vehículo expresivo no nos puede sorprender, dada su condición de juglar nato que gozaba intensamente recitando. Es más, que necesitaba recitar. Juan Ramón Jiménez calificó el romance como «río de la lengua española», y su historia, para Pedro Salinas, «es, en buena parte, la de la literatura española».[25] Lorca, a quien seguramente le habían recitado o cantado romances de niño, explicaría que, desde 1919, consideraba que era la forma métrica que mejor se adecuaba a su temperamento. Y que había pretendido, con sus poemas «gitanos», fundir el carácter habitualmente narrativo del género con un componente lírico, siendo su propósito conseguir una síntesis nueva.[26]

Llama la atención en sus romances, de hecho, la fusión de un lenguaje narrativo llano, casi prosaico, con algún símil nada barroco, con otro donde el salto metafórico a veces asombra. Cuando el narrador nos asegura, por ejemplo, que «la noche se puso íntima / como una pequeña plaza» («Romance sonámbulo»), o «el jinete se acerca / tocando el tambor del llano» («Romance de la luna, luna») o «sus pechos se me abrieron / como ramos de jacinto» («La casada infiel»), nadie le acusará de exagerado. Pero de repente nos podemos encontrar con una metáfora de difícil explicación o de un «hecho poético» desconcertante, como, por ejemplo, en «Preciosa y el aire»:

> *Y los gitanos del agua*
> *levantan por distraerse,*
> *glorietas de caracolas*
> *y ramos de pino verde.*

¿Se trata de una evocación, originalísima, de las olas jugando en la orilla de una playa andaluza, quizá en la imaginación del poeta orilla tartesa? Parece ser. Prefería no dar explicaciones en tales casos, de todas maneras. Preguntado un día por la significación de los versos «Mil panderos de cristal / herían la madrugada» («Romance sonámbulo»), se limitó a decir que no lo sabía pero que los había visto «en manos de ángeles y de árboles».[27]

El mismo poema, recitado en la Residencia de Estudiantes, impresionó a Salvador Dalí quien, según el testimonio de Jorge Guillén, exclamaría a modo de elogio: «¡Parece que tiene argumento, pero lo tiene!»[28]

Es una tragedia que no se haya encontrado ninguna grabación de la voz de Lorca ni hablando ni cantando ni recitando (aunque sí acompañando al piano). Y eso que era el poeta de su generación que más gozaba mediando entre sus versos y un público en directo.

Podemos adelantar que, ante los malentendidos que en torno al «gitanismo» de los romances y sobre todo a partir de la publicación del libro en 1928, el poeta sentiría la necesidad de ofrecer explicaciones. En 1931 declaró:

> El *Romancero gitano* no es gitano más que en algún trozo al principio. En su esencia es un retablo andaluz de todo el andalucismo. Al menos como yo lo veo. Es un canto andaluz en el que los gitanos sirven de estribillo. Reúno todos los elementos poéticos locales y les pongo la etiqueta más fácilmente visible. Romances de varios personajes aparentes, que tienen un solo personaje esencial: Granada...[29]

Más adelante añadiría otras precisiones:

> El libro en conjunto, aunque se llama gitano, es el poema de Andalucía, y lo llamo gitano porque el gitano es lo más elevado, lo más profundo, más aristocrático de mi país, lo más representativo de su modo y el que guarda el ascua, la sangre y el alfabeto de la verdad andaluza y universal.
>
> Así pues, el libro es un retablo de Andalucía, con gitanos, caballos, arcángeles, planetas, con su brisa judía, con su brisa romana, con ríos, con crímenes, con la nota vulgar del contrabandista y la nota celeste de los niños desnudos de Córdoba que burlan a san Rafael. Un libro donde apenas si está expresada la Andalucía que se

ve, pero donde está temblando la que no se ve. Y ahora lo voy a decir. Un libro antipintoresco, antifolclórico, antiflamenco, donde no hay ni una chaquetilla corta, ni un traje de torero, ni un sombrero plano, ni una pandereta; donde las figuras sirven a fondos milenarios y donde no hay más que un solo personaje, grande y oscuro como un cielo de estío, un solo personaje que es la Pena, que se filtra en el tuétano de los huesos y en la savia de los árboles, y que no tiene nada que ver con la melancolía, ni con la nostalgia, ni con ninguna otra aflicción o dolencia del ánimo.[30]

El protagonista del *Romancero gitano*, pues —no nos deja ninguna duda al respecto—, es un personaje que se llama a la vez Pena y Granada. Y en lo hondo de estos poemas aparentemente «gitanos» subyace la angustia de siempre que impregna la obra de Lorca: frustración amorosa, la muerte que acecha, la acción represora de una sociedad cruel, representada aquí por la Guardia Civil que, como le dirá a Jorge Guillén en una carta de 1926, «viene y va por toda la Andalucía».[31] «El país está gobernado por la Guardia Civil— le escribirá a su hermano el mismo año, tras una visita a las Alpujarras—. Un cabo de Carataunas, a quien molestaban los gitanos, para hacer que se fueran los llamó al cuartel y con las tenazas de la lumbre les arrancó un diente a cada uno diciéndoles: "Si mañana estais aquí *caerá otro*"».[32]

Alrededor de los dieciocho poemas del *Romancero gitano* se ha ido elaborando una inmensa bibliografía en numerosos idiomas. Se trata del libro de poesías más leído, más recitado, más analizado y más célebre de toda la literatura española. Desde las raíces míticas del mundo gitano lorquiano hasta la identidad real de algunos de sus actores (como el cónsul inglés de «Preciosa y el aire» o Antoñito el Camborio); desde las numerosas reminiscencias folclóricas (y las literarias, nada infrecuentes) hasta el valor simbólico que se presta a la luna, al pez, al toro, a las flores o al color verde; desde las alusiones recónditas a Mitra y al maniqueísmo hasta las referencias a Cristo; desde la función de las rimas asonantadas hasta la puntuación de los versos… apenas hay un aspecto del poemario que no haya sido examinado, sopesado y desmenuzado por críticos e investigadores tanto españoles como extranjeros. Ello demuestra que, pese al sambenito de «costumbrista» que a veces se le ha colgado al *Romancero gitano*, los poemas trascienden con creces los límites locales de sus orígenes.

La zapatera prodigiosa y Mariana Pineda

En una carta de este mismo verano a Fernández Almagro aparece la más temprana referencia que tenemos a *La zapatera prodigiosa*, cuyo primer acto, según el poeta, estaba ya terminado. Incluye para Melchor la lista de personajes («creo que una comedia se puede saber si es buena o mala con sólo leer el reparto») y le pide que se la muestre a Cipriano Rivas Cherif. La obra es «por el estilo de Cristobícal», y se animará con música de flauta y guitarra.[33]

No parece haber sobrevivido el primer acto original de *La zapatera prodigiosa*, pero sí un esbozo de su argumento anterior al borrador perdido y redactado en forma de cuento infantil («Era un Zapatero que no tenía nada más que su mujer, y su mujer no lo quería nada porque andaba tonteando con los mozos del pueblo. Y un día el Zapatero descubrió que él tampoco estaba enamorado su mujer...»).[34]

El tema del hombre mayor casado con una atractiva jovencita es, desde luego, antiguo, y Lorca debió de conocer varios antecedentes. En *La zapatera prodigiosa* hay reminiscencias cervantinas (*El celoso extremeño*), pero la fuente más inmediata es *El sombrero de tres picos*, de Pedro Antonio de Alarcón, que había inspirado el ballet homónimo de Falla y que, seguramente, tenía muy presente.[35]

La zapatera prodigiosa se nutría de no pocos elementos procedentes directamente de la infancia del poeta en la Vega de Granada y luego de sus sucesivas estancias veraniegas en Asquerosa. Se señaló antes que el «traje verde rabioso» con que aparece vestida la protagonista al principio de la obra, y que vuelve a aparecer en *La casa de Bernarda Alba*, es una alusión al que se puso un día una de sus primas predilectas, Clotilde García Picossi. La «polquita antigua» tocada en la calle por una flauta acompañada de una guitarra, y que tanto le gusta a la protagonista, alude (según aseguraba Federico a sus amigos) a una que interpretaba en el pueblo, pero con clarín, un tal Pepe el pintor.[36] El Alcalde procede de un personaje apodado el Pongao, quien, cuando Federico vivía de niño en Fuente Vaqueros, estaba al frente del Ayuntamiento de Chauchina, pueblo cercano donde residían los Camborio, calés que luego iban a adquirir rango mítico en el *Romancero gitano*.[37] En cuanto al Niño, refleja aspectos autobiográficos evidentes: el amor que experimenta por la Zapatera nos recuerda el que sentía el joven Federico por varias primas, la mencionada Clotilde, Mercedes Delgado García y Aurelia González García, mientras su emoción, cuando llega el titiritero, refleja la que experimentó al presenciar por vez primera un espectáculo de guiñol. Cuando el Niño, deseoso de proteger a su amiga de los ataques de los vecinos, se ofrece a ir a buscar del «espadón grande» del abuelo, «el que se fue a la guerra», se trata de un detalle infantil auténtico.[38] Y por lo que le toca a la lengua viperina de la Zapatera, recurre, como ya dijimos, a las llamativas exclamaciones de Dolores Cebrián, la criada de Emilia Llanos, cuando se enfadaba con su novio.[39]

En cuanto al tema de la obra, nos encontramos una vez más, pese a los aspectos guiñolescos y burlescos de la misma, ante la omnipresente obsesión con el amor que no puede ser.

Lorca creía, durante este verano, que Falla iba a empezar pronto a trabajar en serio en la partitura de *Lola, la comedianta*.[40] Pero se equivocaba de cabo a rabo y muy pronto sobrevino el más espeso de los silencios. ¿Qué había pasado? Es posible que el quisquilloso compositor, al darse cuenta progresivamente del cinismo de la Lola lorquiana, empezara a cuestionar la moralidad de la obra, sin decírselo a Federico. Pero fuesen las que fuesen sus razones, reales o encubiertas, nunca más se sabría del proyecto.

La «Resi», Toledo *et al.*

Aquel otoño, después de los rigores estivales, Federico logró regresar a la Residencia de Estudiantes, donde reanudó su amistad con Salvador Dalí, que acababa de cumplir en Cataluña un año de castigo impuesto por la Real Academia de Bellas Artes, y afianzó la que tenía con Luis Buñuel.[41]

Es la época de esplendor de la Noble Orden de Toledo, fundada el año previo por el aragonés después, según él, de una visión, y cuya finalidad era promover el amor incondicional a la venerable ciudad del Tajo. Entre sus cofundadores figuraban Federico y Francisco, el también maño Rafael Sánchez Ventura, el poeta Pedro Garfias y los «residentes» Augusto Centeno y Pepín Bello. Buñuel se había nombrado a sí mismo, por supuesto, Condestable de la Orden. Los cofrades tenían categorías que iban desde caballeros (Dalí, por ejemplo) y escuderos (Manuel Ángeles Ortiz y el poeta malagueño José María Hinojosa). Para José Moreno Villa se reservó, en broma, el ínfimo puesto de jefe de invitados de los escuderos. Los requisitos iniciáticos eran mínimos: había que amar a la Ciudad

Imperial con pasión y emborracharse» una noche entera, por lo menos, deambulando por sus calles estrechas y empinadas. El que tuviera la deplorable costumbre de acostarse temprano jamás podría aspirar a pasar del escalón más humilde de la Orden.

A Buñuel le habían fascinado desde su niñez los disfraces, al igual que a Lorca y a Dalí, y su entusiasmo era contagioso. A los socios les gustaba recurrir a ellos, echando mano a los más variados y a veces atrevidos atuendos, sobre todo por la noche. El futuro cineasta sucumbía con frecuencia a su obsesiva necesidad de vestirse de cura. Y Dalí, con su cada vez más acentuada proclividad exhibicionista, nunca dejaría de ataviarse debidamente. Buñuel seguiría fiel a la ciudad hasta el final de su vida —hay indicios de ello en su filmografía, en *Tristana* por ejemplo—, y en *Mi último suspiro* recuerda con nostalgia las gamberradas de la Orden, en algunas de las cuales estuvo involucrado Lorca.[42]

Feliz de estar otra vez en Madrid entre sus amigos, el poeta no tarda en ponerse en contacto con Gregorio Martínez Sierra —hace ya cinco años que se conocen—, y le muestra *La zapatera prodigiosa* y la nueva versión de *Mariana Pineda*. En noviembre escribe eufórico a sus padres para decirles que ambas obras han causado una fuerte impresión en el empresario, especialmente *Mariana Pineda,* y que Eduardo Marquina ha llegado al extremo de decir que se dejará cortar la mano derecha si no cosecha éxitos en todo el territorio de habla española. Puesto que la censura impuesta por el régimen de Primo de Rivera imposibilita representarla por el momento, el plan consiste en tenerla prácticamente montada para el primera ocasión favorable. «Yo creo —sigue Federico—, y todos creen lo mismo, que este año se verá puesta; y el éxito de la obra, me he convencido de que no es *ni debe*, como quisiera don Fernando [de los Ríos], ser político, pues es *una obra de arte puro*, una tragedia hecha por mí, como sabéis, sin interés político, y yo quiero que su éxito sea un éxito *poético* —¡y lo será!—, se represente cuando se represente.»

En cuanto a *La zapatera prodigiosa*, les asegura a sus padres que está casi terminada y que Martínez Sierra no tardará en estrenarla. Ayudará el hecho de que Catalina Bárcena tendrá en la Zapatera «uno de sus mejores papeles».

Todo va bien, pues, y pronto se superarán los problemas. «Me voy haciendo mi vida y mi nombre de la manera más sólida y pura —añade—. Si en el teatro *pego*, como creo, todas las puertas se me abrirán de par en par y con alegría.»[43]

Necesitaba convencerse a sí mismo, sin duda, además de a sus progenitores, de que su carrera literaria prosperaba y de que, a pesar de las dificultades, pronto saldría a flote como dramaturgo de éxito. La realidad, sin embargo, iba a ser más dura de lo que podía haber imaginado.

Parece que fue durante este otoño de 1924 cuando conoció en la Residencia a un joven y apuesto poeta que empezaba a abrirse camino en Madrid. Nacido en Puerto de Santa María en 1902, la pasión que sentía Rafael Alberti por su mar natal, y la nostalgia de su infancia gaditana, se reflejaban en poemillas con sabor popular que, en 1925, integrarían su primer libro de versos, *Marinero en tierra*. Había oído hablar mucho de García Lorca y conocía su *Libro de poemas*, mientras que Federico debía de haber leído versos suyos en revistas. Su amistad era, pues, casi inevitable.

El primer amor de Alberti había sido la pintura, pero cuando conoció a Lorca había tomado ya la decisión de consagrar sus energías exclusivamente a la poesía. Federico le rogó que, para celebrar su encuentro, hiciera un «último» cuadro para él, a lo que accedió gustoso. En su autobiografía *La arboleda perdida* (1959), Alberti, que no era residente pero vivía cerca, evoca sus primeras impresiones del granadino, que le había invitado a cenar y después, en el jardín, acompañado del susurro de los chopos, le había recitado el «Romance sonámbulo».[44]

En otro momento dijo que el «viento verde» del poema «nos tocó a todos, dejándonos su eco en los oídos».[45]

Alberti no olvidaría nunca aquellas horas inaugurales con su «primo». Hasta cierto punto los dos se convertirían luego en rivales poéticos y, si hemos de creer el fascinante testimonio de Dalí, Federico sentía a veces celos del gaditano, cuatro años más joven y cuyo carisma, aunque diferente del suyo (le faltaba, por ejemplo, el don musical), no dejaba de ser considerable. «Federico era la persona más celosa del mundo, de Alberti sobre todo —declaró el pintor ante la grabadora de Max Aub—. Alguien decía por casualidad: "Hay una cosa de Alberti (o de cualquier otro), un tema precioso…" Se le veía devenir pálido, blanco, y entonces, al cabo de un momento, decía: "Estoy fastidiado, tengo dolor de garganta, me voy a acostar…" Y era una escena de celos, ni más ni menos […] Estaba muy celoso de todo el mundo. Era terrible […] Él quería ser el único.»[46]

Y Salvador, ¿no quería él también ser el único? Claro que sí. Lorca, Buñuel, Dalí, que iban a formar el triángulo amoroso/amistoso quizá mas extraordinario del siglo XX, eran, cada uno de ellos a su manera, ambiciosos con mayúscula y capaces de las más feroces, si bien nunca confesadas, envidias.

Alberti visitaba asiduamente la Residencia y evoca en *La arboleda perdida* las célebres sesiones de canciones populares que improvisaba el granadino, a veces con concurso incluido:

—¿De qué lugar es esto? A ver si alguien lo sabe —preguntaba Federico, cantándolo y acompañándose:

> *Los mozos de Monleón*
> *se fueron a arar temprano*
> *—¡ay, ay!—*
> *se fueron a arar temprano...*

En aquellos años de creciente investigación y renacido fervor por nuestras viejas canciones y romances, ya no era difícil conocer las procedencias.

—Eso se canta en la región de Salamanca —respondía, apenas iniciado el trágico romance de capea, cualquiera de los que escuchábamos.

—Sí, señor, muy bien —asentía Federico, entre serio y burlesco, añadiendo al instante con un canturreo docente—: Y lo recogió en su cancionero el presbítero D. Dámaso Ledesma.[47]

Alberti se había iniciado en el juego de los «anaglifos», inventado por los residentes. Consistía en escoger tres sustantivos, el primero de los cuales debía repetirse dos veces, el segundo ser «gallina» y el último sorprender por lo insólito de su fonética o su falta absoluta de conexión lógica con las palabras precedentes.[48]

José Moreno Villa da varios ejemplos en su libro de memorias, *Vida en claro*, uno muy sonado:

> *El té*
> *el té*
> *la gallina*
> *y el Teotocópuli.*[49]

La referencia al té, hay que suponerlo, iba por las enormes cantidades de la infusión consumidas por los residentes, y que Lorca reflejó en un divertido dibujo, *La desesperación del té*. En cuanto a la asociación entre té, gallinas y El Greco, ya es cosa de cada cual.[50]

Pepín Bello, cuyo ingenio era celebrado por todos los residentes, alumbró un anaglifo muy divertido:

> *Verdaderamente*
> *verdaderamente*
> *la gallina*
> *y el calendario.*[51]

Otro pasatiempo de moda en la Residencia consistía en la aplicación del adjetivo «putrefacto» a todo cuanto se considerase burgués, anticuado o artísticamente trasnochado. Parece ser que fue Dalí quien puso de moda el término. Gozaba, además, dibujándolos. «Los había con bufandas, llenos de toses, solitarios en los bancos de los paseos —escribe Alberti—. Los había con bastón, elegantes, flor en el ojal, acompañados por la bestie. Había el putrefacto académico y el que sin serlo lo era también. Los había de todos los géneros: masculinos, femeninos, neutros y epicenos. Y de todas las edades.»[52]

Dalí y Lorca planearon juntos un divertido libro sobre la especie, *El libro de los putrefactos*, pero, a pesar de los denodados esfuerzos de Salvador por conseguir que el poeta colaborara con los textos prometidos, el proyecto no se haría realidad.[53]

En cuanto a la presencia de la Residencia en los versos del granadino, numerosos poemas escritos entre 1921 y 1924 e incluidos más tarde, aunque no todos, en *Canciones* (1927), reflejan el espíritu de la casa, con sus tés, su humor y su camaradería. Varias de las composiciones están dedicadas a residentes o amigos suyos en Madrid, entre ellos Pepín Bello, Buñuel, José Fernández-Montesinos, el inglés Campbell «Colin» Hackforth-Jones, Alberti, Bergamín y los jóvenes músicos Ernesto Halffter y Gustavo Durán. Da el tono del ciclo el poemilla «Tardecilla del Jueves Santo. *1924*», protagonizado por Bello:

> *Cielo de Claudio Lorena.*
> *El niño triste que nos mira*
> *y la luna sobre la Residencia.*
>
> *Pepín, ¿por qué no te gusta*
> *la cerveza?*

> *En mi vaso la luna redonda,*
> *¡diminuta!, se ríe y tiembla.*

> *Pepín: ahora mismo en Sevilla*
> *visten la Macarena.*
> *Pepín: mi corazón tiene*
> *alamares de luna y de pena.*

> *El niño triste se ha marchado.*
> *Con mi vaso de cerveza*
> *brindo por ti esta tarde*
> *pintada por Claudio Lorena.*[54]

También hay guiños a Buñuel. El poeta era ya muy consciente del problema que suponía para el cineasta en ciernes, tan presumido de macho ibérico, la homosexualidad. Cabe inferir que habían seguido teniendo discusiones al respecto. Por todo ello Lorca le tomó el pelo en *Canciones*, al estampar, debajo del título de la composición «Juegos»: «Dedicados a la cabeza de Luis Buñuel. En gros plan». Y no sólo esto, sino que el pequeño poemilla inicial de la ésta, «Ribereñas», contenía claras alusiones a su relación y «Canción de la mariquita» era toda una provocación:

> *El mariquita se peina*
> *con su peinador de seda.*

> *Los vecinos se sonríen*
> *en sus ventanas postreras.*

> *El mariquita organiza*
> *los bucles de su cabeza.*

> *Por los patios gritan loros,*
> *surtidores y planetas.*

> *El mariquita se adorna*
> *con un jazmín sinvergüenza.*

> *La tarde se pone extraña*
> *de peines y enredaderas.*

El escándalo temblaba
rayado como una cebra.

¡Los mariquitas del Sur,
cantan en las azoteas![55]

En este poema, que anticipa el ataque a los maricas en *Oda a Walt Whitman*, Carlos Jerez Farrán identifica al «homosexual moralista que dictamina lo que es aceptable o no en prácticas sexuales». Lorca teme que le tomen por afeminado. Y es probable que nunca superara su miedo al respecto.[56]

Todo indica que fue durante el otoño de 1924 cuando Moreno Villa le proporcionó inadvertidamente uno de los elementos clave de *Doña Rosita la soltera* al anunciar, ante el poeta, Dalí y Bello, que acababa de descubrir, en un libro francés de principios del siglo XIX, una variedad extraordinaria de flor, la *rosa mutabilis*, que nacía roja por la mañana, se volvía un carmín aún más subido al mediodía, se ponía blanca por la tarde y moría aquella misma noche. Federico quedaría profundamente impresionado ante tan soberbia variante del *topos* de la rosa como símbolo del paso del tiempo y de lo efímero del amor, y diría más tarde que, no bien hubo terminado Moreno Villa, ya tenía compuesta mentalmente la obra, aunque tardaría varios años en transmitirla al papel.[57] En realidad había empezado a pensar en su protagonista dos años antes, en 1922, cuando esbozó una lista de los personajes.[58]

Pasa las Navidades en Granada con su familia. Allí recibe una carta de Juan Vicéns, uno de sus amigos de la Residencia y, como Buñuel y Pepín Bello, aragonés. Vicéns supone que el poeta volverá a Madrid para la despedida de Luis, que saldrá hacia París en enero, pero no es el caso: sigue en Granada donde, el 25 de enero, fecha el manuscrito «definitivo» de *Mariana Pineda*.[59]

Refiriéndose en 1927 a los borradores de la obra, dijo que había «tres versiones completamente distintas», las tres primeras «no viables teatralmente. En absoluto». Y siguió: «La que estreno implica una conexión, una sincronización. Hay en ella dos planos: uno amplio, sintético, por el que pueda deslizarse con facilidad la atención de la gente. Al segundo —el doble fondo— sólo llegará una parte del público».[60]

¿Qué quería insinuar por «doble fondo»? Difícilmente podía tener que ver con una crítica encubierta de la dictadura de Primo de Rivera, puesto que la había empezado a escribir meses antes del golpe de estado de septiembre de 1923. Parece más probable que aludía a su tratamiento del amor. Mariana, por encima de todo, es una mujer enamorada. A partir de la primera escena sabemos que, si acepta correr el riesgo de bordar una bandera de la libertad —acto sumamente peligroso en 1831— lo hace para complacer al hombre que ama. Sabe muy bien que sólo con la desaparición del régimen despótico de Fernando VII y la llegada de un sistema democrático podrá vivir en paz con Pedro. Por otra parte está muy lejos de compartir la ingenuidad política de los conspiradores: no cree que los vayan a respaldar las masas ni tampoco que haya «bandas liberales» dispuestas a apoyar su iniciativa. Lo que le importa es Pedro. Y Pedro demuestra que apenas es más que un cantamañanas bienintencionado, incapaz de lanzarse eficazmente a la acción. El amor que la viuda siente por el pusilánime capitán la absorbe hasta tal punto que llega incluso a descuidar a sus hijos, como ella misma reconoce. Por otra parte es consciente de tener ya más de treinta años. Se comprende que crea ver en Pedro tal vez la última esperanza de encontrar la felicidad. Esto hará que no se pare ante nada, incluido el peligro de bordar una bandera liberal.

Otro aspecto posible del «doble significado» de la obra podría ser la visión devastadora que transmite del «establecimiento» granadino, el cual, se sobreentiende, sigue casi igual. Nadie moverá un dedo para salvar a Mariana. Fernando, el joven de dieciocho años que la ama desesperadamente, se lo confirma, y presencia con espanto la brusca transformación que se opera en el ánimo de la heroína cuando, al aceptar su destino, renuncia a salvar la vida delatando a los conspiradores.

La crítica le ha hecho poco caso a Fernando. Francisco García Lorca, por ejemplo, en su análisis de la obra, sólo le menciona una vez de pasada.[61] Y sin embargo su presencia es fundamental. Al enterarse de que Mariana ama a Pedro de Sotomayor, su vida se desmorona como la del «yo» en tantos textos juveniles. Su «amarga pasión» por Mariana, desde que fue niño,[62] recuerda tanto la de Curianito el Nene en *El maleficio de la mariposa* que es difícil dudar de una estrecha identificación por parte del autor con el personaje.

Las palabras finales de Mariana a Fernando le ofrecen poco consuelo:

> ¡A ti debí quererte más que a nadie en el mundo,
> si el corazón no fuera nuestro gran enemigo!
> Corazón, ¡por qué mandas en mí si yo no quiero! [63]

Exactamente. Como dicen los franceses, «el corazón tiene sus razones que la razón no entiende». Lorca lo tiene bien aprendido.

Gregorio Martínez Sierra sigue comprometiéndose, en marzo de 1925, a estrenar pronto *Mariana Pineda* y *La zapatera prodigiosa*. Pero, para irritación del poeta, quiere hacerlo en provincias durante el verano para, así, tantear el terreno. Federico explica a sus padres que insistirá en que las ponga primero en Madrid. Si se niega, está decidido a cederlas a otra empresa. Pero ¿cuál? A pesar de todos los problemas y demoras, sigue creyendo en las buenas intenciones de Martínez Sierra, que «pone la obras como nadie en España». Por ello vale la pena armarse de paciencia y «contemporizar» un poco más. De hecho, ¿qué remedio le queda?[64]

Con Dalí en Cadaqués y Barcelona

Entretanto ha sido invitado a dar una lectura en el Ateneo barcelonés el 13 de abril, Pascua de Resurrección, y a pasar la Semana Santa con Salvador y su familia en Figueres y Cadaqués. Eufórico, les cuenta a sus padres que el Ateneo le va a pagar el viaje y los gastos —siempre la obsesión con no ser «gravoso»— y que en Cadaqués trabajará en una nueva obra de teatro ya empezada —se trata casi seguramente de *Amor de don Perlimplín con Belisa en su jardín*— además de terminar la última escena de *La zapatera prodigiosa*. En su opinión, conocer al grupo intelectual de Barcelona, «uno de los mejores que hoy existen en Europa», le será de gran provecho.

Al mismo tiempo les explica que, si bien Martínez Sierra sigue empeñado en estrenar *La zapatera*, teme que la censura le va a prohibir poner *Mariana Pineda*. De todas maneras se verán en Barcelona el día del recital en el Ateneo, y allí se tomará una decisión tajante sobre la cuestión.[65]

El poeta y Dalí viajaron en tren desde Madrid a Barcelona. A Lorca le llamó fuertemente la atención la «tierra seca y delirante de Aragón, roca viva y vieja angustia de España» y gozó después con el contraste de la dulce campiña catalana, vista ahora por vez primera. Contraste, de verdad, notable.[66]

Desde Barcelona, donde con toda probabilidad pasaron la noche con el tío predilecto de Dalí, Anselm Domènech, conocido librero y gran valedor de su sobrino, siguieron en tren hasta Figueres. Salvador Dalí Cusí, su segunda mujer, Catalina, y Anna Maria se habían ido ya al pueblo para preparar la casa.

Cadaqués, uno de los pueblos más hermosos de la Costa Brava, estaba todavía muy aislado del resto del país debido a la imponente barrera montañosa del Pení. Ya para 1925, es cierto, una carretera relativamente buena unía el pueblo con Figueres, pero, con todo, el autobús tardaba varias horas en sortear aquellos treinta kilómetros, tortuosos en extremo después de la llanura ampurdanesa.

La casa estaba ubicada al borde de la pequeña playa de Es Llané. No existían entonces la calle que hoy pasa delante de la vivienda, ni la mayoría de los chalets que ahora pueblan los alrededores. En 1925 estaba prácticamente sola, con la excepción de la colindante villa modernista conocida popularmente como Es Tortell, «El Pastel», buen ejemplo de la arquitectura «comestible» barcelonesa que tanto le gustaba a Dalí.

Salvador y Federico se presentaron a la hora de comer y Anna Maria, que tenía entonces diecisiete años, quedó inmediatamente fascinada por el poeta. «A los postres éramos tan amigos como si desde siempre nos hubiéramos conocido», recuerda en su libro sobre su hermano.[67]

A Lorca, por su parte, le encantaron el pueblo, la familia Dalí y los personajes a quienes le fue presentando Salvador. Entre éstos el más curioso era Lidia Noguer, viuda que entonces debía de frisar los cincuenta años. De joven había regido una casa de huéspedes en el pueblo donde habían pasado sendas temporadas Picasso y Derain. Más tarde, después de la muerte de su marido, perdió la razón, o parte de ella —como les iba a ocurrir luego a sus dos hijos pescadores—, y entonces su siempre desbordante imaginación había florecido con arrolladora exuberancia. Su conversación torrencial, entreverada de geniales intuiciones y declaraciones oraculares, cautivó a Lorca, que la escuchaba atónito. Más adelante, en sus cartas a Anna Maria, preguntaría a menudo por Lidia, mientras que Salvador le mantendría al corriente de las últimas ocurrencias de la extraordinaria criatura.

Alentado por Dalí, Federico leyó *Mariana Pineda* a la familia y a un pequeño grupo de sus amigos. Cuando terminó todos estaban emocionados, Anna Maria lloraba y el padre, que según Lorca sabía muchos poemas suyos de memoria, declaró que era el poeta más grande del siglo.[68]

En marzo de 1924, antes de poner los pies por primera vez en Cataluña, Lorca había firmado una protesta de los escritores madrileños contra los intentos gubernamentales de limitar el uso de la lengua catalana.[69] Ahora, en contacto directo por vez primera con la cultura del país, y con el idioma, su desprecio por Primo de Rivera se intensifica. «España está muerta —escribe a sus padres— pero Cataluña está viva y como está viva hay vida literaria y política y social.»[70]

Durante su breve estancia en Cadaqués desplegó la rica tapicería de sus múltiples talentos. Improvisados recitales, anécdotas, mímica y, se infiere, música, además de su carisma personal... todo lo puso a disposición de sus anfitriones.[71]

Le impresionó vivamente una excursión en barco con Salvador y Anna Maria al cercano cabo de Creus, no lejos de la raya francesa, aventura descrita aquella noche, con no pocas exageraciones, en una carta a casa. Para empezar, los dos pescadores que los llevaron tenían nombres que le llamaron mucho la atención: Filemón y Bancis. Le hicieron pensar en la *Teogonía*, de Hesíodo, uno de los textos clásicos que más amaba (aunque en realidad procedían de *Las metamorfosis* de Ovidio). Durante todo el trayecto los dos contaron, con «una sencillez y una poesía verdaderamente intensas», historias de amor y de brujas, «mientras la vela latina temblaba en el mar celeste, verde y lapislázuli». A la vuelta, éste, peligrosísimo en las proximidades de Creus cuando sopla tramuntana fuerte, empezó a moverse un poco. Pero nada más.[72] Federico, cómo no, empezó a inquietarse. «He llegado a la casa con una careta de sal marina», les cuenta a sus padres.[73] Unos meses después, recordando el episodio en una carta a Anna Maria, las tintas ya se irían cargando. ¡Si casi naufragaron! [74]

La costa granadina y su extensión hacia Málaga, pasando por Nerja (donde Fernando de los Ríos había comprado una casa de pescadores), era de otro orden y, si podía lucir la bella Punta de la Mona, no tenía nada comparable al cabo de Creus, con sus fabulosos acantilados y sus innumerables y profundas calas. Creus, como escribiría Dalí en su *Vida secreta,* «es exactamente el épico lugar donde los Pirineos bajan al mar, en un grandioso delirio geológico».[75] Cuando Lorca llega a Cadaqués el entorno ya ha ejercido una profunda influencia sobre la sensibilidad y el arte del pintor. Le fascinaba «la violencia elemental y planetaria» de las rocas y peñas del cabo, esculpidas y horadadas por la tramuntana y las lluvias y conocidas localmente, las más notables de ellas, con nombres como El Camello, El Águila, El Yunque, La Esfinge, El Monje o La Cabeza del León.[76] Se trata de estrafalarias formaciones de micacita que, además, experimentan nuevas y sorprendentes metamorfosis según los cambios de luz y el ángulo desde el cual se contemplan. Entre estos riscos, peñascos y soledades minerales Dalí descubriría luego los principios de su famoso y nunca bien definido «método critico-paranoico». No es sorprendente que quisiera mostrar el lugar a Lorca, ni que a éste le impresionara, pues Creus es uno de los parajes más sorprendentes de toda la península Ibérica: un inmenso teatro óptico natural, donde, ante los ojos atónitos del visitante, todo está en un constante proceso de cambio y surgen de las rocas, o entre ellas, de repente, las formas más insólitas e inesperadas.

Federico participó con enorme entusiasmo en la Semana Santa de Cadaqués, saboreando golosamente los típicos dulces que se confeccionan para ella, aprendiendo palabras catalanas y siguiendo las procesiones. Mandó numerosas postales a sus amigos. El Jueves Santo le llevó Salvador a la capital de provincia. «He pasado una magnífica Semana Santa con oficios en la catedral de Gerona y ruido de olas latinas», le escribe a Falla.[77] Otros amigos reciben comunicaciones igualmente entusiastas, entre ellos Jorge Guillén[78] y Fernando Vílchez, dueño del carmen albaicinero donde seis años antes el poeta había conocido al hispanista inglés John Trend. Federico le asegura que, después de la Vega de Granada, «pocas cosas más bellas que el Ampurdán». No se equivocaba.[79]

Dalí le lleva también a las famosas ruinas del puerto comercial griego y romano de Empúries, del cual toma su nombre el Empordà. El rincón le entusiasma, sobre todo el gran mosaico del sacrificio de Ifigenia, hija de Agamenón y Clitemnestra, que, tal vez recordándole alguna lectura de Eurípides, le sugiere enseguida el tema de una obra.[80]

Salvador no sólo quería que Federico conociera a gentes de Cadaqués sino a algunos amigos suyos de Barcelona a quienes invitó a pasar un día con ellos. Se trataba del primer contacto del granadino con la vida intelectual y artística de la capital catalana. Entre los que acudieron estaba el poeta Josep Maria de Sagarra, a quien volvería a ver allí unos días después.[81]

Dalí sabía que a Lorca le atenazaba tanto el terror de la muerte que se había inventado una manera muy original de combatirlo: ni más ni menos que representar, de manera ritual, su propio fallecimiento, entierro y hasta putrefacción.

La primera noticia que tenemos de la ceremonia data de 1918, cuando, con los «rinconcillistas» Manuel Ángeles Ortiz, Ángel Barrios y Miguel Pizarro, rodó una «película», *La historia del tesoro*, compuesta de una secuencia de instantáneas. En ella, disfrazados de moros alhambreños, los cuatro representaron el asesinato del guardián de un alijo de oro, interpretado por el poeta.[82] En una escena similar por las mismas fechas, presenciada por un hijo del catedrático Martín Domínguez Berrueta, el poeta, disfrazado de torero mortalmente herido en la plaza, alistó a unos amigos para que lo llevaran a hombros, chorreando «sangre», hasta su casa. Casi convencido por lo que veía, el muchacho sintió un inmenso alivio cuando Federico «resucitó», dio un salto y se puso a reír a mandíbula batiente.[83]

Numerosos amigos del poeta en la Residencia de Estudiantes habían presenciado la lúgubre ceremonia, que Salvador nunca pudo olvidar:

> Recuerdo su rostro fatal y terrible, cuando, tendido sobre su cama, parodiaba las etapas de su lenta descomposición. La putrefacción, en su juego, duraba cinco días. Después describía su ataúd, la colocación de su cadáver, la escena completa del acto de cerrarlo y la marcha del cortejo fúnebre a través de las calles llenas de baches de su Granada natal. Luego, cuando estaba seguro de la tensión de nuestra angustia, se levantaba de un salto y estallaba en una risa salvaje, que enseñaba sus blancos dientes; después nos empujaba hacia la puerta y se acostaba de nuevo para dormir tranquilo y liberado de su propia tensión.[84]

Se le ocurrió a Dalí retratar al Lorca especializado en representar su propia muerte, y durante su visita, tan pletórica de actividades, todavía encontró tiempo para hacer unos esbozos preliminares, mientras que Anna Maria le fotografió tumbado en la playa (ilustración 17). Basándose en los dibujos e instantáneas realizó un cuadro, *Naturaleza muerta (Invitación al sueño)*, terminado en 1926 (ilustración 18). En él es inconfundible la cabeza del poeta, retratada en forma de cabeza heroica procedente de Picasso. Junto a ella pintó uno de los *aparells* (aparatos) triangulares que no tardarían en proliferar en su obra. Con su orificio central y sus piernas larguiruchas, que sugieren un inminente derrumbamiento, parece representar, en un contexto de impotencia, frustración o esterilidad, la sexualidad femenina que tanta angustia provoca en ambos. Al fondo, detrás de la cabeza de Lorca y entre dos barreras, ha colocado un gracioso aeroplano, alusión a la precisión y asepsia de la era del maquinismo que tanto admiraba.

El cuadro iba a iniciar una larga serie de obras en las que aparecería la cabeza del amigo. Desde el momento de su visita a Cadaqués, de hecho, su presencia en ellas comienza a hacerse casi obsesiva, desplazando la de Anna Maria, cuyos generosos contornos habían llenado las inmediatamente anteriores.

El día antes del regreso del grupo a Figueres, Federico escribe otra vez a sus padres. Su estancia en el pueblo será inolvidable; Anna Maria es la muchacha más guapa que ha visto jamás; le han invitado a leer *Mariana Pineda* en el Ateneo de Figueres; el jueves o viernes próximo dará su recital en Barcelona; los Dalí han confeccionado un pastel con su nombre y dos versos suyos… Total, lo está pasando divinamente.[85]

La lectura de *Mariana Pineda* se da, no en el Ateneo figuerense sino en el amplio salón de la notaría de Salvador Dalí Cusí. Es todo un éxito. Después, en una comida ofrecida, eso sí, por el Ateneo, recita algunos poemas. Como último detalle, Dalí Cusí organiza en su honor, en la Rambla, una audición de sardanas. Federico no ha oído nunca tocar una cobla, aunque sus conocimientos de la música catalana son ya considerables, y la velada le conmueve.[86]

Terminada la Semana Santa, los dos amigos volvieron a Barcelona, donde pasaron un par de días en casa del tío Anselm Domènech.[87]

La ciudad suscita enseguida el fervor del poeta. Más cosmopolita y más desenfadada sexualmente que Madrid, con el barrio medieval que falta en la capital (sin catedral y sólo un pequeño pueblo árabe, al fin y al cabo, durante la Edad Media), le parece algo así como un París más pequeño, con la ventaja de ser uno los puertos más importantes del Mediterráneo. Una postal conjunta, enviada a José Bello, lo dice todo, o casi: «Pepin —empieza Salvador con su ortografía *sui generis* y sin puntuación—: Gente de todos los paises —Jazzes formidables— Dancincs hasta las 8 i media de la mañana. En el puerto marineros borratchos cantan canciones de taberna. Federico muriendose de miedo en las grutas magicas del Paralelo y recordandote continuamente». Lorca añade abajo: «Te advierto que las grutas mágicas son horror de cosas espeluznantes, muertos, manos matarifes». Rafael Santos Torroella ha puntualizado que se trataba, en realidad, de «las populares y desaparecidas atracciones Apolo y sus toboganes a modo de montañas rusas interiores».[88]

En el Ateneo da una lectura informal de *Mariana Pineda* y de algunos poemas, todavía inéditos, del *Romancero gitano*. Acuden los amigos de Salvador que los han visitado en Cadaqués, y alguna figura más del mundo literario y artístico barcelonés. Como no se trataba de un acto explícitamente público, no parece que saliera ninguna reseña periodística del acto, que tampoco se anunció en la prensa.[89]

¿Hizo acto de presencia, como había prometido hacerlo, «el zorro sinvergüenza» de Gregorio Martínez Sierra —así lo ha llamado Federico en una carta a su familia desde Cadaqués—, para resolver con él la cuestión de los estrenos de *Mariana Pineda* y *La zapatera prodigiosa*? No parece.[90]

Después del acto el grupo cena en un célebre restaurante bohemio, El Canari de la Garriga, frecuentado a principios de siglo por los escritores y artistas más notables de la época, entre ellos Picasso, y que sigue siendo refugio del gremio. Los asistentes dejan constancia en el libro de oro. Dalí contribuye una divertida caricatura de Picasso, firmando «ex presidiario», referencia a la breve temporada pasada el año anterior, por motivos políticos, en sendas cárceles de Figueres y Girona. Lorca, tras estampar «presidiario en potencia», añade: «Visca Catalunya lliure!».[91]

No olvidará aquellas primeras impresiones de Barcelona. A principios del año siguiente escribirá a Fernández Almagro, cuya reacción adversa a Zaragoza (sólo vista desde el tren) compartía:

> En cambio Barcelona ya es otra cosa, ¿verdad? Allí está el Mediterráneo, el espíritu, la aventura, el alto sueño de amor perfecto. Hay palmeras, gentes de todos países, anuncios comerciales sorprendentes, torres góticas y un rico pleamar urbano hecho por las máquinas de escribir. ¡Qué a gusto me encuentro allí con aquel aire y *aquella pasión*! No me extraña el que se acuerden de mí, porque yo hice muy *buenas migas* con todos ellos y mi poesía fue acogida como realmente no merece. Sagarra tuvo conmigo deferencias y camaraderías que nunca se me olvidarán. Además, yo que soy *catalanista furibundo* simpaticé mucho con aquella gente tan *construida* y tan harta de Castilla.[92]

Cadaqués, sobre todo, se quedará grabado en su memoria, durante los dos años siguientes, como la imagen misma de la belleza clásica y perfecta, de la armonía y de la creatividad. El pintor y el hermoso pueblo marinero acurrucado al pie del Pení ya están inseparablemente vinculados para él, y muy pronto empezará a trabajar en su magna *Oda a Salvador Dalí.*

Surrealismo en Madrid, verano sin Salvador

Lorca y Dalí se perdieron la conferencia sobre surrealismo pronunciada por Louis Aragon en la Residencia de Estudiantes, en francés, el 18 de abril de 1925, pero es imposible que no se enterasen de su explosivo contenido al volver a Madrid unos días después. Aragon dejó con Alberto Jiménez Fraud, casi seguramente, una copia de su texto —práctica habitual entre los conferenciantes—, pero, aunque no fuera así, se publicaron extractos en el siguiente número de *La Révolution surréaliste,* la revista del movimiento capitaneado por André Breton.

Con el «tono insolente» que, según explicó al público, le gustaba emplear en tales ocasiones, Aragon atacó de manera frontal la sociedad occidental actual, «las grandes potencias —intelectuales, universidades, religiones, gobiernos— que reparten entre ellas este mundo, y que desde la infancia apartan al hombre de sí mismo según un proyecto siniestramente preestablecido». Aseguró a sus oyentes que acababa de expirar «la vieja era de la cristiandad» y que había llegado a Madrid para predicar la buena nueva de «un nuevo espíritu de rebeldía, un espíritu decidido a atacarlo todo»:

> Despertaremos por todos lados los gérmenes de la confusión y del malestar. Somos los agitadores del espíritu. Todas las barricadas son buenas, todas las trabas puestas a vuestras alegrías malditas. Judíos, ¡salid de los guetos! ¡Que se haga pasar hambre al pueblo, para que éste conozca por fin el sabor del pan de la rabia! ¡Que te muevas, India de mil brazos, gran Brahma legendario! Es tu momento, Egipto. Y que los traficantes de drogas se abalancen sobre nuestros países aterrorizados. Que los lejanos Estados Unidos se derrumben bajo el peso de sus edificios blancos en medio de las absurdas prohibiciones. Sublévate, mundo. Mirad cómo está seca esta tierra, lista para todos los incendios. Paja, se diría.[93]

Parece ser que ningún periódico de Madrid comentó la conferencia. En cualquier caso era imposible desconocerlo: el surrealismo, en la persona de uno de sus más agresivos promotores, había hecho bullicioso acto de presencia inaugural en la capital española.

Antes de la llegada de Aragon a Madrid, por otro lado, podemos estar seguros de que Lorca ya estaba al corriente de las bases teóricas del surrealismo. Quizá cabe inferir incluso que habría leído, en el número de diciembre de 1924 de la *Revista de Occidente* de Ortega y Gasset, el análisis crítico, debido a Fernando Vela, amigo de la «Resi», del primer manifiesto de Breton (que aquel octubre había alcanzado su séptima edición).[94]

Por otro lado no había perdido el contacto con Guillermo de Torre, cuya fascinación con los *ismos* dio su mejor fruto en mayo de 1925 con la publicación en Madrid de su monumental estudio *Literaturas europeas de vanguardia*, canto —muy en deuda con Ortega— a la actual juventud creadora del Viejo Continente. El ejemplar de Lorca lleva una cálida dedicatoria: «A Federico, poeta por la gracia de Dios y amigo jovial por el viento de las afinidades. Con un abrazo de Guillermo, 24-V-25». Se deduce que Torre se lo había entregado en mano. En la contracubierta hay una anotación interesante —«Se terminó. Visto. Federico García Lorca»— y, abajo, una sorpresa: tres palabras manuscritas que dicen «El hijito Salvador Dalí». Era el término con el cual Federico ya se refería con frecuencia al predilecto.[95]

Al granadino le complacería, seguramente, la referencia en el libro a su poesía. En ella, según Torre, «a pesar de haberse formado aparte y netamente diferenciada del ultraísmo, pueden encontrarse muy interesantes puntos de contacto. En rigor Lorca es el único poeta que sin estar adscrito oficialmente puede considerarse como el mejor afín. Su *Libro de Poemas*, publicado en 1921, que recoge sus más tempranas sensaciones de adolescencia, abunda ya en certeras visiones y delicadas imágenes. Subsiguientes libros suyos anunciados, tal *El Libro de las suites*, ratifican y elevan su estro a cumbres árticas [sic] del más puro lirismo».[96]

El 28 de mayo, coincidiendo oportunamente con la publicación del gran libro de Torre, se celebró en Madrid la primera exposición organizada por la Sociedad Ibérica de Artistas, a la que pertenecían Lorca y Dalí. Su objetivo fundamental: fomentar los contactos artísticos entre Cataluña y el resto de España. Varios de los expositores eran amigos personales del poeta, entre ellos, además

de Salvador, Benjamín Palencia, José Moreno Villa y el escultor
Ángel Ferrant. A Lorca, se supone, le interesaban sobre todo las
obras dadas a conocer en la muestra por su «hijito»: *Naturaleza
muerta,* titulada más tarde *Sifón y botella de ron*, y *Desnudo femenino* (Dalí luego le regaló ambos); *Muchacha sentada de espaldas*;
y un notable retrato de Buñuel en el que aparecen unas nubes
alargadas y puntiagudas, insertadas a instancias del aragonés,
que citaban las del famoso *Tránsito de la Virgen*, de Mantegna,
admirados por el grupo en el Prado, y una de las cuales, que parece apuntar directamente al ojo derecho de Buñuel, acaso influyera
luego en la celebérrima escena inicial de *Un Chien andalou*, la del
ojo seccionado.[97]

Al poco tiempo Dalí vuelve a Cadaqués para el verano, mientras, a mediados de junio, Federico toma el tren de Granada. Pronto le encontramos otra vez en plena Vega, entregado a la composición, como le explica a Melchor Fernández Almagro, de «unos
diálogos extraños, profundísimos de puro superficiales, que acaban todos ellos con una canción». Le dice que ya tiene hechas *Escena del teniente coronel de la Guardia Civil* (fechado el 5 de julio
de 1925), *La doncella, el marinero y el estudiante* (6 de julio), *El
loco y la loca*, *Diálogo de la bicicleta de Filadelfia* (luego rebautizado *El paseo de Buster Keaton*) y *Diálogo de la danza*. «Poesía
pura. Desnuda», resume. La referencia va por el debate, muy vivo
en estos momentos, sobre la «poésie pure» y la deshumanización
del arte (se acaba de publicar el famoso ensayo de Ortega y Gasset). «Creo que tienen un gran interés —sigue—. Son más *universales* que el resto de mi obra... (que, entre paréntesis, no la encuentro aceptable)».[98]

De estos textos, *Diálogo de la danza* es desconocido y sólo han
quedado, entre los papeles del poeta, unos pocos fragmentos de *El
loco y la loca*. En cuanto a los demás destaca *Diálogo de la biciclet-
ta de Filadelfia,* que justifica sobradamente su convicción de que
los «diálogos» son más «universales» que su obra anterior, si por
«universales» quería decir menos obviamente andaluces o incluso
españoles.

Dalí y Lorca, como Buñuel, José Bello y Rafael Alberti, eran
férvidos cinéfilos en un Madrid loco por el séptimo arte, y apasionados admiradores de Keaton. «Parece que Buster Keaton ha hecho una película en el fondo del mar con su sombrerito de paja encima de la escafandra de buzo», le escribió Salvador al poeta hacia
finales del verano. Se trataba de *El navegante*, rodado el año ante-

rior.[99] Con otra carta incluyó un encantador collage, titulado *El casamiento de Buster Keaton,* compuesto de recortes de periódicos (con fotografías del actor y noticias de su noviazgo con Natalia Talmadge), extractos de obras astronómicas y varios añadidos propios.[100]

El paseo de Buster Keaton, pese a su extrema brevedad, constituye un importante hito en el desarrollo literario de Lorca, anticipando en varios aspectos a *Poeta en Nueva York*, *El público* y *Así que pasen cinco años*. El escenario (alrededores de Filadelfia), el gallo de las Noticias Pathé, el negro que come su sombrero de paja «entre las viejas llantas de goma y bidones de gasolina», la Mujer Moderna agresivamente libre, la insensibilidad social del continente norteamericano, inmenso y materialista: todo ello anuncia lo que vendrá dentro de algunos años cuando, por primera vez en su vida, logre escaparse de España.

Se ha dicho que el Buster Keaton de Lorca incorpora sus íntimas angustias y preocupaciones.[101] La tesis es convincente. Al poeta le han llamado particularmente la atención los melancólicos ojos de Keaton («infinitos y tristes como los de una bestia recién nacida»),[102] que nos recuerdan las muchas evocaciones de los del propio poeta hechas por amigos suyos y otros testigos. En cuanto al encuentro de Buster con la muchacha, Lorca subraya tanto la absoluta incapacidad del actor para reaccionar positivamente ante tan descarado asalto como su hondo deseo de ser otro: «Quisiera ser un cisne. Pero no puedo aunque quisiera. Porque ¿dónde dejaría mi sombrero? ¿Dónde mi cuello de pajaritas y mi corbata de moaré? ¡Qué desgracia!».[103]

Si *El paseo de Buster Keaton* es un pequeño tributo al cine mudo, *La doncella, el marinero y el estudiante* evoca a Málaga (los amigos de Lorca, los poetas Emilio Prados y Manuel Altolaguirre, malagueños ambos, aparecen inesperadamente al final) y, sobre todo, aunque menos obviamente, al Cadaqués que Federico acaba de conocer. El balcón donde tienen lugar los intercambios recuerda la ventana de la casa veraniega de los Dalí, así como el magnífico cuadro de Salvador, *Venus y el marinero*, pintado aquel año; mientras la indicación «Una canoa automóvil llena de banderas azules cruza la bahía dejando atrás su canto tartamudo»[104] no sólo hace pensar inmediatamente en dicho cuadro y muchos dibujos del Dalí de este período sino, de manera más concreta, en una carta a Anna Maria (mayo de 1925) donde el poeta se queja de que Salvador no le contesta e «imagina» la escena en el pueblo: «Los peces de plata salen a tomar la luna y tú te mojarás las trenzas en el agua cuando va y viene el canto tartamudo de las canoas de gasolina».[105] Los días pasados en Cadaqués, y el contacto diario con un Dalí cada vez más enemigo de todo sentimentalismo, entregado a su trabajo con la exclusión de casi todo lo demás, ya están influyendo poderosamente en su ánimo y en la orientación de su obra.[106]

Escena del teniente coronel de la Guardia Civil, rematada con «Canción del gitano apaleado», será incluido en *Poema del cante jondo* (no publicado hasta 1931).

Vale la pena comentarla. El poeta andaba algo molesto con la Benemérita estos días, y por las mismas fechas le escribió al pintor manchego Benjamín Palencia, con una de sus exageraciones habituales: «La Guardia Civil mata un gitano cada día y apunta su nombre en una lista larga y ondulante como un dragón chino».[107] Los tricornios, ciertamente, la tenían tomada con los calés. En Granada no sólo habían sido frecuentes los conflictos mortales entre familias gitanas, con su cuota de reyertas sangrientas, sino que los violentos y a veces mortales encuentros entre gitanos y guardias habían dejado su impronta en el inconsciente colectivo de la ciudad. Ya vimos cómo, en noviembre de 1919, Lorca y Manuel Ángeles Ortiz presenciaron el desenlace de un episodio especialmente brutal, desenlace que hay que suponer inspiró la «Canción del gitano apaleado»:

> *Veinticuatro bofetadas.*
> *Veinticuatro bofetadas;*
> *después, mi madre, a la noche,*
> *me pondrá en papel de plata…*[108]

El proyecto de dar expresión épica y mítica a la lucha tradicional entre los gitanos de Andalucía y la Benemérita, que culminaría con el «Romance de la Guardia Civil española», fue una corazonada genial.

El 9 de julio de 1925 fechó otro texto de la misma serie, *Diálogo del Amargo*, que terminaba con «Canción de la madre del Amargo». Explicó unos años después el origen del personaje:

Teniendo yo ocho años, y mientras jugaba en mi casa de Fuente Vaqueros, se asomó a la ventana un muchacho que a mí me pareció un gigante, y que me miró con un desprecio y un odio que nunca olvidaré, y escupió dentro al retirarse. A lo lejos oí una voz que lo llamó: «¡Amargo, ven!».

Desde entonces el Amargo fue creciendo en mí hasta que pude descifrar por qué me miró de aquella manera, ángel de la muerte y la desesperanza que guarda las puertas de Andalucía. Esta figura es una obsesión en mi obra poética. Ahora ya no sé si la vi o se me apareció, si me lo imaginé o ha estado a punto de ahogarme con sus manos.[109]

Tuviera lugar realmente aquel episodio o no, lo cierto es que el Amargo fue obsesión del poeta, siempre asociado a la muerte anunciada, ineludible. Protagoniza también el «Romance del emplazado», del *Romancero gitano* y, según Lorca, se llora a esta «figura enigmática» (aunque sin nombrarlo) al final de *Bodas de sangre*, donde la Madre maldice el cuchillo asesino.[110] Tanto en *Diálogo del Amargo* cuanto en el romance, el personaje sabe que le queda poco tiempo: en el primero el fatal trance acaece el 27 de agosto, en el segundo el 24.[111]

A Lorca le tocará el 18 del mismo mes. ¿Algo intuye?

¿Cómo escaparse?

Lograr huir de la España de Primo de Rivera, con su asfixiante moral sexual, su censura y sus tabúes, su mezquindad y su constante acoso a los anticonformistas, intelectuales… y homosexuales; conseguir la independencia financiera, incluso, si hace falta, como «lector» en algún departamento de español extranjero: es la meta fundamental del poeta en estos momentos en que, a los veintisiete años, sigue dependiendo económicamente de sus padres y apenas ha ganado todavía un céntimo con su trabajo. El deseo de liberación, ya exacerbado por la estancia de su hermano en Francia, se acrecienta al recibir una nota de Dalí en que le dice haber recibido postales de varios amigos que han dado el salto a París. Entre ellos, además de Buñuel y Juan Vicéns, el poeta José María Hinojosa y el también malagueño José Moreno Villa.[112]

Piensa constantemente en Salvador. «El asunto de Barcelona no lo olvido. Es la única manera de que pueda saludar a nuestro amigo Dalí este verano. Dime lo que pasa», le escribe a Benjamín Palencia, gay como él.[113] No sabemos de qué «asunto» se trata. Unas semanas después confiesa a Palencia que está pasando un «verano melancólico y turbio». Y sigue: «Atravieso una de las crisis más fuertes que he tenido. Mi obra literaria y mi obra sentimental se me vienen al suelo. No creo en nadie. No me gusta nadie. Sueño un amanecer *constante*, frío como un nardo, lleno de olores fríos y sentimientos justos. Una ternura exacta y una luz inteligente y dura. ¡Veremos cómo escapo!». Añade que espera volver pronto a su amada Málaga, donde Dionisios «te roza la cabeza con sus cuernos sagrados y tu alma se pone color de vino» (de vino tinto, se infiere). Piensa que allí, junto a las olas, quizá conseguirá recobrar su antigua creencia en el fatalismo, que ha perdido en Madrid, y volverá a aceptar que *«lo que tiene que ser será. ¡Y nada más!»*.

Luego surge otra vez el tema del gran amigo ausente: «Salvadorcito Dalí viene pronto a mi casa. No necesito decirte lo bien que lo vamos a pasar. Ya tengo organizada una fiesta gitana en su honor».[114] La verdad, sin embargo, es que el pintor está preparando, febrilmente, su primera exposición individual para las Galeries Dalmau de Barcelona y en absoluto tiene la intención de viajar a Granada, como no tardará en comunicarle.[115]

A finales del verano Lorca acompaña a su familia a la tan ansiada Málaga. Desde allí escribe a Anna Maria, y le dice que el cambio le ha sentado de maravilla: «Puedo decir que Málaga me ha dado la vida. Así pude terminar mi *Ifigenia*, de la que te enviaré algún fragmento». Anna Maria no recibiría nunca, sin embargo, el prometido extracto. ¿Realmente había terminado la obra? No tenemos más noticias del proyecto y ni sabemos si iba a ser un poema o una pieza de teatro.[116]

¿Y *La zapatera prodigiosa* y *Mariana Pineda*? Todo es, otra vez, demoras y dudas. Pero luego, el 10 de septiembre, Marquina le informa de que aquel mismo día va a ver a la conocidísima actriz Margarita Xirgu y que le recomendará *Mariana Pineda*. Da su palabra de hacer todo lo posible para que la monte. La noticia es estupenda dada la amistad del dramaturgo con la catalana, que ha encarnado a numerosas heroínas suyas.[117]

Este otoño los padres de Federico no le permiten abandonar Granada porque, según le cuenta a Fernández Almagro, están «enfadados» (una vez más). Adiós, pues, al «sueño», que persiste, de visitar Italia. En cambio el más afortunado Francisco se irá pronto otra vez, rumbo, ahora, a Burdeos, becado por la Junta de Ampliación de Estudios.[118] En su carta a Melchor, Federico le explica que ya está enfrascado en *Amor de don Perlimplín con Be-*

lisa en su jardín y le recuerda una sesión en el café Savoia, de Madrid, cuando le habló del proyecto. Obsesionado, como es lógico, con su situación económica, piensa constantemente en cómo ganarse la vida y tener así contentos a sus padres. ¿Oposiciones? Pero ¿a qué?

En cuanto a Granada, ya no la aguanta para vivir. Es «horrible». Y no es Andalucía. «Andalucía es otra cosa —insiste—; está en la gente... y aquí son gallegos. Yo, que soy andaluz y requeteandaluz, suspiro por Málaga, por Córdoba, por Sanlúcar la Mayor, por Algeciras, por Cádiz auténtico y entonado, por Alcalá de los Gazules, por lo que es *íntimamente* andaluz. La verdadera Granada es la que se ha ido, la que ahora aparece muerta bajo las delirantes y verdosas luces de gas. La otra Andalucía está viva; ejemplo, Málaga.» Quizá nunca había escrito palabras tan duras sobre la ciudad. Tiene la sensación de que le está asfixiando.[119]

El 14 de noviembre se inaugura en Barcelona la exposición de Dalí: diecisiete cuadros y cinco dibujos, en su mayoría de reciente factura. Los críticos son unánimes en sus elogios. El pintor, que ahora tiene veintiún años, le cuenta a Federico, eufórico, que ha sido «un éxito completo» e incluye con su carta recortes de las reseñas... más severas. Las otras, explica, no tienen interés por «muy incondicionalmente entusiastas». ¿Y Federico? ¿Qué hace? ¿Dibuja? «No dejes de escribirme, tú —insiste—; el unico hombre interesante que he conocido». Viniendo de Salvador no cabe mayor elogio. Acompaña la carta el dibujo de un picador en el acto de pinchar un toro. Tiene una dedicatoria que llama la atención: «Para Federico García Lorca, con toda la ternura de su hijito Dalí, 1925».[120] Cabe imaginar que, al recibir comunicaciones como ésta, la necesidad que siente el poeta de huir de Granada y ver a Salvador se hace más imperiosa que nunca, su frustración más intensa. Sin embargo, como depende totalmente del dinero de sus padres, por el momento no puede hacer nada por mejorar su situación.

Pero no se da por vencido. Estimulado por Miguel Pizarro y otros amigos del Rinconcillo está ya empeñado en publicar simultáneamente tres libros de poemas, nada menos: *Suites, Poema del cante jondo* y *Canciones*. Comunica el proyecto a su hermano, ya instalado en Burdeos, pero no dice cómo espera conseguir este milagro. Se trata de otro proyecto «resuelto» en su cabeza, pero sin asidero firme en la realidad. Entretanto, al aproximarse las fiestas navideñas, hay que seguir luchando.[121]

1926

Perlimplín, Góngora y la Nueva Objetividad

En enero de 1926 llega a Barcelona Melchor Fernández Almagro, enviado por el diario madrileño *La Época* para cubrir el magno homenaje que Cataluña está brindando al escritor y pintor Santiago Rusiñol. Encuentra un resquicio, durante su breve estancia, para visitar a Dalí en Cadaqués.[1]

Desde Zaragoza, en el viaje de vuelta a Madrid, le cuenta sus peripecias a Lorca, quien, en su larga contestación, elogia a Cataluña y su capital, y dice estar muy en contacto con todo lo que está pasando allí gracias a Salvador, su «amigo y compañero inseparable», con quien sostiene una «abundante correspondencia». Le ha invitado, además, a pasar otra temporada con él para hacer su retrato —probablemente *Naturaleza muerta (Invitación al sueño)*, empezado el año anterior y ya mencionado—, con lo cual espera volver a verle pronto. Refiriéndose a los «tres libros» que tiene listos para la imprenta —*Poema del cante jondo, Suites* y *Canciones*—, los ha revisado cuidadosamente y a su juicio han alcanzado ya su necesario estado de depuración, sobre todo *Canciones*.[2]

Tiene entre manos, amén de sus otros proyectos, una pequeña obra teatral, *El amor de don Perlimplín con Belisa en su jardín. Aleluya erótica en cuatro cuadros*, esbozada unos tres años antes y cuyo protagonista, tradicionalmente feo y jorobado, procede de los «toscos grabados y pareados grotescos» de una aleluya, o aleluyas, conocida en la infancia.[3] Incluye con la carta la segunda escena del tercer acto. El hecho de que se trata de la que resultará ser la penúltima, y de que el texto corresponde casi palabra por palabra a la copia mecanografiada de 1928 (falta el manuscrito), sugiere que la pieza está casi terminada.[4]

Carecemos de información pormenorizada acerca de la elaboración de *Don Perlimplín*, una de las pequeñas creaciones maestras del poeta. Variación sobre el tema, muy cervantino, del viejo casado con una mujer joven (ya abordado en *La zapatera prodigiosa*), gira en torno a la impotencia masculina. Perlimplín, de hecho, no es un viejo, aunque lo parezca y se lo crea, pues tiene sólo cincuenta años. Y si es virgen y sexualmente incapacitado se debe a razones psicológicas, no físicas, vinculadas con el temor a la castración y al hecho de haber tenido una madre muy dominadora (ya fallecida). «Cuando yo era niño —le explica a su criada, Marcolfa— una mujer estranguló a su esposo. Era zapatero. No se me olvida. Siempre he pensado no casarme. Yo con mis libros tengo bastante. ¿De qué me va a servir?».[5]

Pero se deja convencer por ella y la madre de Belisa, en absoluto indiferente ante la riqueza de su vecino.

Quizá el aspecto más interesante de la minúscula obra sea la reacción del protagonista al descubrirse impotente la noche de su boda, y su decisión de llevar a cabo una imaginativa y sutil forma de venganza antes de suicidarse. Cuando se disfraza de joven galán, cubierto con una simbólica capa roja, no sólo le encandila a Belisa, sino que se vuelve sexualmente activo (hay que creer a ésta cuando dice que ha sentido no sólo el calor sino el peso de aquel «delicioso joven de mi alma»).[6] Darse cuenta de que únicamente por la vía de la fantasía puede alcanzar la potencia es la amarga píldora que el matrimonio le hace tragar a Perlimplín. Su suicidio se presta a diferentes interpretaciones, desde luego, pero él mismo no entretiene dudas al respecto: se quita la vida para liberarse de la «oscura pesadilla» del «cuerpo grandioso» de Belisa —cuerpo «para músculos jóvenes y labios de ascuas»— y también, generosamente, para que ella recobre su libertad.[7]

En la muerte de Perlimplín, como en la de Mariana Pineda, es difícil no reconocer una dimensión cristológica. Le dice a Belisa que va a sacrificarse por ella, y la acotación del cuadro tercero indica que la mesa del comedor debe tener «todos los objetos pintados como en una "Cena" primitiva». Y aún más contundentes son las palabras de Marcolfa después del suicidio, en evidente alusión a la crucifixión: «Belisa, ya eres otra mujer… Estás vestida por la sangre gloriosísima de mi señor».[8] Todo ello nos remite a la angustia religiosa de Lorca —que tanto sorprendía a Dalí («Tú eres una borrasca cristiana y necesitas de mi paganismo»)— además de a su propia inseguridad sexual.[9]

Durante estos primeros meses de 1926, atrapado en Granada («mortal para mi vida y mi situación»),[10] se irrita cada vez más ante el aparente desinterés de Eduardo Marquina por la suerte de *Mariana Pineda*. Lleva ya medio año prometiendo el dramaturgo intervenir a su favor con Margarita Xirgu y, por lo visto, la actriz ni siquiera la ha leído todavía. En cuanto a Martínez Sierra, ya se ha negado rotundamente, después de tantas promesas, a ponerla en escena. Lorca está furioso. En otra carta a Fernández Almagro llama al empresario por dos veces «cabrón» y amenaza con vengarse.[11]

Sus amigos, preocupados, saben que en estos momentos difíciles necesita urgentemente unas buenas noticias… y un cambio de ambiente. El 2 de febrero de 1926 le escribe Buñuel desde París, acusándole de haberlo olvidado y aconsejándole una visita a la capital francesa:

> ¡Qué lástima que no vengas por aquí o, al menos, no renueves el aire que respiras! Tú eres de los que conozco el que saldrías más beneficiado con ello. Al menos podría verte continuamente y zurcir nuestra vieja amistad. Recuerdo siempre los intensos momentos que, durante varios años, convivimos.[12]

Entretanto Lorca inaugura el Ateneo Científico, Literario y Artístico de Granada en oposición al Centro Artístico, considerado por el Rinconcillo ya moribundo y sin remedio. Su discurso, *La imagen poética de don Luis de Góngora*, es fruto, según le escribe a Jorge Guillén, de tres meses de intenso trabajo y de una profunda meditación sobre la estética del autor de las *Soledades* en el tercer aniversario de su muerte.[13]

Estética que, a su juicio, coincide hasta tal punto por su objetividad y su sentido de la metáfora con las tendencias actuales que casi se podría decir que Stéphane Mallarmé es el «mejor discípulo» del gran cordobés. En relación con la imagen poética cita a otros dos franceses, Marcel Proust y el joven cineasta y crítico Jean Epstein. El libro de éste, *La Poésie d'aujourd'hui. Un nouvel état d'intelligence* (1921), había sido convertido en objeto de culto, nada más editarse, por los ultraístas y comentado elogiosamente por Guillermo de Torre en la revista madrileña *Cosmópolis*. Aunque quizá no lo leyó, Lorca estaba al tanto. Epstein había notado, escrutando la lírica actual, que «en el más mínimo poema llueven las metáforas». Estimaba que una poesía inteligente exigía la metáfora, entendida por él como «un teorema en el que se salta sin intermediario de la hipótesis a la conclusión». La definición se hizo pronto célebre. Lorca la cita con aprobación. También una aseveración de Proust traída a colación por Epstein: «Sólo la metáfora puede dar una suerte de eternidad al estilo».[14]

La conferencia da fe de que el granadino admira en Góngora, amén de su don innato para la imagen, la búsqueda de «la belleza objetiva, la belleza pura e inútil», exenta de «congojas comunicables» y sentimentalismos; su «nativa necesidad de belleza nueva»; su profundo conocimiento de la mitología grecolatina y «extraordinaria capacidad» propia para el mito; las limitaciones que impone a su imaginación, siempre en peligro de desbordarse; su manera «de animar y vivificar la Naturaleza»; y, ¿por qué no?, la «gracia andaluza» que le caracteriza y hasta «sus piropos de cordobés enamoradísimo».

Góngora no se deja arrastrar, explica, por «las oscuras fuerzas naturales de la ley de inercia» y busca por encima de todo la claridad, la medida y el orden. Además, si las *Soledades* son difíciles, no es por un deliberado y perverso afán de oscuridad, sino por su imperiosa necesidad de encontrar perspectivas nuevas.

Hay un pasaje del discurso que indica hasta qué punto Lorca se identifica con Góngora. Acaba de observar que éste «armoniza y hace plásticos de una manera a veces hasta violenta los mundos más distintos». Y sigue:

> En sus manos no hay desorden ni desproporción. En sus manos pone como juguetes mares, y reinos geográficos, y vientos huracanados. Une las sensaciones astronómicas con detalles nimios de lo infinitamente pequeño, con una idea de las masas y de las materias desconocidas en la Poesía hasta que él las compuso.[15]

Unos años más tarde se referirá en términos casi idénticos a su propio mundo lírico, a su «gusto de mezclar imágenes astronómicas con insectos y hechos vulgares, que son notas primarias de mi carácter poético».[16] Es evidente que, cuando sólo está empezando a despuntarse la revalorización de Góngora, encabezada por Dámaso Alonso, ya ha encontrado numerosos puntos de contacto entre su inspiración y la suya, sobre todo en lo tocante a la imagen de raíz popular.

«En Andalucía —subraya— la imagen poética llega a extremos de finura y sensibilidad maravillosas, y las transformaciones son completamente gongorinas.» ¿No tiene el pueblo una «riqueza magnífica» de ellas, bautizando a dulces como *tocino del cielo* o *suspiros de monja* o a la cúpula de una iglesia como *media naranja*? ¿Y cómo no le iba a fascinar a él, hijo de Fuente Vaqueros, que el maestro llame al chopo, mecido por la brisa, «verde lira»?[17] Para demostrarlo de manera contundente recurre a dos ejemplos extraídos de su propia experiencia en su Vega natal:

> A un cauce profundo que discurre lento por el campo lo llaman un *buey de agua*, para indicar su volumen, su acometividad y su fuerza; y yo he oído decir a un labrador de Granada: «A los mimbres les gusta estar siempre en la *lengua* del río». Buey de agua y lengua del río son dos imágenes hechas por el pueblo y que responden a una manera de ver ya muy cerca de don Luis de Góngora.[18]

Al mismo tiempo que preparaba la conferencia sobre el autor de las *Soledades* seguía inmerso en la creación de sus romances «gitanos». La imagen del buey de agua le había impresionado tanto que recurre a ella (o surge de su propio impulso) en el romance «El emplazado», protagonizado por el enigmático Amargo:

> Los densos bueyes del agua
> embisten a los muchachos
> que se bañan en las lunas
> de sus cuernos ondulados...[19]

La conferencia sobre Góngora, que hoy se nos revela como uno de los documentos teóricos más importantes de la llamada «Generación del 27», nos mete de lleno dentro del proceso poético creativo del granadino entonces, no exento de conflictividad: por un lado, la «poesía pura» y el arte «deshumanizado» característicos del momento, por otro la necesidad de dar voz a sus sentimientos más hondos.

También estaba trabajando entonces en la *Oda a Salvador Dalí* además de en otra composición dentro de la misma órbita, escrita asimismo en alejandrinos, *La sirena y el carabinero*, de la que sólo se conoce un fragmento de veinticuatro versos, pero que, según el poeta, iba a tener «cuatrocientos seguramente».[20]

El pintor lleva meses quejándose en sus cartas de que sólo le manda pequeños extractos de «su» oda, administrándoselos con cuentagotas.[21] Tanto su curiosidad como su vanidad quedan más que satisfechas cuando se publica en el número de abril de 1926 de la muy prestigiosa *Revista de Occidente*, dirigida por Ortega y Gasset.[22]

La *Oda a Salvador Dalí* no es sólo un ferviente canto a la amistad, ni un panegírico a la sinceridad con la que el pintor se empeña en crear una obra donde priman la simetría, la objetividad y la ausencia de sentimentalismo. Es también, aunque entre líneas, la constancia de que entre ambos hay una radical diferencia. Por mucho que el poeta admire la estética de la Santa Objetividad, y hasta cierto punto comparta sus consecuencias formales, su personalidad es dionisíaca y apasionada donde la de Salvador tiende a lo apolíneo. Es como si estuviera sugiriendo al Dalí de «alma higiénica» que no tema tanto perder el control, que se atreva a aventurarse por territorios tal vez peligrosos pero también creativos, que esté más abierto a la vida y al amor.

El mar y el caserío de Cadaqués, donde Picasso y Derain habían pintado algunas admirables obras cubistas, representan para el poeta, al igual que para Dalí, el ideal clásico de armonía, sobriedad y nitidez:

> *Cadaqués, en el fiel del agua y la colina,*
> *eleva escalinatas y oculta caracolas.*
> *Las flautas de madera pacifican el aire.*
> *Un viejo dios silvestre da frutos a los niños.*
>
> *Sus pescadores duermen, sin ensueño, en la arena.*
> *En alta mar les sirve de brújula una rosa.*
> *El horizonte virgen de pañuelos heridos*
> *junta los grandes vidrios del pez y de la luna.*[23]

El poeta elogia en Dalí sus «ansias de eterno limitado», su empeño por eludir «la oscura selva de formas increíbles», su anhelo de precisión y de orden y su «amor a lo que tiene explicación posible». Son las cualidades que admira en Góngora. Salvador, como éste, esquiva cualquier vaguedad y busca la claridad:

> *Al coger tu paleta, con un tiro en un ala,*
> *pides la luz que anima la copa del olivo.*
> *Ancha luz de Minerva, constructora de andamios,*
> *donde no cabe el sueño ni su flora inexacta.*

Pides la luz antigua que se queda en la frente,
sin bajar a la boca ni al corazón del hombre.
Luz que temen las vides entrañables de Baco
y la fuerza sin orden que lleva el agua curva.[24]

Y otra vez:

Amas una materia definida y exacta
donde el hongo no pueda poner su campamento.
Amas la arquitectura que construye en lo ausente
y admites la bandera como una simple broma.[25]

En cuanto a la relación de pintor y poeta, lo importante es, sobre todo, el amor, el calor humano, la diversión. No se trata solo de devoción al arte:

Pero ante todo canto un común pensamiento
que nos une en las horas oscuras y doradas.
No es el Arte la luz que nos ciega los ojos.
Es primero el amor, la amistad o la esgrima.

Es primero que el cuadro que paciente dibujas
el seno* de Teresa, la de cutis insomne,
el apretado bucle de Matilde la ingrata,
nuestra amistad pintada como un juego de oca.[26]

La *Oda a Salvador Dalí* es uno de los más apasionados himnos a la amistad jamás escritos en español y, como el mismo Dalí recordaría en 1980, el hecho de que apareciera publicado en una de las revistas más importantes de Europa no pudo por menos de llenarle doblemente de orgullo.[27] El poema tampoco dejó de atraer la atención de los críticos, entre ellos el conocido hispanista francés Jean Cassou que, el 1 de julio de 1926, lo ensalzó en el *Mercure de France,* considerándolo «la manifestación más deslumbrante de un estado de ánimo completamente nuevo en España». Cassou se atrevió a esbozar una predicción: «Este gusto de la construcción y de la nitidez que, además, se aprecia en varios jóvenes

---

* El manuscrito, conservado en la Fundación Federico García Lorca, revela que el poeta escribió primero *culo.* Ya se había percatado de que las preferencias de Dalí se inclinaban más por los glúteos que por los pechos.

escritores de la *Revista de Occidente* se va a extender a la poesía, y podemos considerar como un manifiesto, al mismo tiempo que como una demostración y como un ejemplo, el bellísimo y muy importante poema de García Lorca». A continuación, y después de citar una estrofa de la oda, observó que sus imágenes, «sencillas y claras, bien dibujadas», estaban sostenidas «por el fervor que inspira el descubrimiento de un mundo puro y nuevo». A su juicio, alguna revista francesa debería publicar una traducción completa del poema.[28] Lorca, naturalmente, se sentía muy halagado por el comentario, prueba de que ya le hacían caso ¡incluso en París!, y le preguntó a Jorge Guillén si lo había visto.[29]

Durante febrero y marzo de 1926, mientras espera impaciente la publicación de la oda, Dalí no había dejado de insistir en que Lorca le enviara su prometida introducción para su conjunto *Libro de los putrefactos,* que anhelaba ver impreso cuanto antes. Pero no se la mandó, ni cuando Salvador le sugirió que tal vez sería una buena idea incluir *El paseo de Buster Keaton.* Desconocemos el motivo de la renuencia del poeta, sólo que a partir de este momento no se habló más del proyecto.[30]

A finales de marzo consigue volver a la Residencia de Estudiantes. No ha estado en Madrid desde el verano anterior y, según les cuenta a sus padres, todo son agasajos y «grandes muestras de afecto y cariño». En cuanto a sus proyectos, ha decidido publicar sus «tres libros» con Emilio Prados, en su Imprenta Sur de Málaga. ¿Y *Mariana Pineda*? Sigue con la esperanza puesta en Margarita Xirgu y la mediación de Marquina, pero, si le falla la actriz, probará suerte con otra. La noticia positiva es que, gracias a Jorge Guillén, ahora catedrático de Literatura Española en la Universidad de Valladolid, ha sido invitado por el Ateneo de aquella ciudad a repetir su conferencia sobre Góngora, con viaje y gastos de hotel pagados.[31]

Pero lo que ofrece en Valladolid es un recital de poemas. Tiene lugar el 8 de abril de 1926. La presentación corre a cargo del propio Guillén, con quien Lorca ha estado carteándose desde el año anterior y cuyos versos y agudeza crítica admira profundamente. Guillén estaba convencido, dijo, de que los presentes iban a escuchar a «un gran poeta». Una de las cualidades más notables del estro del granadino, a su juicio, era la capacidad, realmente insólita, para conmover no sólo a selectas minorías sino a un público mucho más amplio. Y ello en gran medida debido a su talante de juglar. «Éste es el gran secreto de Federico García Lorca —explicó con conocimiento de causa—. Su poesía, tradicional y novísima a un tiempo, y siempre de la mejor calidad, exige para su plenitud la recitación en público. (Otra tradición perdida.) Y el público la entiende y al público le gusta. Y mucho. ¿Qué milagro es éste? ¿Qué ha ocurrido?»

Aclaró a continuación que una de las razones por las cuales Lorca había publicado un solo libro de versos hasta la fecha estribaba, precisamente, en la naturaleza juglaresca de su personalidad, en su imperiosa necesidad de comunicarse en directo con los demás. Consideraba que, si ya había adquirido entre sus amigos «una como recóndita gloria privada», le llegaría pronto una fama mucho más amplia. Aquella noche el público de Valladolid iba a escuchar a un poeta todavía no reconocido universalmente, pero que pronto entraría con paso firme en las páginas de la historia. «Y andando los años podremos decir —terminó—: nosotros previmos en Federico García Lorca al gran poeta glorioso que iba a ser.» Eran palabras proféticas.[32]

El recital tuvo el enorme éxito previsto por Guillén. Asistió Guillermo de Torre, ya reconocido como el mayor conocedor español de las vanguardias literarias europeas. «Pude comprobar —recordaría—, con la satisfacción del turiferario, que nuestro entusiasmo, el de sus amigos próximos más antiguos, podía ser compartido por gentes lejanas, no prevenidas».[33]

El periódico más importante de Valladolid, *El Norte de Castilla*, dio a conocer en su totalidad la magnífica presentación de Guillén, además de una elogiosa reseña del acto debida a Francisco de Cossío. Por ésta sabemos que Lorca leyó poemas de sus «tres libros» (*Suites, Poema del cante jondo y Canciones*) y también, al parecer, un extracto o varios de la *Oda a Salvador Dalí*.

La noticia de la triunfal velada no tardó en llegar a Granada, donde *El Defensor* reprodujo el texto de Guillén y comentó con orgullo la creciente fama del poeta.[34] Vicenta Lorca leyó el artículo complacida y cogió su pluma el 13 de abril para darle a Federico unos consejos maternales:

Pasado todo esto supongo que no descuidarás la publicación de tus libros que ya está un poco pesado y te estás perjudicando con no haberlo hecho ya. Piensa que estamos a mediados de abril y que no hay lugar de pensar en dónde ni cómo, pues todo eso puede dar el resultado de que pase un año más y eso es una majadería que a ti mismo te fastidia; porque sin darte tú cuenta te cansas de tus cosas y acabas porque nada te gusta y de allí nace tu apatía y tu dejadez.

Margarita Xirgu iba a llegar a Granada al cabo de unos días para dar seis representaciones, prosiguió Vicenta. ¿Por qué no venía él también para hablar con ella y leerle algo? Mucho mejor así que a través de los intermediarios de siempre, que, estaba claro, no servían de nada. A su juicio la ocasión era inmejorable. «Desde luego esto te resultará a ti un contratiempo, tener que venir a tu casa —añade con el retintín que tan a menudo le aflora—, pero, hijo mío, así es la vida, con más cosas desagradables que agradables.»[35]

Si por un lado Vicenta Lorca apoyaba fervorosamente la vocación artística del primogénito, por otro, cabe pensarlo, sus constantes exigencias y amonestaciones le dolerían a veces hondamente al poeta. Además no podía confesarle los conflictos emocionales que con frecuencia le abrumaban. Conflictos en estos momentos relacionados sobre todo con Dalí.

Dalí, Buñuel

Entretanto, el 11 de abril, Dalí había salido de Figueres para pasar las vacaciones de Semana Santa en París y Bruselas, acompañado de su hermana y de su madrastra, Catalina Domènech. Los gastos del viaje corrieron a cargo del notario, deslumbrado ante el éxito de la reciente exposición de su hijo en Barcelona, que había superado con creces sus esperanzas paternales, según consignó en su diario.[36]

En la estación los esperaba Buñuel. Encontró a Salvador en un estado de excitación febril. ¡París! ¡Por fin! ¡Por fin!

Durante su breve estancia conoció a varios miembros de la colonia de pintores españoles residentes en la capital. Entre ellos, Hernando Viñes, Ismael González de la Serna (que ocho años atrás había diseñado para Lorca la portada de *Impresiones y paisajes*) y Francisco Bores. Manuel Ángeles Ortiz fue el encargado de conseguir lo más importante: llevarle a conocer a Picasso, con quien ya tenía una sólida amistad. «Cuando llegué a casa de Picasso, en la calle de la Boëtie —recordaría Dalí en su *Vida secreta*— estaba tan hondamente emocionado y tan lleno de respeto como si fuera a ser recibido por el Papa. "He venido a verle —le dije— antes de visitar el Louvre." "Ha hecho usted muy bien", contestó.»[37]

Fue un viaje relámpago —apenas dos semanas repartidas entre París y Bruselas—, pero lo suficiente para espolear hasta el máximo la ambición de Dalí. A partir de entonces su gran obsesión será trasladarse a la capital francesa cuanto antes.

En mayo regresa a Madrid para los exámenes de fin de curso en la Escuela Especial de San Fernando, de la cual, como alumno libre, ha estado ausente durante el año académico que ahora llega a su término. Él y Federico no se han visto desde el verano anterior, pero han mantenido un estrecho contacto epistolar.

También vuelve a Madrid en mayo, brevemente, Buñuel, después de una ausencia de casi año y medio. La reunión de los tres amigos es jubilosa. Sería la última vez que estuviesen juntos, por lo cual tiene un valor casi patético la fotografía sacada entonces en los jardines de La Bombilla, cerca del Manzanares, con José Moreno Villa y otro compañero de la Residencia, José Rubio Sacristán.[38]

Buñuel contó ante la grabadora de Max Aub, en 1969, una divertida, si bien no muy fidedigna, anécdota que parece remontarse al reencuentro de 1926:

> Recuerdo que una vez, cuando volví de Nueva York, me dijo: «Tú eres mu bruto y no entiendes na de na, pero que te diga éste (Dalí) qué tal es lo que he hecho.» Y Dalí, con ese acento catalán, que no ha perdido nunca, asegurábame: «Sí, sí, es una cosa magnífica, magnífica». Total, que quedamos en que Federico me leyera su *Don Perlimplín*. Nos reunimos en el sótano del Nacional. ¿Te acuerdas? Había allí una especie de cervecería.
>
> —Sí, en lo que allí llaman «caballerizas».
>
> —Sí, Federico empezó a leer. Y al final del primer acto salía no sé quién de la concha del apuntador, o algo así. Y yo le dije: «Esto es muy malo». Federico se levantó muy indignado: «Pues Dalí no opina lo mismo. No mereces ser amigo mío». Y volviéndose hacia Dalí, le preguntó: «¿Verdad?». Y Dalí le dijo: «Pues sí, no es bueno, no». Entonces, Federico se levantó airadamente, recogió sus papeles y se fue. Nosotros le seguimos, hablando en voz alta, para que se diera cuenta. Así llegó hasta una iglesia que había a la entrada de la Gran Vía. Entró y se hincó de rodillas con los brazos abiertos. El muy indio sabía muy bien que nosotros le estábamos viendo. Dalí y yo nos fuimos por ahí y seguimos bebiendo. Y, a la mañana siguiente, le pregunté a Salvador, que compartía la habitación con Federico: «¿Qué tal?». «Ya está todo arreglado. Intentó hacerme el amor, pero no pudo.»[39]

El episodio, relatado tanto tiempo después, no tuvo lugar, para empezar, tras una estancia de Buñuel en Nueva York, pues sólo «volvería» a España desde allí, por vez primera, a principios de 1931, un lustro después de que Dalí hubiera abandonado definitivamente Madrid.

Transcurridos diez u once años desde la entrevista con Aub —no publicada hasta 1985— el cineasta repitió la anécdota en sus conversaciones con Jean-Claude Carrière, esta vez sin micrófono… y con variantes: no mencionó ni el viaje a Nueva York, ni la visita de Lorca a la iglesia en la Gran Vía, ni el fracasado intento amoroso con Dalí aquella noche en la Residencia de Estudiantes.[40]

El malicioso comentario del aragonés sobre *Perlimplín* no deja de tener su interés. Dice que no se quedó hasta el final de la lectura, que se fue cuando salió no recuerda quién de la concha del apuntador. El hecho es que no emerge nadie de tal concha en la obra, pero que sí se sientan sobre ella, al final del segundo cuadro, dos duendes. El dato sugiere que, en efecto, Buñuel se perdió la mitad de la «aleluya erótica» o, incluso, hizo imposible la lectura del resto.

Tras referir a Aub el episodio, no pudo resistir la tentación de añadir unas palabras sobre la sexualidad de Lorca. «Federico era impotente —sentenció—. Homosexual de verdad, en todo el grupo, sólo Gustavo [Durán]. Una vez fuimos a pasar unos días al Monasterio de Piedra en un Renault que yo tenía entonces. Me estuvo contando muchas cosas de su vida sexual. ¡Y con obreros! Eso, a mí, creyente en el proletariado, me hería doblemente. Federico, no. No podía. Afeminamientos, cobardías, pequeñas ñoñeces, toqueteos… No.»[41]

La homosexualidad constituía para Buñuel, ya lo sabemos, un grave problema, acrecentado por el hecho de que su hermano menor Alfonso iba a resultar desenfadadamente gay. Hay que medir con suma cautela, por ello, todo lo que cuenta del poeta.[42]

Es probable que durante aquel mismo mayo tuviera lugar, quizá en la Residencia, una escena que Dalí no evocaría públicamente hasta 1966. Al preguntarle Alain Bosquet sobre su relación con Lorca durante el período en que trabajaba éste en la *Oda a Salvador Dalí* contestó:

Era pederasta, como se sabe, y estaba locamente enamorado de mí. Trató dos veces de dar… lo que me perturbó muchísimo, porque yo no era pederasta y no estaba dispuesto a ceder. Además, me hacía daño. O sea que no pasó nada. Yo me sentía halagado desde el punto de vista del prestigio. ¡En el fondo me hacía la reflexión de que era un gran poeta y que le debía una pequeña parte del agujero del c… del Divino Dalí!*

Explicó a continuación que, debido a su negativa, Lorca se había visto empujado a «sacrificar» a una amiga de los dos, practicando con ella el primer coito de su vida.[43] Veinte años más tarde revelaría que se trataba de una compañera suya muy joven y muy hermosa de la Escuela Especial, Margarita Manso, que poseía la ventaja, además, desde el punto de vista de Lorca, de tener senos pequeños («Federico odiaba los pechos de las mujeres»).[44]

Según Rafael Santos Torroella, máximo especialista en la «época lorquiana» de Dalí, el pintor no mentía nunca cuando hablaba de las experiencias realmente fundamentales de su vida, aunque no las confesara todas o las disfrazara. El crítico estaba convencido, además, de acuerdo con las teorías de Freud, de que la tan cacareada paranoia de Dalí era consecuencia de su resistencia tenaz a ceder a sus tendencias claramente homosexuales. También de que la poderosa atracción que Lorca acabaría ejerciendo sobre él sería la causa del consiguiente distanciamiento entre ambos.[45]

Parece fuera de duda, de todas maneras, que el creciente enardecimiento amoroso del poeta dio lugar a varios intentos de posesión física. El primero pudo producirse al ponerle Salvador al tanto de su plan para que le expulsaran definitivamente de la Escuela Especial, plan que llevó a cabo a rajatabla. El 14 de junio de 1926 provocó una escena escandalosa al negarse, delante de un numeroso público, a ser examinado por el tribunal de la Escuela, declarándolo incompetente para juzgar a una persona de su talento y retirándose inmediatamente de la sala. La expulsión fue instantánea.[46] En su *Vida secreta* da así su versión de los hechos:

---

* «*Il était pédéraste, comme on sait, et follement amoureux de moi. Il a essayé par deux fois de m'… Cela me gênait beaucoup, car moi, je n'étais pas pédéraste, et je ne tenais pas à céder. De plus, cela me faisait mal. Ainsi, la chose n'a pas eu lieu. Mais je me sentais fort flatté au point de vue du prestige. C'est que, au fond de moi-même, je me disais qu'il était un très grand poète et que je lui devais un petit peu du trou de c… du Divin Dalí!*»

Quería terminar con la Escuela de Bellas Artes y la vida or-
giástica de Madrid de una vez por todas; quería verme forzado a
huir de todo eso y volver a Figueres a trabajar durante un año, después de lo cual trataría de convencer a mi padre de que mis estudios debían continuarse en París. ¡Una vez allí, con las obras que
llevaría conmigo, tomaría definitivamente el poder![47]

Aquel septiembre le contaría a Buñuel, en una larga y divertida carta, las peripecias de sus últimos días en la capital antes de
volver a casa. Todo había terminado «en plena disociacion, deudas
fabulosas, alcohol, neurastenia acentuada de Federico, etcétera.
Hubo una reconciliacion comica con Pepín, y este naturalmente
contribuyo al *divertissage* con su absoluta amoralidad, llegamos·
al robo!» El estafado era un militar granadino amigo del poeta, no
identificado, y pasaron toda una noche de juerga a sus expensas.[48]

No sabemos la reacción de Lorca ante la autoexpulsión del
predilecto. Quizá fuera de consternación, ya que estaba claro que
el pintor no tenía la menor intención de volver a Madrid y que su
principal objetivo ahora, estimulado por su reciente visita a París
y las presiones de Buñuel, era establecerse cuanto antes en la capital francesa. Sólo había una esperanza para el poeta: que alguien se decidiera pronto a montar *Mariana Pineda* con decorados, como se había acordado, del «hijito».

Unos días antes de que Dalí huyera de Madrid, Federico les
cuenta a sus padres que tiene «la enorme esperanza» de ver puesta la obra en la temporada de otoño. En vista de la falta de reacción de Margarita Xirgu, la ha leído al empresario teatral Santiago Artigas quien, a su vez, se la ha pasado a su mujer Josefina,
actriz muy conocida. Espera tener la reacción de la pareja dentro
de unos días. No abandonará Madrid hasta no dejar «todo solucio-
nado». Pero, otra vez, no tendrá más remedio.[49]

Pasa el verano con la familia entre Asquerosa, Granada y Lanjarón, célebre balneario camino de las Alpujarras frecuentado por
su madre, que en estos momentos, aquejada de estreñimientos y
cólicos hepáticos, necesita beneficiarse de las aguas del manantial
de la Capuchina.[50]

Asquerosa ya no le gusta tanto como antes. «La temporada de
campo pasa lenta y aburridísima para mí —le escribe a su hermano—. Yo estoy cansado de esto. En realidad Asquerosa no es el
campo. Está todo lleno de etiqueta estúpida, hay que saludar a las
gentes y decir buenas noches. No se puede salir en pijama porque

lo apedrean a uno y está todo lleno de malicias torpes y mala intención. En el campo se busca la inocencia. Yo achaco todo esto a que aquí no hay vacas ni pastoreo de ninguna clase.»[51]

Quizá fue a partir de ese verano —será su última visita conocida a Asquerosa— cuando empezó a fraguarse en su mente el argumento de *La casa de Bernarda Alba*.

«Yo estoy rabiando por irme a Cadaqués —le confía a Anna Maria Dalí—. Pero no sé si mi familia me deja. No sé. Quisiera escaparme.»[52] Es evidente, entre líneas, que está echando mucho de menos a Salvador. Pero «la rabia» no le impide trabajar, y por los mismos días le comunica a Guillén que quiere terminar el *Romancero gitano* y que acaba de componer, con enorme esfuerzo, dos romances más: «Reyerta» y «San Miguel».[53]

El primero tiene el interés de contener una imagen muy significativa. Las navajas de Albacete, «bellas de sangre contraria», acaban de despachar a su víctima:

> *Juan Antonio el de Montilla*
> *rueda muerto la pendiente,*
> *su cuerpo lleno de lirios*
> *y una granada en las sienes.*[54]

¿Sabía Lorca que la granada, con su proliferación de semillas llenas de jugo rojo, no sólo tenía connotaciones amorosas desde la antigüedad sino que había inspirado, con posterioridad, la invención de la bomba de mano así bautizada? Parece ser. No se trata en «Reyerta» de que los gitanos asesinos hayan tenido acceso a un artefacto así, obviamente. Pero la imagen sí sugiere una profunda «explosión» sanguínea en la cabeza. Desde la llamada Toma por Fernando e Isabel en 1492 la fruta ha sido símbolo de la ciudad, aunque no justificada etimológicamente (el topónimo Granada es prerromano), y decora innumerables monumentos locales (por ejemplo la renacentista Puerta de las Granadas que da acceso al bosque de la Alhambra). Cabe suponer que el descubrimiento de su connotación mortífera en absoluto le fuera indiferente al poeta.[55]

El segundo romance merece un comentario algo más detallado, pues constituía, y constituye, todo un desafío a la burguesía granadina, considerada tan nefasta por el poeta.

San Miguel, patrón gay de Granada

> *Dos cosas tiene Granada*
> *que le envidia el universo:*
> *la Virgen en la Carrera*
> *y san Miguel en el Cerro.*

Copla popular

El cerro de San Miguel se yergue detrás del Albaicín, frente a la Alhambra. Lo corona una iglesia dedicada al arcángel, meta de una popular romería que antes, ahora ya no tanto, subía cada 29 de septiembre, onomástica del santo, a venerar la imagen que alberga el santuario.

En tiempos de los árabes había en el lugar un torreón, y antes, según la leyenda, un templo cristiano con un olivo que, en un solo día, florecía y producía aceitunas maduras. Ello explica que el cerro se conozca también como del Aceituno. La iglesia actual, construida en 1673, fue destrozada por los franceses en 1812, en la Guerra de la Independencia, y reconstruida poco tiempo después.

Durante la juventud del poeta la romería constituía todavía un acontecimiento muy notable del calendario granadino. José Surroca y Grau, uno de sus profesores universitarios, la describió detalladamente en su librito *Granada y sus costumbres,* editado en 1912. Se montaban puestos ambulantes a lo largo de la empinada subida, y en la explanada del templo, desde el cual el panorama es esplendoroso, se vendían «buñuelos, tejeringos, aguardiente, vinos, licores, cacahuetes, nueces, acerolas, torrados, pasteles, etcétera, y especialmente los higos chumbos, de los cuales se hace un gran consumo». El autor añade que el día de san Miguel la juventud granadina enamorada «tiene por costumbre los regalos de un girasol y ramas de erizos verdes» (es decir, castañas).[56]

Los girasoles, emblemas del amor, que se subían al cerro la noche antes a lomos de animales, hacen acto de presencia en los primeros versos del romance lorquiano:

> *Se ven desde las barandas,*
> *por el monte, monte, monte,*
> *mulos y sombras de mulos*
> *cargados de girasoles.*

La talla del arcángel, labrada en 1675, es obra de Bernardo Francisco de Mora. Si no hubiera sido tan andrógina, quizá no le habría llamado la atención a nuestro poeta. Pero lo es. El 28 de septiembre de 1926, el día antes de la romería, un anónimo redactor de *El Defensor de Granada* observaba: «Es digno de notarse el que su cara, teniendo el sumun [sic] de belleza, no pueda decirse con precisión que lo sea de hombre ni de mujer». Cierto. Para poder derrotar al Enemigo, como es su cometido, uno se imagina a san Miguel como un tipo forzudo, pero no así el de Mora. Está pisando al Diablo, de acuerdo —un Diablo encadenado realmente grotesco—, pero sospechamos que no será capaz de hacerle el más mínimo daño y que a lo mejor ni quiere.

Es evidente que el poeta conocía bien el santuario y cabe inferir que la idea de componer sendos romances dedicados a las «tres grandes Andalucías» se le ocurrió aquí mismo, ya que, a la izquierda del camarín del santo, ubicado en el centro de la iglesia, hay una imagen de san Rafael, con su pez en la mano, y, a su derecha, otra de san Gabriel.

En la primera parte del poema se evocan los preparativos nocturnos que se acaban de indicar y la llegada del alba. Luego se nos introduce en el camarín donde el arcángel, con el brazo derecho alzado como el minutero del reloj «en el gesto de las doce», espera a sus devotos:

> *San Miguel lleno de encajes*
> *en la alcoba de su torre,*
> *enseña sus bellos muslos*
> *ceñidos por los faroles.*
>
> *Arcángel domesticado*
> *en el gesto de las doce,*
> *finge una cólera dulce*
> *de plumas y ruiseñores.*
> *San Miguel canta en los vidrios;*
> *Efebo de tres mil noches,*
> *fragante de agua colonia*
> *y lejano de las flores.*

El narrador, como se ve, no duda de que este san Miguel es sexualmente ambiguo, por no decir gay (en todas las ediciones del libro publicadas en vida Lorca mantuvo la e mayúscula de «Efebo», enfatizando así su calidad de tal). Estamos ante un arcángel «domesticado» cuya cólera es *camp*, dulce y *fingida*. Flota en el camarín una intensa fragancia de agua colonia, pues, después de poner tanto esmero en su delicado atuendo, ¿cómo iba a olvidarse el santo del toque final del perfume?

Está amaneciendo y van llegando los primeros romeros. El poeta selecciona para nuestra atención a algunos de ellos. Primero, unas manolas que comen las simbólicas semillas de girasol, como incumbe en este día tan íntimamente relacionado con el amor. Lo inesperado es la descripción que se nos ofrece de su aspecto físico, pues vienen con «los culos grandes y ocultos / como planetas de cobre», culos de cuyo perfil tomarán nota, seguro, otros participantes en el peregrinaje.

Después suben unos «altos caballeros» y unas «damas de triste porte» que nos suscitan compasión porque se han vuelto

> *morenas por la nostalgia*
> *de un ayer de ruiseñores.*

Forman, es decir, en las filas de las mujeres frustradas del mundo lorquiano, mujeres que no han podido vivir su vida y que, quizá, dado el componente amatorio de la fiesta, acuden a la iglesia con la vaga e ingenua esperanza de conocer por fin a su príncipe azul.

Los romeros se acomodan dentro del templo. Sorpresa:

> *Y el obispo de Manila*
> *ciego de azafrán y pobre,*
> *dice misa con dos filos*
> *para hombres y mujeres.*

¿Por qué el obispo de Manila? No hay constancia de que ningún jerarca católico de Filipinas pisara jamás San Miguel el Alto. ¿Recordaría el poeta, por «cerebración inconsciente» —que diría su tan admirado Rubén Darío—, que a la primera ciudad filipina, fundada por Miguel López de Legazpi, se le dio precisamente el nombre del arcángel? Fuera como fuera, ha dispuesto que sea dicho obispo quien diga esta misa «con dos filos» (¡ojo!, no dos *filas* como han leído algunos) para hombres y mujeres. ¿Tiene tales filos la misa en el sentido de ser ésta sexualmente ambigua? Parece que sí.

El final del romance nos permite dirigir una última mirada al camarín del santo y añade un enigma más:

> San Miguel se estaba quieto
> en la alcoba de su torre,
> con las enaguas cuajadas
> de espejitos y entredoses.

> San Miguel, rey de los globos,
> y de los números nones,
> en el primor berberisco
> de gritos y miradores.[57]

San Miguel es rey de los globos porque, para celebrar su día, se soltaban, hoy ya no, desde el cerro del Aceituno y se ponían a volar alegremente por el cielo de Granada. El enigma está en los números nones. ¿Por qué los preside el arcángel? La cuestión quizá se resuelva confrontando el romance con *El público*, la obra de teatro más surrealista de Lorca, escrita cuatro años después en Cuba, donde el Emperador homosexual busca, desesperado, al «uno»,[58] y también con «Pequeño poema infinito», del ciclo neoyorquino, en el cual se lee:

> Pero el dos no ha sido nunca un número
> porque es una angustia y su sombra,
> porque es la guitarra donde el amor se desespera,
> porque es la demostración del otro infinito que no es suyo
> y es las murallas del muerto
> y el castigo de la nueva resurrección sin finales.
> Los muertos odian el número dos,
> pero el número dos adormece a las mujeres,
> y como la mujer teme la luz,
> la luz tiembla delante de los gallos
> y los gallos sólo saben volar sobre la nieve,
> tendremos que pacer sin descanso las hierbas de los
> cementerios.[59]

El san Miguel lorquiano pertenece a la «raza maldita» de los amantes no convencionales y, en consecuencia, es rey de los números nones, de quienes no pueden, o no quieren, formar pareja convencional, procreativa. Quizá es lícito deducir, por ello, que el obispo que llega a Granada desde Manila, nada menos, para oficiar la misa «con dos filos» en la onomástica del arcángel, es portador de un mensaje que poco tiene que ver con la ortodoxia católica en materia de relaciones sexuales.

Idea genial la del poeta, de todas maneras: convertir en patrón oficioso de la ciudad, en 1926, a un arcángel gay, desplazando al espúreo san Cecilio, copatrón oficial de Granada con la Virgen de las Angustias. No por nada la curia granadina prefiere no saber nada del romance.

La Huerta de San Vicente

Pasan las semanas sin noticias de *Mariana Pineda*. «El verano se acaba y yo sigo colgado, sin el menor atisbo de iniciar mi labor de poeta dramático, en la cual tengo tanta fe y tanta alegría», se queja en una carta a Fernández Almagro.[60] Desesperado, escribe otra vez a Eduardo Marquina. ¿Qué pasa con Margarita Xirgu, que ha prometido comunicarle su impresión de la obra? ¿Por qué no lo hace? ¿Debería él ponerse en contacto con ella? ¿O abandonar toda esperanza? «Yo no sé qué hacer —sigue— y estoy fastidiado, porque como mis padres no ven nada práctico en mis actuaciones literarias están disgustados conmigo y no hacen más que señalarme el ejemplo de mi hermano Paquito». Siempre, para mayor inri, la comparación con el muy aplicado Francisco.[61]

No recibe contestación a estas preguntas, tampoco cuando las formula por segunda vez.[62] Y es que Marquina, que pasa habitualmente sus veranos en Cadaqués con la familia Pichot, no las ve hasta su vuelta más tarde a Madrid. Para el poeta es un alivio, de todas maneras, leer la entrevista con el dramaturgo aparecida en la revista madrileña *La Esfera* el 31 de julio de 1926. En ella comenta la injusticia de que nuevos y competentes dramaturgos españoles no puedan estrenar sus obras, toda vez que lo único que interesa a los empresarios es conseguir beneficios. «Ahora mismo estoy haciendo gestiones para que acepten una obra de García Lorca —declara—. Lo que ocurre es que todos exigen de un autor nuevo una obra maestra.» Aunque no lo dice de manera explícita, se da a entender que a su juicio, y pese a sus méritos, *Mariana Pineda* no lo es, lo cual no dejaba de ser cierto.[63]

Entretanto, la posibilidad de preparar oposiciones a cátedra de literatura, y así de independizarse, se le ha aparecido a Federico como genial solución para satisfacer a sus padres quienes, encantados con la idea, han prometido, si empieza pronto, darle dinero para el largamente soñado viaje a Italia. Todo ello se lo cuenta, eufórico, a Guillén, entre un tropel de preguntas. ¿Cómo prepararse para las oposiciones? ¿Qué es lo que hay que hacer? ¿Por dónde empezar? ¿No puede Jorge aconsejarle, él que es catedrático, y tal vez también Pedro Salinas, su amigo mutuo, entonces en la Universidad de Sevilla?

Redacta la carta en la Huerta de San Vicente, preciosa finca situada en la linde de Granada con la Vega y adquirida por su padre en mayo de 1925. Alrededor de la propiedad se extienden los fértiles campos de la llanura y desde ella, sin que nada estorbe la vista, se goza de una extensa panorámica de la ciudad, desde el Albaicín, con el cerro de San Miguel el Alto detrás, la torre de la Vela de la Alhambra y, más arriba, el Generalife, hasta la impresionante mole de Sierra Nevada, coronada por el picacho de la Veleta. Es un paraíso de paz, sombra, agua y flores, con frescor incluso en las fechas más calurosas de agosto hasta las doce del día, cuando hay que buscar la protección de sus gruesos muros. «Hay tantos jazmines en el jardín y tantas "damas de noche" —le cuenta a Guillén— que por la madrugada nos da a todos en casa un dolor lírico de cabeza, tan maravilloso como el que sufre el agua detenida. Y, sin embargo, ¡nada es *excesivo*! Éste es el prodigio de Andalucía».[64]

El primer proyecto había sido comprar un carmen, hay que suponer albaicinero, pero, como ha escrito Isabel García Lorca, ello «suponía seguir en la ciudad y a nosotros, con sangre campesina, nos tiraba el campo».[65]

A la Huerta se llegaba desde la placeta de Gracia, así llamada por albergar la iglesia de la Virgen de Gracia donde las mujeres de la casa oían misa. Isabel recuerda el rincón con nostalgia: «Era como una plaza de pueblo con casitas bajas, unos cuantos árboles y unos bancos de piedra. La Virgen era, bueno, es, una Virgen joven, alegre, casi sonriente, con preciosos y llamativos pendientes, por entonces se decía zarcillos, vestida de fiesta, como una moza de las huertas, lejos del drama terrible de la querida imagen de la Virgen de las Angustias, que llora con su hijo en los brazos bajo el peso de su gran corona de oro, en el lujo barroco de su altar y de su camarín. Sin duda estas dos imágenes representan dos modos de vida».[66]

El caminito que llevaba desde la placeta a las huertas, serpenteando entre acequias y maizales, se llamaba Callejones de Gracia. Según Isabel, los nombres de Gracia y Gracita eran entonces corrientes en Granada. Y encuentra una relación entre ellos y aquellos terrenos, fronterizos entre la ciudad y el campo, hoy destruidos: «Gracia, en el mejor y más amplio sentido de la palabra, es lo que caracterizaba las huertas: simpatía, acogimiento, dones lejos de la ostentación. Eran lugares [...] desconocidos, tal vez por su modestia, por ser fincas pequeñas, bien llevadas por sus propietarios o en arrendamiento. Sus dueños eran gente de la burguesía de Granada que siempre se distinguió por su ignorancia y zafiedad. Por eso ha sido tan fácil aniquilarlas [...] ¡Pobres desaparecidos callejones de Gracia, que llevaban a las fuentes! [...] Las huertas ya son leyenda, ya son recuerdo. Yo las tengo grabadas en mi vida...».[67]

La Huerta de San Vicente era un lugar escondido, secreto, al abrigo de los ojos curiosos, y para llegar a ella había que cruzar por otra con derecho a paso. Hace pensar en el *hortus conclusus* bíblico.[68]

Cuando García Rodríguez la compró se llamaba Huerta de los Mudos. Nadie parecía saber por qué. Siglos antes se conocía como Huerta de los Marmolillos. Don Federico le cambió el nombre a San Vicente en homenaje a Vicenta Lorca, colocándose en una graciosa hornacina, a la derecha de la puerta, una pequeña efigie en escayola de san Vicente Ferrer.[69]

Constaba de 36 «marjales» —casi dos hectáreas— de tierra calma de riego con árboles frutales. En cuanto a la casa, se trataba de un edificio sencillo, de dos plantas, con una extensión superficial de unos 2.400 pies. A un lado había una especie de colgadizo para guardar herramientas, hortalizas, piensos y otros enseres campestres. Lo tiró abajo García Rodríguez para construir una vivienda destinada a la familia Perea, vecinos de Asquerosa, que pasaron a ser los caseros.[70]

La adquisición de la Huerta no significaba abandonar el espacioso apartamento de la Acera del Casino. Sería una casa de verano, nada más, y es de suponer que, al comprarla, el padre pensara que a su edad (66 años) ya se iba haciendo demasiado complicado el traslado veraniego anual a Asquerosa. Hombre de campo de toda la vida, le apetecería sin duda tener en el mismo umbral de Granada una casa veguera donde poder seguir con sus frutales y sus granos. La finca ofrecía todas estas ventajas. Además, una cortijada cercana, la Huerta del Tamarit, pertenecía a su hermano Francisco García Rodríguez, padre de Clotilde García Picossi, como sabemos una de las primas favoritas de Federico.

A partir de 1926 el verano granadino será sinónimo, para el poeta, de la Huerta de San Vicente, y las visitas a Asquerosa se harán mucho menos frecuentes. En ella, rodeado de sus padres, hermanos, primos, tíos y sobrinos, trabajará siempre a gusto. Mientras, ausente de Granada, recordar la paz, la sombra, el agua y la frondosidad del *locus amoenus* familiar le llenará de añoranza y del deseo de volver a su patria chica.

Guillén se expresó ilusionado con la idea de un Federico profesor de literatura. Le aseguró que, por supuesto, podía serlo, aunque debía cambiar de costumbres y empezar a tomar notas metódicas de sus lecturas, leyendo además a «los historiadores y eruditos que han hablado de esos textos y resumirlos en notas también». Habría que comprar un fichero. ¡Y trabajar en serio! El profesor-poeta estaba convencido de que todo esto impresionaría a sus padres.[71]

Recibió enseguida otra carta de Federico, con más preguntas. ¿Debería quedarse en Granada mientras preparaba las oposiciones? ¿Cuánto tiempo sería necesario para dicha preparación? De momento le anticipaba que ya había adquirido el fichero y que estaba listo para empezar. ¡Qué apuntes tan fantásticos contendría, todos cuidadosamente clasificados! ¡Qué maravilloso tener un trabajo e independizarse de sus padres! La carta respira optimismo por todos sus poros, y hasta trata de convencer a Guillén, que le intimida un poco, que, tomada ya la decisión sobre su carrera, querría casarse y sentar cabeza.[72] Unos días después vuelve al cargo. Ser catedrático de golpe va a ser difícil. ¿Por qué no, primero, lector? El destino perfecto sería París. ¿Podría conseguirlo? Su padre le dará todo el dinero necesario si le ve en un camino, «en un camino… ¿cómo diré?… oficial. ¡Eso es, oficial!». Habrá otra ventaja de cuajar el proyecto: «Me libertaré (en el buen sentido de la palabra) de la familia y me iré solo a los montes para ver amanecer, sin tener que volver a casa».[73]

En su fuero interno debe de saber que no ha nacido para profesor de literatura, que no tendrá nunca una cátedra, y que, si ha comprado un archivador, no contendrá nunca muchos apuntes. De hecho, su breve vida discurrirá por derroteros muy diferentes y, al hacerlo, proporcionará a los recopiladores de datos, a los profesores y los estudiosos, un inagotable fondo de material digno de clasificación y análisis.

San Sebastián

En la nutrida serie de cuadros y dibujos de la «época lorquiana» de Dalí, la cabeza de éste se acompaña habitualmente de la sombra, silueta o superposición de la del poeta, contrastando el rostro ovalado de Salvador, con sus orejas pequeñas pero prominentes, con el más abultado de Lorca, de mandíbula inconfundible.[74]

La obra más destacada de la serie es *Academia neocubista*, luego titulada *Composición con tres figuras (Academia neocubista)*, muy claramente en deuda con *Estudio con cabeza de yeso*, de Picasso, que había visto en el taller del maestro unos meses antes.[75] Santos Torroella ha demostrado que la figura central del impresionante cuadro, contemplada desde una ventana de la casa de la familia en la playa de Es Llané, es una versión en clave marinera de san Sebastián, patrón de Cadaqués. De ello dan fe la rama que descansa sobre el mar al lado del costado izquierdo del santo, símbolo del árbol al que, en algunas imágenes suyas, le amarraron sus verdugos; el hecho de que su brazo derecho está por lo visto atado detrás de la espalda; y la vena abierta en su muñeca izquierda, que se repite en varios dibujos de Sebastián realizados por el pintor en esta época.[76]

El mártir había empezado a fascinar a Lorca y Dalí meses atrás. Durante este verano de 1926, mientras Salvador lucha a brazo partido con *Academia neocubista*, el poeta trabaja en una serie de tres conferencias sobre el santo, que piensa ilustrar con diapositivas, y va reuniendo reproducciones.[77] En una de sus cartas a Jorge Guillén le pide una fotografía de la conocida escultura de Sebastián debida a Alonso de Berruguete, y que probablemente admirara durante su visita a Valladolid en abril.[78] No es sorprendente que le encantase la pequeña obra maestra, pues se trata de un hermoso y lánguido joven que se parece extraordinariamente a Alfred Douglas, el díscolo amante de Oscar Wilde.

No cabe duda de que los dos estaban al tanto de la larga tradición que, desde el Renacimiento hasta nuestros días, ha elevado a san Sebastián a la categoría de protector oficioso de homosexuales (y de sadomasoquistas).[79] ¿Por qué? De acuerdo con Alberto Savinio, hermano de Giorgio De Chirico y ensayista admirado por Dalí, existe para «los invertidos», además de la juventud del santo y su «cuerpo de efebo», un atractivo adicional:

la analogía entre «ciertos detalles sexuales» y las flechas que laceran su cuerpo desnudo. Se trata, es decir, del simbolismo fálico de éstas.[80]

Cabe inferir que Dalí estaba de acuerdo (su admirado Freud, como probablemente sabía, opinaba igual).[81] En una carta de aquel septiembre le recuerda a Lorca que Sebastián es el patrón de Cadaqués, le dice que Lidia le ha contado una historia del santo «que prueva lo atado que esta a la columna i la seguridad de lo intacto de su espalda» y le pregunta: «¿No habias pensado en lo *sin herir* del culo de San Sebastián?». Alusión guasona, cabe inferirlo, a los frustrados intentos del poeta. O sea, al todavía «sin herir» del trasero del pintor.[82]

Una carta dirigida a Buñuel el mismo septiembre insiste sobre el detalle fisiológico: «San Sebastian tiene las piernas de gimnasta y el culo intacto». [83]

Tanto esta misiva como otra que recibe Lorca poco después demuestra que, en el concepto de Dalí, Sebastián es ahora, sobre todo, una encarnación de la objetividad a la que, a su juicio, debe aspirar el arte actual. La impasividad, la serenidad y la indiferencia del santo, cuando le penetran las flechas, son las cualidades que desea expresar en su propia vida y obra:

> Otra vez te hablare de santa objetividad, que ahora se llama con el nombre de san sebastian.
>
> Cadaques es un «hecho suficiente», superacion es ya un exceso, un pecado benial; tambien la profundidad excesiva podria ser peor, podria ser extasis —A mi no me gusta que nada me guste extraordinariamente, huyo de las cosas que me podrian extasiar, como de los autos, el extasis es un peligro para la inteligencia.
>
> A las siete cuando termino de pintar es cuando el cielo hace sus cosas extraordinarias y peligrosas, es cuando en vez de contemplar el espectaculo casi siempre insoportable de la naturaleza tengo mi leccion de «charleston», en casa Salisacs,* esa danza es convenientisima, ya que empobrece perfectamente el espiritu.
>
> Que bien me siento, estoy en plena pascua de resurreccion! Eso de no sentir la angustia de querer entregarse a todo, esa pesadilla de estar sumergido en la *naturaleza* o sea en el misterio en lo confuso en lo inaprensible, estar sentado por fin, limitado a unas po-

---

* La casa de los Salisachs estaba a dos pasos de la de los Dalí, en el extremo opuesto de la playa de Es Llané.

cas verdades, preferencias, claras, ordenadas —suficientes para mi sensualidad espiritual.

El señor catedratico me dice: pero la naturaleza tiene tambien su orden sus leyes sus medidas *superiores*.

«*Superiores*», peligrosa palabra, quiere decir, superior a nosotros, orden incomprensivo para nosotros, leyes y medidas misteriosas, y ya estamos en la religion y entramos en los principios de la fe y el ocultismo y Papini ayunando y queriendo escribir una enciclopedia.*

Pero gracias a dios esta oy claro donde empiezan el arte y donde el naturismo.

Gethe [por Goethe] que pensava tan bien ya decia que naturaleza i arte son 2 cosas distintas. El Corbussier sabe de eso y tambien del amor.[84]

Lorca no necesitaba que nadie le recordara el terror que el pintor experimentaba ante la perspectiva de perder el control: lo conocía sobradamente, como ya había demostrado en *Oda a Salvador Dalí*.

Volviendo a la *Composición con tres personajes (Academia neo-cubista)*, parece indudable, a la luz de los estudios de Santos Torroella, que el Sebastián que se va aproximando por el mar a Cadaqués representa, en parte al menos, al poeta. Refuerza la hipótesis la presencia de la vena abierta en la muñeca izquierda del santo, motivo recurrente en las representaciones dalinianas de éste.

La presencia de Lorca en el cuadro se hace casi explícita, además, en la cabeza yacente colocada delante del santo, que el mismo crítico ha demostrado ser otra representación de la cara del poeta fundida con la de Salvador.[85]

No se conoce ningún análisis hecho por Dalí de sus intenciones al pintar este magno cuadro. Lo único que sabemos es que estaba contentísimo de lo logrado, enviando al poeta una fotografía del lienzo con el comentario: «Academia neo-cubista (¡si la vieras!: mide dos metros por dos»).[86]

Por estos días Lorca le cuenta que está teniendo otra vez problemas con su padre. Salvador se indigna al enterarse de que ha decidido ser profesor de literatura para complacerle. Federico, ¿profesor de literatura? ¡Qué imbecilidad! ¡Ni hablar!:

* Suponemos que Dalí se refiere aquí al prolífico escritor italiano Giovanni Papini (1881-1956), notable por sus rápidos cambios de posición ideológica.

Voy a contestarte tu carta de situaciones, como *viejos!* amigos que somos.

Tu no haras oposiciones a *nada*, convence a tu padre que te deje vivir tranquilamente sin esas *preocupaciones de aseguramientos de porvenir, travajo, esfuerzo personal* y demas cosas... publica tus libros, eso te puede *dar fama...* America ect con un *nombre real* y no *legendario como ahora* todo Dios *te estrenara* lo que hagas ect ect

El poeta ha vuelto a insistir en que Salvador le visite. Pero una vez más la negativa es rotunda:

Venir a Granada? No te quiero engañar, no puedo, por Navidad pienso hacer mi exposicion en Barcelona que sera algo gordo hijo, tengo que trabajar esos meses como ahora, todo el santo dia sin pensar en Nada Mas —Tu no puedes darte cuenta de como me he entregado a mis cuadros, con que cariño pinto mis ventanas abiertas al mar con rocas, *mis cestas de pan, mis niñas cosiendo, mis peces, mis cielos como esculturas* !

Adios te quiero mucho, algun dia volveremos a vernos, *que Vien lo pasaremos*!

Escrive adios adios Me voy a mis cuadros de mi corazon[87]

No sabemos qué le contestó Lorca, pero la indignación del pintor en relación con su proyecto de ser profesor de literatura contribuyó, con toda seguridad, a confirmarle en lo que ya sabía, o sea, que su vocación no tenía nada que ver con ficheros y apuntes bibliográficos.

En octubre Salvador expuso dos cuadros en el Salón de Otoño de Barcelona: *Noia cosint* («Muchacha cosiendo») y *Natura morta* («Bodegón»). La reacción de los críticos fue, otra vez, muy positiva y, en opinión de uno de ellos, Sebastià Gasch, eran los mejores de la muestra.[88] *Natura morta,* llamado más adelante *Peix i balcó* («Pez y balcón») y, en español, *Naturaleza muerta al claro de luna,* está íntimamente relacionado con *Naturaleza muerta (Invitación al sueño),* ya comentado. Las cabezas cortadas y fundidas de pintor y poeta descansan sobre una mesa de la sala de estar de los Dalí en Cadaqués, iluminada por la luna. Sobre la mesa hay una guitarra, alusión al talento musical del poeta andaluz, unos peces y una red de pesca.[89] Otro cuadro de este período, *Naturaleza muerta al claro de luna malva,* repite los mismos motivos con mayor complejidad.[90] Lo que no sabemos es si Federico estaba al tanto de hasta qué punto obsesionaba a Dalí en estos momentos.

El 17 de octubre el Ateneo de Granada empezó su nueva temporada. Lorca, encargado de pronunciar la conferencia inaugural, como el año anterior, disertó sobre el poeta local del siglo XVII, Pedro Soto de Rojas, autor de una larga obra alegórica, *Paraíso cerrado para muchos, jardines abiertos para pocos.* El tema principal de la conferencia (a la que aludimos antes) es que la estética genuinamente granadina expresa el amor a lo pequeño, a lo delicado y a lo íntimo. La admiración que siente Lorca por Soto de Rojas en esta época es inseparable de su fervor por Góngora, maestro de aquél, y se empeña en demostrar la afinidad de ambos con la tendencia «deshumanizadora» del arte actual, con la «objetividad» y el rechazo de todo sentimentalismo.[91]

Emilio Prados pasaba entonces unos días con Federico en Granada y participó en la serie de actos organizados para homenajear a Soto de Rojas. La razón principal de su visita era conseguir que Lorca le dejara, para publicarlos, los tres libros de poemas de los cuales hablaba insistentemente desde principios de año: *Poema del cante jondo, Suites* y *Canciones.* Se salió con la suya y regresó a Málaga no sólo con los manuscritos bajo el brazo, sino también con el del *Romancero gitano.* Le había autorizado Lorca, además, a sacar una edición de lujo de la *Oda a Salvador Dalí.*[92] Durante las siguientes semanas les preguntaría a Fernández Almagro y a Guillén si, a su juicio, los libros deberían salir juntos o separados. El primero opinó que tal vez sería mejor una salida escalonada.[93]

Poco después de marcharse Prados, el poeta volvió a tratar con Melchor Fernández Almagro el «asunto feo» de *Mariana Pineda* y le rogó que fuera a ver de su parte a Eduardo Marquina (que todavía no le había contestado) y averiguara qué ocurría. Ya no confía en el dramaturgo. Hasta se ha convencido de que, en su fuero interno, no quiere que se ponga la obra, y duda incluso de la sinceridad de sus manifestaciones en *La Esfera.* Entretanto sus padres, una vez más, están disgustados con él («porque dicen que no hago nada») y no le dejan moverse de Granada. «Si *Mariana* se representara yo ganaría todo con mi familia», terminó. Estaba claro.[94]

Fernández Almagro cumplió, como siempre, y vio, no a Marquina (al parecer todavía en Cadaqués), sino a la mismísima Margarita Xirgu. El 8 de noviembre pudo darle una excelente noticia:

la actriz había leído *Mariana Pineda*, le había gustado y le había asegurado que tenía la intención de estrenarla al final de su actual temporada en Madrid y, si no fuera posible, en Barcelona en abril. Fernández Almagro estaba convencido de que le había hablado con absoluta sinceridad.[95]

La noticia era excelente aunque todavía pasarían varios meses antes de que el poeta, curado en salud después de años de desesperadas gestiones, llegara a convencerse de que por fin se iba a poner la obra.

A finales de noviembre se publicó en Málaga, al cuidado de Emilio Prados y Manuel Altolaguirre, el primer número de una nueva revista, *Litoral*, destinada a hacer época. En lugar de honor figuraban tres romances «gitanos» de Lorca: «San Miguel», «Prendimiento de Antoñito el Camborio» y «Preciosa y el aire». Los afeaban varias erratas de imprenta que le sacaron de quicio y se quejó en una carta a Guillén de no haber recibido de Prados la prueba prometida.[96] Fuera cierto o no, Federico le envió inmediatamente un telegrama de protesta. Provocó una apenada respuesta en la que Prados culpaba de las erratas al propio Lorca, cuya letra estimaba casi indescifrable. Decidido a no recibir otra vez un ataque parecido devolvió los manuscritos de los tres libros que le había entregado Federico y los acompañó con una copia mecanografiada de éstos. Insistió en que se encargara personalmente de corregirlos. Le pidió al mismo tiempo que le permitiera publicar el *Romancero gitano* como primer volumen de una colección en la que figurarían *La amante*, de Rafael Alberti, *Caracteres*, de José Bergamín y, de Luis Cernuda, *Perfil del aire*. Pero Federico ya había decidido atrasar el libro un poco más antes de darlo a conocer.[97]

Si, mientras se acababa 1926, todavía no estaba del todo convencido de que llegaría pronto a levantarse el telón sobre *Mariana Pineda*, por lo menos tenía otros proyectos concretos en marcha. Además del compromiso de Prados de publicar *Poema del cante jondo*, *Suites* y *Canciones*, el *Romancero gitano* se encontraba prácticamente terminado y sus carpetas incluían borradores de *La zapatera prodigiosa*, *Amor de don Perlimplín con Belisa en su jardín* y *Tragicomedia de don Cristóbal y la señá Rosita*. No había, pues, motivos para el desaliento. Hasta es muy posible que, aquel diciembre, intuyera, acertadamente, que 1927 iba a ser el año de su salida a flote.

1927: EL AÑO DECISIVO

Mariana Pineda, Dalí, *Canciones*

Entre el 31 de diciembre de 1926 y el 14 de enero de 1927 Dalí celebra su segunda exposición individual en las Galeries Dalmau de Barcelona. De los veintitrés cuadros, cuatro, por lo menos, tratan el tema obsesivo de Lorca. Las implicaciones en este sentido de dos de ellas, *Composición con tres figures (Academia neocubista)* y *Naturaleza muerta (Invitación al sueño),* ya se han señalado. En *Mesa delante del mar* (titulado más tarde *Homenaje a Eric Satie*), la sombra azul proyectada por la cabeza heroica remite indudablemente a la del poeta.[1] Y en *Arlequín* (rebautizada más tarde *Cabeza ameba*) aparece de manera llamativa su silueta.[2] Es posible, además, que uno de los otros dos cuadros expuestos con el título *Naturaleza muerta* fuera el del mismo nombre colgado en el barcelonés Salón de Otoño de 1926, y que más tarde se llamaría *Pez y balcón,* en cuyo caso se trataría de una quinta obra de tema lorquiano.[3]

Estos cuadros inspirados por el granadino (y hay otros numerosos, y dibujos, de la misma época) demuestran que, si el poeta estaba entonces obsesionado con Salvador, éste en absoluto se sentía indiferente ante el desarrollo de su relación. Es tentador vincular dichos cuadros con un pasaje de la *Vida secreta* en el cual recuerda, refiriéndose a su etapa en la Residencia de Estudiantes y *Los cantos de Maldoror,* de Lautréamont, libro muy leído y comentado en la casa: «La sombra de Maldoror se cernía sobre mi vida, y fue precisamente en ese período cuando, por la duración de un eclipse, otra sombra, la de Federico García Lorca, vino a oscurecer la virginal originalidad de mi espíritu y de mi carne».[4]

El éxito de la muestra es clamoroso. Salvador está eufórico. En un recorte de prensa que envía a Federico le describen como «una de las personalidades más formidables de la moderna pintura catalana». Está convencido ya, cabe suponer, de que su conquista de París es inevitable.[5]

Entretanto, en Granada, Lorca y su grupo están ocupados con la preparación de otra revista (el proyecto anterior no había cuajado). Durante meses el poeta ha estado acosando a sus amigos literatos, entre ellos Jorge Guillén, Guillermo de Torre, José Bergamín, José María de Cossío y Fernández Almagro, para que envíen colaboraciones. Ahora, por fin, sus esfuerzos parecen estar a punto de dar fruto. La revista va a ser suplemento literario de *El Defensor de Granada* y piensan llamarla *El gallo del Defensor*. Pero el título no gusta a Dalí y, después de pasar por *Gallo Sultán*, se queda, sencillamente, en *gallo* (con minúscula).[6]

En febrero Salvador proporciona un precioso dibujo debidamente gallístico para la portada, e informa a Lorca al mismo tiempo de que acaba de empezar el servicio militar. ¡Dalí como soldado de cuota! «Nada de viajar por ahora! —escribe— pero ese verano 3 meses, tenemos que pasarlos juntos en Cadaques esto es fatal, no, fatal no, pero seguro». Con su carta adjunta una extravagante tarjeta, comprada en alguna papelería de Figueres, en la que una sirena alada, con la parte superior del cuerpo discretamente cubierta, ofrece, con gesto amoroso, un gran cuenco de frutas. Debajo del dibujo hay unos ripios:

A mi Prenda Adorada

Si una muestra no te diera
de mi amor y simpatía,
en verdad amada mía
poco atento pareciera;
dígnate pues placentera
aceptar lo que te ofrezca,
alma, vida y corazón.
Con un cariño igual
un amor extenso y sin fin
y sólo me siento feliz
cuando a tu lado puedo estar.

Dalí ha modificado el sentido del verso «un amor extenso y sin fin», subrayando «extenso» y «sin» y añadiendo a la última preposición un asterisco para indicar una nota manuscrita que reza: «En vez de sin lease con, nota de San Sebastian». ¿Qué significa el

mensaje? ¿La repulsa por parte de Salvador del concepto romántico de amor más allá de la muerte mientras afirma, por otro lado, su
cariño, aquí y ahora, por Lorca? ¿Insinuar que, tarde o temprano,
quizá temprano, lo que hay entre ellos tendrá que terminar? Imposible saberlo a ciencia cierta. La carta termina con una alusión
a la prosa, inspirada por el tema de San Sebastián, en la que, ya
escritor además de pintor (como le suele recordar a Federico en
sus cartas), está ahora trabajando:

> Deseo, mon cher! una muy larga carta tuya... En mi san Sevas-
> tian te recuerdo mucho y a veces me parece que eres tu... A ver si
> resultara que San Sevastian eres tu!... pero por ahora dejame que
> use su nombre para firmar
> Un gran abrazo
> de tu San Sevastian[7]

Lorca estaba todavía sin las noticias de Margarita Xirgu que
esperaba diariamente y ya empezaba a creer otra vez que la gran
actriz no llegaría nunca a poner *Mariana Pineda*.[8] Pero Fernández Almagro, a quien volvió a confiar sus temores al respecto, no
tardó en tranquilizarle. Era seguro que Margarita representaría
la obra, le comunicó el 2 de febrero, pero las cosas irían más deprisa si Federico lograba hacer un viajecito a Madrid y entrevistarse
personalmente con ella.[9] El 13 de febrero Cipriano Rivas Cherif le
confirmó que Margarita se había comprometido a montar *Mariana Pineda* aquel verano en Barcelona, y que pensaba inaugurar
con ella la siguiente temporada de invierno en Madrid. Eran, por
fin, noticias más concretas.[10]

La familia Dalí, recordando las lecturas de la obra que en 1925
había ofrecido el poeta durante su estancia con ellos, se emocionan al enterarse de que se va estrenar por fin, ¡y en Barcelona!
Salvador había dicho siempre que se encargaría de los decorados,
y le escribe ahora para darle una serie de «indicaciones generales»
acerca de ellos. Parece seguro, además, que Margarita Xirgu ya ha
aprobado la colaboración del pintor, que espera con impaciencia el
regreso de Federico a Cataluña.[11]

En cuanto recibió tan alentadoras nuevas el poeta comenzó a
preocuparse seriamente por la falta de madurez de *Mariana Pineda* («no me gusta nada la obra» le había escrito ya a Fernández Almagro a principios de año).[12] «El hacer un drama romántico me gustó extraordinariamente hace tres años —le comenta a

Guillén a mediados de febrero—. Ahora lo veo como al *margen*
de mi obra. No sé.»[13] Sus inquietudes estaban bien fundadas.
Pero ya no había retorno, y así como había ocurrido siete años
atrás con *El maleficio de la mariposa,* se prestó a hacer cuanto estuviera a su alcance para que el montaje fuera el mejor posible.

El 12 de febrero, justo antes de recibir la animadora carta de
Cipriano Rivas Cherif, tiene otra agradable sorpresa: la llegada
desde Málaga de la primera tanda de galeradas de *Canciones.* Parecía que, por fin, el viento empezaba a soplar a su favor.[14]

En cuanto al *Romancero,* está ya molesto con el mito de gita-
nería que se va formando en torno a su nombre, observando que
hay una creciente tendencia entre los no entendidos a atribuir-
le sangre calé. «Confunden mi vida y mi carácter —escribe a
Guillén—. No quiero de ninguna manera. Los gitanos son un
tema. Y nada más. Yo podía ser lo mismo poeta de agujas de coser o de paisajes hidráulicos. Además el gitanismo me da un
tono de incultura, de falta de educación y de *poeta salvaje* que
tú sabes bien no soy.»[15] José Bergamín recibe un rapapolvo por
las mismas fechas: «A ver si este año nos reunimos y dejas de
considerarme como un *gitano,* mito que no sabes lo mucho que me
perjudica».[16]

La gracia de *Canciones* estriba precisamente, para Lorca, en
que el libro no es «gitano» o «gitanístico».[17] De hecho, nada más lejos del tono épico y fondo telúrico de los romances que el nuevo
poemario, con su temple «sereno, agudo»,[18] su aire moderno y aparentemente infantil. A este respecto, en la carta a Guillén que acabamos de citar, alude entre líneas a Dalí: «He suprimido algunas
canciones rítmicas a pesar de su éxito porque así lo quería la Claridad».[19] En estos momentos Salvador no dejaba de recomendar
«claridad». Una frase favorita suya, «hay claridad» (o «no hay claridad»), parece que procedía de Lidia de Cadaqués, que tanto fascinaba al granadino.[20]

El año 1927 se recordaría como el de la celebración del tercer
centenario de la muerte de Luis de Góngora y, aparte de la conferencia sobre el autor de las *Soledades* que ya tenía en su haber, Lorca trabajaba ahora (al igual que Rafael Alberti) en un
poema en honor del poeta cordobés. En febrero Alberti le envió
un fragmento de su *Soledad tercera (paráfrasis incompleta),*
mientras que Federico hizo llegar a Guillén algunos de una incipiente *Soledad insegura.*[21] A diferencia de Alberti, que en su

poema consiguió una extraordinaria imitación de la intrincada sintaxis de Góngora, quería captar más el espíritu que la letra del poeta, propósito que contó con la aprobación de Guillén.[22] Se dio pronto cuenta, sin embargo, de que no terminaría nunca el poema y de que, en realidad, el proyecto tenía algo de «irreverencia».[23] El poema de Alberti salió en *Litoral*, pero Lorca dio carpetazo al suyo.

A finales de marzo, respetando una vez más el consejo del fiel Fernández Almagro, regresa a Madrid —ha sido una ausencia de ocho meses—, para leer *Mariana Pineda* a Margarita Xirgu y su compañía y finalizar algunos detalles para el estreno en Barcelona. En la lectura están presentes el propio Melchor, Cipriano Rivas Cherif y el cuñado de éste, Manuel Azaña, presidente del Ateneo y dramaturgo el mismo.[24]

En una larga carta escrita estos días a sus padres, en la cual les pone al tanto de la marcha de sus asuntos, expresa una vez más su desamparo al tener que depender económicamente de ellos. No tiene un duro, ha gastado en cosas absolutamente necesarias las quinientas pesetas que le han dado (pormenoriza en qué)… y todo ello le está desanimando:

> Yo estoy entristecido *debiendo estar alegre* por esto. No quiero gastaros dinero y desde luego sabéis que no soy gastoso y jamás os di grandes sablazos. Ahora estoy en camino de ganarlo y no puedo *meterme en casa* por no gastar. Esto es imposible. Así es. Contestarme.
>
> ¿Queréis que marche la semana santa a Granada y luego me marche a Barcelona?
>
> ¿Queréis que de aquí me marche a Barcelona? Yo en Barcelona haré vida económica. Viviré en el Hotel Meublé y comeré en restaurant. Además, pasaré doce días en la casa de Dalí de Figueras invitado y por tanto sin costarme un céntimo mientras éste hace las decoraciones.

Todos sus gastos han sido legítimos, cada céntimo. ¿Qué hacer, pues?:

> Si no me giráis yo tendré que pedir prestado a cuenta de devolverlo cuando estrene, y es casi seguro que tendré para devolverlo y con mucho. Me cuesta trabajo deciros esto pero es necesario. No es *calaverada* sino *necesidad*. Así es que girarme si

queréis al hotel Málaga y decirme si queréis que pase ahí la semana santa o me voy a Barcelona *que es menos gasto*. No tardéis. El dinero se va como agua. Yo no soy gastoso. Vosotros tenéis la palabra. Si me voy como si no me voy mandadme el dinero para pagar la cuenta y para el viaje. Es dinero que *os devolveré* cuando *cobre*.

En una reciente comunicación los padres se han quejado de lo que les está costando. Se siente mortificado:

> Me duele mucho la carta que me habéis escrito diciendo que vosotros no tenéis capital para este desembolso cuando me he pasado en Granada diez meses con tres pesetas y media (valga la metáfora). Yo tengo que hacer ahora *por necesidad* estas cosas. Antes cuando estaba de estudiante en la Residencia no gastaba nada y os enterabais menos, pero la cuenta del hotel me ha cogido de sorpresa y he visto lo caro que es todo aunque sea modesto. Esto me da esperanza y ganas de ganar el dinero suficiente.

Si va a Barcelona hará falta llevar dinero. Otra vez, pues, de rodillas:

> Contestadme a vuelta de correo al hotel Málaga donde estoy y giradme el dinero cuya cantidad *no fijo* pues no sé lo que cuesta el viaje a Barcelona, y si voy allí tendré que llevar una pequeña cantidad de reserva. Si esto no os parece bien yo estoy dispuesto a marchar a Granada y dejar que la Xirgu haga la obra a su gusto como quiera ella y con las decoraciones y *manera de recitar* que se le antoje.
>
> Todo antes que disgustaros. No creo que merezca la pena la vida con disgustos. Y vosotros no os merecéis por vuestra bondad y por el cariño tan grande que me tenéis más que mi obediencia absoluta y mi supeditación a vuestra voluntad como padres. Nunca hice locuras. Os he dicho el empleo de las quinientas pesetas tal y como realmente ha sucedido. Para un joven como yo debía haber habido algún margen de *juerga*, no os asustéis ¡de juerga! porque es lo *humano* a mi edad pero ya veis que sigo tan *bueno* como siempre.[25]

García Rodríguez, ante tales argumentos, cede una vez más. Federico pasa la Semana Santa en Granada y luego vuelve a Madrid. Poco antes de subir al tren de Barcelona le escribe a Pepín Bello: «Empieza una nueva época para mí. Me despido de Segovia y Toledo. Así tiene que ser. Sueño en París y otra vida más divertida». Se comprende su euforia.[26]

El crítico de arte Sebastià Gasch ha dejado una valiosa evocación de su primer encuentro con el poeta aquel verano. Gasch era amigo íntimo del pintor y escenógrafo uruguayo Rafael Pérez Barradas, que vivía en Barcelona desde 1925 después de su época madrileña, cuando le había conocido Lorca. Pese a las condiciones de casi indigencia en que se encuentra, Barradas sigue demostrando aquella fe en el arte que siempre le ha caracterizado, y todos los domingos abre a los amigos su modestísimo piso en Hospitalet. Un día Gasch recibe una nota suya en que le invita a conocer a su amigo Federico García Lorca. ¿Federico García Lorca? No le suena el nombre pero acude a la cita… y siempre se congratulará de haberlo hecho. Federico le deslumbra con su amplio acopio de talentos, su sensibilidad tan fina, su vehemencia andaluza («rezumaba sur por todos sus poros») y su simpatía. Aquella tarde, que debió de ser a finales mayo o principios de junio, el poeta le regala un ejemplar de *Canciones*, que acaba de llegar a sus manos.[27] ¡Por fin, su segundo libro de poemas! Gasch se lo lee de un tirón. Le impacta. A los pocos días los dos son inseparables y el crítico, en ausencia de Dalí, se convierte en su principal guía por Barcelona y le presenta orgullosamente a sus muchos amigos artistas y escritores.[28]

Salvador recibe enseguida, en Figueres, su ejemplar del libro, cuya elaboración ha seguido de cerca. Ya le ha dado a entender a Federico que, si bien le gustan bastante los poemas, no le parecen todo lo «actuales» que sería de desear. El poeta le contesta (no se conoce la carta), se infiere que molesto. A principios de junio Dalí le trata de tranquilizar y le pone al tanto de su estética actual (respetamos, como siempre, su peculiar ortografía y su falta de puntuación):

> Querido Federico: Dentro unos 4 dias tendre permiso de 3 meses, por lo tanto pronto estaremos juntos y sin tasa de tiempo.
>
> *Tontisimo* hijito, por que tendria que ser yo tan estupido en engañarte respecto a mi *verdadero* **entusiasmo** por tus canciones deliciosas; lo que pasa es que se me ocurrieron una serie de cosas seguramente, como tu dices, inadecuadas y vista a traves de una exterior pero pura modernidad; (plástica nada más).

Una cancion tuya (todo eso es mera impresion mia) me gusta quiza *mas* que el verso mas puro de las *Mil y una noches* o de una cancion popular, pero me gusta de la misma *classe* de manera.

Yo pienso eso, ninguna epoca havia conocido la perfecion como la nuestra, hasta el invento de las Maquinas no havia habido cosas perfectas, y el hombre no havia visto nunca nada tan *vello* ni *poetico* como un motor *niquelado* —La Maquina ha canviado *todo*, [tachado: el mundo] la epoca actual respecto a las otras es **MAS** distinta que la grecia del Partenon lo gotico. No hay mas que pensar en los obgetos mal hechos y *feisimos* anteriores a la mecanica, estamos pues rodeados de una velleza perfecta inedita, motivadora de estados nuevos de poesia –

Lehemos el Petrarca, y lo vemos consecuencia de su epoca, de mandolina arbol lleno de pajaros y cortina antigua. Se sirve de materiales de su epoca. Leo 'naranja y limon'*, no adivino las bocas pintadas de las maniquis – Leo Petrarca y sí adivino los grandes senos florecidos de encaje –

[Tachado: Leo los versos de las mil y una noches y sí veo los culos]

Miro Fernan Leger, Picaso Miro ect. y se que existen maquinas y nuevos descubrimientos de Historia natural –

Tus canciones son Granada sin tranvias sin habiones ahun, son una Granada antigua con elementos naturales, lejos de hoy, puramente popular y *constantes*, constantes, eso me diras, pero eso constante, eterno que decis vosotros toma cada epoca un sabor es el savor que preferimos los que vivimos en nuevas maneras de los mismos constantes – Todo eso es mi gusto (pero tu harras *lo que querras* eso ya lo sabemos), no lo perfecto probablemente, soy superficial y lo externo me encanta, por que lo externo al fin y al cabo es lo obgetivo oy lo obgetivo poeticamente es para mi lo que me gusta mas y solo en lo obgetivo veo el estrecimiento de lo Ethereo.

Para asegurarse de que Federico capta bien lo que le quiere decir, añade un *post scriptum* ingenioso:

Otra aclaracion – La epoca de los trovadores, era la cancion para cantar con mandolina – Hoy tiene que ser la cancion para con jazz y para ser oida con el *mejor* de los instrumentos – 'El Fonografo'.[29]

---

* Se refiere al poemilla «Naranja y limón», *OC*, I, p. 383.

La carta confirma la enorme importancia que ya tiene Dalí para el poeta, no sólo como persona amada y asombroso pintor sino, también, agudo teórico de arte y literatura.

Un fin de semana, acompañado de Salvador y Gasch, visita Sitges para conocer a Josep Carbonell, editor de la magnífica revista vanguardista *L'amic de les arts* de la cual tanto el crítico como el pintor son asiduos colaboradores. Sentado ante el piano de Carbonell, improvisa una de las sesiones folclóricas que hacen las delicias de sus amigos en la Residencia. Para mayor sorpresa de los presentes, no faltan canciones catalanas. Según Gasch, los asistentes al improvisado concierto quedan «electrizados».[30]

El crítico incluye varias anécdotas de la estancia barcelonesa del poeta. Un día, por ejemplo, le acompañó al Ateneo y le presentó a algunos miembros de la tertulia «más famosa y temida» de la casa en aquella época:

> Tras las presentaciones de rigor y unas breves palabras de cortesía, uno de los tertulianos preguntó a Lorca en el mismo tono que hubiera empleado para dirigirse a un extranjero: «¿De dónde es usted, joven?».
>
> En aquellos momentos, en plena dictadura del General Primo de Rivera, el catalanismo era algo de una intransigencia feroz. Lorca, que no tenía un pelo de tonto y que cazó inmediatamente la intención ultranacionalista de la pregunta, alzó solemnemente el brazo, como solía hacerlo cuando se trataba de alguna declaración trascendental, y contestó a su interlocutor en un tono entre retador y orgulloso: «¡Soy del Reino de Granada!».[31]

Si la anécdota indica lo orgulloso que se sentía Federico de sus orígenes granadinos, otra señala el abismo que lo separaba de Dalí en cuestiones de religión («Eres un espíritu religioso y estraño —le había escrito Salvador en marzo de 1926—. Eres extraño tu. No te puedo relacionar con nada de dimensiones conocidas»):[32]

> Una noche, después de cenar, Dalí, Federico y el que esto escribe entramos en un cabaret de la plaza del teatro que, si mal no recuerdo, se llamaba Mónaco. Después de una animada conversación, en el curso de la cual Dalí disertó sobre la necesidad de

adaptar la música clásica al jazz, Lorca se levantó de su silla y se despidió de nosotros con estas palabras. «Me voy. Quiero acostarme pronto. Mañana quiero ir al oficio solemne de la Catedral. ¡Qué aroma de pompa antigua!», agregó, poniendo los ojos en blanco y con una suave sonrisa vagando por sus labios finos.

«Me interesa más esta aceituna», cortó, raudo, Dalí, señalando una sobre la mesa con el dedo índice.

La obsesión que en aquel entonces tenía Dalí por lo «micrográficamente pequeño» y su anticatolicismo profundo se ponían de manifiesto en cuantas ocasiones se le ofrecían.[33]

Lorca estaba encantado con los diseños de Salvador para *Mariana Pineda*, y admiraba especialmente su capacidad para intuir a una Andalucía que no conocía en persona sino a través de fotografías y de «horas y horas» de animada conversación con el poeta, como éste le cuenta a Manuel de Falla.[34] El periodista Rafael Moragas se presentó una tarde en el teatro Goya para ver el ensayo general y entrevistar a los dos. El poeta rebosaba de gratitud hacia Margarita Xirgu, no sólo por haber aceptado la obra sino por su sentida encarnación de la heroína. Dalí ponía los últimos toques a los decorados, que en opinión de Moragas iban a causar sensación.[35]

Por fin, la noche del 24 de junio de 1927, se levantó el telón sobre *Mariana Pineda*. El estreno fue un éxito considerable y el público exigió la presencia del autor, junto a Margarita Xirgu, al final de cada acto, brindando a ambos entusiastas aplausos. Aquella noche Dalí y Lorca enviaron un telegrama a Fernández Almagro: «GRAN ÉXITO MARIANA PINEDA. ABRAZOS». Hay que deducir que la familia del poeta recibió una comunicación semejante y cabe suponer que sus padres experimentaron tanto alivio como Federico al constatar que, tras tantos años de frustraciones y contrariedades, la obra había conseguido finalmente ser estrenada, y de manera muy satisfactoria.[36]

Lorca sabía que *Mariana Pineda* tendría pocas representaciones en Barcelona, dado el hecho de que la temporada de Margarita Xirgu terminaba forzosamente el 3 de julio. Se puso, de hecho, seis veces.[37]

La reacción de la prensa fue por lo general indulgente, y la gran mayoría de los críticos captaron el empeño puesto por el autor en que la pieza tuviera el sabor de un romance de ciego del siglo XIX o, más concretamente, de un grabado de la época, de

acuerdo con su subtítulo de *Romance popular en tres estampas*.
Para reforzar la impresión de grabado, Dalí había concebido
unos decorados que hiciesen pensar en un escenario dentro de
un escenario.[38] Fueron muy elogiados por los críticos (por su
sencillez y su sobrio uso de color), aunque alguno consideró que
su modernidad desentonaba con el vestuario, de diseño más de
la época.[39]

Varios críticos hicieron hincapié en la sutileza psicológica con
la cual el poeta había perfilado a su protagonista, pero ninguno
supo profundizar en el tema de la obra. Sólo más tarde se vería
hasta qué punto *Mariana Pineda* expresaba la habitual preocupación lorquiana con el amor frustrado y la muerte.

Margarita Xirgu, cuya interpretación fue encomiada por todos, estaba tan encantada como Federico con el éxito cosechado y
no se cansaba de repetir que, en octubre, inauguraría con *Mariana Pineda* su temporada madrileña. Al separarse los dos a principios de julio el poeta tenía la satisfacción de saber que su carrera
de dramaturgo ya iba bien encaminada, mientras que la actriz se
daba cuenta de que en el granadino había encontrado a un escritor de indudable talento capaz de producir obras muy por encima
de *Mariana Pineda*. Los ecos del éxito no tardaron en llegar a la
prensa de Madrid y de Granada, así como los del impacto de la personalidad de Lorca sobre los muchos escritores y artistas catalanes con los cuales ya se asociaba en la Ciudad Condal.[40]

Lorca dibujante e idilio en Cadaqués

Poco antes del estreno Federico había dado una sorpresa a sus
nuevos amigos catalanes, que descubrieron asombrados que, además de poeta, dramaturgo y músico, estaba dotado para la expresión pictórica. Todo había empezado un día en el Oro del Rhin,
uno de los cafés más famosos de Barcelona, cuando mostró a
Gasch una selección de sus dibujos, en su mayoría recientes, cuya
calidad reconoció enseguida el crítico.[41] No sabemos de quién
partió la idea de convencer al marchante Josep Dalmau, de quien
tanto Gasch como Dalí eran amigos, para que montara una pequeña muestra de los mismos, pero el hecho es que accedió gustoso a hacerlo. Tuvo lugar entre el 25 de junio y el 2 de julio. Fueron
veinticuatro dibujos, de los cuales sólo nueve pueden identificarse con seguridad absoluta.[42] Junto con otros de la misma época,

revelan hasta qué punto le obsesionaba entonces su amistad con Salvador. El titulado *El beso* alude de forma directa a la serie daliniana de las cabezas fundidas. Hecho con tinta china, lápices de colores y aguada, representa la cabeza de Lorca y, superpuesta, la del pintor, con los labios de ambos unidos en el ósculo del título. La roja sombra de la cabeza de Lorca cita directamente dos obras de Dalí, *Muchacha de Barcelona* y *Naturaleza muerta al claro de luna,* donde una vez más se fusionan las cabezas de pintor y poeta.[43]

En otro dibujo, correspondiente, casi seguramente, a este verano e incluido, parece ser, en la exposición, había retratado a Dalí sentado al pie de una torre bajo una media luna amarilla, en guisa de supremo sacerdote del arte, con mitra y túnica blancas, la paleta en la mano derecha (con un dedo asomando por el agujero, evidente signo fálico), un pececillo pegado en cada dedo de la izquierda y, en el centro del pecho, apuntando hacia arriba, un gran pez vertical rojo, que el artista luce como enseña. «Lorca me veía como una encarnación de la vida, tocado como un dioscuro —comentaría Dalí años más tarde—. La mano tiene cada uno de sus dedos convertidos en pez-cromosoma.» Es evidente que a estas alturas habían llegado a la conclusión de ser almas gemelas, como Cástor y Pólux.[44]

La exposición pasó prácticamente inadvertida y apenas dejó huella en la prensa de Barcelona. El poeta, sin embargo, estaba contento. «Hice una exposición de dibujos *obligado* por todos —le escribe a Manuel de Falla—. ¡Y he vendido cuatro!»[45]

El 3 de julio coincidieron la última representación de *Mariana Pineda* y la clausura de la muestra. Unos días después los amigos de Federico le organizaron un multitudinario banquete para celebrar el éxito de *Mariana Pineda* y el debut público del dibujante. Luego se fue con Dalí a Cadaqués, donde permaneció el resto del mes.[46]

Entre abril y junio se habían publicado dos dibujos de Salvador alusivos a su relación con Lorca. El primero, *La playa,* acompañó una selección de poemas del granadino dada a conocer aquel abril en *Verso y Prosa,* la revista murciana dirigida por Juan Guerrero Ruiz.[47] Se trataba de una bellísima variación sobre el motivo de las cabezas fundidas:

BOLETIN DE LA JOVEN LITERATURA

MURCIA - 1927 - ABRIL

SALVABOR DALÉ La playa

El segundo dibujo, *Federico en la playa de Ampurias* (fechado «1927»), se publicó en junio en *L'amic de les arts* al lado del romance «Reyerta de gitanos».

Como se aprecia enseguida, los dos dibujos están temáticamente vinculados. El escenario es casi idéntico (es probable que hubiesen vuelto a visitar Ampurias); en ambos aparecen sus cabezas cortadas, siendo inconfundibles, en *La playa,* la de Lorca, que proyecta la sombra de la Dalí; el brazo amputado del segundo dibujo es idéntico a los que aparecen en el primero; en ambos encontramos los «aparatos» triangulares tan frecuentes en la obra de Dalí en esta época y que, como ya se ha sugerido, quizá aludan a

EL POETA EN LA PLATJA D'EMPÚRIES
VIST PER SALVADOR DALÍ

los genitales femeninos (que tanto angustiaban a los dos amigos). En el dorso de la mano derecha del poeta, en el segundo dibujo, así como en el reverso de las muñecas de las manos cortadas que yacen sobre la playa en ambos, Dalí ha trazado la vena que se repite, como leitmotiv, en otras obras suyas de esta etapa.

Los dos dibujos, publicados en cada caso para acompañar poemas de Lorca (circunstancia que obedecía, se infiere, a un acuerdo previo), encerraban alusiones personales cuyo pleno significado sólo conocían ellos. Lo confirma una fotografía que se hizo sacar Federico en la plaza de Urquinoana, en Barcelona. En ella adopta la misma postura que tiene en el segundo de los dibujos reproducidos, dibujo que habría visto, casi seguramente, antes de su publicación en *L'amic de les arts*. Añadió a la fotografía, con tinta, varios detalles alusivos a éste y al tema de san Sebastián, y luego se la mandó a Dalí a Figueres (ilustración 19). «¡Hola hijo! Aquí estoy!», anuncia el retratado, cuya cabeza está aureolada por un halo casi idéntico al que rodea la de Sebastián en un dibujo suyo del mártir.[48] En el dorso de su mano izquierda ha imitado el motivo de la vena expuesta que aparece en ambos dibujos de Dalí (así como en otros). A la derecha de la fotografía, junto al capitel, ha dibujado una cabeza cortada, mientras que, a la izquierda, encontramos un «aparato» inspirado por Dalí pero muy lorquiano. En fin, la vinculación de la fotografía retocada con los dibujos de Dalí es patente. Se trata de un mensaje cuyas connotaciones amorosas y eróticas no podía desconocer el pintor. De un código secreto.

Podemos observar, finalmente, que cubriendo la parte inferior de su cuerpo, Lorca ha dibujado la silueta de un rostro profundamente triste. ¿Alusión, tal vez, a su desesperada necesidad del amor de Salvador y de su miedo a perderle?

Dos extraordinarios cuadros empezados por Dalí este verano durante la estancia del poeta merecen un comentario: *La miel es más dulce que la sangre* y *Cenicitas*.

El título original del primero, *El bosc d'aparatus* o *El bosc d'aparells*, se debía, según Salvador, a una sugerencia de Federico (y su título definitivo a la imaginación desbordante de la paranoica Lidia Noguer).[49] En cuanto a *Cenicitas*, su primer título fue *El naixement de Venus* (*El nacimiento de Venus*), al que sucedió el definitivo de *Els esforços estèrils* (*Los esfuerzos estériles*).[50]

La miel es más dulce que la sangre se expuso en el Salón de Otoño de Barcelona de 1927, pero luego desapareció de vista. Hoy su paradero se ignora y sólo se conoce por una excelente fotografía en blanco y negro.[51]

En el cuadro —una de las obras dalinianas más notables de la década— la cabeza de Lorca, que proyecta la sombra de la de Dalí, aparece medio enterrada en la arena junto a una maniquí degollada y a un burro podrido (ilustración 23). Cerca hay otra cabeza degollada, seguramente la de Salvador, separada de la del poeta por un delgado brazo cortado y un cadáver en fase de descomposición que, según se ha aventurado, representa a Buñuel.[52] De ambas bocas de las cabezas cercenadas sale un hilillo de sangre. Desparramados entre los objetos esparcidos por la playa espectral

Dalí ha colocado numerosos ejemplos de sus «aparatos» triangulares y otros: constituyen el «bosque» del título primitivo.

En cuanto a *Cenicitas,* es casi seguro que la cabeza que yace en la línea de playa y mar representa la de Lorca, algo distorsionada, mientras que la otra, que con ojos saltones contempla el cuerpo desnudo visto desde atrás de una mujer decapitada, es a todas luces la de Dalí. El tema del cuadro, sugerido claramente por el segundo título, *Los esfuerzos estériles,* gira en torno a la impotencia sexual. El artista, culómano declarado, insistirá siempre en su aversión por los pechos y genitales femeninos, su repugnancia por el coito «normal» y su preferencia, entre los orificios del cuerpo humano, por el ano.[53] Los ojos cerrados del poeta sugieren, tal vez, su indiferencia ante la inquietud desatada en Dalí por la contemplación de su anhelado cuerpo femenino.[54]

Es casi seguro que Lorca conocía *Sant Sebastià,* la prosa en que Dalí llevaba trabajando meses, antes de su publicación, dedicado a él, en el número del 31 de julio de 1927 de *L'amic de les arts.* También que lo habría comentado profusamente con el pintor, dada su compartida fascinación con el santo. El texto le conmovía y producía orgullo, no sólo por las alusiones que contenía a su amistad, sino por su novedad estilística.

Dalí era un pintor muy original, eso ya se sabía. Pero ahora se revelaba, además, escritor vanguardista de indudable talento (como el poeta llevaba tiempo, por lo visto, augurando).[55] *Sant Sebastià* constituye un hecho de tal importancia en la vida de Lorca, además de en la de Dalí, que merece ser citado íntegramente, traducido al castellano:

SAN SEBASTIÁN

A F. García Lorca

Ironía

Heráclito, en un fragmento recogido por Temistio, nos dice que a la naturaleza le gusta esconderse. Alberto Savinio* cree que este

---

* Alberto Savinio, «Anadiomenon». Principi di valutazione dell'Arte contemporanea», *Valori Plastici,* Roma, I, núm. 4-5, 1919.

esconderse ella misma es un fenómeno de autopudor. Se trata —nos cuenta— de una razón ética, ya que este pudor nace de la relación de la naturaleza con el hombre. Y descubre en eso la razón primera que engendra la ironía.

Enriquet, pescador de Cadaqués, me decía en su lenguaje esas mismas cosas aquel día que, al mirar un cuadro mío que representaba el mar, observó: es igual. Pero mejor en el cuadro, porque en él las olas se pueden contar.*

También en esa preferencia podría empezar la ironía, si Enriquet fuera capaz de pasar de la física a la metafísica.

Ironía —lo hemos dicho— es desnudez; es el gimnasta que se esconde tras el dolor de san Sebastián. Y es también este dolor, porque se puede contar.

Paciencia

Hay una paciencia en el remar de Enriquet que es una sabia manera de inacción; pero existe también la paciencia que es una manera de pasión, la paciencia humilde en el madurar los cuadros de Vermeer de Delft, que es la misma paciencia que la del madurar los árboles frutales.

Hay otra manera aún: una manera entre la inacción y la pasión; entre el remar de Enriquet y el pintar de Van der Meer, que es una manera de elegancia. Me refiero a la paciencia en el exquisito agonizar de san Sebastián.

Descripción de la figura de san Sebastián

Me di cuenta de que estaba en Italia por el enlosado de mármol blanco y negro de la escalinata. La subí. Al final de ella estaba san Sebastián atado a un viejo tronco de cerezo. Sus pies reposaban sobre un capitel roto. Cuanto más observaba su figura, más curiosa me parecía. No obstante, tenía idea de conocerla toda mi vida y la aséptica luz de la mañana me revelaba sus más pequeños detalles con tal claridad y pureza que no era posible mi turbación.

---

* Es casi seguro que se trata de una referencia a la obra *Muchacha en la ventana* (1925), hoy en el Museo Nacional Centro de Arte Reina Sofía de Madrid (MNCARS).

La cabeza del Santo estaba dividida en dos partes: una, formada por una materia parecida a la de las medusas y sostenida por un círculo finísimo de níquel; la otra la ocupaba un medio rostro que me recordaba a alguien muy conocido; de este círculo partía un soporte de escayola blanquísima que era como la columna dorsal de la figura. Las flechas llevaban todas anotadas su temperatura y una pequeña inscripción grabada en el acero que decía: *Invitación al coágulo de sangre.* En ciertas regiones del cuerpo, las venas aparecían en la superficie con su azul intenso de tormenta del Patinir, y describían curvas de una dolorosa voluptuosidad sobre el rosa coral de la piel.

Al llegar a los hombros del santo, quedaban impresionadas, como en una lámina sensible, las direcciones de la brisa.

Vientos alisios y contra-alisios

Al tocar sus rodillas, el aire escaso se paraba. La aureola del mártir era como de cristal de roca, y en su whisky endurecido, florecía una áspera y sangrienta estrella de mar.

Sobre la arena cubierta de conchas y mica, instrumentos exactos de una física desconocida proyectaban sus sombras explicativas, y ofrecían sus cristales y aluminios a la luz desinfectada. Unas letras dibujadas por Giorgio Morandi indicaban *Aparatos destilados.*

Brisa de mar

Cada medio minuto llegaba el olor del mar, construido y anatómico como las piezas de un cangrejo.

Respiré. Nada era aún misterioso. El olor de san Sebastián era un puro pretexto para una estética de la objetividad. Volví a respirar, y esta vez cerré los ojos, no por misticismo, no para ver mejor mi yo interno —como podríamos decir platónicamente—, sino para la sola sensualidad de la fisiología de mis párpados.

Después fui leyendo despacio los nombres e indicaciones escuetas de los aparatos; cada anotación era un punto de partida para toda una serie de delectaciones intelectuales, y una nueva escala de precisiones para inéditas normalidades.

Sin previas explicaciones intuía el uso de cada uno de ellos y la alegría de cada una de sus exactitudes suficientes.

Heliómetro para sordomudos

Uno de los aparatos llevaba este título: *Heliómetro para sordomudos*. Ya el nombre me indicaba su relación con la astronomía, pero sobre todo, lo evidenciaba su constitución. Era un instrumento de alta poesía física formado por distancias, y por las relaciones de estas distancias; estas relaciones estaban expresadas geométricamente en algunos sectores, y aritméticamente en otros; en el centro, un sencillo mecanismo indicador servía para medir la agonía del santo. Este mecanismo estaba constituido por un pequeño cuadrante de yeso graduado, en medio del cual un coágulo rojo, preso entre dos cristales, hacía de sensible barómetro a cada nueva herida.

En la parte superior del heliómetro estaba el vidrio multiplicador de san Sebastián. Este vidrio era cóncavo, convexo y plano a la vez. Grabadas en la montura de platino de sus limpios y exactos cristales, se podía leer *Invitaciones a la astronomía*; y debajo, con letras que imitaban el relieve: *santa objetividad*. En una varilla de cristal numerada, podía leerse aún: *Medida de las distancias aparentes entre valores estéticos puros;* y al lado, en una probeta finísima, este anuncio sutil: *Distancias aparentes y medidas aritméticas entre valores sensuales puros*. Esta probeta estaba llena, hasta la mitad, de agua marina.

En el heliómetro de san Sebastián no había música, ni voz, y era, en ciertos fragmentos, ciego. Estos puntos ciegos del aparato eran los que correspondían a su álgebra sensible y los destinados a concretar lo más insustancial y milagroso.

Invitaciones a la astronomía

Acerqué el ojo a la lente, producto de una lenta destilación numérica e intuitiva al mismo tiempo.

Cada gota de agua, un número. Cada gota de sangre, una geometría.

Me puse a mirar. En primer lugar, la caricia de mis párpados en la sabia superficie. Después, vi una sucesión de claros espectáculos, percibidos con una ordenación tan necesaria de medidas y proporciones que cada detalle se me ofrecía como un sencillo y eurítmico organismo arquitectónico.

Sobre la cubierta de un blanco paquebote, una muchacha sin senos enseñaba a bailar el *black-bottom* a los marineros empapados de viento sur. En otros trasatlánticos, los bailadores de charleston y blues veían a Venus cada mañana en el fondo de sus *gin cocktails*, a la hora de su preaperitivo.

Todo esto estaba apartado de la vaguedad, todo se veía limpiamente, con claridad de vidrio de multiplicar. Cuando posaba mis ojos sobre cualquier detalle, este detalle se agrandaba como en un *gros plan* cinematográfico, y alcanzaba su más aguda categoría plástica.

Veo a la jugadora de *polo* en el faro niquelado del Isotta Fraschini. No hago más que detener mi curiosidad en su ojo, y éste ocupa el máximo campo visual. Este solo ojo, súbitamente agrandado y como único espectáculo, es todo un fondo y toda una superficie de océano, en el que navegan todas las sugestiones poéticas y se estabilizan todas las posibilidades plásticas. Cada pestaña es una nueva dirección y una nueva quietud; el *rimmel* untuoso y dulce forma, en su aumento microscópico, precisas esferas a través de las cuales puede verse la Virgen de Lourdes o la pintura (1926) de Giorgio de Chirico: *Naturaleza muerta evangélica.**

Al leer las tiernas letras de la galleta

> *Superior*
> *Petit Beurre*
> *Biscuit*

los ojos se me llenaban de lágrimas.

Una flecha indicadora y debajo: *Dirección Chirico; hacia los límites de una metafísica.*

La línea finísima de sangre es un mudo y ancho plano del metropolitano. No quiero proseguir hasta la vida del radiante leucocito, y las ramificaciones rojas se convierten en pequeña mancha, pasando velozmente por todas las fases de su decrecimiento. Se ve otra vez el ojo en su dimensión primitiva al fondo del espejo cóncavo del faro, como insólito organismo en el que ya nadan los peces precisos de los reflejos en su acuoso medio lagrimal.

Antes de proseguir mirando, me detuve otra vez en los pormenores del santo. San Sebastián, limpio de simbolismos, era un hecho en su única y sencilla presencia. Sólo con tanta objetividad es

* El cuadro se pintó en 1918, no 1926.

posible seguir con calma un sistema estelar. Reanudé mi visión heliométrica. Me daba perfectamente cuenta de que me encontraba dentro de la órbita anti-artística y astronómica del *Noticiario Fox*.

Siguen los espectáculos, simples hechos motivadores de nuevos estados líricos.

La chica del bar toca *Dinah* en su pequeño fonógrafo, mientras prepara ginebra compuesta para los automovilistas, inventores de las sutiles mezclas de juegos de azar y superstición negra con las matemáticas de sus motores.

Sobre el autódromo de Portland, la carrera de Bugattis azules, vista desde el avión, adquiere un ensoñado movimiento de hidroideos que se sumergen en espiral en el fondo del acuárium, con los paracaídas desplegados.

El ritmo de la Joséphine Baker al *ralenti* coincide con el más puro y lento crecimiento de una flor en el acelerador cinematográfico.

Brisa de cine otra vez. Guantes blancos a teclas negras de *Tom Mix*,* puros como los últimos entrecruzamientos amorosos de los peces, cristales y astros de *Marcoussis*.**

Adolphe Menjou, en un ambiente anti-trascendental, nos da una nueva dimensión del *smoking* y de la ingenuidad (ya sólo delectable dentro del cinismo).***

Buster Keaton —¡he aquí la Poesía Pura, Paul Valéry!—. Avenidas post-maquinísticas, Florida, Corbusier, Los Ángeles, Pulcritud y euritmia del útil estandarizado, espectáculos asépticos, antiartísticos, claridades concretas, humildes, vivas, alegres, reconfortantes, para oponer al arte sublime, delicuescente, amargo, putrefacto...

Laboratorio, clínica.

La clínica blanca se remansa en torno de la pura cromolitografía de un pulmón.

Dentro de los cristales de la vitrina, el bisturí cloroformizado duerme tendido como una Bella Durmiente en el bosque imposible de entrelazamiento de los níqueles y del *ripolín*.

Las revistas americanas nos ofrecen *Girls, Girls, Girls* para los ojos, y, bajo el sol de Antibes, *Man Ray* obtiene el claro *retrato* de

---

* Actor y director norteamericano (1880-1940).
** El pintor cubista polaco Louis Marcoussis (1878-1941), que vivía en París.
*** Actor norteamericano (1890-1936) admirado por Dalí, entre otras razones por su bigote.

una magnolia, más eficaz para nuestra carne que las creaciones táctiles de los futuristas.*

Vitrina de zapatos en el Gran Hotel.

Maniquíes. Maniquíes quietas en la fastuosidad eléctrica de los escaparates, con sus neutras sensualidades mecánicas y articulaciones turbadoras. Maniquíes vivas, dulcemente tontas, que andan con el ritmo alternativo y contra sentido de cadera-hombros, y aprietan en sus arterias las nuevas fisiologías reinventadas de los trajes.

Bocas de las maniquíes. Heridas de san Sebastián.

Putrefacción

El lado contrario del vidrio de multiplicar de san Sebastián correspondía a la putrefacción. Todo, a través de él, era angustia, oscuridad y ternura aún; ternura, aún, por la exquisita ausencia de espíritu y naturalidad.

Precedido por no sé qué versos del Dante, fui viendo todo el mundo de los putrefactos: los artistas trascendentales y llorosos, lejos de toda claridad, cultivadores de todos los gérmenes, ignorantes de la exactitud del doble decímetro graduado; las familias que compran objetos artísticos para poner sobre el piano; el empleado de obras públicas; el vocal asociado; el catedrático de psicología... No quise seguir. El delicado bigote de un oficinista de taquilla me enterneció. Sentía en el corazón toda la poesía suya exquisita y franciscana y delicadísima. Mis labios sonreían a pesar de tener ganas de llorar. Me tendí en la arena. Las olas llegaban a la playa con rumores quietos de *Bohémienne endormie*, de Henri Rousseau.

El propósito de Dalí en *Sant Sebastià* era exponer su estética de la Santa Objetividad, sobre la cual llevaba meses discurriendo en su correspondencia con Lorca y Buñuel. Es decir, su dogma de que el deber del arte actual era evitar toda sentimentalidad, y de expresar el espíritu «aséptico» de la época. La búsqueda de la luz y de la claridad, que caracteriza este momento de Dalí, y que Lorca ya había elogiado en su oda al pintor, es también tema frecuente en las cartas de Salvador al poeta.

* Referencia, parece ser, a *Il tattilismo* («El tactilismo») de Marinetti, editado en 1921.

Que en *Sant Sebastià* había alusiones al granadino es algo acerca de lo cual el interesado no podía entretener la menor duda. «A ver si resultara que San Sevastian eres tu…», le había dicho Dalí mientras lo escribía.[56] Un lado de la cabeza del santo lo ocupa «un medio rostro que me recordaba a alguien muy conocido». ¿De quién se trata sino Federico? Lo corrobora el dibujo de Sebastián que acompañó la publicación del texto en *L'amic de les arts*: en su correspondencia con el amigo el pintor le llama dos veces *lenguado* y en el dibujo la cabeza del santo tiene la forma, efectivamente, de dicho pez.[57]

Rafael Santos Torroella, el mayor experto en el Dalí joven, llegó a la conclusión de que las alusiones del pintor al lenguado iban por el sexo oral, la única alternativa aceptable al tan temido coito anal. [58]

Para Lorca será inolvidable este verano. No sólo ha estado constantemente con Salvador durante dos meses y medio, sino que ha hecho muchas amistades nuevas y ha ahondado en otras anteriores. Será inolvidable también para Anna Maria Dalí, que recordará con nostalgia las sesiones de guitarra improvisadas en la terraza de Es Llané bajo la luna por Regino Sainz de la Maza, la insistencia de Federico en que leyese sin demora las *Metamorfosis* de Ovidio («¡Allí está todo!») y lo maravillosamente bien que se llevaba el poeta con los niños. Para dos amiguitos de los Dalí había inventado unos juegos insólitos, entre ellos el que llamaba «las cartas de Margarita Petita»:[59]

> Un atardecer, cuando jugábamos en la playa, Federico, de pronto, simuló coger un papel que venía por los aires. Y dijo: «Es una carta de Margarita Petita». Y la leyó: «Queridos niños: Soy un caballo blanco con la crin al viento que busca a una estrella. Mirad cómo corro en su busca. Pero no la encuentro. Estoy cansado, no puedo más, la fatiga me disuelve en humo… Mirad cómo cambian las formas». Todos nos quedamos contemplándolo. En efecto, la crin parecía desprenderse del cuello… la cola se alargaba de modo inverosímil… y las patas se convertían en alas… De repente vimos aparecer en el horizonte la estrella de la tarde y gritamos: ¡¡La estrella!! ¡¡La estrella!![60]

Otro día, uno de los niños le dio una piedra encontrada en la playa. Quería saber qué decía. El poeta volvió a improvisar. El mensaje rezaba:

«Queridos niños: Estoy aquí desde hace muchos años, muchísimos años. Los más felices fueron los que serví de techo a un nido de hormigas. Estaban tan seguras de que era el cielo que me lo creí. Ahora sé que sólo soy una piedra y este recuerdo es mi secreto. No lo digáis a nadie.»[61]

Las muchas fotografías sacadas por Anna Maria aquel verano, la mayoría en la terraza de Es Llané, nos muestran a un Lorca radiante de felicidad: comunicándose por transmisión mental con Dalí (su cabeza unida a la del pintor por el cinturón del albornoz) mientras los dos trabajan en un «manifiesto antiartístico»;* sumergiéndose con denuedo en el mar ¡a un metro de la orilla!; luciendo la camisa de pescador que ella le ha confeccionado; jugando con los niños o sentado con la mano posada en la rodilla del pintor… Federico, en fin, feliz como nunca.

Entretanto sus padres se están impacientando. Lleva casi tres meses fuera de casa y ahora quieren que vuelva. Poco antes de que lo haga aparece en *El Sol*, de Madrid, una reseña de *Canciones* que podemos imaginar complació sobremanera a García Rodríguez y Vicenta Lorca. El crítico, Esteban Salazar Chapela, está al tanto del triple éxito que Lorca acaba de cosechar en Barcelona —como poeta, dramaturgo y dibujante—, y elogia calurosamente el libro, su elegancia y su contención, su equilibrio entre lo moderno y lo tradicional. No duda que Lorca es el mejor poeta andaluz vivo, ni que su influencia es ya «revolucionaria».[62]

A finales de julio se despide con emoción de Cadaqués. Desde Barcelona, antes de coger el tren de Madrid, escribe a Dalí una enjundiosa carta que demuestra hasta qué punto le han conmovido *La miel es más dulce que la sangre* y *Cenicitas*, además de los actuales textos literarios del amigo: *Sant Sebastià*, desde luego, pero también sus prosas *Mi amiga en la playa* y *Navidad en Bruselas (cuento antiguo)*, que pronto se publicarán (en el catalán original) en *L'amic de les arts*.[63] Le ha costado mucho separarse de Dalí, y está claro que algo muy perturbador ha ocurrido entre ellos:

---

* La versión definitiva del documento, titulado en catalán «Manifest Groc» y en castellano «Manifiesto Antiartístico», fue publicada en marzo de 1928, firmado por Dalí, Sebastià Gasch y Lluís Montanyà, pero no por Lorca.

Mi querido Salvador: Cuando arrancó el automóvil, la oca empezó a graznar y decirme cosas del Duomo de Milán.* Yo estuve a punto de tirarme del coche para quedar contigo (contiguito) en Cadaqués, pero me detenía el expresivo reloj pulsera de *Pepe* y la nariz de *Pepe* que echaba en la mañana al baño maría de París un coralito de sangre duro duro en su cara lastimosa.** Al despedirme de los Qucurucuchs [sic]*** en el recodo de la carretera, te he visto pequeño comiéndote una manecita roja con aceite y utilizando un pequeño tenedor de yeso que te sacabas de los ojos. Todo con una ternura de pollo recién salido del cascarón**** y tiu tiu y de [¿pirulí?] mano. ¡Ay!*****

Ahora sudo y [¿hace?] un calor insoportable. Cadaqués tiene la alegría y la permanencia de bellezas neutra[s] [de]l sitio donde ha nacido Venus, *pero que ya no se recuerda.*

Va hacia la belleza pura. Desaparecieron las viñas y se exaltan día por día las aristas que son como las olas y las olas (onadas) que son como las aristas. Un día la luna [¿se?] mojará con elasticidad de pez mojado, y la torre de la iglesia oscilará de goma blanda sobre las casas, duras o *lastimosas,****** de cal, o de pan mascado. Yo me entusiasmo pensando en los descubrimientos que vas a hacer de Cadaqués y recuerdo al Salvador Dalí neófito lamiendo la cáscara del crepúsculo sin entrar dentro todavía, la cáscara rosa palidísima de cangrejo puesto boca arriba. Hoy ya estás dentro. Desde aquí siento (¡ay, hijo mío, qué pena!) el chorrito suave de la bella sangrante del bosque de aparatos******* y oigo crepitar dos bestiecitas como el sonido de los cacahuetes cuando se parten con los dedos. La

---

* Anna Maria Dalí tenía ocas en un jardín detrás de la casa familiar de Es Llané. «¡Échales maíz a las Ocas!», le dirá Lorca en una carta (*EC*, p. 507). La significación de la referencia al Duomo se nos escapa.

** No hemos podido identificar a este personaje.

*** Se trata de los Cucurucucs, dos islotes situados a cada lado de la bahía de Cadaqués.

**** Alusión, tal vez, al gracioso pollo que sale de un huevo en el primer plano de *Cenicitas*.

***** Lorca se refiere a la última vista de Cadaqués que se obtiene desde la curva de la carretera en el lugar llamado Perefita, en la falda del Pení. Desde allí en absoluto habría podido ver a Dalí, aunque hay un panorama espléndido de la bahía de Cadaqués.

****** El subrayado indica que Lorca está utilizando adrede un adjetivo caro a Dalí. En *Mi amiga y la playa*, por ejemplo, encontramos unas «bèsties abatudas y llastimosas».

******* Título original del cuadro *La miel es más dulce que la sangre*.

mujer seccionada es el poema más bello que se puede hacer de la sangre y tiene más sangre que toda la que se derramó en la Guerra Europea, que era sangre *caliente* y no tenía otro fin que el de *regar* la tierra y aplacar una sed simbólica de erotismo y fe. Tu sangre pictórica y en general toda la concepción plástica de tu estética fisiológica tiene un aire concreto y tan proporcionado, tan lógico y tan verdadero de pura poesía que adquiere la categoría *de lo que nos es necesario* para vivir.*

Se puede decir «iba cansado y me senté a la sombra y frescura de *aquella sangre*», o decir «bajé el monte y corrí toda la playa hasta encontrar la cabeza melancólica donde se agrupaban los deliciosos bestecitos [sic] crepitantes tan útiles para la buena digestión».

Ahora sé lo que pierdo separándome de ti. La impresión que me da Barcelona es la impresión de que todo el mundo juega y suda con una preocupación de *olvido*. Todo es confuso y embistiente como la estética de la llama, todo indeciso y despistado. Allí en Cadaqués la gente se siente sobre el suelo todas las sinuosidades y poros de las plantas de los pies. Ahora veo como en Cadaqués me sentía los hombros. Es una delicia para mí recordar las curvas resbaladizas de mis hombros donde por primera vez he sentido en ellos la circulación de la sangre en cuatro tubitos esponjosos que temblaban con movimientos de nadador herido.

Quisiera llorar pero con el llanto sin conciencia de Lluís Salleras** y con el canto estupendo de cuando tu padre tararea la sardana «Una llàgrima».***

Me he portado como un burro indecente contigo que eres lo mejor que hay para mí. A medida que pasan los minutos lo veo claro y tengo verdadero sentimiento. Pero esto sólo aumenta mi cariño por ti y mi adhesión por tu pensamiento y calidad humana.

Esta noche como con todos los amigos de Barcelona y brindaré por ti y por mi estancia en Cadaqués, pues las plazas del exprés estaban tomadas.

Saluda a tu padre, a tu hermana Ana María a quien tanto quiero, y a Raimunda.****

---

* En la fotografía en blanco y negro de *La miel es más dulce que la sangre* no se aprecia, claro está, la calidad de la sangre que evoca Lorca. El estudio para el cuadro, que probablemente conocía Lorca también, sí permite apreciarla. Se reproduce en *DOH*, p. 76.

** Vecino de los Dalí en Es Llané.

*** Quizá la famosa sardana *Per tu ploro*.

**** Se trata, tal vez, de Ramuneta Montsalvatge, joven y guapa amiga de Dalí.

Acuérdate de mí cuando estés en la playa y sobre todo cuando pintes las crepitantes y [¿únicas?] cenicitas, ¡ay mis cenicitas! Pon mi nombre en el cuadro para que mi nombre sirva para algo en el mundo* y dame un abrazo que bien lo necesita tu

FEDERICO

¡Hace un calor espantoso!
¡Pobrecito!
Que hagas el artículo de mi exposición y que me escribas, hijito.[64]

Unos días después —acaso desde Madrid— le escribe otra vez, incluyendo dibujos suyos, y vuelve sobre el asunto de su comportamiento de «burro indecente»:

Yo pienso en ti y en tu casita. Y nunca pensé más intensamente que ahora. Es ya el colmo. Yo espero que tú me escribirás. Y me contarás muchas cosas del bosque** y de todo. Y me dirás si me guardas resquemor o si me has borrado de tus amistades.[65]

¿A qué incidente se refería en estas dos cartas? En opinión de Rafael Santos Torroella se trataba tal vez de un segundo intento de poseer físicamente al pintor. Avala la hipótesis, para dicho estudioso, el cuadro *Calavera atmosférica sodomizando a un piano de cola*, pintado por Dalí en 1934, en cuyo fondo se aprecia la barraca de pescadores de Port Lligat comprada por Salvador a Lidia Noguer en 1930 y que sería núcleo central de la estrafalaria vivienda hoy mundialmente conocida. Pero es una hipótesis, nada más, y de momento no contamos con ninguna información adicional acerca del comportamiento «de burro indecente» que obligara al poeta, temeroso de perder a Dalí, a disculparse.[66]

Lo que sí podemos afirmar, a la luz de la primera carta, es la influencia que ya está ejerciendo sobre Federico no sólo la pintura actual de Dalí sino su estilo literario. Ello se verá pronto en sus

---

* Dalí puso el «nombre» de Lorca en el cuadro al colocar la que parece ser su cabeza seccionada en la línea que separa mar y playa.

** Es decir, de *La miel es más dulce que la sangre*, cuyo primer título, sugerido por Lorca, era *El bosque de los aparatos*.

«poemas en prosa». Tan fuerte es, de hecho, que con razón se ha propuesto, como fenómeno paralelo a la «época Lorca» de Dalí, una «época Dalí» del andaluz.[67]

Granada otra vez

El poeta sólo pasa un par de días en Madrid antes de regresar a Granada, donde el 7 de agosto *El Defensor* anuncia su vuelta a casa, recordando el reciente «gran éxito» de *Mariana Pineda* en la capital catalana.[68]

Durante el verano *Canciones* sigue atrayendo la benévola atención de los críticos, y cabe suponer que se siente especialmente halagado por el artículo publicado el 31 de julio en la primera página de *El Sol* bajo el título llamativo «De una generación y su poeta». Impresionado por el libro, su autor, Ricardo Baeza —prestigioso crítico, novelista y traductor, entre otros, de Oscar Wilde— dice tener la plena seguridad de que, sumidos ahora en relativo silencio Antonio Machado y Juan Ramón Jiménez, Lorca va camino de ser el poeta actual más importante de España. Opina que, por su renuncia a que le editen sus libros, sobre todo el *Romancero gitano*, se hace un flaco servicio. Y termina:

> Obraría cuerdamente el señor García Lorca no difiriendo demasiado la publicación de esa su obra inédita, tan copiosa como admirable. Por haber demorado en demasía la de este libro de *Canciones*, que hoy ya no supone sino una faceta pasada e inicial de su personalidad poética, los que no se hallan al corriente del caso podrán quizá discernir en él la influencia de otros poetas de su generación, que en realidad provienen en gran parte de su obra, generosa e incautamente comunicada en privado, pero que tuvieron la destreza de apresurarse a editar […] De la voluntad del señor García Lorca depende ya la entronización. Publique los *Romances gitanos* y ella tendrá lugar automáticamente.

El poeta sigue obsesionado con Salvador. «Difícilmente encontrará Dalí una persona que sienta su arte maravilloso como yo», le confía a Gasch.[69] Cuando recibe *L'amic de les arts* y ve *Sant Sebastià* en letras de molde apenas cabe en sí. «Es uno de los más intensos poemas que pueden leerse —escribe en otra carta a Gasch—. En este muchacho está, a mi juicio, la mayor gloria de la

Cataluña eterna. Yo estoy preparando un estudio sobre él, que usted traducirá al catalán, si quiere, y lo publicaré antes en ese idioma» (otro proyecto no llevado a cabo).[70]

Entre sus compañeros granadinos, todavía empeñados en sacar adelante *gallo*, el «prodigioso poema» daliniano —como lo llama en una carta a Anna Maria— provoca casi tanto entusiasmo como en él mismo. «Aquí en Granada lo hemos traducido y ha causado una impresión extraordinaria —le sigue contando—. Sobre todo a mi hermano, *que no se lo esperaba*, a pesar de lo que le decía. Se trata sencillamente de una prosa nueva llena de relaciones insospechables y sutilísimos *puntos de vista*. Ahora desde aquí adquiere para mí un encanto y una luz inteligentísima que hace redoblar mi admiración.»[71]

A mediados de agosto la familia se traslada al balneario de Lanjarón, parando como siempre en el Gran Hotel España. Desde allí le sigue escribiendo a Dalí, aunque por desgracia sólo se conoce un fragmento de una de las cartas. Se trata otra vez del tema obsesivo de san Sebastián, con evidentes alusiones fálicas:

Nunca había pensado que san Sebastián tuviera las plumas de colores. Las flechas de san Sebastián son de acero, pero la diferencia que yo tengo contigo es que tú las ves clavadas, fijas y robustas, flechas cortas que no descompongan, y yo las veo largas… en el momento de la herida. Tu san Sebastián de mármol se opone al mío de carne que muere en todos los momentos, y así tiene que ser. Si mi san Sebastián fuera demasiado plástico yo no sería un poeta lírico, sino un escultor (no pintor). Creo que no tengo que explicarte por qué no sería pintor. La distinción es sutil. Pero lo que a mí me conmueve de san Sebastián es su serenidad en medio de su desgracia, y hay que hacer constar que la desgracia es siempre barroca; me conmueve su gracia en medio de la tortura, y esa carencia absoluta de resignación que ostenta en su rostro helénico, porque no es un resignado sino un triunfador, un triunfador lleno de elegancia y de tonos grises como un remero [¿romero?] constante que desconociese los paseos de la ciudad. Por eso san Sebastián es la figura más bella, si no de todo el arte, del arte que se ve con los ojos.

¿No es verdad que san Sebastián está lejos del mar? ¿Verdad que [ni] las olas, ni las montañas lo entienden? San Sebastián es un mito de agua dulce en vaso de cristal puro. Fue martirizado dentro de una habitación y no amarrado a un árbol rugoso como lo representaron los románticos del Renacimiento, sino amarrado a una columna de jaspe, amarillo y traslúcido como su carne. El árbol lo había inventado la Edad Media.

* * *

Todos tenemos una capacidad de san Sebastián bajo la murmuración y la crítica. A san Sebastián le dieron martirio con toda razón y estuvo dentro del orden y la ley de su momento. Pecaba contra su época… ¡pero no lo sabía! (Estética de la balanza.) Ningún mártir lo supo. Y todos lo fueron por razón de Estado. No los mataron por adorar a su Dios, sino por no respetar el Dios de los demás. Todos estaban fuera de la ley. Y no tenían razón: Sócrates puesto en este aprieto quizá habría optado por respetar las leyes de la República. ¡Drámatico conflicto! San Sebastián se salva por su belleza y los demás se salvan por el amor. Todos construyen una oración en su martirio y San Sebastián se diferencia de todos, posa y construye su cuerpo dando eternidad a lo fugitivo y logrando hacer visible una abstracta idea estética, como da una rueda la idea completísima del movimiento perpetuo. Por eso yo lo amo.

Después de tan bien razonada y brillante abogacía a favor de un san Sebastián más tierno y menos marmóreo, viene la confesión de la soledad que está padeciendo después de los gloriosos meses catalanes pasados al lado de su «hijito». Se agudiza el ingenio de la expresión, de la imagen. Se acentúa la alusión al amor que no se atreve a decir su nombre. Y brota, desde un Lanjarón vacío para él, la desesperación:

El aire que viene del mar es delicado. Los pájaros pueden volar sin llevar alas de repuesto como llevan en los Pirineos y montes del Cáucaso. Entre las gentes del hotel no hay siquiera una pantorrilla bien hecha. Las niñas que suben de las olas miran y las que bajan de la montaña desean. Estoy bastante aislado y no me gusta hablar con nadie como no sea con los camareros que son guapos y sé lo que van a decirme. Yo te recuerdo siempre. Te recuerdo demasiado. Me parece que tengo una cálida moneda de oro en la mano y no la puedo soltar. Pero tampoco quiero soltarla, hijito. Tengo que pensar que eres feísimo para quererte más.[72]

Dalí tarda en contestar, y Federico, que le ha mandado ya tres cartas, empieza a preocuparse. ¿Qué ocurre? Pide noticias a Gasch.

¿Se ha metido Salvador en algún «lío»?[73] Finalmente llega una tarjeta postal del pintor, nada más (parece ser que perdida). «Me parece que debe estar muy fastidiado pensando en el servicio militar —le cuenta Federico a Gasch—. Dice que le cuesta un gran trabajo escribir. Desde luego tiene algo.»[74]

Quizás el «algo» no era ajeno a lo ocurrido entre ellos en Cadaqués.

Tal vez como defensa contra su desánimo se entretiene dibujando frenéticamente. A Gasch, a quien aprecia cada vez más, le escribe para agradecerle la elogiosa reseña de su exposición barcelonesa que le acaba de dedicar en *L'amic de les arts* («ya sabes el extraordinario regocijo que me causa el verme tratado como pintor»),[75] para asegurar su colaboración en *gallo* y, sobre todo, para intentar una clarificación de su estado de ánimo actual:

> Ya me voy *proponiendo* temas antes de dibujar, y consigo el *mismo* efecto que cuando no pienso en nada.
>
> Desde luego me encuentro en estos momentos con una sensibilidad ya casi física que me lleva a planos donde es difícil tenerse en pie y donde casi se vuela sobre el abismo. Me cuesta un trabajo ímprobo sostener una conversación normal con estas gentes del balneario, porque mis ojos y mis palabras están en otro sitio. Están en la inmensa biblioteca que no ha leído nadie, en un aire fresquísimo, país donde las cosas bailan sobre un solo pie.[76]

Se halla en un evidente estado de hipersensibilidad. Gasch, preocupado por lo que acaba de leer, vuelve a escribirle poco después. No se conoce la carta, pero por la larga y densa respuesta de Lorca (2 de septiembre), escrita desde la Huerta de San Vicente, podemos hacernos una idea de los recelos que le ha expresado el catalán:

> Efectivamente, tienes razón en todo lo que me dices. Pero mi estado no es de *perpetuo sueño*. Me he expresado mal. *He cercado* algunos días al sueño, pero sin caer del todo en él y teniendo desde luego un atadero de risa y un seguro andamio de madera. Yo nunca me aventuro en terrenos que no son del hombre, porque vuelvo tierras atrás en seguida y *rompo* casi siempre el producto de mi viaje. Cuando hago una cosa de pura abstracción, siempre tiene (creo yo) como un salvoconducto de sonrisas y un equilibrio bastante humano.[77]

Reflexiona luego sobre sus últimos dibujos, algunos de los cuales ha mandado al crítico:

Abandonaba la mano a la tierra virgen y la mano junto con mi corazón me traía[n] los elementos milagrosos. Yo los descubría y los anotaba. Volvía a lanzar mi mano, y así, con muchos elementos, escogía los característicos del asunto o los más bellos e inexplicables, y componía mi dibujo [...] Hay milagros puros como «Cleopatra», que tuve verdadero escalofrío cuando salió esa armonía de líneas que no había *pensado,* ni *soñado,* ni *querido, ni estaba inspirado,* y yo dije «¡Cleopatra!» al verlo, ¡y es verdad! Luego me lo corroboró mi hermano. Aquellas líneas eran el *retrato exacto, la emoción pura* de la reina de Egipto.[78]

Gasch no es partidario del surrealismo, algo que Lorca debe saber. En la carta, aunque no lo dice abiertamente y figuran en ella los términos «super-realidad» y «super-forma», que remiten al movimiento capitaneado por André Breton, hay como un intento de negar cualquier tentación de entregarse al automatismo o a las fuerzas del inconsciente:

Mi estado es siempre alegre, y ese *soñar* mío no tiene peligro en mí, que llevo *defensas*; es peligroso para el que se deja fascinar por los grandes espejos obscuros que la poesía y la locura ponen en el fondo de sus barrancos. Yo estoy y me siento con pies de plomo en arte. El abismo y el sueño los *temo* en la realidad de mi vida, en el amor, en el encuentro cotidiano con los demás. Eso sí que es terrible y *fantástico.*[79]

Debido al interés de Gasch por sus dibujos, Lorca le manda una selección de los que acaba de ejecutar, con la idea de que se publiquen con un prólogo del crítico. Pero aunque el proyecto le ocupará de manera esporádicamente durante varios meses, al final se quedará en agua de borrajas.[80]

En estos momentos trabaja en *Santa Lucía y San Lázaro,* «poema en prosa» producto de la profunda conmoción que le ha provocado el Dalí no solo de *Sant Sebastià* sino de otras prosas que le envía el pintor. «No hay duda que es un temperamento literario de primer orden —le asegura a Gasch—. Y creo que hará cosas extraordinarias.»[81]

En *Santa Lucía y San Lázaro* la creación de un escenario netamente onírico, el uso de párrafos y frases cortos, sin verbo, y la voz
del narrador recuerdan enseguida *Sant Sebastià*, pero los símiles
de Lorca alcanzan un nivel imaginativo superior a los de su «hijito»:

> El día de primavera era como una mano desmayada sobre un
> cojín.

O:

> Sus voces oscuras, como dos topos huidos, tropezaban con las
> paredes, sin encontrar la cuadrada salida del cielo.

O:

> La alegría de la ciudad se acababa de ir, y era como el niño re-
> cién suspendido en los exámenes.

O:

> El ruido de un tren se acercaba confuso como una paliza.[82]

Se evoca la solemne novena a los ojos de Santa Lucía en términos que hacen pensar inmediatamente en la estética de la Santa
Objetividad de Dalí:

> Se glorificaba el exterior de las cosas, la belleza limpia y oreada
> de la piel, el encanto de las superficies delgadas, y se pedía auxilio
> contra las oscuras fisiologías del cuerpo, contra el fuego central y
> los embudos de la noche, levantando, bajo la cúpula sin pepitas,
> una lámina de cristal purísimo acribillada en todas direcciones
> por finos reflectores de oro. El mundo de la hierba se oponía al mun-
> do del mineral. La uña, contra el corazón. Dios de contorno, transpa-
> rencia y superficie. Con el miedo al latido, y el horror al chorro de
> sangre, se pedía la tranquilidad de las ágatas y la desnudez sin
> sombra de la medusa.[83]

Al publicarse *Santa Lucía y San Lázaro* aquel noviembre en la
Revista de Occidente, la reacción de Dalí sería bastante positiva.
Y no se le escaparía que el texto constituía un claro homenaje a
Sant Sebastià.[84]

Mariana Pineda en Madrid

Con la llegada del otoño Federico regresa a Madrid, donde Margarita Xirgu, fiel a su palabra, va a inaugurar su temporada en el teatro Fontalba con *Mariana Pineda* que, después de sus primeras representaciones en Barcelona, ha sido favorablemente acogida en San Sebastián.[85] La mañana del estreno, el 12 de octubre, publica en el diario *ABC* una nota en la que explica sus intenciones en la obra, subrayando su esfuerzo por crear un «ambiente» reminiscente de las estampas del siglo XIX que le permitiera echar mano de ciertos «tópicos» románticos pero, al mismo tiempo, obviar cualquier intento de pastiche. La indicación resulta eficaz, y las reseñas aparecidas al día siguiente demuestran que los críticos tuvieron en cuenta sus puntualizaciones.[86]

El estreno fue casi triunfal. Lo interrumpieron estruendosas ovaciones y se reclamó su presencia en el escenario al final de cada acto. Nada menos parecido al de *El maleficio de la mariposa* siete años antes. Hasta los escasos críticos hostiles no tuvieron más remedio que dejar constancia del extraordinario entusiasmo del público. Entre los muchos amigos de Lorca en la sala estuvo Rafael Alberti, quien recuerda en *La arboleda perdida* la intensa excitación registrada, excitación que tenía mucho que ver con el temor de que la obra pudiera ser prohibida en el último momento, o incluso durante la representación, por las autoridades de Primo de Rivera. Pero la velada transcurrió sin tropiezos.[87]

En uno de los intermedios Alberti presentó a Lorca a un joven poeta malagueño, Vicente Aleixandre, cuya obra ya estaba empezando a darse a conocer en las pequeñas revistas que entonces florecían. Sería uno de más fieles amigos de Federico. Y, en parte por ser él mismo homosexual, uno de los que mejor le entendiesen.[88]

Lorca estaba más que satisfecho con la reacción de los críticos, que, con unas pocas excepciones, respondieron favorablemente, pues era muy consciente de los defectos de la obra, que se mantuvo diez días en cartel. Tenía razones sobradas para estar contento: había entrado en el teatro por la puerta grande bajo el ala protectora de Margarita Xirgu, y si *Mariana Pineda,* pese a sus fallos, había tenido un éxito razonable tanto en Barcelona como en la capital, ¿qué no lograría con su obra nueva? «*Mariana Pineda* descubre a un verdadero dramaturgo, y no digo a un poeta porque ése ya lo admirábamos todos», declaraba un mes más tarde Carlos

Arniches, nada menos: observación que seguramente le hizo muy feliz.[89] Antes de que *Mariana Pineda* acabara, además, el *Heraldo de Madrid* ya había anunciado en su popular página teatral que el autor tenía listas, como mínimo, otras tres obras dramáticas: *La zapatera prodigiosa*, *El amor de don Perlimplín con Belisa en su jardín* y otra para guiñol (*Tragicomedia de don Cristóbal y la señá Rosita*). Era evidente que, si Lorca ya era considerado por Ricardo Baeza y otros críticos el mejor poeta de su generación, también iba camino de ser un dramaturgo de renombre.[90]

El 22 de octubre de 1927 *La Gaceta Literaria* —la revista literaria más importante del país, dirigida por Ernesto Giménez Caballero— festeja el éxito con un banquete. Hay más de sesenta comensales, entre ellos Ramón Gómez de la Serna, el propio Giménez Caballero, Melchor Fernández Almagro, Américo Castro y Dámaso Alonso. Se improvisan ingeniosos discursos, destacándose el de Ramón, y en medio del entusiasmo general Lorca recita tres de sus romances gitanos, entre ellos uno de los más recientes, «Martirio de santa Olalla». Los varios telegramas leídos incluyen uno de Dalí (se desconoce el texto), respuesta, cabe suponerlo, al que le ha mandado Lorca para informarle de los elogios cosechados tanto por la obra en sí como por los decorados y vestuario del «hijito».[91]

Desde que se separaron aquel verano, el pintor, que aún no ha terminado el servicio militar, ha seguido trabajando afanosamente en *La miel es más dulce que la sangre* y *Cenicitas*. Coincidiendo con el estreno de *Mariana Pineda* en Madrid expone ambos en el Salón de Otoño barcelonés y comprueba, con disgusto, que los críticos, a diferencia del público, parecen incapaces de apreciarlos. Al comentar tal falta de sensibilidad en *L'amic de les arts*, se pregunta por qué, allí donde los teóricamente entendidos en arte se demuestran tan obtusos, la gente normal ha respondido con entusiasmo. Su conclusión: «Porque le retenía lo poético, que le emocionaba subconscientemente, a pesar de las enérgicas protestas de su cultura y de su inteligencia». En el mismo artículo alega que su preocupación por «la máxima objetividad artística» distancia su obra del surrealismo. Pero se trata más de una jactancia que de una descripción de su práctica actual —y de su programa vital—, cada vez más en deuda con el movimiento.[92]

En el número del 31 de octubre de 1927 de *L'amic de les arts* se reproducen *La miel es más dulce que la sangre* y una ampliación del fragmento del cuadro donde aparece la cabeza seccionada de

Lorca (ilustración 23). ¿Se encargó el poeta de señalar a sus amigos, y tal vez a su familia, su presencia en el fabuloso cuadro hoy perdido? Cabe pensar que sí, aunque sobre ello no tenemos la más mínima información. De todas maneras es probable que ya le hubiera enviado Dalí la estupenda fotografía de la obra que más tarde se encontraría entre sus papeles.[93]

A los pocos días del estreno de *Mariana Pineda* Lorca había recibido una carta de Dalí en la cual se aprecia claramente la creciente influencia que ya está ejerciendo sobre él el surrealismo, pese a sus manifestaciones públicas en sentido contrario. Tras describir con entusiasmo sus cuadros actuales, se expresa íntimamente satisfecho con la invención de ciertos «pechos extraviados», que no hay que confundir, insiste, con los senos «voladores» que ya han aparecido en su obra (en *Cenicitas*, por ejemplo). Luego adopta un tono más íntimo, pensando en el dinero que se imagina está ganando *Mariana Pineda*:

> Ola señor; debes ser rico, si estuviera contigo haria de putito para conmoverte y robarte billetitos que iria a mojar (esta vez, en el agua de los burros). Hestoy tentado de mandarte un retazo de mi pijama color l'angosta, mejor dicho color «sueño de langosta», para ver si te enterneces desde tu opulencia y me mandas dinerito.

Acto seguido destila veneno contra Margarita Xirgu, que todavía no le ha pagado nada por los decorados de *Mariana Pineda*. Añade que con quinientas pesetas habría lo suficiente para publicar el primer número de su proyectada *Revista Antiartística*, en el que podrían atacar a los «putrefactos», representados sobre todo, en opinión de Salvador, por Juan Ramón Jiménez, el sentimentalismo de cuyo *Platero y yo* desprecia (los burros podridos de sus propios cuadros, está claro, son los únicos burros auténticos).[94] No sabemos cómo reaccionó Lorca ante esta carta, pero cabe suponer que el tono libidinoso utilizado en ella por el «hijito» sólo serviría para aumentar su infelicidad al no tenerlo a su lado. En estos momentos, por otra parte, Dalí está más obsesionado que nunca con escapar a París, y Lorca intuye, seguramente, que no tardará mucho en salirse con la suya y reunirse allí con Buñuel y los demás pintores españoles que han dado el salto.

Buñuel, zapador

A finales de mayo de 1927, cuando Lorca estaba con Dalí en Figueres y Barcelona preparando *Mariana Pineda*, Buñuel había regresado a Madrid para presentar una sesión de cine de vanguardia en la Residencia de Estudiantes, con extractos representativos de cintas de Lucien Brull, Jean Renoir y Alberto Cavalcanti y, completa, *Entreacto*, la extraordinaria película de René Clair. Rodada en 1924, con guión de Francis Picabia y colaboraciones de Eric Satie, Man Ray, Marcel Duchamp y otras personalidades parisinas de vanguardia, se componía de una vertiginosa sucesión de perturbadoras secuencias, a veces hilarantes, conseguidas gracias a un ingenioso montaje de trucos, metamorfosis, superposiciones y escenas rodadas con cámara lenta (por ejemplo, el proyéctil que sale de la boca del cañón). Dejó pasmados a los residentes. Años más tarde a Buñuel le gustaría recordar cómo, después de la sesión, el filósofo José Ortega y Gasset le había confesado, rebosando entusiasmo, que, de ser más joven, se dedicaría al cine a partir de aquel mismo momento.[95]

Las cartas de Buñuel que en estas fechas recibe José Bello demuestran que el cineasta en ciernes está cada vez más celoso de la intensa relación que ahora existe entre Lorca y Dalí, que durante el verano le han escrito juntos desde Cataluña. «Pepín —despotrica el 28 de julio—: Recibí una carta asquerosa de Federico y su acólito Dalí. Lo tiene esclavizado.»[96] Buñuel sabe que el segundo pueblo de Federico en la Vega de Granada se llama Asquerosa. Y le llama la atención. El 5 de agosto escribe otra vez a Bello. El tono jocoso no puede disimular su mala leche:

> Dalí me escribe cartas asquerosas.
> Es un asqueroso.
> Y Federico, dos asquerosos.
> Uno por ser de Asquerosa y otro porque es un asqueroso.[97]

El 5 de septiembre vuelve a la carga y, después de algunos comentarios escabrosos e informaciones de última hora acerca de sus actividades cinematográficas en París, lanza su más feroz ataque hasta la fecha contra Lorca y Dalí, demostrando con ello la ansiedad que, sin reconocerlo, le produce el hecho homosexual:

Federico me revienta de un modo increíble. Yo que creía que el novio [Dalí] es un putrefacto pero veo que lo más contrario es aún más. Es su terrible esteticismo el que lo ha apartado de nosotros. Ya sólo con su narcisismo extremado era bastante para alejarlo de la pura amistad. Allá él. Lo malo es que hasta su obra puede resentirse.

Dalí influenciadísimo. Se cree un genio, imbuido por el amor que le profesa Federico. Me escribe diciendo: «Federico está mejor que nunca. Es el gran hombre, sus dibujos son geniales. Yo hago cosas extraordinarias, etc.» Y es el triunfo fácil de Barcelona. Con qué gusto le vería llegar aquí y rehacerse lejos de la nefasta influencia del García. Porque Dalí, eso sí, es un hombre y tiene mucho talento.[98]

Cuando Buñuel leyó en *La Gaceta Literaria* la divertida descripción del banquete ofrecido a Lorca con motivo del estreno en Madrid de *Mariana Pineda*, no cabía en sí de gozo, juzgando erróneamente que tanto éste como el homenaje habían fracasado de manera estrepitosa. El 8 de noviembre de 1927 le escribe, rencoroso, a Bello:

El pobre Federico ha debido de llorar. Las adhesiones al banquete, repugnantes, como Margarita Xirgu, Natalio Rivas,* Benavente, ministro del Paraguay, etc.

Le está bien y yo me alegro infinito. La obra ha sido un fracaso. Fernández Ardavín** y Villaespesa*** son los únicos que pueden envidiarle. Pero le ha dado 12.000 pesetas.[99]

No sabemos de dónde sacaría esta última «noticia». Inexacta, además, pues, según el documento correspondiente de la Sociedad de Autores Españoles, las veinte representaciones de *Maria-*

---

* Natalio Rivas, el conocido político conservador y cacique granadino que había patrocinado en cierto modo, cuando era ministro, los viajes de estudio organizados por Domínguez Berrueta, aunque esto no lo sabía seguramente Luis Buñuel… ¡y le importaría menos!

** Luis Fernández Ardavín, autor, entre otras obras de éxito pero hoy olvidadas, de *La cantaora del puerto*, que se había estrenado en el Fontalba poco antes que *Mariana Pineda*.

*** El poeta y dramaturgo Francisco Villaespesa (1877-1936), autor de *El alcázar de las perlas*, como vimos antes, y universalmente despreciado por la generación de Lorca.

na Pineda en Madrid reportaron a Lorca exactamente 2.804,15 pesetas.[100]

En la misma carta Buñuel comenta que, debido a la influencia del poeta sobre Salvador, éste «se queda rezagado» en comparación con lo que está ocurriendo en París, pese a que «en España todos dicen que ¡genial! ¡modernísimo!» Pero en absoluto se está quedando rezagado Dalí, sin embargo, y mucho menos por influencia de Lorca.

El rencor de Buñuel tiene sus razones. *Canciones* sigue recibiendo excelentes reseñas y la carrera teatral del granadino está empezando a despegar con fuerza. La íntima amistad de Lorca con Dalí, cuya carrera también va en auge, es una espina más, y a partir de ahora el aragonés hará cuanto esté en su mano para apartar al pintor de «la nefasta influencia del García» y animarle a efectuar cuanto antes el traslado a París. Se trata de una auténtica labor de zapa.

Con Góngora en Sevilla

En la primera quincena de diciembre Lorca vuelve a la Residencia de Estudiantes para dar otra vez su conferencia sobre Góngora. Entre el público se encuentra el hispanista inglés John B. Trend, quien le contará unas semanas después a Manuel de Falla que la charla le pareció «admirable en todo sentido de la palabra».[101]

Tiene lugar en vísperas de la salida para Sevilla de un grupo entusiasta de jóvenes escritores invitados a participar en una serie de actos en honor del magno poeta cordobés. Entre ellos, además de Federico, Rafael Alberti, Gerardo Diego, Dámaso Alonso, Juan Chabás, Jorge Guillén y José Bergamín. En el tren que lleva hacia el sur a los «siete literatos madrileños», como los denomina *El Sol*, va también el famoso torero Ignacio Sánchez Mejías, a la vez promotor de la idea de la visita a la capital andaluza y quien paga la estancia.[102]

Nacido en Sevilla en 1891, Ignacio era hijo de un distinguido médico. Una vez finalizada su enseñanza secundaria, y convencido de que quería ser torero, había escapado a México, donde por vez primera vistió el traje de luces. Pasados unos años, y tras recibir numerosas cogidas, había regresado a España, donde no tardó en conseguir fama y fortuna, y se había casado con una hermana del archicélebre espada Joselito el Gallo. Alcanzó la cima de su carrera entre 1919 y 1922, y se retiró luego para dedicarse al cante flamenco, al teatro y a la literatura. Pero no pudo vivir sin la emoción del ruedo y, en 1924, a la edad de treinta y tres años, aceptó lo inevitable. «Yo vuelvo a los toros porque me moría de tristeza alejado de la profesión», explicó a los periodistas. Pronto pudo añadir una cornada más a la lista, consecuencia de su habitual osadía. De hecho, si algunos aficionados tenían sus dudas con respecto al arte de Ignacio, nadie ponía en tela de juicio su extraordinaria valentía, que a menudo frisaba la temeridad.[103]

Al año siguiente, 1925, se reveló excelente cronista de toros, amén de competente actor (participa en la película *La malquerida*, basada en el conocido drama rural de Jacinto Benavente). Sentía la comezón de escribir teatro, además, y ya para diciembre de 1927, cuando organiza la visita de los poetas a Sevilla, ha terminado *Sinrazón*, drama —inspirado en las teorías de Freud— que se desarrolla en un manicomio. La obra se estrenará en Madrid al año siguiente, con relativo éxito.[104]

Sánchez Mejías, pues, no es un torero cualquiera, ni mucho menos. La escritora e hispanista francesa Marcelle Auclair, que lo conocería a principios de los años treinta, ha dejado constancia de que el matador —hombre guapo, atlético, bronceado y gran conversador— «no buscaba seducir, pero era la seducción misma».[105] Sobre las mujeres ejercía una poderosa atracción. No había tardado en separarse de su esposa, y en este mismo 1927 había encontrado en la bailarina y cantante Encarnación López Júlvez, la Argentinita (la mariposa de la ópera prima de Federico), el gran amor de su vida. Ello no impedirá que tenga otras relaciones. Y para muchos, y no menos Lorca, será motivo de sorpresa descubrir que el torero siente también debilidad por los jovencitos de buen ver.[106] Según Auclair, Federico, cuyos conocimientos taurinos eran limitados, aunque «sentía» la lidia, admiraba en Sánchez Mejías al hombre «capaz de hacer de su vida un duelo leal, pero loco, con el amor y la muerte, una corrida gigantesca». Duelo en que la muerte se llevaría finalmente la palma.[107]

La noche del 16 de diciembre de 1927 tiene lugar la primera actuación pública en la capital andaluza de la «brillante pléyade», así bautizada por la prensa sevillana. Después de José Bergamín, que explica a la numerosa concurrencia el propósito de la visita (la proclamación, bajo la égida de Góngora, de los nuevos valores artísticos), se levanta Dámaso Alonso para razonar que, al contrario de lo que se suele creer, la literatura española no es predominantemente «realista» ni «popular». Le sigue Juan Chabás, que analiza la actual narrativa castellana, refiriéndose entre otros a Pedro Salinas (que no ha podido acudir) y a Bergamín. La velada termina con un recital conjunto a cargo de Lorca y de Alberti, que leen un pasaje de la *Soledad primera* de Góngora. Alberti recuerda en sus memorias que la lectura provocó tal entusiasmo que se vio interrumpida una y otra vez por los aplausos de la concurrencia.[108]

El segundo acto de la visita, a la noche siguiente, resulta especialmente memorable. Lo inicia Gerardo Diego con la lectura de una apasionada «Defensa de la poesía». A continuación Dámaso Alonso lee un texto de Bergamín sobre las tendencias de la poesía española del momento (texto que no puede leer el autor por haberse quedado afónico tras su enérgica actuación de la noche anterior). Después hay una sesión abierta en la que los poetas venidos desde Madrid y los locales compiten, al recitar sus versos, por las ovaciones del numeroso y fervoroso público. Se trata de una reunión de talentos extraordinarios, pues contendiendo con «la brillante pléyade» hay poetas de la talla de Luis Cernuda, Fernando Villalón, Adriano del Valle, Rafael Laffón y Joaquín Romero Murube. Rafael Alberti ha recordado que, si bien los asistentes jalearon las décimas de Guillén con entusiastas «¡olés!», el fervor llegó a su apogeo cuando Federico recitó una selección de sus romances gitanos. Se agitaron pañuelos, y Adriano del Valle —amigo suyo, como sabemos, desde 1918— se emocionó tanto que subió sobre su silla y le arrojó la americana, el cuello de la camisa y la corbata, como si el granadino acabase de efectuar un pase soberano en el ruedo.[109]

En Sevilla Lorca renueva viejas amistades —con José Bello, por ejemplo, que vive en la ciudad desde hace un año, terminados para siempre los días de la Residencia—, y entabla otras nuevas, especialmente con Villalón y Cernuda.

Fernando Villalón-Daoiz y Halcón, para darle su nombre completo, es un aristócrata de cuarenta y seis años cuyo título le proclama conde de Miraflores de los Ángeles. Se dedica con éxito a la cría de toros y le fascinan la poesía y el espiritismo. Ignacio Sánchez Mejías suele presentarle como «el mejor poeta novel de toda Andalucía».[110] Y es cierto que Villalón, que ha empezado tardíamente a componer versos, es un poeta considerablemente dotado, autor de dos colecciones publicadas el año anterior: *Andalucía la baja* y *Romances del 800*. Rafael Alberti recuerda la aterrada expresión de Lorca mientras Villalón los llevaba en su «disparatado

automovilillo», a una velocidad alocada por las estrechas calles se-
villanas. El interés que le suscita el ocultismo no puede dejar de
fascinar a Federico, muy sensible a lo parapsicológico, y escucha
cautivado mientras Villalón describe las numerosas sesiones de
espiritismo a las que ha asistido y cuenta historias de aparecidos.
Cabe pensar que también le intrigaría a Lorca su empeño en criar
un toro con ojos verdes, empresa en la cual invertiría una considerable fortuna.[111]

Luis Cernuda había nacido, como Dalí, en 1904. Esbelto, siempre impecablemente vestido, tímido como una gacela (otra coincidencia con Salvador), es capaz de esfumarse ante el más leve
atentado a su intimidad. En 1938, en plena guerra, recordaría
que en su primer encuentro con Federico lo que más le había
llamado la atención era la aparente contradicción entre, por un
lado, sus «ojos grandes y elocuentes, de melancólica expresión» y,
por otro, «aquel cuerpo opaco de campesino granadino». El granadino entonaba en aquel momento elogios de algún plato exquisito
que había comido, o que pensaba comer, y Cernuda había creído
descubrir, repentinamente, al constatar la profusión de detalles
con que encomiaba tales delicias, que en su voz hablaba otra más
antigua, una voz ancestral que brotaba de las profundidades de
una Andalucía antiquísima, como surgida de un manantial colectivo.[112]

En aquel instante Lorca estaba rodeado de una cohorte de admiradores y seguidores, igual que un torero famoso, y le pareció a
Cernuda que en su actitud había «algo de matador presumido».
También se percató de otra cosa. «Algo que yo apenas conocía o
que no quería reconocer comenzó a unirnos por encima de aquella
presentación un poco teatral, a través de la cual se adivinaba el
verdadero Federico García Lorca elemental y apasionado», recuerda en el mismo lugar. Y añade: «Me tomó por un brazo y nos
apartamos de los otros».[113] La poesía de Cernuda es quizá la más
valiente del mundo hispánico de entonces inspirada por el amor
homosexual, sus frustraciones, sus amarguras y sus terrores, y
ello en una época en que los «invertidos» despertaban universales
recelos cuando no odio, desdén y rechazo. Aunque por desgracia
sabemos poco, muy poco, acerca de la relación amistosa que durante nueve años uniría a los dos poetas andaluces (nunca se explayaría sobre ella Cernuda), parece fuera de duda que su compartida condición gay, y las mutuas confidencias a que daría lugar,
le prestó una intensidad especial.

Sánchez Mejías poseía en las afueras de Sevilla una finca, Pino Montano, donde organizó una espléndida fiesta para sus invitados, a quienes, entregándoles sendas chilabas marroquíes, obligó a vestirse de moros. Estuvo en aquella ocasión, recordaba Jorge Guillén, «como un sultán con sus súbditos».[114] Según parece, el que ofreció el aspecto más raro al ir así ataviado fue José Bergamín, con su nariz aguileña. Animados por copiosas libaciones, los alegres compañeros dedicaron la noche a recitar versos y a contar innumerables anécdotas. Dámaso Alonso logró la mayor proeza de la velada al recitar de memoria, sin fallos, los mil noventa y un versos de la *Soledad primera* de Góngora. Lorca improvisó trozos de farsa y mimo, mientras Villalón, aficionado —como Luis Buñuel— a la hipnosis, llevó a cabo algunos experimentos con Rafael Alberti.

La fiesta llegó al paroxismo con la llegada, a las altas horas de la noche, del gran cantaor gitano Manuel Torre (al que Lorca había conocido en 1922 durante el Concurso de Cante Jondo) y del guitarrista Manuel Huelva, ambos buenos amigos del anfitrión. Torre cantó con escalofriante duende. «Parecía un bronco animal herido, un terrible pozo de angustias», recuerda Alberti, quien recoge a continuación una frase suya tremenda en aquella ocasión: «"En el cante jondo —susurró, las manos duras, de madera, sobre las rodillas— lo que hay que buscar siempre, hasta encontrarlo, es el tronco negro de Faraón"». O sea, entroncando con una tradición que, según los gitanos, se remonta a los tiempos en que quizás erraban por Egipto (topónimo del cual suelen derivar su nombre).[115]

La visita de la «brillante pléyade» a Sevilla —inmortalizada en la hoy mítica fotografía de grupo sacada, según su propio testimonio, por Pepín Bello (ilustración 26)— terminó con la «coronación poética», utilizando una ramita de olivo, de Dámaso Alonso, reconocido como máxima autoridad sobre Góngora por aquellos incondicionales del cordobés.[116] Fue el acto culminante del año gongorino y, a partir de este momento, el culto de la «poesía pura», del «arte aséptico», tendería a perder su encanto para Lorca y sus compañeros. La experiencia había sido positiva, desde luego, y se había ganado la batalla contra el sentimentalismo. Todo estaba ya preparado para el retorno a un arte más humano, menos obsesionado con la necesidad de reducir contenidos emocionales y de evitar cuestiones sociales.

Entre las anécdotas a que dio lugar la visita a Sevilla, y eran muchas, sobresale «la travesía heroica y nocturna del Betis desbordado», como la llamaría Gerardo Diego en 1928.[117] Un año después, uno de los presentes, Joaquín Romero Murube, la recordaba así en la dedicatoria al granadino de una colección de versos suyos: «A Federico... ¿Te acuerdas de la noche que atravesamos el Guadalquivir desbordado? ¡Qué miedo! ¡Cómo chillabas tú!».[118] Dámaso Alonso es quien nos ha dejado la evocación más gráfica de lo ocurrido. Los poetas —«casi el núcleo central de una generación»— se habían confiado alegremente, muy de noche, a la barca que, guiada de orilla a orilla por una maroma, permitía en aquel entonces cruzar el río. Nada más a bordo, se hizo evidente que el pasaje iba a ser turbulento. Poco a poco las risas se habían ido acallando y, ya mediada la travesía, «sonaban a falso, a triste». «Único entre todos —sigue Alonso—, Federico no disimulaba su miedo. Tanto y con tanta ponderación lamentaba haberse embarcado que primero creí que se trataba de una broma más, entre sus bromas. No: era auténtico terror; le salía de la carne al contacto de aquella fuerza negra, mugidora, fría.»

Meditando años después sobre aquel incidente, tal vez algo exagerado por el paso del tiempo, Alonso encontraría en él una serie de significaciones. Así, la barca representaba «los vínculos y contactos personales que ligan a los miembros de un grupo en conjunta florescencia», mientras que la cuerda era «el designio de Dios, la proyección teológica que lleva hacia una meta la actividad de una hornada de hombres». ¿Y Lorca? Dámaso, habitualmente mesurado apenas puede contenerse:

¡Quién nos había de decir, Federico, mi príncipe muerto, que para ti la cuerda se había de romper, brutalmente, de pronto, antes que para los demás, y que la marea turbia te había de arrastrar, víctima inocente! Tú tenías como ninguno la risa alegre, la gracia genuina que a todos impregna y hace desarrugar el ceño más plegado; la sal de España se había concentrado en ti, apurada y avivada a lo largo de lentísimas eras; pero de vez en cuando te salían esos aullidos animales, terror oscuro que venía ¿de dónde?, ramalazos de un difuso presentimiento.[119]

¿Difuso presentimiento? Alonso lo encuentra «patente» en las imágenes oníricas de la obra lorquiana. Pero ¿quien lo podría afirmar con seguridad? Lo indudable, y en ello acierta, es que Lorca siempre vivió con la íntima convicción de que le rondaba de cerca la muerte.

Los escritores de Madrid habían sido instalados en uno de los mejores hoteles de Sevilla, el París. Terminados los actos oficiales, Dámaso y Lorca decidieron ocupar unas habitaciones más económicas en el mismo hotel y demorar un poco su partida.[120] El 23 de diciembre *El Defensor de Granada* anunciaba por la mañana que el poeta ya había regresado a casa.[121]

Unos días después llegó Alonso, acompañado de su madre, para pasar quince días en la ciudad. Dámaso no había estado nunca en Granada, y nadie mejor que Federico para actuar de cicerone. Igual que había hecho tres años antes con Juan Ramón Jiménez y Zenobia Camprubí, le inicia en las maravillas de la Alhambra, del Generalife y del Albaicín. Una noche le invita a cenar en un restaurante muy conocido, El Sevilla, al lado de la catedral, donde le tiene preparada una sorpresa. Cuando acude el camarero con la carta le pide: «¡La soledad primera!». Ante el asombro de Alonso, que cree que se trata de algún plato típico, el hombre empieza a recitar, impecablemente, el intrincado poema de Góngora, que el propio Dámaso, como acaba de demostrar en Sevilla, sabe de memoria. A Federico le encanta el éxito del episodio. El camarero (en realidad dueño del establecimiento) es buen amigo suyo, y se especializa en recitar fragmentos del poema a sus desprevenidos invitados.[122]

Durante las fiestas Lorca recibe una carta de Gasch en que le informa de que Dalí le ha escrito «entusiasmado» en relación con *Santa Lucía y San Lázaro*, que se acaba de publicar, dedicada al crítico, en la *Revista de Occidente*.[123] La misiva demuestra, en efecto, que Salvador ha captado enseguida la importancia del texto lorquiano. Se trata de un «maravilloso escrito» que expresa a la perfección la estética de la Santa Objetividad. Pero le queda alguna duda:

> Lorca parece ir coincidiendo conmigo —oh paradoja!— en muchos puntos, el tal escrito es muy elocuente —recuerdas lo que te decía hace poco de la superficie de las cosas?
>
> Lorca, sin embargo, pasa por un momento intelectual, que creo durará poco (aunque por su aspecto los señores putrefactos creerán que se trata de un escrito superrealista)...[124]

En su respuesta a la carta de Gasch, Federico apenas se esfuerza por disimular la emoción que a estas alturas le inspira Salvador:

Dalí el maravilloso sobre toda ponderación me ha mandado unos ensayos poéticos que son un encanto. Yo siento cada día más el talento de Dalí. Me parece único y posee una serenidad y una *claridad* de juicio para lo que piensa que es verdaderamente emocionante. Se equivoca y no importa. Está *vivo*. Su inteligencia agudísima se une a su infantilidad desconcertante en una mezcla tan insólita que es absolutamente original y cautivadora. Lo que más me conmueve en él ahora es su *delirio* de construcción (es decir, de creación), en donde pretende crear de la *nada* y hace unos esfuerzos y se lanza a unas ráfagas con tanta fe y tanta intensidad que parece increíble. Nada más dramático que esta objetividad y esta busca de la alegría por la alegría misma. Recuerda que éste ha sido siempre el canon mediterráneo. «Creo en la resurrección de la carne», dice Roma. Dalí es el hombre que lucha con hacha de oro contra los fantasmas. «No me hable usted de cosas sobrenaturales. ¡Qué antipática es Santa Catalina!», dice Falla.

> *¡Oh línea recta!*
> *¡Pura lanza sin caballero!*
> *¡Cómo sueña tu luz*
> *mi senda salomónica!*

digo yo. Pero Dalí no quiere dejarse llevar. Necesita llevar el volante y además la fe en la geometría astral.

Me conmueve; me produce Dalí la misma emoción pura (y que Dios nuestro Señor me perdone) que me produce el niño Jesús abandonado en el portal de Belén, con todo el germen de la crucifixión ya latente bajo las pajas de la cuna.[125]

Los crípticos versos citados, cuyo alcance difícilmente debió de captar Gasch, proceden del poemilla «Espiral», escrito en noviembre de 1922 y perteneciente a una suite:

ESPIRAL

> *Mi tiempo*
> *avanza en espiral.*

> *La espiral*
> *limita mi paisaje,*

deja en tinieblas lo pasado
y me hace caminar
lleno de incertidumbre.

¡Oh línea recta! Pura
lanza sin caballero.
¡Cómo sueña tu luz
mi senda salomónica![126]

Desde sus más tempranos escritos hasta los últimos, en efecto, Lorca dejaría constancia de la naturaleza tortuosa de su camino por la vida. Como ha escrito Eutimio Martín, en un agudo comentario a este poema: «Es el suyo un caminar en espiral, de derecha a izquierda y de izquierda a derecha desde un polo místico al otro erótico, desgarrado por una irresistible llamada de la más diáfana espiritualidad y de apetitos carnales tan irreprimibles como heterodoxos. Con este dolor "salomónico" a cuestas, entra en el año 1928».[127]

El poeta no llegaría nunca a resolver plenamente el conflicto. Lo máximo que logró era tratar de convivir con él y, sobre todo, de expresarlo en su obra. Pero, en ciertos momentos de su vida, ni su arte, ni sus inmensos dones, ni su carisma personal bastarían para salvaguardarle de depresiones profundas y casi suicidas. Al irse expirando 1927 —año rico en éxitos y nuevas amistades— cree que pronto verá a Dalí, y ello estimula su optimismo. Lo que no puede saber es que pasarán siete años antes de que vuelvan a encontrarse.

1928

La revista *gallo*

En las primeras semanas del año nuevo Lorca informa desde Granada a Sebastià Gasch que ha terminado *La zapatera prodigiosa,* trabaja en una *Oda al Santísimo Sacramento*, nada menos, y está preparando una conferencia sobre canciones de cuna. Es inminente la aparición del *Romancero gitano* y, por otro lado, no ha abandonado el proyecto de editar con el crítico su libro de dibujos (parece que Dalí está dispuesto a echar una mano). Confía en que figure entre las proyectadas publicaciones de la revista *gallo*, a punto por fin de salir a la calle, pero no será el caso.[1]

Para finales de febrero está casi listo el número inaugural, y el 8 de marzo se organiza un banquete para celebrar el magno acontecimiento. La velada es bulliciosa. En los discursos se habla del inicio de una nueva era en la ciudad, de «la serenidad y belleza de la hora actual». La revista expresa «el ansia de renovación» que experimentan todos ellos. Lorca, emocionado, hace hincapié en la unidad de criterios que da cohesión al grupo de redactores, quienes, si bien no se puede negar su amor a la patria chica, tienen los ojos clavados en Europa. Aunque escrita y editada en Granada, dice, *gallo* pretende ser una revista antiprovinciana para el mundo exterior y estimulará una renovación local al reflejar tendencias de fuera. Espera, añade, que genere una reacción contra aquellos granadinos cicateros que se niegan, por sistema, a apreciar y mucho menos a apoyar el arte. Pide, en realidad, que se cumpla el programa propuesto por Ángel Ganivet treinta años antes. O sea, la lucha por una Granada «universal».[2]

Al día siguiente *gallo* sale a la venta. Hermosamente impresa, con un formato de 24 × 33 cm, tiene veintidós páginas de texto y catorce anuncios que, con su insistencia sobre lo ultramoderno de los productos y servicios ofrecidos, resaltan, irónicamente, el provincianismo que quiere combatir la revista.

El número contiene *Historia de este gallo*, de Lorca; un poema de Jorge Guillén; aforismos de José Bergamín sobre el simbolismo del ave elegida como emblema de la empresa; propuestas para la «reconstrucción» espiritual de Granada por Melchor Fernández Almagro; prosas vanguardistas de dos jóvenes granadinos que se estrenan en letras de molde, Manuel López Banús y Enrique Gómez Arboleya; y, de Dalí, una traducción de *Sant Sebastià,* cinco pequeños dibujos —uno de los cuales representa a un «putrefacto»— y sendos estilizados gallos para la portada y contracubierta.

Historia de este gallo, escrita el año anterior, capta magistralmente la mentalidad de la Granada deplorada por el grupo. Desterrado en Inglaterra hasta 1830 y admirador de la vitalidad empresarial británica, su protagonista, don Alhambro, ha regresado a su ciudad con el empeño de sacarla de su marasmo secular, de su inercia. Pero ¿cómo conseguirlo? Decide que la única esperanza reside en fundar una revista llamada *Gallo* (con mayúscula, estamos en pleno siglo XIX). El proyecto fracasa y muere sin alcanzar su objetivo: «Fue una lástima. Pero en Granada el día no tiene más que una hora inmensa, y esa hora se emplea en beber agua, girar sobre el eje del bastón y mirar el paisaje. No tuvo materialmente tiempo».[3]

El poeta y sus compañeros habían tenido mejor fortuna, aunque no entretenían muchas esperanzas respecto a la acogida de *gallo* por parte de sus conciudadanos, casi tan atrasados en 1928, según ellos, como lo habían sido cien años antes. En una divertida carta a Gasch, Lorca le informa del «verdadero escandalazo» provocado por la revista. En dos días se han vendido todos los ejemplares, alega —no se sabe cuántos se imprimieron, aunque es de suponer que no muchos—, y ahora hay reventa al doble de precio. «En la Universidad hubo ayer una gran pelea entre gallistas y no gallistas —sigue, sin duda exagerando— y en cafés, peñas y casas no se habla de otra cosa».[4]

Al recibir Gasch la revista nota enseguida la uniformidad de estilo que la caracteriza. Se debía sobre todo a la influencia que habían tenido sobre los redactores *Santa Lucía y San Lázaro*, de Lorca, y el *Sant Sebastià* daliniano (que los *gallistas* habían leído por vez primera durante el verano de 1927 cuando se publicó en *L'amic de les arts*). Abundaban, como en el texto de Dalí, los símbolos de la modernidad: el Kodak, el charlestón, el tenis, las películas americanas, los automóviles, los aeródromos, las playas de verano con sus despampanantes muchachas cosmopolitas. Todo ello en una prosa desenfadada e irónica aderezada de atrevidas metáforas.

El 18 de marzo de 1928 aparece en Granada el primer (y único) número de otra publicación más modesta. Titulada *Pavo*, y producto del ingenio de Lorca y sus amigos, declara ser réplica de «retaguardia» a la revista que acaba de provocar la irritación de los granadinos bien pensantes. *Pavo* propone normas para la composición de un poema «putrefacto», ofreciendo, como ejemplo, un fragmento de «la gran poesía tradicional española» repleto de tópicos. Hay una parodia de los aforismos de José Bergamín y otra, sumamente ingeniosa, del *Sant Sebastià* de Dalí; se incluye un artículo que elogia el «renacimiento arquitectónico pujante» que se está produciendo en la ciudad, según se asegura contra toda evidencia; los colaboradores prometen «pintar, esculpir y hablar como nuestros padres» y «no salir de Granada, de la que no debemos faltar ni un minuto»; y juran esperar serenamente la muerte «entre el ruido de las fuentes y el murmullo de los bosques de la Alhambra». La revista alega haber recibido un telegrama de apoyo, cómo no, de Isidoro Capdepón Fernández, el poeta apócrifo inventado por el Rinconcillo.

Las dos revistas son muy celebradas por los amigos del poeta en Madrid y Barcelona. *La Gaceta Literaria,* de Ernesto Giménez Caballero, manifiesta que si *gallo* le parece de «excepcional» calidad, *Pavo* es «una burla sangrienta y definitiva de los filisteos provincianos, un gracioso episodio de la vida literaria de Granada».[5]

Lorca agradece especialmente la cálida acogida dada a *gallo* por Gasch y los otros redactores de *L'amic de les arts*. El grupo de Sitges ha decidido editar un número especial dedicado al arte andaluz actual, y promete hacer todo lo posible por que la iniciativa se haga realidad, escribiendo al crítico:

> Como ves, cada día Cataluña y Andalucía se unen más, gracias a nosotros. Esto es muy importante y no se dan cuenta, pero más tarde se darán. Todavía no ha venido Falla, pero está al llegar y se entusiasmará con la idea tanto como nosotros. Falla es amante de Cataluña y colaborará con verdadera fe. El número puede ser un *escandalazo*.[6]

A principios de abril, cuando el debate entre *gallistas* y *pavistas* está en su apogeo, llega a Granada una periodista del *New York Times*, Mildred Adams, provista de cartas de presentación para Antonio Gallego Burín y otras notabilidades locales. Durante su breve estancia conoce a Lorca... y se queda fascinada. Sentado ante al viejo y desafinado piano del hotel Washington Irving, al pie de las murallas de la Alhambra, canta para ella sus dos romances sobre el gitano Antoñito el Camborio. «En gesto, tono de voz, expresión de la cara y cuerpo, Lorca era el propio romance», recordaría cincuenta años más tarde.[7] Federico le presenta a sus amigos y una tarde la lleva a conocer a Manuel de Falla en su carmen. La norteamericana nota que el poeta es recibido allí como amigo querido y «discípulo» del famoso compositor, uno más de la familia.[8]

Los *gallistas* se habían propuesto irritar a la burguesía granadina. El segundo número de la revista, que sale a principios de mayo, da fe, en tono burlesco, de la hostilidad y la indignación surgidas en el sector, contrastándolas con la favorable recepción en círculos más avanzados. También comenta la reacción de Dalí, que consideraba que *gallo* era de una putrefacción intolerable e incluso horrible su propia colaboración. Lorca, conociéndole como le conocía, y su apremiante necesidad de llevar siempre la contraria, se esperaba con toda probabilidad el exabrupto, que Gasch, por su parte, encontraba inexplicable.[9]

El segundo número contenía, además de, por parte del poeta, *La doncella, el marinero y el estudiante* y *El paseo de Buster Keaton,* escritas tres años antes, un artículo de Gasch sobre Picasso; un fragmento de la novela vanguardista en que trabajaba Francisco García Lorca (que no llegaría nunca a terminar y de la cual Federico hablaba entusiasmado con sus amigos); poemas de Manuel López Banús, Francisco Cirre y Enrique Gómez Arboleya; prosas del joven Francisco Ayala; la primera traducción al español del *Manifiesto antiartístico catalán*, lanzado aquel marzo por Gasch, Dalí y Lluís Montanyà, y varias notas de menor interés.

El año antes Lorca había colaborado con Salvador en un primitivo esbozo del *Manifiesto*, pero no tuvo parte alguna en la elaboración definitiva de un texto dirigido principalmente contra el «establecimiento» intelectual y artístico catalán. El documento rechazaba tajantemente cualquier imitación del arte anterior e insistía en la superioridad de la «nueva época» de las máquinas. Al final del mismo los tres iconoclastas habían añadido una lista de los artistas con quienes se declaraban más afines: Picasso, Juan Gris, Amédée Ozenfant, Giorgio de Chirico, Miró, Jacques Lipchitz, Constantin Brancusi, Hans Arp, Le Corbusier, Pierre Reverdy, Tristan Tzara, Paul Éluard, Louis Aragon, Robert Desnos, Jacques Maritain, Maurice Raynal, Christian Zervos, André Breton y, con su nombre situado entre los de Jean Cocteau e Ígor Stravinski... Federico García Lorca. El poeta debió de sentirse profundamente halagado por el detalle, pero tuvo buen cuidado de suprimir su nombre en la traducción del manifiesto dada a conocer por *gallo*.[10]

«Dos normas»

A finales de marzo de 1928 Lorca le comunica a Jorge Guillén, desde Granada, que no tardará en enviarle las décimas que le ha dedicado.[11] Forman en realidad un solo poema, titulado «Dos normas:

> *Norma de ayer encontrada*
> *sobre mi pecho presente.*
> *Resplandor adolescente*
> *que se opone a la nevada.*
> *No pueden darte posada*
> *mis dos niñas de sigilo,*
> *morenas de luna en vilo*
> *con el corazón abierto;*
> *pero mi amor busca el huerto*
> *donde no muera tu estilo.*
>
> *Norma de seno y cadera*
> *bajo la rama tendida,*
> *antigua y recién nacida*
> *virtud de la primavera.*
> *Ya mi desnudo quisiera*
> *ser dalia de tu destino,*
> *abeja, rumor o vino*
> *de tu número y locura;*
> *pero mi amor busca pura*
> *locura de brisa y trino.*[12]

¿A qué «norma de ayer», ahora súbitamente reencontrada o descubierta, se refiere el «yo» en la primera décima? Si al principio puede parecer que se trata de una norma anterior propia, es mucho más probable que la alusión vaya por una norma de otra época cuando la homosexualidad era considerada... «normal». Conocemos por la *juvenilia* la poderosa atracción que tenía para el poeta adolescente la Grecia antigua, entre otras razones por su actitud relajada hacia el erotismo, el homosexual incluido. «Charlotte Wolff nos recuerda —apunta al respecto Ángel Sahuquillo— que la homosexualidad fue practicada abiertamente en el período helénico "como un modo ideal de vida".»[13]

La expresión «resplandor adolescente» del tercer verso, con su resonancia griega, hace pensar, por más señas, en la poesía de Cernuda, con sus efebos de procedencia clásica (llamativamente presentes unos años después en su elegía a Lorca). En cuanto a «la nevada» a que se opone tal resplandor, quizá la intención no va por la vejez, como propone Rafael Martínez Nadal,[14] sino por la mujer, evocada en «Pequeño poema infinito», escrito año y medio después, en los siguientes términos:

> *Equivocar el camino*
> *es llegar a la nieve*
> *y llegar a la nieve*
> *es pacer durante varios siglos las hierbas de los*
> > *cementerios.*
> *Equivocar el camino*
> *es llegar a la mujer...*[15]

Los ojos («mis niñas») tienen que ser sigilosos: la norma de ayer está proscrita hoy, y la sociedad circundante vive al acecho. Por ello no pueden darle «posada» sus pupilas. En una variante posterior del segundo verso, Lorca sustituyó «pecho» por «noche», enfatizando así el sufrimiento implicado en verse forzado a ocultar su íntima verdad.[16] A pesar del «no poder» de ahora, sin embargo, el «yo» seguirá buscando un espacio seguro, tranquilo (huerto) donde intentar recuperar la norma de ayer tan denostada en la actualidad.

La segunda décima es menos compleja. La «norma de seno y cadera» es, claramente, la de la ortodoxia sexual, la procreativa, la de hombre y mujer, la única permitida por la sociedad contemporánea. El «yo» es tajante: aunque quisiera que su cuerpo reaccionara afirmativamente ante la hembra (parece que «dalia» significa aquí alegría), y que pudiera acompañarla en su destino, no puede ser. El destino suyo es otro. Los dos versos finales retoman, a modo de *ritornello*, los últimos de la primera décima. Si allí el «yo» buscaba, pese a todos los obstáculos, un huerto donde conservar el «estilo» de la norma de ayer, es decir, de su íntima autenticidad erótica, ahora deja patente, después de declarar su rechazo de la heterosexualidad, que es otra afirmación la que él busca, «pura locura / de brisa y trino», esto es, su libertad amorosa y su alegría según la recuperada norma de la antigüedad helénica.

En un manuscrito posterior del poema, sin título, Lorca encabezó la primera décima con el dibujo de una luna, y con uno del sol la segunda. Eutimio Martín entiende, razonablemente, que lo hizo para que no hubiera dudas acerca del tema de la composición: la inclinación del «yo» hacia la norma amorosa relacionada con la noche, es decir, la norma del amor secreto, oscuro, prohibido (primera décima), y su incapacidad para asumir la norma amorosa solar, la que recibe de la sociedad patriarcal el *nihil obstat* para decir su nombre, sin miedo, a la luz del día (segunda décima).[17]

Lorca tenía una necesidad confesional imperiosa que le impelía a mostrarse en su obra tal como era realmente. La dificultad estribaba en cómo hacerlo sin que el intento fuera demasiado obvio... o arriesgado. «Dos normas» es, al parecer, el primer texto en el que manifestó en público y sin ambages (para los entendidos) su condición de gay, de gay que no podía vivir abiertamente su vida. En público, sí, pero sabía que poquísimas personas leerían el poema en aquella pequeña revista de Burgos. Con todo, darlo a conocer, aunque en lugar tan recóndito, fue indudablemente un acto de valor, de afirmación, de rebeldía.

Emilio Aladrén

Con el segundo número de *gallo* en la calle Lorca vuelve a Madrid después de una ausencia de cuatro meses. Allí se desentiende de la revista hasta tal punto que a finales de mayo recibe un aviso urgente de su hermano, director putativo de ésta: si no regresa inmediatamente, *gallo* irá a pique.[18] Pero el poeta tiene ahora otras preocupaciones —su propia obra y, de manera especial, la edición del *Romancero gitano*—, y hace caso omiso de las peticiones de ayuda, cada vez más desesperadas, que le llegan desde Granada.

Ha dedicado varios meses, y de buen grado, a la revista, pero en estos momentos urge sobre todo atender sus asuntos personales. Es probable, de todas maneras, que pensara volver a ocuparse de *gallo* una vez publicado el *Romancero*.

Por otra parte, y pese a la intensidad de los sentimientos que le sigue inspirando Dalí, está estrechamente relacionado ahora con un joven escultor, Emilio Aladrén Perojo, que había ingresado en la Escuela de Bellas Artes en 1922, el mismo año que Salvador. Nacido en Madrid en 1906, Emilio es hijo de un militar zaragozano, Ángel Aladrén Guedes, y de una austriaca, Carmen Perojo Tomachevski, natural de Viena, cuya madre era rusa oriunda de San Petersburgo. Es llamativamente guapo, con cabello negro, ojos grandes y algo oblicuos que le prestan un aire ligeramente oriental, pómulos marcados y un temperamento apasionado. Lorca lo había conocido unos tres años antes, pero parece que no se hicieron amigos íntimos hasta 1927.[19]

La pintora gallega Maruja Mallo coincidió con Aladrén en la Escuela de Bellas Artes y fue durante un tiempo su novia. Le recordaría años después como un «efebo griego». A Lorca le sedujeron el físico, encanto personal y aire «entre tahitiano y ruso» del joven y, según Mallo, llegó el momento en que se lo «robó» sin más miramientos.[20]

Aladrén, como Dalí, era un rebelde nato y tenía constantes roces con los profesores de la Escuela, que censuraban su comportamiento y su absoluta falta de disciplina.[21] La mayor parte de los demás amigos de Lorca le despreciaban como artista y como persona. Consideraban, además, que ejercía una influencia lamentable sobre el poeta. Pero a Federico todo ello le traía sin cuidado y le encantaba llevarle a fiestas y presentarle como uno de los nuevos escultores españoles más prometedores. Según José María García Carrillo, el compinche homosexual del poeta en Granada, su relación con Aladrén despertó profundos celos en algunos de sus amigos y fue causa en ocasiones de escenas violentas. Contaba que una vez le mintió a Lorca con la esperanza de apartarle del escultor, diciéndole que se había acostado con él. Unos meses más tarde pagó caro su engaño al coincidir con Aladrén y el poeta en un café madrileño. «Puesto que ya os conocéis, no hace falta que os presente», diría Lorca con sorna. «No creo que nos conozcamos», contestaría Aládrén. «¡Claro que no! —exclamaría García Carrilo, sin poder contenerse—. ¡Me alegro de nunca haber conocido a un hijo de puta tan grande como tú!» Estaban a punto de pegarse, y el poeta, aterrado, hizo lo posible por aplacar los ánimos, suplicándoles que desistieran de sus propósitos. Si no, ¡podrían terminar todos en la cárcel![22]

García Carrillo conocía muy bien a Lorca y cruzaba frecuentes cartas con él (hoy casi todas desconocidas). Siempre que el poeta volvía a Granada se reunía con él para charlar e intercambiar anécdotas y chismorreo. Cabe conceder, pues, cierta veracidad a la anécdota. «El escultor fue el gran amor de Federico», afirmó una vez García Carrillo. «Él fue la causa de que Federico quiso escaparse de España, huir... Él fue la causa de todo.»[23]

De los amigos íntimos de Lorca, el único que nos ha proporcionado información fidedigna sobre su relación con Aladrén es Rafael Martínez Nadal. Ha recordado que el poeta iba siempre con Emilio y le presentaba, orgulloso, a todo el mundo. Nadal no lo dudaba: fue para el poeta, durante varios años, «fuente de alegría».[24]

Una divertida escena evocada por éste, que sitúa, tal vez equivocadamente, en el verano de 1928, ilustra el carácter festivo de la relación que unía a poeta y escultor. Una noche Rafael volvía a su casa, a las dos o a las tres de la madrugada después de haber estado con un grupo de deportistas (era un atleta considerable) en uno de los más famosos cafés de la calle de Alcalá, La Granja del Henar. De repente se tropezó con Ignacio Sánchez Mejías y su amante Encarnación López Júlvez. Al entrar en la plaza de la Independencia se encontraron con Aladrén y Federico, los dos riéndose y cantando. Hubo abrazos y besos... y una de aquellas improvisaciones en las que se especializaba el granadino:

«¿Habéis visto el nuevo circo?... ¡Emilio —gritó Federico—, quítate el impermeable y rueda por el suelo!» Había llovido y la plaza estaba cubierta de ese barrillo grasiento que dejan los breves chaparrones estivales. Emilio dio la gabardina a Lorca. Vestía un buen traje gris perla. Sin vacilar, se arrojó a la calzada y fingiendo rugidos de león rodaba por el suelo. A las tres o cuatro volteretas irrumpió Federico: «¡Emilio, en pie!». Le ayudó a ponerse la gabardina y haciendo los dos un cómico saludo de circo, se fueron abrazados, alegres, muertos de risa, la botella de ginebra asomando por el bolsillo de la gabardina de Emilio.[25]

Un día Lorca invitó a Jorge Guillén y su esposa Germaine a acompañarle al estudio de Emilio. Guillén encontró al escultor serio, envarado y ceremonioso... sin notar nada especial. Pero su mujer intuyó que entre él y Federico había una relación íntima. «A veces las mujeres tienen más olfato que los hombres para estas cosas», comentaría escuetamente el autor de *Cántico* muchos años después.[26]

En la primavera de 1928 Aladrén terminó una cabeza de Lorca en escayola. El poeta estaba encantado con el resultado e hizo cuanto pudo por promocionar a su amigo como nueva estrella en el firmamento de la escultura española actual. Fracasó en su intento porque Emilio, en realidad, distaba mucho de serla, aunque las fotografías de la cabeza (hoy por lo visto perdida) demuestran que tampoco se trataba de una mediocridad absoluta.[27]

Aladrén era apasionado lector de Proust, hasta el punto de citar *Du Côté de chez Swann* en una carta a Lorca. Hay que suponer que los dos hablaron juntos del novelista francés, y que a la altura de 1928 el poeta estaba ya al tanto de la primera parte de *Sodoma y Gomorra* (1922): con el *Corydon* de André Gide (1924) la defensa más célebre de la homosexualidad que se había publicado en Europa. El libro no se editó en español hasta 1932,[28] pero ello no impedía en absoluto que Lorca lo conociera antes, pese a su francés muy deficiente, ni que Aladrén u otros le hubiesen comentado su contenido. ¿Cómo no iba a familiarizarse todo lo posible, y cuanto antes, con un texto que se discutía profusamente en los círculos gay de aquellos momentos?

Es cuestión, en dicha primera parte de *Sodoma y Gomorra*, del descubrimiento por parte del narrador —descubrimiento que le produce asombro por totalmente inesperado— de la homosexualidad de Charlus, aristócrata reputado como espejo de caballeros «normales» además de ser reconocido despreciador público de «afeminados». El episodio permite a Proust exponer, como nunca antes en la historia de la literatura, la angustia, la soledad, la desesperación y a menudo el autodesprecio de los homosexuales en una sociedad que les cierra las puertas. Son «una raza sobre la que pesa una maldición y que tiene que vivir en la mentira y el perjurio, porque sabe que se considera punible y vergonzoso, sin derecho a confesarse, su deseo sexual, deseo que representa, para todas las criaturas, la máxima dulzura de vivir».[29] Y eso que «no había anormales cuando la homosexualidad era la norma, ni anticristianos antes de Cristo».[30] Los gays tienen que negar lo que es «su vida misma», mentir a su propia madre y hasta a sus amigos. No pueden mirar a alguien con embeleso en un grupo porque se notará. Son una «raza maldita», aún más maldita que los judíos, que tienen por lo menos el consuelo de pertenecer a una comunidad de seres humanos con señas de identidad admitidas. Sobre todo el texto proustiano planea la sombra de Oscar Wilde, festejado y celebrado, antes de su condena, en los mejores salones de Londres y luego dejado caer como un trapo sucio por quienes se decían sus amigos. Ostracismo, oprobio, persecución, máscaras, «amor incomprendido», «admisión difícil», «parte reprobada de la colectividad humana», «restricción social» (*contrainte sociale*), «peligro frecuente y vergüenza permanente», «medusa estéril que morirá sobre la playa»... sólo son algunos de los términos y frases que cabe destacar en este conmovedor documento humano, auténtica Declaración de los Derechos de los Homosexuales. Declaración que tiene la gran virtud, además, de distinguir entre las «subvariedades» que se dan en el mundo gay, así como en el mundo de los insectos tan caro a Proust y al cual acude el narrador, con afán comparativo, a lo largo de todo su discurso. Entre estas subvariedades está el tipo de homosexual que, como Charlus, habiendo interiorizado el odio de la sociedad hacia tal proclividad, no deja de arremeter públicamente, para cubrir las apariencias, contra los suyos, y «tiene buen cuidado de incriminar la sodomía, habiendo heredado la mentira que permitió a sus ancestros abandonar la ciudad maldita».[31]

Tan sólo se conocen tres cartas de Aladrén al poeta (y ninguna de éste al escultor). En ellas revela la faceta bulliciosa, infantil, disparatada de su temperamento. Tiene tendencia a divagar de manera absurda, y a veces da la impresión de estar imitando, como modelo epistolar, a Dalí. ¿Sería que Lorca le hubiera mostrado algunas de las misivas del pintor? Es probable.[32]

El *Romancero gitano...* y baqueteo emocional

Sus amigos esperan con cada vez mayor impaciencia la anunciada publicación del *Romancero gitano*. También, por supuesto, Federico García Rodríguez y Vicenta Lorca. El poeta se queja en una carta a casa de finales de abril o principios de mayo de que su padre «ve las cosas muy negras a veces» y explica que la demora se ha debido a que su editor (la *Revista de Occidente* de Ortega y Gasset) quería incluir tres romances más.[33] A finales de mayo les informa que el libro está muy avanzado, que tendrá «una magnífica prensa seguramente», que se imprimirá la «friolera» de 3.500 ejemplares y que se prevé «un formidable éxito de venta».[34] En la segunda quincena de junio les dice que se está encuadernando y que lleva «una preciosa portada» diseñada por él mismo.[35]

El libro, de pequeño formato (16 × 10 cm) llevaba, en efecto, una portada muy bonita. Debajo del título *Romancero gitano,* manuscrito con letras rojas, había dibujado, con tinta china, un gracioso búcaro andaluz con tres flores, todo en negro. Detrás, con el mismo color rojo del título y como salpicado de sangre, asomaba el que parece ser estilizado mapa, en miniatura, de España. La intención, quizá, era indicar que los romances expresaban la pena que se oculta —según la teoría del autor— detrás de la aparente alegría del sur. Más abajo, con la misma tinta negra, iba, garbosa, la firma del poeta. La acompañaba el nombre de la editorial y la indicación, en disposición vertical: «1924 1927».

En la portadilla y la portada principal había otro título, *Primer romancero gitano,* que en las sucesivas ediciones del libro nunca daría el salto a la cubierta. Hay que suponer que Lorca quería enfatizar con ella la novedad del poemario.[36]

El 10 de julio, en vísperas de la publicación del libro, sube al tren de Zamora, donde repite parte de su conferencia sobre Pedro Soto de Rojas, concretamente la dedicada a la predilección granadina por lo diminutivo, lo primoroso y lo recoleto. Para allí con un amigo de la Residencia, José Antonio Rubio Sacristán, a quien escribe unas semanas después para disculparse de su bajo estado de ánimo durante aquellos días:

> He atravesado (estoy atravesando) una de las crisis más hondas de mi vida. Es mi destino poético.
>
> No se puede jugar con lo que nos da la vida y la sangre, porque se carga uno de cadenas cuando menos lo *desea.*
>
> Ahora me doy cuenta qué es eso del fuego de amor de que hablan los poetas eróticos y me doy cuenta, cuando tengo necesariamente que cortarlo de mi vida para no sucumbir. Es más fuerte [de lo] que yo sospechaba. Si hubiera seguido alentándolo, habría acabado con mi corazón. Tú nunca me habías visto más amargo, y es verdad. Ahora estoy lleno de desesperanza, sin ganas de nada, tullido. Esto me hace sentir una extraordinaria humildad.[37]

Parece claro que se refería a su amistad con Emilio Aladrén, tal vez ya en relaciones con Eleanor Dove, una inglesa que había llegado a Madrid como representante de la empresa cosmética Elizabeth Arden y con quien unos años después se casaría.[38] Un fragmento de la carta a Rafael Martínez Nadal tiene visos de aludir a la misma depresión:

> Estoy convale[s]ciente de una gran batalla y necesito poner en orden mi corazón. Ahora sólo siento una grandísima inquietud. Es una inquietud de *vivir*, que parece que mañana me van a quitar la vida.
>
> No te intereses *por nadie*, Rafael; es mejor ser cruel con los demás que no tener que sufrir después calvario, pasión y muerte. No puedo escribir más que poesía. Y poesía lírica. Digo más bien… elegíaca, pero *intensa*. Es triste que los golpes que el poeta recibe sean su semilla y su escala de luz.[39]

No hay, en los documentos alusivos a esta crisis que conocemos, ninguna confesión comparable en patetismo. No sólo se siente abandonado y rechazado, sino tan mártir del amor que ahora cree preferible no entregarse nunca más a nadie para no ser traicionado después.

El *Romancero* gitano se pone por fin a la venta a finales de julio. El éxito, previsto por el editor y por el poeta, es inmediato, arrollador, inaudito, «una cosa tan bárbara —cuenta a sus padres— que me han dado ya grupos distintos de amigos dos o tres comidas». «Los ejemplares puestos a la venta se agotan —sigue— y se puede decir que hacía muchísimos años que un libro no levantaba este gran entusiasmo.» La ironía es que acaba de recibir de su madre otra de sus cartas displicentes. «Mamá me escribió una carta y me decía idiota tonto —contesta—, pero no es verdad. No tiene razón.»[40]

Ricardo Baeza, que un año antes, en su reseña de *Canciones*, había presagiado que la publicación de los romances supondría la «entronización» del granadino como el mejor poeta de su generación, declara ahora en *El Sol* que, con su nuevo libro, ha logrado «forjarse el instrumento de expresión lírica más personal y singular que ha aparecido en castellano desde la gran reforma de Darío».[41] No cabía mayor elogio, sobre todo teniendo en cuenta lo mucho que debía Federico al autor de *Los raros* y *Prosas profanas*. En unas pocas semanas, mientras se disparan las ventas del libro, se hace famoso, cumpliéndose la profecía de Jorge Guillén de dos años antes. En España no había ocurrido nunca nada parecido, ni con las *Rimas* póstumas de Bécquer. Se estaba produciendo un fenómeno absolutamente insólito.

Lorca estaba entonces en la Residencia de Estudiantes, coincidiendo con la escuela de verano para extranjeros que allí se celebraba cada año, organizada por el Centro de Estudios Históricos. Los cursos se habían hecho extremadamente populares, lo cual no era sorprendente dadas la amenidad del recinto y las condiciones excepcionales de los profesores, entre ellos el filólogo Ramón Menéndez Pidal, los historiadores Américo Castro y Claudio Sánchez Albornoz y los poetas Pedro Salinas y Dámaso Alonso. Un artículo aparecido en *La Gaceta Literaria* por estas fechas contiene un ingenioso mensaje para los hispanistas de Nueva York, Baltimore, California y Londres, en que se les informa de que en Madrid los esperan las delicias de la Residencia de Estudiantes: jardines, chopos, brisas frescas del Guadarrama y estupendas conferencias. El periodista ha quedado atónito ante el despliegue de talentos pedagógicos y literarios que se está viendo en la célebre casa y apunta que, paseando con Dámaso Alonso, Rafael Alberti y José Moreno Villa, ha visto a García Lorca, «poeta oficial de la Residencia».[42]

A principios de agosto Federico volvió a Granada.[43] Allí le llegaron numerosas reseñas del *Romancero gitano*, todas positivas, y los parabienes, a veces extáticos, de sus amigos. «Creo será el libro de poesía que adquirirá mayor gloria popular de toda la obra poética de los poetas nuevos», le escribe certeramente Juan Guerrero Ruiz desde Murcia el 24 de agosto. «Tus romances sabiamente recogidos del pueblo volverán a él —sigue—, después de haber sido delicia en los paladares más finos de la España inteligente de nuestros días. De un salto, te coloca este libro junto a los más grandes poetas de nuestra lengua.»[44] Vicente Aleixandre, con quien Lorca ya tiene una excelente amistad, no es menos exaltado en sus encomios. «Te agradezco del todo la magnífica, la vehementísima fiesta de poesía a la que me has convidado. Pocas veces —¡qué pocas!— puede uno tan totalmente abandonarse a una fruición de belleza tan íntegra con tan absoluto contento.»[45]

Pese al arrollador éxito del libro, y a los elogios de críticos y amigos, el poeta sigue sumamente deprimido en estos momentos. Lo demuestran claramente las cartas suyas a Jorge Zalamea y Sebastià Gasch.

Jorge Zalamea es un muchacho colombiano, inteligente y frágil, nacido en Bogotá en 1905, que abriga una desmedida pasión por Goethe y quiere ser escritor. Con el tiempo logrará su propósito. No se sabe cómo o cuándo le conoció Lorca, pero ya para 1928 su relación es estrecha. Federico le había escrito poco después de su regreso a casa y esperaba una rápida respuesta.[46] Como no llegaba, volvió a escribirle, preocupado. La segunda carta revela que la celebridad del poeta, que crece ahora a pasos agigantados, empezaba a preocuparle seriamente. «Quiero y retequiero mi intimidad. Si le temo a la *fama estúpida* es por esto precisamente», escribe a Zalamea. Estaba experimentando el conflicto que afecta a muchos escritores que adquieren repentina celebridad: que los libros hagan famoso el nombre del autor es una cosa, y hasta de agradecer; pero otra muy distinta que el público empiece a interesarse por su vida privada, sobre todo si tiene algo que quiere o necesita ocultar, lo cual era el caso de Lorca.

En la misma carta, el poeta, que ahora está trabajando en firme en su *Oda al Santísimo Sacramento*, empezada a principios de año, anuncia a Zalamea que Dalí le hará una visita en septiembre, y cita unas líneas de una comunicación reciente del pintor (cuyo original se desconoce). «Tú eres una borrasca cristiana y necesitas de mi paganismo», le ha dicho Dalí. Y también:

> La última temporada de Madrid te entregaste a lo que no debiste entregarte nunca. Yo iré a buscarte para hacerte una cura de mar. Será invierno y encenderemos lumbre. Las pobres bestias estarán ateridas. Tú te acordarás que eres inventor de cosas maravillosas y viviremos juntos con una máquina de retratar.

«Es así este maravilloso amigo mío», comenta Federico.[47]

¿A qué excesos madrileños se refería Salvador? Parece probable que, informado tal vez por el propio Federico, está aludiendo a su relación con Emilio Aladrén. La hipótesis se ve avalada por otra carta que recibió Lorca de Zalamea aquel verano. En ella, después de mencionar la depresión que a él también le está atenazando, le promete que nunca enseñará sus cartas a nadie («Te quiero y me quiero demasiado para jugar a los manuscritos famosos»). Luego añade crípticamente: «A E… no he vuelto a verle». ¿Cómo no deducir que «E…» es Emilio Aladrén, y que evita estampar su nombre por estar al tanto de cuánto ha hecho sufrir a Federico?[48]

La contestación del poeta revela hasta qué punto le están desgarrando los conflictos:

> Lo pasas mal y no debes. Dibuja un plano de tu deseo y vive en ese plano dentro siempre de una norma de belleza. Yo lo hago así,

querido amigo… ¡y qué difícil me es!, pero lo vivo. Estoy un poco en contra de todos, pero la belleza viva que pulsan mis manos me conforta de todos los sinsabores. Y teniendo conflictos de sentimientos muy graves y estando *transido* de amor, de suciedad, de cosas feas, tengo y sigo mi norma de alegría a toda costa. No quiero que me venzan. Tú no debes dejarte vencer. Yo sé muy bien lo que te pasa.

Estás en una triste edad de duda y llevas un problema artístico a cuestas, que no sabes cómo resolver. No te apures. Ese problema se soluciona solo. Una mañana empezarás a ver claro. Lo sé. Me apena que te pasen cosas malas. Pero debes aprender a vencerlas, sea como sea. Todo es preferible a verse comido, roto, machacado por ellas. Yo he *resuelto* estos días con voluntad uno de los estados más dolorosos que he tenido en mi vida. Tú no te puedes imaginar lo que es pasarse noches enteras en el balcón viendo una Granada nocturna, *vacía* para mí y sin tener el menor consuelo en nada.

Y luego… procurando constantemente que tu estado no se filtre en tu poesía, porque ella te jugaría la trastada de abrir lo más puro tuyo ante las miradas de los que no deben *nunca* verlo. Por eso, por disciplina, hago estas *academias* precisas de ahora y abro mi alma ante el símbolo del Sacramento, y mi erotismo en la *Oda a Sesostris*, que llevo mediada.

Te hablo de estas cosas, porque tú me lo pides; yo no hablaría más que de lo que, exterior a mí, me hiere de lejos…[49]

Incluye con la carta un extracto de la *Oda al Santísimo Sacramento*, comentando que el poema, a punto de terminarse, le parece de «gran intensidad» y, tal vez, «el más grande que yo haya hecho». Es significativo que en dicho extracto (de la sección «Demonio, segundo enemigo del alma») se ponga el énfasis sobre la sexualidad desprovista de amor, sobre la resplandeciente belleza del Maligno («sin nostalgia ni sueño») y sobre la preocupación de éste por el éxtasis del momento, sin lealtades ni responsabilidades personales:

> *Honda luz cegadora de materia crujiente,*
> *luz oblicua de espadas y mercurio de estrella,*
> *anunciaban el cuerpo sin amor que llegaba*
> *por todas las esquinas del abierto domingo.*
>
> *Forma de la belleza sin nostalgia ni sueño.*
> *Rumor de superficies libertadas y locas.*

Médula de presente. Seguridad fingida
de flotar sobre el agua con el torso de mármol.

Cuerpo de la belleza que late y que se escapa.
Un momento de venas y ternura de ombligo.
Amor entre paredes y besos limitados,
con el miedo seguro de la meta encendida.

Bello de luz, oriente de la mano que palpa.
Vendaval y mancebo de rizos y moluscos,
fuego para la carne sensible que se quema,
níquel para el sollozo que busca a Dios volando.

«Me parece que este Demonio es bien Demonio —le sigue comentando a Zalamea—. Cada vez esta parte se va haciendo más oscura, más metafísica, hasta que al final surge la belleza cruelísima del enemigo, belleza hiriente, enemiga del amor.»[50]

Uno se pregunta si este Demonio no refleja, en parte al menos, el cinismo con el cual, según varios amigos del poeta, Emilio Aladrén explotaba su magnífico físico y su poder de seducción.

En cuanto a la *Oda a Sesostris* u *Oda a Sesostris, el Sardanápalo de los griegos*[51] —titulada, en el manuscrito más depurado del fragmento, *Oda y burla de Sesostris y Sardanápalo*[52]—, dice en la carta citada, como acabamos de ver, que en ella «abre» su erotismo y que ya la tiene «mediada». Del ambicioso poema —en otra carta lo califica de «llena de humor y llanto y ritmo dionisíaco»,[53] situándolo dentro de su «género *furioso*»—[54] sólo se conocen cuarenta y ocho versos. Si son los aludidos cuando dice que tiene la oda «mediada», estamos ante una proyectada composición de unos cien versos.

La crítica más solvente ha establecido que en la *Oda y burla de Sesostris y Sardanápalo*, de difícil análisis por incompleta, Lorca se enfrenta con «el problema del erotismo homosexual».[55] Sardanápalo, legendario rey de Asiria, fue gay notorio: «gran mariquita asirio» lo llama el «yo». En cuanto a Sesostris, el epígrafe del poema aclara que se trata de Ramsés II, aunque parece ser que, dada la muy difundida creencia de que los gitanos españoles eran de origen egipcio, este Sesostris puede tener, en la concepción de Lorca, gotas de sangre caló.[56] Al margen de ello resulta probable, comparando el fragmento con los de la *Oda al Santísimo Sacramento* compuestos por las mismas fechas, que planea sobre ambos personajes la sombra de Emilio Aladrén. Tanto Sardanápalo como Sesostris son traidores del amor. El primero tiene «un falo de quita y pon»[57]. El segundo está definido así:

> Chulo Sesostris, bello, gran marchoso,
> maestro en escupir y cortar brazos.
> Ojos de triste vendedor de pieles,
> y cintura de arena sin sosiego.[58]

Llama la atención el último verso, que reaparecerá en «Tu infancia en Mentón», donde parece claro que Emilio Aladrén es el apostrofado:

> Tu cintura de arena sin sosiego
> atiende sólo rastros que no escalan.
> Pero yo he de buscar por los rincones
> tu alma tibia sin ti que no te entiende,
> con el dolor de Apolo detenido
> con que he roto la máscara que llevas.[59]

Aladrén, además, como Sardanápalo, es muy dado al alcohol —hemos visto que Martínez Nadal lo evoca con una botella de ginebra en el bolsillo de su gabardina—,[60] y es un hecho que para Lorca, como se verá en la *Oda a Walt Whitman*, lo báquico se suele asociar a lo cruel, a lo egoísta, a lo efímero, a lo opuesto al amor.[61]

Halagado por la cabeza suya ejecutada por Aladrén, el poeta seguía haciendo todo lo posible por promocionarla. Tenía especial interés en que saliera una fotografía en *ABC*, por lo cual se puso en contacto con Cipriano Rivas Cherif, que escribía en sus páginas. Sólo existe un fragmento de la carta:

> Yo quisiera que se reprodujera en algún sitio, bien reproducido, no por mí, *naturalmente*, sino por él y por su familia.
> Si en el *ABC* pudiera reproducirse bien, yo te enviaba la foto. Esto no es *compromiso*, de ninguna manera. Si a ti te ocasiona la más leve molestia, quiere decir que no se hace, pero si es fácil que salga *decentemente puesto*, me gustaría dar esta sorpresa a un buen amigo mío, *artista novel*. Esto en la más discreta reserva. Me sonrojo un poco de pedir que *salga* como foto mía en los papeles, pero te repito que se trata de otra persona, aunque sea yo el mode-

lo. En esto me parezco a Melchorito, que *coloca* poemas, dibujos y prosas de sus amigos.[62]

Rivas Cherif se mostró poco dispuesto a aceptar el encargo, y el 28 de agosto le contestó que las únicas personas del diario que conocía (Juan Ignacio Luca de Tena y Luis Calvo) estaban en aquellos momentos fuera de Madrid y que, en cualquier caso, la propuesta sería considerada como un intento de conseguir publicidad gratuita para un artista desconocido. Le rogó que llamara a otra puerta.[63] Lo único que el poeta pudo conseguir aquel verano fue la publicación de la fotografía en *El Defensor de Granada*, donde acompañó una reseña del *Romancero gitano*. El pie, probablemente redactado por el propio Federico, y con la connivencia de su amigo Constantino Ruiz Carnero, director del periódico, rezaba: «La personalidad de este joven escultor comienza a destacarse entre los artistas de la última generación como una de las más brillantes promesas de la juventud».[64]

Dalí y el *Romancero gitano*: «un interesante pleito poético»

A principios de septiembre recibe una larga y enjundiosa carta de Dalí sobre el *Romancero gitano*. Por su impacto sobre el poeta y su enorme interés intrínseco merece ser citada íntegra (se respeta, como en misivas anteriores, la estrafalaria ortografía y falta de puntuación dalinianas, colocándose entre corchetes las tachaduras):

> Querido Federico: He leido con calma tu libro del que no puedo estarme de comentar algunas cosas. Naturalmente me es imposible coincidir en nada a la opinión de los grandes puercos putrefactos que lo han comentado. Andrenio,* ect ect pero creo que mis opiniones que cada dia *van concretandose* en torno de la poesia pueden interesarte algo.
>
> I Me parece lo mejor del libro lo *ultimo*, martirio de Santa Olalla, pedazos de incesto —*Rumor de rosa encerrada*— estas cosas

---

* Andrenio [Eduardo Gómez de Baquero], «*Romancero gitano*», *La Vanguardia*, Barcelona, 12 de agosto de 1928.

pierden ya buena parte de costumbrismo, son mucho menos anecdotico que los demas ect.* *Lo peor* me parece lo de aquel senyor que *se la llevo al río*.** La *gracia* producto de un estado de espíritu vasado en la apreciacion deformada sentimentalmente por el *anacronismo*. Lo de las enaguas del santito en su alcoba (San Gabriel)*** me es hoy en que en toda produccion solo admito la *rabia* en el crearla, una especie de inmoralidad —eso es lo que a sido empleado por los Franceses por el —esprit— Frances, asqueroso i inatmisible —Cocteau— ect i del que todos hemos estado contagiados.

II Tu poesia actual cae de lleno dentro *de lo tradicional*, en ella atvierto la substancia *poetica mas gorda que ha existido*: pero! ligada en absoluto a las normas de la poesia antigua, incapaz de emocionarnos ya ni de satisfacer nuestros deseos actuales – Tu poesia esta ligada de piez i brazos [al arte] a la poesia vieja – Tu quizas creeras atrevidas ciertas imagenes, pero yo puedo decirte que tu poesia se mueve dentro de la *ilustracion* de los lugares comunes mas estereotipados i mas conformistas – [*o gran Federico Tu*] – Precisamente estoy convencido que el esfuierzo oy en poesia solo tiene sentido con la evasion de las ideas que nuestra inteligencia a ido forjando [*sobre la realidad [¿siendo?] una irrealidad*] artificialmente, asta dotar a *estas* de su exacto sentido real.

En Realidad, no hay ninguna relacion entre dos danzantes i un panal de abejas, a menos que sea la relacion que hay entre Saturno i la pequena cuca que duerme en la crisalida o a menos de que en realidad no exista *ninguna diferencia* entre la pareja que danza i un panal de abejas.

Los minuteros de un reloj (no te figes en mis ejemplos que no los busco, precisamente, poeticos) empiezan a tener un valor real en el momento en que dejan de senalar las oras del reloj i perdiendo su ritmo *circular* i su mision arbitraria a que nuestra inteligencia los a sometido (senalar las horas), se *evaden* del tal reloj

* «Martirio de Santa Olalla» y «Thamar y Amnón» figuran, efectivamente, al final del libro, en este orden (con «Burla de don Pedro a caballo» entre ellos). Al citar el verso «rumor de rosa encerrada», de «Thamar y Amnón», Dalí está aludiendo a la escena con Margarita Manso vivida por él y Lorca unos años antes (véase p. 265).

** «La casada infiel».

*** Se equivoca. Se trata de «San Miguel», el romance inspirado por la imagen del arcángel en la iglesia de San Miguel el Alto, en Granada, comentado antes.

para articularse al sitio que corresponderia el sexo de las migui-
tas del pan.

Tu te mueves dentro de las nociones aceptadas i anti-poeticas
—hablas de un ginete i este supones que va arriva de un caballo i
que el caballo galopa, *esto es mucho decir*, porque *en realidad* seria
conveniente averiguar si realmente es el ginete el que va arriva, si
las riendas no son una continuacion organica de las mismisimas
manos, si en realidad mas veloz que el caballo resultan que son los
pelitos de los cojones del ginete i que si el caballo precisamente es
algo inmobil aderido al terreno por raizes vigorosas... ect ect. Figu-
rate pues lo que es llegar como tu haces al concepto de un Gardia
civil— Poeticamente, un guardiacivil en realidad no existe... a menos que sea una alegre i mona silueta viva i reluciente precisamente por sus calidades i sus piquitos que le salen por todos lados
i sus pequenas correas que son parte viceral de la misma vestiecita
ect ect

Pero tu... putrefactamente —el guardia civil— que hace? tal
tal —tal. tal. irrealidad irrealidad. —Anti poesia— formacion de
nociones arbitrarias de las cosas: Hay que dejar las cositas *libres*
de las ideas convencionales a que la inteligencia las a querido someter – Entonces estas cositas monas ellas solas obran de acuerdo
con su real i *consubstancial* manera de ser – Que ellas mismas decidan la direccion del curso de la proyeccion de sus sombras! i a lo
mejor lo que creiamos que haria una sombra mas espesa no hace
sombra ect ect – Feo. bonito? palabras que an dejado de tener todo
sentido – Horror, eso es otra cosa, eso lo que nos proporciona lejos
de todo *estilo* [es] el conocimiento poetico de la realidad, ya que el lirismo solo es posible dentro de las nociones mas o menos aproxima-
tivas que nuestra inteligencia puede percivir de la realidad.

[*Y una rosa es una vestia ect ect*] saldra un *articulo* dedicado a
ti en la Gaceta* en que hablo de estas cosas, i ademas de la importancia del dato estrictamente obgetivo obtenido anti-artisticamen-
te por un rigoroso metodo analitico.

pero dejemos, yo cada dia puedo escrivir menos asi en cartas,
en canvio hago largos i substanciosos articulos llenos de ideas

Federiquito, en el libro tuyo que me lo he llevado por esos sitios
minerales de por aqui a leer, te he visto a ti, la vestiecita que tu
eres, vestiecita erotica con tu sexo i tus *pequeños ojos de tu cuerpo*, i
tus pelos i tu miedo de la muerte i tus ganas de que si te mueres *se*

---

* Es decir, *La Gaceta Literaria*, de Madrid.

enteren los señores,* tu misterioso espiritu echo de pequenos *enigmas* tontos de una estrecha correspondencia horóscopa i tu dedo gordo en estrecha correspondencia con tu polla i con las humedeces de los lagos de baba de ciertas especies de *planetas peludos* que hay – Te quiero por lo que tu libro revela que eres, que es todo el rebes de la realidad que los putrefactos an forjado de ti, un gitano moreno de cabello negro corazon infantil ect ect todo ese Lorca *Nestoriano*** decorativo anti-real, inexistente, solo posible de haber sido creado por los cerdos artistas lejos de los pecitos i de los ositos i siluetas blondas, duras i liquidas que nos rodean ect ect.

ti vestia con tus pequeñas huñas —ti que abeces la muerte te coge la mitad el cuerpo, o que te suve por [*el brazo asta*] las uñitas asta el ombro en esfuerzo esterilisimo; yo he vevido la muerte en tu espalda en aquellos momentos en que te ausentabas de tus grandes brazos que no eran otra cosa que dos fundas crispadas del plegamiento inconciente e inutil del planchado de las tapices de la residencia… a ti, Lenguado que se ve en tu libro quiero i admiro, a ese lenguado gordo que el dia que pierdas el miedo te cagues con los Salinas, abandones la Rima, en fin el arte tal como se entiende entre los puercos— aras cosas divertidas, orripilantes, crispadas, poeticas como ningun poeta a realizado.

adios **creo** en tu inspiracion, en tu *sudor*, en tu fatalidad astronomica

Este invierto [sic, por invierno] te invito a l'anzarnos en el vacio. Yo ya estoy en el desde hace dias, nunca abia tenido tanta seguridad aora se algo de *Estatuaria* y de claridad **real** ahora lejos de toda Estetica

Abrazos Dali

El surrealismo es *uno* de los medios de Evasion
Es *esa* Evasion lo importante
Yo voy teniendo mis maneras al margen del surrealismo, pero eso es algo vivo —Ya ves que no hablo de el como antes, tengo la alegria de pensar muy distintamente de el verano pasado que fino he?[65]

---

* Versos, respectivamente, de los romances «Muerto de amor» y «El emplazado».
** Alusión al pintor canario Néstor Martín Fernández de la Torre, amigo del poeta.

Lorca, cuya contestación se desconoce, estaba mayormente de acuerdo con el criterio de Dalí sobre sus romances —prolongación de lo que había escrito sobre *Canciones* un año antes—, y en absoluto pudo sentirse herido por sus comentarios, por otro lado muy halagadores sobre su persona y su genio poético. «Carta aguda y arbitraria que plantea un pleito poético interesante», la describió poco después, lacónicamente, en una carta a Gasch. Luego añadió: «Claro que mi libro no lo han entendido los putrefactos, aunque ellos digan que sí. A pesar de todo, a mí ya no me interesa nada o casi nada. Se me ha muerto en las manos de la manera más tierna. Mi poesía tiende ahora otro vuelo más agudo todavía. Me parece que un vuelo personal».[66]

Los «poemas en prosa»

La larga y maravillosa carta de Dalí influye en el poema en prosa que Lorca está componiendo en estos momentos, y cuyo manuscrito lleva la fecha de 4 de septiembre de 1928. Lo tituló primero *Técnica del abrazo (Poema aclaratorio de varias actitudes)*; luego, tachando éste, estampó en su lugar *Últimos abrazos (Pequeño homenaje a un cronista de salones)*.[67]

A mediados del mes le envió a Gasch, para su publicación en *L'amic de les arts*, una copia del texto acompañada de otro de reciente factura, *Suicidio en Alejandría*. Le explicó que correspondían a lo que llamaba su «nueva manera *espiritualista*, emoción pura descarnada, desligada del control lógico, pero, ¡ojo! ¡ojo!, con una tremenda *lógica poética*». Añadió, para que no hubiera malentendidos: «No es surrealismo, ¡ojo!, la *conciencia* más clara los ilumina. Son los primeros que he hecho. Naturalmente, están en prosa porque el verso es una ligadura que no resisten. Pero en ellos sí notarás, desde luego, la ternura de mi actual corazón».[68]

Cuando salieron unas semanas después en la revista sitgeana, el primero ya se denominaba *Nadadora sumergida (Pequeño homenaje a un cronista de salones)*.

El hecho de que los dos textos se publicasen al lado de uno de Dalí, *Pez perseguido por un racimo de uvas*, no puede haber sido fortuito. Lorca ya lo conocía, además, pues Salvador se lo había mandado traducido al español con la indicación: «Dedicado a una conversación de Federico García Lorca con la Lydia».[69] Entre él y las dos prosas del granadino existían notables coincidencias: escenarios de playa, nombres de personajes (la baronesa X de Dalí y la condesa X de *Nadadora sumergida*), tono irónico, alusiones al whisky y a los automóviles…

Parece cierto, por otro lado, que en *Nadadora sumergida* Lorca tenía muy presente su difícil relación afectiva con Salvador. En la primera parte del texto el narrador, que declara que ahora ya sabe lo que significa «despedirse para siempre», se dirige a la condesa X y le relata el «último abrazo» con su gran amor, abrazo «tan perfecto que la gente cerró los balcones con sigilo»:

> Condesa: aquel último abrazo tuvo tres tiempos y se desarrolló de manera admirable.
> Desde entonces dejé la literatura vieja que yo había cultivado con gran éxito.
> Es preciso romperlo todo para que los dogmas se purifiquen y las normas tengan nuevo temblor.
> Es preciso que el elefante tenga ojos de perdiz y la perdiz pezuñas de unicornio.
> Por un abrazo sé yo todas estas cosas…[70]

¿Cómo no equiparar «la literatura vieja», cultivada exitosamente por el narrador, con el *Romancero gitano*, criticado por moverse dentro de «lo tradicional» en la carta que Lorca acaba de recibir de Dalí y considerado ya, por el propio poeta, trasnochado? ¿Cómo no ver en este afán renovador del «yo» un reflejo de las preocupaciones estéticas de Lorca en estos momentos?

De los dos dibujos en tinta china enviados a Gasch con *Nadadora sumergida* y *Suicidio en Alejandría*, y publicados uno encima del otro en medio de la plana de *L'amic de les arts* donde se dan a conocer los textos, el que más llama la atención es el inferior:

En vista de la serie daliniana en la que se funden las cabezas de pintor y poeta, y el dibujo lorquiano *El beso*, comentado antes, en que se recoge el mismo motivo, ¿no cabe la posibilidad de que los amantes que se aquí se abrazan al lado de las olas representen a los dos amigos? La cabeza de la figura izquierda, más ancha que la otra, tiene cabellos recios y una cierta similitud con los autorretratos del poeta que conocemos. La otra es ovalada, más parecida a la de Dalí, y parece casi desprovista de pelo, lo cual podría ser una alusión al servicio militar del pintor durante el cual se vio obligado a llevarlo muy corto. Además, la numeración de las olas

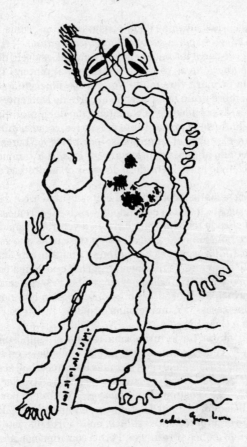

parece ser una clara alusión a un pasaje del *Sant Sebastià* de Salvador:[71]

> Enriquet, pescador de Cadaqués, me decía en su lenguaje esas mismas cosas aquel día que, al mirar un cuadro mío que representaba el mar, observó: es igual. Pero mejor en el cuadro, porque en él las olas de pueden contar.

Parece claro, de todas maneras, que en *Nadadora sumergida* Lorca está indicando al pintor su decisión de abandonar la «literatura vieja» —las «normas de la poesía antigua», como las había llamado Dalí en su carta sobre el *Romancero gitano*—, ello a fin de seguir más de cerca las pautas del arte actual, es decir, del surrealismo, que ahora atrae tan poderosamente al pintor. Como sabemos que la primera versión de *Nadadora sumergida* se fechó el 4 de septiembre y que Lorca recibió la carta de Dalí antes del 8 del mismo mes, es posible que la comunicación del pintor incluso fuera el detonante de la prosa. Tanto ésta, pues, como el dibujo aludido podrían expresar el compromiso por parte de Lorca de dejar atrás el mundo andaluz del *Romancero gitano*. Y también, quizá, su convicción de haber perdido, o de estar en el proceso de perder, a Salvador.

Llevaba semanas tratando, sin éxito, de atraerle a casa. A mediados de agosto le había confiado a Gasch: «Queremos hacer un número dedicado todo [a] Dalí. Éste va a venir a Granada y le debemos este homenaje. Aconséjale tú en tus cartas que venga. Dile que le hace falta, como es verdad, una visita a este importante Sur».[72] «No te olvides de recomendar a Dalí que venga por Granada —le volvió a recordar después de recibir la larga carta de Salvador a principios de septiembre—. Es preciso que nos veamos para muchas cosas».[73] Y, una semana después: «Insiste con Dalí para que venga a Granada».[74]

Pero al pintor no le interesaba mucho el «importante Sur». Además —y Federico probablemente no lo sabe— en estos momentos se está acercando cada vez más a Buñuel, que acaba de visitarle en Cadaqués y sigue insistiendo en que se traslade a París. Al aragonés no le gusta nada el *Romancero gitano*, o por lo menos así lo va diciendo. El 14 de septiembre, en una carta a José Bello, explica que en una reciente estancia en Madrid ha visto a Federico, «volviendo a quedar íntimos». Pero a continuación ataca los romances en términos tan parecidos a los utilizados por Dalí en su carta al poeta de quince días antes que es imposible no deducir que han hablado del libro. Lo más notable, con todo, es la rabia antihomosexual que destila la misiva:

> Es una poesía que participa de lo fino y *aproximadamente* moderno que debe tener cualquier poesía de hoy para que guste a los Andrenios, a los Baezas y a los poetas maricones y cernudos de Sevilla. Pero de ahí a tener que ver con los verdaderos, exquisitos y grandes poetas de hoy existe un abismo. Abro el libro al azar:

> *San Miguel lleno de encajes*
> *En la alcoba de su torre*
> *Enseña sus bellos muslos*
> *Ceñido por los faroles.*

> (Bueno y qué!)*

Después de otras tres citas «al azar» (dos de «Preciosa y el aire», una del «Romance de la Guardia Civil española»), sigue con su diatriba:

> Hay dramatismo para los que gustan de esa clase de dramatismo flamenco; hay alma de romance clásico para los que gustan de continuar por los siglos de los siglos los romances clásicos; incluso hay imágenes magníficas y novísimas, pero muy raras y mezcladas con un argumento que a mí se me hace insoportable y que es lo que tiene llenas de menstruaciones las camas españolas. Desde luego lo prefiero a Alberti, que está tocando los límites de lo absurdo lírico.[75]

La aversión que siente Buñuel por Andalucía (que, como Dalí, no ha visitado nunca) es del todo irracional. Parece probable que su actitud influyera sobre Salvador en estos momentos en que el pintor está cada vez más cerca del surrealismo y más inflexible en su rechazo de todo lo que huela a cultura tradicional.

Durante septiembre, mientras espera en vano la visita de Dalí, Lorca dedica parte de su tiempo a la preparación del tercer número de *gallo*, observándose en el café Alameda, sede del Rinconcillo, una frenética actividad nocturna por parte de los redactores.[76] Pero, aunque parece que se empezó a imprimir a principios de octubre, no se publicó. ¿Qué había pasado? Tal vez no se consiguieron anuncios suficientes o, quizá, hubo una repentina e imprevista subida de costes. En cuanto a su contenido, iba a incluir un artículo de Gasch sobre el pintor Manuel Ángeles Ortiz, la prosa *Quimera* de Lorca (en la línea de *El paseo de Buster Keaton* y *La doncella, el marinero y el estudiante*) y un fragmento del largo poema de Gerardo Diego *Fábula de X y Z*.[77]

Mientras tanto Lorca confiesa a Jorge Zalamea que, como él, ha pasado «muy mal» el verano. «Se necesita tener la cantidad de

---

* Los «bellos muslos» de san Miguel tampoco le habían hecho mucha gracia a Jorge Guillén, que consideraba el romance «imposible» (*EC*, p. 371, n. 1083).

alegría que Dios me ha dado para no sucumbir ante la cantidad de conflictos que me han asaltado últimamente», le escribe desde la Huerta de San Vicente. Los conflictos, que se cuida de no pormenorizar, no le han impedido, sin embargo, tener «una actividad poética de fábrica»:

> Pero Dios no me abandona nunca. He trabajado mucho y estoy trabajando. Después de construir mis *Odas*, en las que tengo tanta ilusión, cierro este ciclo de poesía para hacer otra cosa. Ahora hago una poesía de *abrirse las venas*, una poesía *evadida* ya de la realidad con una emoción donde se refleja todo mi amor por las coas y mi guasa por las cosas. Amor de morir y burla de morir. Amor. Mi corazón. Así es.

«¡Qué estés alegre! —termina la carta—. Hay necesidad de ser alegre, el *deber* de ser alegre. Te lo digo yo, que estoy pasando uno de los momentos más tristes y desagradables de mi vida.»[78]

Una poesía *de abrirse las venas*, *evadida* ya de la realidad: parece claro que se está refiriendo a *Nadadora sumergida* y *Suicidio en Alejandría*, que en una carta a Gasch ya ha calificado de «poemas».[79]

Dos conferencias pronunciadas en el Ateneo de Granada en octubre confirmaban de manera contundente la influencia que ejercía Dalí sobre la estética del poeta en estos momentos: *Imaginación, inspiración y evasión en la poesía* (11 de octubre) y *Sketch de la pintura nueva* (26 de octubre).

El manuscrito de la primera no se conoce, sólo el resumen publicado al día siguiente, con amplias citas, en *El Defensor de Granada*. Demuestra que para Lorca, en el otoño de 1928, la imaginación poética —imaginación, según él, siempre limitada por la realidad— ya se le queda pequeña. Ahora le atrae otra «lógica poética», la de la *inspiración*, donde «ya no hay términos ni límites, admirable libertad». Se ha acabado, pues, el culto a Góngora, a quien, en una versión posterior de la conferencia, denominará como «el perfecto imaginativo, el equilibrio verbal, y el dibujo concreto».[80] Lo que prima ahora es el «hecho poético» que, descubierto por la inspiración, no por la imaginación, tiene sus propias leyes, aun cuando discurre libre de todo «control lógico».

El Defensor recoge así el siguiente pasaje clave de la conferencia, con la insistencia, otra vez, sobre nuevas «normas»:

Poesía en sí misma llena de un orden y una armonía exclusivamente poéticos. Las últimas generaciones de poetas se preocupan de reducir la poesía a la creación del hecho poético y seguir las normas que este mismo impone, sin escuchar la voz del razonamiento lógico ni el equilibrio de la imaginación. Pretenden libertar la poesía no sólo de la anécdota, sino del acertijo de la imagen y de los planos de la realidad, lo que equivale a llevar la poesía a un último plano de pureza y sencillez. Se trata de una realidad distinta, dar un salto a mundos de emociones vírgenes, teñir los poemas de un sentimiento planetario. «Evasión» de la realidad por el camino del sueño, por el camino del subconsciente, por el camino que dicte un hecho insólito que regale la inspiración.

El poema evadido de la realidad imaginativa se sustrae a los dictados de lo feo y bello como se entiende ahora y entra en una asombrosa realidad poética, a veces llena de ternura y a veces de la crueldad más penetrante.[81]

La confrontación de estos párrafos con las cartas de Dalí, así como con los escritos teóricos que va publicando sobre todo en *L'amic de les arts*, demuestra hasta qué punto están en deuda con el pintor. Por ejemplo, al afirmar Lorca que los poetas nuevos «pretenden libertar la poesía no sólo de la anécdota, sino del acertijo de la imagen y de los planos de la realidad», tiene presente una carta en la cual, un año antes, pontificaba Dalí con casi idénticas palabras: «La metafora i la imagen han sido hasta oy anecdoticas, tanto es asi que hasta los mas puros e incontrolables pueden ser explicados como un acertijo».[82] Mientras que, cuando se refiere a la sustracción «a los dictados de feo y bello» conseguida por el poema «evadido de la realidad imaginativa», ¿como no reconocer el eco de la larga misiva del «hijito» sobre el *Romancero gitano*?: «¿Feo bonito? palabras que an dejado de tener todo sentido —Horror, eso es otra cosa, eso lo que nos proporciona lejos de todo *estilo* el conocimiento poetico de la realidad».

En *Sketch de la pintura nueva* analiza la pintura actual a la luz de estas premisas y razona que el cubismo, y ahora el surrealismo, son las grandes fuerzas liberadoras del siglo. Anima la charla con diapositivas que incluyen por lo menos un Dalí (no identificado) y dos Miró, uno de ellos *Diálogo de insectos* (1925). Aunque reconoce a Picasso como el más eximio innovador, y expresa su profunda admiración por el madrileño Juan Gris, es Joan Miró quien mayores elogios le merece, en parte, quizá, debido al contagioso entusiasmo de Salvador. «Ese paisaje nocturno donde hablan los insectos unos con otros, y ese otro panorama, o lo que sea, que no me importa saberlo ni necesito, están a punto de no haber existido —declara—. Vienen del sueño, del centro del alma, allí donde el amor está en carne viva y corren brisas increíbles de sonidos lejanos. Yo experimento ante estos cuadros de Miró la misma emoción misteriosa y terrible que siento en los toros en el momento en que clavan la puntilla sobre la testa del hermoso animal.»[83]

Las dos conferencias demuestran claramente que ha llegado al convencimiento de que su propia obra necesita ahora nutrirse de elementos inconscientes, oníricos.

Lleva trabajando desde principios de 1928 en su magna *Oda al Santísimo Sacramento* y ha mantenido a Zalamea y Gasch al corriente de su evolución. En agosto le había anunciado a éste que la tenía casi terminada.[84]

Unos meses después entrega a la *Revista de Occidente*, para su publicación en el número de diciembre, las dos primeras partes del poema —«Exposición» y «Mundo»—, dedicadas a Manuel de Falla.

Había comentado a Zalamea el enorme esfuerzo que le estaba costando la oda. «Pero mi fe la hará», añadió.[85] ¿Fe en sí mismo? ¿En Cristo? ¿Qué quería decir? Todo indica que, en este turbulento período de su vida, acosado por graves problemas emocionales, vuelve a aferrarse a su fe cristiana, nunca del todo perdida. Al aludir a su sufrimiento, utiliza con Zalamea y Gasch una terminología homogénea. Se siente *maltratado, baqueteado* y *asaltado* por «conflictos de sentimientos muy graves», por «pasiones» que tiene que vencer. Teme *sucumbir* ante el embate.[86] Y para luchar contra la desesperación recurre a su voluntad, se entrega febrilmente a su trabajo… y busca refugio, siquiera provisionalmente, en la religión de su infancia, en el Cristo cantado en sus *místicas* juveniles, el Cristo amigo de los débiles y, también, en el concepto del poeta, de los marginados sexuales.

Éste es el Cristo que se evoca en *Oda al Santísimo Sacramento*. El poema propone que, para el desvalimiento de un mundo cruel y deshumanizado, sumido en el pecado, donde la Naturaleza está sometida a una mutilación sistemática y las gentes viven en la soledad, sin amor, sólo el Cristo crucificado, presente en la hostia consagrada, puede ofrecer consuelo. En un pasaje de «Mundo», que anticipa el desolado paisaje urbano de los poemas de Nueva York, demuestra que su imaginación ya rebasa con creces el loca-

lismo del *Romancero gitano* que le achacan Dalí y Buñuel. Aquí
no se trata de Granada ni de Madrid (todavía pequeña en 1928):

> *La gillette descansaba sobre los tocadores*
> *con su afán impaciente de cuello seccionado.*
> *En la casa del muerto, los niños perseguían*
> *una sierpe de arena por el rincón oscuro.*
>
> *Escribientes dormidos en el piso catorce.*
> *Ramera con los senos de cristal arañado.*
> *Cables y media luna con temblores de insecto.*
> *Bares sin gente. Gritos. Cabezas por el agua.*
>
> *Para el asesinato del ruiseñor, venían*
> *tres mil hombres armados de lucientes cuchillos.*
> *Viejas y sacerdotes lloraban resistiendo*
> *una lluvia de lenguas y hormigas voladoras.*[87]

Si el Demonio lorquiano, como vimos, representa la explotación
erótica, sin amor ni lealtad, «Carne», última parte de la oda (no terminada hasta un año después), desarrollará el tema de la dignificación de la sexualidad que, según el poeta, supone el sacrificio de
Cristo.

No es de extrañar, dada la complejidad y el hermetismo de
Oda al Santísimo Sacramento, que no estén de acuerdo los críticos acerca de su grado de ortodoxia o heterodoxia teológicas. El
hecho de que Lorca dedicase sus dos primeras partes al tan católico Manuel de Falla significaba, forzosamente, que él, por lo menos,
no entretenía dudas al respecto. Pero ¿por qué no esperó un poco
más, ya que creía que el poema estaba casi terminado, para publi-
carlo completo? Según la hipótesis de Eutimio Martín, intentaba
con ello «tantear el terreno para ver cómo reaccionaba el lector en
general y el católico en particular», correspondiendo al mismo
motivo la dedicatoria al compositor. Sabía necesariamente que la
segunda mitad de la oda no era tan ortodoxa. Si los lectores reaccionaban con hostilidad ante la primera, ¿qué no pensarían de
«Demonio» y «Carne»?[88]

No tomó la precaución de mostrar «Exposición» y «Mundo» a
Falla antes de entregarlos a la *Revista de Occidente*, ni de pedir su
permiso para dedicárselos. Tal proceder revelaba una ceguera
poco habitual en el poeta, pues ¿cómo podía imaginar que el hiper-

creyente Falla podría reaccionar favorablemente ante la imagen de Dios vivo en el ostensorio, «latiendo como el pobre corazón de la rana / que los médicos ponen en el frasco de vidrio», o ante la oposición establecida, en la estrofa siguiente, entre la nívea pureza de la hostia y «el mundo de ruedas y falos que circula»? La mera mención del órgano viril habría bastado, en otro contexto, para producir en el compositor, obsesionado por el pecado, un rechazo radical. Pero más, mucho más en el de un poema sobre el Santísimo Sacramento.

Falla tropezó, por pura casualidad, con el fragmento del poema publicado en la revista de Ortega y Gasset, y no dudó en escribirle al respecto a Lorca. Era consciente, dijo, del honor que le había hecho al dedicárselo. Pero existían profundas diferencias entre ellos en cuanto al tema de la composición, tema que él habría tratado con el «espíritu *puesto de rodillas* y aspirando a que toda la humanidad se divinizara por la virtud del Sacramento». Tuvo el buen tino, sin embargo, de reconocer que habría que juzgar el poema como un todo, por lo cual ponía sus esperanzas en su «versión definitiva».[89]

Se ignora cómo reaccionó Lorca ante la carta, aunque puede suponerse que, dado el profundo respeto que le merecía Falla, contestaría enseguida. El hecho de que su respuesta no se encuentra entre la correspondencia del compositor, que la conservaba meticulosamente, quizá sugiere que la destruyó para evitar que otros ojos la viesen. Lo cierto es que el episodio, si no supuso enfriamiento del sincero afecto de Falla, sí tuvo la consecuencia de que Federico, tal vez algo avergonzado, acudiera ahora con menos frecuencia al carmen de la calle de Antequeruela Alta.[90]

A principios de año, entre otros muchos proyectos, había dicho que iba a dar una conferencia sobre las canciones de cuna españolas. La pronunció, por fin, el 13 de diciembre, en la Residencia de Estudiantes, acompañándose al piano. En su intento de explicar la melancolía tan profunda de las nanas, recurrió a su infancia en la Vega granadina y evocó a las campesinas que, desde tiempos inmemoriales, llevaban realizando la admirable labor de transmitir a los niños ricos, de otro modo privados de ellos, poemas y romances populares. Dio a entender —y era en parte verdad, como también en el caso de Falla— que sin estas mujeres él no habría sido nunca el artista que era.[91]

Se cuidó de que la conferencia tuviera una alusión a Dalí. Comentando la presencia del coco en las nanas relató que, durante una visita suya a «una de las últimas exposiciones cubistas» del pintor, una niña catalana se había emocionado hasta tal punto ante algunos de los cuadros (que para ella representaban «papos» y «cocos») que costó mucho trabajo sacarla de la sala.[92] Pero ¿a qué muestra «cubista» se refería? La última exposición individual de Dalí que podía considerarse en cierto modo cubista había sido la barcelonesa de 1927, y sabemos que Lorca no la vio. Tampoco la de 1925, celebrada asimismo en Dalmau. Parece ser, por consiguiente, que la anécdota de la niña era o bien puro invento o algo que le había contado el propio Salvador.

En estos momentos hablaba de Dalí en todas partes y con el menor pretexto. Dos días después de la conferencia, Ernesto Giménez Caballero publicó en *La Gaceta Literaria* un resumen de una conversación telefónica que acababa de mantener con el poeta, en el curso de la cual le había preguntado quiénes eran sus «camaradas habituales» de Madrid. «Dalí, Buñuel, Sánchez Ventura, Vicéns, Pepín Bello, Prados y tantos otros», contestó.[93] Respuesta reveladora, ciertamente, porque ninguno estaba ya en Madrid: Dalí se encontraba en Figueres o Cadaqués; Buñuel, Rafael Sánchez Ventura y Juan Vicéns habían sentado sus reales en París; Pepín Bello se había desplazado a Sevilla; y Emilio Prados se hallaba en su Málaga natal. Hacía ya tres años que habían terminado los «días heroicos» de aquel grupo de la «Resi», hecho que el poeta se resistía por lo visto a asumir.

Giménez Caballero le había jaleado para que contara la anécdota más divertida de aquellos días, y una vez más había salido a relucir el nombre de Salvador. Se trataba de «La cabaña en el desierto»:

> Un día nos quedamos sin dinero Dalí y yo. Un día como tantos otros. Hicimos en nuestro cuarto de la Residencia un desierto. Con una cabaña y un ángel maravilloso (trípode fotográfico, cabeza angélica y alas de cuellos almidonados). ¡Abrimos la ventana y pedimos socorro a las gentes, perdidos como estábamos en el desierto! Dos días sin afeitarnos, sin salir de la habitación. Medio Madrid desfiló por nuestra cabaña.[94]

Parece seguro que los dos sólo habían compartido habitación muy de vez en cuando, por lo cual, al poner en circulación anécdotas como ésta y hablar de «nuestro cuarto» como si se tratara de una disposición habitual, la intención del poeta era subrayar la intensidad de su amistad con Dalí. En cuanto al pintor, contaría a su manera, años después, el incidente recogido por Lorca.[95]

El poeta le aseguró a Giménez Caballero que tenía varios libros listos para la imprenta: *Odas*; *Las tres degollaciones*; un volumen de teatro que incluiría *Amor de don Perlimplín con Belisa en su jardín* y *Los títeres de Cachiporra*; un *Libro de dibujos* («de mi exposición de Barcelona») y otros no especificados.[96] Que existía realmente el proyecto de sacar una compilación de odas parece confirmarlo la indicación que acompañaba los extractos de la *Oda al Santísimo Sacramento* dados a conocer en la *Revista de Occidente*: «De un libro próximo de poemas que se publicará con fotografías».[97] Era cierto que tenía una oferta para editar un tomo de teatro, pues la Compañía Ibero-Americana de Publicaciones lo anunciaría unos meses después como perteneciente a una colección titulada «Nueva Literatura», en la que figuraba *Sobre los ángeles* de Rafael Alberti.[98] Pero, salvo dos breves «degollaciones» dadas a conocer en revistas, ninguno de los títulos previstos aparecería en vida del poeta.

Giménez Caballero le pidió que definiera su «posición teórica actual». «Vuelta a la inspiración —contestó—. Inspiración, puro instinto, razón única del poeta. La poesía lógica me es insoportable. Ya está bien la lección de Góngora. Apasionado instintivamente, por ahora.» Era lo que había declarado en sus dos conferencias granadinas unos meses antes: ya se acababa su etapa de «asepsia» poética.[99]

Como Lorca, otros poetas de su generación, de manera especial Alberti y Aleixandre, sentían también el tirón de lo irracional a medida que 1928 tocaba a su fin. Liberados de su preocupación por la perfección formal, iban a producir ahora —o estaban ya produciendo— algunas de sus obras de mayor calado.

VÍSPERAS DE HUIDA (1929)

Crisis

El 15 de enero de 1929 *La Gaceta Literaria* publica en su primera página otro reciente «poema en prosa» de Lorca, *La degollación de los inocentes*, ilustrado con un escalofriante dibujo de Dalí, y, en su segunda, dos textos de Buñuel, ambos de inspiración surrealista. El cineasta en ciernes, aunque no pertenece todavía al grupo de André Breton, pontifica por estas fechas sobre el movimiento en sus cartas a José Bello desde París y le surte de instrucciones para su iniciación en la escritura automática. Juzga detestables, patéticos, los recientes esfuerzos de Federico, que «quiere hacer cosas surrealistas pero falsas, hechas con la inteligencia QUE ES INCAPAZ DE HALLAR LO QUE HALLA EL INSTINTO». «¿*La degollación de los inocentes*? Es tan «artística» como la *Oda al Santísimo Sacramento*, «oda fétida» —le asegura a Pepín— que pondrá erecto el débil miembro de Falla y de tantos otros artistas.» Admite, pese a todo, que Lorca es el que más vale entre la escoria tradicional.[1]

En enero Buñuel pasa quince días con Dalí en Figueres, donde trabajan juntos en el guión de la película que, tras varios titubeos, se llamará finalmente *Un Chien andalou*. El 1 de febrero *La Gaceta Literaria* pone al tanto del proyecto a sus lectores, explicando que es el «resultado de una serie de estados subconscientes, únicamente expresables por el cinema» y augurando que la película suscitará interés mundial.[2] En cuanto a su título definitivo, parece ser que, en la Residencia de Estudiantes, Dalí, Buñuel, José Bello y otros solían llamar «perros andaluces», jocosamente, a sus compañeros sureños, bastante numerosos en la casa (dirigida, además, por uno de ellos, el malagueño Jiménez Fraud).[3] Lorca era sin lugar a dudas el «perro andaluz» más notorio de los inquilinos, sobre todo después de la publicación del *Romancero gitano*, con lo cual parece evidente que, al concebir e ir elaborando los rasgos del protagonista masculino de la película —homosexual o impotente o las dos cosas a la vez— Buñuel y Dalí tenían muy presente al poeta.[4]

Lorca vuelve a Madrid en enero, después de las vacaciones. Ha sido invitado a dar una serie de conferencias en Cuba y «las universidades norteamericanas». Ilusionado con el proyecto, comenta a sus padres que la «tournée» le podría proporcionar «muchísimo dinero».[5] Otra carta de estos días demuestra que le han vuelto a criticar por su falta de ingresos... ¡y ello cuando se está preparando la segunda edición del *Romancero gitano* y tiene entre manos un libro de teatro![6] «Yo no quiero de ninguna manera que estéis indignados conmigo —les contesta, herido—. Esto me apena. Yo no tengo culpa de muchas cosas mías. La culpa es de la vida y de las luchas, crisis y conflictos de orden moral que yo tengo.»[7]

Nunca había aludido tan claramente, en las cartas a sus padres que conocemos, a su vida íntima y a sus apremiantes problemas personales. Tiene que haber estado muy dolido para hacerlo ahora.

Entretanto Cipriano Rivas Cherif, tal vez el director español mejor informado acerca de las tendencias actuales del teatro europeo, ha empezado a montar una «versión de cámara» de *Amor de don Perlimplín con Belisa en su jardín* para su grupo teatral Caracol. El estreno se prevé para el 5 de febrero. Margarita Xirgu proyectaba poner, por las mismas fechas, *La zapatera prodigios*a, pero el poeta informa a sus padres de que está enferma y recuperándose en Alicante. Cree que la representará primero en provincias, como hizo con *Mariana Pineda*, y que luego debutará con ella, en octubre, en el Teatro Español de Madrid.[8]

Caracol, que tiene su sede en un sótano de la calle Mayor, ha podido contar desde su fundación, a finales de 1928, con el apoyo de un grupo selecto de actores, escritores, artistas e intelectuales.[9] Uno de sus primeros éxitos fue el estreno español de *Orfeo*, de Jean Cocteau.[10] Lo siguió el de *Un sueño de la razón*, del propio Rivas Cherif, obra de tema extremadamente atrevido para la época: la homosexualidad femenina.[11]

Ahora es el turno de *Don Perlimplín*. Tal vez por razones técnicas, el estreno se atrasa un día y, cuando la mañana del 6 de febrero fallece la madre de Alfonso XIII, María Cristina, los teatros se ven obligados por decreto gubernamental a cerrar sus puertas. Caracol, sin embargo, sigue ensayando. Algún alma caritativa avisa a la policía y las autoridades se personan en la sala, donde informan a Rivas Cherif de que, al no respetar el luto, se prohíbe la obra. La verdadera razón de la medida es casi seguramente su contenido y, de manera particular, la escena en la que aparece Perlimplín en la cama con unos extravagantes cuernos en la cabeza. Tampoco habría ayudado nada el hecho de confiar el papel de Perlimplín a un oficial retirado del ejército, Eusebio de Gorbea. Según diría después el poeta, cuando el director de policía Martínez Anido se enteró de que Gorbea tenía que llevar cuernos, nada menos, por poco reventó. ¡Qué insulto al ejército español![12]

El incidente sirvió para intensificar el desdén que a Lorca le suscitaba el régimen de Primo de Rivera. Unos meses más tarde, él y otros jóvenes escritores firmarían un manifiesto quizá algo ingenuo para expresar su insatisfacción con la situación política imperante, su voluntad de buscar soluciones a los problemas del país bajo las directrices del filósofo José Ortega y Gasset, y su convicción de que a la vuelta de la esquina esperaba una España nueva y más libre. El documento daría pie a una discusión animada en la prensa. Era otra indicación, por si hacía falta, de hasta qué punto les asqueaba a los intelectuales el actual régimen dictatorial.[13]

El 16 de febrero de 1929, perdida ya la esperanza de estrenar *Don Perlimplín* en las actuales circunstancias, Lorca dicta en el Lyceum Club de Madrid su conferencia *Imaginación, inspiración y evasión en la poesía*, ya dada en Granada el octubre anterior.[14]

García Rodríguez y su mujer han tomado nota de que Federico está deprimido. Un día, probablemente en febrero de 1929, el padre visita a Rafael Martínez Nadal en Madrid para preguntarle qué le ocurre a su hijo y si, en su opinión, le sentaría bien un cambio de aires. Nadal contesta que, en su opinión, un viaje al extranjero le podría ir de perlas. Poco después Lorca empieza a difundir que no tardará en dar el salto a Estados Unidos con su viejo aliado Fernando de los Ríos, que en junio va a salir rumbo de Nueva York para dar una conferencia en la Universidad de Columbia. Cabe suponer que también hablaría con sus amigos de la invitación a Cuba.[15]

Martínez Nadal oculta a García Rodríguez, que ahora tiene casi setenta años, que la depresión de su hijo deriva en parte, y tal vez en gran medida, de su íntima amistad con Emilio Aladrén, en peligro por las relaciones del escultor con la inglesa Eleanor Dove. «Aunque no lo quisieran —recordaba años después— se iba produciendo el inevitable distanciamiento entre escultor y poeta dan do a éste la sensación de haber perdido una compañía que tanto le había exultado.»[16]

Tampoco le levantaría el ánimo a Federico una alusión altamente despectiva al *Romancero gitano*, y por extensión a sí mismo como persona, contenida en un ensayo de José Bergamín sobre Alberti dado a conocer en *La Gaceta Literaria* el 15 de marzo. Su punto de arranque era la reciente publicación de *Sobre los ángeles* del poeta gaditano, que le sirve a Bergamín —una de las plumas más afiladas de su generación— para establecer una oposición tajante entre la Andalucía occidental (Cádiz, Sevilla) y, sin mencionarla explícitamente, la oriental (Granada):

> Cádiz, los puertos, Sevilla, Bécquer y, además, el llamarse Alberti (la importancia de llamarse Alberti) ¡a qué distancia de todo lo judío o lo morisco, y de todo lo gitano andaluz, que es, naturalmente, lo antiandaluz! Y, en consecuencia, ¡a qué distancia de todo romanticismo o costumbrismo, sucio, populachero, pintoresco!
>
> La poesía de Rafael Alberti, con sus resonancias (León Bautista Alberti, Italia, renacimiento, cancioneros, idealismo andaluz...) es, ante todo, como Sevilla, como Cádiz, limpieza, belleza: pulcritud. En Andalucía occidental, antes de saber lo que es bello, se sabe lo que es limpio. Y todo lo es —lo que es— limpio o bello: pulcro.
>
> El niño andaluz —occidental— empieza por jugar como todos los niños, pero la condición primera para él es siempre el fear-play [sic]: el jugar limpio...

La Andalucía occidental, pues, equivale a nitidez, pureza, claridad, pulcritud, etc., y la oriental, se deduce, a todo lo contrario. Alberti, en opinión de Bergamín, ha demostrado ser «andaluz universal», como Juan Ramón Jiménez y Falla, otros dos andaluces occidentales. ¿Y el innominado Lorca? Cualquier lector atento habría captado el mensaje subliminal: un andaluz oriental, localista. La intención era obvia y no se la perdería Dalí, cuyo poema «Con el sol» se publicó en la primera plana del mismo número de la revista, ni, por supuesto, Luis Buñuel. Reforzaría, cabe pensarlo, el rechazo que provocaba en ambos el *Romancero gitano*.[17]

La ausencia de Salvador aumentaba seguramente la depresión del poeta. En marzo tiene un motivo añadido para acordarse del amigo porque, en una exposición celebrada en Madrid de cuadros y esculturas de artistas españoles residentes en París, figuran dos extraordinarias obras suyas con referencias a su relación:

Cenicitas y *La miel es más dulce que la sangre*. Es imposible creer que no visitase la muestra, en la que estaban representados no sólo Dalí sino otros amigos suyos, entre ellos Manuel Ángeles Ortiz e Ismael González de la Serna. Al contemplar los cuadros del «hijito» y ver su propia cabeza entre los extraños objetos desparramados por aquellas fantasmagóricas playas, recordaría sin duda, y con profunda nostalgia, sus estancias en Cadaqués y la felicidad que había conocido entonces junto al pintor, sobre todo en julio de 1927.[18]

El solo hecho de que Dalí estuviera representado en la exposición debió de dolerle, puesto que todavía no se había trasladado a París. Era como si la inclusión de sus cuadros ya anunciara su salida inmediata para la capital francesa.

Este mismo mes de marzo conoce en Madrid a Carlos Morla Lynch, *chargé d'affaires* de la embajada de su país desde hace tres meses. Intiman enseguida y parece indudable que Federico no tardó en hablarle de su relación con Aladrén y de su doloroso distanciamiento.[19]

A mediados de abril vuelve a Granada. Desde allí escribe a Morla una carta sólo dada a conocer, parcialmente, en 2008. No lleva fecha pero es casi con toda seguridad de esta primavera de 1929. Suena como un eco de los fragmentos que tenemos de las misivas dirigidas a Jorge Zalamea el otoño anterior:

> Recibí tu carta. Gracias. Fue dulce y fresca para mí. En las cuatro líneas venían tus manos y tu soledad. ¿No estás ya acostumbrado? Yo sí. Yo tengo ya el convencimiento de que a las verdaderas ternuras corresponden puñados de arena caliente en la cara.
>
> Yo estoy desolado. No tengo minuto tranquilo y me siento vacío, lleno de arañas y sin solución posible. Después que dejo mis horas de poeta (horas para los demás y para la emoción de los demás) encuentro muy duras mis horas de hombre.
>
> No quiero entristecerte. Pero he tenido que renunciar a lo que más quería en el mundo y como es la primera vez se me hace duro y amargo.
>
> Quisiera irme lejos. La amabilidad y el cariño de la gente de mi casa me apena mucho. En Granada estoy como Jonás dentro de la ballena, rodeado de un ambiente puramente fisiológico, rumor y latido, que me achica hasta lo último. Salgo a la calle entro en mi casa, subo las escaleras bajo las escaleras, como si buscara a alguien que *no está* y que no estará ya nunca para mí. El dolor que produce la

muerte de una persona me parece un hermoso y noble dolor; pero este dolor de perder a una *persona viva* me parece insoportable porque no es lógico ni está amparado por Dios.

Tú me entiendes y tú me quieres por eso. Ayer me sentía *extraño* en mi propia casa, forastero, hombre que vive ausente detrás de algo que huye, que casi no existe. Definitivamente he perdido mi alegría de niño.

No quiero entristecerte más. Perdona. Bastante tienes tú con tus conflictos. Pero tengo mucho alivio diciéndote estas pobres cosas. Creo que debo irme a París. Es preciso que cambie de ambiente. Aquí desde luego me ahogo. Aconséjame Carlos y ayúdame. No quiero entregarme al alcohol ni a nada. Frío y con valor quiero soportarlo todo sin renegar de nada. En último caso bendito sea Dios que da y quita.

Escríbeme Carlos. No te olvides de mí. Si me has conocido y eres bueno no dejes de acordarte de que yo estoy sufriendo aquí solo.

No digas a nadie estas cosas. Rompe mi carta si quieres...[20]

Pocos documentos se conocen de Lorca tan íntimos. La frase «me siento vacío, lleno de arañas y sin posible solución» remite a la *juvenilia*, concretamente al poema «Canción menor» (1918), donde el «yo» se identifica con Don Quijote y Cyrano de Bergerac, va llorando por la calle «grotesco y sin solución» y nos asegura que el amor «bello y lindo se ha escondido / bajo una araña».[21] Lo que más llama la atención de la carta, empero, es su parecido con el «Romance de la pena negra», cuya protagonista Soledad Montoya, como sabemos, busca obsesionadamente a la persona anhelada, que nunca aparece, corre su casa «como una loca», las dos trenzas por el suelo, sube y baja el monte oscuro como Lorca las escaleras de la Huerta de San Vicente y declara al narrador que le «ahoga» la pena negra.

La situación no mejora cuando descubre que el último número de *L'amic de les arts* (marzo de 1929), confeccionado casi exclusivamente por Salvador, no sólo no incluye el «extracto» de la carta suya al pintor anunciada por *La Gaceta Literaria*, sino que da una gran prominencia a Buñuel, a quien describe Dalí, en la entrevista que le hace allí, como «'metteur en scène' cinematográfico del cual puede esperar mucho el cinema europeo».[22]

Habría sido difícil, así las cosas, que el poeta no llegara a la conclusión de que el aragonés le sustituía cada vez más en el afecto del «hijito», que se junta con Luis en París a principios de abril para participar en el rodaje de *Un Chien andalou*.

Parece lícito deducir, en resumen, que en la primavera de 1929 Lorca se siente abandonado tanto por Aladrén como por Dalí y menospreciado por Buñuel. Deprimido, sintiéndose rechazado por quienes más amaba... es evidente que pasaba por momentos sumamente difíciles. Parece que todo ello fue lo que dio lugar, a finales de marzo, a uno de los episodios más extraños y enigmáticos de su breve vida.

Santa María de la Alhambra

Los granadinos son muy devotos de la Virgen. Lorca, dada su formación católica, no era excepción a la regla y, en estos momentos de depresión siente la necesidad de su ayuda. La Cofradía de Santa María de la Alhambra, poco activa antes de 1929, había decidido organizar su primera procesión de Semana Santa, explicando que, al hacerlo, su propósito era unir todavía más los dos mayores motivos de orgullo de Granada: la Virgen de las Angustias su patrona y la Alhambra. La procesión saldría de la iglesia de Santa María, situada a dos pasos del palacio de Carlos V, poco después de la medianoche del Miércoles Santo (27 de marzo) y después bajaría hacia el centro de la ciudad. La expectación despertada era enorme.[23]

Poco antes de que se iniciara surgió un problema: se había presentado en el templo una persona que imploraba el beneplácito de la cofradía para participar. Decía que había prometido a la Virgen acompañarla en su primera salida, que había llegado a Granada con este solo propósito. Se trataba de Lorca. La petición planteaba problemas, dadas las estrictas normas de la cofradía y el hecho de no sobrar un hábito de penitente. Pero se acabó por decidir que el poeta ocupara el puesto de uno de los portainsignias, que en realidad no eran miembros de la cofradía pese a ir vestidos de penitente y a llevar capirote. Se mostró profundamente agradecido y, ya ataviado con la prenda que encubría su identidad, se arrodilló ante la imagen de la Virgen, en actitud de orar. Luego se situó al frente de la procesión, descalzo, llevando una de las tres pesadas cruces de la cofradía, «que no se posó en tierra un solo momento, a lo largo de las cuatro horas que duró el desfile» (algo, eso sí, difícil de creer).[24]

La salida inaugural de la cofradía fue un éxito espectacular. El bosque de la Alhambra, iluminado por centenares de bengalas, se transformó en recinto mágico, mientras allá arriba, en la proa de la Alcazaba, resonaba la voz profunda de la campana de la Vela (voz que en *Fantasía simbólica*, la primera prosa publicada por Lorca, adquiere papel de protagonista). Al día siguiente *El Defensor de Granada* informaba de que la procesión, al bajar entre los árboles, había sido «cosa nunca vista y jamás soñada».[25]

Terminada la procesión había desaparecido el poeta tan sigilosamente como llegó, dejando el cíngulo anudado en forma de cruz y sujetando una nota: «Que Dios os lo pague».[26]

No hay constancia de que nadie lo viera, con la excepción de un solo testigo —uno de los cofrades—, y es incluso posible que ni entrara en casa de sus padres. No se publicó ninguna referencia a su visita en la prensa local. Y pasarían cuarenta años antes de que se descubriera su participación en la salida inaugural de la procesión de Santa María de la Alhambra.

Hay una breve posdata. El 20 de mayo de 1929 solicitó formalmente su ingreso en la cofradía. Hubo al respecto acaloradas discusiones, quienes considerando que la petición era sincera, quienes que se trataba de un capricho del poeta. Por fin fue aceptado, pero no se sabe de ninguna participación suya futura en las actividades de la hermandad.[27]

Algo de cine… y adiós a todo aquello

El poeta no podía ser indiferente ante la labor del Cine Club Español, fundado en Madrid en octubre de 1928 por el infatigable Ernesto Giménez Caballero, director de *La Gaceta Literaria*. No tenía local propio, por lo cual las sesiones se organizaban en salas alquiladas *ad hoc* (Cine Callao, el Goya, el palacio de la Prensa y el cine de la Ópera). Buñuel, hombre del Club en París, se encargaba desde allí de conseguir películas de interés, además de enviar a la revista críticas de los nuevos estrenos franceses.[28] Durante la temporada inaugural (seis sesiones entre diciembre de 1928 y mayo de 1929) se pasaron veintisiete filmes en total, trece de ellos documentales. Incluían *Tartufo o el hipócrita*, de Friedrich Wilhelm Murnau (con el magnífico Emil Jannings en el papel principal), *Moana*, de Robert Flaherty, *L'Étoile de mer*, de Man Ray, *El difunto Matías Pascal*, de Marcel l'Herbier, y *Entreacto*, la ya para entonces mítica cinta de René Clair.[29]

Esta última, que Buñuel había presentado en la Residencia de Estudiantes en 1927, se pasó el 17 de febrero de 1929 y encandiló a los socios. No hay pruebas de que Lorca estuviera presente, pero es posible.[30]

Asistió a la quinta sesión del Club, «Oriente y occidente», celebrada a principios de abril. El oriente estaba representado, en la primera parte del programa, por las primeras películas chinas que se proyectaban en España: *La rosa que muere* y *La rosa de Pu-Chui*. Luego, en el intervalo, se levantó el poeta para recitar *Oda a Salvador Dalí* y el romance «Thamar y Amnón». ¿Por qué Lorca? Según *La Gaceta Literaria*, por proceder de Andalucía (oriente) y ser, al mismo tiempo, de la más acuciante actualidad europea: «Federico García Lorca, Granada, con mentalidad lírica forjada en el cubismo, en la máquina». El recital gustó enormemente al público. «Fue algo tan magnífico y adecuado —siguió *La Gaceta*— que por largo rato duró la ovación al gran Lorca». La selección, a juicio de la revista, había sido muy acertada: «Thamar y Amnón» como expresión de lo oriental, y la oda como la de la vanguardia artística occidental. Para el poeta, aunque no lo dice el anónimo redactor, el acto había tenido la ventaja añadida de permitirle expresar públicamente, una vez más, el fervor que le inspiraba Salvador.[31]

Poco después, tras una rápida visita a Bilbao para pronunciar por tercera vez su conferencia *Inspiración, imaginación, evasión en la poesía* y ofrecer un recital poético, vuelve a Granada para asistir al estreno allí de *Mariana Pineda,* que Margarita Xirgu y su compañía incluyen en su temporada del Corpus en el teatro Cervantes.[32] Tiene lugar el 29 de abril y, como era previsible, constituye un clamoroso éxito: por su tema granadino; la fama de la actriz y la calidad de la compañía que la secunda; y, sobre todo, por el hecho de que Lorca, el muchacho local, es ya el poeta joven más famoso de España. El hermoso teatro (hoy desaparecido) está lleno a rebosar y el público insiste en que salga a saludar al final de cada acto.[33]

El 5 de mayo se ofrece en el hotel Alhambra Palace un banquete-homenaje a Federico y Margarita Xirgu. Se conserva una magnífica fotografía de la ocasión (ilustración 27). En primera fila, a la derecha de la actriz (1), está el poeta, inesperadamente serio, con las manos en las rodillas. Lleva traje oscuro, camisa blanca y pajarita (2). Falla, a la izquierda de Margarita, calvo como un huevo, sonríe angelicalmente (3). En la misma fila, sentado al lado de una guapa sobrina del poeta, está el ya venerable Federico García Rodríguez, de complexión imponente y maciza, cabello blanco y poblado bigote. Descansa la poderosa mano derecha —recia mano de hombre de campo— en el brazo de la butaca. Detrás de Xirgu y de Falla mira atentamente la cámara el barbudo catedrático y socialista Fernando de los Ríos (4). Entre otros reconocemos también a Constantino Ruiz Carnero, director de *El Defensor de Granada*, encargado de pronunciar el discurso de bienvenida (última fila, segunda cara desde la derecha, con gafas). Elogia en él el arte de la catalana, «la más grande de las actrices», y el de Lorca, el «más brillante de los jóvenes poetas de España». Recibe una fervorosa ovación al decir:

> García Lorca es un poeta de horizonte universal, pero hondamente granadino, que en poco tiempo ha conquistado el puesto más alto de la moderna poesía española. Hay que proclamarlo así, sin temor a que haya quien no tenga la generosidad de reconocerlo.
>
> Pero, además, queremos romper esta estúpida tradición de que son las gentes de fuera quienes descubren los valores granadinos. A García Lorca, renovador de la lírica española, lo hemos descubierto los propios granadinos, y hemos dicho a Madrid y al resto de España: «Ahí lleváis un poeta que ha nacido en Granada y que tiene toda la magnificencia de esta prodigiosa tierra andaluza».[34]

En su contestación Lorca recordó sin amargura la larga lucha que había sido necesaria para que, por fin, se estrenara dos años antes en Barcelona *Mariana Pineda*, y manifestó su profunda admiración y gratitud a Margarita. Reconoció que el drama le parecía ahora «obra débil de principiante» y que, pese a tener algunos rasgos de su temperamento poético, no respondía ya «en absoluto» a su actual criterio sobre el teatro. Terminó con palabras que vale la pena reproducir:

> Por otra parte, me da cierto pudor este homenaje en Granada. Me ha producido verdadera tristeza ver mi nombre por las esquinas. Parece como si me arrancaran mi vida de niño y me encontrara lleno de responsabilidad en un sitio donde no quiero tenerla nunca y donde sólo anhelo estar en mi casa tranquilo, gozando del reposo y preparando obra nueva. Bastante suena mi nombre en otras partes. Granada ya tiene bastante con darme su luz y sus temas y abrirme la vena de su secreto lírico.

Si algún día, si Dios me sigue ayudando, tengo gloria, la mitad de esta gloria será de Granada, que formó y modeló esta criatura que soy yo: poeta de nacimiento y sin poderlo remediar.

Ahora, más que nunca, necesito del silencio y la densidad espiritual del aire granadino para sostener el duelo a muerte que sostengo con mi corazón y con la poesía.

Con mi corazón, para librarlo de la pasión imposible que destruye y de la sombra falaz del mundo que lo siembra de sol [¿sal?] estéril;* con la poesía, para construir, pese a ella que se defiende como una virgen, el poema despierto y verdadero donde la belleza y el horror y lo inefable y lo repugnante vivan y se entrechoquen en medio de la más candente alegría.[35]

Extraordinario párrafo, el último, con su pública revelación del estado de guerra civil emocional en que se encontraba entonces. ¿De qué pasión se trataba, pasión peligrosa, destructiva, imposible a la que decía sentirse obligado a oponerse de forma tan denodada? El vocabulario empleado es casi idéntico al utilizado en las cartas del verano anterior a Jorge Zalamea, y resulta difícil no reconocer la referencia velada a su homosexualidad, así como a su infelicidad en momentos en que cree no sólo haber perdido a Dalí sino a Emilio Aladrén. La alusión a la nueva poesía que se considera obligado a escribir, además, también remite a la estética actual del «hijito» y nos recuerda no sólo la larga carta del pintor sobre el *Romancero gitano*, sino también las otras muchas reflexiones teóricas contenidas en su correspondencia.

Quince días más tarde vuelve al Alhambra Palace para leer, en el pequeño teatro pseudoárabe donde había actuado seis años antes durante los preparativos del Concurso de Cante Jondo, una amplia selección de poemas procedentes de sus tres libros publicados hasta la fecha: *Libro de poemas, Canciones* y el *Romancero gitano*.[36]

Luego, el 19 de mayo, el Ayuntamiento de Fuente Vaqueros, orgulloso de su poeta, le ofrece un multitudinario banquete. En la mesa acompañan a Federico su padre, su hermana Concha y el novio de ésta —el doctor Manuel Fernández-Montesinos—, el alcalde y demás autoridades locales, numerosos vecinos, una nutrida selección de tíos, tías, primos y primas del poeta, y, llegados

---

* Es muy posible que dijera *sal* y no *sol* y que se trate de una errata de imprenta.

desde Granada, entre otros, Fernando de los Ríos, Constantino Ruiz Carnero y varios amigos de *gallo* y del Rinconcillo. Contestando el discurso del alcalde, Lorca elogia la fuente del pueblo, símbolo de diálogo, convivencia y entendimiento. «El pueblo sin fuente es cerrada, como obscurecido —dice—, y cada casa es un mundo cerrado que se defiende del vecino. Fuente se llama este pueblo. Fuente que tiene su corazón en la fuente del agua bienhechora.»[37]

Se estaba acercando ya el momento del viaje a Nueva York. Una sobrina de Fernando de los Ríos, Rita María (Ritama) Troyano de los Ríos, iba a pasar un año en Inglaterra, enseñando español en una escuela de Herefordshire y, toda vez que habría sido inaudito entonces que una chica joven viajara sola, se había acordado que el tío Fernando y Federico la acompañasen a su destino antes de seguir camino.[38]

El 6 de junio el poeta le escribe a Carlos Morla Lynch, «muerto de risa», dice, por la decisión de salir de España, pero también sorprendido. De todas maneras, añade, le conviene hacerlo. El proyecto consiste en estar seis o siete meses en Nueva York y luego el resto del año en París (se olvida de mencionar la posibilidad de Cuba): «New York me parece horrible, pero por eso mismo me voy allí. Creo que lo pasaré muy bien». Además la cuestión económica está resuelta: «Mi papá me da todo el dinero que necesito y está contento de esta decisión mía».

Morla sabe cuánto ha sufrido últimamente a causa de su relación con Aladrén. Federico le confiesa que tiene «un gran deseo de escribir», que experimenta «un amor irrefrenable por la poesía, por el verso puro que llena mi alma, todavía estremecida como un pequeño antílope por las últimas brutales flechas». «Pero… ¡adelante! —añade—. Por muy humilde que yo sea, creo que *merezco* ser amado.»[39]

El día siguiente, 7 de junio, sus amigos granadinos le ofrecen una cena de despedida. La ocasión es emotiva. *El Defensor*, en un breve comentario sobre el acto, anuncia que pasará «una larga temporada» en Norteamérica y que después visitará Cuba para dar varias conferencias y recitales.[40] Antes de salir de España, pues, Lorca sabe ya seguro que viajará a Habana después de su estancia en Nueva York. En el caso de que la metrópoli le produzca una impresión intolerable, siempre le quedará así el recurso de marcharse a la isla caribeña antes de lo previsto. A una isla que, desde su infancia en Fuente Vaqueros, cuando le encantaban las cajas de puros habanos de su padre, siempre le ha fascinado, y ahora, en vista de su amistad con el poeta cubano José Chacón y Calvo, aún más. Además se da el caso de que uno de los ex contertulios del Rinconcillo, Francisco Campos Aravaca, es cónsul de España en Cienfuegos.

El 9 de junio está en Madrid. Dos días después Fernando de los Ríos llega desde Granada, y aquella noche *La Gaceta Literaria* ofrece al poeta un banquete, acompañado del catedrático, al que asisten Ernesto Giménez Caballero, Melchor Fernández Almagro, Rafael Alberti, Pedro Salinas, Vicente Aleixandre, Adolfo Salazar y otros compañeros.[41]

El 13 de junio, a las diez de la mañana, Lorca, De los Ríos y Rita María suben al tren de París. Les despide en la estación del Norte un nutrido grupo de amigos, entre ellos Pedro Salinas, Jorge Guillén y José Bello.[42]

Coincide con los viajeros un joven estudiante y poeta norteamericano, Philip Cummings, que conoce desde el año anterior a Federico —el encuentro tuvo lugar en la Residencia— y le ha visitado en Granada. Amante de la Naturaleza y entusiasmado con Sierra Nevada, insiste ahora en que Federico le visite en Vermont, donde verá que también Estados Unidos tiene montañas y lagos, ¡y tanto![43]

Unas décadas después, al evocar su amistad con el poeta, Cummings recordaría, no sabemos con qué exactitud, la conversación que mantuvieron durante el largo trayecto ferroviario:

> Hablamos horas enteras siguiendo el ritmo de las ruedas del tren sobre los raíles, hablamos del sentido de la vida y de que el hombre juega al escondite con la muerte. Le pregunté qué significaba realmente la vida para él. Su respuesta fue sencilla: «Felipe, la vida es la risa entre un rosario de muertes. Es mirar más allá del rebuznador hombre hasta el amor que reside en el corazón de la gente. Es ser el viento y rizarse las aguas del arroyo. Es venir de ningún sitio y estar en todas partes rodeado de lágrimas».[44]

Llegan a las once de la mañana del día siguiente a París, donde Cummings se despide. Se hospedan en el hotel Terminus, boulevard Montparnasse, 59, al lado de la Estación Saint-Lazare. Fernando de los Ríos los lleva a conocer, en un apretadísimo recorrido, una selección de monumentos y lugares notables: Nôtre Dame, la Sainte Chapelle, las Tullerías, los Champs Elysées, el Bois de

Boulogne, la torre Eiffel —a la que suben—, el museo de Cluny, las Galerías Lafayette, el Pantéon, el Barrio Latino, el Jardín de Luxemburgo y el Louvre. Por la noche, le escribe a su mujer, ven «una delicadísima película» (no identificada).[45]

Durante la visita al Louvre, según recordaba en 1984 Rita María Troyano, Federico insistió, riéndose, en que le diera su palabra de no mirar la *Mona Lisa* («¡Es una tía burguesa!»).[46]

Aquella noche trataron de saludar a Antonia Mercé, la Argentina, que actuaba en París a teatro lleno, pero no permitió el personal del Coliseo que pasasen al camerino de la famosa bailarina, pese a las enérgicas protestas de don Fernando, que insistió en que era amigo íntimo de la artista.[47]

Al día siguiente desayunaron con la hispanista francesa Mathilde Pomès, que había tratado brevemente al poeta en Madrid. Le encontró taciturno, no el ser alegre de entonces. Recuperó un momento su «aplomo risueño de niño consentido», pero luego se metió otra vez dentro de sí mismo. «Me pareció que iba de viaje con menos entusiasmo de lo que quería aparentar», consignaría.[48]

Habría sido difícil que no se enterara a su paso por París, tal vez por la misma Mathilde Pomès, del éxito del estreno privado de *Un Chien andalou*, el 6 de junio, en el Studio des Ursulines, célebre cine de vanguardia. La hispanista estaba en estrecho contacto con la comunidad española de la capital y sabía que Buñuel y Dalí eran íntimos amigos del poeta. ¿Cómo no iba a comentar el sonado acontecimiento? Hay que subrayar que no existe la menor posibilidad de que Lorca viera la película durante su efímera estancia en la ciudad, donde no se exhibiría públicamente hasta octubre. Lo que sí podemos afirmar es que a partir de este momento tendría un vivísimo interés por conocer *Un Chien andalou* y, en su falta, el guión.[49]

La travesía de Calais a Dover la noche del 14 de junio fue agitada, pero el poeta, a pesar de ser su primer viaje por mar (si exceptuamos su visita a Cap de Creus, con su «conato de naufragio»), logró heroicamente no marearse.[50]

En Londres pasaron dos días, alojados en un hotel modesto del centro. Vieron a la escritora Concha Méndez, antigua novia de Buñuel, que recordaría el miedo que le daba a Federico cruzar la calle («se acalambraba y había que cogerlo de la mano para guiarlo»).[51] De los Ríos insistió en que visitaran el Museo Británico y el Jardín Zoológico, donde la Casa de Reptiles afectó hondamente a Lorca, que sólo accedió a entrar para demostrar que no tenía miedo. «Volvió blanco, blanco, blanco», contaría Rita María. «¡No entres! ¡No entres! ¡Es un mundo de pesadilla!», gritaría, desplomándose en un banco. Don Fernando se asombró al comprobar el grado de la hipersensibilidad de su antiguo alumno, si bien, como buen rondeño que era, sabía del horror que a los andaluces les producen las serpientes.[52]

El 17 de junio el pequeño grupo subió al tren de Hereford, rumbo a Lucton School, la escuela privada cerca de Ludlow donde Rita María iba a pasar su estancia inglesa. Allí Lorca tocó el piano y visitaron los establos. Antes de marcharse, le dedicó un ejemplar del *Romancero Gitano* en recuerdo de su «inolvidable viaje por Inglaterra» y estampó unos versos burlescos alusivos a incidentes compartidos:

> He visto grandes bigotes
> una mujer aulladora
> he visto perlas caídas
> por la prisa de la hora.[53]

Fernando de los Ríos había decidido que, antes de embarcar en Southampton, era obligada una visita relámpago a Oxford, no sólo para ver la célebre ciudad universitaria sino, sobre todo, para saludar a Salvador de Madariaga, entonces titular de la cátedra de Español, a quien telegrafiaron para avisarle de su inminente llegada. Los recogió en la estación su esposa escocesa, Constance, Les explicó que Salvador no volvería hasta más tarde, les invitó a tomar té y acto seguido hubo un recorrido por calles, colegios y monumentos notables. Federico se compró camisas y unas cuantas corbatas de vivos colores que le llamaron la atención. Se conmovió al encontrarse delante de una estatua de Shelley. Luego Constance los llevó a su casa en Headington, donde, sentados en el jardín —típico jardín inglés con bien cuidado césped y rosales—, esperaron la llegada de Madariaga, que no volvió hasta la noche.[54]

Unos meses antes había pasado algunas semanas en Granada con Fernando de los Ríos y su familia una joven estudiante de español y francés en uno de los colegios oxonienses. Se llamaba Helen Grant y con el tiempo sería distinguida hispanista. De los Ríos, encantado con la muchacha, le preguntó a Constance Madariaga si había la posibilidad de volver a verla. Se le cursó una invitación urgente. Cincuenta años después Grant rememoraba el reencuentro:

Es posible que me equivoque, claro, pero siempre he creído que cenamos en el jardín, aunque supongo que pudiera ser que cenásemos dentro y luego pasásemos lo que quedaba de aquella deliciosa noche de junio tomando nuestro café y vino en el jardín.

Era realmente la primera vez que había tenido la oportunidad de hablar con Federico, pero o bien estaba yo abrumada por la ocasión o la mayor parte de la charla fue acaparada por don Salvador, gran conversador, pero es que recuerdo muy poco de lo que se dijo. Lo que sí recuerdo es que Federico me hizo un cumplido (un piropo, con galantería andaluza) y que yo, algo torpemente, contesté que había ganado demasiados kilos desde que le vi la última vez en Granada... Federico dijo que no estaba de acuerdo, que las mujeres rellenitas eran preferibles a las delgadas. Me echó una mirada penetrante que nunca he olvidado, porque su personalidad me fascinaba tanto como sus poemas.

Mientras los otros hablaban, en general, creo, de política, observaba yo a Federico de cerca. Superficialmente parecía animado, hasta alegre, pero lo que más me llamó la atención fue la tristeza de los ojos, la especie de tristeza que se ve en los ojos de los animales, no porque algo en particular los daña o hace sufrir, sino una especie de elemental angustia por la naturaleza de las cosas.[55]

Helen Grant no era la única persona que notaría en los ojos del poeta aquella tristeza, tal vez acrecentada en estos momentos por la angustia de saber que, por vez primera en su vida, iba ahora a tener que vivir lejos de todo lo que quería.

A la una de la madrugada del 19 de junio de 1929 los Madariaga los despidieron en la estación. Diez horas más tarde el *S. S. Olympic*, de las White Star Lines, zarpa de Southampton. Pero no antes de que Lorca haya puesto algunas palabras a Morla Lynch (censuradas por éste al publicarlas años después), para contarle que se siente deprimido y «lleno de añoranzas». «Tengo hambre de mi tierra y de tu saloncito de todos los días —escribe—. Nostalgia de charlar con vosotros y de cantaros viejas canciones de España.» No sabe por qué ha decidido partir y se lo pregunta cien veces al día. «Me miro en el espejo del estrecho camarote y no me reconozco. Parezco otro Federico.»[56]

Cinco días después, el 24 de junio, Buñuel le escribe a Dalí para ponerle al tanto del éxito de *Un Chien andalou*, cuya fama crece a diario pese a no haberse estrenado todavía públicamente.

Luis no se ha enterado de la efímera presencia del poeta en París, pero sí de su estancia en Inglaterra:

> Federico, el hijo de puta, no ha pasado por aquí. Pero me han llegado sus pederásticas noticias. Concha Méndez, la zorra ágil, ha escrito a Venssensss* diciéndole:
>
> «Federico ha estado en Londres y me ha contado el gran fracaso de Buñuel y Dalí. Lo siento, pobres chicos».
>
> Como ves las putas llenan la tierra y pronto llegarán a desalojar las custodias de sus nidos.[57]

La carta confirma, si hacía falta, la homofobia de Buñuel y la labor de zapa que desde hace tiempo lleva a cabo para intentar socavar el cariño y la admiración que le tiene Salvador al poeta. Labor eficaz, que se colma de éxito ahora que Dalí está preparando su definitivo salto a París. Cabe pensar que algo de ello intuiría Federico.

Con motivos de sobra, pues, se sentía desvalido al encaminarse ahora hacia el Nuevo Mundo. Hay, sin embargo, un consuelo: están en prensa las segundas ediciones tanto del *Romancero gitano* (2.000 ejemplares) como de *Canciones*. Lo cual, en un país donde apenas se vende poesía, constituye todo un estímulo para seguir en la brecha.[58]

* Es decir, Juan Vicéns.

NUEVA YORK

Primeros pasos por el «Senegal con máquinas»

La travesía de Southampton a Nueva York, de seis días de duración, se efectuó en condiciones inmejorables, deslizándose el *Olympic* sobre un mar casi inmóvil. Brilló el sol en un cielo despejado, y el poeta, encantado con el trasatlántico y la compañía de Fernando de los Ríos, parece haberse olvidado de su temor a ahogarse.[1]

Durante el trayecto se pone «negro, negrito de Angola»[2] y se hace amigo de un pequeño húngaro, de cinco años de edad, que va a América a conocer a su padre, emigrado antes de su nacimiento. «Es éste el tema de mi primer poema —escribirá a su familia nada más llegar a la metrópoli—; este niño al que nunca veré más, esta rosa de Hungría, que se mete en el vientre de New York en busca de su vida, que puede ser cruel o feliz, y donde yo seré un recuerdo lejanísimo unido al ritmo del inmenso barco y el océano» (el poema, si se compuso, no parece haber sobrevivido).[3]

¿Tenía noticias de la novela de John Dos Passos, *Manhattan Transfer*, que la editorial Cenit acababa de publicar en España, magníficamente traducida por José Robles Pazo? Es posible. Unos días después de su salida de Madrid apareció en *El Sol* una reseña de la misma por Adolfo Salazar, de quien cabe pensar se despediría antes de abandonar el país.[4] ¿Le había hablado entonces del libro, incluso recomendándole que se llevara consigo un ejemplar? No lo podemos decir, pero de todas maneras hay un llamativo parecido entre Jimmy Herf, el personaje de Dos Passos —que llega a Nueva York al principio de la novela y va a conocer allí por vez primera a su padre— y lo que le cuenta Lorca a su familia acerca del pequeño húngaro del *Olympic*. Es un hecho, además, que en Estados Unidos leyó el libro, cuya visión de Nueva York se parece estrechamente a la que encontramos en las composiciones redactadas allí.[5]

Al ir cruzando el Atlántico quizá recordaría, por otro lado, el poema «A Roosevelt» de su admirado Rubén Darío, donde se establece una comparación algo ingenua entre los Estados Unidos, «potentes y grandes», que juntan «al culto de Hércules el culto a Mammón», y la otra América, la que «aún reza a Jesucristo y aún habla en español», la América de los antiguos dioses, de Moctezuma y de Colón, «la América católica, la América española». Darío no desprecia a los Estados Unidos, e incluso siente cierta admiración por su energía y su arrojo. Pero considera que América Latina aventaja a su potente vecino en valores espirituales. Lorca estará de acuerdo.[6]

Mientras toma el sol en la cubierta del barco, ¿reflexiona también en el Juan Ramón Jiménez del *Diario de un poeta reciencasado*, editado en 1917? Es probable. Juan Ramón había viajado a Estados Unidos para casarse con Zenobia Camprubí. Yendo, es decir, al encuentro de un amor cierto. Lorca, al contrario, ha abandonado España, se diría que huyendo, en un estado de profundo desánimo sentimental. Tal vez meditó en alta mar sobre el contraste. Por otro lado las evocaciones neoyorquinas de Juan Ramón captaban magistralmente el ambiente de la inmensa ciudad, con sus rascacielos, su frenética velocidad y su sobrecogedor materialismo. Parece razonable suponer que tendría todo ello en cuenta.

Ya para 1929, de todas maneras y gracias al cine, máxime a *Metrópolis*, de Fritz Lang, Nueva York es el símbolo por excelencia del mundo moderno. La película, para Luis Buñuel «el más maravilloso libro de imágenes jamás realizado», había llegado a Madrid en enero de 1928 y se había estrenado aquel febrero en Granada. Es casi seguro que la vio el poeta y que la visión de una sociedad futura controlada por máquinas y robots le impresionara. Sociedad, por más señas, ya atisbada satíricamente por Chaplin en *Vida moderna*, cinta muy admirada por los «residentes».[7]

Cuando el *Olympic* atraca en Nueva York el 25 de junio de 1929 están esperando en el muelle a los dos españoles un viejo amigo de Lorca, Ángel del Río, Federico de Onís —muy influyente titular de Español en la Universidad de Columbia—, el poeta zamorano León Felipe, profesor en Cornell, varios periodistas —entre ellos el director del diario neoyorquino *La Prensa*, José Camprubí, hermano de la mujer de Juan Ramón Jiménez— y, para gran sorpresa y alegría de Federico, el pintor manchego Gabriel García Maroto, editor, en 1921, de su *Libro de poemas*. Maroto, que ha estado en México, «se volvió loco dándome abrazos y hasta besos», les cuenta a sus padres.[8]

Onís —descendiente de los Onís que vendieran Florida a los Estados Unidos— había nacido en 1885 cerca de Salamanca. Colaborador de Alberto Jiménez Fraud en los primeros tiempos de la Residencia de Estudiantes, se había trasladado luego a la Universidad de Puerto Rico y había pasado después a Columbia. Distinguido filólogo a quien Lorca tal vez había tratado superficialmente en Madrid, autor de numerosas obras eruditas, experto en música y poesía populares españolas, fundador y editor de diversas revistas hispánicas, Onís, que alardeaba de ser «celtíbero descarnado» y acabaría suicidándose, iba a ser ahora uno de los apoyos más sólidos del granadino en la ciudad de los rascacielos.[9]

Ángel del Río no encuentra a Federico muy cambiado desde los días en que se habían conocido diez años atrás, recién llegado el poeta a la capital: la misma mezcla de fuerza y de inseguridad y la misma mirada, aunque ésta ahora quizá se note más profunda y algo más triste. En cuanto a su indumentaria, tiene un aire deportivo acorde con el espíritu de la época: corbatas de colores vivos y nudo grueso, camisas pulcras de corte Oxford, y jerséis amarillos, blancos o negros.[10]

Tanto Del Río y su esposa Amelia Agostini como Onís y la suya tendrán que dejar un poco de lado sus actividades habituales durante los primeros meses de Lorca en la ciudad, para aliviar en lo posible su desorientación al encontrarse en un mundo tan alejado de todo lo que ha conocido anteriormente. Lo harán con tacto y generosidad.[11] Onís y su mujer, según Federico le asegura a su familia, son «lo que se llama dos admiradores míos, *dos lorquistas*, como dicen ellos».[12]

Onís asume la responsabilidad de organizar el alojamiento del poeta. Insiste, con éxito, en que se matricule en un curso de inglés para extranjeros en la Universidad de Columbia, pues con ello podrá disponer de una habitación en la residencia estudiantil de Furnald Hall (se opone tajantemente a que se hospede en la célebre International House de Riverside Drive, patrocinado por Rockefeller, convencido de que la presencia allí de numerosos sudamericanos y españoles impedirá que aprenda una sola palabra de inglés).[13] Una vez instalado en su habitación —la número 617—, escribe entusiasmado a su familia, sin preocuparse demasiado de la exactitud de los detalles que va proporcionando. Está encantado con encontrarse en la parte más alta, y menos calurosa, de la megalópolis:

> La universidad es un prodigio. Está situada al lado del río Hudson en el corazón de la ciudad, en la isla Manhattan, que es lo mejor, muy cerca de las grandes avenidas. Y, sin embargo, es deliciosa de silencio. Mi cuarto está en un noveno piso y cae al gran campo de deportes, verde de hierba con estatuas.
>
> Al lado y por las ventanas de los cuartos de enfrente, ya pasa el inmenso Broadway, el bulevar que cruza todo Nueva York.
>
> Sería tonto que yo expresara la inmensidad de los rascacielos y el tráfico. Todo es poco. En tres edificios de éstos cabe Granada entera. Son *casillas* donde caben 30.000 personas.

Ha descubierto, no sin cierta sorpresa, que, gracias a la organización y a los nombres numéricos de las calles, es fácil orientarse. Le ayuda, además, lo que llamará más adelante su «memoria *plástica* asombrosa» para los sitios por donde ha pasado.[14] «New York es alegrísimo y acogedor —continúa—. La gente es ingenua y encantadora. Me siento bien aquí.» La noche anterior ha visitado Broadway con García Maroto, León Felipe y el joven escritor puertorriqueño Ángel Flores. El espectáculo le ha impresionado: los rascacielos vestidos de arriba abajo con anuncios iluminados, la muchedumbre que atesta las calles, las bocinas de los coches «que se confunden con los gritos y las músicas de las radios» y los aeroplanos encendidos que van y vienen entre las torres pregonando «sombreros, trajes, dentífricos, cambiando sus letras y tocando grandes trompetas y campanas». Nueva York le parece «la ciudad más atrevida y más moderna del mundo».

También ha ocurrido algo inesperado. Mientras caminaban por Broadway, cuenta, oyó de pronto una voz que lo llamaba por su nombre y vio a un muchacho con jersey rojo que saltaba de la ventana de un restaurante y venía corriendo hacia él. Era Campbell (o Colin) Hackforth-Jones, un inglés a quien había conocido unos años antes en la Residencia, que le había visitado en Granada durante las vacaciones navideñas de 1926 y a quien le había dedicado uno de los poemas de *Canciones*: «Tuve una alegría enorme porque debéis saber que encontrarse en Nueva York es rarísimo y es insólito. Es tan raro como encontrarse en alta mar dos peces. Maroto se quedó estupefacto y decía: "Nada, tus cosas, esto no le pasa a nadie más que a ti"».[15]

Lo que no explica a su familia es que, al pasar por Londres, trató de ver a Hackforth-Jones pero sin conseguirlo porque ya había salido para Nueva York, donde recibió de sus padres el aviso de la inminente llegada del poeta a bordo del *Olympic*. Tal vez la coincidencia no fue, pues, tan inaudita como daba a entender.[16]

Había mandado postales a casa desde París y Londres. Su madre le contesta el 27 de junio, tan exigente como siempre. Esperaban ansiosos la llegada de la de Inglaterra, le dice, «porque suponíamos que antes de embarcar nos dedicarías unos momentos».

Insiste en que, cuando llegue a Nueva York, les escriba a menudo contándoles todo: «Te repito que escribas con mucha frecuencia; cuando no pueda ser una carta extensa, una tarjeta que yo también haré lo mismo». Otra advertencia: «Que tengas mucho cuidado y buen ojo para las amistades y también para manejar el dinero, y que no tengas nunca necesidad de pedirle a nadie y defenderte si te piden a ti».[17]

Dentro de un mes cumplirá Federico García Rodríguez setenta años (Vicenta acaba de superar los cincuenta y nueve). Sigue la inquietud de ambos por la situación laboral de su hijo mayor, que ya tiene treinta y uno. Se refleja carta tras carta y constituye, hay que inferirlo, un oneroso peso para el poeta. Su madre le insta constantemente a que trabaje, a que recuerde cuánto les debe, a que saque todo el fruto posible del viaje y, sobre todo, que no pierda el tiempo, que «una vez pasado no vuelve más».[18] No debe olvidar nunca, le recomienda el 16 de noviembre, que están haciendo todo lo que pueden por su progreso en todos los sentidos, por que sea «un hombre culto» y logre su «aspiración de un nombre grande». Es su obligación, pues, corresponderles con el mayor esfuerzo posible.[19]

En cuanto a su situación económica real durante la estancia neoyorquina, recibía de su padre a principios de cada mes cien dólares, justo lo necesario para poder vivir. La mensualidad tendría que ser incrementada a veces por unos envíos extraordinarios. En las cartas a su familia hay frecuentes alusiones a las estrecheces por las que está pasando, a su voluntad de no ser «gravoso» y a su deseo de ganar dinero. Al mismo tiempo no dejará nunca de agradecer la «magnífica generosidad» de su padre.[20]

El de Campbell Hackforth-Jones es agente de bolsa en Londres y ha enviado a su hijo a Nueva York con la cometida de adquirir experiencia en la oficina de uno de sus socios de Wall Street.[21] Así es que un día Campbell lleva a Federico a conocer la Bolsa. Al igual que Paul Morand unos meses antes,[22] se queda de una pieza ante lo que allí presencia y se lo comenta a su familia:

> Es el espectáculo del dinero del mundo en todo su esplendor, su desenfreno y su crueldad. Sería inútil que yo pretendiera expresar el inmenso tumulto de voces, gritos, carreras, ascensores, en la punzante y dionisíaca exaltación de la moneda. Aquí es donde se ven las magníficas piernas de la mecanógrafa que vimos en tantas películas, el simpatiquísimo botones con pecas que hace guiños y masca goma, y ese hombre pálido con el cuello subido que alarga la mano con gran timidez suplicando cinco céntimos. Es aquí donde yo he tenido una idea clara de lo [que] es una muchedumbre luchando por el dinero. Se trata de una verdadera guerra internacional con una leve huella de cortesía.
>
> El desayuno lo tomamos en un piso 32 con el director de un banco, persona encantadora con un fondo frío y felino de vieja raza inglesa. Allí llegaban las gentes después de haber cobrado. Todos contaban dólares. Todos tenían en las manos ese temblor típico que produce en ellas el dinero. Por las ventanas se veía el panorama de New York coronado con grandes árboles de humo. Colin tenía cinco dólares en el bolsillo y yo tres. Sin embargo, él me dijo con verdadera gracia: «Estamos rodeados de millones y sin embargo los dos únicos verdaderos caballeros que hay aquí somos tú y yo».[23]

Al poco tiempo de llegar a Nueva York recibe una carta que se desconoce de Philip Cummings. Le recordaba su promesa de visitarle en Vermont. El poeta le contesta enseguida. Y en términos efusivos. «Querido amiguito mío», empieza la misiva. Desea verle «muy pronto», piensa «constantemente» en él, pero habrá que esperar seis semanas hasta que no termine su curso de inglés en Columbia. Cummings le ha mandado el dinero para el tren y Federico apenas se lo cree. La carta termina: «Espero que tú me contestarás y no te olvidarás de este poeta del Sur, perdido ahora en esta babilónica, cruel y violenta ciudad, llena por otra parte de gran belleza moderna». Termina con un «Adiós, queridísimo». Por algo Christopher Maurer y Andrew Anderson aluden a la «indudable intensidad» de la relación que los unía.[24]

Acomete su curso de inglés con desusada seriedad y durante algunas semanas asiste regularmente a clase.[25] El hecho tiene algo de milagroso y hace suponer que se da cuenta de que el conocimiento de la lengua, por rudimentario que sea, le podrá ser de gran utilidad. Varias personas intentan ayudarle en tan dificultosa empresa (entre sus múltiples dones no figura el de los idiomas). La puertorriqueña Sofía Megwinoff, alumna de Onís, por ejemplo, que le apoda el Gitanillo («no sólo no sabía nada, sino que no tenía idea del idioma, ni empeño en aprenderlo»).[26] De poco o nada, de hecho, servirán los desvelos de amigas y amigos. A pesar de sus buenas intenciones iniciales, el dominio del inglés adquirido durante sus nueve meses en Nueva York será mínimo aunque, si hemos de creer a Adolfo Salazar (lingüista competente), acabará conociendo gran número de palabras, pero pronunciándolas de manera espantosa.[27]

Además del floreciente departamento de español dirigido en Columbia por Federico de Onís, Nueva York ostenta el Instituto de las Españas en los Estados Unidos (en inglés, Spanish Institute in the United States), conocido más familiarmente como Casa Hispánica (2 West 45th Street). Entre sus diversos objetivos figuran los de proporcionar información acerca de cursos en España, América del Sur y Estados Unidos, fomentar el intercambio de profesores y alumnos de distintos países, ofrecer conferencias a cargo de eminentes hispanistas, celebrar veladas literarias y musicales y, en términos generales, propagar en Estados Unidos la cultura del mundo hispanoparlante y, en menor grado, de habla portuguesa. Portavoz del Instituto es la *Revista de Estudios Hispánicos*, donde este verano de 1929 publicará León Felipe una reseña del *Romancero gitano*.

Se cuentan por centenares los estudiantes de Columbia que acuden al Instituto. Ostenta una nutrida biblioteca, tiene un piano y no tardará en convertirse en uno de epicentros de Lorca en la ciudad. Aquí puede hablar español a sus anchas, tocar y cantar canciones populares, hojear libros y revistas y sentirse a gusto en un ambiente afín al de la Residencia de Estudiantes. El Instituto, en fin, sirve para mitigar la nostalgia que siente de su tierra y su gente.[28]

Otro de los centros que empieza a visitar asiduamente, acompañada de García Maroto, León Felipe y Ángel Flores, es la Alianza Hispano Americana, fundada por un millonario norteamericano con el objeto de propiciar las relaciones culturales entre Estados Unidos y el mundo de habla española. Tiene su sede en la esquina de East 42nd Street y la Fifth Avenue, enfrente de la

Biblioteca Pública de Nueva York. Edita una revista, *Alhambra*, dirigida por Flores, que en agosto publica sendas versiones inglesas de dos romances de Lorca acompañadas de un artículo sobre el poeta por Daniel Solana —casi seguramente seudónimo de García Maroto—,[29] ilustrado por cinco fotografías facilitadas por el poeta. Cuatro de ellas recogen momentos de su memorable estancia en Cadaqués con Dalí en 1927 (la quinta es de Federico en Lanjarón). Una de ellas, sacada por Anna Maria, reviste una importancia biográfica capital: se trata del granadino «haciendo el muerto» delante de la casa de la familia en la playa de Es Llané (ilustración 6). El artículo tiene interés por los detalles que ofrece sobre su vida de colegial durante estas primeras semanas neoyorquinas:

> Los estudiantes de la Universidad de Columbia, el operador negro del ascensor de Furnald Hall, la telefonista abajo, todos conocen ya bien las profundas reverencias, la extraña forma de andar, las piruetas, las exageraciones y la simpatía de Federico García Lorca. Porque, naturalmente, el poeta del *Romancero gitano* ni escribe ni se expresa en otro idioma que el español de Andalucía; y en este momento no posee más manera de expresarse ante sus asombrados y ávidos amigos norteamericanos que a través de la música de sus canciones, sus risas y su atropellada forma de hablar, como un niño precoz mimado por hadas locas.[30]

Federico de Onís, tan aficionado a la música y la poesía populares como Lorca, le pide que se haga cargo del grupo de estudiantes que debe ofrecer este mismo verano una velada de canciones españolas. Acepta encantado el reto y es nombrado director de los Coros Mixtos del Instituto de las Españas en los Estados Unidos. Toma muy en serio el compromiso y se empeña en que los alumnos consigan un nivel digno. El concierto se celebra el 7 de agosto y tanto la dirección del poeta como su acompañamiento al piano son objeto de cálidos elogios.[31]

Philip Cummings no es el único amigo norteamericano de Lorca anterior a su viaje. El poeta se había mostrado exquisitamente atento con la periodista neoyorquina Mildred Adams, como vimos, cuando visitó Granada en la primavera de 1928. Se vuelven a ver a principios de julio en casa de unos amigos mexicanos mutuos, y varias veces más durante las semanas siguientes. Para el 7 de agosto, después del concierto del Instituto de las Españas, Adams organiza una fiesta para él en el lujoso piso de sus padres. La describió en una carta a casa:

> Si yo en New York no tuviera los amigos que tengo, esta ausencia sería tristísima, pero en realidad estoy atendido en extremo. Maroto, que siempre se mete con la gente, dice: «Dondequiera que tú vas, eres el niño mimado y el acaparador. Donde estés tú no hay nadie. A esto ya no hay derecho.» En realidad, tengo amigos buenísimos y me hacen una vida animadísima. Anoche hubo en casa de Miss Adams (perteneciente a una de las más distinguidas familias de N.Y.) una reunión hecha para mí y para presentarme a sus amigos. Acudió mucha gente norteamericana simpatiquísima. Se tocó música de Albéniz y Falla por un pianista bastante bueno y las chicas iban con mantón de Manila. En el comedor había, ¡oh divina sorpresa!, botellas de Jerez y coñac Fundador. En suma, un rato delicioso. Yo, naturalmente, tuve que hacer mi *numerito* de canciones, y cantar soleares en una guitarra con verdadero *llenazo*.[32]

Según Adolfo Salazar, musicólogo al fin y al cabo, Federico cantaba con una «espléndida voz de mozo rural». Es una tragedia que no se haya encontrado grabación alguna de sus recitales.[33]

No estaba dotado para los idiomas pero, como demuestra una vez más la carta, no le hacía ninguna falta: su don musical y su carisma personal le abrían todas las puertas. Dámaso Alonso, que llegó a Nueva York unos meses después como *visiting professor* en Hunter College, sería testigo de una escena típica ocurrida durante una fiesta en casa de algún millonario:

> Dispersión total por los amplios salones en pequeños grupos gesticulantes, donde los brebajes empiezan a producir su efecto. De repente, aquella masa alocada y disgregada se polariza hacia un piano. ¿Qué ha ocurrido? Federico se ha puesto a tocar y cantar canciones españolas. Aquella gente no sabe español ni tiene la menor idea de España. Pero es tal la fuerza de expresión, que en aquellos cerebros tan lejanos se abre la luz que no han visto nunca y en sus corazones muerde el suave amargo que no han conocido.[34]

Conoce pronto, gracias a Mildred Adams, a un matrimonio que hará todo lo posible porque sea agradable su estancia en Nueva York: Henry Herschell Brickell y su esposa Norma. Nueve años mayor que el poeta, Brickell es crítico literario del *New*

York Herald y, desde 1928, gerente de la casa editorial Henry Holt and Company. Ávido estudiante de las cosas de España, habla y escribe bien el castellano y ha visitado Granada donde, por excesivo respeto o por timidez, se limitó a pasearse por delante del carmen de Falla con la esperanza de atisbar fugazmente al maestro pero sin atreverse a llamar a su puerta. En España le han hablado de Lorca y está al tanto de la fama del *Romancero gitano*. Así, pues, todo estaba predispuesto para el encuentro.[35] El 18 de julio organiza una fiesta en su casa para festejar el día del poeta. Federico lo pasa estupendamente y les explica a sus padres, eufórico, que el piso estaba de bote en bote y que había impresionado a los invitados con su inevitable sesión al piano («Claro es que habrá seguramente pocas personas que sepan más canciones que yo»).[36]

Deslumbraban a Brickell los dones de Federico y después de su asesinato declararía que jamás se había tropezado con una personalidad tan mágica. Era como haber tenido el privilegio de conocer a Shelley.[37] Su esposa, mujer culta, amante de la música y buena pianista, estaba igualmente impresionada y, pese a no saber español, no tardó en hacer muy buenas migas con el poeta, que frecuenta la casa de ambos con asiduidad durante julio y la primera mitad de agosto.

Vive sus semanas neoyorquinas iniciales con gran intensidad, como atestiguan las largas y densas cartas enviadas a la familia (las únicas que, según él, escribe, lo cual no es, o no será, exactamente verdad).[38] Le fascina la variedad de razas y religiones que pululan en la ciudad, donde se siente no sólo profundamente español sino profundamente católico español. Una visita a una iglesia protestante le ha convencido de la futilidad de esta versión del cristianismo: «No me cabe en la cabeza (en mi cabeza latina) cómo hay gentes que puedan ser protestantes. Es lo más ridículo y lo más odioso del mundo». Y evoca la escena: el órgano que ocupa el lugar donde debería de estar el altar mayor; delante de éste, en un púlpito, vestido de levita, el pastor, que pronuncia un sermón; los fieles, que cantan unos cuantos himnos. «Está suprimido todo lo que es humano y consolador y bello, en una palabra», resume. Cree haber descubierto, además, que el catolicismo norteamericano está siendo viciado por su contacto con la que considera frialdad protestante. Desde el privilegiado mirador de Nueva York dice apreciar ahora, como nunca antes, lo que hay de calor, dignidad y cordialidad en el catolicismo español, con su fervoroso culto a la Virgen. La carta da la sensación de ir dirigida sobre todo a Vicenta Lorca, tan católica ella y, como revela su correspondencia, tan de rogar diariamente a María y a san José.[39]

«El término *protestante* para mí es equivalente a *idiota seco*», llegará a afirmar.[40] Y culpará a «la odiosa iglesia metodista, muchísimo peor que los jesuitas españoles en la fase histórica actual», de los estragos que está provocando la prohibición del alcohol.[41] Tan vehemente reacción ante el protestantismo, y su exaltación del catolicismo español, quizá puedan atribuirse a su necesidad de encontrar algo que le resulte espiritualmente familiar en una ciudad que le desorienta de una manera que no confiesa del todo a sus padres. Otra indicación en el mismo sentido es el hecho de que, el 17 de septiembre, terminará por fin la *Oda al Santísimo Sacramento del Altar*, comenzada a principios de 1928.[42]

Si los protestantes de distinto signo le parecen deleznables, los judíos sefarditas son harina de otro costal. En la sinagoga de Shearith Israel (esquina de Central Park West y 70th Street), explica a sus padres el 14 de julio, oye con asombro el idioma de su tierra y cree encontrar rasgos granadinos en los rostros de los fieles que le rodean («Pero también comprendo que en Granada somos casi todos judíos»). Considera la ceremonia «muy bonita, muy solemne», pero, sin embargo, le parece «demasiado fuerte la figura de Cristo para negarla». En su fuero interno, sigue siendo la «borrasca cristiana» que lamentaba Dalí.[43]

Al poeta le ha faltado tiempo para empezar a adentrarse en el mundo de los negros neoyorquinos. Al poco de llegar conoce a la escritora Nella Larsen, hija de padre negro y madre danesa, nacida en Jamaica, que acaba de publicar su segunda novela, *Passing*, cuyo tema es «la angustia de los negros que intentan "pasar" por blancos en un mundo intolerante».[44] Escribe encantado a sus padres en la misma carta:

> Esta escritora es una mujer exquisita, llena de bondad y con esa melancolía de los negros, tan profunda y tan conmovedora.
>
> Dio una reunión en su casa y asistieron sólo negros. Ya es la segunda vez que voy con ella, porque me interesa enormemente.
>
> En la última reunión no había más blanco que yo. Vive en la Segunda Avenida, y desde sus ventanas se divisaba todo New York encendido. Era de noche y el cielo estaba cruzado por larguísimos reflectores. Los negros cantaron y danzaron.

¡Pero qué maravilla de cantos! Sólo se puede comparar con ellos el cante jondo.

Había un muchachillo que cantó cantos religiosos. Yo me senté en el piano y también canté. Y no quiero deciros lo que les gustaron mis canciones.

«Las moricas de Jaén», el «no salgas, paloma, al campo» y «el burro» me los hicieron repetir cuatro o cinco veces. Los negros son una gente buenísima. Al despedirme de ellos me abrazaron todos y la escritora me regaló sus libros con vivas dedicatorias, cosa que ellos consideraron como un gran honor, por no acostumbrar esta señora a hacerlo con ninguno de ellos.

En la reunión había una negra que es, y lo digo sin exagerar, la mujer más bella y hermosísima que yo he visto en toda mi vida. No cabe más perfección de facciones, ni cuerpo más perfecto. Bailó sola una especie de rumba acompañada de un tam-tam (tambor africano), y era un espectáculo tan puro y tan tierno verla bailar que solamente se podía comparar con una salida de la luna por el mar o con algo sencillo y eterno de la naturaleza. Ya podéis suponer que yo estaba encantado en esa reunión. Con la misma escritora estuve en un cabaret —también negro— y me acordé constantemente de mamá, porque era un sitio como esos que salen en el cine y que a ella le dan tanto miedo.[45]

A las pocas semanas de su llegada a Nueva York, pues, no sólo tiene algunos interesantes amigos negros, sino que ha intuido una afinidad entre la música de origen africano y el cante jondo. Por las mismas fechas visita una iglesia negra de Harlem, acompañado de la puertorriqueña Sofía Megwinoff,[46] y empieza a frecuentar Small's Paradise, uno de los clubes de jazz más famosos del barrio, por más señas de orientación gay, con Gabriel García Maroto y un diseñador gráfico mexicano amigo de éste, Emilio Amero.[47] También a veces le acompañaban por Harlem un matrimonio negro, el doctor Irving Henry Brown, autor de libros sobre el flamenco y los gitanos, y su mujer Mary.[48]

No tarda en sentir la necesidad de dar voz poética al tema negro. *Oda al rey de Harlem* (tal vez no el primer intento) está fechado el 5 de agosto de 1929. El manuscrito, laberinto de tachaduras y correcciones, da la impresión de que ha trabajado a toda velocidad bajo el impulso de una inspiración arrolladora.[49] El poema demuestra que ha encontrado una similitud no sólo entre la música negra y el cante jondo, sino entre la situación social de los negros,

los a ser ciudadanos de tercera clase, radicalmente dis-
los, y los gitanos de Andalucía, hostigados a lo largo de siglos. Es posible, además, que al inventar al mítico rey de Harlem
tuviera presente al último «rey de los gitanos», Chorrojumo, quien,
ya viejo, se dejaba ver todavía por la Alhambra en la época en que
los García Lorca se instalaron en Granada. Si, a ojos del poeta, los
calés de su tierra son víctimas de una sociedad hosca e insensible,
lo son aún más los negros norteamericanos. Debió de percatarse
súbitamente de que ya tenía tema.

Oda al rey de Harlem constituye un feroz alegato contra los
abusos de la sociedad capitalista. De vuelta en España dirá que, a
su juicio, el hecho de ser de Granada le inclinaba «a la comprensión simpática de los perseguidos. Del gitano, del negro, del judío…, del morisco, que todos llevamos dentro».[50] La *Oda al rey de
Harlem* está imbuida de este sentimiento. Cuando el poeta imagina la llegada del día en que los negros se levanten contra sus opre-
sores y la Naturaleza recupere la tierra usurpada por la ciudad,
nos damos cuenta de que no se trata sólo de la liberación de los negros, sino de todas las minorías acorraladas:

> ¡Ay, Harlem! ¡Ay, Harlem! ¡Ay, Harlem!
> *No hay angustia comparable a tus rojos oprimidos,*
> *a tu sangre estremecida dentro del eclipse oscuro,*
> *a tu violencia granate sordomuda en la penumbra,*
> *a tu gran Rey prisionero con un traje de conserje.*[51]

El 8 de agosto escribe a su familia con la noticia de que ha empezado a escribir: «Son poemas típicamente norteamericanos, con
asunto de negros casi todos ellos. Creo que llevaré a España dos libros por lo menos».[52]

El 12 fecha *Norma y paraíso de los negros*, menos ambicioso
que *El rey de Harlem* pero igualmente exaltador de la sensibilidad de quienes, hijos de la Naturaleza, se ven forzados a vivir un
permanente exilio entre los crueles rascacielos, despreciados por
el hombre blanco.[53]

Pese a lo que les ha dicho a sus padres, no se conocen otros poemas suyos dedicados exclusivamente a los negros de Nueva York.
Quizá el enorme esfuerzo invertido en *El rey de Harlem* agotó su inspiración al respecto. Además le reclamaban otras preocupaciones.

Siempre Aladrén, siempre Granada

Que tenía muy presente a Emilio Aladrén en Nueva York lo confirman dos poemas no fechados, «Fábula y rueda de los tres amigos» y «Ribera de 1910» (después, «Tu infancia en Menton»), al parecer escritos durante sus semanas inaugurales en la ciudad.

El manuscrito del primero demuestra que el título del poema sólo se resolvió tras una serie de dudas. El inicial fue «Primera fábula para los muertos. Pasillo». Luego lo borró y estampó «Fábula de la amistad» antes de llegar a la versión final.[54]

Aladrén aparece en el poema con su nombre de pila. Rafael Martínez Nadal, que no duda que se trata del escultor, aseguraba que no le sería difícil identificar a los otros dos, pero optó por no revelar su identidad, no sabemos por qué motivo.[55] Tal vez Lorenzo sea Lorenzo Martínez Fuset, el amigo del poeta en la época de los viajes de estudio con Domínguez Berrueta. En cuanto a Enrique, es un misterio. En el poema Emilio se asocia con «el mundo de los ojos y las heridas de las manos» y «el mundo de la sangre y los alfileres blancos» —imágenes mayormente de violencia—, además de estar enterrado «en la yerta ginebra que se olvida en el vaso» (sabemos por Nadal de la afición del escultor a dicho alcohol). Entre las variantes del manuscrito, hay un verso tachado que reza: «Emilio en un Rolls podrido lleno de naipes y cigarros».[56] Es, como siempre, el Aladrén vicioso, superficial, playboy, egoísta, entregado al juego del momento. Los tres amigos están muertos (como señalaba el título original), y en unos versos desechados leemos:

> *Enrique*
> *Lorenzo*
> *Emilio*
> *os resucito y os mato.*[57]

A los otros dos «amigos», al parecer, Lorca también guardaba rencor, por razones no especificadas en el poema. Estamos al tanto de lo que tenía contra Aladrén. Aquel bello joven debió de ser para él, de verdad, un amante desde el infierno.[58]

Lo confirma «Ribera de 1910».

Por desgracia no se conoce el manuscrito del poema, publicado en 1932 en la revista madrileña *Héroe*, dirigida por Manuel Altolaguirre y Concha Méndez:

RIBERA DE 1910

Sí, tu niñez: ya fábula de fuentes.
JORGE GUILLÉN

Sí, tu niñez: ya fábula de fuentes.
El tren y la mujer que llena el cielo.
Tu soledad esquiva en los hoteles
y tu máscara pura de otro signo.
Es la niñez del mar y tu silencio
donde los sabios vidrios se quebraban.
Es tu yerta ignorancia donde estuvo
mi torso limitado por el fuego.
Norma de amor te di, hombro de Apolo,
llanto con ruiseñor enajenado,
pero, pasto de ruina, te afilabas
para los breves sueños indecisos.
Pensamiento de enfrente, luz de ayer,
índices y señales del acaso.
Tu cintura de arena sin sosiego
atiende sólo rastros que no escalan.
Pero yo he de buscar por los rincones
tu alma tibia sin ti que no te entiende,
con el dolor de Apolo detenido
con que he roto la máscara que llevas.
Allí león, allí furia de cielo,
te dejaré pacer en mis mejillas,
allí caballo azul de mi locura,
pulso de nebuloso y minutero.
He de buscar las piedras de alacranes
y los vestidos de tu madre niña,
llanto de media noche y paño roto
que quitó luna de la sien del muerto.
Sí, tu niñez: ya fábula de fuentes.
Alma extraña de mi hueco de venas,
te he de buscar pequeña y sin raíces.
¡Amor de siempre, amor, amor de nunca!
¡Oh, sí! Yo quiero. ¡Amor, amor! Dejadme.
No me tapen la boca los que buscan
espigas de Saturno por la nieve
o castran animales por un cielo,

clínica y selva de la anatomía.
Amor, amor, amor. Niñez del mar.
Tu alma tibia sin ti que no te entiende.
Amor, amor, un vuelo de la corza
por el pecho sin fin de la blancura.
Y tu niñez, amor, y tu niñez.
El tren y la mujer que llena el cielo.
Ni tú, ni yo, ni el aire, ni las hojas.
Sí, tu niñez: ya fábula de fuentes.[59]

Cualquier esfuerzo por entender este complejo poema empieza forzosamente con dos preguntas. ¿Por qué el título definitivo de «Tu infancia en Menton» (sólo decidido por el poeta en 1936, cuando preparaba *Poeta en Nueva York* para la imprenta)?[60] Y ¿de quién es la infancia aludida?

«Ribera de 1910», «Tu infancia en Menton»: parece claro que Lorca utilizó la palabra «Ribera» del título primitivo en el sentido de «Riviera», o sea la Riviera francesa, la situada casi en la raya italiana donde se enclava Menton. En cuanto a la fecha «1910», suele significar, como sabe el lector, la linde temporal entre la infancia del poeta en la Vega de Granada y el traslado de su familia a la capital de la provincia cuando tenía once años (en realidad en 1909). O sea, la pérdida de su particular paraíso terrenal.

El epígrafe del poema, repetido dos veces en el cuerpo de éste, es un verso del poemilla «Los jardines», del libro *Cántico* (1927) de Jorge Guillén:

Tiempo en profundidad: está en jardines.
Mira cómo se posa. Ya se ahonda.
Ya es tuyo su interior. ¡Qué trasparencia
De muchas tardes, para siempre juntas!
Sí, tu niñez: ya fábula de fuentes.[61]

El «yo» de «Tu infancia en Menton», a diferencia del de Guillén, proyección del propio poeta, se dirige a un tú amado y traidor cuya infancia ubica en un famoso lugar internacional de veraneo. Que el tú no sea desdoblamiento del «yo», como ha propuesto algún crítico,[62] es evidente a lo largo del poema: se asocia a una mujer, que le acompaña en viajes y hoteles; oculta su identidad detrás de una máscara que el «yo» dice haberle roto; ha recibido de éste una «norma de amor» brutalmente rechazada.

Según el testimonio de José María García Carrillo, el divertido cómplice gay de Lorca en Granada, éste le escribió docenas de cartas apasionadas a Aladrén desde Nueva York y recibió, por sola contestación, la postal de una montaña con el dibujo de un pene en erección emergiendo de uno de sus picos. Quizá García Carrillo fantaseaba, pero es difícil imaginar que el poeta no escribiera a Emilio durante su estancia. ¿Cómo no lo iba a hacer? ¿Cómo no iba a pensar constantemente en él?[63]

Aladrén tenía un aspecto de «entre ruso y tahitiano», según frase de Lorca, es decir un aspecto cosmopolita. Hemos visto como, en una de sus cartas al poeta, citó en francés un pasaje de *Du Côté de chez Swann*. Para leer a Proust en su idioma original hay que tener un excelente conocimiento del idioma. Aladrén por lo visto lo poseía, adquirido en un principio, se puede inferir, de su madre. No habría hecho mala figura en la famosa ciudad veraniega de la Riviera francesa, con una vida mundana y de casino parecida a la plasmada en *La noche del sábado* (1903), obra de Benavente que quizá conocía Lorca.[64]

«En "Tu infancia en Menton" —nos asegura Martínez Nadal—, Emilio Aladrén es, en efecto, protagonista doble: es el joven de carne y hueso que el poeta amó y el Aladrén-niño que, en Menton, fue mudo testigo de muerte y misterio». Nadal explica a continuación cómo Lorca les contó a él y a otro amigo, Miguel Benítez Inglott, allá por 1927 —y luego, «enduendado», a él solo a su vuelta de Nueva York— el punto de partida del poema. «Alrededor de 1918 —recuerda que le dijo el poeta—, el hermano mayor de Emilio se suicida disparándose un tiro en la sien. Historia rodeada de cierto misterio. Lugar, se decía, un hotel de lujo en Venecia. La madre y el niño Emilio, que veraneaban en Menton, o en playa vecina, salen inmediatamente en tren expreso para el lugar del suicidio. En relación con este suceso sonó también el nombre de Benito Perojo, íntimo amigo o pariente del suicida y uno de los primeros realizadores en la incipiente cinematografía española.» Nadal admite que su memoria le puede fallar en algo, pero considera que son «detalles», «verídicos o no en todas sus partes», esenciales «para penetrar en esta difícil composición del poeta».[65]

Es posible, en efecto, que el cineasta Benito Perojo (1894-1974), muy criticado por Buñuel y otros creadores de su generación por su flamenquismo, fuera de hecho pariente de Aladrén, cuyo madre, como vimos, se llamaba Carmen Perojo Tomachevski.[66]

Sabiendo que el «tú» del poema es Aladrén, o, si se quiere, trasunto de Aladrén, su lectura resulta menos difícil. A todos los amantes les fascina la infancia del objeto de su pasión. Lorca no podía ser excepción a la regla, y cabe imaginar que encontraba la de Emilio, tan diferente a la suya, «de fábula», lo que explicaría quizá la presencia del verso de Guillén que no sólo preside el poema sino que se incorpora al mismo.

Llama mucho la atención el segundo verso, «El tren y la mujer que llena el cielo», seguido inmediatamente por la referencia a los hoteles donde el «tú» se mueve esquivo y disfrazado. Se establece, desde el mismo umbral del poema la permanente intranquilidad del amado, siempre moviéndose de un sitio a otro (tren, hoteles), la presencia de la mujer rival, imaginada por el «yo» como enorme por la amenaza que para él constituye, y la falsedad de los sentimientos que dice entretener hacia ella el «tú».

Los versos 5-16 pormenorizan las deficiencias, según las entiende el «yo», del amado: su ocultación (silencio) acerca de su verdadera condición sexual; su incapacidad para entender la desesperada pasión que ha suscitado; su rechazo de la norma amorosa que se le ha ofrecido (recordemos el poema «Dos normas»); su crueldad, «afilándose» para los placeres efímeros («breves sueños indecisos»); y, sobre todo, esta «cintura de arena sin sosiego».

Volviendo al verso 9, «Norma de amor te di, hombro de Apolo», incumbe señalar que en muchas ediciones del poema «hombro» ha sido sustituido por «hombre», como si el «yo» se estuviera dirigiendo al amado. Sin embargo, los versos 20-21, donde dice haber roto la máscara de éste con «su dolor de Apolo detenido», corrobora que «hombro» no es una errata. El «yo» lorquiano, más identificado con Apolo —elegancia, mesura, contención— que con Baco, ofrece su hombro, su apoyo, al amado. Pero éste lo rechaza. No hay que olvidar tampoco que Apolo tiene desde la antigüedad connotaciones gais, como debía saber Lorca, tan atento a la mitología grecolatina. Binding nos recuerda que fue «el primer dios griego que hizo el amor con un hombre».[67] Y Lorca, en un poema de 1917, «Canciones verdaderas», había confesado ya:

> Soy un Apolo viejo,
> Húmedo y carcomido
> Blanco donde Cupido
> Agotó su carcaj.[68]

A partir del verso 17 el poema expresa la determinación del «yo» a seguir, pese a la repulsa del ser querido, con su empresa amorosa.

Consiste en hacerle ver la verdadera identidad que oculta detrás de su cotidiano disfraz, en buscarle en los casi ignotos «rincones» de su autenticidad —autenticidad incluso desconocida para él mismo— y en convencerle de su error al ir enmascarado por la vida. «He de buscar por los rincones / tu alma tibia sin ti que no te entiende», «He de buscar las piedras de alacranes / y los vestidos de tu madre niña», «te he de buscar pequeña y sin raíces»… la repetición de la frase subraya, como un estribillo, la insistencia del empeño.

Una vez cumplida la misión será la reconciliación, expresada por una extraordinaria imagen en que las mejillas del amante se convierten en lozana pradera:

> Allí león, allí furia de cielo,
> te dejaré pacer en mis mejillas,
> allí caballo azul de mi locura,
> pulso de nebulosa y minutero.

El caballo es emblema de potente sexualidad en toda la obra de Lorca, pero con la atribución del color azul sólo aparece en este poema y en otro del ciclo neoyorquino, «Nocturno del hueco», cuyo tema es el atroz «vacío» del «yo» ante el hecho del «amor huido». Aquel poema termina:

> No hay siglo nuevo ni luz reciente.
> Sólo un caballo azul y una madrugada.[69]

¿Qué valor simbólico atribuye el poeta al color azul en estos dos casos casi idénticos? Un rastreo del adjetivo en la totalidad de su obra demuestra que en ella el azul casi siempre tiene una carga positiva, de belleza, de alegría, de aspiración a lo ideal. Pero también hay que tener en cuenta que, en la tradición popular andaluza, que Lorca tiene tan asimilada, el azul es el color de los celos (así como el verde lo es de la esperanza).[70] Ya que en «Nocturno del hueco» hay también, como en «Tu infancia en Menton», una alusión a los trenes («¡Qué silencio de trenes boca arriba!») y al cielo amenazador («¡Qué cielo sin salida, amor, qué cielo!»), parece legítimo atribuir al color azul del caballo, en ambos casos, el mismo simbolismo. ¿Felicidad soñada mezclada con la desesperación del celoso? Parece que sí.[71]

Los versos 25-28 quizá aludan, de acuerdo con el comentario de Martínez Nadal, al suicidio del hermano mayor de Aladrén y a la dolorosa llegada de madre e hijo al lugar de la tragedia. En los versos 29-33 es, otra vez, el alma enajenada de Emilio que busca con tanto ahínco el «yo», empeño que, digan lo que digan los demás, se niega a abandonar.

Son muy llamativos los versos 34-37, con la insistencia del «yo» en que no le tapen la boca, en que no procuren hacerle callar su amor unos seres raros que «buscan / espigas de Saturno por la nieve» o «castran animales por un cielo, / clínica y selva de la anatomía». Saturno no es sólo el sádico hijo de Urano y dios del Tiempo, sino la deidad romana encargada de velar por la agricultura, en cuya capacidad, más que en otra, parece justificada aquí su asociación con las espigas, emblemas de vida y plenitud. Si la nieve equivale a menudo en los poemas neoyorquinos a la mujer, el verso quiere enfatizar, al parecer, la negativa del «yo» a que los heterosexuales traten de impedir que declare su amor. En cuanto al cielo/clínica donde los castradores de animales ejercen contra los débiles su siniestra labor, para García-Posada significa «las normas de la ortodoxia dominante, ligadas a la cultura judeocristiana, que exige la fecundidad como condición del amor».[72] Si es así, Lorca tiene muy presente, mientras compone este poema, el noviazgo de Aladrén con la inglesa Eleanor Dove que, si no lo logra parar, convenciendo a Emilio de su error, conducirá al matrimonio y a la creación de una familia.

Después de la repetición del verso crucial «Tu alma tibia sin ti que no te entiende», los dos siguientes inician, con su hermosa imagen del tan anhelado amor («Amor, amor, un vuelo de la corza / por el pecho sin fin de la blancura»), la reflexión final sobre la infancia del amado. Reaparecen el tren y la mujer que llena el cielo. Es el alejamiento definitivo del ser querido. Sólo queda el recuerdo de su mítica niñez, ya definitivamente «fábula de fuentes».

Si el poeta echa intensamente de menos a Emilio, el poema «1910 (Intermedio)», cuyo manuscrito está datado «Nueva York, agosto 1929»,[73] revela hasta qué punto, por otro lado, le asaltan estos días, al ir recorriendo las calles de la metrópoli, los recuerdos de su infancia en la Vega de Granada. El año 1910 representa para Lorca, como sabemos, la pérdida de su infancia campestre y la transición («intermedio») a un mundo nuevo y exigente, plagado de deberes y obligaciones:

Aquellos ojos míos de mil novecientos diez
no vieron enterrar a los muertos.
Ni la feria de ceniza del que llora por la madrugada,
ni el corazón que tiembla arrinconado como un
                              caballito de mar.

Aquellos ojos míos de mil novecientos diez
vieron la blanca pared donde orinaban las niñas,
el hocico del toro, la seta venenosa
y una luna incomprensible que iluminaba por los
                              rincones
los pedazos de limón seco bajo el negro duro de las
                              botellas.

Aquellos ojos míos en el cuello de la jaca,
en el seno traspasado de santa Rosa* dormida,
en el desván de la fantasía con bailarinas y manchas de
                              aceite,
en un jardín donde los gatos se comían a las ranas.

Desván donde el polvo viejo congrega estatuas y
                              musgos.
Cajas que guardan silencios de cangrejos devorados.
En el sitio donde el sueño tropezaba con su realidad.
Allí mis pequeños ojos.

No preguntarme nada. He visto que las cosas
cuando buscan su pulso encuentran su vacío.
Hay un dolor de huecos por el aire sin gente
y en mis ojos criaturas vestidas ¡sin desnudo![74]

El poema es como un compendio de los elementos fundamentales del ciclo neoyorquino: deshumanización de la sociedad contemporánea; terror y soledad del hombre industrial, separado de
la Naturaleza; ausencia de imaginación. El símbolo de los vestidos huecos recuerda a los «hollow men» («hombres vacíos») de T. S.
Eliot, y tal vez no se trate de una coincidencia, pues tanto León

---

* Santa Rosa (1568-1617), «abogada de imposibles», es la patrona de Lima.
Parece probable que el poeta aluda a una imagen de la santa, en transporte místico, contemplada de niño.

Felipe como Ángel Flores admiraban a Eliot y el segundo pulía en estos momentos una traducción de *The Waste Land* (*Tierra baldía*), que leyó, sumamente impresionado, el granadino.[75] Es innegable la influencia del magno poema sobre Lorca. «Nadie puede darse cuenta exacta de lo que es una multitud neoyorquina —afirmará en 1932—. Es decir, lo sabía Walt Whitman, que buscaba en ella soledades y lo sabe T. S. Eliot que la estruja en un poema, como un limón, para sacar de ella ratas heridas, sombreros mojados y sombras fluviales.»[76] Al decirlo parece claro que no sólo tenía presentes los versos de *Tierra baldía* en los cuales Eliot evoca la multitud que cruza el puente de Londres (multitud no tan distinta de la que circula por ambos lados de Broadway), sino los dedicados al Támesis otoñal:

> *El río no arrastra botellas vacías, papeles de sándwiches,*
> *Pañuelos de seda, cajas de cartón, colillas de cigarros*
> *U otros testimonios de noches estivales. Las ninfas se han*
> *marchado.*
> *Y sus amigos, los perezosos herederos de empleados*
> *municipales;*
> *Se fueron, no han dejado sus nuevas direcciones.*[77]

Los tres poemas comentados, más «Vuelta de paseo», se agruparán al inicio de *Poeta en Nueva York* bajo la rúbrica «Poemas de la soledad en Columbia University». Nos permiten conocer mejor el estado de ánimo del granadino durante aquellas semanas iniciales de su estancia cuando, muy lejos por primera vez de los suyos, trataba de adaptarse a un mundo nuevo y estimulante pero, al mismo tiempo, aterrador. Es interesante constatar, además, que en la versión definitiva de «1910 (Intermedio)» modificó la referencia al «desván de la fantasía», haciendo que las bailarinas y las manchas de aceite cediesen el paso a una imagen evocadora de la curiosidad erótica del niño, al fijar sus ojos «en los tejados del amor, con gemidos y frescas manos».[78]

Entretanto, el 31 de julio, le ha vuelto a escribir Philip Cummings. La carta deja pocas dudas acerca de los sentimientos que le inspira el poeta:

Queridísimo:

¡Oiga! Mañana vamos a nuestra masía y te esperamos allí. Pero no estaremos cerca al correo y telégrafo entonces *cinco* días antes tu llegada, escríbenos, así que te podremos encuentra. Espero ti con impaciencia. ¡Venga! ¡Venga! Hombre.

Con abrazo fuertes y etern[a]les [sic].

Felipe Cummings[79]

El reencuentro en Vermont se presenta, pues, intenso para ambos.

El 16 de agosto de 1929 Lorca termina su curso de inglés en Columbia. No sólo no recibe el sobresaliente que dice a sus padres, sino que ni siquiera se presenta a los exámenes.[80]

Unos días después, en vísperas ya de irse al encuentro de Cummings, participa en una velada musical-poética en casa de Federico de Onís. Asiste la escritora española Concha Espina, que la evocará tres años después en su libro *Singladuras: Viaje americano* (1932). Están presentes, entre otros, Fernando de los Ríos (de paso, rumbo a España, tras su visita a Puerto Rico) y León Felipe. Hay composiciones «inéditas y admirables» de Lorca, «versos nuevos y acendrados» del zamorano. Y, sobre todo, música popular española, especialmente la granadina, que sabe transmitir De los Ríos (aficionado al cante jondo) a la vez que Federico «interpreta todas las infinitas derivaciones de esa misma canción andaluza y las entona y las mima con insuperable expresión». Por su parte Onís, «inmenso folclorista musical y literario, formidable conocedor de romanceros y colecciones, de archivos y reservas líricas, algunas milenarias», pone lo más desgranado de su ciencia «al servicio del improvisado concierto, con la gratitud general». Y termina Espina su evocación: «Noche rara y azul aquella de Nueva York, toda pungida por el enorme cantar de España desde un grupo azaroso de emigrantes».[81]

El testimonio de la escritora demuestra, una vez más, que en Lorca el don musical y el don poético, ambos de profunda raíz andaluza, son consustanciales, inseparables.

El lago Eden, Bushnellsville y Newburgh

El 20 o el 21 de agosto Federico sube al tren de Vermont. Le despiden en la Grand Central Station un grupo de amigos que «reían mucho» con la idea de que alguien tan poco práctico, y además sin hablar el idioma, se atreviera a aventurarse solo por las inmensidades norteamericanas. Entre ellos están Gabriel García Maroto, Henry Brickell, Ángel del Río y Ángel Flores.[82]

A la mañana siguiente llega a Montpelier Junction, donde Philip Cummings y su padre lo están esperando con su hermoso Ford Model-T: velocidad máxima de sesenta kilómetros por hora e ideal para gozar del paisaje del bien llamado Vermont («Monte Verde»). Después del calor y del ruido de Nueva York, Federico, según recordará Cummings años después, está radiante mientras el coche va transitando por los serpenteantes caminos que los llevan por el pie de las montañas, en dirección norte, hacia Eden Mills. Habla sin parar, como cabía esperar en tales circunstancias, contando (o inventando) sus experiencias de Nueva York, preguntando a uno y otro acerca de la historia de Vermont y de los nombres de las poblaciones por las que van pasando —Waterbury, Stowe, Hyde Park, con sus asociaciones inglesas— y exteriorizando la alegría que experimenta al verse rodeado de frondosos bosques después de las seis semanas transcurridas en la jungla de cemento de la metrópoli.[83]

La cabaña alquilada por Philip para el mes de agosto está en la orilla misma del bello lago Eden (unos dos kilómetros de largo y menos de uno de ancho), en la linde entre arboleda y agua. Sólo alteran el hondo silencio del lugar los picotazos de los pájaros carpintero y el rumor del cercano torrente de un molino. Están empezando a caer las hojas (en Vermont llega pronto el otoño), hace un poco fresco y ya se ha producido la primera escarcha matutina. Llueve a menudo, al atardecer pende una tenue cortina de neblina sobre el lago y, entrada ya la noche, como si surgiera de sus profundidades, les llega el lúgubre canto del colimbo. Éste afecta al poeta porque, según recordaría Cummings, «se sentía entonces triste por varios motivos». Por todo ello no es sorprendente que, tras el alivio inicial de encontrarse otra vez en el campo, se empezara otra vez a deprimir.[84]

Simpatiza enseguida con Addie, la madre de Philip. Maestra durante quince años, es protestante (aunque Federico les dice a sus padres que «católica ferviente»)[85] y ha transmitido a su hijo único el profundo respeto que le inspira la Naturaleza. A pesar de que hablan idiomas diferentes, la comunicación entre ella y el poeta es perfecta y éste disfruta observándola mientras elabora pasteles. Pasteles que engulle con verdadero deleite y que quizá le recuerdan los dulces granadinos de los que es adicto.[86]

Pasa siete días con Philip. Vagan por los alrededores del lago y siguen veredas que a veces se encaraman por las laderas del Mount Belvedere, donde visitan una mina de amianto. Trabajan juntos en la traducción al inglés de *Canciones* y pasan horas charlando un poco de todo.[87] En septiembre, ido ya Lorca, Cummings ordenará, con vistas a su posible publicación, el diario que ha llevado durante el mes. El documento, redactado en un inglés pintoresco, expresa un amor a la Naturaleza afín al del poeta y casi panteísta:

> Esta mañana fui a pasear por el bosque con el poeta español que acaba de llegar. Se le ocurrieron muchas ideas encantadoras en el bosque. Mientras cruzábamos el camino en dirección a la orilla vio los montoncitos de polvo que hay allí y dijo: «Cada uno es un pequeño mundo, con su propia sombra». Después, mientras atravesábamos los matorrales de cerezos silvestres dijo que eran la protesta del bosque porque nosotros, los intrusos, violábamos su virginidad. Una de las cepas podridas era para él la ruina de una ciudadela de Babilonia, otra se convirtió en castillo. Estaba blanda, casi era polvo, y el poeta, niño grande que es como todos los poetas, se arrodilló y convirtió aquella materia blanca y podrida en un castillo. Lo cubrió de musgo y allí está: habiendo sido una cepa descompuesta de abedul es ahora un castillo histórico de las llanuras de La Mancha, de la lejana España. Me observó mientras yo derribaba unos cuantos árboles podridos y me dijo que yo era un cíclope empeñado en destruir a los débiles y los marginados. En otras palabras, lo que siempre había sido para mí un bellísimo bosque se convertía para él en algo simbólico.[88]

En otra página Cummings consigna:

> Hoy el poeta de España ha estado comparando las cosas, especialmente su entorno andaluz con nuestro lago rodeado de colinas. Nuestras colinas son más bajas y más verdes. No son aquella elegancia mística y coronada de nieve de la Sierra detrás de Granada, pero nos producen otro sentimiento, el de un infinito consuelo. La vega o llanura de olivos* suya se convierte aquí en campos de heno ondulantes y oteros sembrados de manzanos y rocas. Las naranjas, los limones y las limas son aquí manzanas y grosellas. Ha estado encantado, este soñador de todo lo que significa la Granada antigua, al encontrar aquí la «zarzamora» de Andalucía. También tene-

---

* En la Vega de Granada hay, en realidad, pocos olivos, cultivo más bien de los secanos que la bordean.

mos las frambuesas y los arándanos, que él conoce menos. Él ve un arbusto, un árbol conocido, y la momentánea nostalgia que todos padecemos se apodera de él, y mira, con ojos entristecidos, más, mucho más allá del boscaje.[89]

Philip sabe (pese a no dar más detalles sobre ello en su diario) que Lorca está pasando por una grave crisis. Es probable que el poeta le confesara, aunque quizá sólo en parte, las causas de su infelicidad. Años más tarde el norteamericano revelaría que durante su estancia Federico le confío un paquete cerrado que contenía papeles privados, pidiéndole que lo guardara en lugar seguro. En 1961 lo abrió y encontró dentro cincuenta y tres hojas manuscritas. Constituían «una amarga y severa denuncia de gente que estaba tratando de acabar con él, de acabar con su poesía y de impedir que fuera famoso. De manera más o menos confusa atacaba a personas en las que había depositado su confianza sin que fueran merecedoras de ella. Tengo la impresión de que se sentía traicionado tanto en el aspecto físico como emocional».[90]

El único nombre que Cummings decía haber reconocido entre los que, según Lorca, le atacaban era el de Salvador Dalí. Al final del manuscrito había, garrapateada, una petición: «Felipe, si no te pido estas hojas en diez años y si algo me pasa, ten la bondad, por Dios, de quemármelas». Movido por un sentimiento de lealtad hacia el poeta muerto, Philip hizo lo que le había encomendado y las quemó al día siguiente, decisión que más adelante lamentaría.[91]

Es trágico que hayan desaparecido aquellas hojas, pues está claro que contenían una información vital sobre las relaciones personales del poeta en la época inmediatamente anterior a su viaje a Nueva York. El comentario de Cummings sobre el paquete confirma que se sentía traicionado al llegar a Estados Unidos, y que Dalí era uno de los culpables. Quizá también figuraba el nombre de Buñuel y una reflexión sobre *Un perro andaluz*.

Cummings recordaba que, durante su breve visita a Eden Mills, Federico escribió numerosas cartas.[92] Sólo conocemos, sin embargo, una larga misiva a su familia, una nota a sus hermanas —redactada, siguiendo las directrices de Philip, sobre una corteza de abedul (como si de papiro se tratara)— y un mensaje urgente a Ángel del Río, a quien iba a visitar justo después.[93] En éste explica que, aunque la familia de Cummings es encantadora y está haciendo todo lo posible por hacerle agradable su estancia, sólo quiere marcharse. El paisaje es «prodigioso, pero de una melancolía infinita»; llueve sin parar; tanto los bosques como el lago le están sumiendo en «un estado de desesperación poética muy difícil de sostener»; escribe todo el día y a la noche se encuentra «agotado»; en el lago no canta una sola rana. En fin, se está ahogando «en esta niebla y esta tranquilidad que hacen surgir mis recuerdos de una manera que me queman». Para colmo no hay una gota de alcohol y necesita urgentemente unos tragos del coñac que sabe que le espera en la casa veraniega del amigo soriano.[94]

Entretanto Philip le lleva a conocer a Elizabeth y Dorothea Tyler, dos maestras jubiladas. Descendientes de un presidente de los Estados Unidos, John Tyler, han comprado una granja abandonada situada en lo alto de una colina y, en contra de todos los consejos que les han dado, la están restaurando poco a poco con sus propias manos. Federico queda encantado con ellas. Le sirven té en delicadas tazas de porcelana, le muestran fotografías antiguas y ¡hasta entienden su espantoso francés! En su conferencia sobre Nueva York de dos años más tarde se tomará una cierta licencia poética al evocar a las hermanas, al afirmar que tenían «una increíble espineta» en la que tocó «exclusivamente» para ellas. Según Cummings, sin embargo, en absoluto existía tal instrumento en aquella casa.[95] Sí había un viejo piano vertical en el único restaurante de Eden Mills. Allí hubo una sesión de canciones españolas para los ribereños que, al terminarse, se agolparon en torno al granadino para estrecharle la mano.[96]

Lorca escribió como mínimo tres poemas durante su estancia con Cummings: «Poema doble del lago Eden», «Cielo vivo» y «Tierra y luna». El primero es el más revelador de su estado anímico y confirma los comentarios de la carta a Ángel del Río. Como en «1910 (Intermedio)», el tono es de desesperación mientras, asaetado por recuerdos de su infancia y por voces del pasado, reflexiona sobre su dolorosa experiencia reciente:

> *Quiero llorar porque me da la gana*
> *como lloran los niños del último banco*
> *porque yo no soy un poeta, ni un hombre, ni una hoja*
> *pero sí un pulso herido que ronda las cosas del otro lado.*
>
> *Quiero llorar diciendo mi nombre,*
> *Federico García Lorca, a la orilla de este lago*
> *para decir mi verdad de hombre de sangre*
> *matando en mí la burla y la sugestión del vocablo.*

> *Aquí, frente al agua en extremo desnuda*
> *busco mi libertad, mi amor humano,*
> *no el vuelo que tendré, luz o cal viva,*
> *mi presente al acecho sobre la bola del aire alucinado.*[97]

Unos versos más adelante hay otra alusión que indica hasta qué punto se siente engañado por los que le han rodeado. Dirigiéndose al «hombrecillo de la cresta» —personaje, se supone, de algún cuento infantil— niega que esté buscando la felicidad de su primera experiencia amorosa. Lo que quiere, más bien, es que la sociedad le devuelva la confianza que él tenía en su propia valía, confianza que le han robado:

> *Aquí me quedo solo, hombrecillo de la cresta,*
> *con la voz que es mi hijo. Esperando*
> *no la vuelta al rubor y al primer gusto de la alcoba*
> *pero sí mi moneda de sangre que entre todos me habéis*
> *quitado.*[98]

¿Por qué llamó «doble» a este poema? Vista su acumulación de referencias al amor, parece lógico deducir que el término obedece a la discrepancia entre la angustia que experimenta actualmente y la felicidad de su infancia antes de tener conciencia de ser «diferente». En el poema hay varias alusiones que relacionan sus sufrimientos con los de Cristo y que nos recuerdan las «místicas» de su juventud, donde es constante este proceso de identificación. El poeta granadino Luis Rosales diría que, a su juicio, Federico se encontraba al borde del suicidio cuando viajó a Nueva York, mientras que Rafael Alberti ha declarado que se encontraba «perdido y desgarrado». Este poema tiende a corroborarlo.[99]

Tal era el verdadero estado de ánimo del poeta a orillas del lago Eden.

¿Mitigado por una relación sexual con Cummings a la cual este sólo se referiría años después en una carta al hispanista Daniel Eisenberg, aludiendo al *personal release* («alivio personal») que le proporcionaría a Federico durante su estancia? Imposible saberlo, dada la tendencia de Cummings a combinar hechos y fantasía.[100]

Podemos imaginar, de todas maneras, la ilusión que experimentó el poeta cuando, el 29 de agosto, el padre de Philip le llevó a

Burlington y le dejó en el tren de Nueva York.[101] No se sabe nada acerca de su viaje de regreso a la ciudad, ni tampoco cómo se las arreglaría para montarse luego en el tren de Kingston, donde le esperaba Ángel del Río. En 1955 recordaría éste:

> Conociendo su incapacidad para las cosas prácticas, yo le había dado por escrito instrucciones detalladas: me tenía que telegrafiar la hora de su llegada a Kingston; si yo no estaba allí, tenía que tomar el autobús a Shandaken. El día que le esperábamos no había llegado ni telegrama ni aviso alguno de nuestro Lorca. Empezamos a inquietarnos por si se hubiera perdido, cuando, al anochecer, vimos llegar un taxi renqueando por el camino polvoriento de la granja. El chófer tenía una expresión de resignada ferocidad, y Federico, al verme, con medio cuerpo fuera de la ventanilla, empezó a gritar, entre aterrado y divertido. Naturalmente, lo que había ocurrido es que Lorca, encontrándose solo en Kingston, decidió tomar un taxi, sin saber dar la dirección. Y habían estado dando vueltas por carreteras de montaña, hasta que un vecino les dio nuestras señas. El contador marcaba 15 dólares. Como Lorca se había gastado todo el dinero que llevaba encima, tuve que pagar al conductor y aplacar su cólera. Pero el terror de Federico se debía a estar convencido de haberse perdido y no tener el dinero suficiente para poder pagar el taxi. Inmediatamente dio al incidente un aspecto fantástico, y dijo que el conductor, a quien no podía entender, había intentado robarle y asesinarle en un rincón oscuro del bosque.[102]

Pasa veinte días con los Del Río en la cabaña que han alquilado para el verano en Bushnellsville, cerca de Shandaken, días que describe a sus padres como «deliciosos». Estando con ellos, les asegura, ha escrito mucho, casi un libro «y sin casi». «Si sigo así llevaré a España tres lo menos», se jacta.[103] Encantado de estar otra vez con españoles —y españoles tan simpáticos, tan amigos de verdad— juega con los hijos del propietario de la granja, Stanton y Mary Hogan, se da grandes paseos con Ángel por los bosques, les canta canciones en un viejo piano desafinado y se preocupa por la salud de su bebé recién nacido. Pero varias fotografías sacadas durante la estancia indican que, pese a su aparente alegría, la depresión no le había soltado (ilustración 29).

Lo confirman, además, los poemas compuestos entonces. Su amistad con los hijos del granjero, mezclada con otros recuerdos, dio lugar a «El niño Stanton» y «Niña ahogada en un pozo». Hogan diría en 1975 que, tal como recoge el primero, tenía entonces, efectivamente, un arpa judía; que había en la granja un caballo ciego, pero no varios; y que jamás sufrió de cáncer, enfermedad que le atribuye el poeta, si bien su padre sí lo padeció.[104] Existe en estos versos una compenetración tan estrecha del «yo» con el niño que tenemos la sensación de que, más que de Stanton, de quien se trata es del propio poeta:

> Cuando me quedo solo
> me quedan todavía tus diez años,
> los tres caballos ciegos,
> tus quince rostros con el rostro de la pedrada
> y las fiebres pequeñas, heladas sobre las hojas del maíz.
> Stanton, hijo mío. Stanton.
> A las doce de la noche el cáncer salía por los pasillos
> y hablaba con los caracoles vacíos de los documentos,
> el vivísimo cáncer lleno de nubes y termómetros
> con su casto afán de manzana para que lo piquen los
> ruiseñores...[105]

En cuanto a «Niña ahogada en el pozo», con su estribillo insistente de «agua que no desemboca», tenemos un interesente comentario al respecto de Ángel del Río. «Cerca de la granja, donde todo parecía abandonado —recordó en 1955—, había varios grandes fosos que habían sido en su día canteras. El lugar, con su tierra color sangre y sus rocas esqueléticas, tenía una grandeza desoladora. Como solía decir Federico, era como un paisaje lunar. No se podía ver el agua de los fosos, pero se podía oír su estrépito en el fondo.»[106]

Tanto Ángel del Río como Stanton Hogan insistirían en que aquel verano no se ahogó ninguna niña en un pozo de Bushnellsville y, mucho menos, como alegaría el poeta, la hermana de Stanton, Mary. Según Del Río, el poema resultó «del contraste entre la espontánea alegría de los hijos del granjero y la tristeza del ambiente».[107]

Pero había más. Aunque el primer título de la composición era «Niña ahogada en el pozo», Lorca añadió más tarde entre paréntesis el subtítulo «Granada y Newburgh». En Granada eran relativamente frecuentes este tipo de accidentes, sobre todo en el escarpado barrio del Albaicín, donde hay muchos pozos o aljibes, y de hecho había presenciado el desenlace de uno de ellos. Tal vez se trataba de la referida en *El Defensor de Granada* el 27 de marzo de 1928. A una niña de diez años se le había ido a parar la pelota dentro de un pozo y, al asomarse a su borde, había perdido el equilibrio, había caído y se había ahogado. En cuanto a la alusión a Newburgh —donde tenía su casa de verano Federico de Onís, visitada inmediatamente después por Lorca— parece tratarse sencillamente de una confusión posterior.[108]

En su conferencia de 1932 sobre Nueva York embrollaría todavía más el asunto al afirmar que fue en Eden Mills donde había conocido a Stanton y a Mary («el padre del niño Stanton tiene cuatro caballos ciegos que compró en la aldea de Eden Mills»), y añadió que, al ahogarse la niña, se había sentido tan deprimido que se marchó de Vermont. Así eran las licencias que se permitía a menudo al referirse públicamente a hechos relacionados con su vida íntima.[109]

El poema «Paisaje con dos tumbas y un perro asirio», escrito en Shandaken, fue el resultado de un proceso parecido. «En la granja había un perro enorme, viejo y medio ciego, que a menudo dormía en el pasillo a la puerta de la habitación del poeta —recordaba Ángel del Río—. El terror que esto le producía y su obsesión con la enfermedad del granjero —una afección cancerosa— aparecen transformados en imágenes oníricas.»[110] Trece años antes, aludiendo a un conocido pasaje de los *Cantos de Maldoror*, de Lautréamont, había evocado en *Impresiones y paisajes* el pavoroso aullido de los perros a la luna en el monasterio benedictino de Santo Domingo de Silos.[111] Aquí nos encontramos con otro perro y con otra luna, pero el horror a la muerte es el de siempre:

> *Amigo:*
> *Levántate para que oigas aullar*
> *al perro asirio.*
> *Las tres ninfas del cáncer han estado bailando,*
> *hijo mío.*
> *Trajeron unas montañas de lacre rojo*
> *y unas sábanas duras donde estaba el cáncer dormido.*
> *El caballo tenía un ojo en el cuello*
> *y la luna estaba en un cielo tan frío*
> *que tuvo que desgarrarse su monte de Venus*
> *y ahogar en sangre y ceniza los cementerios antiguos...*[112]

Según Ángel del Río, Federico pasó gran parte de su estancia con ellos aquel verano escribiendo y, además de hacerles conocer sus nuevos poemas, les leyó fragmentos de *La zapatera prodigiosa*, *Don Perlimplín*, *El público* y *Así que pasen cinco años*.[113] Con respecto a la última obra parece fuera de toda duda que la memoria le traicionaba, pero sí es posible que Lorca ya hubiera empezado *El público*.

Después de casi tres semanas con el matrimonio, lo recogió Federico de Onís en su coche para llevárselo a su casa de campo de Newburgh, a unos setenta kilómetros hacia el sur, donde llegan el 18 de septiembre.[114] Onís trabaja en estos momentos en su monumental *Antología de la poesía española e hispanoamericana*, no publicada hasta 1934. Federico le ayuda con ella y les cuenta a sus padres que ha colaborado en la selección de poemas de Juan Ramón Jiménez, Salvador Rueda, José Asunción Silva y otros.[115]

León Felipe le diría a su biógrafo, Luis Rius, que en la casa de Onís en Newburgh habló con Lorca de Walt Whitman, a quien admiraba profundamente y traducía en aquellos momentos al español. Parece ser, de hecho, que fue Felipe quien le acercó de verdad, por vez primera, a la poesía del autor de *Hojas de hierba*, que sólo conocía muy imperfectamente (tal vez a través de la antología, editada en 1912, por Armand Vasseur, con prólogo de Rubén Darío).[116]

Felipe llevaba ya seis años en Estados Unidos. Le sabía a poco la democracia yanqui que observaba a su alrededor, que consideraba pobre en comparación con la exuberante fe y la creencia en el futuro de Whitman. Después lo diría así en su poema «Escuela»:

> *Viví en Norteamérica seis años, buscando a Whitman,*
> *y no le encontré. Nadie le conocía.*
> *Hoy tampoco le conocen.*
> *¡Pobre Walt!, tu palabra «Democracy»*
> *la ha pisoteado el Ku-Klux-Klan,*
> *y «aquella guerra», ¡ay!, aquella guerra la perdisteis los*
> *dos: Lincoln y tú.*[117]

Según Luis Rius se estableció entre Lorca y el zamorano «una afinidad inicial y radical [...] mucho más poderosa que todas las diferencias».[118] Afinidad que resume como «la necesidad y voluntad de amor desmedido a todo lo humano, que en dosis más fuerte de lo común se daba en ellos».[119] En una conversación telefónica celebrada entre Felipe y Rius años después de la muerte de Lorca, el poeta demostró, entre reticencias, haber estado al tanto de su homosexualidad: «Él no quería estar dentro del grupo de maricas, de gentes... Él sabía que había otra... y que él tenía otra actitud, porque era de una gran simpatía, lo quería todo el mundo; hombres, mujeres, niños, y él se sentía querido por todos, y debía de tener la tragedia de que un hombre tan afectuoso como él, y a quien le querían todos, no poder expresar de una manera..., de alguna manera... Luego... de esto sí quisiera..., sí habría que hablar con cuidado».[120]

En junio de 1930 Felipe dedicaría a Lorca un ejemplar de su libro *Versos y oraciones del caminante* con una frase enormemente generosa viniendo de otro poeta: «Al Fénix, al monstruo lírico español del siglo xx».[121] Es emocionante pensar que, si el granadino no coincide con él en Nueva York, quizá no existiría la *Oda a Walt Whitman*. «Lejos de sus padres y de las normas de conducta españolas —han escrito Maurer y Anderson—, García Lorca encontró en el Nuevo Mundo, y en su poeta, un espacio propicio a la exploración de su propia sexualidad». Así fue.[122]

Regreso a la metrópoli

El 21 de septiembre de 1929 el poeta se instala en la habitación 1231 de John Jay Hall, residencia, como Furnald, del campus de Columbia.[123] Ocho días más tarde recibe una invitación oficial de la Institución Hispano Cubana en que le proponen una visita a La Habana a principios de 1930.[124] Saber que dentro de algunos meses tendrá la posibilidad de cambiar Nueva York por la Perla del Caribe es, cabe suponerlo, un factor positivo en estos momentos.

Momentos, ciertamente, de intensa actividad literaria. Los poemas escritos a partir de octubre demuestran que, pese a las apariencias, la depresión del poeta no le ha abandonado del todo. Especialmente revelador es «Infancia y muerte», fechado el 7 de octubre, que envía a Rafael Martínez Nadal a finales de mes con el comentario: «Para que te des cuenta de mi estado de ánimo». No había que distinguir, pues, según el propio Lorca, entre el yo de la composición y su propio ser más íntimo. Unos años más tarde, cuando revisaba sus poemas neoyorquinos con vistas a su publicación en libro, Martínez Nadal no sólo le recordaría la existencia de esta dolorida efusión, sino que se la mostraría. Nada más empezar a leerla el poeta se alteraría visiblemente, exclamando, sin terminarla: «Guárdate eso y no me lo enseñes nunca más».[125] El poema revela un «estado de ánimo» absolutamente ajeno al que aparentan las cartas a su familia:

Infancia y muerte

Para buscar mi infancia, ¡Dios mío!,
comí naranjas podridas, papeles viejos, palomares vacíos
y encontré mi cuerpecito comido por las ratas
en el fondo del aljibe con las cabelleras de los locos.
Mi traje de marinero
no estaba empapado con el aceite de las ballenas
pero tenía la eternidad vulnerable de las fotografías.
Ahogado, sí, bien ahogado, duerme, hijito mío, duerme.
Niño vencido en el colegio y en el vals de la rosa herida,
asombrado con el alba oscura del vello sobre los muslos,
asombrado con su propio hombre que masticaba tabaco en
*   su costado siniestro.*
Oigo un río seco lleno de latas de conserva
donde cantan las alcantarillas y arrojan las camisas llenas
*   de sangre.*
Un río de gatos podridos que fingen corolas y anémonas
para engañar a la luna y que se apoye dulcemente en ellos.
Aquí solo con mi ahogado.
Aquí solo con la brisa de musgos fríos y tapaderas de
*   hojalata.*
Aquí, solo, veo que ya me han cerrado la puerta.
Me han cerrado la puerta y hay un grupo de muertos
que juega al tiro al blanco y otro grupo de muertos
que busca por la cocina las cáscaras de melón,
y un solitario, azul, inexplicable muerto
que me busca por las escaleras, que mete las manos en el
*   aljibe*
mientras los astros llenan de ceniza las cerraduras de las
*   catedrales*
y las gentes se quedan de pronto con todos los trajes
*   pequeños.*
Para buscar mi infancia, ¡Dios mío!,
comí limones estrujados, establos, periódicos marchitos,

pero mi infancia era una rata que huía por un jardín
oscurísimo,
una rata satisfecha mojada por el agua simple
una rata para el asalto de los grandes almacenes
y que llevaba un anda de oro entre sus dientes diminutos.[126]

«Infancia y muerte» se relaciona estrechamente con «Poema doble del lago Eden» y con «1910 (Intermedio)», y es evidente que ni la obsesión del poeta con su juventud intranquila ni su desesperación sexual han disminuido. El manuscrito revela que, en los versos donde recuerda su escuela, escribió primero «Federico», después borró apenas su nombre, dejándolo legible, para seguir con el más impersonal «Niño vencido en el colegio y en el vals de la rosa herida». ¡El joven Federico *vencido* en aquel establecimiento y en el vals, parece legítimo deducirlo, del amor heterosexual! Quizá, al ver otra vez el poema con Martínez Nadal, revivió el dolor de sus primeros años en Granada. Quizá se acordó de cómo se burlaban de él algunos compañeros, llamándole Federica, del sentimiento de vergüenza que le producía ser objeto de exclusión social. En cuanto a la rata de los últimos versos, ahora «satisfecha», tal vez no sería erróneo ver en ella una figuración del esfuerzo del poeta por aceptar la angustiosa sexualidad, enraizada en su infancia, que amenaza con destruirlo.[127]

Llama también la atención la metáfora del ahogo de la infancia en el aljibe, que recuerda el poema «Niña ahogada en un pozo», así como la acumulación de signos negativos para expresar su depresión actual: ríos convertidos en cloacas y depósitos de basura, alcantarillas pobladas de ratas, podredumbre, brutalidad («camisas llenas de sangre») y, separado del grupo de muertos que juega al tiro al blanco, el que, solitario, azul e «inexplicable» —el color azul se asocia a veces con la muerte en los poemas neoyorquinos—, busca afanosamente al poeta por las escaleras y en el aljibe, se supone que para llevárselo con él a la tumba.

Tal vez sea lícito relacionar a este muerto, a este fantasma, con la escalofriante figura espectral, con cuerpo en forma de esquemático sistema nervioso, que viene volando hacia el poeta en el autorretrato incluido por José Bergamín en su edición de *Poeta en Nueva York*, y que acaso le había entregado el propio Lorca para ilustrar el libro. En el centro de un panorama neoyorquino desolador (ferrocarril elevado, inmensos muros cuyas incontables ventanas parecen nichos de un ingente columbario, a veces identificadas fríamente por letras o números, sin la menor presencia humana), el poeta, con los ojos vacíos, se defiende desesperadamente de unas extrañas bestias que le asaltan cruelmente (véase frontispicio).

En estas fechas traba amistad en John Hay Hall con un joven estudiante, John Crow, que vive en la misma planta y que publicará, en 1945, un libro sobre el poeta que, pese a su ingenuidad, tiene el mérito de abrirnos una ventana sobre el día a día (y noche a noche) del granadino aquel otoño e invierno. Crow le acompaña a menudo en sus paseos por la ciudad, visita con él los cines y clubes de jazz de Harlem, nota su tendencia a dramatizar «las circunstancias más nimias de la vida diaria» y es testigo de su pericia en el manejo de la guitarra y del piano. Nota que habla «con la mayor veneración» de los árabes andaluces. Es más, «no había ocasión en que no intentara identificarse a sí mismo y a los de su sangre con ese pueblo». Le sorprende que no suelte nunca tacos y observa que le gustan sobremanera las conversaciones sobre «muertes violentas, los idiotas o seres grotescos o anormales, artistas, gitanos y negros». Le choca al principio la tendencia del poeta a cantar sus propias alabanzas y la evidente e ilimitada fe que tiene en su talento literario, pero acaba por comprender que no se trata simplemente de alardear, sino de que parece asombrado de sus propios dones. Otros amigos han confirmado esta característica suya.[128]

A veces Crow se deja engatusar por las exageraciones de Federico. Le cree a pies juntillas, por ejemplo, cuando le asegura que el romance «La casada infiel», con su frenética coyunda junto al río, refleja una experiencia propia: «Mi compañero de habitación y yo le felicitamos por su realismo y le dijimos que se veía que sabía de lo que hablaba. Lorca sonrió con orgullo y soltó un rotundo: "¡Claro!" Después se explayó sobre el caso en cuestión con algunos detalles. La verdad es que estaba muy orgulloso de su hazaña».[129]

Parece que Crow nunca se percató de que era gay. Y a diferencia de un José Bergamín, por ejemplo, para quien los poemas de Nueva York expresan «mortales angustias»,[130] es capaz de apuntar lo siguiente:

Yo estaba en contacto íntimo con Lorca día tras día mientras trabajaba en *Poeta en Nueva York*, y si él padecía entonces una «angustia mortal», yo soy un perfecto papanatas. A veces es cierto que debió de sentirse muy solo, pero en otras ocasiones bebía, acariciaba a las chicas, triscaba como cualquier joven animal macho y daba la impresión de pasárselo muy bien. Cuando, en la madrugada de Nueva York, se sentaba a escribir poesía, era con la voz cansada, los nervios tensos, los fervores nostálgicos de la medianoche que ardían en la oscuridad. Y el espectáculo no era nada saludable.[131]

¡Lorca acariciando a chicas y de juerga por Nueva York «como cualquier animal macho joven»! Aquí, sin duda, Crow pierde los estribos. Y si la vista del andaluz escribiendo a las altas horas de la noche no era «nada saludable», sería precisamente, cabe pensarlo, a causa de sufrimiento. Por otra parte, la descripción de sus atenciones para con las muchachas de Columbia no cuadra con los recuerdos de Crow en otro momento de su relato, cuando nos asegura que, aunque Federico admiraba la belleza de éstas, las tenía por demasiado libres y le desagradaba profundamente ver a las jóvenes parejas besándose.[132] Teniendo en cuenta que a Crow se le escapó que Lorca no sólo era homosexual, sino homosexual angustiado, hay que tratar con cierto escepticismo sus comentarios sobre la personalidad del poeta.

¿Estableció éste algún contacto con el mundo gay de Nueva York? Hay indicios de que sí. Un día Ángel Flores le lleva a Brooklyn para conocer a Hart Crane, que entonces está dando los últimos toques a su poemario *El puente* (precisamente el de Brooklyn). Aquella noche hay una fiesta en su casa y cuando llegan Flores y Lorca lo encuentran rodeado de marineros borrachos. A Crane le interesaba todo lo español pero no hablaba el idioma. Después de las presentaciones parece ser que él y Lorca se comunicaron en mal francés. Flores se dio cuenta enseguida de que tenían mucho en común —empezando con su interés por los marineros— y se retiró discretamente. Al salir, volvió la vista atrás: Crane estaba en medio de un grupo y Federico de otro.[133]

Como a muchos homosexuales —ahí está el Genet de *Querelle de Brest*—, a Lorca le fascinaba el arquetipo del marinero, y es tentador relacionar a los que con tanta frecuencia aparecen en sus poemas y dibujos neoyorquinos, asociados con el sexo y el alcohol, con la escena evocada por Flores. Ignoramos si los dos poetas volvieron a verse.

Complementa el testimonio de Flores una carta de Lorca a Rafael Martínez Nadal mostrada por éste en 1982 al escritor Luis Antonio de Villena. En ella, según éste, el poeta «relataba vivamente, sin pudores, una pequeña orgía con negros. La carta sigue hoy inédita. Tras la firma, *Federico*, decía: "Cuando la leas, rómpela". El destinatario —cincuenta años después— aún no lo había hecho».[134]

Martínez Nadal era, sin lugar a dudas, uno de los amigos de Lorca que más sabía de su vida íntima... y que con más sigilo trabajó para desviar la atención de su homosexualidad. Se murió sin publicar las cartas «comprometedoras» recibidas del poeta y no sabemos todavía si las destruyó.[135]

Es llamativo, además, la instrucción de romper la misiva una vez leída, que hace pensar en la dada a Cummings al entregarle en Eden Mills el paquete de papeles privados. Lorca temía que le descubriesen en su intimidad, pero al mismo tiempo tenía la necesidad de plasmar literariamente su situación. En los poemas de esta etapa, dada la intencionada complejidad de su expresión lingüística —a la vez revelación y ocultación—, el peligro se reducía; pero las cartas personales eran sumamente arriesgadas, puesto que se podían extraviar y caer en manos hostiles. De allí el prurito de hacerlas desaparecer cuando contenían confesiones «inconfesables». De hecho, se conocen poquísimas cartas suyas realmente íntimas. Por ello el testimonio de Luis Antonio de Villena, dadas las reticencias de Martínez Nadal y otros, es de un valor incalculable.

A diferencia del poco observador (o tal vez deliberadamente encubridor) John Crow, José Antonio Rubio Sacristán, que llega a Nueva York a finales de octubre, se da cuenta enseguida de la angustia que sigue atenazando al poeta, pese a su aparente alegría de siempre. Como vimos, Lorca le había hablado en 1928 de sus problemas, y no sólo estaba al tanto de la homosexualidad del poeta sino de su atormentada relación con Emilio Aladrén. Rubio Sacristán, recién terminado en Alemania su doctorado de Historia del Derecho, acaba de conseguir una cátedra en España. Pero antes de tomar posesión ha decidido estudiar algunos cursos de Economía en Columbia. Durante su estancia verá a Lorca con frecuencia, y es probable que ninguno de los amigos del poeta en la metrópoli estuviera más capacitado para entender su verdadero estado de ánimo durante estos meses.[136]

La llegada de Rubio Sacristán a Nueva York coincide con el gran crac, que impresiona hondamente al Lorca que unos meses antes ha visitado la Bolsa con Colin Hackforth-Jones y ha visto «el espectáculo del dinero del mundo en todo su esplendor, su desenfreno y su crueldad».[137] Vuelve ahora a Wall Street y, según le cuenta a su familia, pasa más de siete horas entre la desgarrada muchedumbre, presenciando épicas escenas de histeria, gritos y lamentaciones. Hasta dice haber visto el cadáver de un suicida, que se acababa de tirar del piso 16 de un hotel. Se congratula de haber sido testigo personal del espantoso hundimiento: «Desde luego era una cosa tan emocionante como puede ser un naufragio, y con una ausencia total de cristianismo. Yo pensaba con lástima en toda esta gente con el espíritu cerrado a todas las cosas, expuestos a las terribles presiones y al refinamiento frío de los cálculos de dos o tres banqueros dueños del mundo».[138]

No tardó en transformar lo presenciado aquella tarde en materia poética, además de manantial de exageraciones (con el paso del tiempo el suicidio se convertiría en seis).[139] El acontecimiento había servido para reforzar su anticapitalismo radical, ya patente en su obra temprana. En «Danza de la muerte», en la cual se imagina la llegada a Wall Street de un espectral bailarín africano enmascarado, la denuncia de la «civilización» blanca cobra dimensiones apocalípticas:

> *El mascarón bailará entre columnas de sangre y de números,*
> *entre huracanes de oro y gemidos de obreros parados*
> *que aullarán noche oscura por tu tiempo sin luces,*
> *¡oh salvaje Norteamérica! ¡oh impúdica! ¡oh salvaje,*
> *tendida en la frontera de la nieve!*[140]

Inolvidable es la visión del final del poema en que la jungla africana destruye la megalópolis, símbolo del desprecio del hombre blanco, obsesionado con el dinero:

> *Que ya las cobras silbarán por los últimos pisos,*
> *que ya las ortigas estremecerán patios y terrazas,*
> *que ya la Bolsa será una pirámide de musgo,*
> *que ya vendrán lianas después de los fusiles*
> *y muy pronto, muy pronto, muy pronto.*
> *¡Ay, Wall Street!*[141]

Es la misma voz que, once años antes, en *Impresiones y paisajes*, había tronado contra las autoridades del Ayuntamiento de Santiago de Compostela por no ocuparse con la debida caridad de los niños abandonados en el hospicio arruinado. Pero ahora la denuncia no se dirige tanto contra individuos como contra toda una sociedad y, también, la Iglesia católica, como se aprecia en la tremenda diatriba que es «Grito hacia Roma».

Hemos visto que el «yo» de la *juvenilia*, tan admirador de Jesús, desprecia a quienes dicen representarlo en la tierra, empezando por el Papa («Al sumo sacerdote que representa a Cristo, le besáis los pies y lo tenéis encerrado en palacios de mármol. Mirad que las calles están llenas de niños sin madres que les den la leche de su pechos»).[142] El poeta retoma el hilo en Nueva York al formular la tremenda protesta y denuncia lanzada en «Grito hacia Roma» contra el Vaticano y el Papa actual, Pío XI, cómplice de Mussolini y el fascismo.

En el dorso del manuscrito, que se titula sencillamente «Roma», hay dos títulos tachados, «Injusticia» y «Oda de la injusticia», tal vez previstos en un principio para el poema.

La protesta, con su terrible imprecación inicial, se lanza, para que se oiga bien, desde el entonces más alto rascacielos del Nuevo Mundo, el Chrysler Building (no se había terminado todavía el Empire State). Y con un lenguaje clarísimo, contundente:

> El hombre que desprecia la paloma debía hablar,
> debía gritar desnudo entre las columnas
> y ponerse una inyección para adquirir la lepra
> y llorar un llanto tan terrible
> que disolviera sus anillos y sus teléfonos de diamante.
> Pero el hombre vestido de blanco
> ignora el misterio de la espiga,
> ignora el gemido de la parturienta,
> ignora que Cristo puede dar agua todavía,
> ignora que la moneda quema el beso de prodigio,
> y da la sangre del cordero al pico idiota del faisán.
>
> Los maestros enseñan a los niños
> una luz maravillosa que viene del monte;
> pero lo que llega es una reunión de cloacas
> donde gritan las oscuras ninfas del cólera.
> Los maestros señalan con devoción las enormes cúpulas
> sahumadas,
> pero debajo de las estatuas no hay amor,
> no hay amor bajo los ojos de cristal definitivo.
> El amor está en las carnes desgarradas por la sed,
> en la choza diminuta que lucha con la inundación;

*el amor está en los fosos donde luchan las sierpes del
hambre,*
en el triste mar que mece los cadáveres de las gaviotas
y en el oscurísimo beso punzante debajo de las almohadas.
Pero el viejo de las manos traslúcidas
dirá: amor, amor, amor,
aclamado por millones de moribundos.
Dirá: amor, amor, amor,
entre el tisú estremecido de ternura;
dirá: paz, paz, paz,
entre el tirite de los cuchillos y melenas de dinamita.
Dirá: amor, amor, amor,
hasta que se le pongan de plata los labios... [143]

Siguen, en el manuscrito, tres versos de explícito contenido revolucionario luego suprimidos. Se trata de una llamada a la Internacional gay, condenada a no poder vivir abiertamente, sin temor
y sin vergüenza, la vida que le pertenece:

Compañeros de todo el mundo
hombres de carne con vicios y con sueños
ha llegado la hora de romper las puertas. [144]

«Las puertas no se rompieron —ha escrito Ángel Sahuquillo—. El amor de Lorca no fue reconocido ni aceptado, ni siquiera
entre quienes decían querer al poeta [...] Sin el apoyo de su familia ni de sus amigos, no tuvo fuerzas para defender abiertamente
sus "normas oprimidas". Testamentó su "signo" a quienes, en un
futuro lejano, quizá podrían romper el pulso del estilo para, como
diría Whitman, poner fin a todo este 'show' de las apariencias.» [145]
Los últimos dos versos de «Grito hacia Roma» («porque queremos que se cumpla la voluntad de la Tierra / que da sus frutos
para todos») contienen un claro eco, quizá inconsciente, del inicio
de *El contrato social* de Rousseau, texto frecuentado por el poeta,
se infiere, cuando estudiaba a regañadientes Derecho. El pensador francés imagina el momento nefasto en que alguien, en los albores de la humanidad, se encargó de cercar un terreno diciendo
que era de su propiedad y se convirtió así en «el verdadero fundador de la sociedad civil». «Cuántos crímenes —reflexiona Rousseau—, cuántas guerras, cuántos asesinatos, cuántas miserias y
cuántos horrores le habría ahorrado al género humano quien, arran-

cando las estacas o rellenando la zanja, hubiera gritado a sus semejantes: Tened cuidado de no hacerle caso a este impostor: estáis
perdidos si os olvidáis de que los frutos son para todos y la tierra no pertenece a nadie.»[146]

En el tremendo poema «Nueva York. Oficina y denuncia», la
condena de quienes abominan de los sexualmente diferentes se
hace explícita:

> Yo denuncio a toda la gente
> que ignora la otra mitad,
> la mitad irredimible
> que levanta sus montes de cemento
> donde laten los corazones
> de los animalitos que se olvidan
> y donde caeremos todos
> en la última fiesta de los taladros.
> Os escupo en la cara...[147]

Si el poeta tiene presentes en su obra a todos los que sufren, a
todos los marginados y perseguidos de la tierra, a todas las víctimas de la intolerancia y del desprecio, parece indudable que aquí
está pensando sobre todo en la casta «maldita» a que él mismo
pertenece. O sea, la otra mitad ignorada, *irredimible* precisamente porque no puede ser de otra manera... y porque no tiene perdón
ni de Dios.[148]

Cine y teatro

Son los días inaugurales del cine sonoro y nuestro poeta se convierte pronto en aficionado incondicional. «Se pueden conseguir
maravillas —informa a sus padres—. A mí me encantaría hacer
cine hablado y voy a probar qué pasa. En el cine hablado es donde
aprendo más inglés. Anoche mismo vi una película de Harold el
gafitas, hablada, que era deliciosa. En el cine hablado se oyen los
suspiros, el aire, todos los ruidos, por pequeños que sean, con una
justa sensibilidad.»[149]

Se trata de *Welcome Danger*, la primera incursión de Harold
Lloyd en el nuevo medio.[150] Salvo ésta, no queda constancia de qué
películas sonoras vio durante su estancia, aunque hay frecuentes
referencias al cine en sus cartas a casa. En estas fechas, además,

se presentaron en Nueva York varias películas habladas en español y es probable que también viera alguna o algunas de ellas.[151]

Que sepamos no trabajó, durante su estancia neoyorquina, en un proyecto de cine sonoro. Su guión *Viaje a la luna*, se compuso pensando en el mudo, pero no necesariamente antes de haber visto su primera película hablada. La escasa información que poseemos sobre su nacimiento procede de Emilio Amero, el artista mexicano con quien, acompañado de García Maroto, visitaba Small's Paradise en Harlem para oír jazz. Amero, gran aficionado al cine, acababa de rodar un corto, *777*, que pasó para el poeta. Su tema giraba en torno a las máquinas de calcular norteamericanas. Lorca, impresionado, habló con Amero de *Un Chien andalou,* que aún no podía haber visto, pero acerca de cuyo guión estaba evidentemente bien informado. Había leído, casi seguramente, la brillante reseña del estreno de la revolucionaria película publicada por Eugenio Montes aquel junio en *La Gaceta Literaria* (hay que suponer que la gran revista de Ernesto Giménez Caballero era lectura obligada entre los españoles e hispanistas de Nueva York), y es posible incluso que hubiera leído el guión de la cinta, publicado en varias revistas europeas.[152] Atraído por el surrealismo antes de salir de España, no podía dejar de sentirse muy afectado por el hecho de que Buñuel y Dalí, por mucho que le dolieran las alusiones a su persona contenidas en el guión, habían acaparado la atención internacional con su primera película. Y es probable que, cuando se dispuso a ver qué podía hacer dentro de la misma órbita, sintiera la necesidad de emular lo conseguido por ellos, igual que había hecho literariamente ante el impacto del *Sant Sebastià* del pintor. Según contaría Amero:

> Lorca vio las posibilidades de hacer un guión en la línea de mi película [777] con el uso directo del movimiento. Trabajó en mi casa una tarde haciéndolo. Cuando tenía una idea cogía un trozo de papel y la apuntaba, espontáneamente. Es así como solía escribir. Al día siguiente volvió y añadió escenas en las que había estado pensando durante la noche, lo terminó y dijo: «Tú verás lo que puedes hacer con esto, tal vez resulte algo»... La película era completamente plástica, completamente visual, y en ella Lorca trataba de describir aspectos de la vida de Nueva York como él la veía. Dejó la mayoría de las escenas para que yo las visualizara, pero es cierto que hizo algunos dibujos para demostrar cómo habría que hacer algunas de las escenas más difíciles.[153]

A diferencia de *Voyage à la lune* (1902), la cinta pionera de Méliès, el guión lorquiano no tiene nada que ver con un imaginado viaje a la luna de verdad, sino con uno psíquico al astro en su papel mítico de mansión de los muertos, y ello en busca de un amor que se demuestra imposible. Desde la «cama blanca sobre una pared gris» de la primera secuencia, donde los números 13 y 22 emergen en parejas de las sábanas y van cubriendo la cama como hormigas, hasta la luna y los árboles agitados por el viento en la última, la filiación con la película de Dalí y Buñuel es evidente, si bien en su uso de imágenes eróticas Lorca va bastante más lejos que ellos, y aparece, por ejemplo, no sólo «una doble exposición sobre un sexo de mujer con movimiento de arriba abajo» (secuencia 5) sino, entre extrañas series de metamorfosis, «una luna dibujada sobre fondo blanco que se disuelve sobre un sexo y el sexo en la boca que grita» (secuencia 44).

Confrontando el guión con los poemas neoyorquinos se puede interpretar como narración de un «viaje» del propio Lorca hacia la aniquilación sexual. Es particularmente elocuente en este sentido la secuencia 38: «Doble exposición de barrotes que pasan sobre un dibujo: *Muerte de Santa Rodegunda*».[154] Se trata del tema de dos dibujos hechos en estos momentos. En ambos la cara del personaje moribundo se parece a la del propio poeta, y en ambos el cuerpo está tendido sobre una mesa.* En el fechado «Nueva York, 1929» y titulado, como en el guión, *Muerte de Santa Radegunda*, el personaje está vomitando, parece tener cuatro heridas en el pecho y sangra por los genitales.[155] En el segundo, sin fecha, no hay vómitos, pero el cuerpo sangra por el sexo y está acompañado de la extraña bestia, especie de león, que aparece en otros dibujos suyos de estos meses, de un ángel con lira —símbolo, cabe pensarlo, de la poesía— y de otro personaje que lleva un cirio encendido. Que el protagonista de los dos dibujos sangre por los genitales sólo puede ser alusión a la castración. Es decir, al motivo de sexualidad mutilada que impregna todo el *Viaje a la luna*.[156]

Hay que señalar que el guión subraya el nombre Elena en un contexto de violencia y horror (secuencias 32 y 64). ¿Por qué Ele-

---

* Santa Radegunda —no Rodegunda, como escribe el poeta— era princesa merovingia (520-587), amiga de san Gregorio de Tours. Murió de muerte natural y no está claro el porqué del interés que despertó en el poeta.

na? Aparte de la alusión obvia a la Helena griega, no podemos descartar la posibilidad de una alusión a Eleanor Dove, la novia inglesa de Emilio Aladrén, conocida entre sus amistades españolas como Elena.[157] (En cuanto a Gala, la compañera de Dalí, parece improbable que el poeta estuviera al tanto todavía de que tenía una novia rusa cuyo nombre real era Helena.)

Entretanto el dinero seguía siendo un problema. Poco después de su llegada a Nueva York había empezado a insinuar discretamente, en las cartas a casa, que su asignación mensual de cien dólares no le dejaba suficiente para ir al teatro, lo cual era penoso dada la evidente importancia, para su propia dramaturgia, de conocer lo que se hacía actualmente en la capital cultural del país.[158] El 21 de octubre vuelve a la carga:

> Realmente la vida de estudiante es la más barata de los Estados Unidos, y con cien dólares en otro sitio no podría valerme, pero aquí sí. Veremos a ver si mi presupuesto me alcanza para asistir al teatro, en el que tengo tanto interés. He empezado a escribir una cosa de teatro que puede ser interesante. Hay que pensar en el teatro del porvenir. Todo lo que existe ahora en España está muerto. O se cambia el teatro de raíz o se acaba para siempre. No hay otra solución.[159]

No sabemos qué «cosa de teatro» había empezado a escribir, de evidente intención actualísima y quizá la misma mencionada en una carta a Carlos Morla Lynch.[160] ¿*El público*? Es posible.

Unos días después anuncia a sus padres que una americana rica está interesada en patrocinar el montaje, en versión inglesa, de *Don Perlimplín* o de *Los títeres de cachiporra*.[161] Se trataba, tal vez, de la mexicana María Antonieta Rivas Mercado, presentada a Lorca por García Maroto. Ésta se refirió al encuentro en una carta del 11 de octubre de 1929 dirigida al pintor Manuel Rodríguez Lozano. La descripción de Lorca no tiene pérdida:

> Un extraño muchacho de andar pesado y suelto, como si le pesaran las piernas de la rodilla abajo —de cara de niño, redonda, rosada, de ojos oscuros, de voz grata. Sencillo de trato, sin llaneza. Hondo, se le siente vivo, preocupado de las mismas preocupaciones nuestras: pureza, Dios. Es niño, pero un niño sin agilidad, el cuerpo como si se le escapara, le pesa. Culto, de añeja cultura espiritual, estudioso, atormentado —sensible...[162]

Herschell Brickell no olvidaría nunca algo que le dijo acerca del granadino Rivas Mercado, que pasaba entonces por una grave crisis personal: «Estoy segura de que vosotros pensáis en Federico como poeta, pero un día será más conocido como dramaturgo. Yo he leído algunas de sus obras dramáticas y superan en calidad a sus mejores poemas». María Antonieta no vería el éxito de Lorca en el teatro: en 1931 se suicidaría, de forma espectacular, en la catedral de Notre Dame de París.[163]

Cuando el poeta hablaba a sus padres del «nuevo teatro» que se podía ver en Nueva York, parece ser que no pensaba tanto en los grandes éxitos comerciales del momento como en los teatros marginales del off-Broadway, tales como el Neighborhood Playhouse, el Theater Guild y el Civic Repertory, que montaban interesantes obras contemporáneas.[164] Es probable que llegara a frecuentar a las dos hermanas que habían fundado el primero, en 1915, Irene y Alice Lewisohn (y que en 1933 se encargarían de montar una versión inglesa de *Bodas de sangre*). Durante su estancia el Neighborhood Playhouse puso varios musicales muy animados que quizá viera Lorca: *Un poema pagano*, de Charles Martin Loefler; *La procesión nocturna,* de Henri Rabaud; y *Nochevieja en Nueva York*, de Werner Jansen.[165]

En cuanto al Theater Guild, fundado en 1925, se trataba de una floreciente sociedad que tenía su propio teatro y nada menos que ¡26.000 miembros estables! Ponía obras de Tolstoi, Strindberg, Ibsen, Andreyev, Claudel, O'Neill, Molnar, Shaw y otros destacados dramaturgos contemporáneos. No se sabe con certeza si Lorca asistió a sus representaciones, pero cuesta creer que no estuviera enterado de la labor que llevaba a cabo el Guild.[166]

El Civic Repertory Theater, dirigido por Eva Le Gallienne, se había inaugurado en 1926 y, al igual que el Theater Guild, montaba obras extranjeras. Estando el poeta en Nueva York puso varias piezas de Chejov (*Tres hermanas, La gaviota* y *El jardín de los cerezos)* y, por lo que se refiere a obras españolas, *Canción de cuna* de Gregorio Martínez Sierra, obra que como sabemos Lorca detestaba.[167]

La Nueva York de 1929 también ofrece un estupendo ambiente de jazz y de musicales negros que, según les cuenta a sus padres, son «uno de los espectáculos más bellos y más sensibles que se pueden contemplar».[168] Hay tres teatros en Harlem, a poca distancia de Columbia, famosos por sus revistas negras: el Lafayette, el Lincoln y el Alhambra (a Lorca le encantaría conocer un teatro negro con este nombre). Los blancos que frecuentaban los locales reaccionaban con descomunal entusiasmo ante la vitalidad extremadamente contagiosa tanto de los actores como del público. En ellos, según apuntaban los críticos teatrales del momento, se reía con una espontaneidad desconocida en Broadway.[169]

Lorca, cuya ignorancia del inglés le impedía valorar en su justa medida la cultura norteamericana, concedió demasiada importancia al arte negro de Estados Unidos y, cuando volvió a España, haría declaraciones en este sentido que sólo se podían tomar en serio los que no sabían absolutamente nada de la cuestión. Aun cuando durante su estancia leyó, como hemos señalado, una traducción española de *Manhattan Transfer* y otra de *The Waste Land* de Eliot y conoció a Hart Crane y a la novelista sueca negra Nella Larsen, no hay indicios de que tuviera idea de la existencia, por ejemplo, de Scott Fitzgerald (cuyo *El gran Gatsby* era de 1926), ni tampoco de Hemingway (*Fiesta*, con su temática española, se publicó en 1927, y *Adiós a las armas* en septiembre de 1929), de Sinclair Lewis, Faulkner o de cualquiera de los otros novelistas o poetas americanos de la época. Tampoco consta que mostrara interés por saber más. Es evidente que la experiencia de vivir en Nueva York era ya de por sí suficientemente estimulante.

Pudo conocer algo de teatro chino durante su estancia. Parece ser que en agosto asistió a una representación de la compañía Sun Sai Gai, que actuaba en Lower Manhattan.[170] Después, poco antes de abandonar la ciudad, es posible que viera una representación del famoso actor Mei Lan-Fang, del teatro de Pekín, cuyo arte dejó asombrado al público y a los críticos. Éstos subrayaron la tradicional escasez de decorado del teatro chino, así como su sobriedad, su extraordinaria habilidad para la mímica y para sugerir, con el menor gesto, y sin pronunciar palabra, los estados psíquicos más complejos.[171] El teatro chino impresionó a Lorca, según sus declaraciones posteriores, y probablemente influyó en su desarrollo como dramaturgo experimental, confirmándole en su voluntad de liberarse de las cadenas de la tradición y de inventar un nuevo lenguaje dramático capaz de expresar las emociones más recónditas.[172]

Sigue viendo a menudo a Herschell y a Norma Brickell y, en una de sus fiestas, coincide con el crítico musical del *New York Times*, Olin Downes, que unos meses antes había pronunciado una conferencia en la Residencia de Estudiantes y había estado con Adolfo Salazar.[173] Downes prefería la compañía de los escritores a la de los músicos y, para acudir a la velada de los Brickell, había puesto la condición de que, aunque quería conocer a Lorca, no debería haber música. Pero cuando el poeta se sentó al piano y se puso a cantar canciones populares españolas, aceptó lo inevitable. Y disfrutó. Más tarde aquella noche Brickell encontró a los dos en la cocina. Hablaban de música, muy serios ambos, en un francés execrable.[174]

A mediados de octubre llega a Nueva York la gran bailarina Antonia Mercé, la Argentina, a cuyo camerino en París no habían logrado acceder aquel junio Fernando de los Ríos y Federico. En Town Hall, donde actúa con enorme éxito, no pasa lo mismo y allí la visita una noche el poeta, acompañado de los Brickell.

Mercé fue homenejeada dos veces durante su estancia y en ambos actos participó Lorca. En el primero, celebrado el 10 de diciembre en la Universidad de Columbia, lee algunas de las composiciones de *Poema del cante jondo*. A finales de mes la bailarina le dedica una foto: «García Lorca, siga diciéndonos, como usted sabe, de nuestra España». En el segundo homenaje, ofrecido por las encopetadas damas del Cosmopolitan Club a principios de febrero de 1930, el poeta lee un breve y apasionado elogio de Antonia en el cual la compara con «los grandes maestros de la danza española» que son, quizá para sorpresa de los oyentes, toreros: Joselito, Lagartijo y, sobre todo, Juan Belmonte. Antonia Mercé, para Lorca, es «una heroína de su propio cuerpo» que supera las raíces de su arte, orientales y profundas, para llegar a una creación personalísima. No se trata de resucitar sino de inventar. «Lo maravilloso de la danza española —dice— es que en ella, como en el cante jondo, cabe la personalidad, y por lo tanto la perenne aportación individual, y por lo tanto la perenne modernidad y el genio.»[175]

Muy consciente de la raíz *jonda* de su propio arte, así como de poseer una capacidad improvisadora innata, en la sangre, sabía de lo que hablaba.

Entretanto le atrae el proyecto de componer una colección de sonetos y ya ha compuesto por lo menos dos: «Yo sé que mi perfil será tranquilo...»[176] y «Adam», fechado el 1 de diciembre de 1929. En éste se contrasta al Primer Padre bíblico, evocado en los ocho versos iniciales, con otro bien distinto:

> Adam sueña en la fiebre de la arcilla
> un niño que se acerca galopando
> por el doble latir de su mejilla.

> *Pero otro Adam oscuro está soñando*
> *neutra luna de piedra sin semilla*
> *donde el niño de luz se irá quemando.*[177]

La luna con la cual sueña el «otro Adam oscuro», y donde se consumará el niño deseado, acumula signos de muerte. ¿Podemos dudar de la homosexualidad, de la condición *no procreativa*, de este Adán? ¿Y no es lícito deducir que, si el poeta ha dedicado un soneto al tema, es porque se identifica con el personaje y siente «como una desposesión sustantiva», según ha escrito García-Posada, «la esterilidad de la condición homoerótica, el resplandor intransitivo de la "neutra luna de piedra sin semilla"»?[178]

El poema aparece, así, como evidente precursor de los llamados *Sonetos del amor oscuro* compuestos en su mayoría en 1935 y sólo editados cuatro décadas después del asesinato del poeta.

Lorca lleva ya seis meses en Manhattan y de pronto son las fiestas de fin de año. La Nochebuena —la primera lejos de su familia— cena en casa de Federico y Harriet de Onís. También está Mildred Adams. Además del árbol tradicional, hay un altarcito con una Virgen de alabastro traída de España y los anfitriones invitan a los presentes a encender una vela y a formular un deseo secreto. Profundamente conmovido por estas atenciones, el poeta corresponde con una lectura de *Don Perlimplín*. «Estábamos tan entusiasmados —escribe Mildred Adams— que Federico insistió en darme el manuscrito para que lo tradujera al inglés. Lo hice, pero…» Cabe presumir que la tarea resultó demasiado exigente para sus conocimientos del idioma.[179]

A medianoche recogen a Lorca los Brickell y le llevan a oír misa del gallo en la iglesia católica de San Pablo Apóstol, situada en la esquina de Columbus Avenue con la calle 60. Es un gesto exquisito. Le emocionan la belleza de la ceremonia y, una vez más, la variedad étnica de los comulgantes. Pero no puede olvidar las incomparables misas del gallo oídas en Asquerosa y en el convento de las Tomasas, en lo alto del Albaicín granadino.[180]

A pesar del cariño con que lo acogieron y mimaron sus amigos españoles y americanos durante las fiestas, cabe pensar que echaba intensamente de menos a los suyos. En «Navidad», compuesto el 27 de diciembre, expresa la amarga soledad del hombre contemporáneo, separado de Dios y de la Naturaleza, y condenado a vivir en una sociedad dura y materialista. Vuelve el motivo del marinero, símbolo de desarraigo y de vulnerabilidad:

He pasado toda la noche en los andamios de los arrabales
dejándome la sangre por la escayola de los proyectos,
ayudando a los marineros a recoger las velas desgarradas
y estoy con las manos vacías en el rumor de la desembocadura.
No importa que cada minuto
un niño nuevo agite sus ramitos de venas
ni que el parto de la víbora desatado bajo las ramas
calme la sed de sangre de los que miran los desnudos.
Lo que importa es esto: Hueco. Mundo solo. Desembocadura.
¡Alba no! ¡Fábula inerte!
Sólo esto: Desembocadura.
¡Oh esponja mía gris!
¡Oh cuello mío recien degollado!
¡Oh río grande mío!
¡Oh brisa mía de límites que no son míos!
¡Oh filo de mi amor! ¡Oh hiriente filo!...[181]

Ante la evidencia de versos como éste, escritos en vísperas de su salida para Cuba, resulta difícil creer que en Nueva York, pese a su éxito social, el poeta conociera la felicidad.

Últimos días en Nueva York

Dos días después de «Navidad» compone «Paisaje de la multitud que vomita» (29 de diciembre), luego «Luna y panorama de los insectos» (4 de enero de 1930), «Stanton» (5 de enero), «Pequeño poema infinito» (10 de enero) y «Sepulcro judío» (18 de enero). Son poemas impregnados de muerte, asco, horror y piedad, con un fondo nocturno de cementerios, hospitales y muelles, donde pacientes moribundos y marineros borrachos avanzan haciendo eses bajo la luna y unos bruscos cambios de tiempo verbal expresan el desgarro emocional que los ha inspirado. Tal vez tenga particular interés biográfico el «Pequeño poema infinito», ya aludido, donde el narrador declara abruptamente que «equivocar el camino es llegar a la mujer» y rechaza la asunción de que el amor heterosexual, con la reproducción de la especie que lleva aneja, y su supuesta armonización de contrarios, constituya un objetivo necesariamente deseable.[182]

Más o menos por estos días abandona su habitación de John Jay Hall, donde ha vivido desde septiembre. Comparte piso durante algunas semanas con José Antonio Rubio Sacristán en el 542 West 112th Street, esquina con Broadway, aunque Rubio lo negará años después, alegando que el poeta había «desaparecido» con un amigo no identificado.[183] Lo que parece cierto es que vive una temporada en la célebre International House —la residencia que le había vedado Federico de Onís a su llegada a Nueva York— donde conoce a un joven (y luego muy reputado) crítico de arte catalán, Josep Gudiol.[184]

El 21 de enero de 1930 pronuncia en el Vassar College su primera conferencia en Estados Unidos: una versión retocada de la charla sobre las canciones de cuna españolas, dada por vez primera en 1928 en la Residencia de Estudiantes.[185] En relación con la misma hay una pequeña anécdota que demuestra hasta qué punto seguía siendo problema acuciante para el poeta la dependencia económica de su padre. Le habían ofrecido cien dólares por la charla, exactamente la cantidad que recibía cada mes de casa. Al ser informado luego de que la administración de Vassar sólo podía darle setenta y cinco, cogió la pluma y escribió a la profesora que llevaba el asunto. Se trata de un Lorca prácticamente inédito:

> Su carta que acabo de recibir me ha hecho una impresión que me sería difícil expresar. Mi primera reacción ha sido la de no ir a Vassar, cuya invitación acepté solamente para complacer a ustedes, esperando que había de ser tratado con la debida consideración, en lo que veo que me he equivocado. Pero como el dejar de asistir pudiera ser interpretado como una informalidad por mi parte, y como yo no quiero que ese desprestigio caiga sobre mí, no sólo como persona, sino sobre todo como español y en una institución extranjera, haré el sacrificio de ir y dar mi conferencia, en atención a los estudiantes y al colegio.[186]

Mejor setenta y cinco dólares que nada, desde luego. «Me pagaron 75 dólares, después de tanto homenaje, por las barbaridades que les dije —contó el poeta a su familia, añadiendo para rematar—: Pero estos 75 dólares son para un traje y unos zapatos, pues estoy lo que se dice *en cueros. En cueros*. No tengo ropa ninguna y sólo he ido presentable merced a cierta *fantasía combinatoria* que yo tengo, pero ya no puedo seguir así. Por eso os pedí que me enviarais cuarenta dólares más.» Está claro, por el tono de la observación, que vivir en Nueva York con una mensualidad de cien dólares no era broma, máxime para alguien que quería ver cine y teatro y permitirse de cuando en cuando unos pequeños caprichos.[187]

En su contestación, fechada el 10 de febrero de 1930, Vicenta Lorca recomendó, como siempre, no sólo trabajo, sino «orden y constancia» en él. En cuanto a la situación económica de Federico, sentía mucho que su hijo mayor estuviera «en cueros». Pero, con los cuarenta dólares que les habían mandado el mes pasado y los setenta y cinco que acababa de ganar estaba segura de que ya habría podido comprar lo que le hacía falta. Federico ha hecho bien, por otro lado, en «charlarles algo a esas señoritas». Debe aprovechar cualquier ocasión de ganar dinero siempre que no incurra en el ridículo. Y cuando no sea posible, ellos ayudarán, como lo hacen habitualmente, con tal de que no gaste el dinero en tonterías.[188]

Enterada la colonia española de Nueva York de que el poeta estaba en vísperas de marcharse a Cuba, el Instituto de las Españas organizó una velada en su honor. Tuvo lugar el 10 de febrero. Durante ella leyó su conferencia *Imaginación, inspiración, evasión* (1928), titulada ahora *Tres modos de poesía*. Es de suponer que se trataba de una versión bastante revisada del texto original, puesto que, si el primitivo había demostrado la simpatía que le suscitaban las premisas del surrealismo, la obra creada en Nueva York debía no poco a su praxis. Ya podía hablar con conocimiento de causa. La breve descripción de la charla publicada en el periódico *La Prensa* demuestra que habló con renovado fervor de lo que le gustaba llamar «el hecho poético» o «el fenómeno poético puro», libre del control lógico. «Ya no hay términos, ya no hay límites, ya no hay leyes explicables. ¡Admirable libertad!» Según la misma fuente, insistió en que, pese a las apariencias, había numerosos «hechos poéticos» en el *Romancero gitano* —cabe pensar que no olvidaba la crítica de Dalí— y reivindicó para España un surrealismo de ojos abiertos: «Los españoles queremos perfiles y misterio visible, forma y sensualidades. En el norte puede prender el surrealismo, ejemplo vivo la actualidad artística alemana, pero España nos defiende con su historia del licor fuerte del sueño». Aquí también se percibe como un eco de la magnífica crítica de *Un Chien andalou* debida a Eugenio Montes. El reportaje de *La Prensa* tiene el gran valor de mostrarnos a un Lorca sobre quien sigue planeando la sombra del amigo pintor ausente, así como del surrealismo en sí.[189]

Entretanto, el 6 de febrero, han llegado a Nueva York Ignacio Sánchez Mejías y su amante, Encarnación López Júlvez, la Argentinita, que actuará brevemente en la fastuosa *International Review*, de Lew Leslie.[190] Lorca ve a menudo a la bailarina y cantante. Juntos son padrinos del hijo de Federico y Harriet de Onís, o sea compadres, y juntos trabajan arreglando las canciones populares españolas que, en España, grabarán para La Voz de su Amo.[191] El 20 de febrero Ignacio da una conferencia sobre toros en la Universidad de Columbia. Lorca hace la presentación, con tanta maestría y gracia, según el corresponsal de un periódico cubano, que Ignacio, con fingida indignación, declara que el poeta, en vez de prepararle bien el toro, se lo ha estropeado.[192]

La situación política de España acaba de cambiar espectacularmente con la caída, el 28 de enero, del dictador Miguel Primo de Rivera, después de siete años en el poder. Le toma el relevo un general más moderado, Dámaso Berenguer, que promete convocar elecciones generales. El 14 de febrero *La Prensa* da a conocer unas declaraciones de Fernando de los Ríos que casi seguramente lee el poeta. En ellas el catedrático y político socialista expresa la convicción de que está a punto de nacer la España nueva con la que desde hace tantos años sueña. Poco después el mismo periódico trae la noticia de que, después de sus varios años de proscripción, don Fernando ya imparte otra vez clases en la Universidad de Granada. Nada de ello le sería indiferente a Lorca, que tanto ha abominado de Primo de Rivera y su dictadura.[193]

La estancia del poeta en Estados Unidos está terminando y a finales de febrero *La Prensa* informa que en Cuba ya le esperan con impaciencia.[194]

Ha decidido no viajar hasta La Habana en barco desde Nueva York, como habría sido tal vez lógico, pues quiere que la travesía por mar sea lo más corta posible, según comunica a José Antonio Rubio Sacristán. Por lo visto su miedo a ahogarse sigue intacto.[195]

Sube al tren el 4 de marzo de 1930. No sabemos quiénes le acompañaron a la estación, aunque es de suponer que García Maroto estaría entre ellos: por extraño que parezca, las últimas horas del poeta en la metrópoli no se han podido documentar.[196]

A sus padres les escribió luego que había atravesado Estados Unidos, «Norte y Sur Carolina, Georgia, Charleston y Florida», pasado un día en Miami con un exiliado político peruano, Fernando Belaúnde-Terry (más tarde presidente de su país), e improvisado una charla en la Universidad. Miami le ha impresionado:

La playa es la más grande del mundo, naturalmente, y funciona principalmente en invierno, ya que la temperatura es siempre 20 grados. Ahora está llena de millonarios y el espectáculo de la playa llena de sombrillas de colores, automóviles y mujeres desnudas es una de las cosas de más lujo que se pueden ver [...] Miami es de un clima insospechado, sobre todo viniendo de New York; del esfuerzo que aquí han hecho los americanos basta deciros que han construido 40 islas artificiales magníficas para hacer en ellas sus palacios, todas cruzadas de canales por donde corren yates blancos con las bandentas [sic] americanas.[197]

Antes de abandonar Miami manda a la Institución Hispano-Cubana en La Habana un cablegrama: «LLEGARÉ VIERNES TRES TARDE SALUDOS. GARCÍA LORCA».[198]

El jueves 6 de marzo sube en Cayo Hueso (Key West) al vapor norteamericano *Cuba*, procedente de Tampa, y llega a La Habana el día siguiente por la tarde.[199]

El corresponsal neoyorquino del *Diario de la Marina,* el periódico habanero más importante, al comentar el 3 de marzo de 1930 la estancia de Lorca en la metrópoli, acaba de consignar que abandona Manhattan más español, más andaluz y más granadino que nunca.[200] Observación atinada, según los indicios que tenemos al respecto. En su lucha por sobrevivir con dignidad en un medio inicialmente tan ajeno a todo lo que ha conocido antes, se ha dado cuenta, con creces, de cuánto aprecia y añora su propio y lejano país.

CUBA

> «Si yo me pierdo, que me busquen en Andalucía o
> en Cuba»[1]

Por fin, la isla soñada

¡Cuba! Desde su infancia en Fuente Vaqueros había sido un nombre mágico. Quizá sus primeras nociones de la isla procedían de las exóticas etiquetas interiores de las cajas de puros habanos de su padre, donde había contemplado, embelesado, a Romeo y Julieta abrazándose en medio de una lluvia de rosas y de medallas de oro, y había admirado la hermosa cabeza de Fonseca, el magnate tabaquero.[*1] En su imaginación había cruzado en barco delante del Morro o vagado entre bosques de palmeras bajo un cielo turquesa.[2] Había escuchado, además, las lánguidas habaneras de su tía Isabel, acompañándose a la guitarra, de su prima Aurelia y de otros parientes de aquella familia tan musical como «larga». Más adelante le debió de intrigar, al descubrir a Debussy, que tanto *La Puerta del Vino* como *La Soirée dans Grenade* tenían ritmo de habanera, música en absoluto relacionada con la ciudad de la Alhambra. Luego, ya en Madrid, el poeta cubano José Chacón y Calvo le había hablado con entusiasmo de la isla. Razones de sobra para amarla antes de conocerla.

Chacón, que probablemente había presionado para que le invitaran al poeta, se hallaba ahora en La Habana, donde esperaba con ilusión su llegada, al igual que otros muchos admiradores que todavía no le conocían personalmente pero habían leído poemas

---

* En una acotación de la *Escena del teniente coronel de la Guardia Civil*, de *Poema del cante jondo*, «Romeo y Julieta, celeste, blanco y oro, se abrazan sobre el jardín de tabaco de la caja de puros».

suyos o tenido noticias de él. Antes de poner los pies en Cuba, Lorca sabe que en ella, después de su temporada a menudo triste en Norteamérica, lo va a pasar en grande.

Sólo se conocen dos cartas a su familia desde Cuba. En la primera se disculpa por no haber escrito desde Nueva York antes de su salida, y describe sus primeras impresiones. Su recibimiento ha sido «un acontecimiento», aunque lo achaca, no sin falsa modestia, al hecho de que «esta gente es exagerada como pocas». La Habana era maravillosa, tanto la vieja como la actual:

> Es una mezcla de Málaga y Cádiz, pero mucho más animada y relajada por el trópico. El ritmo de la ciudad es acariciador, suave, sensualísimo, y lleno de un encanto que es absolutamente español, mejor dicho, andaluz. Habana es fundamentalmente española, pero de lo más característico y más profundo de nuestra civilización. Yo naturalmente me encuentro como en mi casa. Ya vosotros sabéis lo que a mí me gusta Málaga, y esto es mucho más rico y variado.[3]

En su conferencia-recital sobre Nueva York y Cuba, ofrecida por vez primera en 1932, dará a entender que viajó desde Nueva York a Cuba por mar. ¡Era más pintoresco salir de la metrópoli de la misma manera que había llegado! También pintoresco sería la versión posterior de su desembarco:

> ¿Pero qué es esto? ¿Otra vez España? ¿Otra vez la Andalucía mundial?
>
> Es el amarillo de Cádiz con un grado más, el rosa de Sevilla tirando a carmín y el verde de Granada con una leve fosforescencia de pez.
>
> La Habana surge entre cañaverales y ruido de maracas, cornetas chinas y marimbas. Y en el puerto, ¿quién sale a recibirme? Sale la morena Trinidad de mi niñez, aquella que se paseaba por el muelle de La Habana, por el muelle de La Habana paseaba una mañana.*

---

* Se trata de la protagonista de la conocida habanera de la cual proceden los dos versos citados por Lorca. Rafael Alberti, como buen gaditano que era, conocía bien la canción (véase, en «Fuentes consultadas», Alberti, «Encuentro en la Nueva España con Bernal Díaz del Castillo»).

Y salen los negros con sus ritmos que yo descubro típicamente del gran pueblo andaluz, negritos sin drama que ponen los ojos en blanco y dicen: «Nosotros somos latinos...».[4]

Los periódicos de la capital cubana llevan días anunciando su llegada. El *Romancero gitano* es tan famoso en la isla que, como en España, hay gente que cree que su autor es de raza calé. El poema más popular es «La casada infiel», que, con su erotismo explícito y exuberante, ofende a la burguesía católica cubana mientras hace las delicias de los más desenfadados.

Lorca diría en 1933 que, al encontrarse frente al Morro, experimentó «una gran emoción y una alegría tan grandes que tiré los guantes y la gabardina al suelo». «Es muy andaluz —añadió— esto de tirar algo o romper alguna cosa, una botella, un vaso, cuando a uno le alegra algo.»[5] En el muelle le esperaban no sólo la morena Trinidad de la habanera sino, en carne y hueso, los representantes de la Institución Hispano-Cubana que le habían invitado. Entre ellos Chacón y Calvo (se pueden imaginar los abrazos), el joven escritor Juan Marinello y el periodista Rafael Suárez Solís.[6] Encargado de una sección de temas españoles en el *Diario de la Marina,* éste había informado aquella misma mañana a sus lectores de la inminente llegada a Cuba de un poeta español auténticamente revolucionario. Sería uno de los mejores amigos del granadino en La Habana.[7]

Como a todos los invitados de la Institución Hispano-Cubana, lo alojaron en el hotel La Unión, situado en medio de un laberinto de callejuelas estrechas de carácter marcadamente andaluz. Poco después de desembarcar declaró que La Habana le parecía «un Cádiz grande, con mucho calor y gente que habla muy alto».[8] En realidad los habaneros no hablan tan alto. Se trataría más bien del contraste con Nueva York, donde habría notado que, salvo en la Bolsa o los partidos de rugby, la gente no solía levantar la voz.

Fue comprobando desde su primer día en Cuba que Andalucía y ella tenían, en efecto, mucho en común y estaban unidas por unos hilos sutilísimos de temperamento y cultura. Sus intuiciones acerca de la influencia andaluza en la música cubana quedarían plenamente confirmadas al conocer a varias autoridades en la materia, entre ellas Fernando Ortiz, gran especialista en cultura afrocubana. En cuanto a los jóvenes mulatos, con su piel color chocolate, su andar rítmico y sus cuerpos de impresionante belleza, suscitaron de inmediato su entusiasmo. Hay numerosos indicios de que fue en Cuba donde Lorca empezó a vivir con más soltura su condición de homosexual.

Una de las primeras cosas que hizo al llegar a La Habana fue ponerse en contacto con Antonio Quevedo y María Muñoz, matrimonio español amante de las artes, especialmente la música, que llevaban varios años en la ciudad. María, excelente pianista y alumna en Madrid de Manuel de Falla, había fundado, con su marido, el Conservatorio de Música Bach, la revista *Musicalia* y la Sociedad de Música Contemporánea. La casa de la pareja, ubicada en la calle de la Lealtad, era un relevante foco de cultura en la capital y allí agasajaban a todos los conferenciantes españoles que arribaban a la isla.[9]

Unas pocas semanas antes de la llegada de Lorca, los Quevedo habían recibido una carta de Falla en la que el compositor les rogaba que se ocuparan cariñosamente de él durante su estancia entre ellos. «Si les digo —escribía— que este poeta y músico es uno de mis mejores amigos granadinos es sólo la mitad de la verdad, pues es también, por muchos conceptos, uno de mis discípulos que más estimo en todo orden, y es también, refiriéndose a lo popular español, un excelente colaborador.» Y seguía:

> Cuando quiere Dios que se logre un artista de tal calidad, no sólo capaz de asimilar en lo técnico lo necesario para su trabajo, sino de superar lo que la técnica tiene de mero oficio (y éste es el caso de García Lorca en sus armonizaciones del folclore español), es cuando comprendemos la enorme diferencia entre lo que es producto de enseñanza y lo que surge por obra de la creación personal, ayudado por esta enseñanza.
>
> No quiero decirles más sobre nuestro Federico, sino que lo pongo en sus manos y entre las de sus amigos y discípulos. Él es digno de cuantas atenciones se tengan con él, en lo personal y en lo artístico. Quisiera que vieran ustedes en Federico algo como una prolongación de mi persona, y que, como siempre, tengan muy presentes el afecto y la gratitud de su amigo, Manuel de Falla.[10]

Toda vez que al compositor le habían hecho sufrir los fragmentos de la *Oda al Santísimo Sacramento del Altar* que Lorca le había dedicado en la *Revista de Occidente*, estas palabras, nobles y sinceras, cobran un especial relieve.

El poeta no decepcionó a los que le esperaban con tanta impaciencia. Los cubanos quedaron tan impresionados con su personalidad y dones como él con la belleza del país y la vitalidad de sus habitantes. En Cuba, como había previsto, se encontraba en su salsa.

Pronunció cinco conferencias en el Teatro Principal de la Comedia de la Habana. Iban a ser tres, pero, ante el éxito obtenido, la Institución Hispano-Cubana le invitó a dar dos más.[11] Fueron, el 9 de marzo, *La mecánica de la poesía* (nueva versión de *Imaginación, inspiración, evasión en la poesía*, pronunciada primero en 1928 y, posteriormente en el Vassar College); el 12 de marzo, *Paraíso cerrado para muchos, jardines abiertos para pocos. Un poeta gongorino del siglo XVII* (la conferencia sobre Pedro Soto de Rojas que diera en Granada en 1926 y después en la Residencia de Estudiantes en 1928); el 16 de marzo, *Canciones de cuna españolas* (dictada en la «Resi» en 1928, luego también en Vassar); el 19 de marzo, *La imagen poética en don Luis de Góngora* (1926 y después en otras varias ocasiones); y, el 6 de abril, *Arquitectura del cante jondo*, versión revisada de la dada en Granada en 1922.[12]

Los periódicos se ocuparon profusamente de las conferencias (la última ante un lleno impresionante, pese a una lluvia torrencial). La gente hacía cola para comprar entradas, que se agotaban nada más ponerse a la venta, y a las pocas semanas Lorca era famoso en La Habana. Quizá se trataba de un triunfo previsto por el poeta, toda vez que en Nueva York había podido comprobar el efecto de su carisma sobre públicos negros, blancos, españoles e hispanoamericanos. ¿Dónde, si no en Cuba, iban a apreciar a fondo su arte y su duende?

No todas las reacciones fueron positivas, sin embargo, y, cuando el crítico Francisco Ichaso, en el momento de hacer la presentación de la primera conferencia, leyó algunos fragmentos de la *Oda al Santísimo Sacramento del Altar,* más de uno se indignó.[13]

El 25 de marzo Vicenta Lorca contesta la carta en que Federico les ha anunciado su llegada a Cuba. El tono es el que le conocemos: quejumbroso, serio, con el énfasis puesto sobre cuestiones económicas y los beneficios que según ella tiene la obligación de extraer de su viaje. Federico no les había escrito antes de salir de Nueva York, como vimos, y su madre esperaba ahora una larga carta en la cual les transmitiera sus primeras impresiones. ¡Pero no ésta, tan corta e insatisfactoria! Una de dos: o Federico está «ocupadísimo y por eso no dices nada de esa tierra» o se ha olvidado de incluir las otras cuartillas (fue, por lo visto, el caso). Quiere saber cuánto le están pagando por las conferencias y, ahora que parece estar «en un plan de trabajo y formalidad», cree que podrá sacar provecho del viaje. ¡Pero que no pierda un segundo, que trabaje todo lo que pueda, máxime en vista de que su padre no ahorra gasto alguno en relación con él! Ella y su marido son «ya viejos», ¿no es verdad que Federico ya tiene edad para, con hechos, demostrar su agradecimiento? Lo único que quieren es verlos a él y a Francisco hechos hombres capaces de dirigir solos el curso de su vida sin necesitar a nadie y tampoco a sus padres. No es por no querer darles dinero. Es por la satisfacción de saber que no lo necesitan. Francisco les ha escrito desde Madrid. Está contento. También están contentos Concha y Manuel Fernández-Montesinos, que se han casado el 7 de diciembre. ¿E Isabel que ya tiene veinte años? Está trabajando mucho, y cuando termine su carrera de maestra piensa hacer oposiciones. Claro, si él y Francisco hubieran estudiado como ella, hace años que estarían «ganando y bien colocados». Termina recomendándole que no se olvide de todo cuanto le está diciendo y que, especialmente, no pierda el tiempo, que para él en estos momentos es lo más valioso.[14]

El 5 de abril, antes de recibir esta carta, Federico ha escrito a casa para ponerles al tanto del extraordinario éxito que están teniendo sus conferencias, tan grande que ya ha repetido algunas de ellas en Caibarién y Sagra (en Caibarién le ha presentado Chacón y Calvo, que está demostrando ser un espléndido anfitrión). Ha tomado parte en una cacería de cocodrilos en las ciénagas de Zapata, sin disparar, claro, un tiro, y sin perder su «sangre fría» ante el espectáculo de tanto monstruo; y ha estado en una fiesta ofrecida por una asociación de damas distinguidas, donde ha visto a «las mujeres más hermosas del mundo, debido a las gotas de sangre negra que llevan todos los cubanos». Las invitaciones le llueven. Conclusión: «Esta isla es un paraíso. Cuba. Si yo me pierdo, que me busquen en Andalucía o en Cuba». Y un autopiropo: «No olvidéis vosotros que en América ser poeta es algo más que ser príncipe en Europa». Está eufórico.[15]

En sus palabras de presentación en Caibarién —el 30 de marzo—, Chacón y Calvo había demostrado conocer muy bien la personalidad poética del granadino, subrayando que era al mismo tiempo antiguo y moderno y, en lo que se refería a la transmisión de su obra, un juglar nato que confiaba por encima de todo en el contacto directo con el público. Era una apreciación muy parecida a la esbozada en el Ateneo de Valladolid por Jorge Guillén en 1926.[16]

Nunca había tenido la Institución Hispano-Cubano a un invitado tan carismático como Lorca, capaz de llenar teatros. No se saben las condiciones económicas de la visita, pero el hecho es que con sus conferencias cubanas ganó, por vez primera en su vida, un excelente dinero. Se entiende el tono exultante de la carta a sus padres.

Vicenta Lorca la contesta el 24 de abril. Está contentísima con las noticias. Federico está «viendo y disfrutando» como pocos a su edad. Ella espera que todo sea «bien aprovechado» y que no sólo se trate de pasarlo bien. Es su obligación irse acostumbrando a desenvolverse sólo con lo que gana él. Y si así resulta, ¡que les regale a ellos lo que sobre, que ojalá sea mucho! Debe procurar, claro está, no gastar todo lo que gane, para poder llevar a España algo ahorrado con lo cual poder seguir viviendo con independencia.

La carta tiende a confirmar que, para Vicenta Lorca, la vida es sobre todo un asunto económico, un entramado en el cual el pagar y el cobrar, el calcular, el trabajar y el aprovechar parecen casi más importantes que cualquier otra consideración. Son síntomas de una profunda y al parecer nunca resuelta angustia, secuela en parte, quizás, de haber nacido en el seno de una familia económicamente desfavorecida.

En cuanto a Francisco, está en vísperas de oposiciones al servicio diplomático. Para él también la madre desea éxitos, seguridad, puesto, sueldo. ¿No es verdad que siempre ha tenido mala suerte, y eso que vale mucho? De hecho, dice, a ella le preocupan más las oposiciones de Paco que la carrera literaria de Federico, que ya ha triunfado y que para seguir haciéndolo sólo necesita trabajar (tomando buen cuidado de no desfallecer ni un segundo).

Para terminar hay una sorpresa. Incluye una carta que acaban de recibir de Salvador Dalí, nada menos (carta que no se ha conservado). En ella les pide dinero. ¡Hay que ver! ¡No sabía que su hijo tenía «tanta frescura»! Resulta que después del favor que le ha hecho Dalí, y teniendo Federico dinero para pagarle, no lo ha hecho, tirándolo en divertirse «sin lucir ni parecer». ¡Y ahora les pide el dinero a ellos! [17]

Pero ¿de qué favor se trataba? ¿Del trabajo de Dalí invertido en los decorados de *Mariana Pineda*, que Margarita Xirgu tal vez no le ha retribuido? ¿O de algo inventado por Salvador aprovechando la ausencia del amigo? Al no conocerse la carta no lo podemos decir. La «frescura», de todas maneras, era del pintor y no, como creía ingenuamente Vicenta Lorca, de su hijo. Lorca celebraría luego el asunto, lamentando que no lograra sonsacarle un dinerillo a sus padres.[18]

A éstos les manda recortes de la prensa cubana donde se habla de él para que se los pasen a Constantino Ruiz Carnero y *El Defensor de Granada*.[19] Tomándole el relevo a Chacón y Calvo, le había correspondido a otro amigo, el «rinconcillista» Francisco Campos Aravaca, hacer su presentación el 7 de abril en Cienfuegos, donde, como sabemos, es cónsul de España.[20] El 8 de mayo *El Defensor* recoge el reportaje de un periódico de la localidad donde, después de elogiar al poeta, se comenta el discurso de Campos, calificándolo de «magistral evocación de la inmortal Granada». Parece ser que fue la única vez durante la ausencia de Lorca que la prensa granadina se hizo eco de sus triunfos al otro lado del Atlántico.

Tal fue el impacto de la presencia del poeta en Cienfuegos que se le invitó a visitar otra vez la ciudad. El 5 de junio regresó para dar *La mecánica de la poesía*. Le volvió a presentar Campos Aravaca, y le despidió en la estación un numeroso grupo de intelectuales.[21]

El testimonio incompleto de Antonio Quevedo. Los Loynaz

En 1961 Antonio Quevedo publicó en La Habana un opúsculo sobre la estancia de Lorca en Cuba que sería el punto de arranque de casi todo cuanto se escribió sobre ella a partir de entonces. La imagen que ofrece del Federico cubano se parece a la que matizaría Vicente Aleixandre en 1937: la del poeta-juglar feliz y extrovertido, libre de todo cuidado y angustia, que pasa triunfalmente por la vida cosechando éxitos y parabienes. Tertulias literarias (especialmente las relacionadas con las revistas *Carteles, Social* y *Revista de Avance*); visitas con José María Chacón y Calvo al exclusivista Yacht Club de La Habana, con el propio Quevedo a las magníficas playas de Varadero y al valle de Yumurí, en Matanzas, o con amigos tabaqueros al valle de Viñuales, que le parece «una especie de drama telúrico»; un esporádico contacto con el compositor Serguéi Prokófiev, cuyos dos conciertos no son muy del gusto de los habaneros; consumo masivo de helados; dibujos en álbumes del bello sexo; un recital en la Universidad de La Habana, que provoca la admiración de los estudiantes, entre ellos el joven poeta José Lezama Lima; sesiones de canciones populares; cenas festivas; vagabundeos nocturnos (pero inocentes) a través de la vieja Habana... En el texto de Quevedo se buscará en vano información sobre las aventuras amorosas del poeta en Cuba, de las que todavía hoy se habla en la isla. Y, leyéndolo, ¿quién sospecharía que fue en Cuba donde Lorca escribió *El público*, la más «surrealista» y quizá más angustiada de todas sus obras?[22]

Una de las lagunas más flagrantes del relato de Quevedo, con todo, concierne la amistad de Lorca con la familia Loynaz, que ni siquiera se menciona. Eran cuatro hermanos —Enrique, Carlos Manuel, Flor y Dulce María— cuyo padre, general del ejército cubano, se había distinguido en la guerra contra los españoles. Vivían en una espaciosa mansión del barrio de Vedado, en las afueras de La Habana, rodeada de un jardín tropical. Todos eran de temperamento artístico, y, antes de viajar a Nueva York, Lorca ya había leído algunos poemas de Enrique y Dulce María en *La Gaceta Literaria*, además de tener noticias de los hermanos por José Chacón y Calvo. Parece que incluso mantuvo correspondencia previa con Enrique.[23]

Lo que no podía haber previsto era el extraño mundo en el que iba a penetrar. Los Loynaz habían heredado una considerable fortuna y podían permitirse todos los antojos. La casa, de dimensiones palaciegas y estructura irregular, estaba atiborrada de porcelanas chinas y de Sèvres, de esculturas, muebles franceses del siglo XVIII, cuadros y otros tesoros artísticos mezclados con una enorme cantidad de fruslerías adquiridas durante los numerosos viajes de la familia al extranjero. Pero si a Lorca le chiflaba «la casa encantada», como la bautizó, más le encandilaba el jardín, de aspecto selvático, por el que transitaban unos llamativos pavos reales blancos, tal vez únicos en Cuba, y una pareja de flamencos. Durante dos meses visitaría casi a diario la casa, convirtiéndola prácticamente en su cuartel general en La Habana y trabando especial amistad con Carlos Manuel y con Flor (vegetariana y furiosa enemiga de Gerardo Machado, el dictador cubano entonces en el poder).

Con Dulce María la relación resultó más difícil. Era una persona muy seria, no compartía las tendencias bohemias de los otros y, para empeorar las cosas, había compuesto una inteligente parodia de uno de los romances de Lorca. «¡Es lo mejor que has escrito!» le comentaría Federico, a quien es probable que no le gustara demasiado la ocurrencia. En cuanto a Enrique, parece que también era más introvertido y serio que Flor y Carlos Manuel.[24] Con éste las noches habaneras del granadino adquirieron un ritmo trepidante y a veces terminaban en rincones más alejados, como Guanabacoa, Guanajay o Santa María del Rosario (barrio natal de Chacón y Calvo). Flor recordaría en 1980 que, fuera el que fuera el destino de sus correrías, Federico no volvía nunca al hotel antes del amanecer.[25]

Se encontraba casi tan a sus anchas en «la casa encantada» de los Loynaz como en la Huerta de San Vicente. En ella escribía, tocaba el piano, contaba historias, bebía whisky con soda, leía, recitaba. A veces, si los demás tenían que salir, se quedaba allí solo, uno más de la familia. Dedicaba gran parte de su tiempo con los Loynaz a trabajar en *El público*, leyéndoles trozos que les parecían más o menos incomprensibles. Antes de marcharse de Cuba le regaló a Carlos un borrador, o parte de un borrador, de la revolucionaria pieza, que por lo visto quemó después en un ataque de locura.[26]

Dulce María Loynaz recordaría que no sólo les leyó páginas de *El público* sino algunas escenas de *Yerma,* obra que le ocuparía durante tres años y cuyo origen se remontaba a su infancia, cuando empezó a tomar conciencia de la famosa romería que cada octubre atraía a miles de personas a la romería de Moclín, pueblo situado en las montañas a unos doce kilómetros al norte de la Vega.[27]

El castillo del lugar, construido por los árabes, tuvo un papel importante en la guerra de Granada, y fue tomado por los Reyes Católicos, después de encarnizadas luchas, en 1486. Allí pasaron Fernando e Isabel largas temporadas con su corte hasta la caída de Granada seis años después, cuando regalaron a la iglesia un estandarte de Cristo que les había acompañado a lo largo de toda la campaña. Durante el siglo XVI se comenzaron a atribuir poderes milagrosos al mismo, ya para entonces conocido popularmente como el Santísimo Cristo del Paño, y a finales del siglo XVIII el arzobispo de Granada fijó el día 5 de octubre para su culto. Poco a poco la notoriedad de la festividad anual fue en aumento y terminó convirtiéndose en una peregrinación famosa en toda Andalucía. Nadie parece saber muy bien por qué el Santísimo Cristo del Paño se ocupaba sobre todo de la infertilidad femenina, pero así era, razón por la cual, cada 5 de octubre, Moclín se veía invadido de parejas que no lograban conseguir prole.[28]

Francisco García Lorca ha recordado que una tosca litografía del Cristo del Paño presidía el dormitorio en Fuente Vaqueros que compartían él y Federico.[29] Para principios del siglo XX la romería, conocida localmente como «el día de los Cabrones» había adquirido connotaciones francamente orgiásticas y, si la festividad era causa de muchos embarazos, cabía atribuirlo más a la intervención humana que a la divina, pues participaban en la bacanal centenares de hombres de los contornos. «¡Cornudos! ¡Cornudos!», gritaba la gente de los pueblos colindantes al paso de la interminable procesión, aludiendo a las frenéticas coyundas que, con la esperanza de obtener progenie, tendrían que permitir los sufridos maridos una vez llegados a su destino.[30]

No se sabe con seguridad si Lorca estuvo alguna vez en Moclín durante la romería, o en alguna otra ocasión. Su hermano Francisco afirma que ni él ni Federico pusieron nunca los pies en el pueblo,[31] pero la escritora Marcelle Auclair, muy amiga del poeta, recoge un comentario suyo sobre el cuadro que parece indicar un conocimiento directo de éste: «Mirándolo bien se puede advertir, bajo la capa fina que lo cubre, las pezuñas y el vello enmarañado de un fauno». Tenía razón, además. Es un Cristo singularmente siniestro.[32]

En Madrid, estimulado por los comentarios de Lorca, el compositor Gustavo Pittaluga había compuesto un ballet sobre el tema basado en un argumento del poeta y de Cipriano Rivas Cherif. No se sabe cuándo empezó *La romería de los cornudos,* pero sí que estaba terminada en 1927, año en que se intentó, sin éxito, estrenarla en la Residencia de Estudiantes, con un telón de fondo del escultor y pintor Alberto Sánchez.[33]

El argumento de *La romería de los cornudos* es trivial y el tono festivo. Ni el uno ni el otro tienen mucho que ver con *Yerma* (Sierra, la esposa hasta entonces estéril, acabará teniendo un niño) y parece que la participación de Lorca en el guión fue mínima, limitándose, probablemente, a facilitar información.[34] Lo importante, en todo caso, es que por lo menos a partir de 1927, y quizá antes, había colaborado en un ballet inspirado en la romería de Moclín. No sabemos cuándo empezó a trabajar en *Yerma*, pero los recuerdos de Dulce María Loynaz sugieren que una primera versión de la obra estaba bastante avanzada cuando llegó a Cuba.

Parece que en La Habana trabajó también en *Doña Rosita la soltera,* ya vislumbrada hacía unos diez años. Dulce recordaba, de todos modos, que en su casa interpretó, sentado al piano, algunas de las canciones que aparecen en su primer acto.[35]

Para estas fechas se había hecho buen amigo de Fernando Ortiz, presidente de la Institución Hispano-Cubana, que debió de ponerlo al corriente de los muchos ritos de origen africano que seguían sobreviviendo en la isla. En Madrid, tres años antes, en casa de Chacón y Calvo, había conocido a Lydia Cabrera, cuñada de Ortiz, que más adelante sería renombrada autoridad sobre el folclore cubano, y en el *Romancero gitano* les había dedicado a ella y a su criada en La Habana, Carmela Bejarana, «La casada infiel» («A Lydia Cabrera y a su negrita»). Lydia estaba ya de regreso en Cuba y un día se las ingenió para llevarle a ver una ceremonia ñañiga, hazaña considerable toda vez que en general no se permitía que las mujeres asistieran a sus reuniones (los ñáñigos son una sociedad secreta negra muy temida por sus artes mágicas). Según Cabrera, cuando se acercó al poeta el *diablillo*, con su cara pintada y su misterioso baile, sintió tal pavor que faltó poco para que se desmayara. Dada su obsesión con la muerte, y el interés que le suscitaba el ocultismo, era inevitable que los ritos mágicos cubanos, aún más florecientes que los de los negros en Harlem, le fascinaran.[36]

Pero no se trataba sólo de magia, y Dulce María recordaba que le atraía todo lo relacionado con los negros cubanos, incluidas las notas de sociedad que aparecían en los periódicos de La Habana y donde, imitando las dedicadas a los cubanos «blancos», se proporcionaban descripciones de bodas, bautizos, bailes y otras ocasiones festivas. Pidió a los Loynaz que, cuando abandonara la isla, le enviasen recortes de esas secciones. Pero, si lo hicieron, jamás les llegó un acuse de recibo. Una vez que Federico se fue, la familia no tendría nunca carta suya aunque, unos años más tarde y ya celebérrimo, decidió regalar el manuscrito de *Yerma* a Flor, encargándole a Adolfo Salazar la misión de entregársela en mano.[37]

El teatro Alhambra de La Habana

Lorca coincidió en Cuba con un joven poeta guatemalteco de veintiséis años, Luis Cardoza y Aragón, que acababa de ser nombrado cónsul de su país en la isla. El encuentro tuvo lugar en la redacción de la *Revista de Avance*, y los dos se hicieron pronto amigos.[38]

El novelista cubano Alejo Carpentier, a quien Cardoza había conocido poco tiempo antes en París, le había recomendado que no dejara de visitar el famoso teatro Alhambra de La Habana. El local, cuyo nombre seguramente le divertiría a Lorca, se especializaba en obras disparatadas que satirizaban la corrupción y la injusticia que proliferaban bajo la dictadura de Machado. En la capital cubana la pobreza había reducido a los inmigrantes que llegaban por millares del campo a un estado cercano a la miseria absoluta, había una prostitución para todos los gustos y pululaban casinos para los ricos y los turistas norteamericanos. De todo ello el poeta, siempre sensible a los sufrimientos de sus semejantes, era muy consciente.[39]

El Alhambra era un establecimiento reservado a los hombres. Nadie que se tuviera por mínimamente respetable ponía allí los pies, pues, además de la sátira, cultivaba comedietas picantes interpretadas por llamativas bailarinas. «Teatro total: el público delirante actuaba con los actores delirantes vueltos público delirante», recordaría Cardoza y Aragón. Eran espectáculos procedentes hasta cierto punto de la *commedia dell'arte* italiana, y en ellos intervenían personajes arquetípicos como el Gallego, el Negro, la Mulata, el Policía y el Homosexual, aparte de otros improvisados. A Federico, según Cardoza y Aragón, le encantaba el local.[40] «El teatro Alhambra hacía sus delicias —confirmaría Adolfo Salazar, que llegó a La Habana el 16 de mayo para dar unas conferencias—, y el gallego, el militar, el guajiro y la criolla habían pasado a ser gentes de su intimidad.»[41]

Cardoza, cuyo testimonio sobre la estancia de Lorca en La Habana es insustituible, relata cómo le llevó a uno de los burdeles más opulentos de la ciudad donde, a lo que parece, expresó su extrañeza ante el hecho de que allí sólo había chicas. ¿Por qué no muchachos? El poeta, dueño, en el recuerdo de Cardoza y Aragón, de «suave morfología feminoide, caderas algo pronunciadas, voz tenuemente afectada», le contó que se había bañado en el mar, o en un río, con unos muchachos negros desnudos. Y sigue el guatemalteco: «Su homosexualidad era patente, sin que los ademanes fuesen afeminados: no se le caía la mano. De acuerdo con la división que señala André Gide en su *Diario*, cuando escribe *Corydon*, no sé si fue pederasta, sodomita o invertido. Diría que su consumo abarcó las tres categorías». Cardoza y Aragón nos da a entender que sabe mucho más del Lorca cubano de lo que está dispuesto a revelar.[42]

Durante sus frecuentes conversaciones Federico le habla a menudo y con gran fervor de Salvador Dalí. Cardoza, entusiasta de París y profundo admirador del surrealismo —que se le antoja la nueva religión de la liberación personal— le escucha fascinado, aunque por desgracia parece ser que no apuntó lo que le confió acerca de su relación con el pintor.

Sí tomó nota de algunos de sus proyectos literarios, entre ellos una obra de teatro más atrevida, según alegaba, que todo lo visto hasta la fecha. En comparación, se jactó, Oscar Wilde (cuyo *Salomé* decía admirar) resultaría «una antigualla, una especie de obeso señorón pusilánime». Por la breve descripción que proporciona Cardoza de escenas de una de las piezas en marcha parece que se trataba de *La destrucción de Sodoma*, de la cual llegaría a escribir por lo menos un acto, hoy perdido con la excepción de la primera página del borrador. En ella, según el guatemalteco, tres ángeles como los de Piero della Francesca o Melozzo de Forli cantaban el placer «"de los hombres de mirada verde", que tanto han contribuido a la cultura del mundo».[43]

Cardoza y Aragón —cuyo relato, hasta allí donde se puede comprobar, parece razonablemente fidedigno— alega que los dos planearon escribir juntos una *Adaptación del Génesis para music hall*, especie de farsa a base de ingredientes grotescos y blasfemos (inspirada, cabe pensarlo, por los espectáculos del Alhambra). Pero la colaboración no cuajó.[44]

El temor a contraer cáncer era una de las obsesiones más tenaces de Federico. En mayo se operó en la Clínica Fortún de La Habana de unas verrugas en la espalda que había decidido podían ser mortales. El 22 lo visitó allí Chacón y Calvo.[45] También le fueron a ver los Loynaz y Cardoza y Aragón.[46] Éste le encontró recostado alegremente en su cama rodeado por un grupo de admiradores negros. Cantaba sones con unas maracas y tenía un enorme pez rojo de celuloide a los pies. Recordando en 1936 la escena, todavía aturdido ante la noticia del asesinato del poeta, el guatemalteco evocó su extraordinario carisma, el miedo a la muerte que nunca le abandonaba y su método de trabajo: un absoluto entregarse al impulso creador en los momentos en que éste se hacía sentir, y que le producía una especie de frenesí. Según el guatemalteco, sólo se ponía a escribir cuando ya no podía aguantar por más tiempo la angustia de no expresar los sentimientos que le sacudían.[47]

Cardoza y Aragón no ofrece ninguna información concreta sobre las relaciones sexuales o amorosas del poeta en Cuba. En La Habana todavía circulan muchas anécdotas al respecto, como hemos indicado. Según una de ellas cortejó con éxito a un marinero escandinavo, amante del poeta colombiano Porfirio Barba-Jacob.[48] Según otra tuvo que pasar una noche en la cárcel, acusado de una trivial ofensa homosexual, lo que obligó a sus amigos a rescatarle.[49] Se trata tal vez, en la mayoría de los casos, de bulos sin mucho fundamento. Es seguro, sin embargo, que mantuvo una relación con un guapo y vigoroso mulato de veinte años llamado Lamadrid.[50] Mientras que con la familia de otro joven y apuesto habanero, Juan Ernesto Pérez de la Riva, se vio metido en un apuro cuando los acomodados padres del muchacho, al enterarse de la homosexualidad el poeta, le dijeron que no pusiera más los pies en la casa. Pese a ello su amistad con el muchacho siguió adelante y hay indicios de que fue precisamente con Pérez de la Riva —después ingeniero y geógrafo distinguido— con quien pasó algunos de sus días más felices en La Habana.[51]

El enigmático viaje a Santiago de Cuba

Hay un episodio que indica hasta qué punto Antonio Quevedo y María Muñoz fueron incapaces de monopolizar a Lorca, pese a sus esfuerzos en este sentido. Se trata de la visita del poeta a Santiago de Cuba. Había prometido que el 5 de abril daría una conferencia en la ciudad, situada al otro extremo de la isla, a unos mil kilómetros de distancia, pero debido al éxito de las pronunciadas en La Habana le fue imposible acudir en la fecha prevista y hubo que aplazar el acto hasta mayo. Antonio Quevedo nunca se dejaría convencer de que se hubiera producido el viaje, alegando que, de haberlo efectuado, se lo habría dicho a él o a su esposa.[52] Pero el hecho es que sí fue a Santiago, a finales del mes, tras recuperarse de su intervención quirúrgica —sin decir nada a casi nadie— y que leyó allí el 2 de junio, en los salones de la Escuela Normal para Maestros, *Mecánica de la poesía*.[53] Queda un testimonio fotográfico de su visita (ilustración 30). Los Quevedo fueron víctimas de la habilidad del poeta para convencer a sus amigos de que ellos, y sólo ellos, eran los verdaderos, habilidad de doble filo que en ocasiones daba lugar a desagradables escenas de celos, una de las cuales (en relación con Emilio Aladrén) vimos antes.

El viaje a Santiago, que sigue mal documentado —dio la conferencia ante un público reducido— le inspiró el único poema compuesto, que sepamos, durante su estancia en Cuba. Fue el resultado de su fascinación con la música afrocubana que escuchaba en

1. Fuente Vaqueros desde el aire. (Fotografía de *Paisajes Españoles*, Madrid.)

2. La casa natal del poeta en Fuente Vaqueros (calle de la Trinidad, 4) en los años sesenta. Hoy, calle Federico García Lorca. (Fotografía de Marcelle Auclair.)

3. Federico con sombrero de paja, a los dos años, entre los alumnos de Antonio Rodríguez Espinosa.

4. Federico a los doce años.

5. La casa de los García Lorca, hoy desaparecida, en la Acera del Casino Granada. La familia ocupaba las plantas segunda y tercera.

6. Antonio Segura Mesa, profesor de piano del poeta.

2

7. Con Domínguez Berrueta y su grupo en Las Huelgas, Burgos, 1917: Rafael: Gómez Ortega (en la puerta), Federico Berrueta, Manuel Martínez-Carrión y Luis Mariscal.

8. Federico a los dieciocho años. (Fotografía de Rogelio Robles Romero.)

9. Federico (en primera fila) y otros compañeros de la Universidad de Granada posan con Martín Domínguez Berrueta y José Surroca (catedrático de latín), 1917 o 1918.

10. El carmen de Manuel de Falla en Antequeruela Alta, Granada. (Fotografía de F. Roca.)

11. Federico a los veintiún años. (Fotografía de Rogelio Robles Romero.)

12. Federico con, de izquierda a derecha, Ángel Barrios, Manuel de Falla, Adolfo Salazar y, delante de ellos, Francisco García Lorca; hacia 1922. (Cortesía de Maribel Falla.)

13. Vestido de moro en la Residencia de Estudiantes, hacia 1925. (Cortesía de José Bello.)

14. La Residencia de Estudiantes (postal de entonces).

16. Salvador Dalí, Lorca y José «Pepín» Bello en la Residencia de Estudiantes. Según Luis Buñuel, el probable fotógrafo, la imagen se tomó en 1926. (Cortesía de Juan Luis Buñuel.)

15. Alberto Jiménez Fraud hacia 1930.

17. Lorca «haciendo el muerto» en Cadaqués, 1925. (Fotografía de Ana María Dalí entregada por el poeta a la revista neoyorquina *Alhambra* en 1929, para su publicación.)

18. Salvador Dalí, *Naturaleza muerta (Invitación al sueño)* (1926). Cuadro inspirado por la fotografía anterior. (Cortesía de los doctores Giuseppe y Mara Albaretto, Turín.)

19. Lorca retratado por un fotógrafo ambulante en la plaza Urquinaona, Barcelona, 1927. El poeta ha convertido la fotografía en imagen de San Sebastián, con varias alusiones a Dalí, a quien se la mandó.

20. Federico y Dalí en la terraza de la casa de Cadaqués, 1927.

22. Dalí, *Autorretrato*, publicado en *L'amic de les arts*, Sitges, 31 de enero de 1927. Las cabezas de poeta y pintor están fundidas.

21. Ana María Dalí.

23. La cabeza de Lorca yace en la playa al lado de un burro podrido en un gran cuadro de Dalí, hoy en paradero desconocido, *La miel es más dulce que la sangre* (1927).

24. Cuadro de Dalí, hoy en paradero desconocido, reproducido en *La vida secreta de Salvador Dalí* con el pie «Boca misteriosa que aparece en la espalda de mi nodriza». La cabeza es la de Lorca. (Cortesía de Enric Sabater, Andorra.)

25. Lorca y Emilio Aladrén, hacia 1928. (Fundación Federico García Lorca, Madrid.)

26. La famosa visita de la «brillante pléyade» a Sevilla en diciembre de 1927. De izquierda a derecha: Rafael Alberti, Lorca, Juan Chabás, Mauricio Bacarisse, José María Platero, Manuel Blasco Garzón (presidente del Ateneo Hispalense), Jorge Guillén, José Bergamín, Dámaso Alonso y Gerardo Diego.

27. Fotografía tomada con motivo del estreno de *Mariana Pineda* en Granada, mayo de 1929. Entre Lorca y Falla está Margarita Xirgu y, detrás (número 4), Fernando de los Ríos. A la izquierda de Falla, al lado de Aurelia Jiménez González —hija de la prima Aurelia del poeta— está el padre de éste, Federico García Rodríguez.

28. Federico y Philip Cummings delante de «La Gran Muralla de China» Eden Mills, Vermont, agosto de 1929. (Cortesía de Philip Cummings.)

29. El poeta, de aspecto sombrío, con Ángel y Amelia del Río y su bebé en Shandaken, Nueva Inglaterra, septiembre de 1929.

30. La única fotografía que se conoce de Lorca en Santiago de Cuba, 1930. (Fotografía de A. Marín Carulla.)

31. Con unos amiguitos en La Habana, 1930.

11

32. Lorca interpretando el papel de la Sombra con La Barraca en *La vida es sueño* de Calderón, 1932. (Cortesía de Gonzalo Menéndez Pidal.)

33. Vicente Aleixandre, Luis Cernuda y Lorca en Madrid, 1933.

34. Lorca llega a Buenos Aires en 1933. A su derecha, Gregorio Martínez Sierra y María Molina Montero, hija de emigrados de Fuente Vaqueros; a su izquierda, junto a él, el escenógrafo catalán Manuel Fontanals; a la derecha de la fotografía, con gafas, Juan Reforzo, marido de Lola Membrives.

35. El poeta con su madre en la Huerta de San Vicente, Granada, verano de 1934 o 1935. A Eduardo Blanco-Amor, autor de la fotografía, se la dedicó así: «Para Eduardo, con la que yo más amo en el mundo».

36. Ignacio Sánchez Mejías.

37. Dedicatoria del poeta en un ejemplar del *Romancero gitano* perteneciente a Ricardo Molinari. Los sitios «donde yo más he amado»: Buenos Aires, Granada, Madrid y Cadaqués. (Cortesía de Ricardo Molinari.)

38. Lorca con Rafael Rodríguez Rapún en los jardines del hotel Reina Cristina, Algeciras. (Cortesía de Gonzalo Menéndez Pidal.)

39. El poeta retratado por el famoso fotógrafo Alfonso en abril de 1936, durante una entrevista con Felipe Morales, de *La Voz*.

40. Portada del manual fascista de Ramón Ruiz Alonso.

41. Ramón Ruiz Alonso, el ex diputado de la CEDA que delató a Lorca, en una fotografía de febrero de 1936.

42. La Colonia, en Víznar, donde pasó Lorca sus últimas horas. El edificio ha sido demolido. (Fotografía del autor, 1966.)

43. Fuente Grande, el «Ainadamar» de los árabes granadinos, en 1966. (Fotografía del autor.)

La Habana y, sobre todo, el son, baile extremadamente sensual, parecido a la rumba, mezcla de elementos africanos y españoles y entonces popularísimo en toda la isla aunque todavía desconocido en Europa.[54] Federico se convirtió en adicto del género, le tenía «hipnotizado», hizo amistad con los mejores soneros, aprendió a tocar sus instrumentos y las noches terminaban habitualmente en las «fritas» del barrio de Marianao, famoso por su ambiente musical. Allí, según Adolfo Salazar, el poeta rogaba a los soneros que tocasen tal o cual son: «Enseguida probaba las claves, y como había cogido el ritmo, y no lo hacía mal, los morenos reían complacidos haciéndole grandes cumplimientos. Esto le encantaba: un momento después, Federico acompañaba a plena voz y quería ser él quien cantara la copla».[55]

Un día, de pronto, surgió la inspiración y, cuando salió por fin hacia Santiago, ya llevaba en el bolsillo el manuscrito de «Son», publicado poco después en la revista habanera *Carteles* y luego titulado «Son de negros en Cuba»:

> *Cuando llegue la luna llena*
> *iré a Santiago de Cuba,*
> *iré a Santiago,*
> *en un coche de agua negra.*
> *Iré a Santiago.*
> *Cantarán los techos de palmera.*
> *Iré a Santiago.*
> *Cuando la palma quiere ser cigüeña.*
> *Iré a Santiago...*[56]

Explicó a Juan Marinello que en el poema trataba de compaginar su visión infantil de Cuba (el «mar de papel y plata de monedas» de las cajas de puros habanos) con las impresiones ahora recibidas.[57] El poema está repleto de alusiones a lo que ha visto a su alrededor: a los «bohíos», por ejemplo —casas tradicionales con sus «techos de palmera»—, a «las semillas secas» (las maracas de los soneros) y a la «gota de madera» (el instrumento conocido como claves).[58] En cuanto al «coche de agua negra», no hay acuerdo sobre su significado. ¿Imaginaba un viaje desde La Habana a Santiago en un barco de vapor a ruedas?[59] ¿O se trata del tren Central Habana-Santiago, que vomitaba humo negro y que, en realidad, sería el encargado de llevarle a su destino? En Cuba la gente hablaba todavía entonces de «embarcarse» en el tren, pero ¿cómo explicar lo del «agua negra»? ¿Evoca, quizá, el mar de los Sargazos?[60]

A los Loynaz les sentó muy mal que Federico se hubiera marchado a Santiago sin explicaciones. Un día, cuando no apareció por la casa, como tenía por costumbre, fueron a su hotel. Allí les dijeron que acababa de «embarcar» en el tren de aquella ciudad. Tal manera de actuar les pareció a los cuatro hermanos extremadamente rara. Carlos Manuel fue quien más se enfadó, y comentó que, de haber sabido que tenía intención de hacer aquel viaje, él mismo le habría llevado en su coche. Sin embargo, Lorca no quería, al parecer, que nadie le acompañara a Santiago, peregrinaje que revestía para él una importancia difícil de descifrar pero que tal vez tenía una significación religiosa afín a la que le había impulsado a participar en la procesión de santa María de la Alhambra casi exactamente un año antes. Al regreso de su visita no ofreció disculpas ni explicación alguna a sus amigos. Se limitó a traer una medalla del santuario de Nuestra Señora de la Caridad del Cobre —patrona de Cuba, a la que muchos años más tarde Hemingway ofrecería la enseña del Premio Nobel—, y a entregársela a Flor con estas palabras: «De una virgen cubana para otra virgen cubana».[61]

El público y *Oda a Walt Whitman*

Si bien es probable que la semilla de *El público* se sembrara en Nueva York, o que Lorca empezara a vislumbrar allí el drama, no se han encontrado pruebas documentales de que lo comenzara a escribir durante su estancia en la metrópoli. Las páginas iniciales del único manuscrito de la obra que se conoce, conservada por Rafael Martínez Nadal, están escritas, atiborradas de tachaduras, en hojas con membrete del hotel La Unión de La Habana. Tienen todos los visos de pertenecer al primer borrador de la pieza. Por otro lado, como sabemos, trabajó en ella en casa de la familia Loynaz, les leyó trozos y dejó con Carlos Manuel una copia de lo hecho, o parte de lo hecho, hoy perdida. Parece fuera de duda que el grueso del drama se compuso en Cuba. La última página está fechada «Sábado 22 de agosto de 1930», cuando llevaba ya dos meses de vuelta en Granada.[62]

Se ha dicho que *El público* fue la primera obra dramática española en afrontar el tema del amor homosexual,[63] pero ya vimos que Cipriano Rivas Cherif montó en enero de 1929, en el Club Caracol de Madrid, su *Un sueño de la razón*, cuyo tema giraba, veladamente, en torno a la relación de dos lesbianas. Es difícil creer que el poeta no viera la representación, efectuada cuando Rivas Cherif preparaba el estreno de *Don Perlimplín* en la misma sala. Por su estrecha (aunque pobremente documentada) amistad con el director es posible incluso que leyera la obra. En cualquier caso *El público* tenía un reciente antecedente español, aunque Lorca llegaría mucho más lejos en cuanto a tema y tratamiento.

Otro antecedente inmediato, el *Orfeo* de Jean Cocteau, representado con gran éxito por Caracol en diciembre de 1928, le había impresionado. Su influencia sobre *El público* es patente. El misterioso caballo blanco con piernas de hombre —vínculo oracular entre Orfeo y el mundo nocturno del más allá en que tanto anhela penetrar— pudo muy bien ser origen de los de Lorca. Los cómplices de La Muerte, vestidos como cirujanos (con batas blancas, máscaras y guantes de goma), son una clara prefiguración del siniestro Enfermero. Elena (retomada de *Viaje a la luna,* con sus alusiones a Elena Dove, la novia inglesa de Aladrén) está casi seguramente en deuda con La Muerte de Cocteau, mujer ésta «con grandes ojos azules pintados sobre un antifaz negro» (Elena tiene «cejas azules» y una frialdad muy parecida). Hay en ambas obras, además, momentos en que la barrera entre escenario y auditorio queda deliberadamente desdibujada, aunque quizá habría que atribuir tal coincidencia a la influencia de Pirandello. Puede señalarse también que, si Orfeo-Cocteau es un poeta revolucionario en radical desacuerdo con la sociedad contemporánea, cuyas normas estéticas rechaza, en *El público* Lorca defiende «el teatro bajo la arena» —teatro auténtico, visceral, inaugurado por los caballos «para que se sepa la verdad de las sepulturas»— contra «el teatro al aire libre», teatro convencional y superficial que se niega a enfrentarse con la realidad psíquica y social del hombre.

En cuanto a otras influencias contemporáneas sobre *El público*, es difícil creer que el poeta no tuviera noticias, aunque difusas, de los experimentos teatrales llevados a cabo en París por el dadaísmo y el surrealismo entre 1920 y 1930: una treintena de montajes. Parece razonable deducir que, gracias en primer lugar a Cardoza y Aragón, pero también a amigos españoles residentes en la capital francesa, o de paso por la ciudad, entre ellos su hermano, estaría al tanto de algunos de ellos.[64]

¿Hasta qué punto incidió su estancia habanera sobre *El público?* Se infiere que el ambiente circense de la obra, e incluso algunos de sus personajes, proceden del teatro Alhambra, tan frecuentado por el poeta (aunque en ella sólo hay una o dos alusiones directas, de escasa importancia, a Cuba).[65]

Remontándonos más en el tiempo, *El público* tiene una deuda explícita con Shakespeare y, sobre todo, con *Sueño de una noche de verano*. No se trata sólo del recurso de una obra de teatro dentro de una obra de teatro, sino, más importante, de una discusión sobre la accidentalidad del amor inspirada en el episodio del filtro amoroso administrado a Titania por Puck y ya aludido, en 1920, en el prólogo de *El maleficio de la mariposa* (véase p. 172). Refiriéndose a la representación de *Romeo y Julieta* que ha provocado la ira del público, el Prestidigitador de *El público* comenta:

> Si hubieran empleado «la flor de Diana» que la angustia de Shakespeare utilizó de manera irónica en *El sueño de una noche de verano*, es probable que la representación habría terminado con éxito. Si el amor es pura casualidad y Titania, reina de los silfos, se enamora de un asno, nada de particular tendría que, por el mismo procedimiento, Gonzalo bebiera en el *music-hall* con un muchacho [vestido de] blanco sentado en las rodillas.[66]

Y nada de particular que, para otros, el erotismo tuviera una no confesada vertiente sadomasoquista. En este sentido llama la atención la proliferación en la obra de alusiones a castigos, azotes, dominación y humillaciones. Julieta hasta exclama: «No soy yo una esclava para que me hinquen punzones de ámbar en los senos».[67] Es más, el látigo casi adquiere rango de personaje en la pieza y el Hombre 3.º, además de blandir uno, luce muñequeras de cuero con clavos de oro.[68]

El público es a la vez «defensa» e «ilustración» de un teatro nuevo, radicalmente comprometido con los problemas reales de las personas, y un apasionado alegato a favor del derecho de gais (y demás minorías sexuales) a vivir su vida en libertad. Vida imposible en una sociedad homófoba que los estigmatiza como «raza maldita» a la cual hay que reprimir mediante mecanismos que incluyen la interiorización, por parte de las propias víctimas, de un sentimiento de autoculpabilidad y de asco de sí mismos.

Revolucionaria por su contenido así como por su técnica, se trata de una obra extraordinariamente compleja. Y ello tanto por los continuos desdoblamientos, transformaciones y cambios de rol, trajes y disfraces de los personajes —provocados sobre todo por sus pases detrás del biombo de la verdad—, como por los razonamientos onírico-surrealistas de éstos (caballos incluidos). Para que todo sea aún más difícil, es posible que le falte un cuadro (el cuarto) al único manuscrito conocido.[69]

Se puede afirmar, de todas maneras, que en *El público* sólo hay un personaje que se mantiene libre de subterfugios a lo largo de la obra, desnudo de toda máscara o careta: el abiertamente homosexual Hombre 1.º (Gonzalo), al que parece inexcusable identificar con el propio poeta. Así lo ha entendido el eminente lorquista francés André Belamich: «La convicción se nos impone poco a poco de que es el portavoz, la transposición idealizada, heroica, del poeta, a la vez innovador (defensor del teatro de la verdad) y amante abandonado».[70] Y así también, más recientemente, Carlos Jerez Ferrán, para quien Gonzalo es sin lugar a dudas el *alter ego* de Lorca.[71] Gonzalo denuncia una y otra vez a quienes disfrazan su auténtica sexualidad. Se siente traicionado por su amado Enrique (el Director), gay que se niega a asumir sin tapujos su condición de tal, que afecta ser heterosexual y que se resiste, por temor al qué dirán, a poner teatro que afronte los verdaderos problemas de la vida, o sea «teatro bajo la arena». Entre ellos ocurre un intercambio sobre el tema de la máscara que resulta crucial:

> DIRECTOR. En medio de la calle la máscara nos abrocha los botones y evita el rubor imprudente que a veces surge en las mejillas. En la alcoba, cuando nos metemos los dedos en las narices, o nos exploramos delicadamente el trasero, el yeso de la máscara oprime de tal forma nuestra carne que apenas si podemos tendernos en el lecho.
>
> HOMBRE 1.º (*Al Director*) Mi lucha ha sido con la máscara hasta conseguir verte desnudo. (*Lo abraza.*)[72]

Unos segundos después Gonzalo-Hombre 1.º ratifica: «Te amo delante de los otros porque abomino de la máscara y porque ya he conseguido arrancártela».[73] Son palabras que recuerdan enseguida el poema «Tu infancia en Menton», donde el yo acusa al amado, como hace Gonzalo, de autoengaño, y declara que buscará su alma por los rincones «con el dolor de Apolo detenido / con que he roto la máscara que llevas».[74]

Hay más. El verso «el tren y la mujer que llena el cielo», que enmarca el poema, se puede relacionar con el penúltimo cuadro de *El público*, escenificación de la pasión y muerte del Desnudo Rojo, explícitamente identificado con Cristo. Lleva corona de espinas azules, se alude en clave de humor negro a Poncio Pilato y Jerusalén (¡distante tres estaciones de ferrocarril con tal de que no falte el carbón!), está acompañado de los dos ladrones bíblicos, le pide al Padre, como lo hace Jesús, que perdone a sus asesinos y luego le encomienda su espíritu. Que el Desnudo Rojo es otro desdoblamiento de Gonzalo/Hombre 1.º lo corrobora la acotación correspondiente.

Cuando El Enfermero (trasunto del Longinos bíblico), que le está desangrando y le tiene preparada la hiel, anuncia que ya están abiertas las farmacias «para la agonía», el Desnudo Rojo especifica desde su perpendicular cama-cruz: «Para la agonía del hombre solo, en las plataformas y en los trenes».[75] Unos segundos después se muere y la cama gira para revelar, sobre su reverso, al Hombre 1.º, o sea Gonzalo, quien, antes de expirar exclamando «¡Enrique, Enrique!», pronuncia las palabras acaso más desoladoras de toda la obra de Lorca:

> Agonía. Soledad del hombre en el sueño lleno de ascensores y trenes donde tú vas a velocidades inasibles. Soledad de los edificios, de las esquinas, de las playas, donde tú no aparecerás ya nunca.[76]

Se trata, en realidad, de una variante, por cierto impactante, de la representación de su propia muerte con la cual el poeta gustaba de escalofriar a sus amigos íntimos, entre ellos, como hemos visto, Salvador Dalí. Con la diferencia de que aquí la causa del último trance es el amor proscrito, con el trasfondo de la fracasada relación con Aladrén.

Éste iba siempre de un lado para otro a «velocidades inasibles»: inasibles, por lo menos, para Lorca. Y ello en busca imparable de mujeres, o acompañado por ellas. En una entrevista del poeta concedida en 1933 hay una alusión diáfana a aquella proclividad vertiginosa de Emilio: «Hay personas que tienen permanentemente esta "inquietud de estación", que llegan, saludan, hablan como si siempre estuvieran apurados. Yo tenía un amigo así, y por esto lo tuve que perder; pero verdaderamente no era posible tener un amigo que siempre estaba en partida o en llegada».[77]

Se puede añadir que en *Viaje a la luna,* en un contexto de extremada angustia, hay «un cruce en triple exposición de trenes rápidos» (secuencia 48).[78] Está claro que para Lorca tales trenes están obsesivamente asociados con el alejamiento y pérdida de la persona amada.

Si Gonzalo / Hombre 1.º / Desnudo Rojo es trasunto del poeta, lo lógico sería que su amado, el Director / Enrique, lo fuera de Aladrén. Apoya esta probabilidad el hecho de que Lorca diera a la pareja del Director / Enrique el nombre de Elena, relacionado, como se ha señalado, con la novia y luego esposa del escultor, la inglesa Elena Dove. Ella increpa a Enrique por su falsedad e hipocresía. No duda que es gay ni que le está engañando. «¡Vete con él! —le grita, refiriéndose al Hombre 3.º—. Y confiésame ya la verdad que me ocultas. No me importa que estuvieras borracho y que te quieras justificar, pero tú lo has besado y has dormido en la misma cama.»[79]

Es imposible no hallar en *El público*, en fin, la expresión del desgarro y de la profunda soledad interior que invadieron a Lorca a raíz de la pérdida de Aladrén, así como del hecho de tener que seguir llevando una vida doble, enmascarada, disfrazada. En las violentas recriminaciones que se lanzan los personajes, en los celos que los atormentan, en sus estallidos de envenenado despecho, en su miedo a la opinión pública, en la lucha de Gonzalo por vivir con autenticidad... es evidente que está exteriorizando su propia condición de estigmatizado.

Y qué duda cabe, ha padecido lo suyo la homofobia circundante, representada en la obra no sólo por el Centurión, tan orgulloso de su potencia genesíaca como desdeñoso de los gais («¡Malditos seáis todos los de vuestra casta!»),[80] sino por el público que, al descubrir que desempeña el papel de Julieta un chico de quince años enamorado de verdad de quien interpreta a Romeo, pide la muerte del Director, el arrastre del poeta por los caballos y la repetición de la escena ofensiva (la del sepulcro). Público que, no contento con todo ello, mata luego, insaciable, con la aprobación del juez, a los dos actores culpables así como a la Julieta verdadera.

«La doctrina, cuando desata su cabellera, puede atropellar sin miedo las verdades más inocentes», comenta El Estudiante 3 después de cometida la atrocidad.[81]

Así veía Lorca la situación del homosexual en la sociedad de su tiempo.

Con *El público* su propósito era provocar al espectador, hacerle pensar, reaccionar, afrontar sus prejuicios. No podía hacerlo, abiertamente, con un discurso convencional, pero la nueva retórica del surrealismo le proporcionaba la posibilidad de decir lo que quería con la claridad necesaria para que «entendiesen» quienes querían.

El atrevimiento de la obra era tal que ni se arredró ante el tema tabú del coito anal, para el vulgo —sobre todo después del proceso de Oscar Wilde— el *sine qua non* de la homosexualidad. Después de la lucha a muerte, que no presenciamos, de los amantes atormentados, Cascabeles y Pámpanos, el Hombre 1.º (Gonzalo) y el Hombre 2.º se enzarzan en un breve y apasionado intercambio al respecto:

> HOMBRE 1.º Dos leones. Dos semidioses.
>
> HOMBRE 2.º Dos semidioses si no tuvieran ano.
>
> HOMBRE 1.º Pero el ano es el castigo del hombre. El ano es el fracaso del hombre, es su vergüenza y su muerte. Los dos tenían ano y ninguno de los dos podía luchar con la belleza pura de los mármoles que brillaban conservando deseos íntimos defendidos por una superficie intachable.[82]

Si la identificación Lorca-Hombre 1.º (Gonzalo) parece fuera de duda, el intercambio tiende a demostrar que el poeta se resiste a asumir las prácticas anales. Más adelante es el Caballo Negro quien vuelve al asunto en su diálogo con Julieta en el sepulcro. «¡Oh amor, amor, que necesitas pasar tu luz por los calores oscuros! —exclama el equino—. ¡Oh mar apoyado en la penumbra y flor en el culo del muerto!» Las referencias al coito anal son claras.[83]

Jerez Farrán ha analizado «el espíritu moralizante que predomina a lo largo de *El público*».[84] Para el estudioso la insistencia del Hombre 1.º delata el esfuerzo por parte del propio Lorca, en consonancia con el discurso médico del momento, de distanciarse de la analidad. «Tan repleto [sic] de libido reprimida están estas incursiones antisodomíticas —escribe— que solamente se pueden entender como un deseo inconsciente hacia el mismo fenómeno que se reprocha.»[85]

Es difícil no estar de acuerdo. Además lo tiende a confirmar el poema donde Lorca afronta con mayor transparencia su «problema» con la homosexualidad: la estrictamente contemporánea *Oda a Walt Whitman*, empezada, con toda probabilidad en Nueva York, trabajada luego en Cuba y cuyo borrador está fechado «Junio 15»,[86] sin especificar el año pero casi seguramente de 1930. En cuyo caso lo remataría en alta mar dos días después de abandonar La Habana, rumbo a Nueva York y España.

Se trata de uno de los poemas más ambiguos y quizá menos comprendidos de Lorca.

Empieza con una visión desoladora del mundo industrializado y deshumanizado de Nueva York, donde todos tienen que trabajar sin descanso, ir cada mañana, como se dice en el poema «La aurora», «al cieno de números y leyes, / a los juegos sin arte, a sudores sin fruto».[87] En la metrópoli el dinero es rey, la mercancía manda (los judíos hasta convierten uno de sus ritos más sagrados en vil lucro), el hombre es una máquina productiva y no tiene tiempo para la contemplación de la Naturaleza —de la cual vive brutalmente separado—, para la belleza, para la imaginación:

> Por el East River y el Bronx
> los muchachos cantaban enseñando sus cinturas.
> Con la rueda, el aceite, el cuero y el martillo
> noventa mil mineros sacaban la plata de las rocas
> y los niños dibujaban escaleras y perspectivas.
>
> Pero ninguno se dormía,
> ninguno quería ser río,
> ninguno amaba las hojas grandes,
> ninguno la lengua azul de la playa.
>
> Por el East River y el Queensborough
> los muchachos luchaban con la industria,
> y los judíos vendían al fauno del río
> la rosa de la circuncisión,
> y el cielo desembocaba por los puentes y los tejados
> manadas de bisontes empujadas por el viento.
>
> Pero ninguno se detenía,
> ninguno quería ser nube,
> ninguno buscaba los helechos
> ni la rueda amarilla del tamboril.
>
> Cuando la luna salga,
> las poleas rodarán para turbar el cielo;
> un límite de agujas cercará la memoria
> y los ataúdes se llevarán a los que no trabajan.
>
> Nueva York de cieno,
> Nueva York de alambre y de muerte:
> ¿Qué ángel llevas oculto en la mejilla?

¿Qué voz perfecta dirá las verdades del trigo?
¿Quién, el sueño terrible de tus anémonas manchadas?

Evocado el nefasto escenario urbano, donde los trabajadores jóvenes que centran la atención del «yo» enseñan sus bellos torsos desnudos en medio de una maquinaria aplastante, se inicia el elogio de Whitman, cuya imagen contrasta radicalmente con los emblemas de muerte y destrucción que pueblan este paisaje de espanto. Se subrayan la hermosura y la sobriedad del poeta y se alude enseguida a su homosexualidad:

Ni un solo momento, viejo hermoso Walt Whitman,
he dejado de ver tu barba llena de mariposas,
ni tus hombros de pana gastados por la luna,
ni tus muslos de Apolo virginal,
ni tu voz como una columna de ceniza;
anciano hermoso como la niebla,
que gemías igual que un pájaro
con el sexo atravesado por una aguja.
Enemigo del sátiro.
Enemigo de la vid,
y amante de los cuerpos bajo la burda tela.

Ni un solo momento, hermosura viril,
que en montes de carbón, anuncios y ferrocarriles,
soñabas ser un río y dormir como un río
con aquel camarada que pondría en tu pecho
un pequeño dolor de ignorante leopardo.

El Whitman con la barba llena de mariposas —reaparece el emblemático insecto ahogado en el tintero de «Vuelta del paseo»—, a quien no ha podido olvidar el «yo» lorquiano un solo momento en medio de tanta desolación, es tan enemigo de la promiscuidad (el sátiro) como de la ebriedad (la vid). El «yo» quiere hacernos creer que, aunque amante de los cuerpos bajo la burda tela —cuerpos masculinos, por supuesto— el poeta de *Canto a mí mismo* es de alguna manera un homosexual casto, virginal, apolíneo. Suena, de entrada, algo raro.

La siguiente sección aclara, o empieza a aclarar, la cuestión. El «yo» explica por qué no ha podido olvidar nunca a Whitman. La razón no podría ser más inesperada:

Ni un solo momento, Adán de sangre, Macho,
hombre solo en el mar, viejo hermoso Walt Whitman,
porque por las azoteas,
agrupados en los bares,
saliendo en racimos de las alcantarillas,
temblando entre las piernas de los chauffeurs
o girando en las plataformas del ajenjo,
los maricas, Walt Whitman, te señalan.

¡También ése! ¡También! Y se despeñan
sobre tu barba luminosa y casta
rubios del norte, negros de la arena,
muchedumbre de gritos y ademanes,
como los gatos y como las serpientes,
los maricas, Walt Whitman, los maricas,
turbios de lágrimas, carne para fusta,
bota o mordisco de los domadores.

¡También ése! ¡También! Dedos teñidos
apuntan a la orilla de tu sueño
cuando el amigo come tu manzana
con un leve sabor de gasolina
y el sol canta por los ombligos
de los muchachos que juegan bajo los puentes.

Tal vez en toda la obra de Lorca no hay declaración más chocante, más perturbadora. Sabemos que el poeta llevaba diez años tratando de vivir su vida auténtica en una sociedad brutalmente homófoba. Y he aquí que le encontramos lanzando una furiosa diatriba contra los maricas, no contra algunos maricas individuales, sino contra los maricas *como colectividad*. La terminología no podría ser más cruda: los maricas se asocian con podredumbre y excrementos (salen de las alcantarillas como ratas), con el sadomasoquismo (carne para la fusta, botas de los domadores), con el más devastador de los alcoholes (ajenjo). Son un asco. Y la tienen tomada con Whitman, a quien quieren reducir a su propia condición ruin.

El Lorca adolescente de una década antes, interiorizado el discurso antigay circundante y ya intensamente preocupado por su propio dilema sexual, no había sido ajeno al uso peyorativo de la palabra «afeminado». Se aprecia en un momento de la prosa *Fray Antonio (Poema raro)*. Se trata de unos curas. «El que oficiaba con el libro en la mano enseñaba al cantar unos dientes podridos y maltrechos. Otro joven con tipo afeminado y portador de un cirio miraba a unas muchachas asomadas a un balcón mientras decía: "Et lux perpetua luceat eis..."»[88] El joven Lorca, cuando escribió esto, tenía él mismo un aspecto marcadamente afeminado. Ser afeminado, ser considerado afeminado, es lo que al parecer más sigue temiendo una década después. Su Whitman es todo lo contrario, un «Adán de sangre», un Macho con mayúscula y, por encima de todo, poeta de la amistad (Lorca sabe que la palabra «comrade», camarada, es clave en los poemas del norteamericano). La diatriba no va dirigida contra los gais como tales, es decir, sino contra los afeminados, los «perversos» y los que «corrompen» a los demás. Enfocado, todo ello, desde el punto de vista de una homosexualidad hipotéticamente «pura». Parece evidente que, de manera consciente o no, el poeta está rechazando una parte de sí mismo que encuentra inasumible.

Continúa la condena en las dos siguientes estrofas, ya algo más sosegadas. El yo nos explica primero lo que Walt no buscaba:

> *Pero tú no buscabas los ojos arañados*
> *ni el pantano oscurísimo donde sumergen a los niños,*
> *ni la saliva helada,*
> *ni las curvas heridas como panza de sapo*
> *que llevan los maricas en coches y en terrazas*
> *mientras la luna los azota por las esquinas del terror.*

Pese al lenguaje simbólico utilizado queda claro lo que, a juicio del «yo», *no quería* Whitman: las experiencias pederastas, las sadomasoquistas (las nalgas heridas por los azotes), las de subyugación sexual. Lo que buscaba Walt era otra cosa:

> *Tú buscabas un desnudo que fuera como un río.*
> *Toro y sueño que junte la rueda con el alga,*
> *padre de tu agonía, camelia de tu muerte,*
> *y gimiera en las llamas de tu ecuador oculto.*

El desnudo ideal anhelado por Whitman remite a los versos iniciales del poema, donde ninguno de los trabajadores (los mineros, los muchachos) «quería ser río», ni «amaba las hojas grandes» ni «la lengua azul de la playa». Un desnudo como un río sería un desnudo portador de vida, de libertad, de alegría (como en *Un río. Un amor* de Cernuda). Los siguientes tres versos, en aposición, nombran, con expresión simbólica abierta a distintas interpretaciones, más cualidades del amante anhelado. Se pueden proponer fuerza (toro) e imaginación (sueño), energía (rueda), ternura (alga) y presencia consoladora (camelia) a la hora de acompañar al viejo Walt en su pena y su muerte.

En este punto el poema se amansa y el «yo», moralizante, expone ante Whitman, en pausados versos fundamentalmente alejandrinos, la defensa de una homosexualidad «pura» ajena a la explotación y a la violencia:

> Porque es justo que el hombre no busque su deleite
> en la selva de sangre de la mañana próxima.
> El cielo tiene playas donde evitar la vida
> y hay cuerpos que no deben repetirse en la Aurora.
>
> Agonía, agonía, sueño, fermento y sueño.
> Éste es el mundo, amigo: agonía, agonía.
> Los muertos se descomponen bajo el reloj de las ciudades.
> La guerra pasa llorando con un millón de ratas grises,
> los ricos dan a sus queridas
> pequeños moribundos iluminados,
> y la Vida no es noble, ni buena, ni sagrada.
>
> Puede el hombre, si quiere, conducir su deseo
> por vena de coral o celeste desnudo;
> mañaña los amores serán rocas y el Tiempo
> una brisa que viene dormida por las ramas.
>
> Por eso no levanto mi voz, viejo Walt Whitman,
> contra el niño que escribe
> nombre de niña en su almohada,
> ni contra el muchacho que se viste de novia
> en la obscuridad del ropero,
> ni contra los solitarios de los casinos
> que beben con asco el agua de la prostitución,
> ni contra los hombres de mirada verde
> que aman al hombre y queman sus labios en silencio.

Aunque el lenguaje utilizado por el poeta puede resultar opaco en algún momento, la línea argumental es clara: la vida no sólo no es noble, ni buena ni sagrada, sino que, como todo el mundo sabe, dura menos que un instante. Mañana los amores, todos los amores, «serán rocas», ya no existirán. Cabe, pues, el *carpe diem*, y las personas incapaces de seguir la senda de la llamada normalidad sexual, con sus implicaciones procreativas, tienen derecho, con la condición de no hacer daño al otro, a *conducir su deseo* en la dirección que mejor les convenga. Es interesante constatar que antes de optar por la expresión «o celeste desnudo» —desnudo contrapuesto, como preferencia, a «vena de coral»— el poeta escribió «o curva de planeta»: parece evidente la alusión a las nalgas, alusión suprimida, quizá, por no ser el trasero objeto de deseo exclusivamente masculino. Margarita Ucelay considera que en estos dos versos «se plantea el derecho del hombre a escoger entre Venus —nacida de la espuma de las olas— o Apolo, amante de efebos».[89]

En la lista de personas con quienes, por sus inclinaciones, se solidariza el «yo», destacan los «hombres de mirada verde / que aman al hombre y queman sus labios en silencio». Es una mirada que podemos relacionar con «la verde sangre de Sodoma» que «reluce» en un verso de *Oda al Santísimo Sacramento del Altar*.[90]

Contra los que, sin molestar a nadie, tratan de vivir en libertad su sexualidad minoritaria el poeta no levanta su voz. Lo ha dicho claramente. Pero contra los otros, sí. Y vuelve la invectiva, aún más feroz:

> *Pero sí contra vosotros, maricas de las ciudades*
> *de carne tumefacta y pensamiento inmundo.*
> *Madres de lodo. Arpías. Enemigos sin sueño*
> *del Amor que reparte coronas de alegría.*
>
> *Contra vosotros siempre, que dais a los muchachos*
> *gotas de sucia muerte con amargo veneno.*
> *Contra vosotros siempre,*
> *«Fairies» de Norteamérica,*
> *«Pájaros» de La Habana,*
> *«Jotos» de Méjico,*
> *«Sarasas» de Cádiz,*
> *«Apios» de Sevilla,*
> *«Cancos» de Madrid,*

«Floras» de Alicante,
«Adelaidas» de Portugal.

¡Maricas de todo el mundo, asesinos de palomas!
Esclavos de la mujer. Perras de sus tocadores.
Abiertos en las plazas, con fiebre de abanico
o emboscados en yertos paisajes de cicuta.

¡No haya cuartel! La muerte
mana de vuestros ojos
y agrupa flores grises en la orilla del cieno.
¡No haya cuartel! ¡¡Alerta!!
Que los confundidos, los puros,
los clásicos, los señalados, los suplicantes
os cierren las puertas de la bacanal.

En el margen de una de las hojas del manuscrito del poema hay un borrador de estos últimos versos donde incluso se apela al asesinato:

No haya cuartel
matadlos en la calle
con bastón de estoque.
Porque ahuyentan a los
muchachos y les dan
la carne verde y podrida
en vez de alma
y la clave del mundo
está en dar la vida-
hijos hechos con alma-
y esta clave que la sociedad
y la ciencia persiguen
es la clave del mundo
os iréis a la orilla del
río con la rata y el
esqueleto...[91]

Es tremendo. El «yo», convertido en juez, y ampliando las acusaciones anteriores, achaca a los maricas, como colectividad, dos «crímenes»: cazar y envenenar a los jóvenes y traicionar a una homosexualidad pura, clásica, varonil. Se trata, en ambos casos, de una grotesca exageración y de un razonamiento absolutamente ilógico. El «yo» quiere convencernos de que sabe lo que dice, además, al nombrar ocho lugares, cinco de ellos españoles, donde los maricas tienen apodo propio (Lorca nunca pondrá los pies en Portugal y México y, cuando escribe el poema, todavía no conoce Alicante).

Los tres últimos versos de la sección comentada han sido analizados por la crítica con diversos y discrepantes resultados. En ellos, como acabamos de ver, el «yo», después de llamar a la guerra abierta contra los maricas, exige que a éstos no se les permita participar en la bacanal reservada a los «confundidos», los «puros», los «clásicos», los «señalados» y «los suplicantes», es decir a los (según él) homosexuales «auténticos», entre los cuales, se sobreentiende, se incluye. Se trata de una *bacanal,* no de una fiesta cualquiera. La palabra, claro, viene de Baco, dios del vino, y una bacanal sin ebriedad es impensable, como bien nos lo recuerda Velázquez. En un poema de la *juvenilia*, «Tardes estivales» (4 de diciembre de 1917), «se abrazan Pan y Venus cercados de bacantes».[92] Y la granadina objeto de «Elegía» (*Libro de poemas*) se morirá sin haber conocido el amor, «siendo una bacante que hubiera danzado / de pámpanos verdes y vid coronada».[93] Lorca, como Rubén Darío, sabe de qué van las bacanales. Ángel Sahuquillo ha relacionado el uso de la palabra en *Oda a Walt Whitman* con el que le da el granadino en una carta del otoño de 1928 a Jorge Zalamea, donde le dice: «Todo el día tengo una actividad poética de fábrica. Y luego me lanzo a lo del hombre, a lo del andaluz puro, a la bacanal de carne y de risa».[94] El crítico razona que Lorca se consideraba entre *los puros* «cuando se entregaba a sus sentimientos homosexuales en cuerpo y alma, como hombre íntegro». La pureza, es decir, no equivalía a la abstención, a la castidad, sino a la sinceridad, la autenticidad. Y sinceridad y autenticidad son cualidades que, según el «yo» lorquiano, no poseen los maricas. Por ello hay que excluirlos de la bacanal. «Whitman no es puro porque sea casto —resume Sahuquillo— sino porque en él la escisión entre cuerpo y alma, entre práctica homosexual y amor espiritual, ha sido salvada, por lo menos en su poesía.» Es la escisión que tanto preocupaba al joven Lorca de las *místicas* y que todavía —la oda lo demuestra— no ha podido resolver.[95]

El poema va llegando a su término. El «yo» se ha desahogado ampliamente. Sólo le queda despedirse del poeta que ha inspirado sus palabras y expresar, como demanda la tradición de la oda, un pensamiento final que se instale en la memoria del lector:

Y tú, bello Walt Whitman, duerme orillas del Hudson
con la barba hacia el Polo y las manos abiertas.
Arcilla blanda o nieve, tu lengua está llamando
camaradas que velen tu gacela sin cuerpo.

Duerme: no queda nada.
Una danza de muros agita las praderas
y América se anega de máquinas y llanto.

Quiero que el aire fuerte de la noche más honda
quite flores y letras del arco donde duermes,
y un niño negro anuncie a los blancos del oro
la llegada del reino de la espiga.[96]

El «yo» desea que Whitman duerma su eternidad con la barba hacia el Polo y las *manos extendidas*, evidente referencia al amor fraternal representado por Cristo y que refleja y pregona la obra del poeta de la democracia. Y si la barba señala el polo, se sobreentiende el polo norte, es quizá porque Lorca ve a Whitman, de alguna manera, como guía u orientador de navegantes, se infiere que de navegantes extraviados.[97]

En la Norteamérica contemplada por el «yo» se extienden hileras de edificios —que hay que suponer muy altos, a lo mejor rascacielos— donde en tiempos de Whitman hubo praderas que invitaban a fiestas campestres. En esta visión, todo el país, no sólo Nueva York, se está *anegando* de máquinas y de dolor. Pero no por ello el poema nos deja, como ha dicho Paul Binding, «en un estado de desesperación absoluta».[98] Y no lo hace por la fuerza de la querencia expresada en la última estrofa, al desear el «yo» que, un día, la raza negra norteamericana vuelva por sus fueros y anuncie a los yanquis blancos y ricos la vuelta al reino de la Naturaleza, reino del cual son ellos, los negros, los legítimos herederos y depositarios.

El poema demuestra muy a las claras, en resumen, que al volver a España Lorca todavía no vive cómodamente su homosexualidad. El tema elegido le ha desbordado. Parece innegable que estamos ante un mecanismo de defensa, en parte inconsciente, que le impele a reprobar en otros lo que, víctima como es de su época y sus circunstancias, teme o rechaza en sí mismo.

De los que han comentado la ambigüedad de *Oda a Walt Whitman*, nadie más cualificado que el autor de *La realidad y el deseo*, muy al tanto de los conflictos que desgarraban a su amigo. En ella, escribió Cernuda en 1957, «da voz el poeta a un sentimiento que era razón misma de su existencia y de su obra». Y sigue:

> Por eso puede lamentarse que dicho poema sea tan confuso, a pesar de su fuerza expresiva; pero el autor no quiso advertir que, asumiendo ahí una actitud contradictoria consigo mismo y con sus propias emociones, el poema resultaría contraproducente. Para quien conociese bien a Lorca, el efecto de la «Oda a Walt Whitman» es de ciertas esculturas inacabadas porque el bloque de mármol encerraba una grieta.»[99]

La oda no se publicará hasta 1933 y ello únicamente en México, en una edición limitada de cincuenta ejemplares distribuidos por el poeta entre sus amigos más íntimos. No se referirá a ella en su conferencia-recital sobre Nueva York, aunque sí permitirá que Gerardo Diego reproduzca, en la segunda edición de su famosa antología (1934), sus primeros 52 versos. Todo un atrevimiento durante el Bienio Negro de la República, con las homófobas derechas en el poder, capitaneadas por José María Gil Robles.

«Cuando salí de Cuba...»

Durante las últimas cinco semanas de Lorca en Cuba —semanas que, para desesperación de su madre, se fueron prolongando, tanto se había «aplatanado» en la isla— escribió a casa con menos frecuencia que antes, lo cual provocó un radiograma de sus padres en el cual se quejaron de no haber recibido noticias suyas «hacía lo menos un mes». El 25 de mayo Vicenta Lorca acusó recibo de una foto y le dijo que le encontraba «grueso de más». Era cierto que había ganado peso.[100]

Una de las descripciones más interesantes del Lorca cubano es la publicada en La Habana, a finales de abril de 1930, por el historiador Emilio Roig de Leuchsenring, colaborador habitual de la revista Carteles. Roig admiraba la obra de Lorca, pero había decidido que no quería conocerle en persona porque le habían dicho que era «apolítico» y que no había participado en la lucha contra Primo de Rivera, que acababa de fallecer en París. Consideraba inaceptable dicha indiferencia —que en absoluto era cierta, como hemos visto—, dada la persecución de los intelectuales españoles por el régimen, y creía, en síntesis, que Lorca era un poeta torremarfileño sin compromiso político alguno. No tardó en darse cuenta de su error y constató que el granadino no sólo era campechano y siempre dispuesto a tomar una copa, a intercambiar opiniones o a escuchar música popular cubana, sino que le preocupaba profunda y sinceramente la injusticia social. Se entera de que ha ido a felicitar al doctor Cosme de la Torriente, que acaba de ganar un pleito en La Habana defendiendo los derechos del individuo contra el poder del Estado. También descubre que Lorca se ha puesto de parte de los negros en un desagradable caso de discriminación ocurrida en el Yacht Club de La Habana. En su entrevista el poeta se manifiesta opuesto a todas las dictaduras y proclama su entusiasta apoyo a los opositores cubanos. Así pues nada de apolítico. A Roig le complace reconocer su error.[101]

Lorca le comentaría probablemente que a través de los periódicos de La Habana, bien informados al respecto, seguía de cerca los acontecimientos que tenían ahora en vilo a su país. En el dorso de otra fotografía enviada en estos momentos a sus padres garrapateó: «Todos los días leo la situación de España. Aquello es un volcán».[102]

Adolfo Salazar creía recordar, en 1938, que una de las primeras cosas que hizo al llegar a La Habana fue ir a ver a Federico en su hotel. Más probable es que fuera en la clínica. Lo encontró en la cama, envuelto en un albornoz amarillo, rodeado de un grupo de jóvenes fascinados que le escuchaban atentamente mientras les leía el poema «Stanton», escrito, según el musicólogo, la noche anterior, bajo la impresión de la operación. Salazar acababa de caer en la cuenta de que el cáncer aterraba al poeta. Pero se equivocaba de cabo a rabo al creer que el poema en cuestión se había creado allí pues, como sabemos, nació varios meses antes en Shandaken.[103]

Los dos se ven casi a diario. «La conjunción Salazar-García Lorca en La Habana fue memorable para quienes en aquellos meses compartimos su amistad», recordaría Antonio Quevedo (no fueron meses, sin embargo, sino semanas).[104] En realidad, se trataba más de un trío que de un dúo, ya que Gabriel García Maroto, que había llegado a la isla el 28 de abril, acompañó asiduamente al poeta y a Salazar, siendo numerosas las fotografías en las que los tres figuran juntos.[105]

La evocación de Salazar de 1938 es muy interesante, pero no lo dice todo. Como homosexual que era, sabía mucho más acerca del

Lorca profundo que la mayoría de sus innumerables amigos más o menos superficiales. Es una tragedia, por ello, que se hayan perdido casi todas las cartas, que eran frecuentes, cruzadas entre ellos.[106]

«Nunca lo encontré tan andaluz como en La Habana», escribiría, recordando la felicidad que irradiaba en Cuba.[107] Juan Marinello, por su parte, había quedado sorprendido al constatar la completa naturalidad con la cual el poeta se adaptó a la vida habanera:

> Cuba era para su sed como una Andalucía desgarrada y gritadora, como su niñez encontrada al fin. Cuba excitaba su potencia y se gozaba en agotarla. El ritmo gitano de su sangre se trenzaba en el galope de la sangre negra. El cante jondo —gran pasión suya— se adormía en los vaivenes del son afrocriollo.[108]

Poco antes de que el poeta, Salazar y Cardoza y Aragón salieran de Cuba, sus amigos de la *Revista de Avance* organizaron en su honor una comida en el hotel Bristol. Hubo discursos, y el pintor Jorge Mañach expresó la tristeza que embargaba a los presentes ante la inminente partida de los tres escritores, cuya presencia en La Habana había sido para ellos un estímulo importante. Se sobreentendía que a quien se le iba a echar especialmente de menos era a Lorca.[109]

Como es casi inevitable, hay descripciones contradictorias de las últimas horas pasadas por Federico en La Habana, si bien no existe duda alguna acerca de la fecha de su marcha: el 12 de junio de 1930.[110]

Según Flor Loynaz, Lorca y Salazar comieron aquel día con ella en un destartalado restaurante instalado en el sótano del modesto hotel, probablemente el Detroit, al cual se había mudado el granadino al terminar su ciclo de conferencias. Flor declaró (en 1980) que Salazar estaba nervioso porque temía que Federico, que todavía no había hecho las maletas y parecía estar interesado sólo en recitar poemas, haría que perdiesen el barco. Haciéndose cargo de la situación, ella había subido como una exhalación a la habitación del poeta y había metido en una pequeña maleta las cuatro cosas que había encontrado desperdigadas por el cuarto. Tenía esperando en la puerta su potente Fiat y se había lanzado a toda velocidad en dirección al puerto con los dos españoles, llegando con el tiempo justo para que pudiesen embarcar.[111]

Antonio Quevedo, por su parte, nos asegura que Lorca y Salazar pasaron con él y su esposa sus últimas horas en La Habana.

Después de una larga conversación, había llegado el triste momento:

> Salazar miró el reloj: las tres de la tarde. Los cuatro amigos, como movidos por un resorte, se levantaron de sus asientos y se confundieron en un abrazo. Federico dijo: «Algo falta en España».
>
> Después, en aquella vieja casona, que tantas risas había escuchado durante tres meses, quedaba la soledad, compartida por otras personas. El tiempo no ha podido borrar tantas imágenes. La casa subsiste en el mismo lugar, pero ¡qué ruina en lo espiritual! Hubo que abandonarla pronto, porque al irse Federico se había llevado consigo su duende y su ángel, y la casa era una mansión ciega y sin luz, viuda de García Lorca.[112]

No vale la pena tratar de hacer compatibles las dos versiones. Muchas personas caían en el error de creer que eran los únicos amigos de Lorca, como hemos dicho. Parece ser, con todo, que la evocación de Flor Loynaz es sustancialmente exacta, pues ha quedado confirmada en sus rasgos esenciales por su hermana Dulce María.[113] María Muñoz de Quevedo había escrito el 6 de mayo a la madre de Federico para informarla del «doble éxito» obtenido por su hijo en Cuba: el de su personalidad y el de su talento.[114] Poco antes de embarcarse, el poeta dijo a varios amigos cubanos que había pasado en la isla los días más felices de su vida.[115]

Hay un colofón a su estancia. La mañana del 18 de junio de 1930 el *Manuel Arnús* atracó en Nueva York.[116] No pudo desembarcar porque su visado había caducado, pero Salazar se apresuró a localizar a Olin Downes, el crítico musical, para traerlo a bordo. Lorca, entretanto, telegrafió a Federico de Onís, y le pidió que viniera a verlo con José Antonio Rubio Sacristán. También pudo contactar con Herschel Brickell y otros amigos. Cuando volvió Salazar, acompañado de Downes, encontró el salón atiborrado de gente y con una fiesta en plena marcha. Entre los asistentes había un grupo de chicas a las que Lorca había enseñado canciones españolas en Columbia. Sentado al piano, el poeta —que, según confirmaba Brickell, había engordado mucho en Cuba— estaba interpretando una de sus canciones favoritas, «Los cuatro muleros», coreada por todos a voz en grito.[117]

Los Brickell habían avisado a Mildred Adams, que vino corriendo desde su casa de Long Island. Encontró a Federico muy cambiado a peor y no se quedó para cenar.[118] En su libro sobre el poeta no admite haberlo visto y pone en palabras de Norma Brickell su propia reacción adversa: «Éste ya no es nuestro Federico, sino una persona muy distinta; alguien totalmente masculino y muy ordinario». Añade: «Aquel brusco cambio fue el regalo de Cuba».[119]

¿Que en Cuba Lorca se había vuelto «totalmente masculino y muy ordinario»? La descripción encaja con los recuerdos de otros amigos suyos, entre ellos Buñuel, para quien, después de aquel año pasado lejos de España, era más obviamente gay.[120] Es de presumir que tal fue el «regalo» que le había hecho la Perla del Caribe, regalo que seguramente supo agradecer aunque algunos lo lamentasen.

Antes de que Norma Brickell tuviera la desagradable sorpresa de encontrarse con un Federico tan diferente, ya corría por los mentideros literarios de París y de Madrid el rumor del cambio operado en el poeta por su viaje a las Américas. Lo sabemos por una carta del ex «residente» Juan Vicéns, que ahora regía la librería León Sánchez Cuesta en la capital francesa. En dicha misiva, del 28 de mayo de 1930, Vicéns le cuenta al mismo una noticia picante:

> Ya por varios sitios he oído comentarios desagradables sobre Federico. En una peña en Montparnasse, un pintor madrileño (Beveride)* contó tranquilamente que el viaje a EE.UU. había sido porque el padre estaba desesperado porque Federico andaba persiguiendo jovencitos y lo envió a cambiar de aires. Pero hace poco vino un escritor cubano que le había visto en La Habana y venía entusiasmado de sus conferencias. Luego empezó a contar que Federico era un hombre especial, que no le gustaban las mujeres, y contó que lo llevó a un baile de negros y que se quería ir con un negro. Y lo grave fue que ese tipo, que es un salvaje, vino al banquete a Ramón,** se emborrachó, estuvo hecho un grosero y le dio la obsesión de contar a Ramón a grandes gritos y del modo más grosero posible toda esa aventura de Federico en Cuba.[121]

---

* Se trata de Norberto Beberide, que hizo las cubiertas para varios libros de Ramón Gómez de la Serna editados en París. Véase Bonet, *Diccionario de las vanguardias en España*, p. 93.

** Gómez de la Serna acababa de dar una conferencia en Alemania y pasó entonces por París. Véase «Ramón en Berlín», *La Gaceta Literaria*, Madrid, 1 de junio de 1930, p. 12. ¿Quién fue el escritor cubano en cuestión? No le hemos podido identificar. ¿Se trataría del guatemalteco Cardoza de Aragón? Es posible.

¿Estuvo León Felipe entre quienes visitaron a Federico a bordo del *Manuel Arnús*? Parece demasiada casualidad la ya referida dedicatoria estampada por el zamorano, el 19 de junio de 1930, en un ejemplar del Libro II de su poemario *Versos y oraciones del caminante*, que se acababa de editar en Nueva York. Decía, generosamente: «Al Fénix, al monstruo lírico español del siglo XX».[122]

Aquel mismo día el barco salió con rumbo a Cádiz y Barcelona. Para Adolfo Salazar la travesía fue un «episodio inolvidable». «Las dotes de animador, que era una de las armas de captación de García Lorca —escribió—, se desplegaron como las alas de la *mantis religiosa* y nadie escapaba a su hipnotismo. Recuerdo que al llegar a Cádiz el capitán del buque que nos llevó... dijo a sus colegas que si el viaje se hubiese demorado dos días más él tendría que haberse arrojado al agua. Federico había indisciplinado al pasaje entero con sus canciones españolas y sus sones cubanos, en complicidad con la gramola del barco.»[123]

En el muelle le esperaban sus hermanos Francisco e Isabel, venidos desde Granada en coche. El encuentro fue emotivo y, según Isabel, el regreso a casa una catarata interminable de risas, anécdotas y animados intercambios. Después de casi un año fuera, el poeta estaba otra vez en España. Una España que muy pronto iba conocer un cambio histórico. [124]

ESPAÑA OTRA VEZ (1930-1931)

Verano en Granada y Málaga

El 1 de julio de 1930 el poeta ya está en casa, y tanto *El Defensor de Granada* como *Noticiero Granadino* publican la buena nueva y expresan su orgullo por los éxitos conseguidos al otro lado del Atlántico por su «querido paisano».[1] El 14 de julio la revista *Reflejos* le ofrece una merienda en los jardines del Carmen de los Mártires, el antiguo convento carmelita donde vivió san Juan de la Cruz. Según los mismos diarios el acto resultó extremadamente simpático, y los comensales expresaron su satisfacción por los triunfos de Lorca en América.[2]

Aunque tenemos poca información sobre sus actividades durante estos meses estivales, podemos estar seguros de que la situación del país después del general Primo de Rivera es constante tema de conversación en la familia del poeta y las reuniones con sus amigos. Se están viviendo momentos de gran incertidumbre. Alfonso XIII va perdiendo rápidamente el apoyo de sus súbditos, incluido el de los monárquicos. Los republicanos están convencidos de que llegará pronto su momento (el Gobierno encabezado por el general Dámaso Berenguer ha prometido convocar elecciones generales, aunque todavía no se ha anunciado cuándo) y, en lo que a Granada se refiere, *El Defensor* sigue representando con energía a los adversarios democráticos del rey.

¿Y Fernando de los Ríos? Reintegrado a su cátedra granadina ocupa ahora una posición clave dentro de la oposición a la monarquía. Debido a su amistad con él, además de a sus propias convicciones liberales, los García Lorca siguen de cerca la marcha de los acontecimientos y se puede inferir que están al tanto de los términos del acuerdo alcanzado el 17 de agosto, en el llamado Pacto de San Sebastían, entre los varios grupos políticos —menos el anarquista— comprometidos a trabajar por la caída del régimen.[3]

Cuatro días después el poeta pone punto final a *El público*, estampando en la última hoja, después de la acotación «Telón lento», la fecha «Sábado, 22 de agosto de 1930» (el día 22 es, en realidad, viernes, por lo cual tal vez cabría deducir que acabó la obra en la madrugada del 23).

Escribe en estos momentos a Rafael Martínez Nadal. La carta, sólo reproducida fragmentariamente por éste, confirma que entre ellos había una profunda complicidad sexual, nunca explicitada por el receptor. Empieza así:

> Queridísimo Rafael de mi corazón, amigo mío de siempre y primor de los primores de Madrid:
> Como no me contestaste a New York, ya no te he escrito más, aunque puedes pensar que recordarte te he recordado todos los días de mi largo y espléndido viaje. ¡¡Ay Ay Ay Ay Ay!!, ¡que me muero! Tengo las carnes hechas pedacitos por la belleza americana y sobre todo por la belleza de La Habana. ¡¡¡Ayyyy comadre! ¡Comadrica de mis entretelas! Yo no puedo hablar. Una carta no es nada. Una carta es un noticiario y un suplicio para una persona como yo que viene llena de cosas nuevas y que tiene un verbo cálido y auténtico de poesía. Yo lo que deseo es verte, y si tú no vienes enseguida, tendré yo que ir. Nada ni nadie me inter[es]a en Madrid tanto como tú. Siento tu amistad como uno de esos pilares de mármol que se ponen más bellos con la acción del tiempo.

Luego, después de unas nimiedades, vienen otras confidencias, entre ellas la de que piensa volver pronto a Estados Unidos:

> Yo estoy satisfechísimo de mi viaje. He trabajado mucho. Tengo muchos versos de *escándalo* y teatro de escándalo también. Vuelvo en enero. Eso te lo dirá todo. Y es fácil que estrene en New York.
> He escrito un drama que daría algo por leértelo en compañía de Miguel.* De tema *francamente* homosexual. Creo que es mi mejor poema. Aquí en Granada me divierto estos días con *cosas deliciosas* también. Hay un torerillo...[4]

---

* Miguel Benítez Inglott.

Se refiere, evidentemente, a *El público*, aunque lo llame poema. Es la única vez, en toda la documentación editada hasta hoy, que utiliza la palabra homosexual. Estas pocas palabras han hecho más por la crítica y la biografía lorquianas que infinidad de libros y artículos escritos sin tener en cuenta su condición de gay que no puede vivir abiertamente su vida. En cuanto a las «*cosas delicio-sas*» que hay «también» en Granada, la autocensura impuesta por Nadal nos impide saber más acerca del «torerillo» en cuestión. Pese a la mutilación, lo que queda es suficiente para poder afir-mar que en ninguna carta suya conocida hasta la fecha alude Lor-ca tan abierta y gozosamente al amor que, aquí sí, se atreve a de-cir su nombre.*

Nos remite, además, al testimonio, muy incompleto, de José María García Carrillo, el homosexual granadino íntimo de Lorca, quien al parecer compartió una aventura con, precisamente, un joven matador.[5]

Otra misiva a Martínez Nadal de este verano, también troceada por su editor, es del mismo registro. Tras unas exultantes alusiones a Cuba escribe Federico: «La alegría que tuve al recibir tu carta fue extraordinaria, porque me envió de pronto a la vida que quiero, ale-jado un año como he estado por otras vidas y otros mares».[6]

La comunicación de Nadal no parece encontrarse entre los pa-peles del poeta. La gozosa reacción de Lorca ante su lectura, de to-das maneras, demuestra otra vez que se trata de uno de los ami-gos del poeta que más conocía y compartía su intimidad.

Una de las pocas evocaciones que tenemos del regreso de Lorca a casa procede de un célebre personaje local: el cura disidente Luis Dóriga Meseguer, fundador en Granada de los exploradores, dipu-tado a Cortes bajo la República por el Partido Socialista Radical y hombre detestado por la burguesía local, especialmente por sus virulentos ataques a la jerarquía eclesiástica publicados en *El Defensor* (y que luego le valdrían la excomunión).[7] Dóriga Me-seguer, que se exilió al final de la Guerra Civil, comentó al escri-tor cordobés Fernando Vázquez Ocaña, también trasterrado y uno de los primeros biógrafos del poeta, que Federico había vuelto exultante de Cuba. El cura, que por lo visto le conocía bien, había temido que su experiencia al otro lado del Atlántico pudiera ha-berlo cambiado a peor. Pero no hacía falta preocuparse, Lorca le

---

* ¿Quemó el resto de esta carta Martínez Nadal? Es posible. Véase *EC*, p. 690, nota 782.

aseguró: no sólo seguía siendo el mismo sino que estaba ahora más comprometido que nunca con los pobres y los marginados. Dijo que en Nueva York se había visto obligado a expresar sus sentimientos en una poesía donde el amor penetraba «como una barrena».[8]

Por estas fechas contestó la carta dirigida por Dalí a sus padres. O, mejor, la utilizó como excusa para volver a comunicarse con él. La misiva hace pensar que no hubo contacto epistolar alguno entre ellos durante su estancia en Estados Unidos y Cuba:

Queridísimo amigo Salvador: ¿Cuánto tiempo hace que no nos vemos? Tengo gana de hablar contigo y, además, me hace una falta enorme hablar contigo.

He vivido un año en New York de manera estupenda y ahora me encuentro con que como no te conozco, no sé lo que te tengo que decir. Pero desde luego era esto: en enero yo tendré mucho dinero y desde ahora te invito para que te vengas conmigo a New York. Allí podrás estar seis meses y luego volverte a París, o hacer el viaje conmigo a Moscú.

Yo haré una exposición en New York, pues ya tengo galería y una enorme cantidad de amigos idiotas, de millonarios maricones y señoras que compran cuadros *nuevos* que nos harían agradable el invierno. Tú sabes que yo soy *simpático* personalmente. Creo que te sería útil y que tu maravilloso espíritu vería cosas nunca vistas en esa ciudad totalmente nueva y opuesta en su forma y en su sueño al ya podrido romanticismo renovado de París.

Ardo en deseo de conocer cosas tuyas. Envíame fotos y cuéntame qué has hecho.

Yo he trabajado mucho, y con gran trabajo y alegría.

Deseo que conozcas mis cosas nuevas, así como la pequeña película que he hecho con un poeta negro de New York, que se estrenará cuando yo vuelva en un cine admirable de la calle 8 donde dan todas las producciones rusas y alemanas.

Quiero hablar contigo. He vivido demasiado incomunicado de tu amistad.

Dime cómo piensas. Escríbeme largo.

Adiós. Siempre tuyo

FEDERICO

Una vez rota mi cadena de estupidez, cuando me meto en la cama me siento más fuerte que nunca y más poeta que nadie.

Tu casa es la Acera del Casino, 31.

Me gustó muchísimo el timo que ibas a dar a mi familia, y es lástima que no te enviaran el dinero. Yo me enteré tarde, pues la carta me la enviaron a mí; si no, yo te hubiese girado el dinerito. ¡Escríbeme![9]

La misiva tiene un interés excepcional. De todos sus amigos Dalí es el más original, el más creativo, el más raro. Pese a las exageraciones del poeta («en enero yo tendré mucho dinero»), el proyecto de volver a Nueva York al año siguiente parece fundarse en algo más que una vaga esperanza. ¿Y la película? ¿Se trata de *Viaje a la luna* o de otro guión hoy desconocido? No lo sabemos. ¿Y el poeta negro? Tampoco. Lo que llama la atención, de todas maneras, es el deseo de reanudar la relación con el pintor, de saber qué hace, de mostrarle cosas. La falta de alusión a Gala sólo puede tener una explicación: no sabe todavía que se acaba de producir un milagro en la vida de su «hijito». Pero lo sabrá enseguida.

Hacia finales del verano, los García Lorca, siguiendo su rutina habitual, pasan varias semanas en Málaga. Allí se entera indudablemente, por Emilio Prados y otros amigos, de numerosas anécdotas relacionadas con la estancia de Dalí y Gala aquel abril y mayo en La Carihuela, en Torremolinos, entonces minúsculo pueblo. Estancia que relatará el pintor en su *Vida secreta*, llamándola «luna de miel de fuego» (su iniciación en las delicias del sexo con una mujer muy experimentada). A los pocos días la pareja había adquirido un bronceado de intensidad africana. Se bañaban desnudos y Gala iba por el lugar con los pequeños pechos al aire, sin despertar apenas sorpresa entre los pescadores. Salvador, por su parte, trabajaba entonces afanosamente en terminar el cuadro *El hombre invisible* y la versión definitiva de su librito *La mujer invisible*.[10]

De vez en cuando los «surrealistas malagueños», como los llamaba Dalí, los habían visitado en la casita puesta a su disposición por el escritor José María Hinojosa. Uno de ellos, Darío Carmona, recordaría el terror que a Salvador le suscitaban los saltamontes. Si uno se le cruzaba en el camino cuando bajaba a la playa, daba indefectiblemente la vuelta. Un día la pareja fue de compras a

Málaga. El pintor estaba tan moreno, y su atuendo tan bohemio (pecho desnudo, cabellos largos y una sarta de cuentas verdes colgada del cuello), que no tardó en verse rodeado por una caterva de niños que, convencidos de que era «un árabe inglés», le gritaban: «¡Mohamed, diez céntimos! ¡Mohamed, diez céntimos!». Emilio Prados y sus amigos no pudieron por menos de observar hasta qué punto estaba obsesionado Dalí con su rusa parisiense, a la que besaba y abrazaba con tal insistencia a cada momento que a veces suscitaba las iras de la gente en la calle.[11]

Al oír éstas y otras anécdotas parecidas —¿y cómo dudar de que las oyera, si en Málaga el «grupo surrealista» apenas hablaba de otra cosa?— cabe pensar que Lorca se extrañaría grandemente. ¿Qué manera de mujer podría satisfacer a Dalí, tan anal, tan tímido, tan cohibido? Según Rafael Alberti, Federico, cuando le dijeron que Salvador tenía pareja, no lo pudo creer al principio, y exclamó que el pintor sólo se excitaba si alguien le metía «un dedo en el culo». ¿Y qué mujer sería capaz de hacer esto? No sería sorprendente que, a partir del verano de 1930, se desviviera no sólo por volver a ver a Dalí, sino por conocer a su exótica compañera.[12]

En estos momentos Lorca recibe de Emilio Aladrén una nota redactada en clave burlona:

> Emilio Aladrén Perojo
> B.S.M. a
> Federico García Lorca, se alegra mucho de su llegada a España, y aprovecha esta ocasión para decirle que no se imagina con cuánto gusto recibirá noticias suyas.
> Madrid, 30 de agosto de 1930.[13]

No sabemos si contestó el gracioso besamanos, pero sí que, al volver a Madrid aquel otoño, empezaría a ver otra vez a quien tanto le había hecho sufrir.

Madrid

Su regreso tiene lugar a principios de octubre. Han pasado quince meses desde el día en que se había dirigido hacia París con Fernando de los Ríos. Se hospeda en una pensión de la calle Pi y Margall, no lejos de la redacción de la *Revista de Occidente*. Al poco de llegar le entrevista para *Heraldo de Madrid* su amigo Miguel Pérez Ferrero, que lleva varios años siguiendo con fascinación su carrera desde dicho diario, calificado unos meses antes por Ramiro Ledesma Ramos como «el órgano más vivaz de la nueva generación española».[14] El 14 de agosto Pérez Ferrero había publicado allí una reseña de *Poemas arábigoandaluces*, antología escogida y traducida, con un enjundioso prólogo, por Emilio García Gómez. El periodista sugirió que entre la poesía de Lorca (y la de Alberti) había una evidente filiación. «Gracias al joven arabista Emilio García Gómez —escribió— comprobamos ahora cómo la poesía arábigoandaluza ha corrido pareja a los tiempos para entregar su alma a los más nuevos poetas de este siglo.» Al granadino le debió de gustar el comentario (que sería ampliado más tarde por Luis Cernuda), y cabe pensar que no tardó en conseguir un ejemplar del libro, bellamente editado por la editorial Plutarco.[15]

Le comunica a Pérez Ferrero que tiene tres libros listos para la imprenta: *Odas* («empezado aquí y ahora terminado»), *Tierra y luna* («trabajado en el campo, en New England») y *Nueva York*, «una interpretación poética» de la metrópoli americana. Exagerando bastante, como sabe y suele hacerlo, le asegura que «la mitad» del último está consagrada a los negros.

Al periodista le han llegado rumores acerca de un drama sensacional escrito por el poeta en América. Lorca revela que se llama *El público*, que se compone «de seis actos y un asesinato» y que ve difícil que se represente, ¡toda vez que sus «principales personajes» son caballos! Desde luego se cuida mucho de no repetir la confidencia hecha hace poco a Martínez Nadal, según la cual se trata de una pieza «de tema *francamente* homosexual».[16]

A partir de ahora empieza a leer *El público* a amigos cuidadosamente seleccionados. La reacción habitual es que, pese a sus obvios y revolucionarios méritos, no hay la más mínima posibilidad de que se represente.[17]

¿Y sus otras obras pendientes de estreno? Consulta la situación con Cipriano Rivas Cherif, que está sopesando la posibilidad de resucitar Caracol (que desde la supresión de *Don Perlimplín* por las autoridades de Primo de Rivera en 1929 no ha vuelto a dar señales de vida). Rivas opina que más vale por el momento no tratar otra vez de poner dicha obra, puesto que, si bien el régimen de Berenguer es algo más liberal que el anterior, sigue habiendo censura. Entretanto, se ofrece a montar *La zapatera prodigiosa*, apuesta mucho más segura. Ahora es asesor literario de

Margarita Xirgu, quien, el 16 de septiembre, ha inaugurado una temporada en el teatro Español. Aunque Lorca preferiría ver a Catalina Bárcena en el papel de La Zapatera, acepta cuando la Xirgu se compromete a poner la obra en asociación con Rivas Cherif y a interpretar a la protagonista. La actriz le encarga al mismo tiempo un nuevo drama en verso que, según Federico les cuenta a sus padres, escribe en la cama por la mañana. No hay más noticias de este proyecto no identificado, en el cual seguirá trabajando hasta 1931.[18]

Todavía sin ingresos sustanciales, tiene que seguir tratando de convencer a sus padres de que su «posición económica» se va consolidando. Si pronto se va a poner *La zapatera prodigiosa*, les asegura, también «todos los editores» le están pidiendo libros. Añade que ya disfruta de «una enorme influencia y un número fuerte de amigos, mucho más de lo que yo creía». A continuación se refiere a los discos de canciones folclóricas que está preparando para La Voz de su Amo con Encarnación López Júlvez, la Argentinita, proyecto iniciado en Nueva York. Y es verdad que esta vez se trata de un proyecto que va sobre firme. Está encantado con los discos:

> Resultan una preciosidad y yo quedo muy bien como pianista y como folklorista. Irán en un álbum y se venderán muchísimo, porque la Argentinita tiene un público enorme y yo también tengo mi público.
>
> Esto me supondrá miles de pesetas en poco tiempo. Y si la colección triunfa haremos otra.

Hay otra noticia. Se ha comprometido con la Sociedad de Cursos y Conferencias, en la Residencia de Estudiantes, para preparar el estreno, en un teatrito de guiñol, de su *Tragicomedia de don Cristóbal y la señá Rosita*. Pero del proyecto no se tienen más noticias.[19]

Convencidos o no sus padres de que las cosas de su hijo mayor van mejor, la realidad es que está todavía con los bolsillos vacíos. «No sé cuándo cobraré los discos pero espero que será pronto —les cuenta poco después—. Ahora estoy sin dinero. Pero ya tendré. Si queréis mandarme algo lo mandáis pero yo no lo pido. Sólo en calidad de socorro.»[20]

La oferta de unas conferencias proporciona un pequeño alivio. El 6 de diciembre, acompañado de Aladrén, viaja a San Sebastián para dictar *Arquitectura del cante jondo*. Entre el público hay un joven estudiante, Rafael Santos Torroella, más adelante distinguido crítico de arte y notable especialista en Salvador Dalí. Le presentan al poeta después de la conferencia. Ha recordado que alguien le musitó entonces al oído que el chico que acompañaba a Lorca era escultor y «amigo» suyo. Es el único testimonio que tenemos sobre la reanudada, o parcialmente reanudada, relación de los dos.[21]

Son días políticamente turbulentos. En las primeras horas del 12 de diciembre un grupo de oficiales republicanos implicados en el complot contra el régimen monárquico, más impopular de día en día, protagoniza en Jaca una rebelión prematura, anticipándose a los planes del Comité Nacional. La insurrección se sofoca fácilmente, y después de un consejo de guerra sumarísimo son condenados a muerte los capitanes Fermín Galán Rodríguez y Ángel García Hernández. Las ejecuciones se llevan a cabo con una rapidez casi obscena, en la madrugada del domingo 14 de diciembre, antes de que el país se entere bien de lo ocurrido.[22]

Lorca acababa de llegar a Gijón para repetir, en el teatro Dindorra (hoy teatro Jovellanos) su conferencia sobre cante jondo. Luego sobrevinieron cuatro días de huelga en protesta por los fusilamientos, días sin periódico. La pequeña reseña publicada en la prensa local el 19 de diciembre tiene el interés de señalar que, para ilustrar su charla, el poeta había puesto «ejemplos por medio de discos de gramófono».[23]

Al día siguiente, 15 de diciembre de 1930, los conspiradores republicanos se sublevan en Madrid y el Estado de Guerra se declara en todo el territorio nacional. A las autoridades les cuesta poco esfuerzo aplastar la insurrección, y son detenidos muchos oficiales antimonárquicos, sindicalistas y políticos de izquierdas. Entre los últimos se encuentran el líder socialista Francisco Largo Caballero, el futuro presidente de la Segunda República, Niceto Alcalá-Zamora, y Fernando de los Ríos. El intento ha sucumbido, pero está claro que la monarquía ya se tambalea.[24]

El 24 de diciembre, en medio de estos acontecimientos y ante la irritación de los padres de Federico, que no conciben que su hijo estrene una obra en Nochebuena, faltando a la celebración familiar en Granada,[25] se levanta el telón del Español sobre *La zapatera prodigiosa*.

Por la mañana el poeta explica en una entrevista sus intenciones en la obra, subrayando la función en ella del coro (los vecinos que comentan la acción), elemento que ahora le parece esencial en el teatro.[26] La observación hace pensar que ha estado leyendo, o releyendo, a los dramaturgos griegos, además de escuchar a Rivas Cherif, para quien la vuelta al coro es imprescindible.[27]

En la misma entrevista señala que *La zapatera prodigiosa*, cuya primera versión empezó varios años antes, no representa plenamente su visión teatral actual: «No, no es *mi obra*. Mi obra vendrá...; ya tengo algo... algo. Lo que venga será *mi obra*. ¿Sabes cómo titulo *mi obra*? *El público*. Ésa sí..., ésa... Dramatismo profundo, profundísimo».[28]

Durante los pocos años que le quedan tratará en vano de ver montada *su obra* (y su sucesora, *Así que pasen cinco años*). Y parece legítimo suponer que es el fracaso de sus esfuerzos, además de su apremiante necesidad de ganar dinero, lo que le impulsa a explotar a fondo un terreno que es particularmente suyo: la cultura popular de la Vega de Granada, cultura que lleva en la sangre.

El estreno de *La zapatera prodigiosa* es un considerable éxito. Lee él mismo el ingenioso prólogo de la obra, ataviado con una flamante capa tachonada de estrellas («estupendo actor si se lo propusiera», comenta *La Libertad*),[29] y el público se entusiasma con Margarita Xirgu en el papel estelar. Al día siguiente, Enrique Díez-Canedo, uno de los críticos teatrales más reputados del país, hace hincapié en la influencia del guiñol sobre la obra y valora el empeño puesto por el autor en volver a un teatro sencillo que brote «de la perpetua fuente, de los más puros manantiales de la tradición». También toma nota del uso hecho del coro, y encomia la escenografía de Salvador Bartolozzi, efectuada, lo mismo que los figurines, sobre dibujos del propio Lorca, quien con ello ha querido conseguir que el montaje refleje su visión total de la obra.[30]

Los demás críticos se muestran, en general, indulgentes, si bien Juan Olmedilla, del *Heraldo de Madrid,* manifiesta su decepción al constatar que, después de un año en Nueva York, Lorca no haya ofrecido al público madrileño algo más moderno, más al día.[31]

La zapatera prodigiosa consigue unas treinta representaciones.[32] Ello supone ciertos ingresos para Federico, pero seguramente no el «mucho dinero» que se había imaginado.[33] Uno de los resultados más positivos del montaje es que favorece de modo extraordinario su amistad con Margarita Xirgu, factor decisivo para que siga teniendo fe en su porvenir como dramaturgo.

Unos meses antes le había dicho a Miguel Pérez Ferrero que tenía tres libros listos para la imprenta. Ahora le cuenta al escritor Rodolfo Gil Benumeya, que le hace una entrevista muy perspicaz, que son cuatro: «De teatro. De poesía. Y de impresiones neoyorquinas, el que puede titularse *La ciudad*» (quizá el tomo titulado *Nueva York* en la entrevista con Pérez Ferrero). Luego se explaya sobre la supremacía del arte negro en Estados Unidos, demostrando desconocer totalmente a los artistas y escritores actuales más destacados («Fuera del arte negro, no queda en los Estados Unidos más que mecánica y automatismo») y comentando la que considera enorme contribución de los negros al teatro contemporáneo, la «mayor preocupación» suya en estos momentos.

Gil Benumeya le pregunta acerca del *Romancero gitano*, provocando la respuesta de que, para Lorca, ya pertenece al pasado. Al volver a España no sólo se ha dado cuenta de que el libro es celebérrimo sino que, además, mucha gente cree que él, Federico, es de raza caló. Se confiesa cansado del asunto. ¿Cuándo se darán cuenta de que los romances tienen en realidad muy poco que ver con el auténtico mundo gitano?[34]

Si lo que le preocupa ahora es la buena salud del teatro español, la verdad es que en enero, cuando vuelve a Madrid después de las vacaciones, no le sobran motivos para estar muy satisfecho al respecto. Es cierto que, en el Fontalba, la actriz argentina Lola Membrives está representando *Anna Christie*, la primera obra de Eugene O'Neill que se pone en España,[35] pero el resto es un páramo. Nada nuevo puede esperarse del ya veterano Premio Nobel Jacinto Benavente, además, como tampoco de Eduardo Marquina. ¿Talentos jóvenes? Escasean. Por otra parte, el cine le está haciendo al teatro una competencia fortísima. Las salas de Madrid están de bote en bote y, este enero de 1931, hay colas para ver a Buster Keaton en *El colegial*, a Rodolfo Valentino en *El águila negra*, y *Sin novedad en el frente*, de Lewis Milestone.[36]

En enero recibe una sorpresa: una carta del padre de Dalí en la cual el notario le congratula por el éxito de *La zapatera prodigiosa* y le informa de algo que Federico, con casi toda seguridad, ya sabía:

> No sé si estará enterado de que tuve que echar de casa a mi hijo. Ha sido muy doloroso para todos nosotros, pero por dignidad fue preciso tomar tan desesperada resolución. En uno de los cuadros de su exposición en París tuvo la vileza de escribir estas insolentes pa-

labras: «Yo escupo sobre mi madre».* Suponiendo que estuviera borracho cuando lo escribió, le pedí explicaciones, que no quiso dar, y nos insultó a todos nuevamente. Sin comentarios.

Es un desgraciado, un ignorante, y un pedante sin igual, además de un perfecto sinvergüenza. Cree saberlo todo y ni tan siquiera sabe leer y escribir. En fin, usted ya lo conoce mejor que yo.

Su indignidad ha llegado al extremo de aceptar el dinero y la comida que le da una mujer casada, que con el consentimiento y beneplácito del marido lo lleve bien cebado para que en el momento oportuno pueda dar mejor el salto.

Ya puede pensar la pena que nos da tanta porquería.[37]

No se conoce la reacción del poeta ante la lectura de la tan airada misiva. Tampoco si comunicó su contenido al propio Dalí. De todas maneras cabe pensar que recibirla y volver a arder en deseos de conocer a Gala sería todo uno.

Desde el fallido golpe republicano de diciembre la temperatura política del país ha ido subiendo. El 8 de febrero de 1931 el general Berenguer repite que va a haber elecciones a Cortes. Seis días más tarde él y su consejo de ministros dimiten. El 18, Alfonso XIII invita a formar nuevo Gobierno al almirante Juan Bautista Aznar. Éste declara que honrará la decisión de su antecesor y convocará elecciones. Pero pronto, sin embargo, empieza a rumorearse que sólo serán municipales. Esto se confirma el 14 de marzo, cuando por fin se hace pública la fecha de la consulta. Será el domingo 12 de abril.[38]

Entretanto, el 26 de febrero, Rafael Alberti estrena en Madrid *El hombre deshabitado*, que definirá más tarde como «una especie de auto sacramental, claro que sin sacramento».[39] Máscaras, maniquíes sonámbulos, trajes vacíos, la traición que acecha tras el disfraz, un Creador criminal y asesino que cerca al Hombre de tentaciones con el fin de condenarlo al infierno... Es el mismo Alberti iconoclasta, asqueado y hastiado que había sorprendido a sus lectores el año anterior con *Sobre los ángeles*.

El estreno, al que difícilmente no habría asistido Lorca, es ruidoso y cuando cae el telón final el autor salta al escenario al grito de «¡Viva el exterminio! ¡Muera la podredumbre de la actual escena española!».[40] El público se divide entonces entre «podridos y no po-

---

* En realidad, Dalí había escrito «Parfois je crache par plaisir sur le portrait de ma mère».

dridos», siempre según el propio Alberti, mientras Jacinto Benavente y los hermanos Álvarez Quintero abandonan ofendidos la sala «en medio de una larga rechifla».[41]

Quince días más tarde, los Amigos del Nuevo Teatro Universal, agrupación a la que pertenece Lorca, organizan un homenaje a la actriz María Teresa Montoya por su interpretación de la Mujer de Alberti. Tiene lugar en el teatro de la Zarzuela, donde se está poniendo la obra, después de una representación de ésta. Dado el militante republicanismo de Alberti, la intención subversiva de *El hombre deshabitado* y el tenso ambiente imperante en el país, la velada es explosiva. Ante una sala abarrotada se leen numerosas adhesiones, siendo ovacionadas sendas comunicaciones de Niceto Alcalá-Zamora y del líder socialista Francisco Largo Caballero, presos en la Cárcel Modelo de Madrid. Suena también el nombre de Fernando de los Ríos, detenido en la misma prisión. La llegada de un telegrama de Miguel de Unamuno, *enfant terrible* del régimen de Primo de Rivera, enardece a los presentes.[42]

Entretanto Lola Membrives prosigue su temporada en el Fontalba. La actriz argentina (cuyos padres son gaditanos) es tan famosa en España como Margarita Xirgu, y en Buenos Aires hace más que nadie por el teatro español. No sabemos en qué fecha se conocen ella y Federico pero, para finales de marzo de 1931, ya existe entre ellos una buena amistad. Prueba de ello es un reportaje aparecido en la prensa en estos momentos y según el cual alguien acaba de ver a Lorca, Alberti e Ignacio Sánchez Mejías en el camerino de la actriz, donde su jovial irrupción ha provocado la retirada, «con discreción elegante», de los hermanos Álvarez Quintero, cuya obra merecía por parte del granadino, inevitablemente, una valoración negativa.[43]

En estas fechas se pone a la venta el primer disco que ha grabado con Encarnación López Júlvez. El 13 de marzo de 1931 Adolfo Salazar lo elogia en *El Sol*.[44] Los otros —serán cinco en total— aparecerán paulatinamente durante el resto del año y cosecharán un apreciable éxito tanto en España como en América, aunque no sabemos cuántos ingresos supusieron para el poeta. Son las únicas grabaciones que se conocen de Lorca al piano y demuestran no sólo su habilidad como pianista sino el rigor con el cual interpretaba las canciones armonizadas con tanto esmero por él mismo, y alabadas, como hemos visto, por Manuel de Falla.

Durante estos meses se produce en su vida un importantísimo cambio cuando alquila, parece ser que a mediados de febrero de

1931, un estudio en la calle de Ayala, número 60 (más tarde 72). Se trataba de un elegante edificio, hoy desaparecido, cuyo dueño, el conde de Casas Rojas, alquilaba pisos y estudios a «gente bien».

Daba a un colegio de monjas agustinas con un patio donde jugaban las niñas. Por fin Federico tiene una base de operaciones privada, un sitio donde poder invitar a los amigos, tocar el piano y hacer lo que le da la gana. Por otra parte está bien acompañado, pues en el mismo inmueble tienen estudios amigos suyos —el guitarrista Regino Sainz de la Maza, Encarnación López Júlvez, José Jiménez Rosado y, según éste, Emilio Aladrén, nada menos—, mientras Rafael Martínez Nadal vive muy cerca, en la casa número 52 de la misma calle.[45]

A principios de marzo escribe a sus padres desde el pisito, donde dice encontrarse «ya muy bien instalado». En casa puede trabajar tranquilamente; la portera «es una maravilla de limpieza y de simpatía»; y además le cuesta poco su nuevo estilo de vida (*«no gasto un céntimo*, porque, como casi siempre estoy invitado, es una comodidad enorme para mí»). Hay noticias. En primer lugar, ha entregado a la editorial Ulises dos «libros viejos» suyos que cree «tendrán un gran éxito de ventas». Uno es *Poema del cante jondo*, que ha preparado con la ayuda de Martínez Nadal (y que se publicará en mayo).[46] El título del segundo se desconoce, pero se trata probablemente de *Suites* (que, como sabemos, seguirá inédito hasta décadas después de su muerte). Otra noticia: la famosa actriz Irene López Heredia tiene *El público*. Si ella no la pone, quieren montarlo un grupo suyo «de amigos y poetas jóvenes». ¿Qué amigos? ¿Qué poetas? Otra vez estamos en la oscuridad. ¿O se trata de una jactancia? Tal vez. «Desde luego, este estreno sería sensacional y una de las batallas literarias mayores de una época», añade confiadamente antes de dedicar unos renglones al nacimiento de Vicenta, hija de su hermana Concha.[47]

El 12 de marzo Vicenta Lorca le contesta, algo inquieta. Reconoce que es una ventaja estar invitado a menudo a cenar, pues supone una economía considerable, pero ¡tendrá que pagar él mismo el almuerzo! Estima que, cuando se junte con él Francisco, que está preparando en Granada nuevas oposiciones, deberán hacer ellos mismos el desayuno y la merienda, y encargar a la portera la limpieza de los cacharros, porque calcula que costará menos. Luego comenta los proyectos de su hijo. Está en un momento óptimo de su vida y es imprescindible que no pierda el tiempo tontamente. Sus planes son siempre excelentes, pero tarda mucho en llevarlos a cabo. ¡Seis años entre *Mariana Pineda* y *La zapatera prodigiosa*! Es, de verdad, una lástima. Federico ha prometido pasar la Semana Santa con ellos, pero tampoco se fía la madre. ¡Por favor, que no los deje en la estaca como otras veces! ¡Ya son viejos![48]

El 10 de abril de 1931, en vísperas de las elecciones municipales, llega a Madrid la hispanista francesa Mathilde Pomès. No ha visto a Federico desde aquel día de junio de 1929, en París, cuando intuyó que no estaba tan entusiasmado como quería dar a entender con su viaje a Nueva York. Deseosa de un reencuentro, y enterada de dónde vive, se dirige al estudio en la calle de Ayala. Son las once y media de la mañana y el poeta sólo se acaba de despertar. No importa, se sienta al piano en bata e interpreta para ella algunas canciones aprendidas en La Habana. Después pasa al repertorio español: asturiano, castellano, leonés, andaluz... y vuelan dos horas. Cuando se retira por fin a vestirse, Pomès apunta en su cuaderno una pormenorizada lista de cuanto ve a su alrededor. Primero, los libros amontonados sobre la mesa: la Biblia, la *Divina Comedia* de Dante en italiano, una edición en inglés de Shakespeare completo en un solo volumen, los *Chinese Poems*, traducidos por Arthur Waley, dos tomos en francés de la colección «Ars Una» (*France* y *Angleterre*), el volumen XXXII (*Líricos españoles*) de la famosa Biblioteca Rivadeneyra de Clásicos Españoles, obras de José Zorrilla, Lope de Rueda y Tirso de Molina y, finalmente, *La Celestina*. Entre los libros hay una gran caja de lápices de colores y, fijado con una chincheta en la pared, un dibujo del poeta en el que tres marineros rodean a un grumete afeminado delante del bar de un puerto. A su lado está uno de los cuadros regalados a Federico por Dalí en los felices tiempos de la Residencia, tal vez *Naturaleza muerta* (*Botella de ron con sifón*), de 1924. Y, sobre el piano, una partitura del *Don Juan* de Mozart y un volumen del *Cancionero popular español* de Pedrell (colección que siempre acompaña al poeta). El mobiliario se completa con unos cuantos cacharros de cobre viejos y un par de tapices alpujarreños violeta, negro y rojo sobre fondo blanco.

Antes de ir a comer al restaurante donde ya hace más de una hora que los esperan, Lorca, generoso como nunca, le hace varios regalos: el original de una *suite* inédita, *Poema de la feria* (mencionada en un capítulo anterior); un autorretrato, ejecutado en Nueva York, en el cual el poeta trata de protegerse contra una de las feroces bestias tan frecuentes en los dibujos de aquellos meses; y, como remate, el dibujo de los marineros que tiene clavado en la pared.[49]

Al observar las fotografías que se hicieron aquella tarde en el jardín del restaurante (el Buenavista, situado en lo que entonces era la parte alta de la calle de Alcalá), no cuesta demasiado trabajo entender la inquietud de Mathilde Pomès por su retraso, ya que los comensales formaban un distinguido grupo que incluía a algunos de los mejores poetas actuales: Vicente Aleixandre, el mexicano Jaime Torres Bodet, José Bergamín, Pedro Salinas, Luis Cernuda y Gerardo Diego.[50]

Con toda seguridad se habló animadamente durante la comida de las elecciones municipales que iban a celebrarse al día siguiente, aunque Pomès, cuando escribe veinte años después, no dice nada al respecto. Ante la posibilidad de que la Segunda República se encontrara a la vuelta de la esquina, cuesta imaginar que la conversación de aquella tarde se limitase a temas literarios.

El final de la pesadilla

El domingo 12 de abril de 1931 amanece con cielo despejado en casi toda España.

La gente acude masivamente a las urnas.

Carlos Morla Lynch se tropieza por la mañana con Lorca en la Puerta del Sol y se sientan juntos en un café. La plaza se llena rápidamente de una multitud gesticulante y alborotada que lanza gritos contra el régimen, y hay pánico cuando la policía carga contra ella.[51] Más tarde, estando con Martínez Nadal en la terraza de la Granja del Henar, baja hacia ellos por la calle de Alcalá una manifestación republicana. Rafael sugiere que se incorporen a ella y se queda algo sorprendido al ver que Lorca asiente. Se ponen en primera fila. Al empezar a subir por el paseo de Recoletos, después de rebasar la Cibeles, aparece de pronto un destacamento de la Benemérita para cortarles el paso. Hay disparos y se produce la desbandada de los manifestantes, entre ellos Nadal. Al volver la vista atrás, ve al poeta tratando de escaparse con la lentitud que le imponen esas piernas que, como le recordará su madre unas semanas después, son «poco fuertes». ¡Ni el miedo puede lograr el milagro de que sea capaz de correr![52]

Francisco Vega Díaz, más adelante distinguido cirujano cardíaco, participó en la manifestación y, con Martínez Nadal, fue testigo de la vuelta del poeta a la Granja del Henar. Lívido y cubierto de polvo, tenía la camisa desabrochada y se secaba con un pañuelo ligeramente teñido de sangre la frente cubierta de sudor (se había caído y herido en un dedo):

> Empezó a relatar en voz alta lo sucedido con una exuberancia verbal, unos matices, un vocabulario y una mímica realmente fantásticos. A borbotones le brotaban las palabras con que expresaba su sobresalto, y tal era la ansiedad ambiental que alguien le hizo subirse a una de las mesas de mármol para que todos los presentes pudieran oír el relato que había iniciado. Puedo decir que en toda la obra de García Lorca no he visto nada que se pueda comparar a lo que, como un torrente que parecía inextinguible, dijo en sólo unos minutos, volviéndose hacia uno y otro lado.[53]

Aquella noche se conoce el resultado de las elecciones municipales en toda España: los republicanos han ganado. Esperando quizá evitar la guerra civil, Alfonso XIII abandona inmediatamente el país. Dos días más tarde, sin que haya habido que lamentar la pérdida de una sola vida, se proclama la Segunda República. La monarquía ha caído como una manzana podrida y, aunque parezca casi increíble, la posibilidad de una nueva España democrática ha dejado repentinamente de ser un sueño para convertirse en realidad. Se ha producido un milagro.

LORCA Y LA SEGUNDA REPÚBLICA (1931-1932)

La batalla cultural

El poeta sabía que la batalla tal vez más crucial de la flamante República se iba a librar en torno a la enseñanza primaria y secundaria, en manos desde hacía siglos de la Iglesia. Los hombres de la nueva España estaban decididos a acabar con aquel monopolio y a crear un sistema de instrucción pública capaz de hacer frente al enorme reto planteado por el retraso educativo del país. En 1931 el 32,4% de una población de veinticinco millones era analfabeto, y los republicanos calculaban que habría que crear 27.150 escuelas nuevas. El Gobierno Provisional puso inmediatamente en marcha un plan quinquenal para tratar de cubrir esta necesidad. La meta era 7.000 escuelas durante el primer año y 5.000 cada uno de los cuatro siguientes. Se alcanzaría el objetivo: en 1932 se abrirían 2.580 y, en 1933, antes de que la derecha accediera al poder aquel noviembre, 3.990. Proeza gigantesca, toda vez que a lo largo de los treinta años de monarquía tan sólo se habían inaugurado 11.128.[1]

No se trataba sólo de abrir escuelas. También había que mejorar el nivel intelectual de los maestros, muy mal pagados, y de manera especial la situación de los de primera enseñanza. Se elevaron en un 50% los salarios y se crearon 5.000 nuevas plazas.[2]

El celo reformador de los republicanos no se limitaba, por supuesto, a la educación. Entre las otras medidas introducidas se legalizaría el divorcio, habría separación de Iglesia y Estado, se propulsaría la reforma agraria, se secularizarían los cementerios y los hospitales, y se reduciría el número de órdenes religiosas. Lo trágico era que la llegada de la República coincidió con una aguda crisis económica que dificultaba mucho los proyectos de los nuevos gobernantes.[3]

La reacción eclesiástica ante lo que ocurría fue hostil e inmediata. El 7 de mayo de 1931, apenas tres semanas después de la proclamación de la República, el cardenal Pedro Segura, arzobispo de Toledo y primado de España, atacó duramente en una carta pastoral las reformas propuestas, refiriéndose a la peligrosa amenaza que suponían éstas para los «derechos» de la Iglesia e instando a las mujeres españolas a organizar una campaña de oraciones para contrarrestar tan deleznables designios. Recordó lo ocurrido en 1919 en Baviera, cuando habían intervenido los católicos para «salvar» al país de una efímera ocupación bolchevique. Con ello daba a entender que la República que se acababa de inaugurar era prácticamente comunista, lo cual no dejaba de ser una perversa tergiversación. Era evidente que, al abogar por un Estado laico, los republicanos sacaban de quicio a la jerarquía eclesiástica, temerosa de perder sus privilegios.[4]

El 11 de mayo, cuatro días después del ataque del cardenal Segura, ardieron en Madrid seis conventos (de los 170 existentes), así como un edificio de los jesuitas. No se supo nunca qué mano había empujado a los incendiarios, y no se puede descartar la intervención de agentes provocadores. En cualquier caso el resultado fue el mismo: la derecha disponía ahora de un argumento de peso contra los republicanos y pronto se endurecería la oposición católica al nuevo régimen. La situación se hizo aún más tensa cuando, el 3 de junio, los obispos dieron a conocer una carta colectiva de protesta.[5]

Estos acontecimientos coincidieron con la publicación, por fin, del *Poema del cante jondo*. Hubo numerosas reseñas, entre ellas una muy elogiosa de Eugenio Montes, para quien Lorca era un Heinrich Schliemann de la poesía que había conseguido penetrar hasta los más hondos sustratos de «la Andalucía eterna».[6] Es probable que el poeta se sorprendiera ante la reacción del catalán Sebastià Gasch, con quien había perdido prácticamente el contacto después de su fructífera correspondencia de unos años antes. En 1928 Gasch había expresado su honda admiración por la prosa *Santa Lucía y San Lázaro*, que el granadino le había dedicado. Pero ahora se mostraba escéptico ante su veta «surrealista». *Poema del cante jondo* le parecía representar su mejor etapa, «más intensa y más pungente que su producción actual, que se inicia bajo el signo de Salvador Dalí y que después de flirtear con un pseudo-surrealismo, más vanguardista que superrealista, acaba de culminar con sus poemas neoyorquinos y con el libro sobre el barrio

negro de Harlem, de próxima aparición». Lorca debió de preguntarse qué le había pasado a su antiguo amigo. Era que Gasch, a
quien en el fondo nunca le había gustado el surrealismo, que consideraba inmoral, no podía ver ya a Dalí ni a nada, o nadie, que
tuviera que ver con el pintor de Cadadqués.[7]

«Epentismo», *Así que pasen cinco años…* y Fuente Vaqueros revisitado

De todos los diarios de la capital española —y entonces se edita-
ban muchos— el que siguió más de cerca la carrera ascendente de
Lorca después de su vuelta de Nueva York fue el muy popular, y
muy republicano, *Heraldo de Madrid*, auténtica mina de información sobre la vida política y cultural de aquellos años. El 26 de febrero de 1931 había publicado una nota anónima en su habitual
página literaria de los jueves:

García Lorca y «don Elepente»

—¿Qué es «don Elepente», poeta Federico?
—Un héroe mío, que yo he inventado.
—¿En dónde lo encontró usted?
—En todas partes, porque va de mi mano.
—¿Podemos esperar una «Vida y hechos de don Elepente»?
—Sí, desde luego…

Pero Federico García Lorca ha puesto una sonrisa significativa,
que hace pensar que este «Elepente» irá siempre de su mano, pero
sin pasar a engrosar la magnífica obra de poeta y de autor teatral.[8]

Aquel verano Carlos Morla Lynch recibió una carta de Lorca
firmada «D. Elepente J. Federico», lo cual le debió de causar extrañeza. Un poco después el poeta le dijo que quería fundar un club
«elepente».[9]

Lorca gozaba inventando palabras, teniendo en su haber, entre
otras, «chorpatélico», «pirulino», «ronconquélico», «pollancón» (más
o menos «cojonudo») y, ahora, «epente» y «epéntico», de los cuales
fue prototipo «don Elepente».[10]

Pero, ¿epéntico? El término no era del todo original y tenía una
base real en el sustantivo «epéntesis» (del griego «intercalar»), figura de dicción consistente, según la Real Academia Española,

«en añadir algún sonido dentro de un vocablo, como en *corónica* por *crónica*, *tendré* por *tenré*». Ello para facilitar su pronunciación. El mismo diccionario (1984) nos informa de la existencia de un adjetivo correspondiente: «epentético».

Luis Sáenz de la Calzada ha apuntado que Lorca explicaba que con la palabra «epéntico» se refería a los que «crean pero no procrean».[11]

El término, de entrada, no parece tener mucho que ver con la epéntesis de la Real Academia. La explicación dada por el cómplice homosexual de Lorca en Granada, José María García Carrillo, arroja luz sobre al asunto: se trataba de un malentendido o marrullería intencionada por parte de Lorca, que creía o quería creer que «epéntesis» era no sólo la añadidura de un sonido dentro de una sílaba sino *detrás* de otra, «¡dándole por culo!».[12]

Según le contó el propio García Carrillo a Agustín Penón, Lorca le solía decir: «¡Somos la gran masonería epéntica!».[13]

Durante los pocos años que le quedaban no dejaría de bromear en torno al asunto. Incluso llegaría a decirle a Rafael Martínez Nadal que «el epentismo granadino ya es epidemia. ¡Qué barbaridad!».[14]

El 28 de junio se celebran elecciones a las Cortes Constituyentes. El mismo día Enrique Díez-Canedo reseña *Poema del cante jondo* en *El Sol*, subrayando que es de 1921 y recalcando la distancia que lo separa del libro de Manuel Machado, casi de título idéntico, y su deuda para con Manuel de Falla.[15]

Lorca sigue obsesionado con la posibilidad de ver montado *El público*, tan ajeno al mundo andaluz. Unos días después una nota del *Heraldo de Madrid* anuncia una lectura privada de la obra. Entre los asistentes estarán el pintor Santiago Ontañón, el guitarrista Regino Sainz de la Maza, el periodista Miguel Pérez Ferrero y el dramaturgo Carlos Arniches. Sobre la lectura no tenemos más información, pero la nota demuestra que el poeta sigue obstinado en que, si no se puede poner todavía *El público*, por lo menos personas seleccionadas la vayan conociendo.[16]

Ya convive con él, en el estudio de la calle de Ayala, su hermano Francisco, otra vez con oposiciones a cuestas. El 7 de julio Vicenta Lorca, enterada de que Federico se ha dado un golpe en la rodilla, les escribe para pedirles una contestación inmediata. Está muy preocupada porque le consta que tiene «unas piernas poco fuertes». No le ha dicho nada del asunto al padre, para que no se preocupe. «Ya estoy harta de que estemos separados sin que vosotros tengáis colocación fija —sigue—, pues yo creo que lo pasáis mal y al mismo tiempo hay el peligro de una enfermedad y que os encontréis solos.» Siempre la misma angustia de la madre, el mismo machacón empeño en ver a sus hijos con un puesto bien remunerado, el mismo temor ante posibles percances y sinsabores. Se supone que entre ambos hermanos lograron convencerla de que la bendita pierna estaba a salvo. Sea como fuera, a los pocos días Federico vuelve a Granada.[17]

Allí, en la Huerta de San Vicente, trabaja con la energía que siempre le caracteriza durante los meses caniculares y, el 19 de agosto, termina *Así que pasen cinco años*. Está «*en cierto modo* satisfecho» con lo conseguido, informa a Sainz de la Maza. Tiene mediado el drama en verso (no identificado) para Margarita Xirgu, empezado meses atrás. Y ha escrito un libro, *Poemas para los muertos*, que considera «de lo más intenso» que ha salido de su mano. «He sido como una fuente —prosigue—. Día, tarde y noche escribiendo.»[18]

No se sabe qué composiciones integraban el proyectado libro, nunca publicado, con la excepción de «Vals en las ramas», fechada en la Huerta de San Vicente el 21 de agosto de 1931, que, con «Pequeño vals vienés», se incluiría en la sección IX de *Poeta en Nueva York* («Huida de Nueva York. Dos valses hacia la civilización»).[19]

En cuanto a la gestación de *Así que pasen cinco años*, y su declarado propósito en la obra, apenas tenemos información. En una de las raras ocasiones en que se refirió públicamente a ellos sólo diría: «Es un misterio, dentro de las características de este género, un misterio sobre el tiempo, escrito en prosa y verso».[20]

Para nuestro poeta la dilación o postergación amorosa es siempre un crimen contra la vida de los instintos —quien se lo piensa dos veces lo pierde todo—, como lo es enmascarar o reprimir los verdaderos sentimientos. Los ecos de sus primeros poemas, con sus alusiones obsesivas al amor perdido, se perciben a menudo en toda la obra posterior, pero nunca con tanta insistencia como en esta «leyenda del tiempo» (como se subtitula). *Así que pasen cinco años,* donde se funden más armoniosamente que en ninguna de sus obras dramáticas lo tradicional y lo estrictamente contemporáneo, expresa con arte supremo la angustia ante el futuro, la inevitabilidad de la muerte y la imposibilidad de conseguir la plenitud amorosa.

De todos los personajes de Lorca, el Joven representa de manera más patética las consecuencias del amor aplazado. El diálogo que se establece entre él y la Novia cuando vuelve de su viaje de cinco años lo dice todo:

> NOVIA. ¿Y tú no eras más alto?
> JOVEN. No.
> NOVIA. ¿No tenías una sonrisa violenta que era como una garza sobre tu rostro?
> JOVEN. No.
> NOVIA. ¿Y no jugabas tú al rugby?
> JOVEN. Nunca.
> NOVIA. (*Con pasión.*) ¿Y no llevabas un caballo de las crines y matabas en un día tres mil faisanes?
> JOVEN. Jamás.
> NOVIA. Entonces. ¿A qué vienes a buscarme?[21]

La escena recuerda indefectiblemente el intercambio que mantienen en *El paseo de Buster Keaton*, de seis años antes, el famoso actor que no sonreía nunca y una *modern miss* estadounidense:

> AMERICANA. ¿Tiene usted una espada adornada con hojas de mirto?
>
> (*Buster Keaton se encoge de hombros y levanta el pie derecho.*)
>
> AMERICANA. ¿Tiene usted un anillo con la piedra envenenada?
>
> (*Buster Keaton cierra lentamente los ojos y levanta el pie izquierdo.*)
>
> AMERICANA. ¿Pues entonces...?[22]

Es contundente la escena con el Jugador de Rugby en la cual la Novia compara los dientes de éste —supermacho yanqui que se la llevará consigo en su automóvil al final de la obra—, con los del Joven, de cuya inutilidad en la cama no le cabe la menor duda:

> ¡Qué ascua blanca, qué fuego de marfil derraman tus dientes! Mi otro novio tenía los dientes helados; me besaba, y sus labios se le cubrían de pequeñas hojas marchitas. Eran unos labios secos. Yo

me corté las trenzas porque le gustaban mucho, como ahora voy descalza porque te gusta a ti. ¿Verdad, verdad que sí?[23]

La obra contiene otras numerosas alusiones a la impotencia sexual del Joven, que recuerda la de Perlimplín. Una de las más llamativas ocurre en el comentario que le dirige el Maniquí, vestido del traje de bodas comprado por él para la novia que acaba de perder para siempre:

> Pudiste ser para mí
> potro de plomo y espuma,
> el aire roto en el freno
> y el mar atado en la grupa.
> Pudiste ser un relincho
> y eres dormida laguna,
> con hojas secas y musgo
> donde este traje se pudra.[24]

La Criada, por su parte, ha notado que el Joven da la mano «muy delicadamente, casi sin apretar», mientras que el Amigo se refiere a sus «mejillas de cera». Se trata de una acumulación de signos antivitales, de muerte. El Joven es, en realidad, un Viejo, y no es casual que le acompañe un personaje con este nombre, evidentemente su *alter ego*. ¡Gozad el aquí y el ahora, fiaos lo menos posible del futuro! ¡*Carpe diem*! No hay obra de Lorca en que el mensaje se transmita con tanta fuerza.

La sospecha de que el Joven es reflejo del propio poeta, del poeta como cree haber sido en su juventud, o como teme seguir siendo en la actualidad, la confirman los ecos en la obra de versos muy personales compuestos una década antes. El angustioso diálogo que tiene lugar en el bosque entre el Joven y la Mecanógrafa (acto III, cuadro 1), por ejemplo, se inspira en el poema «Aire de nocturno», de 1919, cuyo tema, una vez más, es el del amor perdido o inasequible:

> ¿Qué es eso que suena
> Muy lejos?
> Amor.
> El viento en las vidrieras.
> ¡Amor mío!...[25]

En dicha escena, el Joven, que hacía cinco años, obsesionado con la Novia, rechazó a la Mecanógrafa (la mujer a quien realmente necesitaba sin darse cuenta de ello), intenta que vuelva a él. Demasiado tarde. Glosando «Aire de nocturno», los dos entonan el canto del amor imposible:

> MECANÓGRAFA: ¿Qué es eso que suena muy lejos?
> EL JOVEN: Amor,
>   el día que vuelve.
>   ¡Amor mío!...[26]

Otras resonancias de poemas anteriores refuerzan la identificación Lorca-El Joven. Por ejemplo, la canción que el Amigo 2.º recuerda en el primer acto —y que, según él, oyó de labios de una «mujercilla del agua» vista en una gota de lluvia cuando era niño— pertenece a la *suite* titulada «El regreso», fechada el 6 de agosto de 1921:

> *Yo vuelvo*
> *por mis alas.*
>
> *¡Dejadme volver!*
>
> *¡Quiero morirme siendo*
> *amanecer!*
>
> *¡Quiero morirme siendo*
> *ayer!*
>
> *Yo vuelvo*
> *por mis alas.*
>
> *¡Dejadme retornar!*
>
> *Quiero morirme siendo*
> *manantial.*
>
> *Quiero morirme fuera*
> *de la mar.*[27]

Cuando el Joven se niega a utilizar el término «novia» al dirigirse a su prometida, prefiriendo «niña» o «muchachita», y habla con la Mecanógrafa de parecida forma infantil,[28] no sólo nos recuerda la *suite* citada (donde también se llama «niña» a la chica), sino otro poema de la misma época, «Momentos de canción» (10 de julio de 1921), en el cual se evoca a la perdida «muchachita de la fuente», tal vez la misma persona.[29] Tanto *Así que pasen cinco años* como estos poemas de diez años antes aluden a un escenario preadolescente y nos hacen sospechar, otra vez, que Lorca está expresando a través del Joven su propio fracaso heterosexual.

Como complemento de la frustración que atormenta tanto al Joven como a la Mecanógrafa está la obsesión de ambos con la esterilidad, obsesión que apunta hacia *Yerma* (obra en la cual, como hemos visto, Lorca ya trabajaba durante su visita a Cuba) y que, mirando hacia atrás, recuerda *Libro de poemas* y *Suites*. En cuanto a la permanente ansiedad del poeta ante la muerte, en ninguna de sus obras se acusa tanto como en ésta.

No por nada su hermano Francisco, reflexionando sobre la obra, concede, con su mesura habitual, que «hay como una identificación de Federico con el Joven, su protagonista».[30]

Después del esfuerzo que le ha costado terminar *Así que pasen cinco años* visita Fuente Vaqueros durante las fiestas de principios de septiembre. Tiene un motivo muy especial para hacerlo: la invitación a inaugurar la biblioteca pública cuya creación había recomendado dos años antes. Por otra parte se ha rebautizado la calle de la Iglesia, donde vivió de niño, con su nombre. Razones más que suficientes para acudir a La Fuente en estas fechas.

El acto se hace al aire libre. Después de elogiar efusivamente el pueblo, aborda el tema de los libros: su origen, su desarrollo y su importancia para la formación del ser humano. Es una alocución muy a tono con el fervor democrático que impera en estos momentos. Manifiesta estar de acuerdo con Ramón Menéndez Pidal, quien acaba de declarar que la República debe significar, por encima de todo, cultura. Y, sentando cátedra, explica a la concurrencia de vecinos e invitados, remitiéndose a Voltaire, que el mundo civilizado ha sido dominado por un puñado de grandes libros: la Biblia, el Corán, las obras de Confucio... Recalca la influencia de Rousseau y la *Encyclopédie* sobre la Revolución francesa y lo que deben los movimientos actuales de izquierdas a otro «gran libro», *El capital*, de Karl Marx. La verdadera sabiduría, propone, estriba en el contraste de ideas, por lo que espera que la biblioteca pública de Fuente Vaqueros sea ecléctica en sus adquisiciones. En ella deben tener cabida tanto los místicos como los revolucionarios, tanto san Juan de la Cruz como Tolstói. Es preciso que en los estantes se codeen san Agustín, Nietzsche y Marx, puesto que todos estos escritores «están conformes en un punto de amor a la humanidad y elevación del espíritu y, al final, todos se confunden y abrazan en un ideal supremo».

Termina afirmando que no sólo cree que la sociedad sin clases está a la vuelta de la esquina, sino que es una evolución que personalmente desea. Para que tal sociedad llegue a hacerse realidad, subraya, es fundamental la cultura. Y la cultura exige sacrificio y abnegación.

Aquella tarde a los vecinos de Fuente Vaqueros no les puede quedar la más mínima duda: su poeta es firme partidario de la República y abriga opiniones marcadamente anticapitalistas. Lo que no pueden saber es que tales opiniones, muy arraigadas en él, se han hecho más fuertes durante su estancia en Nueva York, donde ha sido testigo del sufrimiento humano a una escala para él hasta entonces apenas inimaginable. Como su tan admirado Fernando de los Ríos —nombrado hijo adoptivo de Fuente Vaqueros el 25 de abril de 1931—,[31] cree, casi como artículo de fe, que la República puede y debe significar la apertura de un nuevo y espléndido capítulo en la historia de España. El discurso tan cuidadosamente preparado que lee en su pueblo natal demuestra que quiere participar en la noble empresa. Y así será.[32]

La Barraca, Cernuda, Aleixandre

Son días de intensa actividad política mientras las Cortes salidas de las urnas a finales de junio elaboran a marchas forzadas la Constitución de la República. El 8 de octubre, instalado otra vez en Madrid, Lorca acude a escuchar un discurso de Fernando de los Ríos —ahora, después de su pulso con el régimen anterior, ministro de Justicia— sobre la espinosa cuestión religiosa. Dirigiéndose de forma explícita a los católicos sentados en el hemiciclo, el catedrático esboza la actitud de la España liberal ante una Iglesia que, en su opinión, lleva más de quinientos años ahogando la vida del país. Recuerda los abusos de la Inquisición. «Somos los hijos de los erasmistas, somos los hijos espirituales de aquellos cuya conciencia disidente individual fue estrangulada durante siglos», declara. La Iglesia se ha dedicado a perseguir, a quemar, a mutilar; ha expulsado a los judíos; se ha unido a una monarquía opresora y a la banca; ha abogado por la represión de las libertades y de la heterodoxia; ha tergiversado las opiniones de sus adversarios. ¿Cómo puede esperar ahora que los españoles no vayan a afirmar su ansia de vivir como les plazca, a educar a sus hijos de la forma que quieran, a casarse y enterrarse por lo civil, si es lo que desean? No pide venganza, sólo reivindica justicia. La República no debe pagar a la Iglesia con la misma moneda de la intolerancia que ella ha gastado siempre, pero sí debe mostrarse fuerte en la afirmación de sus derechos.

De los Ríos estaba a favor de una solución de compromiso que permitiera la construcción de una sociedad democrática sin acritud excesiva y, por supuesto, sin violencia. Pero no iba a ser posible. Los que se situaban a su izquierda estaban impacientes ante lo que veían como medidas tibias, y los conservadores rechazaban de plano su análisis del papel de la Iglesia en la historia de España.

Si al finalizar su largo discurso recibió una calurosa ovación de los republicanos, la derecha no estuvo menos satisfecha con la intervención de José María Gil Robles, joven y brillante abogado salmantino quien, en su respuesta al ministro, expuso la posición reaccionaria ante la Iglesia y la República. El debate demostró que iba a ser muy difícil, por no decir imposible, el consenso.[33]

Para la ultraderecha española, visceralmente antisemita, Fernando de los Ríos era ni más ni menos que... judío. Mofándose del discurso de «don Erasmo el Laico» unos días después, la revista satírica y protofascista *Bromas y Veras* comentaba:

> «El tema —dice, refiriéndose no sabemos exactamente a qué— constituye uno de los ejes de mi preocupación cotidiana desde hace más de un cuarto de siglo.»
>
> Maestro: el tema le importa a usted desde hace mucho más tiempo, desde 1492, en que ocurrió en España aquel pequeño detalle del desahucio de Samuel, Abrahán [sic], Moisés, etc.[34]

Entre los otros apodos que la revista irá inventando para el catedrático figuran «don Fernando de los Líos» y, refiriéndose a su estrecha relación con Lorca, «don Fernando de los Ríos y García-Erasmo».[35]

El 16 de octubre de 1931 Manuel Azaña es nombrado presidente del Consejo de Ministros. Pequeño, gordo y feo, con una cara redonda salpicada de lunares, tiene una inteligencia y un intelecto fuera de lo corriente y grandes dotes de orador y de escritor. No tardará en convertirse, con Fernando de los Ríos, en uno de los políticos republicanos más odiados de la derecha. Cuñado de Cipriano Rivas Cherif y amigo de Margarita Xirgu, es también hombre de teatro y había asistido en 1927 a una de las lecturas de *Mariana Pineda* dadas por Lorca en el teatro Fontalba. Cuando el poeta empezaba en Madrid, además, Azaña había publicado algunos poemas suyos en la revista que dirigía entonces, *La Pluma*. El contacto con personas de la relevancia política y cultural de Azaña y de Fernando de los Ríos agudiza ahora la conciencia del poeta ante las cuestiones que están sacudiendo el país, y acicatea su deseo de participar en la construcción de una España más libre y más culta.

No tardó en presentársele una inesperada oportunidad para hacer algo útil —muy útil— en este sentido. En las altas horas de la noche del 2 o 3 de noviembre de 1931 irrumpió en el piso de Carlos Morla Lynch en un estado de febril excitación y anunció a los allí reunidos que se iba a embarcar en una magna aventura: la creación de un teatro ambulante universitario que interpretaría obras clásicas —Cervantes, Lope de Vega, Calderón de la Barca— en los pueblos y mercados de la España rural, tan huérfana de cultura.[36]

La idea no había partido del poeta, aunque Morla Lynch da a entender que sí, sino, casi por generación espontánea, entre un grupo de estudiantes de la Facultad de Filosofía y Letras de la Universidad de Madrid, sin duda bajo la influencia, consciente o no, de las Misiones Pedagógicas fundadas por la República aquel mayo. Tenían el propósito de llevar el mensaje de la cultura a los rincones menos privilegiados del país con obras de teatro y conciertos, colaborando con los maestros, organizando exposiciones y conferencias sobre arte, abriendo bibliotecas públicas, proyectando películas y, en términos generales, llevando esperanza a comunidades que a veces daban la impresión de vivir todavía en la Edad de Piedra.[37]

No sabemos cómo se efectuaron los primeros contactos entre los estudiantes y el poeta. Lo más probable es que tuviesen lugar en la Residencia de Estudiantes. Lorca hizo suyo el proyecto, de todas maneras, al aceptar la invitación de ser director artístico del teatro siempre que el nombramiento fuera ratificado por la Federación Universitaria Escolar (FUE), sin cuyo apoyo la iniciativa no habría sido factible. Por otro lado fue decisiva su amistad con Fernando de los Ríos, quien garantizó enseguida el apoyo del Gobierno.[38]

Debido en parte a la elocuente abogacía de Arturo Sáenz de la Calzada, estudiante de Arquitectura y amigo del poeta, la FUE decidió patrocinar el Teatro Universitario, confirmó el nombramiento de Lorca como su Director Artístico y eligió una comisión, formada por miembros de las facultades de Filosofía y Letras y de Arquitectura para planear y dirigir la iniciativa. Se propuso no sólo la construcción de un teatro móvil, que los estudiantes levantarían en los pueblos durante las vacaciones, sino de una «barraca» permanente en Madrid para la representación de obras a lo largo del año. Aunque este último proyecto no se llevó a cabo, el nombre pegó y se hizo extensivo al proyecto entero. Había nacido La Barraca.[39]

El entusiasmo del poeta se entiende. Su proyecto con Falla de llevar un teatro de títeres a las Alpujarras no había cuajado, pero ahora se le ofrecía algo mucho más concreto y con la posibilidad de hacer una contribución realmente eficaz a la labor cultural de la nueva República. Además debió de entender desde el primer momento que con La Barraca podría desplegar todas sus dotes sin excepción alguna.

Para ayudarle en la dirección los estudiantes consiguieron la colaboración de un joven dramaturgo afable y poco ambicioso cuyo padre había sido ministro de Primo de Rivera. Eduardo Ugarte Pagés, que así se llamaba, se ufanaba de ser hijo de vasca, llevaba gafas exorbitantemente gruesas, era corpulento y velludo, tenía dientes amarillentos e incipiente calvicie y era tan preguntón que los «barracos» lo apodarían Ugartequé. Acababa de regresar de Hollywood, donde, al lado de Buñuel, había adquirido cierta experiencia en el mundo del cine y había conocido a Chaplin y a otros grandes actores del momento.[40]

Ugarte sería la insustituible mano derecha del poeta en La Barraca, haciendo de todo: director de escena, tramoyista, crítico, guía, compañero, apuntador, hasta ayudante de maquillaje cuando hacía falta. Intensamente modesto, parece que ni una sola vez durante aquellos cinco años salió a saludar al público. Los dos se complementaban a la perfección, y Lorca nunca dejaría de insistir en que la agrupación debía sus éxitos tanto a Ugarte como a él, o más. «Yo hago todo; él lo observa todo y me va diciendo si está bien o mal, y yo siempre hago caso a su consejo, porque sé que siempre es acertado. Es el crítico que necesita siempre todo artista llevar consigo», diría Lorca en 1934.[41]

La creación de La Barraca coincidió con el estreno español de *L'Âge d'or* (1930), la segunda y escandalosa película de Buñuel y Dalí, prohibida por las autoridades francesas debido a las presiones del régimen fascista de Mussolini. Tuvo lugar, para un selecto público invitado, la mañana del domingo 22 de noviembre de 1931 en el cine Palacio de la Prensa. Lorca, que cabe imaginar que se desvivía por conocerla, acudió acompañado de Carlos Morla Lynch, a quien presentó a Luis en el vestíbulo. El diplomático apuntó en su diario aquella noche que el cineasta era «un buen gallego [sic] joven, redondo de líneas, de mirar azul [sic], de aspecto sano, un poco rural: una manzana rubicunda con ojos». Lo único de la película que le había molestado era el perrito agredido por el protagonista: estimaba que habría muerto de verdad y prefería «no pensar en la salvajada». La secuencia de la custodia «atada de una traílla, a la manera de un perro» y «arrastrada por el suelo» (dos inexactitudes en una) le había dejado frío. Eso sí, le divirtió la escena de la vaca sobre la cama. ¿Y el Cristo de la escena final? El diplomático no ha seguido muy atentamente la cinta pues en absoluto aparece Jesús en un «cocktail party», sino en una orgía inspirada por el marqués de Sade. Al final de la función Lorca le dice que la película «contiene cosas magníficas». Morla sólo está de acuerdo sobre una de ellas, la secuencia de los obispos podridos entre las rocas del cabo de Creus (muy cerca del paraje visitado por Federico con Salvador y Anna Maria en 1925).[42]

Son días intensísimos. En una entrevista publicada en *El Sol* el 2 de diciembre el poeta explica que el objetivo fundamental de La Barraca es «educar al pueblo con el instrumento hecho para el pueblo, que es el teatro y que se le ha hurtado vergonzosamente». Expresa su gratitud al ministro de Instrucción Pública, Marcelino Domingo, que patrocina la empresa, y, por su acogida «paternal y exquisita», a Fernando de los Ríos, y manifiesta la esperanza de que las actividades de La Barraca puedan encajarse en la estructura ya existente de las Misiones Pedagógicas (lo cual resultaría impracticable).[43] Cuando unos días después De los Ríos sustituye a Domingo queda asegurada la viabilidad de la iniciativa. Presionado por éste, a quien pronto se conocerá como «padre» del Teatro Universitario, el Gobierno otorga a La Barraca una subvención de 100.000 pesetas. Al tomarse tal decisión el titular de Hacienda,

Jaime Carner Romeu, exclamará: «¡Vaya, ya sacó don Fernando a sus títeres adelante!».[44]

En principio, aunque no sería así, iban a colaborar con el comité directivo del Teatro Universitario tres poetas compañeros de Lorca: el sevillano Luis Cernuda y los malagueños Manuel Altolaguirre —denominado por Federico «el ángel de La Barraca»— y Vicente Aleixandre («nuestro censor, todo serenidad y equilibrio»).[45]

Cernuda, acerca de cuya relación con Lorca sabemos casi tan poco como de su amistad con el recatado Aleixandre, acababa de publicar en *Heraldo de Madrid* un retrato realmente extraordinario —y hasta profético— de nuestro poeta.

> «Un día, allá en la Vega de Granada, nació un niño, a cuyo alumbramiento asistieron todas las hadas. Una le dio el don de la simpatía, otra le dio ángel, otra le dio poesía; cada una le dio, en fin, su don especial. Pero cuando parecía que todas le habían saludado ya con tan graciosos presentes se vio que, oculta por las demás, aún quedaba un hada, menuda y apacible, al lado de las otras, evaporadas de orgullo. Se acercó esta última y otorgó al recién nacido el don de saber vivir. Andando el tiempo, este niño, que se llamaba Federico García Lorca, puso en práctica los dones de las hadas. Sus poesías gustaron apenas escritas; aún inéditas, sus amigos las copiaban y aprendían de memoria; encontraba editores para sus libros; hasta los dragones de la *Revista de Occidente* se dormían blandamente a su paso. Y, en fin, sus amigos eran amigos suyos verdaderamente.»
>
> Así, poco más o menos, se expresarán los colegiales dentro de un siglo, al repetir lo que sus libros de clase les digan acerca de la figura de Federico García Lorca.

A continuación, con una generosidad inaudita, Cernuda señala y ensalza la capacidad de Lorca para transmitir a los demás su «entusiasmo vital», capacidad tan fuera de lo normal que sus amigos hasta se resisten a creer que sea mortal como ellos, «ya que todo él desborda, como fuente que parece imposible y criminal cese de fluir un día». ¿Cuál es el secreto de esta criatura que no parece española? La clave cree haberla encontrado (como antes Miguel Pérez Ferrero) en *Poemas arabigoandaluces*, de Emilio García Gómez: «Temas, estilo, preocupaciones son comunes entre la poesía oriental y la poesía de Federico García Lorca [...] Como los poetas orientales, posee esa exquisita oportunidad del momento presente: conoce su valor y lo exalta. Su poesía, en conclusión, ¿no es dar perennidad a lo transitorio?».[46]

No tenemos la reacción de Lorca ante la lectura de un texto que no sólo le honraba a él, como creador extremadamente dotado, sino, por su magnanimidad, al autor del mismo. Parece razonable deducir que en estos momentos se había estrechado la amistad de los dos. Pero sobre ella, por desgracia, Cernuda nunca se explayaría.

Quien sí ha querido decirnos algo al respecto es el ex «barraco» Emilio Garrigues Díaz-Cañabate. Al visitar a Lorca en su estudio de la calle Ayala en la primavera de 1932, ha declarado, recibió una sorpresa. Al abrirle la puerta el poeta, en calzoncillos, hizo su aparición, desde la terraza, «un joven, un efebo, yo diría, completamente desnudo»: Luis Cernuda. Según Garrigues, Federico le explicaría en aquella ocasión, «con una intención más connotativa que denotativa», que estaban haciendo «gimnasia revolcatoria», actividad deportiva no identificada pero que Garrigues insinúa erótica. Es el único testimonio que tenemos acerca de una posible relación sexual de Lorca y Cernuda, y tal vez no habría que prestarle demasiado crédito.[47]

Complicidad entre los dos hubo, de todos modos. Parece ser que fue en los primeros meses de 1931 cuando llegó a Madrid un joven gallego pobre de diecinueve años, Serafín Fernández Ferro, a quien Lorca conoció en una de las «escapadas nocturnas» suyas recordadas por Martínez Nadal, cuando el poeta sentía «un repentino deseo de ausentarse de donde estuviera que anunciaba con el cómico: "¡Ay, qué dramón tan grande tengo!", exclamación que podía indicar cansancio, aburrimiento, súbito recuerdo de alguna cita o, las más de las veces, irresistible deseo de soledad o de inesperados encuentros».[48] Serafín, según Morla Lynch, tenía una «fisonomía privilegiada», una «inteligencia espontánea»… y poco más.[49] Lorca se interesó enseguida por él, le llevó a casa de Vicente Aleixandre y le entregó seis o siete cartas de presentación, una de ellas, tal vez a sugerencia de Aleixandre, para Cernuda:

> Querido Luis: Tengo el gusto de presentarte a Serafín Fernández Ferro (he estado luchando con tres plumas).
>
> Espero lo atenderás en su petición.
>
> Un abrazo de
>
> FEDERICO[50]

Según Martínez Nadal, Lorca, al día siguiente de conocer a Serafín, le habló de aquel encuentro acaecido en las altas horas de la noche madrileña, y comentó que el muchacho sería «compañero ideal» para Cernuda, si éste no lo idealizaba demasiado. El hecho es que el sevillano se prendió enseguida del «chiquillo vagabundo»,[51] que inspiraría los poemas de *Donde habite el olvido*. Federico debió de estar muy al tanto del desarrollo de aquella relación, y del intenso sufrimiento de Cernuda cuando, en 1932, el joven lo abandonó.[52]

También estaba muy al tanto Vicente Aleixandre, cuya amplia y recoleta casa de la calle de Velintonia, cerca de la Moncloa, era muy frecuentada entonces por el «círculo interior» de poetas y escritores homosexuales que vivían en Madrid. Aleixandre —que recordaría que alguna vez apareció por la casa, con Federico, Emilio Aladrén—[53] había conocido a Cernuda en octubre de 1928. Su amistad se había profundizado en 1930 cuando el tímido y acomplejado sevillano, tras un año en Toulouse, ya vivía en la capital española, donde, «vestido y calzado con refinado esmero» según Aleixandre en *Los encuentros*, «daba enseguida la impresión de una atención elegante en el cuidado de su persona».[54]

El futuro Nobel le contó muchas intimidades de aquellos tiempos, años después, al escritor Luis Antonio de Villena. En su casa organizaba fiestas por la tarde, con muchachos jóvenes y sus amigos literarios:

> Federico toca el piano alguna vez, y se beben *cocktails*. Y hasta (Vicente lo contaba como pequeño exceso) llegan algún día a bailar. Se trata, obviamente, de un círculo homosexual, propicio —en su clausura— a la mayor intimidad. Acrecida, en los casos de Lorca y Cernuda, por la otra común pasión poética y literaria. Las reuniones (*socialmente distinguidas*) concluyeron por una recaída de la enfermedad de Vicente, y por un normal pudor ante la casa familiar, y el desarrollo de las veladas. Pero los amigos seguían íntimos.[55]

Y tanto. El problema es que, entre unos y otros, y sus familiares, y los desastres de la Guerra Civil y sus secuelas, ha desaparecido muchísima información que hoy no sería considerada en absoluto escandalosa y que nos ayudaría a conocer mucho mejor a unos seres extraordinarios, empezando con el propio Aleixandre.

Don Fernando, los adversarios, los preparativos

Si no es por la amistad de Lorca y Fernando de los Ríos, cabe pensar que jamás se habría hecho realidad La Barraca. La amistad se había ido ahondando, año tras año, desde su primer encuentro en el Centro Artístico de Granada. Cuando llega la República, De los Ríos es uno de los intelectuales más prestigiosos de España y todo indica que Federico, después de su prolongada estancia en Estados Unidos y Cuba, con mucha obra en marcha, va camino de ser una figura internacional de primera fila. De los Ríos está al tanto, por más señas, del radical compromiso social del poeta. Era normal, pues, que, ya ministro de Instrucción Pública, quisiera apoyar sus iniciativas, tenerle a su lado y ayudarle a poner sus dones al servicio de la nueva democracia, todavía tan carente. A finales de diciembre le invita a acompañarle en una breve visita oficial al Protectorado Español de Marruecos. Se ha dicho que como su «secretario personal», pero no está demostrado. Es la primera vez que el poeta pisa tierra africana y, sorprendentemente, no se ha encontrado comentario suyo alguno referido al viaje.[56]

Si los republicanos estaban ilusionados ante la perspectiva de un teatro estudiantil que se moviera de un extremo a otro del país, llevando cultura a los pueblos, los de la extrema derecha comenzaron muy pronto a atacar el proyecto, mera tapadera, según ellos, para la diseminación de propaganda marxista inspirada por el «ateo judío» De los Ríos.[57] Los ataques iban dirigidos especialmente contra el subsidio gubernamental. El 24 de marzo de 1932 el ministro explicó en las Cortes las razones por las cuales, a su juicio, la Federación Universitaria Estudiantil merecía el apoyo del Gobierno. Bajo el régimen de Primo de Rivera, cuando el país estaba sometido a un innoble despotismo, ¿no habían demostrado los estudiantes una valentía fuera de lo común? De hecho se merecían más, mucho más, que la subvención que se les había concedido. Por otra parte, ¿quién podría decentemente oponerse a su voluntad de llevar teatro a los pueblos de España, movidos únicamente por el deseo de contribuir a la mejora del país?[58]

Lorca y sus compañeros ya trabajaban afanosamente en la preparación de la primera salida de la farándula. Cuando se convocaron pruebas para posibles actores, resultó que la mayoría de los candidatos procedían del Instituto-Escuela, centro progresista de segunda enseñanza inspirado en la Institución Libre de Enseñanza y vinculado a la Residencia de Estudiantes. Las pruebas eran sencillas: el poeta abría, más o menos al azar, un libro e invitaba al candidato a leer un pasaje en prosa y otro en verso mientras él iba tomando apuntes de dicción, características físicas y otros pormenores. A menudo los estudiantes que no alcanzaban el nivel necesario para incorporarse al elenco pasaban a ocuparse de otros aspectos del teatro, haciendo de electricistas, carpinteros, maquilladores, conductores, etc. Por otro lado se decidió desde el primer momento que no habría «estrellas» entre los actores. Más bien serían anónimos. Era evidente, además, que iba a haber un considerable trasiego de éstos, por la presión de exámenes y otros compromisos y obligaciones.[59]

Como escenógrafos y figurinistas La Barraca pudo contar desde el principio con la entusiasta colaboración de los pintores Santiago Ontañón, Ramón Gaya, Alfonso Ponce de León y Benjamín Palencia (autor, este último, de su emblema: máscara de actor en el centro de una rueda sobre fondo azul). A ellos se sumarían más tarde José Caballero y Alberto Sánchez. Para la decoración se buscaría, y se conseguiría, un estilo «sintético» que aunase modernidad, expresividad y máxima sencillez. Con un escenario que sólo medía ocho por ocho metros, y que había que montar y desmontar con celeridad, se comprende que no pudiera ser demasiado intrincada.

Conforme con el espíritu de la primera cláusula de la nueva Constitución, que declaraba solemnemente que España era ahora «una República democrática de trabajadores de toda clase», el «uniforme» oficial de los chicos de La Barraca era un mono azul (y el de las chicas un vestido azul y blanco). Un crítico teatral barcelonés comentaría que, vestido así, Lorca tenía un aspecto más de mecánico que de poeta andaluz.[60] Como no podía ser menos, la prenda (así como la primera cláusula de la Constitución) desencadenaría pronto el sarcasmo y las pullas de la derecha.

Dado que la finalidad de La Barraca era instruir deleitando, de acuerdo con el precepto horaciano, y que se trataba de alcanzar este objetivo por medio del teatro clásico español, no sorprende que el instinto de Lorca fuera montar primero unos entremeses de Cervantes. Se seleccionaron tres: *La cueva de Salamanca, La guarda cuidadosa* y *Los dos habladores* (todavía atribuido al manco). En cuanto a la decisión de incluir en el repertorio el auto sacramental de Calderón de la Barca *La vida es sueño*, daría lugar a críticas tanto de la derecha como de la izquierda, preguntándose la primera cómo era posible que un grupo «progresista» se atreviera a representar una obra así, y extrañándose la segunda de que un teatro republicano, subvencionado por el Gobierno, montara una obra «católica». Lorca se consideraba por encima de comentarios tan mezquinos y, al presentar ante diversos públicos el debatido auto, acostumbraría a explicar que, según él lo veía, Cervantes y Calderón representaban las dos facetas del temperamento español: por un lado la terrenal y humana, por otro la espiritual. Entre estos dos «mundos antagónicos», decía, oscilaban siempre el teatro y el arte españoles, y era una equivocación ver *La vida es sueño* como una simple dramatización de dogma católico.[61]

Ello explicaba la inclusión de Calderón en el repertorio de La Barraca, pero ¿por qué había elegido, específicamente, *La vida es sueño*? Una de las razones, al margen de los méritos intrínsecos de la obra, era que los autos sacramentales, en tiempos de Calderón, se habían representado en las plazas públicas, que es exactamente lo que proponía hacer La Barraca. Luego, el hecho de que *La vida es sueño* tuviera ilustraciones musicales y se prestara a una interpretación casi en clave de ballet atraía a un Lorca interesado por el «teatro total». Es casi seguro, sin embargo, que existiera también una explicación más personal para tal elección, y que optara por *La vida es sueño* en cierta medida para poder representar él mismo el papel de la Sombra, es decir, el de la muerte. Ha sido, por lo menos, la opinión de algunos «barracos», según quienes creó una Sombra de verdad escalofriante. Lo confirman unos pocos metros de película, rodados por Gonzalo Menéndez Pidal, que sobrevivieron casi por milagro a los estragos de la Guerra Civil. En ellos —pero por desgracia sin sonido— el poeta, envuelto en negros velos diseñados por Benjamín Palencia y con un extraño tocado bicorne del que penden otros tantos velos negros oscuros que le cubren la cara, se mueve como un fantasma por el escenario (ilustración 32). Cada vez que aparecía el siniestro personaje caía sobre él desde un foco un rayo de luz metálica y fría, como de luz lunar, y es difícil evitar la sospecha de que, al insistir en interpretar el papel, Lorca quería confrontar o expresar el terror que le inspiraba la muerte. Algo tendría que ver tal participación, es decir, con aquella ceremonia nocturna de la Residencia de Estudiantes en la cual, unos años antes, había disfrutado representando su propio fallecimiento y luego su entierro y lenta descomposición.[62]

El poeta se empeñaba en que La Barraca llevara arte, no «literatura», a los pueblos, ofreciendo montajes de los clásicos que espoleasen la imaginación de la gente tanto por su sencillez como por su modernidad. Estaba convencido de que, dada la esencia española de las obras que se iban a representar, los públicos las seguirían con interés. El tiempo le daría mayormente la razón.

En cuanto a la formación de los actores, tenía las ideas muy claras sobre la manera en que deberían moverse por el escenario, y exigía una dicción cristalina.[63] Tal insistencia era necesaria en vista de la poca o nula experiencia como histriones de la mayoría de los estudiantes que superaban las pruebas. Podría decirse, por otro lado, que tal falta de experiencia constituía una ventaja, ya que le permitía amoldar a sus deseos a aquellos flamantes cómicos entusiastas y libres de prejuicios. Poco a poco, durante los primeros seis meses de 1932, a medida que avanzaban los ensayos y se aproximaba la fecha de la primera salida, La Barraca elaboraría un estilo personal y fresco que muy poco tendría que ver con lo que hacían, en la España de entonces, las compañías teatrales profesionales.

Conferencias y Galicia

Entre marzo y mayo de 1932, mientras se prepara la gira inaugural del carro de Tespis estudiantil, Lorca da una serie de conferencias en distintos puntos del país, la mayoría bajo los auspicios de los recién constituidos Comités de Cooperación Intelectual, organización fervorosamente republicana.

Arranca con su conferencia-recital de *Poeta en Nueva York*, ofrecida el 16 de marzo en la Residencia de Señoritas de Madrid. Tiene la singularidad de contener la primera referencia que se le conoce al famoso «duende» de los cantaores de cante jondo. Cabe suponer que su breve comentario al respecto, tan novedoso, sorprendió a aquel distinguido público mayoritariamente femenino. Estaba allí, dijo, no para entretenerles sino para cumplir con su necesidad imperiosa de comunicar sus poemas, en persona, a los demás. Tarea nada fácil:

Así pues, antes de leer en voz alta y delante de muchas criaturas unos poemas, lo primero que hay que hacer es pedir ayuda al duende, que es la única manera de que todos se enteren sin ayuda de inteligencia ni aparato crítico, salvando de modo instantáneo la difícil comprensión de la metáfora y cazando, con la misma velocidad que la voz, el diseño rítmico del poema. Porque la calidad de una poesía de un poeta no se puede apreciar nunca a la primera lectura, y más esta clase de poemas que voy a leer que, por estar llenos de hechos poéticos dentro exclusivamente de una lógica lírica y trabados tupidamente sobre el sentimiento humano y la arquitectura del poema, no son aptos para ser comprendidos rápidamente sin la ayuda cordial del duende.[64]

No intentó explicar aquella tarde su interpretación de la misteriosa inspiración invocada, que dos años después sería tema de una nueva conferencia: *Juego y teoría del duende.* Pero es evidente —aunque no tenemos documentación al respecto— que llevaba tiempo madurándola.

Actuó luego en Valladolid (*Arquitectura del cante jondo*, 27 de marzo), Sevilla (misma conferencia, 30 de marzo), Vigo (misma conferencia, 6 de mayo), Santiago de Compostela (conferencia-recital de Nueva York, 7 de mayo), San Sebastián (misma conferencia, 7 de abril), La Coruña (*Arquitectura del cante jondo*, 8 de mayo) y Salamanca (misma conferencia, 29 de mayo).[65]

Las visitas relámpago a provincias del poeta-conferenciante solían seguir siempre la misma pauta: llegada por la mañana a la ciudad de turno y primeros contactos con los intelectuales y escritores locales, que le esperaban con impaciencia; comida con ellos; recogimiento en el hotel por la tarde; conferencia, cena y, como remate, uno de sus famosos vagabundeos nocturnos, en el curso de los cuales deslumbraba a todos con su conversación mientras iba indicando detalles arquitectónicos en los que nadie se había fijado hasta entonces, comentando otras peculiaridades nunca sospechadas, recitando poemas, contando anécdotas y, en caso de disponer de piano, brindando a la concurrencia una sesión de canciones populares. Luego, a la mañana siguiente (pero no demasiado temprano), después de hojear las reseñas de la prensa, partida del poeta y, entre los nuevos o viejos amigos, una sensación de vacío.

Le produjo una intensa satisfacción encontrarse otra vez en Galicia. Desde su primera visita en 1916, acompañando a Martín Domínguez Berrueta, nunca había olvidado el verde paisaje del noroeste, con sus brumas atlánticas, sus supersticiones y su música triste, y había incorporado numerosas canciones gallegas a su repertorio, procedentes tanto de los *Cancioneiros* galaico-portugueses medievales de los siglos XII, XIII y XIV* como de sus amigos gallegos en Madrid, entre ellos el músico Jesús Bal y Gay —que vivía en la Residencia de Estudiantes—, el poeta Eugenio Montes (que había elogiado *Poema del cante jondo* el verano pasado), Serafín Fernández Ferro (el *petit ami* de Cernuda) y Ernesto Guerra da Cal, quien, de todos ellos, sería el amigo más íntimo.

Guerra da Cal había nacido en El Ferrol en 1911 y pasado su infancia en Quiroga, localidad situada en el sur de la provincia de Lugo, a orillas del río Sil (por ello Lorca le llamaría, bromeando, «Ernesto do Sil»). Hijo de médico y de una maestra de escuela, era alto, esbelto, apuesto, inteligente y de un nacionalismo gallego tan apasionado e intransigente que hacía lo posible por no tener que expresarse en español. Cuando, en 1922, tras la temprana muerte de su padre, su familia se había trasladado a Madrid, aquel nacionalismo se exacerbó aún más por la intensa nostalgia de sus lares y el desdén que encontraba en muchos madrileños respecto a Galicia y su cultura. De hecho, desarrolló en el Instituto un odio al centralismo castellano que no le abandonaría nunca.[66]

Lorca había conocido a Guerra da Cal en 1931, cuando le cautivaron su físico, su virulenta defensa de la causa gallega y su profundo conocimiento de la cultura de la región. Ya para 1932 se había hecho más estrecha su relación, y cuando el poeta regresa a Galicia este otoño va imbuido de todo lo que le ha contado Ernesto acerca de su tierra natal.[67]

Santiago de Compostela le volvió a conmover hondamente. Había entonces en la ciudad una galaxia de jóvenes escritores y artistas que, después de la conferencia, le acompañaron por la ciudad. Entre ellos un joven estudiante coruñés, Carlos Martínez-Barbeito. Le sobrecogió tanto el carisma del poeta como a éste la belleza del muchacho. Quince años después recordaría que él y sus amigos se habían quedado impresionados, incluso escandalizados, ante la indumentaria lucida en aquella ocasión por el poeta, marcadamente norteamericana. Se había fijado sobre todo en sus zapatos y su «especial manera» de pisar, algo rígida. Mientras discurrían por las estrechas callejuelas, evocando a los peregrinos que las habían transitado en la Edad Media, Federico había hablado con una torrencialidad desbordante. «Durante el recorrido

---

* El *Cancionero da Vaticana*, el *Cancionero Colocci-Brancuti* y el *Cancioneiro da Ajuda*.

alrededor de la catedral —escribió Martínez-Barbeito— su pasmo no tuvo límites ante las grandiosas plazas barrocas flanqueadas de próceres edificios y sumidas en la niebla nocturna que les hacía parecer aún más fantasmales.» La admiración del poeta alcanzó su apogeo cuando entraron en la Quintana, con la famosa escalinata que ocupa todo un lado de la plaza. «¡Es una plaza-butaca!», exclamó.[68] Jamás olvidaría aquella primera impresión del recinto, y unos meses más tarde conseguiría que La Barraca levantase en él su tablado. También le fascinó enterarse de que la plaza fue antaño un cementerio, y en su poema «Danza da lúa en Santiago», compuesto más adelante con la colaboración de Guerra da Cal, haría que el astro nocturno bailara, como en territorio propio, en «Quintana dos mortos». Le impresionó tanto Santiago de Compostela que declaró que sentía la necesidad de expresar su conmoción en un poema.[69] Antes de abandonar la ciudad regaló a Carlos Martínez Barbeito la copia de uno que acababa de escribir. Éste extravió posteriormente el manuscrito —tampoco parece haber sobrevivido el original— y recordó en 1945 que evocaba, en un tono de profunda melancolía, el paisaje, la humedad y el mar de Galicia.[70]

Parece evidente que Lorca no había pensado, durante su visita, en la posibilidad de escribir un poema en gallego, idioma que, por supuesto, desconocía. De regreso a Madrid leyó a Guerra da Cal el esbozado en Santiago. Sólo entonces, o quizá un poco más tarde, surgió la idea de colaborar juntos en un poema de tema afín pero esta vez redactado en el vernáculo.[71] Así fue cómo nació aquel verano «Madrigal â cibdá de Santiago», donde el poeta quería dar voz a la impresión que le había producido la ciudad bajo la lluvia —esa lluvia persistente de Galicia— y, al mismo tiempo, una vaga nostalgia amorosa:

> Chove en Santiago
> meu doce amor.
> Camelia branca do ar
> brila entebrecido o sol…

Aprendió el poema de memoria y, al volver aquel otoño a Galicia con La Barraca, no sólo lo recitaría ante el asombro de varios oyentes, sino que lo entregaría para su publicación en una revista. Así empezó el mito del poeta andaluz capaz de alumbrar versos en gallego, cuando la realidad era que, sin la colaboración de Guerra da Cal, jamás lo habría intentado y mucho menos conseguido. Según éste, el único poema en gallego escrito conjuntamente por Lorca y él aquel verano fue «Madrigal» y sólo uno o dos años más tarde acometerían las otras cinco composiciones de *Seis poemas galegos*.[72]

Entretanto siguen adelante los preparativos para la primera salida de La Barraca. El 22 y 23 de mayo Federico acompaña a Fernando de los Ríos en su visita oficial a dos pueblos de Soria, Torrearévalo y San Leonardo. La presencia del poeta se debe, sin duda, al deseo de tantear sobre el terreno la reacción de las autoridades locales ante la posibilidad de que la farándula inicie por aquellas tierras, cantadas por Antonio Machado, su andadura. Muy satisfecho de estos contactos, decide que será efectivamente en la provincia de Soria donde se hagan las representaciones inaugurales del teatro universitario.[73]

Unos días después se desplazó a Salamanca, acompañado de Carlos Morla Lynch y Rafael Martínez Nadal. No había vuelto a la ciudad desde su visita con Martín Domínguez Berrueta, por lo cual el grupo de estudiantes y maestros que lo acompañaron por las calles a su llegada quedaron muy sorprendidos ante la precisión con la cual recordaba sus impresiones de dieciséis años atrás. Y era que, como había escrito a su familia desde Nueva York, tenía una «memoria *plástica* asombrosa» para los lugares visitados («por el sitio donde he pasado una vez, lo recuerdo siempre»).[74]

Entre el grupo se encontraba, precisamente, el hijo de Domínguez Berrueta, Luis Domínguez Guilarte, que no había visto al poeta desde el triste episodio de la ruptura de relaciones. Lorca le juró que nunca se perdonaría por haber hecho tanto daño a su padre. Pero tampoco a José Mora Guarnido, por su participación en aquel desgraciado asunto.[75]

Antes de regresar a Madrid visitan a Miguel de Unamuno. El pensador, exiliado por Primo de Rivera, ha recuperado su rectorado y es, además, diputado a Cortes. Una de las personalidades más destacadas de España, habría sido inconcebible que abandonasen la ciudad sin saludarlo. Martínez Nadal ha relatado insuperablemente el encuentro. Unamuno, individualista exacerbado, raras veces dejaba hablar a los demás. Aquel día no cambia de costumbre. Tras insistir en leerles un artículo que acaba de terminar, les invita a dar un paseo. El monólogo prosigue, sólo interrumpiéndose cuando le estrecha la mano a algún admirador en la calle. Federico, que empieza a ponerse nervioso, decide provocar un pequeño incidente. Con aire inocente le pregunta dónde se pa-

sea cuando está en Madrid, sabiendo de antemano la respuesta
—a orillas del Manzanares— y que surgirá el tópico de que el humilde río capitalino ha sido muy maltratado por los poetas. Unamuno cae en la trampa. «¡Alto ahí, don Miguel —interpone Lorca,
riéndose—, que Lope en *Santiago el verde* dijo una cosa estupenda.» Unamuno no tiene más remedio que preguntarle qué era, ya
que no recuerda ninguna alusión al asunto en dicha obra. Y Federico recita:

> *Manzanares claro,*
> *río pequeño,*
> *por faltarle el agua*
> *corre con fuego.*

El pensador, impresionado, toma nota en un cuadernito. Unos
días más tarde aparece en *El Sol* un artículo suyo titulado «Orillas del Manzanares». En ella cita, sin mencionar para nada a
Lorca, una «perla» de Lope de Vega: la copla que le ha recitado el
granadino en Salamanca.[76]

El 1 de junio se celebra en el Ateneo de Madrid un homenaje a
la pintora española María Blanchard, que acaba de fallecer en París. Federico no había llegado a conocerla personalmente, pero
aprecia su obra y se presta a leer unas cuartillas en el acto.

María Blanchard, con su joroba, su soledad amorosa y su valentía, aparece en éstas como un eslabón más en la larga cadena
de sufridas mujeres lorquianas. Al reflexionar sobre la suerte de
la pintora, al poeta le afloran recuerdos de la Granada de su adolescencia —al fin y al cabo no tan lejana— y se nota que está hablando en una España por la cual ya corren brisas frescas de renovación:

> Quien ha vivido, como yo, y en aquella época, en una ciudad tan
> bárbara bajo el punto de vista social como Granada cree que las
> mujeres o son imposibles o son tontas. Un miedo frenético a lo se
> xual y un terror al «qué dirán» convertían a las muchachas en autó
> matas paseantes, bajo las miradas de esas mamás fondonas que
> llevan zapatos de hombre y unos pelitos en el lado de la barba.[77]

Uno de los epicentros de la vida social de Lorca por estas fechas es el piso de Manuel Altolaguirre, en la calle de Viriato. El
malagueño, colaborador con Emilio Prados en la aventura de *Lito-*

ral, no sólo es excelente poeta sino entusiasta impresor, y ha instalado, pese a las reducidas dimensiones de la vivienda, una prensa donde tira ahora una nueva revista poética, *Héroe,* cuyos dos números iniciales han aparecido a principios de 1932. Altolaguirre, que contrae matrimonio este 8 de junio con la escritora Concha Méndez —antigua novia de Buñuel a quien Lorca había saludado de paso por Londres en 1929—, mantiene casa abierta y allí acuden, además de Federico, Guillén, Alberti, Diego, Aleixandre, Salinas y Cernuda. También Serafín Fernández, el amiguito de Cernuda, a quien Altolaguirre y Concha Méndez han colocado de linotipista en la imprenta.[78] Para que lo edite *Héroe* Lorca entregará a la pareja, como regalo de boda, su librito *Primeras canciones,*[79] y en la revista aparecerán seis poemas suyos, entre ellos el soneto «Adán» y «Ribera de 1910» (luego titulado «Tu infancia en Menton»).

El joven pintor José Caballero, ya buen amigo de Lorca, le convence por estas fechas que exponga algunos de sus dibujos en la muestra de arte contemporáneo que se va a inaugurar en Huelva, su ciudad natal, el 26 de junio. Recordando, se supone, su pequeña exposición de 1927 en Barcelona, queda complacido ante la posibilidad de repetir la faena y manda ocho de tendencia surrealista, entre ellos *Muerte de santa Rodegunda* (aludido, como vimos, en el guión de *Viaje a la luna*). Inmerso como está en los frenéticos preparativos para el viaje inaugural de La Barraca, no puede desplazarse en persona a la ciudad andaluza. No deja de hacerle cierta gracia el enterarse de que la reacción ante la muestra, tanto del público como de los críticos onubenses, ha sido más bien hostil.[80]

Entre finales de mayo y mediados de junio escribe seis cartas a Carlos Martínez-Barbeito que nos acercan a sus inquietudes del momento. Llama la atención un comentario sobre Ortega y Gasset, con quien acaba de tener una conversación en la redacción de la *Revista de Occidente.* «Ortega está completamente despistado —opina— y la conversación política y social, etc., etc., acaba poniéndome los nervios de punta, porque me preguntan *mi opinión,* y yo no tengo más opinión que darles a todos cintarazos.» Es una lástima que no se explayara sobre la naturaleza del despiste del filósofo, quien está empezando a tener sus dudas acerca de la marcha de la República.[81] En otra carta revela su preocupación por Vicente Aleixandre, a quien acaba de llevar a la clínica donde le van a extraer un riñón. Toda vez que tenemos poquísima información sobre la amistad de los dos poetas —amistad que sabemos honda— el pequeño comentario es valioso, porque da a entender que se veían con frecuencia: «Es una operación grave. Cuando se despidió de mí, se echó a llorar de un modo que no podía consolarlo. Yo quise ser fuerte, pero no pude. El médico me ha dicho que corre peligro y yo estoy desolado. La vida es injusta con él, y a medida que tiene más dolor, es más bueno y más dulce y más profundo. Paso unos días amargos». Después describe una reunión de alta sociedad a la que ha asistido en el siempre concurrido salón de Morla Lynch. Se ha producido un golpe socialista en Chile y, claro está, Carlos y Bebé están muy preocupados, pues de socialistas no tienen nada, como tampoco las condesas y duquesas que deambulan por la casa del diplomático. Y comenta Lorca, recordando la Revolución francesa y la caída del Antiguo Régimen: «En el fondo yo estoy por encima del problema de ellos y aún estoy anhelante de una sociedad mejor, que gire alrededor de la espiga, pero los quiero mucho, son mis amigos entrañables, y me duelo como hombre de sus ocasos».[82]

La referencia a la espiga, aunque no lo dice, quizá remitía a los últimos versos de *Oda a Walt Whitman*:

> *Quiero que el aire fuerte de la noche más honda*
> *quite flores y letras del arco donde duermes,*
> *y un niño negro anuncie a los blancos del oro*
> *la llegada del reino de la espiga.*[83]

Sí, «en el fondo» el poeta anhela, y apasionadamente, una sociedad mejor. Siempre ha sido así. Su compromiso se irá viendo con cada vez más claridad durante la breve vida de la Segunda República, y muy especialmente en la labor que ahora va a emprender con La Barraca, «los títeres de don Fernando».

LA BARRACA Y *BODAS DE SANGRE* (1932-1933)

La Barraca se lanza a los caminos

La mañana del 10 de julio de 1932 nuestros cómicos de la legua salieron de Madrid camino de Burgo de Osma. Integraban la caravana el camión Chevrolet adquirido con la subvención del Gobierno, en el cual iban el escenario portátil, los decorados, el atrezzo y demás parafernalia; dos coches celulares, proporcionados, chóferes incluidos, por el Cuerpo de Policía, que llevaban a los estudiantes (se habían retirado los barrotes de las ventanillas); y varios coches particulares.[1]

Los vehículos se dirigieron hacia el norte por la carretera de Burgos, atravesaron las montañas por el puerto de Somosierra y, girando hacia la derecha, siguieron en dirección a Riaza para llegar a las cinco de la tarde a su destino, donde los esperaban las autoridades municipales. Tras un refrigerio empezó el laborioso trabajo de montar el tablado en la hermosa plaza del siglo XVII. Unas horas después todo estaba listo para la representación inaugural de la farándula.[2]

A las diez, con el recinto de bote en bote, Lorca salió al escenario para explicar los objetivos del Teatro Universitario y agradecer la asistencia del nutrido público que iba a presenciar la primera representación del elenco. Luego el telón se levantó sobre *La cueva de Salamanca*, a la que siguieron *Los dos habladores* y *La guarda cuidadosa*. La función gustó sobremanera: los decorados, el chispeante humor de las obras, la manera de desenvolverse de los actores. Lorca no cabía en sí de gozo y habló entusiasmado con los periodistas que habían hecho el trayecto desde Madrid.[3]

Un día después llegaron a San Leonardo, donde el tiempo inclemente impidió actuar al aire libre.[4] El 12 de julio estaban en Vinuesa, pequeña población rodeada de espesos pinares, evocada por Antonio Machado en *La tierra de Alvargonzález*. Aquí los «barracos» tuvieron que hacer frente a la hostilidad inicial de los lugareños, entre ellos unos ricos indianos. *Luz*, el diario madrileño republicano, explicaba a sus lectores:

> Imagínese un pueblecito castellano, arrebujado en torno de la iglesia, y en esto que entran dos autobuses y una camioneta y que de los autobuses bajan jóvenes de dieciocho a veinte años, vestidos de «mono», despeinados… ¡Los comunistas!, gritaron al verlos. Recelo, hostilidad, silencio. En algunos comercios se negaban a venderles hasta las vituallas para comer. Al fin la sospecha se desvaneció.[5]

El 13 de julio fue el turno de Soria, donde se habían previsto dos representaciones en la plaza. Pero empeoró el tiempo y, sin que tuviesen la culpa de ello los estudiantes, la dirección del teatro Principal, donde no hubo más remedio que actuar aquella noche, insistió en cobrar las entradas. Los enemigos derechistas de La Barraca, que no perdían oportunidad de meterse con ella, se lanzaron al ataque. ¿Con qué justificación cobraba por sus representaciones el Teatro Universitario, subvencionado por el Gobierno, imposibilitando con ello al mismo tiempo que la gente humilde pudiera verlas? ¡Era una vergüenza![6] Los jóvenes negaron con vehemencia haber recibido una sola peseta del Principal, y anunciaron que al día siguiente se daría una representación gratuita de los tres entremeses en la plaza. Pero Soria amaneció otra vez tormentosa y, ante el riesgo de levantar el escenario y luego tener que suspender la función, se tomó la decisión de darla en el ábside de la ruinosa iglesia románica de San Juan de Duero. Quiso el azar que, después de todo, no se desatara la tormenta y que la tarde fuera apacible. Pero ya no se podía volver atrás. Los vecinos de Soria se impacientaban, y aumentó su disgusto cuando el servicio especial de autobuses para llevarlos al lugar resultó ineficaz.[7]

Con tantos factores en contra, la moral de los estudiantes no era muy alta en el momento de acometer el estreno de *La vida es sueño*. Por otra parte, el adversario estaba allí, entre el público. ¿Cómo empezaron los disturbios? Discrepan las versiones. María del Carmen García Lasgoity, que hacía el papel de la Tierra, diría no tantos años después que al poco rato de empezar la representación ya se registraron rumores de protesta, y que Lorca tuvo que encender dos veces las luces y pedir silencio. Después, justo cuando la Sombra, interpretada por el poeta, rogó al Pecado que no le interrumpiera y que le diría lo que quería saber, un grupo de alborotadores, que sin duda estaban esperando ese momento, gritaron al unísono: «¡No, no se lo digas!», provocando con ello un gran escándalo. Luego, para colmo, falló la electricidad, sumiendo al irritado público en la oscuridad y poniendo fin a la desastrosa velada en medio de cuchufletas y de una lluvia de piedras arrojadas por manos invisibles. Hubo que llamar a la policía para escoltar a los «barracos» ante el peligro de que fueran atacados los vehículos. Los reventadores, según parece, eran estudiantes monárquicos venidos expresamente desde Madrid con la intención de hacer fracasar la primera actuación del Teatro Universitario en una capital de provincias.[8]

El éxito obtenido en la vecina población de Almazán compensó lo ocurrido en Soria. Poco después de iniciarse la representación empezó a llover, pero el público, compuesto en gran parte de campesinos, siguió en su sitio, sin ni siquiera abrir los paraguas para no molestar a las personas situadas detrás. Acompañaban a los estudiantes, entre otros, Fernando de los Ríos y el poeta Dámaso Alonso. «Despierto soñaba este pueblo de Almazán agrupado a nuestra espalda —informó un periodista madrileño—. Era una fila de caras campesinas en sonrisa, en éxtasis, sobre todo en expectación, temiendo y deseando lo que al instante siguiente sucedería en el tablado. Y de pronto la expectación se descargaba en la explosión de la carcajada y el aplauso.»[9] Dos años más tarde Lorca recordaría aquella representación de *La vida es sueño* en Almazán: «Empezó a llover. Sólo se oía el rumor de la lluvia cayendo sobre el tablado, los versos de Calderón y la música que los acompañaba, en medio de la emoción de los campesinos».[10]

Mientras regresaban a Madrid se produjo el único accidente de tráfico que sufriría La Barraca en toda su andadura cuando, cerca de Medinaceli, uno de los coches cedidos por la policía se volcó en una curva. Varios estudiantes sufrieron heridas y hubo un lesionado grave. Por fortuna varios médicos acompañaban al grupo y pudieron efectuar las primeras curas. Alicaída, la caravana reemprendió el camino de la capital.[11]

Se remató la gira inaugural con una representación en la Residencia de Estudiantes de *Los dos habladores*, *La guarda cuidadosa* y la primera parte de *La vida es sueño*. Entre el público no sólo estaban los residentes que todavía no se habían ido de vacaciones, sino estudiantes del curso de verano y un amigo excepcional de la casa: Miguel de Unamuno. Todo fue magníficamente y Lorca estaba eufórico. En gran parte, hay que presumirlo, porque La Barraca era en no poca medida fruto del espíritu de servicio a España que fomentaba la Residencia.[12]

La noticia de lo ocurrido en Soria se supo enseguida en Madrid, donde la prensa de derechas tergiversó el incidente del pago de entradas para desacreditar no sólo a La Barraca sino a Fernando de los Ríos y a todos los relacionados de alguna manera con el Teatro Universitario. Entre ellos, en primer lugar, Lorca. *Gracia y Justicia. Órgano extremista del humorismo nacional,* la revista satírica ultraderechista de Manuel Delgado Barreto, director de *La Nación,*[13] fue más lejos y, aparte de acusar a los estudiantes de estafar al público, aludió de forma transparente a la homosexualidad del poeta en un comentario titulado FEDERICO GARCÍA LOCA O CUALQUIERA SE EQUIVOCA. Lo de LOCA no era ninguna errata de imprenta, pues una llamada remitía a una nota a pie de página que explicaba: «Se nos permitirá esa licencia en el apellido para que pueda ir en pareado». El anónimo artículo decía:

Habían salido —¡sí!—, habían salido —¡no!— uniformados con sus manos de falsos mecánicos, con sus trajes mahonvestidos, en los que iba bordado en negro y blanco una carátula teatral. Habían salido —¡sí!— los niños simpaticones y tal, acaudillados por el poeta Federico García Lorca y Sanchiz,* flor de romances andaluz.

La barba morisca de don Fernando el Laico les daba protección de sombra y algunos cuartos, no pocos por cierto.

Estas debilidades de don Fernando son lógicas y nada censurables por cierto, porque si proteger a un poeta, poetazo o poetiso, es siempre cosa que honra, proteger a los estudiantes de la F.U.E. —la que fue— es reciprocidad, y no es bien nacido el que no es agradecido.

Lo malo ha sido —o «fue»— el contratiempo habido por la agrupación artística llamada La Barraca, lanzada a difundir nuestro teatro clásico por aldeas y villas en el dulce desmayo de sus voces.

Bien pertrechados en las perras oficiales que les diera don Fernando el Laico, y sin dar al olvido su condición desinteresada en pro de la cultura, no podíamos suponer que los aprovechados jóve-

---

* Alusión al «otro» Federico, el charlista Federico García Sanchiz, ídolo de las derechas y constantemente opuesto, en *Gracia y Justicia*, a García Lorca, el malo de la pieza.

nes —¡jóvenes, sí!— intentaran vender las entradas, cosa, por otra parte, audaz, porque es tanto como vender el derecho a la ruidosa crítica. El gobernador de Soria pura, cabeza de Extremadura, reparte entradas previo su pago, «invitando» a la representación de «La vida es sueño», que habría de tener lugar en los claustros de San Juan de Duero.

Fue la gente, y por lo que se vio, no pudo aplaudir la interpretación que dieran los muchachitos al drama de Calderón, porque protestaron ruidosamente que les sirvieran lo inservible, cobrándolo como cualquier compañía.

Percances de titiriteros. La vida en «ansí», y «ansí» tiene más emoción y verismo. Federico silbado es más humano y más admirable. Él puede decir ahora a don Fernando cuando éste le regañe:

—¡Caramba, don Fernando, que la culpa fue de Calderón...![14]

En otro momento la misma revista, feroz enemiga de Fernando de los Ríos y, sobre todo, de Manuel Azaña, llegaría hasta a acusar a los «barracos» de robar trabajo a los actores profesionales. Nada más lejos de la verdad, sin embargo, pues una de las consecuencias de la labor realizada por los estudiantes sería una creciente demanda de teatro en provincias.[15]

García Lorca se convierte en García Loca en otras páginas de *Gracia y Justicia*.[16] Y cuando las derechas ganen las elecciones de 1933 las pullas se harán más soeces.

Los republicanos estaban convencidos de que una de las causas de la agresión en Soria era que los estudiantes, patrocinados por un Gobierno laico, se habían «atrevido» a montar una obra «católica». El análisis era en parte correcto.[17] A partir de este momento Lorca no podía desconocer hasta qué punto La Barraca, y él como su director artístico, eran considerados ya como enemigos de la España de las sagradas tradiciones.

Los adversarios de la iniciativa también se metieron pronto con las actrices del grupo. En una época en que, para la mentalidad derechista española, ser actriz casi equivalía a ser prostituta, las muchachas del Teatro Universitario eran objeto de muchas bromas e insinuaciones. ¡Cinco o seis chicas de gira con veinte chicos! ¡De gira! ¿Y qué hacían cada noche después de las representaciones? Pese a que las jóvenes iban acompañadas de una carabina, la calumnia se siguió propagando, así como la de que los «barracos» gastaban ingentes cantidades de dinero estatal en exquisitas comidas y bebidas. La verdad era que los gastos se reducían a un estricto mínimo, y que se rendían cuentas puntuales a la Federación Universitaria Española (FUE).[18]

Pese a tanta maldad, a la embestida de la ultraderecha y a las insidias de *Gracia y Justicia*, Lorca quedó satisfecho con los resultados de la primera salida de La Barraca, que confirmaban a su juicio que él y sus amigos no se habían equivocado al considerar que el teatro clásico era capaz de llegar a gente sencilla, y hasta a campesinos analfabetos, siempre que se representase de manera actual y viva, sin complejidades. «Cervantes y Calderón no son arqueológicos», explicó a los periodistas, insistiendo en que los vecinos de los pueblos visitados habían disfrutado enormemente con aquel teatro.[19]

Todo parecía ir viento en popa, pues, pese a las críticas. Lorca hablaba animadamente de sus planes para la segunda salida y de lo que harían en Madrid durante el próximo curso, cuando esperaban representar obras europeas contemporáneas en un local facilitado por la Residencia de Estudiantes. También había otros proyectos: lanzar una revista, crear una Sociedad de Amigos del Teatro Universitario, fundar un club teatral para estudiantes... La Barraca, apenas iniciada, ya iba camino de ser una de las aventuras culturales más esperanzadoras de la República.[20]

Hacia finales de julio o principios de agosto el poeta regresó a la Huerta de San Vicente. Allí, mientras escuchaba discos de cante jondo interpretados por Tomás Pavón y una cantata de Bach, probablemente *Wachtet auf, ruft uns die Stimme* (BWV 140), que tocada una y otra vez volvía loca a toda la familia, terminó *Bodas de sangre*. «Eso de la luna, eso del bosque, eso de la muerte rondando, todo eso está en la Cantata de Bach que yo tenía», declararía.[21]

El 2 de agosto Fernando de los Ríos, se supone que al tanto de rumores, declaró que la República era tan sólida como el cemento.[22] Ocho días después se produjo, en Sevilla, el golpe del general monárquico José Sanjurjo. Se sofocó sin dificultades, pero demostró que el nuevo régimen democrático tenía poderosos enemigos que estaban trabajando para su desaparición. De la manera de actuar de dichos enemigos el poeta ya tenía cierta experiencia. Y tendría más.

La «sanjurjada» provocó la rabia de los obreros granadinos, que reaccionaron incendiando —algunos de ellos— el casino, símbolo destacado de la burguesía de la ciudad. En 1933 Lorca recordó el episodio hablando con el periodista Pablo Suero:

Era apenas caído el rey. Los campesinos de Granada incendiaron el Casino aristocrático. A la voz de alarma, fue toda Granada. Mi padre, mi hermano Paco y yo estábamos entre la multitud. Las llamas se llevaban todo aquello y mi hermano y yo mirábamos sin inquietud, casi con alegría, porque envuelto en aquellas llamas se iba algo que detestábamos. Mi padre dijo de pronto:

—¡Qué lástima!

Yo comprendí que lamentaba ver destruido aquel sitio que fue su refugio habitual de muchos años. Mi hermano y yo cambiamos una mirada. No sé cuál de los dos decía:

—¡Me alegro!... Es encantador mi padre...[23]

Bodas de sangre

Habían pasado cuatro años desde el día de 1928 en que Lorca había tropezado en *ABC* con una breve noticia sobre el misterioso asesinato que se acababa de perpetrar, en vísperas de una boda, cerca del pueblo almeriense de Níjar.[24] Aunque no era ningún Zola, acostumbraba decir que sus obras de teatro se basaban siempre en hechos reales. Por lo que le toca a *Bodas de sangre* no cabe duda de que leyó detenidamente los pormenorizados reportajes sobre lo ocurrido aparecidos en la prensa a partir de aquel momento. Por ellos supo que el muerto, Curro Montes Cañada, era un antiguo amante de la novia que, por haberla raptado la noche antes de la boda, falleció a mano del hermano del novio. En particular, es casi seguro que leyó los detallados reportajes sobre el crimen, y la investigación judicial de éste, publicados durante seis días consecutivos en *Heraldo de Madrid*.[25]

Le fascinó seguramente la historia de Francisca Cañadas Morales, modelo de la Novia en *Bodas de sangre*, que tenía unos veinte años cuando acontecieron los hechos. La muchacha, que vivía en un cortijo cerca de Níjar con su padre (su madre, como la de la Novia, había muerto algunos años antes) no era ninguna belleza. Coja, bizca y dentona, su rostro no carecía, sin embargo, de cierto encanto. Además era de carácter independiente y tenía una simpatía que apreciaban los galanes de los alrededores, aunque se infiere que codiciaban sobre todo la sustanciosa dote que su padre pensaba darle cuando se casase. Francisca llevaba varios años prometida oficiosamente a un modesto jornalero, Casimiro Pérez Pino, hombre poco interesante que, empujado por la ambición de su hermano y de su cuñada, veía en un enlace matrimonial con la heredera coja su única posibilidad de mejorar un poco su situación económica. En *Bodas de sangre*, basándose en los reportajes periodísticos, Lorca desarrollaría el tema de la codicia, de los que quieren desesperadamente poseer tierras y que envidian a muerte la riqueza de sus vecinos: tema que conocía bien debido a su larga infancia en la Vega de Granada y sus sucesivas visitas veraniegas a Asquerosa.[26]

Si Francisca, por su parte, había accedido a casarse con Casimiro era porque su primo, Curro Montes Cañadas, al que amaba apasionadamente, no mostraba ningún interés en acompañarla al altar. Curro, modelo del Leonardo lorquiano, era, a diferencia de Casimiro, un muchacho guapo y seductor —como correspondía a un joven con nombre y apellidos dignos de un bandolero o torero andaluz—, y muy admirado por las mujeres. Lorca tomó buena nota de revelaciones como ésta, publicada por el *Heraldo*:

> Frasquita había sostenido relaciones con su primo y raptor cuando era casi una niña, relaciones que fueron rotas al darse cuenta de ellas los parientes de la chiquilla. Curro Montes, además, era muy mujeriego y tenía una novia en cada cortijada. Esto influyó poderosamente en la actitud de oposición que adoptó la familia de Frasquita.[27]

El tema del primer amor perdido, del amor que pudo o que debió ser pero que no fue, es fundamental en toda la obra de Lorca, como sabemos. Cabe deducir que en la tragedia de Níjar encontró una poderosa metáfora para su propio y temprano fracaso amoroso. Leonardo y la Novia, como sus prototipos almerienses, han vivido durante tres años un intenso amor adolescente luego frustrado por consideraciones económicas, amor casi olvidado por sus vecinos, pero no por ellos. La Naturaleza los ha «hecho» para formar pareja. La tragedia es inevitable.

Lorca debió de enterarse con profundo interés de la dramática conversación sostenida por Francisca y Curro en la cocina del cortijo pocas horas antes de que todos saliesen de madrugada para la iglesia. Curro había sido uno de los primeros invitados en llegar (será también el caso de Leonardo) y había escuchado un violento altercado entre Francisca y su novio. De pronto, comprendiendo que la chica sólo se casaba por despecho y que le seguía amando a él, había decidido huir con ella. Al retirarse el novio, al parecer indispuesto, Curro había convencido a su prima a que huyesen a la iglesia, donde entre los dos tratarían de persuadir al cura para que los casase antes de que los invitados descubrieran lo que ocurría. ¡Una locura! Frasquita declaró al juez:

> Como mi primo me gustaba más que el novio, y como lo que me prometía era mejor que la vida que me esperaba junto a Casimiro, lo pensé a solas en mi cuarto, mientras me vestía el traje de boda, y cuando mi primo, dándole la vuelta al cortijo, vino a mi alcoba, le dije:
> —Ahora o nunca. Llévame contigo antes de que Casimiro despierte y llegue mi cuñado.
> Y nos escapamos en el caballo de Curro Montes.[28]

Siguiendo esta descripción, Lorca hará que en *Bodas* sea la Novia quien tome la iniciativa, baje las escaleras, ponga nuevas riendas al caballo y le calce las espuelas a Leonardo.

Leonardo debe a Curro no sólo su temeridad, sino su habilidad como jinete. Toda vez que el caballo es un poderoso símbolo sexual en toda la obra de Lorca, no nos debe extrañar que se fijara en este detalle, subrayado en los reportajes periodísticos, y convirtiese la relación de Leonardo y su caballo en leitmotiv de la tragedia. Le lleva a la cueva de la Novia casi contra los deseos de su amo, como poseído por una imperiosa voluntad propia, y es también el inquietante protagonista de la nana que la suegra de Leonardo canta al niño.

Si el poeta utilizó los reportajes para su caracterización de Leonardo, también tomó nota de lo que decían del novio, Casimiro Pérez Pino: hombre no sólo introvertido sino tan tímido que unas horas antes de la boda todavía no había besado a Frasquita, que tenía sobre él un predominio absoluto.[29] Otra vez *Bodas de sangre* se atiene a su fuente, pues allí la Madre insiste en que su hijo es virgen y que en su vida ha probado el vino, mientras que éste promete a la Novia que hará siempre lo que ella le diga. Dominante y mandona, la Madre nos recuerda a la de Perlimplín (aunque difunta) y es incluso posible que, a un nivel más profundo y hasta inconsciente, refleje a Vicenta Lorca. En cualquier caso la Novia, como el personaje del mismo nombre de *Así que pasen cinco años*, le explica con brutal claridad, ocurridas las muertes, la diferencia entre Leonardo y el Novio, dando a entender, tal vez, que la falta de virilidad de éste tenía que ver con el excesivo celo maternal:

Yo era una mujer quemada, llena de llagas por dentro y por fuera, y tu hijo era un poquito de agua de la que yo esperaba hijos, tierra, salud; pero el otro era un río oscuro, lleno de ramas, que acercaba a mí el rumor de sus juncos y su cantar entre dientes. Y yo corría con tu hijo que era como un niñito de agua frío y el otro me mandaba cientos de pájaros que me impedían el andar y que dejaban escarcha sobre mis heridas de pobre mujer marchita, de muchacha acariciada por el fuego. Yo no quería, ¡óyelo bien!; yo no quería. ¡Tu hijo era mi fin y yo no lo he engañado, pero el brazo del otro me arrastró como un golpe de mar, como la cabezada de un mulo, y me hubiera arrastrado siempre, siempre, siempre, aunque hubiera sido vieja y todos los hijos de tu hijo me hubiesen agarrado de los cabellos![30]

Meditando sobre el crimen de Níjar, Lorca debió de recordar los meses de su infancia pasados en Almería y las excursiones por los áridos alrededores de la ciudad con Antonio Rodríguez Espinosa. El corresponsal del *Heraldo de Madrid* alude a la terrible sequedad del lugar de la tragedia, y apunta que ha encontrado «campos desolados de piedras abrasadas por el sol y sin apenas un árbol en todo lo que alcanza la vista».[31] El paisaje de *Bodas*, donde «no refresca ni al amanecer», y que simboliza la inapagable sed erótica de Leonardo y de la Novia, se inspira indudablemente en el de Almería (aun cuando no haya ninguna referencia explícita a la región en la obra), y evoca el desierto ocre e inmisericorde que se extiende entre la sierra de Alhamilla y la de Gata, donde apenas llueve y, hasta que se implantó el moderno sistema de goteo en invernadero, sólo había cactus, esparto y alguna que otra palmera. Pero si éste es el paisaje que inspiró *Bodas*, Lorca decidió situar el meollo de la acción más tierra para adentro, más alejado del mar (del cual Níjar sólo dista unos kilómetros). El bosque del tercer acto, además, con sus «grandes troncos húmedos» y su río, es pura invención —la llanura de Almería no ofrece nada parecido— y además ya se ha vislumbrado en *Así que pasen cinco años*. Hay, también, una deuda para con el bosque de *Sueño de una noche de verano*. Y es posible que, mientras trabajaba frenéticamente para terminar la obra, se acordara también de sus aventuras infantiles entre las densas choperas que pueblan las orillas del Genil y del Cubillas, tan oscuras y misteriosas como pudiera desear cualquier niño imaginativo.

En la misma línea, al sustituir la amplia cortijada de El Fraile por la cueva en la que vive la Novia con su padre, se distancia de la llanura de Níjar y tiene presente, más que las cuevas del Sacromonte granadino, el paisaje casi lunar de la población troglodita de Purullena, cerca de Guadix. Como ha señalado la crítica, la elección de una cueva para morada de la Novia «nos sitúa de lleno en lo más telúrico de Andalucía», en la linde entre realidad, mito y prehistoria.[32]

El poeta tuvo muy en cuenta la descripción, facilitada por *Heraldo de Madrid*, de los preparativos para la que iba ser boda de postín, con baile, música y jolgorio hasta las altas horas de la madrugada siguiente y numerosos invitados.[33]

A medida que *Bodas de sangre* iba tomando cuerpo, intuiría que, dado el potencial musical, coreográfico y escenográfico de la obra, era imprescindible que la huida de los amantes ocurriese *después* de la ceremonia, ya de regreso a la cueva de la Novia y en plena fiesta. De este modo podría sacar el máximo partido de la música, crear una escena llena de colorido y vitalidad, y potenciar el efecto dramático del descubrimiento de la fuga.

Por lo que respecta a la muerte de Curro Montes, aclarada cuando José Pérez Pino, hermano del novio, confesó haber sido autor de los disparos, vio claramente que tendría que saltarse otra vez los hechos. Pérez Pino, mientras se dirigía a caballo a El Fraile, se había encontrado frente a frente con los amantes huidos. No era cuestión, pues, como en *Bodas,* de «dos bandos» lanzados a la búsqueda de los fugitivos, ni de un novio ultrajado que acaba con la vida de su rival.[34] Habiendo decidido que para lo que se proponía tenían que matarse el Novio y Leonardo, era muy de Lorca sustituir la banal pistola del crimen real por una navaja, instrumento que nos devuelve al mundo mítico del recién publicado *Poema del cante jondo* así como del *Romancero gitano*, y que conlleva un denso simbolismo sacrificial ya explotado en la obra anterior. La navaja, que aparece en las primeras y premonitorias palabras de la tragedia, en boca de la Madre, estará presente a lo largo de la acción.

Pero donde Lorca quizá se aparta más radicalmente de sus fuentes es en la caracterización de Leonardo, que aparece como víctima de un destino ineluctable por ser descendiente de una familia de asesinos que ya ha reducido a la familia de la Novia a su último varón. En los reportajes periodísticos no hay indicación alguna de que entre los familiares de Curro Montes hubiera gente violenta (aunque sí nos extraña, y tal vez extrañara a Lorca, el que el hermano del novio, José Pérez Pino, fuera capaz de acudir a una boda con una pistola cargada en el bolsillo). El poeta, trabajando dentro de una larga tradición dramática mediterránea, sabe que Leonardo tiene que actuar impulsado por una fuerza irresistible. Y así es.

Al ir componiendo *Bodas de sangre* tendría muy en cuenta, seguramente para distanciarse de él, el teatro pseudoandaluz de los hermanos Álvarez Quintero, con su torpe explotación de la fonética sureña. Y no se olvidaría tampoco de los célebres dramas rurales de Benavente, *La malquerida* y *Señora ama*, de verbo insulso aunque bien construidos. Lo que hace es acudir, ahondándolo, al lenguaje densamente metafórico asimilado durante su larga infancia en la Vega de Granada. No tuvo reparo en decir públicamente que sin ella no hubiera podido escribir *Bodas de sangre*.[35]

Quizá tampoco la habría escrito de no conocer *Jinetes hacia el mar*, del irlandés John Millington Synge, que le había leído en Granada su amigo Miguel Cerón, traduciendo del inglés, y que cabe deducir leyera por sí mismo en la versión española de Zenobia Camprubí y Juan Ramón Jiménez, editada en 1920. Obra, además, montada en Madrid en marzo de 1921 por Cipriano Rivas Cherif y su teatro de la Escuela Nueva.[36]

El mundo de la pieza de Synge, fruto de su convivencia con los aislados campesinos y pescadores del litoral atlántico del oeste de Irlanda, donde todavía se hablaba celta, tiene numerosos puntos de contacto con la Andalucía lorquiana, pese a las diferencias de clima y de costumbres, y Miguel Cerón recordaba que el entusiasmo del poeta ante la obra fue extraordinario.[37] Tal vez, recordándola, comprendería que para escribir una tragedia rural en pleno siglo XX no hacía falta tratar de recrear las de la antigua Grecia —que, por otro lado, leía asiduamente—,[38] sino buscar inspiración en una comunidad, en este caso andaluza, que todavía no hubiera perdido sus raíces y el sentido telúrico de la vida.

¿Cómo no ver en la madre de *Jinetes hacia el mar*, a quien el Atlántico le ha arrancado a su marido y a sus seis hijos, todos ahogados, un antecedente claro de la de *Bodas de sangre*? La vieja Maurya, como la Madre de Lorca, sólo vive para su último hijo y sabe intuitivamente, como ésta, que a él también lo va a perder. Cuando ocurre la tragedia ambas tratan de consolarse diciendo que por fin ya podrán descansar sin sobresaltos. Al recibir la noticia de que a Bartley le ha arrojado el caballo al mar, Maurya murmura, «alzando la cabeza y hablando como si no viera a los que están alrededor»:

> ¡Todos se fueron ya, y ya no tengo nada que pueda quitarme el mar!... ¡Ya no tendré que estarme sin acostar, llorando y rezando, cuando se levanta el viento sur y se oyen las rompientes del levante y el poniente, con el gran alboroto que hacen sus dos alaridos, pegándose unas con otras! ¡Ya no tendré que bajar por agua bendita, las noches oscuras pasado noviembre, ni me importará nada cómo esté el mar, cuando las otras mujeres anden lamentándose![39]

Las palabras de Maurya hicieron mella en la sensibilidad del granadino. Después de la muerte de su hijo, la Madre de *Bodas* rechaza la invitación de una vecina para ir con ella a su casa:

> Aquí, aquí quiero estar. Y tranquila. Ya todos están muertos. A media noche dormiré, dormiré sin que ya me aterren la escopeta o el cuchillo. Otras madres se asomarán a las ventanas, azotadas por la lluvia, para ver el rostro de sus hijos. Yo, no. Yo haré con mi sueño una fría paloma de marfil que lleve camelias de escarcha sobre el camposanto.[40]

El paralelismo parece evidente. Hay, sin embargo, una diferencia esencial entre Synge y Lorca. El irlandés no nació en el seno de la primitiva comunidad atlántica evocada en sus obras más conocidas, producto de su asombro ante un lenguaje popular de extraordinaria vitalidad y que luego se puso a estudiar tenazmente. La sensibilidad de Lorca, al contrario, había sido moldeada por su temprana inmersión en la poesía, música y habla populares de su nativa Andalucía rural. No le hacía falta estudiar nada. «Yo tengo un gran archivo en los recuerdos de mi niñez; de oír hablar a la gente —reconoció—. Es la memoria poética y a ella me atengo.»[41]

En cuanto al núcleo temático de *Bodas de sangre*, lo resumen en términos inolvidables los misteriosos Leñadores:

> LEÑADOR 2.°: Hay que seguir la inclinación; han hecho bien en huir.
> LEÑADOR 1.°: Se estaban engañando uno a otro y al fin la sangre pudo más.
> LEÑADOR 3.°: ¡La sangre!
> LEÑADOR 1.°: Hay que seguir el camino de la sangre.

LEÑADOR 2.º: Pero sangre que ve la luz se la bebe la tierra.

LEÑADOR 1.º: ¿Y qué? Vale más ser muerto desangrado que vivo con ella podrida.[42]

Lorca diría en 1933, a su llegada a Argentina, que la única esperanza de alcanzar la felicidad estriba en «respetar los propios instintos».[43] O sea, que «hay que seguir la inclinación», sean las que sean las consecuencias, las rémoras, y aunque la sangre corra. Se trata casi de un dogma, asumido, vivido y reafirmado una y otra vez a lo largo de su breve vida.

Bodas de sangre le iba a permitir expresar sus preocupaciones más hondas y desplegar, al mismo tiempo, sus múltiples dones creativos. Al despedirse de Granada después de aquellas semanas de intenso trabajo, pasado el susto de la «sanjurjada», cabe que tuviera la certidumbre, además, después de tantas dificultades y de luchas, de que por fin había producido una obra capaz de ganar dinero.

Más Barraca, más conferencias

El 21 de agosto de 1932 La Barraca viajó a Galicia y Asturias, y tuvo representaciones con éxito en La Coruña, Santiago de Compostela, Vigo, Pontevedra, Villagarcía de Arosa, Ribadeo, Grado, Avilés, Oviedo y Cangas de Onís.[44] En septiembre, de regreso a Madrid, Lorca leyó *Bodas de sangre* a varios amigos, entre ellos los Morla Lynch y Rafael Martínez Nadal, y deliberó sobre qué actriz interpretaría mejor el papel de la Madre. Se decidió finalmente por Lola Membrives, entonces en la cumbre de su fama tanto en Argentina como en España. A la actriz le gustó muchísimo, pero dijo que no tenía la menor posibilidad de montarla aquella temporada, debido a sus muchos compromisos.[45] Contrariado, el poeta optó por otra actriz famosa, Josefina Díaz de Artigas, que se había retirado del teatro en 1931 al morir su marido pero que quería volver ahora a los escenarios, a ser posible con algo importante. Cuando, acompañado de Ignacio Sánchez Mejías, Federico le leyó *Bodas de sangre*, se quedó deslumbrada. Respaldada por Eduardo Marquina, entonces su asesor artístico, aceptó estrenarla la primavera siguiente.[46]

A principios de octubre La Barraca viajó a Granada para participar en la conmemoración del cuarto centenario de la universidad. Debido al mal tiempo hubo que dar la representación de *La vida es sueño*, prevista para el patio del Corral del Carbón, antigua alhóndiga árabe, en el teatro Isabel la Católica. Lorca explicó al público que le conmovía encontrarse con su joven elenco en el local donde, de niño, se había asomado atónito, por vez primera, a los «poemas dramáticos nacionales», poemas que ahora tenía el honor de resucitar.[47]

El día siguiente representaron sus tres entremeses en el patio del antiguo cuartel de artillería de Santo Domingo ante un público compuesto sobre todo por obreros y estudiantes. Entre ellos estaba Dolores Cuesta, la Colorina, la antigua criada de la familia que tanta sabiduría popular le había transmitido. La había colocado en lugar preferente para que disfrutara lo más posible de «su» espectáculo.[48]

Lorca quería que los «barracos» conociesen algo de la Granada auténtica durante su breve estancia. Los llevó a una zambra gitana en el Sacromonte y los subió a la Alhambra, donde tocaron para ellos, en la famosa taberna del Polinario, el guitarrista Ángel Barrios y su Cuarteto Iberia.[49]

Uno de los estudiantes, Arturo Sáenz de la Calzada, gustaría de contar años después una anécdota relacionada con la visita del elenco a Granada. Los había acompañado desde Madrid un joven millonario, Luis Villalba, admirador de Lorca, y éste, molesto por la absoluta indiferencia de la burguesía granadina ante la presencia de la farándula,[50] decidió pedir su colaboración. Villalba había llegado a Granada en un despampanante coche descapotable, y el poeta le convenció para que le paseara en él, lentamente, por las calles céntricas de la ciudad, repitiendo numerosas veces el recorrido. Con ello esperaba irritar debidamente a la rancia derecha granadina y demostrar al mismo tiempo que un republicano podía tener amigos ricos.[51]

El 25 y 26 de octubre, después de su visita a Granada, La Barraca actuó en la Universidad Central de Madrid. Se trataba un poco de su presentación oficial en la capital. Aprobó con sobresaliente el reto. De la prensa progresista llovieron los elogios, tanto por la calidad de los montajes en sí como por los nobles propósitos que animaban al grupo, y se llegó a afirmar que el Teatro Universitario capitaneado por Lorca y Eduardo Ugarte estaba abocado a ejercer una «luminosa influencia» sobre la vida cultural del pueblo español. ¿Y la prensa conservadora? No se dignó ni siquiera aludir a las representaciones.[52]

Miguel Pérez Ferrero, del *Heraldo de Madrid*, quedó sorprendido ante la pericia interpretativa del granadino al desempeñar el papel de la Sombra en *La vida es sueño*. Sólo tenía una duda. ¿Era Lorca mejor como poeta («uno de los grandes poetas españoles de nuestro tiempo»), director de escena o actor? No lo sabía. Y eso que no tomó en consideración sus dones musicales ni su talento para dibujar.[53]

Durante la visita de La Barraca a Granada, Lorca estuvo asiduamente acompañado por un joven de nombre Eduardo Rodríguez Valdivieso, a quien había conocido aquel febrero en el hotel Alhambra Palace durante los carnavales. Fue una relación, por parte de Federico, intensa. Años después Rodríguez Valdivieso evocaría el encuentro en los siguientes términos:

> Conocí a Lorca por puro azar, en una madrugada carnavalesca. La jarana del carnaval lo llenaba todo. En un intervalo de la fiesta, en el centro de la vacía pista de baile, apareció una máscara de dominó amarilla, cubierto el rostro con antifaz negro, que parecía dudar cuál camino seguiría.
>
> La máscara resultó ser García Lorca. El grupo del que yo formaba parte coincidió con el poeta granadino en el ambigú, donde se bebió tanto que, al día siguiente, pocos se acordaban de la pasada aventura.[54]

Rodríguez Valdivieso tenía dieciocho años —hacía nacido en 1913—,[55] era alto y apuesto, con ojos y cabellos oscuros y una sensibilidad a flor de piel.[56] Trabajaba a regañadientes en un banco, amaba la literatura y era pobre e infeliz. Conocer y enamorar a Lorca, ser amigo predilecto suyo durante más o menos un año, sería una de las experiencias fundamentales de su vida. Por suerte guardó como oro en paño, sin decir casi nada a nadie, tal era su miedo al qué dirán, seis cartas recibidas del poeta, dadas a conocer poco antes de su muerte en 1997 (y conservadas en el Museo-Casa Natal Federico García Lorca de Fuente Vaqueros).

La primera data de finales de octubre o principios de noviembre de 1932, cuando iban a empezar los ensayos de *Bodas de sangre*. Merece ser citada íntegra:

> Querido Eduardo: Recibí tu carta que contesto enseguida muy contento de que te hayas acordado de mí, pues yo creía que casi me habías olvidado. Yo como siempre te recuerdo quiero saber de ti y

tener lazo de unión contigo. Creo que eres sincero y es ésta una virtud que junta con la lealtad, forman la base del sentimiento de la amistad que yo cuido y precio como una joya rara.

He trabajado mucho y ahora empiezo a trabajar otra vez con verdadera intensidad pues me ofrecen nada menos que la dirección artística del Teatro Lírico Nacional, pero yo creo que quizá no pueda aceptar.

Mis «Bodas de sangre» se empiezan a ensayar mañana y el estreno será dentro de un mes. Ya te tendré al corriente.

Comprendo querido Eduardito, lo mal que lo pasarás con esa gente absurda que te rodea y por eso pienso más en ti.

Deseo saber todas las cosas que te pasan y qué sientes y puedes contar conmigo para lo que quieras.

Ya en próximas cartas te contaré también muchas cosas.

¿Querrás creer que a la única persona de Granada que escribo es a ti? No leas mis cartas a nadie pues carta que se lee es intimidad que se rompe. Espero con alegría tu venida a Madrid. Yo lo organizaré bien y te diré la mejor época.

Desde luego será pronto. Escríbeme enseguida y cuéntame cosas.

Ya vivo en «General Arrando, 7».

Ya ves Eduardo qué pronto respondo a tu llamada.

Veré los dibujos de tu hermanito.*

Tú y yo nos conocemos poco todavía, ¿verdad? pero espero que esta simpatía haga que queden al descubierto las flores de nuestra amistad.

Adiós. Recibe un abrazo cariñoso de tu amigo

FEDERICO

En Madrid hace un Otoño delicioso. Yo recuerdo con lejana melancolía esas grandes copas amarillas de los viejos árboles del Campillo y esa solitaria plaza de los Lobos llena de hojas de acacia y ese divino y primer viento frío que hace *temblar* el agua de la fuente que hay en plaza Nueva. Todo lo que es la Granada de mi sueño y de mi soledad cuando yo era adolescente y nade me había amado todavía.

Adiós.[57]

* Antonio Rodríguez Valdivieso.

Es muy interesante la referencia al Teatro Lírico Nacional. Acababa de abandonar su puesto como director del mismo —creado por la República en mayo de 1932—[58] el amigo de Lorca Cipriano Rivas Cherif. Se especulaba sobre su sucesor y, efectivamente, se sopesaba el nombre del poeta. El 27 de octubre, en un comentario anónimo sobre la cuestión, un periodista del diario ultraderechista *La Nación* escribía: «A ver ahora si tienen acierto en la elección del sustituto del señor Rivas Cherif… ¡Con tal de que no recaiga en García Lorca!».[59] Era un indicio más del concepto que a los enemigos de la República les merecía el director de La Barraca. Lorca no aceptó la invitación de reemplazar a Rivas Cherif, si es que realmente se hizo efectiva. Trabajo tenía de sobra, sin lugar a dudas.

Llama la atención el cambio de señas del poeta. Y es que se acaba de producir en su vida doméstica un viraje radical: nada más y nada menos que la llegada a Madrid de sus padres, que desde septiembre buscaban piso en la capital, se supone que para estar cerca de su hijo, que ahora sólo puede visitar Granada de vez en cuando.[60] Otra carta a Rodríguez Valdivieso, un poco posterior, da a entender que no sólo Federico sino sus padres vivieron primero, durante unas semanas, en el piso de General Arrando (ubicado en la misma casa habitada por Encarnación López Júlvez, la Argentinita, y su hermana Pilar López), pero sea como fuera se mudaron todos unas semanas después a un amplio apartamento alquilado por Federico García Rodríguez en la última planta del número 102 de la calle de Alcalá (hoy, 96), justo donde atraviesa la de Goya.[61]

¿Cómo interpretar la decisión del poeta de instalarse con sus padres? Se comprende que poder disfrutar de comodidades caseras fuera un aliciente —madre y criadas para atender sus veleidades—, pero renunciar a la intimidad de un estudio propio parecería un sacrificio excesivo. Tal vez se trataba de complacer provisionalmente a sus padres, que no hubieran entendido su necesidad de independencia. Quizá era cuestión del qué dirían (del qué dirían los amigos y familiares del matrimonio al enterarse de que su hijo «no quería» vivir con ellos). En cualquier caso, Federico estaba rodeado de amigos en la nueva casa. Adolfo Salazar vivía al otro lado de la calle, y José Caballero, Regino Sainz de la Maza y Rafael Martínez Nadal estaban a la vuelta de la esquina. «Era un mundo pequeño dentro de un mundo pequeño», recordaría Caballero con nostalgia en 1980.[62]

Las indicaciones incluidas por Lorca en la carta a Rodríguez Valdivieso sobre los ensayos de *Bodas de sangre* y su pronto estreno eran demasiado optimistas. La obra no se pondría, de hecho, hasta marzo. Ya menos presionado aprovechó para emprender otra gira de conferencias. El primer destino fue Pontevedra, donde, el 20 de noviembre, disertó sobre la pintora María Blanchard. Había en la ciudad un grupo entusiasta de jóvenes pintores y escritores que dirigían una modesta revista, *Cristal*, cuyo quinto número estaba en la calle cuando llegó. El sexto incluiría el soneto del poeta que empieza «Yo sé que mi perfil será tranquilo», entregado durante su visita y sin explicar, tal vez, que ya había aparecido en Cuba.[63]

Desde Pontevedra siguió hasta Lugo donde, el 22 de noviembre, repitió la charla sobre María Blanchard. Fue aquí donde hizo la gran revelación de que había compuesto un poema en gallego, si bien omitió añadir que sin la colaboración de Ernesto Guerra da Cal tal empresa habría sido inconcebible. Antes de volver a Madrid dejó una copia del mismo («Madrigal â cibdá de Santiago») con los redactores de la revista *Yunque*, que lo dieron a conocer en su número de diciembre. De allí lo recogerían otras revistas gallegas e incluso *El Sol* de Madrid, que no dejó de mostrar su asombro ante la última hazaña del poeta.[64]

Luego, el 16 de diciembre, se trasladó a Barcelona, donde ofreció su ya famoso recital neoyorquino. El acontecimiento tuvo como marco el lujoso escenario del hotel Ritz y empezó tarde al llegar el poeta con considerable retraso acompañado, según el escritor J. V. Foix, de un muchacho, no identificado, de aspecto afeminado y que lucía zapatos rojos.[65] Entre el público había numerosos amigos del poeta, pero parece ser que no compareció Sebastià Gasch: el crítico, se infiere, consideró más diplomático no hacer acto de presencia después de su reseña del *Poema del cante jondo*, en que, como hemos visto, cuestionó la veta surrealista de Lorca. Entre los asistentes había un joven y agudo crítico para quien dicha «veta» suponía, al contrario, lo mejor de Lorca: Guillermo Díaz-Plaja. En un artículo publicado poco después opinó que el aspecto más interesante de los poemas de Nueva York, con todo, era la persistencia en ellos de los «viejos elementos» lorquianos: el sol y la luna, los ríos y el mar, si bien «aplicados a nueva imaginería, naturalmente más compleja y más audaz».[66]

Lorca regresó inmediatamente a Madrid donde, el 19 de diciembre, La Barraca representó en el teatro Español *La vida es sueño* y los tres entremeses. Entre el público estaban el presidente de la República, Niceto Alcalá-Zamora; el primer ministro, Manuel Azaña; el presidente de las Cortes, Julián Besteiro; Fernando de los Ríos; y numerosos ministros, diputados y demás figuras destacadas. La velada fue triunfal y prácticamente todos los periódicos de Madrid publicaron fervorosas reseñas al día siguiente.[67] Los de la prensa conservadora, como era de esperar, se mostraron menos entusiastas. Las derechas querían convencerse de que La Barraca no era simplemente una iniciativa cultural cuyo cometido consistía en ofrecer obras de teatro al pueblo, sino una máquina propagandística que servía los intereses de agitadores «marxistas», «judíos» y «comunistas» empeñados en traer a España la Revolución Roja.

El elenco estudiantil pasa los últimos días de 1932 en Murcia y Elche, y en Nochevieja representa *La vida es sueño* en Alicante. Durante estos días Lorca renueva su amistad con el poeta Pedro Salinas y con Juan Guerrero Ruiz, director, unos años antes, de la revista murciana *Verso y prosa*. Buen fotógrafo, éste saca varios retratos del poeta en la playa de Alicante de espaldas al mar, vestido del ya célebre mono de La Barraca que le da aspecto de mecánico.[68]

En Murcia conoce a un joven poeta de Orihuela muy dotado y muy pobre, Miguel Hernández, que en estos momentos está corrigiendo las pruebas de su primer libro, *Perito en lunas*. Tiene sólo veintidós años y Federico le manifiesta su admiración por los poemas que le acaba de leer y promete promocionarle en Madrid. Sin embargo, cuando se edita el libro poco tiempo después, en medio del más absoluto silencio, no cumple con el compromiso, al parecer contraído, de reseñarlo, y recibe una serie de desconsoladas cartas del poeta solicitando su ayuda.[69] Hace lo posible por consolarle y darle ánimos, diciéndole que a él le pasó lo mismo y que su primer libro de versos se ignoró de forma parecida (lo cual no era del todo verdad). Le aconseja que continúe trabajando, peleando y luchando y, sobre todo, que no sucumba a la tentación de la vanidad: «Tu libro es fuerte, tiene muchas cosas de interés y revela a los buenos ojos *pasión de hombre*, pero no tiene más *cojones*, como tú dices, que los de casi todos los poetas consagrados. Cálmate». Con Miguel Hernández, Lorca, de hecho, nunca llegaría a congeniar.[70]

El año 1932 había terminado brillantemente para La Barraca, que en los seis meses que llevaba funcionando había justificado con creces las esperanzas depositadas en ella por el Gobierno. Durante los próximos tres años la vida de Lorca estaría inseparablemente unida al periplo del Teatro Universitario, en cuya creación había tenido un papel tan relevante. Es cierto que, a veces, su dedicación a la empresa le impediría trabajar en su propia obra, pero en términos generales la experiencia le resultaría muy positiva y le enseñaría mucho sobre el arte dramático y, al mismo tiempo, sobre las duras realidades de la España contemporánea.

1933

Bodas de sangre: el inicio del éxito

Dos acontecimientos, uno doméstico y otro internacional, acapararon las primeras planas de los periódicos españoles a principios de 1933: la matanza de Casas Viejas y la llegada al poder de Adolf Hitler.

En Casas Viejas, hoy Benalup de Sidonia, pueblo gaditano perteneciente al duque de Medina Sidonia, unos quinientos braceros anarquistas, hartos de vivir en condiciones infrahumanas, proclamaron aquel 11 de enero el comunismo libertario. Rodearon la casacuartel de la odiada Guardia Civil y cayeron muertos en la refriega un sargento y un guardia. Las órdenes de la Dirección General de Seguridad fueron tajantes: había que reprimir aquello inmediatamente. El 12 de enero llegó al pueblo un fuerte contingente de Guardia Civil y de Guardia de Asalto, del cual tomó el mando, enviado desde Madrid, el capitán de Artillería Manuel Rojas Feigespán. Por orden de éste fue incendiada la choza donde se había refugiado un grupo de anarquistas que se negaba a entregarse. Sólo dos hombres se libraron de las llamas y fueron abatidos al salir por una ráfaga de metralleta. Al día siguiente el capitán Rojas ordenó fusilar a doce personas.[1]

La barbaridad se convierte en la cuestión política más candente del momento. ¿Era verdad que el primer ministro, Manuel Azaña, había dado la orden de «tiros a la barriga»? Parecía improbable pero el rumor, propagado por las derechas, adquiere pronto categoría de hecho. Durante las siguientes semanas lo ocurrido en Casas Viejas se va aclarando con una lentitud políticamente suicida. Se abre una investigación parlamentaria y, el 7 de marzo, Azaña, engañado en un primer momento por la policía, informa a las Cortes de que ha habido ejecuciones ilegales. El director general de Seguridad, Arturo Menéndez, es procesado, y al capitán Rojas, que dice haber obedecido órdenes de éste, se le condena a veintiún años de prisión.[2]

Casas Viejas daña de modo irremediable al Gobierno, pese a la decisión de someter a juicio a los culpables. Y a lo largo de los próximos meses la oposición no perderá oportunidad alguna para utilizar el desgraciado episodio como arma arrojadiza contra Azaña, que caerá poco después.

Entretanto, el 30 de enero, Hitler ha sido nombrado canciller de Alemania «con el claro apoyo de la derecha tradicional»,[3] y la prensa española, de todas las tendencias, sigue de cerca el desarrollo de la situación. El incendio del Reichstag el 27 de febrero, la disolución de los partidos políticos en marzo, la concesión de plenos poderes a Hitler, el Concordato con Roma, la creciente persecución de los judíos e intelectuales alemanes... todo ello es objeto de amplia cobertura y debate. Los periódicos republicanos y de izquierdas, viendo con inquietud el vertiginoso crecimiento del fascismo en Alemania, con todo el poder en manos del Partido Nacional Socialista, no se hacen ilusiones con respecto a lo que está ocurriendo entre bastidores en España, donde la derecha, alentada por la caída de la República de Weimar (en cuya constitución se ha basado la española), está urdiendo en estos momentos la destrucción de la democracia.[4]

En tales circunstancias se desarrollan los preparativos para el estreno de *Bodas de sangre* en el madrileño teatro Beatriz, con decorados y vestuario de Santiago Ontañón y Manuel Fontanals. Para principios de marzo los ensayos están ya muy avanzados. El propio Lorca los dirige, cuidando de manera especial las sutiles transiciones de prosa a poesía que caracterizan la obra, prohibiendo taxativamente cualquier veleidad grandilocuente por parte de los actores y orquestando el ritmo del conjunto como si se tratara de una partitura musical. Francisco García Lorca recordaría que el poeta tuvo que recurrir a toda su habilidad, experiencia y paciencia para conseguir que los actores, no acostumbrados a un teatro tan «total», hicieran lo que quería. «El cuadro de la despedida de la Novia, fragmentado en numerosas entradas de personajes desde diferentes y escalonadas alturas, con el juego alterno de voces femeninas y masculinas que se expresan en versos de extremada riqueza rítmica, fue principalmente duro», escribe. El poeta, interrumpiendo a los actores una y otra vez hasta conseguir el resultado apetecido, exclamaba: «¡Tiene que ser matemático!».[5]

Los actores se quedaban sorprendidos y admirados ante la pericia escenográfica de Lorca, adquirida en gran parte debido a su experiencia con La Barraca, y le agradecían la claridad con la cual les explicaba lo que quería. La joven Amelia de la Torre, que interpretaba a la Muerte, jamás olvidaría el «grito pelado» del poeta desde el patio de butacas cuando salió en su primer ensayo con la cara pintada de blanco y sin color en los labios, pensando que así debía ir el siniestro personaje. «La Muerte es joven y bella», insistió, tal vez recordando su aspecto en el *Orfeo* de Jean Cocteau montado unos años antes por su amigo Cipriano Rivas Cherif en Caracol.[6]

Aunque Lorca era ya, sin rival posible, el poeta joven más famoso de España, no había tenido todavía un gran éxito en el teatro. ¿Lo conseguiría ahora? El veterano crítico de *Heraldo de Madrid,* Juan González Olmedilla, se hizo esta pregunta el 8 de marzo, mañana del estreno. Había visto parte del ensayo general y estaba seguro de que *Bodas de sangre* era la «gran obra» que él y otros esperaban del granadino. Además, dijo, tenía algo para todo el mundo: para los intelectuales y para el público normal de teatros. El éxito, a su juicio, estaba garantizado.[7]

Tenía razón. Al estreno asistió la plana mayor de los intelectuales, escritores y artistas de Madrid y una nutrida representación de la alta sociedad capitalina así como de la clase política. No quedaba una sola butaca libre. Acudieron, entre los famosos, el Premio Nobel Jacinto Benavente, con sus casi setenta años a cuestas, Miguel de Unamuno y Fernando de los Ríos. Sentados con los estudiantes de La Barraca estaban los poetas Vicente Aleixandre, Luis Cernuda, Jorge Guillén, Pedro Salinas y Manuel Altolaguirrre.[8]

Según el diario derechista *La Nación,* el público, al terminar el primer cuadro, «quedó un poco indeciso» pero, a partir del segundo, y especialmente de la escena de la petición de mano, empezó a aplaudir calurosamente. Al término de cada cuadro hubo numerosos telones e incluso, cosa inaudita, se tuvo que interrumpir dos veces la actuación para que Lorca saliera a saludar. Cuando cayó el telón final el entusiasmo del aforo fue extraordinario y el poeta, Ontañón y Fontanals se juntaron en el escenario con Josefina Díaz de Artigas —intérprete de la Novia, no, como se había previsto inicialmente, de la Madre— y los demás actores en medio de grandes demostraciones de emoción y alegría.[9]

Al día siguiente las reseñas eran casi unánimemente positivas. Era evidente que Lorca había tocado una —o varias— fibras sensibles para casi todos los españoles. Por lo menos tres críticos señalaron la vinculación de la obra con el *Romancero gitano*, y Melchor Fernández Almagro discurrió con brillantez sobre el aspecto mítico de la Andalucía lorquiana. *Bodas de sangre*, según el ex «rinconcillista», no tenía que ver con «los andaluces del este o del Oeste, de la serranía o del litoral» sino «en su proyección histórica y psicológica más profunda... árabes, romanos, griegos, hijos de sabe Dios qué mitos clásicos: el sol y la luna». En cuanto al astro nocturno, no dudaba que era la divinidad que regía el universo poético de su amigo, «la cifra o el emblema más expresivo de su mundo». «Y bien se ve —subrayó— que no es luna semejante a la luna literaria de románticos y simbolistas —Musset, Laforgue—, sino la real y mítica —al mismo tiempo— de los celtíberos, que le ofrecían sus himnos, sus hogueras, sus danzas, sus canciones. Plenilunio de Turdetania.»[10]

Fernández Almagro había demostrado una vez más que, de cuantos escribían sobre Lorca, era, además del mejor informado, quizá el mejor entendedor.

Bodas de sangre tuvo treinta y ocho representaciones antes de que Josefina Díaz de Artigas se viera en la obligación de poner fin, el 8 de abril, a su temporada en el Beatriz. Constituyó el primer éxito de taquilla del poeta. A partir de este momento empezaría a disfrutar de su soñada independencia económica.[11]

Entretanto, estimulado por la consolidación de los regímenes alemán e italiano, el fascismo español estaba tomando indudable cuerpo. El 16 de marzo de 1933 aparece en Madrid el primer número de una nueva revista titulada, precisamente, *El Fascio*. Su editor es Manuel Delgado Barreto, director de *La Nación* y propietario de *Gracia y Justicia*, entre cuyos blancos favoritos, como hemos visto, figuran Lorca y Fernando de los Ríos. Uno de los colaboradores más estrechos de Delgado Barreto es José Antonio Primo de Rivera, hijo del dictador, que en estos momentos está creando el partido fascista que cristalizará, dentro de unos meses, como Falange Española.[12]

La posición de Lorca en relación con el fascismo empieza a ser del dominio público. A principios de abril se afilia a la recién constituida Asociación de Amigos de la Unión Soviética y firma su manifiesto, que se publica en la prensa, al lado de unos cien intelectuales, escritores y políticos comprometidos con la democracia.[13] El 1 de mayo es el primer signatario de un manifiesto contra la «barbarie fascista» de Hitler, barbarie de la que se tiene cada día más información en España, debido en no pequeña medida a la llegada de judíos que han huido de los nazis.[14]

Por las mismas fechas Lorca se asocia al Club Teatral de Cultura (más adelante Anfistora). Asociación de aficionados con el objeto de promocionar el teatro actual, su fundadora es una mujer fuera de serie, Pura Maórtua de Ucelay, oriunda de Cantabria. El poeta la había conocido el año anterior y le había prometido que, si conseguía rescatar de la Jefatura de Policía de Madrid las copias de *Don Perlimplín* confiscadas en 1929, no sólo lo montaría para el club, sino también una nueva versión de *La zapatera prodigiosa*. Ucelay sale airosa de su misión detectivesca y recupera la pieza transgresora. Fiel a su palabra, Federico dedica varios meses a ensayar las dos obras, que se estrenan el 5 de abril, en representación única (norma del club), en el teatro Español.[15]

Aunque *La zapatera prodigiosa* gusta sobremanera, el «clou» de la velada es *Don Perlimplín*, cuyo protagonista es interpretado con gran vitalidad por el pintor y escenógrafo Santiago Ontañón. La compleja obrita impresiona hondamente a todos los presentes. Melchor Fernández Almagro confirma otra vez ser el crítico lorquiano mejor informado y más perspicaz (tiene ventajas, claro está, al ser amigo tan estrecho del autor). En su reseña llama la atención sobre la discrepancia cronológica que se suele dar en Lorca entre la composición, por un lado, y la puesta en escena o publicación por otro. En este caso, una discrepancia de ocho años. Y observa, correctamente, que *Don Perlimplín* ha influido en la obra posterior del poeta de una manera que pocos habrán podido apreciar, al haber sido prohibido por el nefasto régimen de Primo de Rivera en 1929.[16]

Parece ser que es por estos días cuando Lorca conoce a un personaje que va a tener cierta importancia en su vida: el periodista y escritor gallego Eduardo Blanco-Amor, gay desenfadado que lleva meses instando a su paisano Ernesto Guerra da Cal para que se lo presente. Aunque, como Federico, Blanco-Amor solía aparentar que había nacido en 1900, lo seguro es que vino al mundo en 1897, en Orense, donde había vivido hasta emigrar temprano a Buenos Aires. Tan visceralmente gallego como Guerra da Cal, añoraba intensamente su tierra natal y, como tantos gallegos en Argentina, soñaba con volver cuanto antes a sus lares, por lo cual no es sorprendente que los primeros poemas que escribió en Buenos Aires estuvieran impregnados de morriña. En la capital argentina, que en los años veinte gozaba de una vida cultural floreciente y multilingüe, adquirió una manera de ser cosmopolita que no le abandonaría nunca. Recordando aquellos días bonaerenses escribiría:

> Un joven de mi tiempo podía ver danzar a la Pavlova y a Nijinski, dirigir a Siegfried Wagner las obras de su padre, asistir a exposiciones colectivas de los impresionistas franceses y a las conferencias de Clemenceau y el Ortega treintañero; asistir al teatro en cinco idiomas, entre ellos el yiddish, con estupendos actores. Leer casi al mismo tiempo que en Londres, París o Roma las novedades literarias.[17]

Blanco-Amor frecuentó a numerosos escritores importantes afincados entonces en Buenos Aires, entre ellos el mexicano Alfonso Reyes —a quien Lorca había conocido en Madrid y al que admiraba—, Jorge Luis Borges, Leopoldo Lugones y Horacio Quiroga,[18] y se entregaba con energía a la promoción de la cultura de su patria chica en una ciudad donde vivían muchísimos gallegos.[19] En 1926 empezó a ser colaborador del gran diario porteño *La Nación*, cuyo suplemento literario era el más influyente de Sudamérica y que publicaba de manera habitual originales de escritores españoles como Ortega y Gasset, Unamuno, Gregorio Marañón, Américo Castro, Enrique Díez-Canedo y Ramón Gómez de la Serna, así como una amplia información sobre la actualidad literaria y artística de España.

En septiembre de 1928 Blanco-Amor dio a conocer en Buenos Aires una pequeña colección de poemas titulada *Romances gallegos,* algunos de los cuales ya habían aparecido en 1927 en la revista madrileña *La Gaceta Literaria*, donde probablemente los había visto Lorca.[20] Cuando a finales del año *La Nación* lo envió a España para escribir una serie de artículos sobre Galicia, distribuyó ejemplares del librito entre amigos y críticos. Entre éstos Enrique Díez-Canedo, que unos meses antes había publicado en *La Nación* una reseña del *Romancero gitano*.[21]

Presentado por fin al poeta, Blanco-Amor (que acababa de volver otra vez a España) se esforzó por caerle simpático. Su homosexualidad, a diferencia de la de Lorca, era ostentosa, nada cauta, y algunos amigos del granadino se ofendían ante sus, según ellos, modales insolentes y hasta vulgares.[22] Federico no les hizo caso. Eduardo le divertía y estimulaba, y añadía una pizca de sal y pimienta a las reuniones de su círculo íntimo de amigos gais (Cernuda, Emilio

Prados, Aleixandre, Adolfo Salazar…). Décadas después Blanco-Amor sería quien, entre los amigos de poeta, hablara de manera más coherente y abierta sobre su homosexualidad, y es probable que, de haber vivido un poco más (murió en 1985), habría dejado constancia escrita de todo ello. Pero esperó demasiado.

Después de la representación de *Don Perlimplín* y de *La zapatera prodigiosa* en el Club Teatral de Pura Maórtua de Ucelay, Lorca pasó la Semana Santa con La Barraca en Valladolid, Zamora y Salamanca. Como todas las giras del elenco, dejó su estela de anécdotas. El gran crítico de arte Rafael Santos Torroella, experto en el joven Dalí, ha recordado cómo, a orillas del Pisuerga, en Valladolid, el poeta les leyó, a él y otros jóvenes amigos, la *Oda a Walt Whitman*, experiencia inolvidable.[23]

Lola Membrives, a punto de regresar a Argentina, había expresado el deseo de poner *Bodas de sangre* en Buenos Aires. El 25 de abril Lorca se encontraba en San Sebastián para dar su conferencia sobre María Blanchard. Coincidió allí con ella y hablaron. Al día siguiente, en Vitoria, leyó *Bodas de sangre* a la compañía. La obra les gustó sobremanera a todos, y poeta y actriz se pusieron de acuerdo sobre las condiciones del contrato. Dos días después, el 5 de mayo, Lola embarcó en Barcelona.[24]

Música, Falla, Rodríguez Rapún

Para el 6 de mayo de 1933 se anuncia una conferencia en el teatro Español de Rafael Alberti, *La poesía popular en la lírica española*, con canciones y bailes de Encarnación López Júlvez acompañada al piano por Lorca, y con decorados de Santiago Ontañón y Salvador Bartolozzi.

Desde el fracaso de *El maleficio de la mariposa* en 1920, el poeta no había perdido nunca el contacto con La Argentinita. Los cinco discos de canciones populares grabados juntos para La Voz de su Amo en 1931 y muy difundidos por la radio, cada día con más audiencia, habían asegurado que para mucha gente sus nombres estuviesen indisolublemente unidos. En 1932, además, Júlvez había dado conciertos en toda España y en América, a menudo interpretando algunas de las canciones arregladas por el granadino.

Los periódicos despiertan la expectación del público ante un acto tan poco habitual, y aquella noche el Español se llena de amigos y admiradores de los tres artistas.

Mediada la conferencia Alberti invita a Lorca a dejar el piano y a recitar uno de sus propios poemas de inspiración neopopular. Federico accede y el aforo reacciona con gran entusiasmo. Entre los presentes hay varios «barracos». Uno de ellos, Modesto Higueras, conservaba décadas después un recuerdo vivísimo de la velada, sobre todo de la actuación de Federico. ¿Cómo era posible, se había preguntado aquella noche, que una sola persona reuniera tantos dones?[25]

Después, en el salón de Carlos Morla Lynch, hay una discusión. ¿Hizo bien el poeta en desempeñar un «papel secundario» en el concierto? El diplomático considera que sí, que fue un admirable gesto de compañerismo. Algunos de los presentes opinan lo contrario. Entre ellos, Rafael Martínez Nadal, para quien el razonamiento del chileno es un ejemplo de «bondad cerebral». Morla Lynch aprecia a Nadal, «siempre directo y neto en sus expresiones»,[26] admira su vehemencia, su cuerpo atlético y «su prodigalidad y "guasa" habitual».[27] Hasta acepta su «mala educación sincera, franca».[28] Pero a veces se pasa. «Cuando se pone testarudo e intransigente, en pesado no se la gana nadie —apunta en su diario—. No estamos de acuerdo esta noche. Nada más.»[29]

El 31 de mayo Josefina Díaz de Artigas inaugura su temporada barcelonesa con *Bodas de sangre*.[30] Lorca, cuya fama crece ahora vertiginosamente, no viaja a la capital catalana para el estreno, tal vez porque no quiere perderse el ensayo general, en el Español, de la puesta en escena, por Encarnación López Júlvez, de *El amor brujo* de Falla.[31] Por deferencia al compositor el estreno tiene lugar el 10 de junio en Cádiz, su ciudad natal. Lorca no se lo quiere perder y llega a la ciudad acompañado de Ontañón, Fontanals, Eduardo Ugarte y otros amigos. La noche es triunfal y el poeta se apresura a enviar un telegrama eufórico a Falla, entonces en Palma de Mallorca trabajando en *Atlántida*.[32] Dos días después el ballet abre en el Español. Las reseñas son muy elogiosas. Según Adolfo Salazar, Encarnación López ha «revelado» a Falla al público madrileño.[33]

Hacia finales de junio la bailarina ofrece una representación especial de *El amor brujo* en la Residencia de Estudiantes. Entre el público hay un apuesto estudiante de Ingeniería, Rafael Rodríguez Rapún, secretario desde hace algunos meses de La Barraca. Nacido en Madrid en 1912, es de constitución atlética, buen futbolista y socialista apasionado.[34] Carlos Morla Lynch, que asiste a la función, le había conocido unas semanas antes en el estreno de

Don Perlimplín y apuntó entonces en su diario que era «simpático, de fisonomía franca, insolente y gentil a un tiempo, y lleno de personalidad». Se confirma ahora la impresión.[35]

Parece probable que Rodríguez Rapún había acompañado a Lorca a Cádiz para el estreno de *El amor brujo*, y que la fotografía en la que aparecen juntos en los jardines del hotel Reina Cristina de Algeciras corresponde a este viaje (ilustración 38).

Luis Sáenz de la Calzada (1976), que, como Rapún, se acababa de incorporar a La Barraca, nos ha dejado una insustituible evocación del joven:

> Se encontraba Rafael en una encrucijada; por una parte el rigor de los problemas matemáticos que diariamente tenía que resolver para preparar su ingreso en Minas; por otra, la presión constante de la generación del 27 ante sus ojos, perennemente, sin descanso; rigor contra poesía, poesía contra rigor; yo creo que Rafael prefería más hondamente una letrilla que los ángulos de un dodecaedro, pero ambas cosas se encontraban en él y no sin lucha, no sin antagonismos a veces manifiestos; por eso se encolerizaba tantas veces; por eso tenía esas sus tragedias que no podía eludir y que le quitaban el sueño.
>
> Cabeza más bien grande, braquicéfala, cabello ensortijado, frente no muy amplia surcada por una profunda arruga transversal; nariz correcta emergiendo casi de la frente, lo que le daba, en cierta medida, perfil de estatua griega; boca generosa de blanquísimos dientes con mordida ligeramente cruzada; ello hacía que, al reírse, alzara una comisura mientras descendía la otra. Barbilla enérgica, cuerpo fuerte con músculos descansados, poco hechos al deporte; me parece que no sabía nadar; solía ir vestido de oscuro, color que hacía más luminosa su sonrisa. Pisar seguro y andar decidido... He dicho que tenía sus tragedias; por lo menos así llamaba él a determinadas cosas que le acontecían y que yo no supe jamás; las que llegué a conocer no me parecieron tragedias, pero era violento y elemental, elemental por lo menos en ciertas cosas; por ejemplo, el orgasmo sexual que le sorprendía cuando nuestra furgoneta adelantaba a otro coche en la carretera; eso no era normal, pero él no podía evitar que la velocidad que nuestro buen Eduardo, el policía, imprimía a la furgoneta cuando iba a efectuar un adelantamiento, era, en cierto modo, algo así como la posesión de una mujer.[36]

Rafael Rodríguez Rapún, según su íntimo amigo Modesto Higueras, acabó sucumbiendo tan absolutamente a la magia de la personalidad de Lorca que no hubo vuelta atrás: «A Rafael le gustaban las mujeres más que chuparse los dedos, pero estaba cogido en esa red, no cogido, *inmerso* en Federico. Lo mismo que yo estaba inmerso en Federico, sin llegar a eso, él estaba inconscientemente en este asunto. Después se quería escapar pero no podía... Fue tremendo».[37]

Cuando Rodríguez Rapún se incorporó a La Barraca se ensayaba *Fuenteovejuna*. La famosa obra de Lope de Vega, con su tema de la explotación de los campesinos por una oligarquía brutal y corrupta, le venía como anillo al dedo a La Barraca, dado su compromiso social y democrático, y sería el montaje más «republicano» del elenco. Lorca se tomó unas libertades con la obra. Para hacer su mensaje más relevante para la sociedad rural actual, que en muchos aspectos apenas había cambiado desde el siglo XVII, eliminó las referencias a los Reyes Católicos y vistió a los campesinos con prendas habituales en los años treinta.[38] Encargó el telón de fondo, los decorados y el vestuario al escultor toledano Alberto Sánchez, y él mismo se ocupó de arreglar las canciones. Aportó al montaje la experiencia acumulada con *La zapatera prodigiosa* y *Bodas de sangre*, así como con las cuatro obras ya representadas por La Barraca, y el resultado fue extraordinario.

Se estrenó en Valencia el 31 de mayo, y el público, compuesto en su mayor parte de trabajadores, captó enseguida la relevancia actual de la obra. En el momento en que la heroína, Laurencia, increpa a los hombres de Fuente Ovejuna, llámandoles «hilanderas, maricones, amujerados, cobardes», el teatro casi se vino abajo.[39] En 1933, como recordaría Luis Sáenz de la Calzada —encargado del papel del Comendador—, «una mujer no decía maricón ni aunque la asparan». Oír la palabra en boca de una actriz resultaba, sencillamente, inconcebible.[40]

La *Fuenteovejuna* de La Barraca no les gustó nada a las derechas, como era de esperar, tal vez sobre todo por la supresión de cualquier referencia a los Reyes Católicos. La primera reacción adversa se registró aquel verano en Albacete, donde la prensa local atacó la puesta en escena, y las críticas cobrarían más vehemencia durante los tres años siguientes.[41]

Preguntado en Albacete acerca de sus proyectos editoriales por un joven periodista, José S. Serna, Lorca explica que irá publicando toda su obra, «no faltaba más», pero, ¡ojo!, según su norma habitual. O sea, «tarde pero a tiempo». ¿Poesía? Tiene a punto *Poeta en Nueva York*, *Tierra y luna*, *Odas* y «una cosa muy fuerte y muy clásica a la vez», *Porque te quiero a ti solamente* (calificada en otra ocasión de «tanda de valses»).[42] ¿Teatro? Hay «ocho o nueve obras» a disposición de los editores. *Mariana Pineda*, publicada unos años antes en una edición barata, va a aparecer ahora en otra nueva y exquisita (no lo hará). Por vez primera se van a editar *La zapatera prodigiosa*, *Don Perlimplín*, *Bodas de sangre*, *Así que pasen cinco años* y *El público* (de ellas la única publicada en vida del autor será *Bodas de sangre*, pero no hasta 1936). En cuanto a *El público*, «no se ha estrenado ni ha de estrenarse nunca, porque… "no se puede" estrenar». No da sus razones para tal afirmación, pero cualquier persona al tanto de los dos cuadros de la obra que acababan de aparecer en *Los cuatro vientos*, nueva revista literaria madrileña, las habría sospechado (se trataba del cuadro primero —«Ruina romana»— y del quinto, ambos de contenido manifiestamente homosexual).[43]

El poeta explica en la misma entrevista que *Bodas de sangre* es la primera obra de «una trilogía dramática de la tierra española» y añade que está trabajando en la segunda, todavía sin título, que trata de la esterilidad femenina. En cuanto a la tercera, *La destrucción de Sodoma* —proyecto mencionado en Cuba a Luis Cardoza y Aragón—, parece que no llegaría nunca a pasar del primer acto. El poeta también revela que Pura Maórtua de Uceley va a poner pronto, en su Club Teatral, *Así que pasen cinco años*.[44]

Si el drama sobre la esterilidad femenina está todavía sin título, se sabrá unas semanas después, gracias a una nota publicada en *Heraldo de Madrid*, que ya lo tiene: *Yerma*.[45]

Yerma

«Cinco años tardé en hacer *Bodas de sangre*; tres invertí en *Yerma* —declaró el poeta en 1935—. De la realidad son fruto las dos obras. Reales son sus figuras; rigurosamente auténtico el tema de cada una de ellas… Primero, notas, observaciones tomadas de la vida misma, del periódico, a veces… Luego, un pensar en torno al asunto. Un pensar largo, constante, enjundioso. Y, por último, el traslado definitivo; de la mente a la escena.»[46]

Si en *Bodas de sangre* el punto de arranque fue un hecho real ocurrido en Almería en 1928, el origen de *Yerma*, como sabemos, se remontaba a la infancia del poeta en la Vega de Granada, quien muy joven se iría enterando de «la romería de los cornudos» que cada año se encaminaba desde toda Andalucía hacia el no lejano pueblo de Moclín, situado entre las montañas al norte de la llanura.

No se sabe si siguió trabajando en *Yerma* inmediatamente después de su regreso de Cuba en 1930. Tampoco si la obra estaba ya muy avanzada para finales del verano de 1933. Parece ser, de todas maneras, que llegado octubre estaban perfilados los primeros dos actos.[47]

¿Se basa en un personaje real la protagonista? Lorca pensaba, posiblemente, en una o varias mujeres reales, quizá sobre todo en la primera esposa de su padre, Matilde Palacios, aquella otra que «pudo ser» su madre y que murió después de catorce años de matrimonio sin haber logrado tener hijos.[48] Ignoramos si su esterilidad le provocó una desesperación parecida a la de Yerma. En 1918, como vimos, el escritor principiante había evocado en su poema «Elegía» la tristeza de una soltera granadina, conocida del Rinconcillo, a la que imaginaba esperando, angustiada, no sólo al hombre de su vida sino la fruición de ser madre. Y, por lo que a su teatro se refiere, antes de terminar *Yerma* había aludido al tema de la maternidad frustrada en *Así que pasen cinco años*. Por otro lado era agudamente consciente de su propia condición no procreativa, por su condición de homosexual, como se aprecia en varias *suites*, en algún poema de *Canciones* y en el soneto «Adán». Era casi inevitable, pues, que tarde o temprano decidiera acometer una tragedia centrada exclusivamente en el tema de la esterilidad. La célebre romería de Moclín le brindó un marco real muy idóneo para ello.

Consideraciones ginecológicas aparte, *Yerma* constituye una variación más sobre la tragedia que espera a los que no siguen ciegamente, por el motivo que sea, la llamada de la «inclinación» erótica cuando ésta se manifiesta. Que es así lo confirman no sólo las alusiones que hace Yerma a la vergüenza que le impidió entregarse al pastor Víctor cuando era joven, sino su reacción ahora cada vez que le vuelve a ver. No se lo puede admitir a la luz del día, pero sigue amando a Víctor. Así lo subrayará el poeta en 1935:

> Cuando mi protagonista está sola con Víctor, exclama, tras un silencio: «¿No sientes llorar a un niño?...». Lo que significa que aflora la ilusión prendida a sus recuerdos de adolescencia, del eco subconsciente que lleva dentro.[49]

El sentimiento de vergüenza y un padre materialista han sido los dos responsables de que Yerma se haya casado con Juan en vez de con Víctor. Ella reconoce explícitamente, además, que su condición de ruborosa le ha impedido vivir con plenitud su vida. Preguntado al respecto por la Vieja contesta:

> Me cogió de la cintura y no pude decirle nada porque no podía hablar. Otra vez, el mismo Víctor, teniendo yo catorce años (él era un zagalón), me cogió en sus brazos para saltar una acequia y me entró un temblor que me sonaron los dientes. Pero es que yo he sido vergonzosa.[50]

Ni la vergüenza —emoción socialmente condicionada— ni las consideraciones económicas tienen nada que ver con el amor como se entiende en el mundo «prelógico» de Lorca, donde la ausencia de deseo equivale psíquicamente a la esterilidad. Yerma, como el «yo» de los escritos juveniles, es víctima de sus inhibiciones insuperables.

Entre ellas, como explica el poeta en la misma entrevista, el código del honor, hondamente interiorizado, el cual, una vez cometido el error fatal de casarse con un hombre que no le despierta pasión alguna, le impide romper luego con él y buscarse otra pareja. Dicho de otra manera, el sentimiento de vergüenza que embarga sexualmente a Yerma es fruto de las rigideces del catolicismo español. El mensaje será captado enseguida por las derechas cuando *Yerma* se estrene en 1934. ¿No constituye la obra un ataque frontal a la España tradicional? Seguramente, pero ¿qué más se podía esperar del director de La Barraca, protegido de don Fernando el Laico?

La llamada de Argentina

A finales de julio recibe una noticia fabulosa desde Buenos Aires. Y es que *Bodas de sangre*, que Lola Membrives acaba de estrenar en el teatro Maipo, está teniendo un éxito formidable. Tanto el telegrama como luego las cartas que le envía el marido y empresario de la actriz, Juan Reforzo, así lo atestiguan. El 4 de agosto le asegura que la obra ha conquistado Buenos Aires en pocas horas y que le ha proporcionado ya el equivalente de unas 3.500 pesetas (suma que correspondía al salario anual de un minero o obrero metalúrgico, el más alto de la clase trabajadora española).[51] La empresa está a punto de iniciar una gira por provincias, y Reforzo calcula que estarán de regreso en Buenos Aires a mediados de septiembre, cuando volverán a poner *Bodas de sangre*, a ser posible —si se anima— en presencia del autor.[52]

Lorca, al tanto de la vital importancia de la capital argentina, con su exigente público teatral, para el lanzamiento de obras españolas en América del Sur, debió sentir euforia ante la magnífica nueva, que confirmaba el éxito de *Bodas de sangre* en Madrid y demostraba que por fin había dado con una fórmula dramática capaz de llegar a las masas…. y de generar pingües ingresos.

Se representó veinte veces consecutivas antes de terminarse la temporada de Lola Membrives en el Maipo el 7 de agosto, cuando el elenco se trasladó, como estaba previsto, a provincias. Era indudable que, si la actriz hubiera podido ponerla antes, el éxito habría sido aún más espectacular.[53]

Lola Membrives y Juan Reforzo siguieron presionando a Lorca para que fuera a Buenos Aires y, al ver que el poeta no acababa de comprometerse, se iban inquietando. Finalmente, casi desesperados, le escribieron a Santiago Ontañón, que había interpretado a Perlimplín en el montaje del Club Teatral de Pura Maórtua de Ucelay, y pidieron su ayuda. No tardó en comunicarles que Federico tomaría una decisión después de consultar con sus padres sobre los aspectos económicos de una posible visita.[54] Quizá pueda extrañar tal vacilación si tenemos en cuenta el éxito de *Bodas de sangre* en Madrid, el dinero que ya ha ganado con ella en Buenos Aires y el que evidentemente le tocará cuando vuelva a ponerse allí en septiembre, la oferta de una serie de conferencias para el club Los Amigos del Arte durante su estancia[55] y el interés de Lola Membrives en montar *La zapatera prodigiosa*.[56] Pero le obsesiona, como sabemos, conseguir la total independencia económica de sus padres, y quiere estar absolutamente seguro, antes de embarcar, de que las condiciones son inmejorables.

Por otra parte tenía que pensar en La Barraca, en cómo se desenvolvería sin su presencia. El 10 de agosto, haciendo más difícil para Lola Membrives y su marido contactar con él, sale con los estudiantes en una gira de cuatro semanas: León, Mieres, Santander, Pamplona, Jaca, Ayerbe, Huesca, Tudela, Estella, Logroño y Burgos.[57]

En León le entrevista el periodista Francisco Pérez Herrero, cuyas preguntas contesta con inaudita y desenfadada franqueza, arremetiendo un poco contra todo y todos. Primero contra Rafael Alberti por estar escribiendo ahora versos de inspiración explícitamente política. El gaditano, dice, ha vuelto comunista de Rusia «y ya no hace poesía aunque él lo crea, sino mala literatura de periódico». ¿Qué tiene que ver la poesía con la propaganda política? Nada: «El artista, y particularmente el poeta, es siempre anarquista en el mejor sentido de la palabra, sin que deba ser capaz de escuchar otra llamada que la que fluye dentro de sí mismo mediante tres fuertes voces: la *voz* de la muerte, con todos sus presagios; la *voz* del amor y la *voz* del arte».

Siguen acerbos comentarios sobre otros escritores del momento. Ramón del Valle-Inclán, salvando sus esperpentos, que son maravillosos, es «detestable» como poeta y como prosista, y su Galicia tan falsa como la Andalucía de los hermanos Álvarez Quintero. Para colmo, ¡acaba de volver fascista de la Italia de Mussolini! (lo cual es una grotesca exageración). En cuanto a Azorín como cantor de Castilla, le parece, en comparación con Antonio Machado y Unamuno, «pobre, muy pobre», hasta el punto de que toda su prosa «no encierra un puñado de esa tierra única». Y eso que, no tantos años atrás, le admiraba.

El periodista, algo asustado por el tono de las respuestas, duda antes de pedir su opinión sobre el teatro español actual, aunque finalmente, haciendo de tripas corazón, se atreve. La respuesta es estremecedora por «lo duro, lo sangrante». Dice Lorca: «Es un teatro de y para puercos. Así, un teatro hecho por puercos y para puercos».

Para ir terminando, Pérez Herrero le pregunta cómo procura que sea su teatro actual. «Popular —contesta—. Siempre popular. Con la aristocracia de la sangre del espíritu y del estilo, pero adobado, siempre adobado y nutrido de savia popular. Por eso, si sigo trabajando, yo espero influir en el teatro europeo.»[58]

Es evidente que se le han subido bastante los humos con el éxito de *Bodas de sangre*, tan imbuida de dicha «savia popular», y que ahora ve su futuro con más confianza.

La actuación más importante de la gira tiene lugar en Santander, donde en el palacio de la Magdalena se está desarrollando el primer curso de verano de la Universidad Internacional, patrocinada por el Gobierno de la República. En vista de la deuda de La Barraca para con éste, y, de manera especial, con Fernando de los Ríos, era natural que Lorca y sus compañeros de la farándula estudiantil quisieran acudir a la ciudad, donde les esperaba un exigente público de profesores, alumnos extranjeros y conferenciantes.

Durante varios días ofrecen allí su repertorio completo, que ahora incluye otro entremés de Cervantes y fragmentos escenificados del largo romance de Antonio Machado, *La tierra de Alvargonzález*, recitados por Lorca. Entre los profesores hay cuatro poetas amigos suyos: Pedro Salinas, Dámaso Alonso, Jorge Guillén y Gerardo Diego. También están la escritora gala Marcelle Auclair, futura biógrafa del granadino (que en estos momentos está traduciendo *Bodas de sangre* al francés con su marido, Jean Prévost), el guitarrista Regino Sainz de la Maza, el historiador Américo Castro, el catedrático de Derecho José Antonio Rubio Sacristán (con quien Federico había coincidido en Nueva York y que desempeña el cargo de secretario del curso de verano), el hispanista alemán Karl Vossler y, para especial regocijo del poeta, el crítico literario norteamericano Herschel Brickell, quien, con su esposa, le había acogido tan generosamente en su casa de Manhattan.[59]

En la población costera de Somo, no lejos de Santander, están pasando el verano Carlos y Bebé Morla Lynch. Allí los visita una tarde, acompañado de Rafael Rodríguez Rapún y de algún otro componente del elenco.[60] Los «barracos» se dejan caer también por la casona en Tudanca de José María de Cossío, el gran experto en toros. Lorca se lleva bien con Cossío, a quien ahora nombra «miembro honorario» de La Barraca, detalle respaldado por todo el grupo.[61]

De vuelta a Madrid el poeta inicia los preparativos para su viaje a Argentina y el 22 de septiembre está en Granada para despedirse de sus familiares allí.[62] El 2 de octubre *La Nación* de Buenos Aires anuncia que Lola Membrives acaba de recibir un telegrama en el cual Lorca le anuncia que llegará el 13 de octubre a bordo del trasatlántico italiano *Conte Grande*. El gran diario bonaerense augura que la visita va a tener una fuerte resonancia en la vida cultural de la capital. El rotativo confirma que el autor del *Romancero gitano* dará cuatro conferencias durante su estancia.[63]

El 28 de septiembre el poeta viaja desde Madrid a Barcelona, donde va a embarcar. En el taxi que le lleva a Atocha le acompaña Rafael Rodríguez Rapún. Su amistad se ha estrechado durante los últimos meses. Según Carlos Morla Lynch, acude a despedir a Federico «el grupo completo de La Barraca».[64]

Al día siguiente Lorca sube al *Conte Grande* con el escenógrafo catalán Manuel Fontanals, cuya presencia ha reclamado también Lola Membrives. Antes de hacerlo hace una visita relámpago al camerino de Margarita Xirgu. Dieciséis años más tarde la actriz recordaría que quiso leerle allí mismo los dos primeros actos de *Yerma*, insistiendo en que la escribía expresamente para ella. Pero Margarita se había negado a oírlos, convencida como estaba de que Federico iba a tener un enorme éxito en Buenos Aires y que le pedirían allí la obra. No quería que se sintiera en el compromiso de dársela a ella. Mejor esperar.[65]

Antes de que el *Conte Grande* zarpara Lorca envía una postal a Rodríguez Rapún. Por la respuesta del joven, fechada el 12 de octubre de 1933, sabemos que la partida del poeta le ha afectado profundamente. Acaba de ser informado de que no tiene que hacer el servicio militar, gracias, según quiere creer, a un conjuro al respecto hecho por Federico en el taxi cuando iban a Atocha. La Barraca sigue ensayando *El burlador de Sevilla*, de Tirso de Molina, y a Rapún le han confiado el papel del pescador Coridón, que cree interpretar bastante bien, aunque «como dice Ugarte, yo sea un "coridón" en el buen sentido de la palabra». Dada la fama del *Corydon* de André Gide, publicado en España en 1929 y que ya está en su tercera edición, está clara que la alusión va por el «amor que no se atreve a decir su nombre». Sigue Rapún:

> Me acuerdo muchísimo de ti. Dejar de ver a una persona con la que ha estado uno pasando, durante meses, todas las horas del día es muy fuerte para olvidarlo. Máxime si hacia esa persona se siente uno atraído tan poderosamente como yo hacia ti. Pero como has de volver, me consuelo pensando que esas horas podrán repetirse. Aún hay otro consuelo: el de saber que has ido a cumplir una misión. Este consuelo nos está reservado a los que tenemos concepto del deber, que cada vez vamos siendo menos... Como ya te he escrito algo, aunque tú te mereces más, puedo terminar aquí. Seguiré escribiéndote con frecuencia. Recibe un fuerte abrazo de quien no te olvida.[66]

Es la única carta cruzada entre ellos que se ha encontrado. La desaparición durante la Guerra Civil de la correspondencia, que se sabe fue nutrida, es una trágica laguna más entre las muchas que dificultan el conocimiento de la vida íntima de nuestro poeta.

ARGENTINA (1933-1934)

Primeros días en Buenos Aires

El *Conte Grande* es uno de los trasatlánticos más espaciosos y modernos del mundo. Juan Reforzo, el marido de Lola Membrives, se ha encargado de conseguir para el poeta un pasaje en las mejores condiciones. «Yo llevo un precioso camarote que da a cubierta con cuarto de baño y toda clase de comodidades», escribe a sus padres el 3 de octubre, al tocar puerto en Las Palmas. Hace buen tiempo y el mar no se mueve. Todo está resultando altamente satisfactorio. Reciben comunicaciones en el mismo sentido Rafael Rodríguez Rapún y Rafael Martínez Nadal.[1]

Pasa la travesía leyendo, hablando con Fontanals, trabajando en una nueva conferencia, *Juego y teoría del duende*, y revisando las otras. Participa en los festejos de rigor (vestido de marinero) cuando el barco cruza el ecuador. El 9 de octubre, en vísperas de la llegada a Río de Janeiro, cuenta a su familia que han aparecido unas pequeñas mariposas blancas mientras «una bruma lejana indica las inmensas costas americanas». Se encuentra feliz al sentirse ya «en tierra americana, pero no como antes sino en la América nuestra, en la América española».[2]

Recordaría en estos momentos, cabe inferirlo, su jubiloso arribo a Cuba en 1930 tras sus nueve meses en Estados Unidos. Y tal vez reflexionaría sobre lo mucho conseguido desde entonces. Ahora, a diferencia de cuando embarcó en Southampton, sabe a ciencia cierta que va al encuentro del éxito garantizado.

En Río, avisado por el poeta, les espera el escritor mexicano Alfonso Reyes, a quien Federico ha conocido en Madrid y que ahora es embajador de su país en Brasil. Reyes le entrega los primeros ejemplares de *Oda a Walt Whitman*, que gracias a sus buenos oficios se acaba de publicar, en tirada limitada, en México (editar el arriesgado poema en España habría sido impensable). Luego, aprovechando las cinco horas que se queda el *Conte Grande* en Río, lleva a los españoles a conocer algo de la afamada ciudad de los carnavales.[3]

El 11 de octubre atracan en Santos y a la mañana siguiente en Montevideo, donde pasan unas horas. *Bodas de sangre* ha obtenido un clamoroso éxito en la capital uruguaya durante la temporada de Lola Membrives unos meses antes, y la llegada del poeta se espera con enorme expectación. Sube a bordo un enjambre de fotógrafos y periodistas, entre éstos Pablo Suero, uno de los críticos de teatro más destacados de Buenos Aires. Español de origen que conoce en Francia a varios escritores de primera fila, lleva cinco años siguiendo con fascinación la carrera de Lorca, admira profundamente *Bodas de sangre* y sabe que va a conocer a un ser humano extraordinario. Cuando localiza al poeta está charlando animadamente con el crítico Enrique Díez-Canedo, ahora embajador español en Uruguay. Los acompañan Juan Reforzo, José Mora Guarnido —el amigo del Rinconcillo, que lleva casi diez años en Montevideo— y la actriz española Rosita Rodrigo. Suero y Reforzo luego hacen con Lorca la travesía del Río de la Plata, y unos días después el primero publica en Buenos Aires una brillante crónica de su encuentro con el granadino.[4]

Se ha quedado deslumbrado ante la vitalidad y la simpatía del poeta, su tendencia a pasar rápidamente de un tema a otro, o de un estado de ánimo a otro, su arrollador carisma. Lorca, «con una hermosa frente y una mirada color ciruela», le parece a la vez antiguo y moderno, serio y alegre, la encarnación misma del «genio» de su raza. El poeta le dice que *El público* y *Así que pasen cinco años* son «el teatro que quiere hacer». Así pues, incluso antes de poner los pies en Buenos Aires deja claro que aspira a ser más que el autor de una tragedia rural de éxito. Hablando sin parar, «con un rotundo acento andaluz» y escamoteando sílabas, le declara a Suero, «muy serio», que, ante todo, él es músico, le cuenta una divertida anécdota de una visita a Toledo con Dalí, le habla con entusiasmo de La Barraca y le asegura (así como ha hecho a varios periodistas de Madrid) que tiene cinco libros, nada menos, listos para la imprenta: uno de ellos es *Poeta en Nueva York*; otro, *Odas*; el tercero, *Porque te quiero a ti solamente (tanda de valses)*, «dulce, amable, vaporoso». No aclara cuáles son los otros dos. Su risa «brinca por todo el barco» y causa asombro entre algunos de los viajeros.[5]

Desde principios de octubre los periódicos de Buenos Aires han venido anunciando la inminente llegada del poeta, afirmando que se trata del renovador más importante, a ambos lados del Atlántico, del teatro y de la lírica contemporáneos en lengua española. Conferencias para Los Amigos del Arte (selecto club cultural), recitales, la reposición de *Bodas de sangre* y el estreno americano de *La zapatera prodigiosa*... todo está preparado para que conquiste la ciudad.[6]

En el muelle le espera, según relata a sus padres, «una nube de gente, entre ellos el embajador, el ministro de Colombia, poetas y fotógrafos». Hasta hay un inesperado amigo de los primeros tiempos madrileños: Gregorio Martínez Sierra (ilustración 34). La emoción sube varios grados cuando aparecen, abriéndose paso entre la muchedumbre, unos antiguos vecinos de la familia en Fuente Vaqueros: Matilde, hija de Salvador Cobos Rueda, el «compadre pastor» de Federico, y Francisco Coca y su esposa María Montero, emigrados a Argentina en 1922. Le abrazan llorando al poeta. «¡De mi pueblo, ¡es de mi pueblo! ¡De la Fuente!», gritan. «Os aseguro que me saltaron las lágrimas», sigue contando a sus padres.[7]

Se le instala en el hotel Castelar, en la avenida de Mayo. Desde la ventana de la habitación 704, «dormitorio tan reducido que parecía un camarote»,[8] puede contemplar la intensa vida que fluye a todas horas por la hermosa vía, llena de terrazas, que siempre ha sido la calle predilecta de la comunidad española de Buenos Aires.

Entre 1920 y 1930 habían llegado a Argentina unos trescientos mil europeos, principalmente españoles e italianos.[9] Predominaban entre los primeros, como Lorca sabe muy bien antes de desembarcar, los gallegos. En su poema «Cántiga do neno da tenda» —escrito a su regreso a España con la ayuda de Ernesto Guerra da Cal— expresará la profunda morriña de los exiliados. Si toda la comunidad española de Buenos Aires le acoge con los brazos abiertos, son los gallegos quienes más se entusiasman con su presencia. Se sabe entre ellos, además, que ha publicado un poema en gallego inspirado por Santiago de Compostela, y se rumorea que está trabajando en otros. Tienen su propio diario, *Correo de Galicia*. En una entrevista concedida a éste expresa el cariño que le inspiran aquellas tierras atlánticas, verdes y húmedas. «Madrigal â cibdá de Santiago» se publica en su primera plana.[10]

El Castelar será el cuartel general del poeta durante la mayor parte de su estancia. A unos cien metros, en la misma acera, se encuentra el inmenso teatro Avenida, donde, el 25 de octubre, repondrá Lola Membrives *Bodas de sangre,* mientras que en el sótano del hotel, además de una confitería muy frecuentada por el goloso empedernido, están los recién inaugurados estudios de Radio Stentor, donde participará en varias emisiones.

La misma noche de su llegada asiste al estreno de *El mal de la juventud,* de Ferdinand Bruckner, en versión española de Pablo Suero. Le impresiona la evocación, tan agudamente realista, de la juventud alemana de la posguerra, sumida en el vicio y en la promiscuidad sexual, y comenta a los periodistas que sería imposible poner en Madrid una obra tan atrevida.[11]

En el teatro muchos le reconocen por las fotos que ya han aparecido en la prensa. «Estoy un poco deslumbrado de tanto jaleo y tanta popularidad —escribe a sus padres—. Aquí, en esta enorme ciudad, tengo la fama de un torero. Hace noches asistí a un estreno en un teatro y el público, cuando me vio, me hizo una ovación y tuve que dar las gracias desde el palco. Pasé un mal rato, pues estas cosas son imprevistas en mi vida. Ya veréis los periódicos. Una cosa como cuando vino el príncipe de Gales. ¡Demasiado!»[12]

Hasta llueven «declaraciones de señoritas (supongo que estarán chaladas) diciéndome cosas notables, ¡ya las veréis!». Visto tal ambiente de popularidad está convencido de que va a ganar «un dinerito limpio para después tener en Madrid para todo lo que yo quiera».[13]

El segundo día de su estancia ha visitado con Fontanals al escritor Pablo Rojas Paz y su esposa Sara Tornú y conoce en su casa, entre otras personas, a Pablo Neruda —con quien pronto intimará—, al pintor Jorge Larco (autor de los decorados de *Bodas de sangre*), a los escritores Oliverio Girondo y Conrado Nalé Roxlo y a los poetas Raúl González Tuñón, Norah Lange, José González Carbalho y Amado Villar. Éste había coincidido con él en Madrid unos años antes y ha sido, en los meses anteriores a su llegada a Argentina, su más entusiasta apóstol. Los dos harán buenas migas.[14]

Desde el mismo día de su desembarco la presencia de Lorca en los periódicos y revistas bonaerenses es masiva (un «escandalazo» lo llama en su primera carta a casa, echando mano a un término que él y Dalí habían utilizado frecuentemente en su correspondencia de los años veinte).[15] Ningún escritor español había cosechado ni cosecharía nunca un éxito tan enorme en la capital argentina. Pablo Neruda lo llamaría «el apogeo más grande que un poeta de nuestra raza haya recibido»[16], y durante meses será imposible abrir un diario porteño sin tropezar con alguna noticia relativa al prodigio andaluz que ha irrumpido en la ciudad: Lorca dando conferencias; Lorca paseando por Corrientes o Florida rodeado de admiradores u oficiando en el café Tortoni; Lorca visitando la redacción de tal o cual periódico; Lorca con Lola Membrives o con otra actriz famosa, Eva Franco; Lorca en la radio; Lorca hablando con entusiasmo de los tangos (le presentan a Carlos Gardel, entonces en la cumbre de su fama); Lorca con Alfonso Dánvila, embajador de España; Lorca en tal o cual banquete o recepción; Lorca tocando el piano; Lorca recitando; Lorca comiendo en La Costanera, uno de sus lugares preferidos a orillas del Río de la Plata... A las pocas semanas se convierte en un superfamoso. Apenas come en el hotel, está invitado cada día y tiene que contratar a un muchacho para hacer de secretario, mecanógrafo y gorila. «Buenos Aires tiene tres millones de habitantes —escribe en el dorso de una fotografía mandada a su adorada prima Clotilde García Picossi—, pero tantas, tantas fotos han salido en estos grandes diarios que soy muy popular y me conocen por las calles. Esto ya no me gusta. Pero es para mí importantísimo porque he conquistado a un pueblo inmenso para mi teatro.»[17]

Le había dicho a Pablo Suero mientras atravesaban el Río de la Plata que *El público* y *Así que pasen cinco años* constituían su auténtico teatro. En una entrevista publicada en *La Nación* unos días después amplió dicha observación. Declaró que, aun cuando se había traído consigo *Así que pasen cinco años*, no se hacía ilusiones con respecto a verla representada durante su estancia. En cuanto a *El público*, repitió lo que le había dicho en Madrid a Miguel Pérez Ferrero. No se pondría nunca:

> Porque es el espejo del público. Es ir haciendo desfilar en escena los dramas propios que cada uno de los espectadores está pensando, mientras está mirando, muchas veces sin fijarse, la representación. Y como el drama de cada uno a veces es muy punzante y generalmente nada honroso, pues los espectadores enseguida se levantarán indignados e impedirán que continúe la representación. Sí; mi pieza no es una obra para representarse; es, como yo la he definido, «un poema para ser silbado».[18]

Seguía, sin embargo, con la esperanza de verla puesta pronto en Madrid. Una nota publicada aquel noviembre en el *Heraldo* revelaba que, antes de poner proa a Buenos Aires, había llegado a un acuerdo con el infatigable Cipriano Rivas Cherif, entonces «asesor literario» del teatro Español, para que se la montara en su proyectado Teatro-Escuela de Arte Experimental, conato de auténtico *fringe theatre*. Conato que no cuajaría.[19]

Lorca se cuidó tanto en Buenos Aires como en España de no explayarse sobre el meollo temático de *El público*, y desde luego nunca aludió para nada, por lo menos ante los periodistas, al contenido «*francamente* homosexual» de éste, así calificado en la carta a Rafael Martínez Nadal ya citada.[20] Decisión prudente, toda vez que, a pesar de su aire cosmopolita, la capital argentina era casi tan puritana como Madrid en cuanto a homosexualidad se refería.

Cuando llega a Buenos Aires Lorca ya se ve como misionero de una dramaturgia nueva hondamente preocupada por los problemas de la sociedad contemporánea. Todos sus comentarios van en este sentido. «Yo arrancaría de los teatros las plateas y los palcos y traería abajo el gallinero —declara a un periodista—. En el teatro hay que dar entrada al público de alpargatas. "¿Trae usted, señora, un bonito traje de seda? Pues, ¡afuera!". El público con camisa de esparto, frente a *Hamlet*, frente a las obras de Esquilo, frente a todo lo grande.»[21]

Manifestó al poco tiempo de desembarcar que probablemente se quedaría sólo un mes y medio en Argentina, porque había prometido estar con su familia para las Navidades.[22] Y en una de sus primeras cartas a casa expresó la esperanza de poder regresar «pronto», una vez pronunciadas las cuatro conferencias contratadas con Los Amigos del Arte.[23] Sin embargo, al igual que había ocurrido tres años antes en Cuba, le sería imposible quedarse tan poco tiempo. Buenos Aires le halagaría tanto que el mes y medio se convertirían en dos, tres y, finalmente, casi seis. España jamás estaría lejos de sus pensamientos, sin embargo, como recordaría el poeta José González Carbalho: «Aquí entre nosotros, viviendo días de triunfos inolvidables, tenía con verdadera frecuencia la nostalgia de su casa paterna y de su Granada. A cada momento quería partir».[24] El joven crítico Alfredo de la Guardia, que en Buenos Aires renovó una amistad con el poeta iniciada en Madrid trece años antes, recordaría que Vicenta Lorca, de quien Federico hablaba con «tanta devoción», reclamaba constantemente la vuelta de su hijo (a la vista de las exigentes cartas que le conocemos, es probable que así fuera).[25] Otros amigos del poeta en Buenos Aires notarían cómo se iba llenando su minúscula habitación en el Castelar con regalos para ella.[26]

En cuanto a su correspondencia epistolar durante la estancia la situación es decepcionante. Tenemos las cartas, o algunas de ellas, a la familia, pero no se conoce ninguna comunicación suya a Rodríguez Rapún, tampoco recibida de éste. No hay constancia de que escribiera a otros amigos, aunque resulta difícil creer que no estuviera en contacto con algunos de ellos.

Cuando llega a Buenos Aires el 13 de octubre acaba de arrancar en España la campaña para las elecciones a Cortes convocadas para el 19 de noviembre. El 6 de octubre le escribe su madre: «Supongo que estarás enterado de las cosas de España. Azaña cayó, entró Lerroux y duró veintiún días y después a ninguno de los que llaman puede formar gobierno; así es que no se sabe lo que va a pasar. Quiera Dios que todo se solucione bien».[27]

El poeta, como suponía Vicenta, estaba con toda seguridad al tanto de la situación, dada la amplia cobertura proporcionada en la prensa bonaerense a las «cosas de España».

El 29 de octubre, en el madrileño teatro de la Comedia, José Antonio Primo de Rivera celebra el mitin fundacional de Falange Española, partido fascista basado más sobre el modelo italiano que el alemán. Tiene lugar en momentos en que los diferentes grupos conservadores se van poniendo de acuerdo para formar la gran coalición, liderada por el abogado José María Gil Robles, que será la CEDA (Confederación Española de Derechas Autónomas). Entretanto, las muchas diferencias que existen entre los distintos partidos republicanos y de izquierdas hacen imposible la necesaria coalición de fuerzas progresistas. Los anarquistas, negándose a reconocer el Estado, anuncian su intención de abstenerse y, dadas las provisiones de la nueva ley electoral, que favorece las grandes agrupaciones, parece no sólo posible sino probable la victoria de las derechas. Los periódicos porteños cubren diariamente la campaña y, a medida que pasan las semanas, se va fracturando en dos bandos cada vez más antagónicos la comunidad española en Argentina. El poeta sigue de cerca la campaña. «En España leo cosas desagradables —le dice a un periodista—. Estas elecciones van a ser terribles. ¡Vamos a ver qué pasa! Yo tengo verdadera ansiedad por todos esos movimientos políticos.»[28] Subraya en sus declaraciones que a la derecha española no le gusta su obra, y hasta manifiesta que el clero granadino ¡tiene una opinión muy mala de su poesía![29]

El conferenciante

El 20 de octubre pronuncia *Juego y teoría del duende* para Los Amigos del Arte, que dirige una mujer de gran sensibilidad y prestigio, Bebé Sansinena de Elizalde.[30]

La elección de la conferencia inaugural es un acierto, pues muestra al poeta en su faceta más hondamente andaluza. Ya había mencionado el duende en la conferencia-recital de Nueva York, en marzo de 1932, con lo cual llevaba unos dos años, por lo menos, reflexionando sobre «el espíritu oculto de la dolorida España», la misteriosa inspiración dionisíaca que, según su teoría, hunde sus raíces en la tierra, mora en «las últimas habitaciones de la sangre» e, inspirador de los «sonidos negros», nunca acude si no ve «posibilidad de muerte».[31]

Después de oírle, pocos socios del club podían dudar que, al discurrir sobre el duende, aludía no sólo al cante jondo y sus intérpretes sino a su propio mundo interior, tan profundamente andaluz. El éxito es enorme y, según la prensa, conquista en una sola noche el corazón de Buenos Aires.[32]

El corresponsal en Argentina del gran diario madrileño *El Sol*, Luis Echavarri, dio cumplida cuenta, aquel noviembre, de las conferencias del poeta en la capital argentina, enfatizando sobre todo el impacto de la dedicada al duende, cuyo texto, quizá facilitado por Lorca, da la impresión de haber leído detenidamente:

> García Lorca no podía viajar sin su Duende, que nunca lo abandona. Desde el primer momento lo presentó a la ciudad, con todo protocolo. Lo presentó como un poder misterioso, que todos sienten y ningún filósofo explica, «como un poder y no un obrar, como un luchar y no un pensar». También lo presentó como el espíritu de la tierra, y no quiso que lo confundieran con el demonio a quien Lutero arrojó un frasco de tinta, ni con el diablo católico, que se disfraza de perro para entrar en los conventos. Con orgullo de poseedor, García Lorca hace descender a su Duende del demonio de Sócrates y del diminuto diablejo de Descartes, que a veces huía de compases y guarismos para ver adormecerse a la luna anaranjada en los canales. Se excusó gentilmente ante sus huéspedes por no haber traído consigo a la Musa y al Ángel, los otros entes que suelen acompañar a los poetas. Y no los trajo por estimar que el Duende es mejor compañía, más íntima, más honda, ya que si la Musa dicta y en algunas ocasiones sopla y el Ángel guía y anuncia y derrama su gracia sobre el hombre, el Duende llega por dentro de la sangre y es más eficaz. Es más eficaz, porque es como una llamarada que asciende desde las plantas de los pies, a través de las venas y de la carne y, quebrando moldes y cánones y derrumbando la arquitectura del estilo escolar, hace vibrar al artista y al público. Además, él,

como buen español, debía traer al Duende, que es castizamente español, como la Musa es alemana y es italiano el Ángel...[33]

El 25 de octubre, como había previsto, Lola Membrives abre su temporada en el Avenida con la reposición de *Bodas de sangre*. La velada es triunfal. Nada de lo que venga después —y vendrán muchos éxitos— se la podrá igualar. Su carta a casa es eufórica:

> Queridísimos padres y hermanos: Ya se celebró el estreno de *Bodas*, que constituyó por la prensa que os mando por barco un verdadero escandalazo. Yo no he visto en mi vida una cosa igual de entusiasmo y cariño. El gran teatro Avenida es como diez veces el teatro Español de Madrid, uno [de] esos inmensos teatros de América, y estaba totalmente ocupado por una muchedumbre que estaba de pie en los pasillos y colgada del techo. El teatro tiene cien palcos que ocupaba lo mejor de la sociedad de aquí y el resto, abarrotado.
>
> Al empezar yo dirigí un saludo al público, dando gracias por el recibimiento que me habían hecho, y al aparecer yo en el escenario una voz dijo ¡*de pie*!, y todo el mundo se puso de pie y me dio una ovación de cinco minutos. Después ya fue el disloque. Lola Membrives daba miedo verla diciendo *Dos bandos** con una voz que quebraba las paredes de la sala y ponía carne de gallina a la gente.
>
> Al final tuve que dirigir otra vez la palabra al público y Lola habló también, y ya se volvió loca diciendo «que yo era un primor y un capullo de España», y ya fue todo un escandalazo atroz. Yo me acordé de [Eduardo] Ugarte y de Ignacio [Sánchez Mejías], que decían que esto pasaría en Madrid, pero ha pasado en Buenos Aires.[34]

Sí, había pasado en Buenos Aires. No se trataba de ninguna exageración. La noche fue apoteósica. Los decorados de Jorge Larco, que no se habían podido apreciar debidamente en el más pequeño teatro Maipo, resultaron soberbios en el ingente Avenida e impresionaron vivamente al público, que aplaudió calurosamente todos los cuadros.[35] Lorca declaró a los periodistas que era la primera vez en su vida que una obra suya se recibía así. Estaba especialmente complacido, dijo, al constatar que había gustado a personas de todos los niveles sociales, y tanto a intelectuales como a no

---

* «¡Fuera de aquí! Por todos los caminos. Ha llegado otra vez la hora de la sangre. Dos bandos. Tú con el tuyo y yo con el mío. ¡Atrás! ¡Atrás!» (*OC*, II, p. 454).

intelectuales. En cuanto a la Madre de Lola Membrives, su admiración era ilimitada.[36]

Al día siguiente dicta su segunda conferencia para Los Amigos del Arte, *Cómo canta una ciudad de noviembre a noviembre*. Se trata de una remodelación de un concierto dado con Encarnación López Júlvez, la Argentinita, en la Residencia de Estudiantes el año anterior.[37] Sentado al piano el poeta canta las canciones «con un éxito que para qué os voy a decir —relata a sus padres—. La gente se pegaba por entrar en la puerta y ha sido tanto pedido de billetes que la próxima tendrá que ser en un teatro».[38] Y tampoco es exageración: el público ha quedado fascinado al descubrir que el poeta y dramaturgo también toca el piano y canta. Lorca, el último juglar, ha estado a la altura de las circunstancias. También serán triunfales las otras dos conferencias de la serie: el recital neoyorquino (31 de octubre) y *El canto primitivo andaluz* (8 de noviembre), versión reelaborada de la dada en Granada en 1922.[39]

Bodas de sangre se mantuvo varios meses en cartel, reportando al poeta una ganancia inaudita ya que, según su contrato con Lola Membrives, le correspondía el diez por ciento de los beneficios.[40] Sus cartas a casa demuestran hasta qué punto el fulminante éxito de Buenos Aires le está embriagando. A medida que se van acumulando los pesos, se vuelve más ufano. «Todo lo que se dé mío llenará de gente el teatro», les asegura en noviembre, mientras el público sigue desbordando el Avenida.[41] Cuando *Bodas de sangre* alcanza las cien representaciones a finales de noviembre, es ya el más no poder: «El éxito superó a toda ponderación. Fue una fiesta inolvidable».[42] Y en una carta un poco posterior: «La Membrives está loca conmigo. ¡Claro! Yo soy una lotería que le ha tocado en suerte».[43]

A sus padres les envía grandes sobres llenos de recortes y les vuelve a mentar una y otra vez el enorme dinero que está ganando y que ganará. Les anticipa que les va a mandar unos giros fabulosos en cuanto encuentre la manera de eludir las restricciones sobre la exportación de divisas. «Yo sigo en este gran triunfo, abrumado de atenciones y llevado y traído como un loco», les escribe durante la primera quincena de noviembre:

> ¿No habéis recibido mis recortes con las cosas de los periódicos? Yo tengo aquí un baúl lleno de cosas que iré mandando poco a poco. Le he comprado a mamá un renard que me ha costado dos mil pesetas, pero yo sé que a ella le gustará mucho. ¡Cuidado con decirme

que es caro, porque yo tengo mucha ilusión en haberlo comprado y me molestaría que lo dijerais![44]

Sólo habían podido acceder a las cuatro conferencias de Los Amigos del Arte los socios del club y los periodistas. La amplia cobertura proporcionada por éstos, y el hecho de haber sido emitidas por radio,[45] hacen que se le invite a repetir una de ellas en el Avenida, nada menos. Acepta, por supuesto, y el 14 de noviembre repite *Juego y teoría del duende* ante un lleno impresionante. Según una de las reseñas de la función, gustó especialmente a las mujeres.[46] Lo confirma hasta cierto punto un *billet doux* conservado entre sus papeles. «El duende de los duendes eres tú», le aseguran Ana y Celia, sin olvidarse de añadir sus señas.[47] La verdad es que Lorca fascina a las mujeres. Dos años más tarde confiará a un amigo que una noche, al regresar al hotel, había encontrado a una joven en su habitación, con evidentes intenciones lascivas.[48]

Va ingresando en un banco los pingües ingresos que día tras día le proporciona *Bodas de sangre*. De repente se encuentra en una situación económica nunca soñada.[49]

Por estas fechas vuelve a ver a Victoria Ocampo, conocida de pasada en Madrid en 1931. Bella, rica y francófila, la escritora dirige la revista literaria *Sur,* tal vez la más prestigiosa de América. Acaba de constatar que no se encuentra en las librerías bonaerenses un solo título del poeta y se ofrece a sacar una edición argentina del *Romancero gitano.* Lorca está de acuerdo. Saldrá hacia finales de año y se agotará enseguida. Un éxito más que añadir a la lista.[50]

Pablo Neruda… y algo de Borges

Durante su estancia bonaerense ve con frecuencia a Pablo Neruda, seis años más joven, y se va estrechando su amistad. El padre del chileno no era amigo de bohemios y artistas y, como el de Federico, se había quedado preocupado al darse cuenta de que tenía un hijo poeta. Pero, allí donde Lorca había podido contar siempre con el contrapeso de una madre comprensiva (aunque exigente), para Neruda no hubo apoyo alguno, pues la suya había muerto trayéndole al mundo. Su situación en casa había ido de mal en peor hasta que, por fin, logró huir de la tiranía paternal e incorporarse al cuerpo diplomático. En 1927, nombrado cónsul en Rangún, había visitado, camino de su destino, Buenos Aires, Río de Janeiro, Lisboa, Madrid,

París, Port Said, Yibuti, Colombo, Singapur, Bangkok, Shangai y Tokio. Después fue trasladado a Ceilán (Sri Lanka), Java y Singapur, para regresar nuevamente a Chile en 1932 y ser destinado a Buenos Aires en 1933, dos meses antes de la llegada de Lorca. Alto y pálido, con ojos grandes y muy abiertos como los de Picasso, hablaba con voz pausada. Cuando le presentan al granadino acaba de publicar la primera edición de *Residencia en la tierra* y empieza a ser conocido en Buenos Aires. Por otro lado su matrimonio con la holandesa Maruja Agenaar, a quien ha conocido en Java, no prospera, y su poesía actual expresa un profundo cansancio.[51]

En sus memorias *Confieso que he vivido* Neruda recuerda una aventura compartida con Lorca en Buenos Aires, al coincidir en una bullanguera fiesta ofrecida por el ciudadano Kane de Argentina, Natalio Botana —propietario del periódico *Crítica*—, en su espléndida casa en las afueras de la capital. Durante la cena Neruda se da cuenta de que lo está mirando fijamente desde el otro lado de la mesa cierta poetisa. Después los tres suben a una torre que da a la piscina, donde Neruda no tarda en comprobar que ella va en serio. Le pide a Federico, que hasta entonces no se ha enterado de nada, que baje a montar la guardia, pero es tal su pasmo ante lo que está ocurriendo que tropieza, cae y se lastima una pierna. No parece que el episodio fuera invento del chileno, porque, en una de sus visitas al hotel Castelar, María Molino Montero —hija de uno de los vecinos de Fuente Vaqueros emigrados a Buenos Aires— encuentra a Federico en la cama con la pierna vendada. Algo molesto, le explica que ha tenido un pequeño percance en una fiesta.[52]

El 20 de noviembre él y Neruda protagonizan un «happening» durante el curso de una comida brindada en su honor por el PEN Club. A ambos les parecía injusto que estuviera Rubén Darío tan olvidado ahora en la ciudad que tanto amaba, y habían decidido no sólo hablar del nicaragüense durante el banquete sino hacerlo de una manera insólita. Y así fue como nació su discurso «al alimón». Nadie sabía lo que iba a ocurrir, de modo que cuando se levantaron los dos al mismo tiempo (estaban sentados en lados opuestos de la mesa) los comensales creían que había habido una equivocación. Una vez explicado el objeto del discurso conjunto —necesario toda vez que en Argentina, huérfano de corridas, el término «al alimón» era inusitado— llamaron la atención sobre la falta de monumento a Darío en Buenos Aires y el hecho de que por lo visto tampoco había calle o plaza, y ni siquiera una floristería, que llevara su nombre. ¿Cómo era posible? ¡Qué vergüenza! Tanto el español como el chileno estaban dispuestos a admitir que parte de la obra de Darío pecaba de exuberancia, pero ello no quitaba el hecho de que era un grandísimo poeta.[53] Pocos entre los presentes hubieran podido sospechar hasta qué punto el temprano descubrimiento por Lorca de Rubén había influido en su propia vocación. Tampoco lo explicó ahora. Pero de que sintiera devoción por él ya no quedaba duda. Además lo volvería a dejar claro en otros momentos de su estancia en la ciudad.[54]

Las memorias de Neruda nos dicen muy poco acerca de su amistad con Federico en Buenos Aires, y no hay diarios o cartas para ayudarnos a sopesarla. Testimonio de su complicidad, eso sí, fue el regalo que ofrecieron a su amiga mutua Sara Tornú, esposa de Pablo Rojas Paz. Se trataba de unos poemas de Neruda copiados a máquina y bellamente encuadernados —*Paloma por dentro o sea la mano de vidrio*—, ilustrados con una serie de diez escalofriantes dibujos hechos por Lorca a tinta china. Los poemas, como correspondía al estado de ánimo de Neruda en esos momentos, expresaban un profundo hastío, una honda desilusión sexual, una obsesión con la muerte y un colérico rechazo de todo lo burgués. Los dibujos de Lorca, en la línea de los que había ejecutado en Nueva York, encajaban perfectamente con tal temática: manos cortadas, gotas de sangre, esqueletos, marineros con las cuencas de los ojos vacías, la cabeza del chileno convertida en calavera (dibujo cuya factura recordaba al Dalí de ocho años antes), las cabezas seccionadas de ambos poetas espiadas por una luna en cuarto creciente... el conjunto de versos y dibujos hace pensar que habían llegado a un buen entendimiento.[55]

Neruda menciona en sus memorias que tanto él como Lorca tuvieron sus detractores en Buenos Aires, si bien no facilita nombres.[56] Uno de ellos, por lo que le tocaba al granadino, era el escritor Arturo Cambours Ocampo, que más adelante manifestaría la gran decepción que le había suscitado el famoso autor del *Romancero gitano* y de *Bodas de sangre,* obras que admiraba. Aquel día Lorca había hablado de sí mismo sin parar, como si la poesía española empezara y se acabara en él, y el teatro español también; incluso diría que *Yerma* (aún sin terminar) significaba el redescubrimiento de la tragedia griega. «No habíamos visto nunca tanta pedantería y soberbia; tanta inmodestia y vanidad juntas —recordaba—. Estábamos frente a un estúpido engreído: frente a un gordito petulante y charlatán.» No disponemos de la versión lorquiana de aquel encuentro, pero la de Cambours tiende a demostrar que estando con el poeta sólo cabían fascinación o rechazo. No había término medio.[57]

Otro adversario fue Jorge Luis Borges, un año más joven. Es posible que Federico le hubiera conocido de manera superficial en el Madrid de principios de los años veinte, cuando el argentino era una de las lumbreras del movimiento ultraísta, pero no consta. En Buenos Aires parece que sólo se vieron brevemente. Recordando el encuentro dijo Borges: «Me pareció un hombre que estaba actuando, ¿no? Representando un papel. Me refiero a que era un andaluz profesional». Lorca había hablado largamente aquel día de una personalidad muy conocida que, según aseguraba, expresaba toda la tragedia de Estados Unidos. El argentino, intrigado, quería saber a quién se refería. «Mickey Mouse», fue la contestación. Ofendido, Borges se había marchado.[58] Tal vez la intención del poeta había sido irritarle o comprobar su reacción. Quizá ya sabía que Borges le consideraba «un andaluz profesional» y decidió actuar en consecuencia. Lo que queda claro, en cualquier caso, es que eran incompatibles, entre otras razones porque ambos necesitaban, en público, ser el número uno, sin que nadie les hiciera sombra.

Elecciones en España, ganancias en Argentina

Entretanto, mientras *Bodas de sangre* sigue triunfando en el Avenida y Lola Membrives ensaya *La zapatera prodigiosa*, los diarios porteños comentan cotidianamente la explosiva situación política española en vísperas de las elecciones del 19 de noviembre. Al día siguiente de los comicios toda la prensa de Buenos Aires anuncia la victoria de las derechas, capitaneadas por José María Gil Robles, líder de la CEDA. Al no haber sabido formar una coalición y beneficiarse así de la ley electoral elaborada por ellos mismos, los republicanos y distintos grupos de la izquierda se han condenado, como era previsible, al fracaso. Es un desastre para la democracia. Lorca, que ha seguido la campaña con creciente inquietud, está muy preocupado.[59]

El 21 de noviembre tiene lugar la centésima representación de *Bodas de sangre* (contando desde su estreno en el Maipo antes de la llegada del poeta). La velada es brillante. Asisten el presidente de la República y todo el Buenos Aires intelectual, artístico y social. Terminada la representación, Lorca lee desde el escenario «Romance de la luna, luna», los dos romances de Antoñito el Cam-

borio, «La casada infiel», «Baladilla de los tres ríos» —su comparación lírica de Granada y Sevilla— y tal vez alguna composición
más. Después de la función se celebra una fiesta en su honor en el
vestíbulo del inmenso teatro. Cabe pensar que durante ésta se comentaron los resultados electorales españoles.[60]

Una carta de Eduardo Ugarte, con fecha 28 de noviembre de
1933, nos da una idea de la desesperación de los republicanos
ante la nueva situación. El brazo derecho del poeta en La Barraca,
que se confiesa harto de política, le informa de que, a consecuencia
del triunfo derechista, La Barraca está teniendo ya dificultades
para cobrar su subvención gubernamental. ¡A los diez días! Ello
no está impidiendo, sin embargo, que sigan adelante los ensayos
de *El burlador de Sevilla*. Los «barracos» están encantados con el
éxito de Federico en Buenos Aires, pero Ugarte le pide que regrese
cuanto antes, pues le necesitan urgentemente.[61]

Lorca tiene ahora un dilema. Ha prometido estar en casa para
las Navidades. Pero Rodríguez Rapún le ha dicho que su visita a
Buenos Aires es una «misión». Si abandona demasiado pronto la
ciudad quizá no cumpla con el compromiso de manera satisfactoria y no saque de su estancia los máximos beneficios. Además, perderá indudablemente dinero. Como suele hacer en tales situaciones, opta por dejar que las circunstancias decidan.

El 1 de diciembre, el telón del Avenida se levanta sobre *La zapatera prodigiosa* de Lola Membrives, con decorados y vestuario
de Manuel Fontanals. Se trata de una versión más completa que
la montada por Margarita Xirgu en 1930, y en sus declaraciones a
la prensa el poeta explica que el público de Buenos Aires va a presenciar ahora el «verdadero estreno» de la obra.[62] Ha colaborado
estrechamente con Lola Membrives en la puesta en escena, super-
visado la música y las canciones, y apelado a su experiencia con
La Barraca para dirigir los movimientos de los actores, casi como
si tratara de un ballet. El estreno es otro éxito memorable y habrá
más de cincuenta representaciones.[63] A partir del 15 de diciembre
añade un fin de fiesta: tres canciones populares escenificadas, con
decorados y vestuario de Fontanals. Dos de ellas —«Los pelegri-
nos» y «Los cuatro muleros»— son ya célebres gracias a los discos
grabados con La Argentinita para La Voz de su Amo, y, una vez
más, el público está encantado. Lorca expresa su admiración por
Lola Membrives y su elenco, cuya versatilidad y entusiasmo le
han dado la «gratísima impresión» de estar otra vez con sus actores estudiantiles de La Barraca.[64]

Como no puede ser menos, también le complace la lluvia de pesos que genera *La zapatera*. Sólo hay un problema: todavía está prohibida la exportación de divisas. Pero a principios de diciembre les comunica a sus padres que, gracias al embajador español, Alfonso Dánvila, espera poder llevar «bastante dinero» consigo a España en enero, fecha en que ya prevé embarcar.[65]

Parece ser que *La zapatera prodigiosa* mereció una sola reacción adversa: la de una judía que se sentía ofendida por el que consideraba antisemitismo de algunas exclamaciones de la protagonista («¡Sayonas judías!», «¡Callarse, largo de lengua, judíos colorados!»). Lorca, aprovechando una conversación con la revista hebrea *Sulem*, se disculpó, explicando que tales expresiones carecían de cualquier intención antihebrea pero que, sin embargo, iba a suprimirlas. Por otro lado declaró que él mismo, por su segundo apellido, tenía sangre judía en las venas.[66]

El escritor mexicano Salvador Novo, homosexual sin complejos, conoció a Lorca la mañana del estreno de *La zapatera prodigiosa* acompañado de Pablo Neruda y otros amigos del granadino. En su libro *Continente vacío,* publicado en Madrid en 1935, recoge una conversación unos días después a orillas del Río de la Plata. Lorca le habla de su visita a Nueva York (Novo conoce la recién publicada edición mexicana de la *Oda a Walt Whitman*) y de la ceremonia ñañiga que había presenciado en Cuba. Quiere noticias de México, país que le fascina desde hace tiempo y que espera visitar, y recuerda su amistad en Nueva York con los mexicanos Emilio Amero y la desafortunada María Antonieta Rivas. ¿Es verdad que el amante de ésta, el político José Vasconcelos, fue el responsable de su suicidio? De ser cierto, ¡un día le va a decir la opinión que le merece![67]

El doctor Nin Frías... y un amor frustrado

En Granada, después de su estancia porteña, Lorca le hablará a su amigo José María García Carrillo de un libro escrito por el uruguayo Alberto Nin Frías. Publicado en Madrid en 1933, se titulaba *Homosexualismo creador*. «Tienes que leerlo, Pepe —le diría—, porque, entre otras cosas, allí estoy yo.»[68]

En realidad no «estaba» allí sino en otro libro del mismo autor, editado en Buenos Aires el año anterior, *Alexis o el significado del temperamento urano*. Texto, a decir verdad, flojísimo, si bien sincero. En el apartado «El sentimiento urano en España y Estados

Unidos», el autor, lamentando el «innato horror al homosexualismo» que impera en todo el mundo hispanoparlante, y que impide la investigacion ecuánime de un fenómeno según él normal, incluye entre los poetas que evidencian síntomas de «uranismo» a tres españoles actuales: Lorca, en el *Romancero gitano* y *Oda a Salvador Dalí*; Rafael Alberti, en su oda dedicada al famoso futbolista húngaro Platko (!); y Jacinto Benavente, cuyo teatro «es francamente de tipo "wildesco"».[69]

Nin Frías es un personaje estrafalario y, sin duda —el ex-libris publicado en *Homosexualismo creador* lo dice todo—, «urano» él mismo. Doctor (no sabemos de qué), se describe como «ex profesor de las Universidades de Siracusa y de George Washington, y diplomático uruguayo». Partidario de «una mente sana, un corazón puro y un cuerpo armónico»,[70] es autor, además de las obras mencionadas, de panfletos y conferencias. En todos sus escritos sobre la homosexualidad tiene el loable propósito de demostrar que no se trata de una desviación sino de una expresión erótica normal en una minoría de seres humanos. «Si la sociedad se guiara por la ciencia biológica —termina *Homosexualismo creador*—, se podría ser perfecto *homo europeus* y urano».[71]

El 10 de noviembre de 1933 Nin Frías le escribe a Lorca para pedirle una entrevista. «Desearía muchísimo conocerle personalmente —explica—, ya que incidentalmente, hace años, me ocupé de su Cancionero Gitano en "Alexis", el más cumplido de mis libros.»[72] Por una publicación posterior del mismo autor sabemos que el encuentro no tuvo lugar, pese al empeño que puso en ello.[73] No es sorprendente: al tanto de la predilección del escritor por hurgar en la relación entre creatividad y homosexualidad, Lorca se daría cuenta del peligro.

En Buenos Aires la homosexualidad, como hemos dicho y como confirman los comentarios al respecto de Nin Frías, no era mirada con más tolerancia que en España, y se buscarán en vano testimonios impresos acerca de los escarceos amorosos del granadino en la capital argentina, que los hubo.

A poco de llegar había conocido al poeta Ricardo Molinari, nacido como él en 1898, que ya le había escrito en 1927 para pedirle un ejemplar de *Canciones*. Gran admirador de España y de su literatura, el porteño le pide, quizá hacia el final de su estancia, que le dedique el ejemplar que posee de la primera edición del *Romancero gitano*. El poeta estampa en el libro un dibujo con clarísimas connotaciones amorosas. Alrededor del motivo de una ramita de dos limones (que se repite en muchas de sus dedicatorias), coloca, a modo de orla, una inscripción mayúscula: «AMOR BUENOS AIRES GRANADA CADAQUÉS MADRID». Al preguntarle Molinari por la significación de los lugares mencionados, contesta: «Es que son los sitios donde más he amado». Por desgracia la dedicatoria no está fechada (ilustración 37).[74]

Si la referencia a Cadaqués confirma la extraordinaria importancia de Dalí en la vida de Lorca —hace ya cinco años que poeta y pintor no se han visto—, la inclusión de Buenos Aires abre un interrogante. ¿Qué amor o amores tuvo, o intuía que iba a tener, en la capital argentina? Es casi imposible saberlo.

Sí se sabe algo —muy poco— acerca de su relación con un joven de nombre Maximino Espasande. Muy guapo, nacido en Asturias en 1911, era cobrador de tranvía, fervoroso comunista y aficionado al teatro. Parece ser que conoció a Federico en el Avenida cuando actuaba como comparsa en alguna escena de *Bodas de sangre*. Según una pariente de Espasande, Lorca se encaprichó del joven y le persiguió durante semanas hasta que consintió en salir con él. La amistad se rompería luego al darse cuenta Maximino, que no era homosexual, de que el poeta quería tener con él una relación física. No parece quedar rastro documental de la amistad, pues los familiares del muchacho —que luego lucharía por la República en la Guerra Civil española— se encargaron después de su muerte de destruir los libros cariñosamente firmados, así como un poema manuscrito igualmente dedicado.[75]

Otra de las grandes admiraciones de Lorca en Buenos Aires, tampoco gay, fue Gabriel Manes, apuesto y rico porteño con aficiones teatrales a quien regaló el manuscrito del *Retablillo de don Cristóbal y doña Rosita*. Acerca de aquella amistad tampoco parece existir documentación, no conociéndose correspondencia u otros papeles que pudiesen arrojar luz sobre ella. Manes, en cuya casa se dice que Lorca vivió una temporada, negaría años después —como tantos— que el poeta era homosexual, e iría a la tumba sin dejar constancia de lo que sabía.[76]

Y una posdata en relación con Molinari. Fue por su intervención por la que Federico accedió a ilustrar una pequeña colección de poemas de Salvador Novo titulada, en inglés, *Seamen Rhymes* («Rimas de marineros»), editado en Buenos Aires en 1934. También ilustró dos libritos de poemas del propio Molinari, *Una rosa para Stefan George* y *El tabernáculo*, publicados el mismo año. En cada caso los dibujos expresan otra vez la obsesión del granadino con la muerte:

marineros ahogados, manos y cabezas seccionadas y goteando sangre, flores mortíferas, escalofriantes formas espectrales... En dos de ellos se nombra explícitamente la localización del «hecho» evocado: rúa das Gaveas, una calle de Lisboa donde había un célebre lupanar conocido de Molinari y del cual le había hablado al poeta.[77]

Lorca dibujó mucho en Buenos Aires, asombrando a sus amigos con la revelación de una dote más. Años después el crítico teatral Edmundo Guibourg le recordaba con una pluma siempre entre las manos, dibujando en una mesa de café o en el teatro.[78]

Mariana Pineda, *Yerma*, Montevideo

La noticia de sus éxitos en la capital argentina llegó enseguida a las comunidades españolas diseminadas a través del inmenso país (donde la provincia de Buenos Aires por sí sola excede el tamaño de España), y comenzaron a lloverle invitaciones para repetir sus conferencias en provincias. También llegó una del poeta Vicente Huidobro, que le propuso una visita a Santiago de Chile después de hablar en Mendoza.[79] Parece, sin embargo, que sólo se trasladó a Rosario, donde el 22 de diciembre, acompañado de Pablo Suero, volvió a dar su charla sobre el duende.[80] La razón era, casi seguramente, complacer a sus padres, que querían que se entrevistara allí con un pariente de Asquerosa, Máximo Delgado García, antiguo novio de Clotilde García Picossi, que pasaba por malos momentos. El poeta, que lo encuentra vendiendo estampas por la calle, le recomienda a unos amigos ricos y considera providencial haber podido ayudar a la oveja descarriada.[81]

Entretanto, *Bodas de sangre* y *La zapatera prodigiosa* siguen con tanta fuerza en cartel que Lola Membrives quiere montar otra obra del poeta. Pero ¿cuál?

Lorca lleva *Así que pasen cinco años* consigo, pero parece ser que todavía no se la había leído a la actriz. También ha traído *Don Perlimplín*.[82] En cuanto a *Yerma*, todavía no ha atacado el tercer acto. En vista de ello, Membrives opta por *Mariana Pineda*. Ello le inquieta con razón a Federico, que teme que, después del éxito de *Bodas* y *La zapatera*, puede fácilmente fracasar. Confía sus aprensiones al crítico teatral Alfredo de la Guardia, testigo del desastroso estreno de *El maleficio de la mariposa* en 1920. Éste ha leído *Mariana Pineda* (publicada en Madrid por La Farsa en 1928) y, por consiguiente, puede ofrecer una opinión informada. Encuentra bien fundados los recelos de Lorca y le sugiere que, en vista de que las obras dramáticas de carácter histórico no suelen funcionar bien en Buenos Aires, evite posibles dificultades pronunciando una breve explicación desde el escenario antes de levantarse el telón. Así podrá poner al público en antecedentes y conseguir su benevolencia.[83]

Al poeta le parece buena la propuesta pero opta por otra solución: una charla radiofónica y algunos comentarios previos en los periódicos. Insiste en estas intervenciones que *Mariana Pineda* es una de sus primeras obras, si no la primera, lo cual es verdad; y que sólo tenía veinte años cuando la escribió, que no lo es.[84] Una vez más se deshace en elogios de Lola Membrives, quien, a bastantes días del estreno, «ya empieza a ser Mariana Pineda».[85]

Unos momentos antes del estreno, que tiene lugar el 12 de enero de 1934, la actriz recibe en su camerino una enorme cesta de flores adornada con las enlazadas banderas de España y de Argentina. En la tarjeta figuran los nombres de Federico García Rodríguez y Vicenta Lorca. El poeta explica a los periodistas que la cesta es de sus padres, que se la han encargado por telegrama. Ha comprado la más grande posible. «Creo que he interpretado bien a mis viejecitos», añade. Pero ¿había recibido realmente aquel telegrama? La carta que escribe a sus padres unos días después lo desmiente. Toda la idea ha sido suya. El episodio hace pensar en «el arte» de las mentiras lorquianas que, según José Bello, practicaba con auténtica maestría.[86]

Pese a sus declaraciones a los medios, a los decorados y vestuario de Fontanals y a la excelente actuación de Lola Membrives, *Mariana Pineda* no es un éxito. El influyente diario *La Prensa* opinó que, después de *Bodas de sangre* y de *La zapatera prodigiosa*, había sido un notable error montar una obra primeriza donde el crítico no vislumbraba ningún indicio del «futuro creador».[87] Pablo Suero hizo cuanto pudo por defenderla, pero tampoco consiguió convencer a nadie. *Mariana Pineda* se quedó, como era inevitable, en mera «curiosidad», y en absoluto logró interesar al exigente público de Buenos Aires.[88]

No es de extrañar que, en esta situación, Lola Membrives quisiera conseguir que terminara sin perder tiempo *Yerma*. El 18 de enero Federico le leyó los dos primeros actos de la tragedia y al día siguiente la prensa anunció que, en cuanto le pusiera punto final, la actriz la estrenaría en el Avenida.[89] El asunto era peliagudo, dado el ofrecimiento hecho por el poeta a Margarita Xirgu en Barcelona. En una carta a sus padres, escrita poco antes del estreno de *Mariana Pineda*, les había dicho que la idea de Lola era que *Yerma* fuera estrenada por ella y Margarita Xirgu simultáneamente en Buenos Aires y Madrid. Parecía una solución de compromiso razonable, pero, sea como fuera, no terminaría la obra antes de regresar a España.[90]

La temporada de Membrives en el Avenida, que debía prolongarse hasta el 4 de febrero, se vio bruscamente interrumpida el 20 de enero cuando la actriz, agotada, cayó enferma y los médicos la convencieron de que se tomara un descanso. Se esperaba que estuviera en condiciones de reanudar las representaciones el 1 de marzo.[91]

El poeta llevaba tiempo diciendo que iba a embarcar el 6 de febrero. Le explicó a un periodista que el motivo principal era la situación de La Barraca y el temor de que el nuevo Gobierno derechista le quitara su subvención.[92] Con todo decide prolongar su estancia una vez más y dedicar unas semanas a tomarse las cosas con calma y, así lo esperaba, terminar *Yerma*.[93]

Lorca, Membrives y su marido acordaron pasar la primera quincena de febrero en Montevideo, donde el poeta llegó el 30 de enero. Le esperan en el muelle su amigo Enrique Díez-Canedo (embajador de España), el novelista Enrique Amorim (a quien había conocido en Buenos Aires), José Mora Guarnido y varios escritores uruguayos.[94] Si Lola creía que, al llegar a Montevideo, se encerraría para acabar *Yerma*, estaba equivocada. Durante su estancia se vio casi literalmente asediado por la prensa y la alta sociedad montevideana, que se desvivía por que el famosísimo andaluz participara en sus fiestas mundanas y comiera en sus mesas. Era pleno verano, el carnaval rugía y nadie estaba dispuesto a dejarle trabajar en paz.

Para colmo, cuando es invitado a dar una conferencia muy bien retribuida en el teatro Dieciocho de Julio, donde el mes de agosto anterior Membrives había representado *Bodas de sangre*, no puede ni quiere negarse. El 6 de febrero dicta *Juego y teoría del duende*. El éxito es tan arrollador (961 localidades vendidas) y luego da dos más: *Cómo canta una ciudad de noviembre a noviembre* (9 de febrero, 1.340 localidades vendidas) y el recital neoyorquino (14 de febrero, 843 localidades vendidas). Con el 60 % de la taquilla, y después de los impuestos, recibe por las tres conferencias 3.244,50 pesos. El 15 de febrero de 1934 gira la totalidad a su padre. Son 6.887 pesetas. Una pequeña fortuna.[95] Por una carta a casa escrita a su vuelta a Buenos Aires, sabemos que ya les había girado 15.000 pesetas. «Este dinero podéis naturalmente disponer de él, porque es vuestro —dice—, y mamá y papá pueden gastarlo todo si les viene en gana.»[96]

No cuesta trabajo imaginar su euforia al poder demostrar por fin a su padre —y así se lo dice a Enrique Díez-Canedo— que la literatura a veces gana tanto o más dinero que la compraventa de terrenos o cereales.[97]

Es probable que se sirviera de la bullanga montevideana, y en cierta medida hasta la provocara, para no tener que terminar *Yerma*, en la cual —según escribe a casa a finales de enero— Lola cifra «todo su negocio de la próxima temporada».[98] Díez-Canedo, con quien a buen seguro habló de su dilema, diría más tarde que la famosa y dominadora actriz (conocida en la profesión como Lola Cojones) había hecho lo posible por encerrar al poeta a cal y canto en el Hotel Carrasco, «empeñada en sonsacarle la tragedia prometida a otra, a la que primeramente creyó en él», o sea, a Margarita Xirgu.[99] No parece cierto, sin embargo, que hubiera prometido todavía la obra en exclusiva a Margarita Xirgu (que tal vez le había escrito al respecto desde España), aunque probablemente consideraba, en su fuero interno, que dársela a Lola Membrives sería traicionar a la actriz catalana, que tanto había hecho por él. Es posible, además, que el amigo, consejero y administrador de Margarita Xirgu, Cipriano Rivas Cherif, interviniera a través de Enrique Díez-Canedo para convencerle de que no se la diera a la Membrives.[100] El poeta podía alegar la excusa, por otro lado, de que en estos momentos trabajaba en la adaptación de *La dama boba* de Lope de Vega para otra famosa actriz argentina, Eva Franco, y refundía su *Retablillo de don Cristóbal y doña Rosita,* escrito más o menos en 1931 y todavía sin estrenar.

Pasa parte de su quincena en Montevideo con Enrique Díez-Canedo y su familia en la Legación de España. Son días alocados de recepciones, recitales y fiestas. Ayuda a las hijas de Canedo a confeccionar sus máscaras de carnaval, se pasea por la ciudad con el mono de La Barraca (cabe inferir que con la intención expresa de escandalizar a los filisteos locales) y, en general, da a raudales lo que la gente quiere de él: Lorca, el niño mimado de las hadas, en perpetua función. El 9 de febrero la esposa de Díez-Canedo, Teresa Manteca Ortiz, escribe a la madre del poeta para ponerle al tanto de los éxitos de su hijo en Montevideo. Incluye recortes de periódicos y alude a la ternura con que Federico suele hablar de ella. En un banquete de sociedad le han preguntado si piensa casarse. Contestación: «Mis hermanos sí, que se casen, pero yo, *soy de mi madre*».[101]

La respuesta encerraba una verdad más profunda de lo que la mayoría de los presentes podían haber sospechado, entre ellos, quizá, la misma esposa del embajador. Porque Lorca, efectivamente, era de su madre. Un periodista sagaz, que había advertido que todo el teatro del poeta estrenado hasta la fecha giraba «en torno de mujeres que se hacen símbolos», le hizo una pregunta a bocajarro por estas fechas. ¿Por qué mujeres y no hombres? Lorca le miró «como sorprendido» y contestó: «Pues yo no me lo he propuesto». Luego, «como volviendo de un sueño», añadió: «Es que las mujeres son más pasión, intelectualizan menos, son más humanas, más vegetales; por otra parte, gran dificultad encontraría un autor para dar sus obras si los héroes fueran hombres. Hay una crisis lamentable de actores, buenos actores, se entiende».

El periodista no hizo comentario alguno sobre la respuesta, que quizá debió de parecerle poco convincente. Raras veces se le había hecho a Lorca, en una entrevista, una pregunta tan difícil de contestar con sinceridad. Ni en *El público* ni en *Así que pasen cinco años* son protagonistas las mujeres, y acababa de decirle al mismo periodista (así como anteriormente a otros) que el primero era «una pieza para no ser representada, y un poema para ser silbado», aunque sin más explicaciones. Ahora, ante la aguda pregunta del reportero, rehúye hablar de su obra «secreta» e improvisa una contestación en absoluto válida. Estamos otra vez ante el Lorca que tiene que encubrir las escondidas fuentes de su inspiración literaria… y de su vida personal.[102]

Antes de abandonar Montevideo visita el cementerio de Buceo para contemplar la tumba del pintor Rafael Pérez Barradas, a quien había conocido primero en Madrid a principios de los años veinte y luego vuelto a ver en Barcelona en 1927. Barradas había regresado a su Montevideo natal poco después de aquel reencuentro y se murió allí en 1929, tan menguado económicamente como siempre, de tuberculosis. José Mora Guarnido, que con unos escritores y artistas acompaña al poeta al camposanto, recordaría que el día fue húmedo y gris, «como previamente elegido para tal circunstancia». El grupo rodea la tumba y Lorca arroja flores, una por una, encima. Tal vez al hacerlo reflexionó sobre la valentía y la dignidad con las cuales Barradas había luchado contra la adversidad, nunca libre de la amenaza de la pobreza (amenaza que el poeta, por difíciles que hayan sido sus otros problemas, no ha conocido nunca).[103]

El 16 de febrero embarca en el vapor de la carrera que le ha de devolver a Buenos Aires, donde Eva Franco le espera con impaciencia para que le entregue su versión de *La dama boba*, rebautizada por el poeta como *La niña boba*. Está seguro, dice a sus padres, que la puesta en escena le va a proporcionar «bastantes pesetas». Ya tiene reservado su pasaje de vuelta a casa: el barco zarpará el 6 de marzo. Su estancia en Buenos Aires ha sido un éxito inimaginable:

> Me voy contento por veros, pero triste de abandonar estas grandes ciudades donde he tenido verdaderos apoteosis que nunca olvidaré y donde tengo mi porvenir económico, pues aquí puedo ganar el dinero que jamás ganaré en España.
>
> Lo de Montevideo ha sido un éxito enorme. Fui al desfile en el Carnaval y me tuve que ir a mi casa, porque la gente me aplaudía en las calles. «Ahí va Lorca». La mujer de Canedo me decía: «cuánto daría que viera esto su madre». Por mucho que diga, nunca os lo podréis imaginar.[104]

Después de haber tenido que pasar tanto tiempo dependiendo de su padre, con todas las dificultades y sinsabores que ello conllevaba, ahora, cerca de cumplir los treinta y seis años, tocaba el júbilo. Es difícil resistir la comparación con Dalí, que en estos momentos está dedicando mucha energía a poner en práctica la tesis de Freud en *Moisés y el monoteísmo*, según la cual el auténtico héroe es el hijo que se enfrenta con su padre y lo mata simbólicamente.

Despedida

Otra vez en Buenos Aires lee a Eva Franco su versión de *La dama boba*, y durante los quince días siguientes la prensa comenta profusamente la decisión de la actriz de montar la casi olvidada obra de Lope de Vega. Fontanals convierte el teatro de la Comedia en una atrevida imitación del Corral de la Pacheca, para dar sabor de época a la iniciativa, y el poeta, que insiste en que no ha hecho más que suprimir algunos versos del original, se ocupa de la parte musical de la puesta en escena, introduciendo varios bailes y canciones del siglo XVI.[105]

El estreno tiene lugar el 4 de marzo y cosecha un considerable éxito. Pablo Suero señala que el excelente montaje debe mucho a la experiencia adquirida por el poeta con La Barraca, y que ha sabido dar «un ritmo nuevo, una gracia alada a las escenas y a los movimientos de las figuras», imponiéndoles «una gracia estereotipada y mecánica de muñecos». El resultado, a su juicio, no podría ser «más halagüeño».[106]

Años después, Irma Córdoba —que hace el papel de Clara— recordaría la intensidad con la cual el poeta les había hecho ensayar sus papeles, insistiendo sobre el exacto cronometraje de sus movimientos y velando cuidadosamente por la dicción de los actores. Todo ello era consecuencia indudable de su experiencia con la farándula estudiantil.[107]

El 1 de marzo, entretanto, Lola Membrives, recuperada de su agotamiento, inaugura su nueva temporada en el Avenida con una atractiva función en honor de Lorca: el primer acto de La zapatera prodigiosa, el cuadro final de Bodas de sangre, el tercer acto de Mariana Pineda y una lectura, a cargo del poeta, de dos cuadros de Yerma (cuadro inicial y cuadro primero del segundo acto). Antes de empezar se dirige una vez más al público del Avenida, prometiéndole que Yerma será estrenada por Lola Membrives en abril, como primicia que él quiere ofrecer a Buenos Aires, que tan cariñosamente le ha acogido. Después de la lectura de los dos cuadros, que hechiza a los presentes, añade que, antes de irse, dejará montadas las escenas que por su complejidad más necesitan de su intervención personal. Cuesta creer, sin embargo, que pensara sinceramente que su «poema trágico» se pudiera estrenar aquel abril, toda vez que aún no estaba terminado y que iba a regresar dentro de unos días a España.[108]

Parece claro que no había comunicado todavía a Lola Membrives su decisión de ceder la obra en exclusiva a Margarita Xirgu. Sin embargo, debió de hacerlo muy poco tiempo después, puesto que el 10 de marzo los periódicos anuncian que, al no poder terminar Yerma antes de su partida, acaba de leer a la actriz Así que pasen cinco años, que le ha ofrecido a cambio.[109]

Lorca también se la lee a Pablo Suero, quien consigna en su columna de Las Noticias que se trata de la obra más excelsa y revolucionaria del poeta. ¿Será Lola Membrives capaz de montarla sin la presencia del autor? Piensa, con razón, que no.[110]

El 10 de marzo de 1934 el diario Crítica publica una entrevista con el granadino. Es una de las más incisivas que se conocen, gracias no sólo a la pericia del periodista, José R. Luna, sino, cabe pensarlo, a la proximidad de su regreso a España, que le permite sentirse más libre que antes en sus respuestas.

Empieza comentando la doble vida que, a su juicio, llevan la mayoría de las personas: su vida pública y social, por un lado, que corresponde a la imagen que desean imponer a los demás, y la vida, por otro, «gris, agazapada, torturante, diabólica» que «se trata de ocultar como un feo pecado». Es una observación que ya había hecho al referirse, en entrevistas anteriores, a *El público*, y que volverá a repetir en España. Al emitirla fija sus ojos oscuros en los de Luna, que busca penetrar, a lo largo del intercambio, en el aspecto «oculto» del poeta.

Recuerdos de Fuente Vaqueros, de la Vega de Granada, de su «primer asombro artístico» al desenterrar el nuevo arado Bravant de su padre, en Daimuz, aquel mosaico romano... el poeta goza identificando el origen del «complejo agrario» sin el cual, dice, no habría podido escribir *Bodas de sangre* ni estaría ahora a punto de terminar *Yerma*.

Luna se percata de que tiene, efectivamente, dos vidas: la pública, brillante y dinámica, y otra oscura, angustiada, sobre la cual flota un «espíritu trágico» y una omnipresente obsesión con la muerte. Cuando se manifiesta ésta, al referirse el poeta a la gente ya entrada en años, el periodista comenta, asombrado: «García Lorca es un muchacho alegre, despreocupado hasta de sí mismo. Pero acaba de nombrar a la muerte y su rostro se ha transfigurado».

Es la palabra exacta. Todos sus amigos íntimos conocen sus repentinas «transfiguraciones» y constatan cómo es capaz de pasar en unos segundos, sin solución de continuidad, desde la más bulliciosa alegría al más penoso silencio, los ojos vueltos para adentro, atisbando sólo Dios sabe qué paisajes de desolación. «Federico se abstraía mucho —contaba su amiga granadina Emilia Llanos—. Estaba a veces largo rato sin hablar, ausente de la habitación, con la mirada vaga, la boca apretada y las cejas levantadas. Yo, en aquellos momentos, no le interrumpía.»[111] Hay otros numerosos testimonios en el mismo sentido. Baste uno, el de su estrecho amigo Adolfo Salazar, al evocar un episodio en La Habana: «Federico se quedó silencioso. Uno de sus silencios en donde sus ojos se le volvían para dentro, como mirando a lo profundo de un recuerdo».[112]

Solían ser «dramones» efímeros, para luego dar paso al registro jubiloso como si no hubiera ocurrido nada. «Dramones», según recogió Morla Lynch de boca del poeta, relacionados con su abrumadora obsesión con la muerte y el más allá.[113]

Hacia el final de la entrevista Luna consigue una fascinante confidencia cuando Lorca le confiesa que le produce cada vez más vergüenza la sensación de no estar a la altura de su fama. Es, dice, «como si dentro de mí se desdoblara una segunda persona, enemiga mía, para burlarse de mi timidez desde todos estos cartelones».[114] Da la impresión de que habla en serio. Además sus palabras se corresponden estrechamente con las pronunciadas en el estreno de *Mariana Pineda* en Granada en 1927.

Había hecho ya una confidencia parecida a Eva Franco. La actriz se había sorprendido al descubrir que, pese a la gran confianza que tiene Federico en su arte, pese a su dominio verbal, a su carisma, a su duende, nunca se arriesgaba a hablar desde el escenario sin un texto en la mano. ¿Por qué? Un día le ha proporcionado una explicación bastante convincente: «tenía pudor de que le vieran, que se sentía espiado».[115]

No parece que lograra nunca resolver del todo el conflicto que le producían la necesidad, por un lado, de ser famoso, de tener un nombre, y el miedo, por otro, a ser descubierto en su intimidad. Dilema que sufren muchas personas creativas, pero más, como es evidente, los que se sienten obligados a ocultar un aspecto de sí mismos considerado socialmente deleznable.

En cuanto a la práctica de llevar siempre un texto cuando de hablar en público se trataba, Luis Sáenz de la Calzada recordaba una ocasión en que salió al escenario de La Barraca en León. Había mucho público y, al empezar a hablar, descubrió, horrorizado, que había olvidado su «papel». Mientras hurgaba en los bolsillos y su pánico iba en aumento, improvisó torpemente unas palabras y después, rojo de vergüenza, se retiró. Los «barracos» se sintieron secretamente complacidos ante el pequeño fracaso: Federico, el seductor, el mago, el más carismático, había tenido un contratiempo como cualquier mortal. Le hacía todavía más humano.[116]

Acababa de posponer hasta el 27 marzo su vuelta a España. Sería la última demora. El 15, Eva Franco ofrece una sesión especial de *La niña boba* para los actores de Buenos Aires, y en uno de los entreactos Lorca lee un apasionado discurso sobre el teatro contemporáneo, arremetiendo, como ha venido haciendo a lo largo de su estancia, contra el teatro burgués y los empresarios que sólo exigen ganar dinero. En el teatro pensado para el gran público, insiste, arte y ganancia deben ser compatibles, ir de la mano. Pero para ello hacen falta directores de escena responsables, y hay pocos. Sólo así, de todas maneras, recobrará el teatro su autoridad.[117]

En la madrugada del lunes 26 de marzo, después de los espectáculos nocturnos, tiene lugar la última aparición del poeta ante el público del Avenida cuando, a la una y media de la madrugada, representa, en «extraordinaria y única función», una sesión de títeres en su vestíbulo. Integran el programa, ofrecido por el poeta y Fontanals «como demostración de afecto a los cronistas de teatro y escritores de la ciudad», *Los dos habladores*, con música de Falla y decorados y muñecos del pintor Ernesto Arancibia; la primera escena de *Las Euménides*, de Esquilo, con decorados y muñecos de Jorge Larco; y el estreno del *Retablillo de don Cristóbal y doña Rosita*, «escrita expresamente para esta función» (en realidad se trata de una refundición), con decorados y trajes de Fontanals y muñecos de Arancibia (aunque no consta la contribución de éste en el programa de mano).[118]

La concurrencia —formada exclusivamente por amigos del poeta, periodistas y «artistas de todo orden»— acoge la obrita con jolgorio, riendo espontánea y regocijadamente cada nueva palabrota o picardía.[119] Muy celebradas son las alusiones que hace don Cristóbal a la distinta forma de roncar de varias personalidades, en su mayoría presentes en la sala: Octavio Ramírez, Edmundo Guibourg, Oliverio Girondo, Pablo Suero, Nalé Roxlo, Amado Villar, Pablo Neruda, Pablo Rojas Paz, Raúl González Tuñón, Norah Lange y algún otro. Y hay carcajadas cuando don Cristóbal alude a la tendencia de cierto conocido crítico a dormirse durante los estrenos:

> *El crítico del* Diario
> *ronca de modo extraordinario,*
> *y el crítico del* Diario Español
> *ronca toda la función*
> *y enmedio de ella se le cae el bastón*
> *y hace pon pon.*[120]

María Molino Montero visita al poeta en el Avenida poco antes de su partida. En uno de los pasillos está expuesta la montaña de regalos que ha recibido de sus admiradores porteños, entre ellos muchos y valiosos objetos de plata. La joven no ha visto jamás una cosa semejante: es la prueba palpable y contundente del inmenso cariño que Federico ha despertado en Buenos Aires durante los seis meses de su estancia. El poeta le confía la euforia que le produce imaginar la sorpresa que tendrá su madre cuando se presente en casa con aquel tesoro de Aladino.[121]

Detesta las despedidas, como sabemos, y abandonar Argentina le resulta penoso. Su última noche en Buenos Aires, el 26 de marzo, él y Fontanals, rodeados de amigos,[122] expresan su gratitud desde los micrófonos de Radio Stentor. Dice el poeta:

> Cuando llegué a Buenos Aires, me pidieron que saludara al público desde el balcón invisible de la radio, y rehusé porque, dentro de mi carácter sencillo, encontré desorbitada la proposición. Tengo miedo siempre de ser molesto y me da rubor la popularidad adquirida siempre a costa del paisaje tranquilo de nuestra vida íntima.
>
> Hoy yo mismo acudo a despedirme de vosotros, porque ya entre los que me escuchan hay muchos cientos de amigos míos. Yo vengo solamente a dar gracias por el interés y la cordialidad con que me habéis tratado en estos seis meses. Me voy con gran tristeza, tanta, que ya tengo ganas de volver. Ahora pienso en los días de nostalgia que voy a pasar en Madrid recordando el ahora barro fresco, olor de búcaro andaluz, que tienen las orillas del río, y el deslumbramiento de la tremenda llanura donde se anega la ciudad, en una melancólica música de hierbas y balidos.
>
> Yo sé que existe una nostalgia de la Argentina, de la cual no me veré libre y de la cual no quiero librarme porque será buena y fecunda para mi espíritu.
>
> Adiós a todos y salud. Dios quiera que nos volvamos a ver y desde luego yo, siempre que escriba mis nuevas obras de teatro, pensaré siempre en este país que tanto aliento me ha dado como escritor. Hasta la vuelta.[123]

Aquella noche, después de la emisión, rogó a sus amigos que, en el muelle, hiciesen como si sólo se tratara de una breve ausencia suya en Tigre, Río de la Plata arriba. De no hacerlo así, no sería capaz de contenerse.[124] La contención resultó aún más difícil, de todas maneras, cuando al llegar al puerto pudo constatar que una muchedumbre se había reunido espontáneamente delante del *Conte Biancamano* para despedirle.[125]

Tuvo con sus amigos un último detalle, muy típico de él, al entregarles un paquete con la advertencia de que era «para seguir la fiesta». Cuando, una vez zarpado el barco, Pablo Neruda y el poeta Amado Villar lo abrieron, esperando encontrar unos bombones o cosa parecida, se encontraron con un grueso fajo de billetes. Era la prueba definitiva, por si hiciera falta, de la generosidad del poeta. Llevaba años deseando ganar dinero, y ahora que lo había logrado quería compartirlo con otros. Uno se pregunta qué habría opinado su madre ante tal alarde de desprendimiento.[126]

Dos días despué la prensa informó que el poeta había dejado con Lola Membrives una copia de *Así que pasen cinco años*. La actriz manifestó que, si al principio no se había sentido en condiciones de montar la obra sin la presencia del autor, ahora estaba convencida de poder asumir el reto. Al día siguiente, sin embargo, los periódicos recogieron la noticia de que había cambiado de parecer, alegando la falta de tiempo suficiente para ensayarla antes del fin de la temporada en mayo. Prudente decisión, dada la dificultad intrínseca de una obra que nunca sería puesta en escena en vida del poeta.

En total, incluyendo su gira por provincias y temporada de 1933 en Montevideo, Lola Membrives, antes de volver a España el próximo otoño, pondría *Bodas de sangre* unas ciento cincuenta veces; *La zapatera prodigiosa* unas setenta; y *Mariana Pineda* unas veinte. En cuanto a *La niña boba*, su éxito fue realmente extraordinario: alrededor de doscientas representaciones. Todo ello significaba para Lorca no sólo el lanzamiento a la fama con mayúsculas, sino ingresos muy sustanciosos. Nadie podía duda del éxito sin precedentes cosechado por el poeta en Buenos Aires.[127]

El 30 de marzo de 1934 el *Conte Biancamano* atraca en Río de Janeiro, donde vuelve a ver a Alfonso Reyes. El escritor mexicano le regala un estuche de cristal con unas mariposas tropicales, que luego expondrá con orgullo en el piso madrileño de la familia.[128]

Al cruzar el Atlántico, debía preguntarse qué le esperaba a su regreso a España, donde la situación política había cambiado tan drásticamente desde su salida del país. Y quizá, sobre todo, ¿qué pasaría con La Barraca?

1934

El embajador vuelve a casa

El *Conte Biancamano* llega a Barcelona la mañana del 11 de abril de 1934. Después de dejar su equipaje en la estación de Francia, Lorca, acompañado de Fontanals y un periodista de *La Publicitat*, da un paseo por las Ramblas. Habla sin parar, prodigando elogios del público teatral de Buenos Aires por su apertura a las tendencias nuevas e imitando con gracia el acento porteño. Luego, por la noche, coge el tren de Madrid, impaciente por ver a su familia.[1]

Ya en casa le entrevista para *Heraldo de Madrid* su amigo Miguel Pérez Ferrero, que lo encuentra ordenando una montaña de recortes de prensa traídos de Argentina. Cuando abandona el piso de la calle de Alcalá lo hace convencido de que Lorca ha sido uno de los mejores embajadores jamás enviados por España a América del Sur. Es verdad.[2]

Los estudiantes de La Barraca, que acaban de regresar de una gira por Tetuán, Ceuta y Tánger, no caben en sí de gozo al tener otra vez en Madrid a su famoso director. Los ensayos de *El burlador de Sevilla*, que no habían prosperado durante su ausencia, recobran ahora buen ritmo y los «barracos» tienen la sensación de que está a punto de inaugurarse un nuevo y fructífero período en la vida de la farándula.[3]

El poeta no pudo por menos de lamentar el cambio sociopolítico operado en el país a partir de las elecciones de noviembre de 1933. La avanzada legislación del primer bienio de la República se ha ido recortando poco a poco y el Gobierno derechista ha reinstaurado la pena de muerte, decisión que asquea a los progresistas. Este mismo mes de abril el general Sanjurjo, que en 1932 había maquinado el abortado alzamiento contra la República, será amnistiado, al igual que José Calvo Sotelo, ministro de Finanzas de

Primo de Rivera, que durante su exilio en París se ha familiarizado con las ideas corporativistas de Charles Maurras y que, poco después de su regreso, fundará un grupo monárquico ultraderechista. La CEDA, dirigida por Gil Robles, se está volviendo más agresiva y tiene una sección juvenil con claros ribetes fascistas. En cuanto a la Falange Española de José Antonio Primo de Rivera, recurre con cada vez mayor insistencia a tácticas intimidatorias de inspiración hitleriana.[4]

Dalí se había dado cuenta de que Federico acababa de pasar por Barcelona a su regreso de Buenos Aires. Y le había escrito. Estaba seguro, dijo, que les «divertiría» reanudar su vieja amistad y le invitó a colaborar en una ópera entre cuyos personajes figurarían Leopoldo von Sacher Masoch y Luis II de Baviera. «Pienso que podríamos hacer *algo* juntos —siguió—. Si vinieras podríamos entendernos mejor ahora sobre muchas cosas. Gala tiene una curiosidad terrible de conocerte.» Si Gala tenía una curiosidad «terrible» por conocer a Lorca, la del poeta por vérselas con la musa de Dalí debió de ser ya intensísima. Pero, si contestó la postal, y cabe inferir que sí, su respuesta se desconoce.[5]

Pasa la Semana Santa con su familia en Granada. Descubre que la ciudad está desgarrada por disensiones políticas y que la gestora conservadora, que ha sustituido a los representantes legítimos elegidos en 1931, se está comportando con despótico desdén en sus relaciones con los obreros. Resulta significativo que, mientras su regreso a España y triunfal estancia en América se comentan con orgullo en el republicano *El Defensor de Granada* (que ha dado a conocer en marzo un artículo de un corresponsal bonaerense sobre sus éxitos), el diario católico *Ideal* ni se digna mencionar siquiera su presencia en Granada, lo que difícilmente podía ser un descuido.[6]

Varias personas recordarían, pasados los años, la vuelta de Lorca a Granada. Entre ellas el pintor Miguel Ruiz Molina. Le preguntó cómo le había ido en Buenos Aires. Contestación: «Calla, Miguelito, calla. ¡Qué alegría! ¡Dios me ayuda! ¡Es milagroso! Toda las *chuminás* que soportabais los amigos... ¡allí, a teatro lleno!».[7]

Un día se topa con un compañero de los tiempos del Rinconcillo, el arabista José Navarro Pardo, que ahora pertenece a la gestora derechista. Le cuenta que una noche en el teatro Avenida había ocurrido algo espeluznante:

Después de bajar del escenario, cuando el teatro se venía abajo, quise dar gracias a Dios. Allí mismo, en el camerino, había un Cristo. Entonces vi la cara de un español, para mí desconocido, que vivía en Buenos Aires, que estaba en un tremendo apuro económico. Me quedé estupefacto, porque yo ganaba dinero a manos llenas... Cuando salí del teatro comencé a buscarlo por todas partes. Su rostro se me había grabado en la memoria. Después de mover y remover, al fin apareció. Efectivamente, estaba en un gran apuro económico y se lo resolví. Le he dado la mitad de lo que gané. Estoy asustado... El cielo me abruma.[8]

¿Se trataba de una de sus exageraciones habituales, una de sus famosas mentirijillas inofensivas? ¿O es que a Navarro Pardo la memoria le jugó, con el paso de los años, una trastada? Es imposible saber la verdad, si bien hay otros indicios que sugieren que el poeta tenía aptitudes parapsicológicas. En este sentido habría que traer a colación una anécdota contada por el colombiano Jorge Zalamea, con quien había cruzado cartas intensas en 1928. Un día de verano —que Zalamea situaba en 1932— Federico fue invitado a comer en casa de unos amigos —Victoria Custodio y la hija de ésta, la actriz Ana María— en el pueblo de Canillejas, en las afueras de Madrid, donde Jorge pasaba el verano con su esposa. Se había preparado la mesa en el patio, y allí la compañía se sentó alegremente para dar cuenta de una suculenta paella. De repente Federico se quedó pálido, comenzó a sudar copiosamente y abandonó la mesa. Zalamea lo siguió al huerto. ¿Qué ocurría? Lorca le explicó que había tenido de pronto la sensación de que estaban rodeados de muertos. Intuía la presencia de huesos, de calaveras. Impensable, por ello, volver a la mesa. Aquella tarde hizo indagaciones en el pueblo acerca de la casa y del huerto. ¿Qué había habido allí antes? Al parecer, nadie lo sabía. Pero por fin un anciano le dijo que el edificio actual se había levantado sobre el solar de un convento, derribado en el siglo XIX, y que debajo del patio se encontraba el cementerio de las monjas. Ya tenía la prueba contundente de que su intuición había sido correcta.

Es posible, evidentemente, que la anécdota, publicada más de treinta años después, no se correspondiera en nada a lo realmente ocurrido (como tampoco la de Navarro Pardo). Sea como fuera, Zalamea conocía bien a Lorca y estaba convencido de que le faltaba poco para ser médium.[9]

Aquella primavera recibe en la Huerta de San Vicente una visita del escritor gallego Eduardo Blanco-Amor, que arde con deseos de conocer detalles de su estancia en Buenos Aires. Es la primera vez que ve al poeta en Granada. No se había dado cuenta de hasta qué punto Federico era hombre de la Vega más que de la capital. Cuando el padre le lleva a Fuente Vaqueros y le muestra el pueblo, la revelación se confirma: las raíces de la obra lorquiana se hundían en el paisaje y en el habla de su infancia. En la Huerta de San Vicente, rodeado de los regalos que le han hecho en América, el poeta relata, enduendado, sus experiencias en Argentina. Aquella noche, con la colaboración de José García Carrillo, que ha estado con ellos, Blanco-Amor apunta algunas de las cosas más sorprendentes que les ha dicho.[10]

No le pasa inadvertida, ya que es imposible, la crispación política que impera en Granada. En un artículo publicado en *La Nación* de Buenos Aires consigna cómo, en las murallas de la Alcazaba, acaba de ver una pintada que reza «¡Viva el fascio español!».[11]

Antes de que el gallego vuelva a Madrid, Lorca le entrega copias de varios poemas pertenecientes a su libro inédito *Diván del Tamarit*, inspirado por los poetas de la Granada árabe. El título era un homenaje a la vecina Huerta del Tamarit, propiedad de Francisco García Rodríguez, padre de Clotilde García Picossi, a cuyo ex novio, Máximo Delgado García, Federico acababa de ver en Rosario. La palabra Tamarit significa en árabe «abundante en dátiles», y Lorca, que tal vez lo sabía, solía declarar que la huerta de Clotilde, con sus maravillosas vistas de Sierra Nevada y de las choperas de la Vega, era más bella todavía que la de San Vicente. «Prima, tu huerta es una colección de tarjetas postales», le decía. Un día mantendría que el tío Francisco tenía las señas más bonitas del mundo: «Huerta del Tamarit, Término de Fargüi, Granada».[12]

En Granada reanuda su amistad con Eduardo Rodríguez Valdivieso y, avergonzado de no haberle traído un regalo desde Buenos Aires, le lleva al café Suizo, en Puerta Real, un paquete de libros comprados en la cercana librería Prieto: contiene *La voz a ti debida*, de Pedro Salinas; *La montaña mágica*, de Thomas Mann; *Crimen y castigo*, de Dostoievski; y el *Arte de amor*, de Ovidio, en la preciosa edición de Aguilar.[13]

Después de su estancia en Granada vuelve a Madrid para dirigir la puesta en escena de *Liliom*, de Ferenc Molnar, por el Club Teatral de Cultura (ahora, gracias a un apodo inventado años atrás en Fuente Vaqueros, Club Teatral Anfistora). Durante los ensayos vuelve a intimar con Ernesto Guerra da Cal, colaborador de la iniciativa, y juntos componen unos poemas en gallego para añadir a «Madrigal â cibdá de Santiago».[14]

La única representación de *Liliom* tiene lugar el 12 de junio, con muy buena acogida de la crítica, en el teatro Español.[15] En estas fechas Lorca también ayuda con los preparativos para la gira veraniega de La Barraca y, tal vez sobre todo, busca la manera de terminar *Yerma*.[16]

Los ataques a La Barraca han ido aumentando en dureza. En febrero, durante su ausencia, la revista satírica ultraderechista *El Duende* había insinuado que el poeta tenía relaciones sexuales con los chicos: «También el Estado da dinero para "La Barraca", donde Lorca y sus huestes emulan las "cualidades" que distinguen a Cipri… ano Rivas Cherif, su "protector". ¡Qué vergüenza y qué asco!».[17] Ahora, en julio, el órgano falangista *FE* acusa a los «barracos» de pervertir a los campesinos con su exhibición de «costumbres corrompidas, propias de países extranjeros», su «promiscuidad vergonzosa», su despilfarro de dinero público y su obediencia a los dictados del «marxismo judío», o sea a los de Fernando de los Ríos. ¡Amor libre y comunismo! ¡Qué bochorno! El artículo da la medida de la mentalidad de los enemigos de la democracia en España. No hay constancia de que Lorca viera el miserable escrito, aunque es difícil creer que, en un Madrid donde todo el mundo se conocía, no se lo mostrara o comentara alguien.[18]

Volvió a Granada para pasar el día de san Federico (18 de julio) con su familia en la Huerta de San Vicente y, según *El Defensor de Granada*, «para ultimar una nueva producción dramática, que dará a conocer en Madrid durante la temporada teatral próxima».[19]

Se trataba de *Yerma*.

Su regreso a Granada coincidió exactamente con la muerte del gurú del Rinconcillo, Francisco Soriano Lapresa, a los cuarenta y un años. Aquella desaparición le dolió profundamente. A Martínez Nadal le escribió que acababa de perder a «uno de los hombres más maravillosos que he conocido en mi vida».[20]

No cuesta trabajo entender el intenso cariño que ya le suscitaba la Huerta de San Vicente, delicioso y umbrío retiro donde en verano, rodeado de los suyos y lejos del bullicio y del calor de Madrid, le cundía siempre el trabajo. No le había sido posible terminar *Yerma* en Buenos Aires, Montevideo o Madrid, pero en la Huerta, mientras cuchicheaban a su alrededor las criadas y jugaban los niños de su hermana Concha, no parece que el último acto le acarreara demasiados problemas. Durante agosto leyó la obra a un grupo entusiasta de amigos en la terraza delante de la casa.[21]

Muerte de un torero

Este verano de 1934 vuelven a los ruedos dos famosísimos toreros ya un poco mayores, sevillanos ambos aunque de estilo bien diferente: el impetuoso Ignacio Sánchez Mejías, de cuarenta y dos años, y el clásico Juan Belmonte, de uno menos. Los dos están estrechamente vinculados con el mundo de la literatura y del arte. Forman parte de los adictos a Belmonte el pintor Ignacio Zuloaga, el novelista Ramón Pérez de Ayala y el político, escritor y destacado médico Gregorio Marañón. Sánchez Mejías sigue viendo a algunos de los poetas y escritores reunidos en Sevilla en 1927 —Lorca, Bergamín (apasionado taurómaco) y Rafael Alberti— y frecuenta a gentes relacionadas con el flamenco.

Al círculo de Sánchez Mejías le inquieta hondamente su decisión de volver a los ruedos. Con quince kilos de sobra, se ha sometido a un régimen muy estricto y ha recuperado en parte su esbeltez anterior, pero se le notan los años y ha perdido la agilidad de otros tiempos. Parece una locura. ¿Para qué arriesgarse? Probablemente no se trata sólo de la necesidad de ganar dinero: echa de menos el peligro y la emoción de la corrida. Ignacio, además, necesita seguir demostrando que no teme la muerte. Su fama de ser el torero más temerario se la ha ganado a pulso.[22]

La primera corrida del diestro tiene lugar en Cádiz el 15 de julio. Luego, el 22 de julio, está en San Sebastián, el 5 de agosto en Santander, el 6 en La Coruña y el 10 en Huesca. Se anuncia que el 12 lidiará en Pontevedra, donde, casi exactamente siete años antes, había comunicado su retirada.[23]

La escritora francesa Marcelle Auclair, de quien Ignacio se ha prendado en el salón madrileño de Carlos Morla Lynch, asiste a la corrida de Santander acompañada del diplomático chileno y otros amigos. Morla observa como Marcelle se ruboriza ligeramente cuando Sánchez Mejías, demudado, se da cuenta de que está con ellos. Terminada la corrida, el torero le dice que su actuación en Pontevedra será la última de su vida. ¡Ya basta! Esta vez se retira para siempre.[24]

El drama empieza el 6 de agosto en la plaza de La Coruña, donde figuran en el cartel, al lado de Ignacio, Juan Belmonte y otro famoso diestro, Domingo Ortega. Cuando Belmonte se dispone a matar su primer toro, la espada se le escapa de las manos, vuela por encima de la barrera y hiere mortalmente a un joven espectador. Luego, al poco rato llega la noticia de que acaba de fallecer el hermano de Domingo Ortega, Matías, con sólo veintitrés años. Después de la corrida, Ortega, deshecho, parte en coche hacia Madrid. El vehículo se sale de la calzada y cae por un barranco, provocando la muerte del conductor y heridas al torero. Éste tiene que lidiar el 11 de agosto en Manzanares, pero ya es imposible y le pide a Sánchez Mejías que le sustituya. Ignacio acepta por compañerismo, aunque comienzan sus dudas en el momento mismo del compromiso.[25]

La prensa hará hincapié en la fatalidad que parecía haber presidido las últimas horas de éste. Para empezar, el coche en que viaja desde Huesca a Manzanares sufre una avería en las proximidades de Zaragoza y no hay más remedio que seguir en tren hasta Madrid. Allí le dicen que no podrá disponer de la cuadrilla de Ortega, como se le había asegurado. Ya en Manzanares, pide que le dejen torear en primer lugar para poder marchar a Pontevedra lo antes posible, pero no se acepta la propuesta. En vista de todo ello decide negarse a actuar, pero el único hombre que ha podido traer con él le convence de que, si lo hace, será tildado de cobarde. Obsesionado con la muerte de su cuñado Joselito en 1920, ocurrida en su opinión por no haber sido adecuadamente atendido en la clínica de Talavera de la Reina después de la cornada, inspecciona las instalaciones sanitarias de la plaza. Tras comprobar su precariedad, insiste en que, de tener un percance, le trasladen a Madrid.[26]

La corrida empieza tarde y no, como induce a creer la elegía de Lorca, a las «cinco en punto» tradicionales. Sánchez Mejías viste un traje de luces color azul marino. En el mismo cartel figuran el rejoneador portugués Simo da Veiga, el mexicano Armillita y el joven español Alfredo Corrochano. Entre los espectadores están José Bergamín y otro amigo de Ignacio, Antonio Garrigues y Díaz-Cañabate, venidos adrede desde Madrid. El segundo recordaría que el diestro daba la impresión de estar totalmente agotado.[27]

Unas horas antes, en el sorteo de los toros, el primero que había aparecido en la papeleta que le correspondía a Sánchez Mejías se llamaba *Granadino*. No le había gustado nada el aspecto del astado al verlo en el chiquero. Y le gusta aún menos cuando lo ve en el ruedo bajo la resplandeciente luz de la tarde. «¡Éste viene por mí!», observa con laconismo, volviéndose hacia sus amigos.[28]

Lancea brevemente el animal, pero no quiere banderillearlo. Terminado el segundo tercio, se sienta en el estribo para darle el primer pase de pecho: pase peligrosísimo, especialidad suya. Revuélvese el animal e Ignacio le da un segundo pase tan apretado que el pitón le arranca la taleguilla. Luego, al intentar ponerse de pie para llevar el toro a los medios, *Granadino*, revolviéndose otra vez con brusquedad, le hunde el cuerno en el muslo derecho y le cornea furiosamente. Cuando logran apartarlo, el diestro yace en un charco de sangre. Al ser llevado a la enfermería deja un reguero rojo en la arena. Es la sangre que, en el poema, Lorca no querrá ver. Alfredo Corrochano contará a los periodistas que, mientras llevaban a Ignacio al quirófano, le había dicho: «Alfredo, me parece que esto se acaba».

El torero se ratifica en su voluntad de no ser operado en Manzanares e insiste en que lo trasladen en ambulancia a Madrid. Sólo permite que los médicos le limpien el ominoso boquete que tiene en el muslo. Pero no hay ambulancia, y la que se solicita de la capital no llega hasta después de la medianoche, cuando ya es tarde.[29]

José Bergamín no se aparta ni un momento de su lado durante las interminables horas que tarda el vehículo, y le acompaña durante el angustioso trayecto de unos ciento cincuenta kilómetros de carretera llena de baches. Llegan a la clínica a las siete de la mañana, trece horas después de la cornada.[30]

La intervención quirúrgica empieza inmediatamente, pero poco se puede hacer. Ya ha empezado a extenderse la gangrena, síntoma fatal toda vez que aún no se ha inventado la penicilina. En la clínica reina un calor insoportable y el torero pide sin parar agua. Pasa una noche espantosa —la del 12 de agosto— luchando contra una muerte que sabe que se va acercando inexorable y cayendo poco a poco en un delirio poblado de toros y olivos.[31] Le había contado a Marcelle Auclair y a Federico cómo, siendo niño, solía torear clandestinamente a la luz de la luna en un cortijo de Sevilla. Como no había público, cada vez que hacía un buen pase se imaginaba que lo aplaudían los olivos mecidos por la brisa.[32] Tal vez son los que recuerda ahora, y que Lorca inmortalizará en los últimos alejandrinos del *Llanto*:

> *Tardará mucho tiempo en nacer, si es que nace,*
> *un andaluz tan claro, tan rico de aventura.*
> *Yo canto su elegancia con palabras que gimen*
> *y recuerdo una brisa triste por los olivos.*[33]

El poeta, con su terror a la muerte, no tiene el valor de ir a ver a Ignacio y se reúne con amigos, entre ellos Rafael Martínez Nadal, en la Granja del Henar. Alguien del grupo va y viene constantemente entre la clínica y el café, trayendo las últimas noticias. Así se enteran de que Ignacio llama, desesperado, a su amante, Encarnación López Júlvez —a quien la esposa no permite la entrada en la clínica—, y que sacude con tal violencia la cama que ésta se desplaza por la habitación. «Un ataúd con ruedas es la cama»: Lorca recogerá el pormenor en su elegía.[34]

La tarde del 11 de agosto, al enterarse de la cornada, el poeta había telefoneado a Jorge Guillén en Santander (donde La Barraca se acababa de iniciar su gira) para comunicarle la atroz noticia. A partir de este momento les mantiene a todos informados, hora por hora, de la situación y decide permanecer en Madrid hasta que se conozca el desenlace.[35] A las ocho de la mañana del 13 de agosto los médicos ven que ya no hay nada que hacer: la gangrena, que Lorca personificará en el *Llanto* (como ha hecho con el cáncer en «El niño Stanton»), se ha adueñado del cuerpo del torero. Poco después de las diez de la mañana Guillén recibe una última llamada de Federico: «Se acabó. Ignacio ha muerto a las nueve cuarenta y cinco. Me junto con vosotros en Santander. No quiero verle».[36]

Al llegar allí se encierra con sus amigos y les explica que Ignacio había hecho todo por evitar torear en Manzanares, donde, para colmo, parece que le habían dado en el hotel la habitación número trece. El poeta estaba convencido, y la convicción crecerá a lo largo de los siguientes meses, de que estaba predestinado a morir aquella tarde… y que lo intuía. «El poeta es un médium —le oye decir Marcelle Auclair—. Ignacio, poeta, hizo todo por sustraerse a su muerte, pero cada uno de sus gestos, cada uno de sus actos, sólo hizo que se apretasen más los hilos de la red.»[37]

En la primera parte del *Llanto por Ignacio Sánchez Mejías* se insiste sobre los elementos de fatalidad que han conspirado contra el espada (todo está preparado para que la muerte tenga lugar en el exacto momento previsto). Poco después, Lorca le dijo a Auclair que, desde el día en que Ignacio había anunciado su vuelta a los ruedos, tuvo la seguridad de que todo acabaría mal. Y añadió: «La muerte de Ignacio es como mi muerte, el aprendizaje de mi propia muerte. Siento una paz que me asombra. ¿Tal vez porque fui advertido intuitivamente?».[38]

No fue el único en presentir que la muerte de Ignacio estaba predestinada. Nada más consumada la fatal cornada empezó a correr la voz de que durante meses el diestro había estado desprendiendo el «olor a muerte» que dicen poder sentir algunos entendidos en tauromaquia. Olor aludido por Hemingway en *Por quién doblan las campanas*, donde Pilar insiste en que el de Ignacio era tan intenso que muchas personas incluso se negaban a sentarse a su lado. Cuesta creer que Lorca, con su tendencia hacia lo parapsicológico y su obsesión con la muerte, no estuviera al tanto de lo que se rumoreaba.

En *Llanto por Ignacio Sánchez Mejías*, iniciado poco después y dedicado a Encarnación López Júlvez, el poeta tendría buen cuidado de excluir el nombre del animal responsable de la muerte del entrañable amigo. ¡Qué ironía que se llamase *Granadino*! Tal vez el hecho sirvió para hacerle sospechar que en la muerte, así como en la vida, el destino se iba a encargar de que él y el torero estuviesen indisolublemente unidos.

Otoño sin Ignacio

En momentos de tanta tristeza tuvieron lugar las representaciones de La Barraca en la Universidad Internacional de Verano de Santander, que había visitado el elenco por vez primera el año anterior. Después de volver a cosechar otro éxito los estudiantes prosiguieron su gira, dirigiéndose al sur y llegando a Palencia el 25 de agosto, donde ofrecieron *El burlador de Sevilla* a un público atento que incluía a Miguel de Unamuno, que había disfrutado tanto la puesta en escena en Santander que había venido exclusivamente para verla otra vez.

Parece que fue allí donde tuvo lugar el episodio que Modesto Higueras, quizá el mejor actor de La Barraca, gustaría de relatar en años posteriores. Mientras los estudiantes comían en un restaurante les había sorprendido la repentina aparición de José Antonio Primo de Rivera, acompañado de algunos correligionarios. Lorca se había puesto visiblemente nervioso. Y aún más cuando, durante la comida, el apuesto adalid de Falange Española le había enviado una misiva garrapateada en una servilleta y metida por el poeta en su bolsillo después de leída. Higueras alegaba que se las había arreglado más tarde para ver la servilleta sin que Lorca se diera cuenta. La nota diría: «Federico, ¿no crees que con tus monos azules y nuestras camisas azules se podría hacer una España mejor?». Dados los ataques de que había sido objeto La Barraca en la prensa falangista, y la honda repugnancia que a Lorca le inspiraba el fascismo, era perfectamente comprensible su reacción ante la inesperada presencia de Primo de Rivera. El espíritu que animaba La Barraca no tenía nada que ver con el de Falange Española.[39]

Terminada la gira, se quedó unos días en Madrid antes de reunirse con su familia en la Huerta de San Vicente. En la Residencia de Estudiantes fue entrevistado por Juan Chabás (uno de los escritores que había viajado a Sevilla en 1927), a quien manifestó la gran satisfacción que le habían producido las representaciones de La Barraca en Santander, calurosamente elogiadas por Jean Prévost (el marido de Marcelle Auclair) y el prestigioso crítico teatral italiano Ezio Levi. En cuanto a su propia obra, declaró que había terminado *Yerma* y que ahora estaba escribiendo *La bestia hermosa* (proyecto teatral acerca del cual no se sabe nada).[40]

A Levi le habían impresionado tanto Lorca y La Barraca que, otra vez en Italia, invitó al poeta al Congreso Teatral de Roma, previsto para aquel octubre, con la sugerencia de que hablara allí de su experiencia con el elenco estudiantil. Contestó que le encantaría aceptar pero que no podía hacerlo hasta no saber cuándo empezarían los ensayos de *Yerma*, cuyo estreno se proyectaba para noviembre. También había sido invitada al congreso la esposa del poeta, y Federico, a quien cabe inferir que le hiciera mucha gracia, le preguntó a Levi si, puesto que era soltero, podía llevar consigo al secretario de La Barraca, que era, además, el suyo particular. El hecho de que Rafael Rodríguez Rapún ya fuera su «secretario» parece indicar que la relación entre ellos, sobre la cual apenas tenemos información documental, se había estrechado más. No se conoce la respuesta de Levi, pero de todas maneras no tuvo lugar la visita a la Roma mussoliniana, satirizada por Buñuel y Dalí cuatro años antes en *L'Âge d'or*.[41]

A principios de septiembre Lorca regresa a Granada,[42] donde, a finales del mes, un nutrido grupo de amigos y admiradores le ofrece una cena. Entre los comensales está el ya setentón escritor Nicolás María López, colaborador de Ángel Ganivet. Por desgracia se desconoce el discurso pronunciado por el poeta en esta singular velada que, como señalaba *El Defensor de Granada,* unió dos épocas y dos tendencias («tradición y revolución»), simbolizadas respectivamente por María López y Lorca.[43]

También está en la cena Emilio García Gómez, director de la Escuela de Estudios Árabes de Granada, fundada por la República en 1932 gracias, sobre todo, al apoyo de Fernando de los Ríos. Las derechas granadinas, radicalmente tocadas de maurofobia, no habían perdido la ocasión de arremeter entonces, una vez más, contra el odiado catedrático y ministro socialista. «Un Fernando conquistó Granada y otro la ha perdido», bromearon muy en serio.[44]

García Gómez, madrileño de 1905, había alcanzado cierta prominencia en 1930 al publicar su antología de traducciones *Poemas arabigoandaluces*, y era ya una figura de relieve en Granada. En *Silla del moro* recuerda que, después de una lectura de *Yerma* dada por Lorca aquel verano, el poeta le había hablado del *Diván del Tamarit*, y le había mostrado luego algunas composiciones de la colección. Al arabista le habían gustado, y cuando la Universidad de Granada, en la persona de Antonio Gallego Burín, se ofreció a publicar la colección, se comprometió a preparar los veintiún poemas para la imprenta y a redactar un prólogo.[45] Pero el tomito nunca vería la luz, a pesar de llegar a la fase de galeradas y de que, en una entrevista publicada el 15 de diciembre de 1934, Lorca hablaría de su pronta aparición.[46] Poco después, al parecer exasperado por las demoras de la Universidad de Granada, pediría a Eduardo Rodríguez Valdivieso que recuperara de Gallego Burín el manuscrito original —lo que haría— y se lo mandara a Madrid. Nunca se ha podido saber por qué el libro no se editó.[47]

García Gómez observa en el prólogo escrito para éste que, si hay pocos puntos de contacto formales entre las «casidas» y «gacelas» de Lorca y los géneros árabes de los que había tomado estos términos, el «granadismo delirante» que se desprende de varios de los poemas sí entronca a su autor con la tradición de la poesía islámica de Andalucía (algo que había vislumbrado Cernuda unos años antes, y luego Miguel Pérez Ferrero). A García Gómez le había impresionado especialmente la fascinación lorquiana con el agua, fascinación, recuerda, experimentada por todos los auténticos hijos de Granada, como en su momento había señalado Ángel Ganivet.[48]

En los poemas de *Diván del Tamarit* Lorca expresa, además de su «granadismo delirante», y en un lenguaje intensamente concentrado, los temas que lo han obsesionado siempre y que son inseparables de su visión de la ciudad: el terror a la muerte, la fugacidad del amor y el paso inexorable del tiempo.

Octubre de 1934 y sus secuelas

Antes de que el poeta regrese a Madrid ocurren unos acontecimientos que sacuden el país. El 1 de octubre de 1934 cae el Gobierno conservador al verse privado del respaldo de la CEDA, la coalición liderada por Gil Robles que, durante diez meses, lo ha apoyado pese a no disponer de cartera. Gil Robles insiste ahora en tener una representación en el nuevo Ejecutivo, y el presidente de la República, Alcalá-Zamora, que desconfía, con razón, de su compromiso democrático, no tiene más remedio que dar su beneplácito. La CEDA obtiene tres ministerios clave: Agricultura, Trabajo y Justicia. La reacción de la izquierda no se hace esperar. La presencia de ministros de la CEDA en el Gobierno puede significar, se alega, el inicio de la conquista del poder según el precedente establecido en Alemania con Hitler. Hay que hacer algo, y ya.[49]

Los sindicatos convocan una huelga general revolucionaria para el 5 de octubre, que es secundada irregularmente en toda España pero de forma masiva en el País Vasco, Cataluña y, de manera especial, Asturias, donde los mineros toman Oviedo y se preparan a resistir hasta donde sea posible. De hecho, aguantan hasta el 15 de octubre, cuando los aplastan unidades del ejército africano que han desembarcado en la costa norte. La represión es brutal, y hay miles de prisioneros. Todo ello dejará un recuerdo imborrable en la población.[50]

Entretanto, en Barcelona, el presidente Companys había proclamado, el 6 de octubre, la «República Catalana dentro de la República Federal Española». La aventura sólo duró diez horas. Manuel Azaña, que por casualidad se encontraba en la capital catalana en aquellos momentos, fue detenido y acusado de complicidad en la rebelión, lo cual, dado su carácter, era del todo imposible. Pero no importaba. En noviembre casi cien intelectuales, entre ellos Lorca, firman una carta abierta de protesta contra el trato intolerable dispensado al antiguo presidente del Consejo. La censura, sin embargo, impide su publicación, y la inocencia de Azaña no será admitida por el Gobierno hasta el 6 de abril de 1935.[51]

Los acontecimientos de octubre, y sobre todo el conato separatista catalán, constituyeron una buena baza para las derechas. El 7 de octubre José Antonio Primo de Rivera, ya jefe indiscutible del fascismo español, participó en una demostración masiva ante el Ministerio del Interior, en la Puerta del Sol. Para el hijo del dictador, no había que darle vueltas a lo que estaba ocurriendo: la «sagrada unidad» de España estaba siendo amenazada por una siniestra conspiración marxista-judía organizada desde Moscú, y era el deber sagrado de todo español bien nacido oponerse a tan nefandos designios. En cuanto a Falange Española, estaba satisfecho del papel desempeñado por la organización en la represión de los rebeldes. En Oviedo y Gijón habían luchado codo con codo con los militares y habían perdido a cinco hombres, cinco «mártires» por la causa «nacional».[52]

Debido a la estricta censura impuesta por el Gobierno, la verdad de los sucesos de octubre no pudo ser investigada y expuesta por la prensa. Pero es probable que la familia García Lorca estuviera al tanto de lo realmente ocurrido, puesto que Fernando de los Ríos formaba parte de la comisión parlamentaria establecida para investigar los hechos.[53]

Alguien le preguntó al poeta por estas fechas por qué La Barraca ya no daba representaciones. «¡Cómo vamos a representar cuando hay tantas viudas en España!», contestaría. El motivo principal, sin embargo, era que el Gobierno acababa de reducir a la mitad su subvención.[54]

Lorca está terminando su elegía por Ignacio Sánchez Mejías. El 4 de noviembre da la que parece haber sido su primera lectura, ante un grupo de amigos reunidos en casa de Carlos Morla Lynch. La repite allí dos días después. El diplomático chileno no duda que se trata de «una creación maestra».[55]

Se aproximaba, por otro lado, la puesta en escena de *Yerma*. En algún momento del verano, mientras bregaba con ella, se había puesto en contacto con Margarita Xirgu —a quien ya había prometido formalmente la obra— para hablar del estreno. La temporada de la actriz catalana en el teatro Español se inauguró a finales de octubre y, cuatro semanas más tarde, los ensayos de *Yerma* iban a toda vela.[56]

Imparable, Lorca ya trabaja en *Doña Rosita la soltera*. El 15 de diciembre es entrevistado por un conocido periodista de *El Sol*, Alardo Prats. La nueva obra es una «diana para familias divididas en cuatro jardines»:

> Será una pieza de dulces ironías, de piadosos trazos de caricatura; comedia burguesa, de tonos suaves, y en ella, diluidas, las gracias y las delicadezas de tiempos pasados y de distintas épocas. Va a sorprender mucho, creo yo, la evocación de estos tiempos, en que los ruiseñores cantaban de verdad y los jardines y las flores te-

nían un culto de novela. Aquella maravillosa época de la juventud de nuestros padres. Tiempo de polisón; después, las faldas de campánulas y el 'cutroví', 1890, 1900, 1910.[57]

No parece que se lo explicara al periodista, pero en *Doña Rosita la soltera* exploraba a la vez su propio pasado y el espíritu de la Granada que le había convertido en poeta. La entrevista confirmaba, por otro lado, hasta qué punto se sentía ahora involucrado en una lucha personal por renovar el teatro español actual, tan pusilánime a la hora de afrontar cuestiones socialmente acuciantes. Hay millones de seres que no ven nunca teatro, insiste (repitiendo lo que ha dicho tantas veces en Buenos Aires). Y, basándose en su experiencia con La Barraca, vuelve a expresar su convicción de que las obras dramáticas de calidad y bien montadas llegan siempre a personas sencillas, humildes, aunque a lo mejor éstas no capten todas sus sutilezas. Arremetiendo contra el teatro comercial, que sólo busca beneficios, no deja ninguna duda acerca de su compromiso social en una España en la cual, unos pocos meses antes, la rebelión asturiana ha sido brutalmente reprimida y donde hay ahora miles de presos políticos:

«Yo sé poco, yo apenas sé» —me acuerdo de estos versos de Pablo Neruda—, pero en este mundo yo siempre soy y seré partidario de los pobres. Yo siempre seré partidario de los que no tienen nada y hasta la tranquilidad de la nada se les niega. Nosotros —me refiero a los hombres de significación intelectual y educados en el ambiente medio de las clases que podemos llamar acomodadas— estamos llamados al sacrificio. Aceptémoslo. En el mundo ya no luchan fuerzas humanas, sino telúricas. A mí me ponen en una balanza el resultado de esta lucha: aquí, tu dolor y tu sacrificio, y aquí la justicia para todos, aun con la angustia del tránsito hacia un futuro que se presiente pero que se desconoce, y descargo el puño con toda mi fuerza en este último platillo.[58]

Indica luego que tiene la intención de terminar ahora la trilogía iniciada con *Bodas de sangre* y continuada con *Yerma*. La obra que cierre el ciclo será *El drama de las hijas de Lot*. Es casi seguro que se trata del drama del cual había hablado en Cuba, en 1930, con Luis Cardoza y Aragón, y a su vuelta a España con Rafael Martínez Nadal, entonces titulado *La destrucción de Sodoma*.[59]

Escribió como mínimo un acto del mismo, pero, salvo su primera página, se desconoce el manuscrito. Se lo leyó a Rodríguez Rapún y a Luis Sáenz de la Calzada en la Residencia de Estudiantes. Según éste, relataba, en un marco «mitad Giotto, mitad Piero della Francesca», siguiendo de cerca el relato bíblico, la llegada de los ángeles a la ciudad y cómo, cuando los habitantes quieren sodomizarlos, Lot, aterrado, les ofrece a sus hijas a cambio y hasta comete incesto él mismo con una de ellas:

> Federico, lo que hace en la obra es oponer el incesto a la sodomía, aunque no veo claras las razones que lo movieron a proponer dilema semejante. En todo caso, al final del acto, y eso sí lo recuerdo muy bien, se produce un gran tumulto, voces, llamas, gemidos, entre los que destaca como un alarido, como el arañazo sobre el cristal o sobre el yeso, la afirmación de Lot, gritando: «¡¡La hice mía!!»[60]

Lorca le había dicho a Cardoza y Aragón en Cuba que, comparado con esta obra, Oscar Wilde parecería «una antigualla, una especie de obeso señorón pusilánime».[61] Era evidente que la intención que perseguía con *El drama de las hijas de Lot* era sacudir, y sacudir de veras, al público. Pero primero lo iba a conseguir con *Yerma*.

Yerma escandaliza a las derechas

En esas fechas Lorca frecuenta asiduamente uno de los cafés más pintorescos de Madrid, La Ballena Alegre, situado en los sótanos del café Lyon, frente a Correos en la calle de Alcalá. Allí lo descubre una noche, poco antes del estreno de *Yerma*, el periodista Alfredo Muñiz. Como siempre, rodeado de amigos y admiradores: Pablo Neruda (que ha llegado a Madrid el verano anterior y en cuya casa de Argüelles el granadino ha compuesto la mayor parte del *Llanto por Ignacio Sánchez Mejías*), el pintor Isaías Cabezón, el músico chileno Acario Cotapos, el arquitecto Luis Lacasa, Eduardo Ugarte y Rodríguez Rapún con otros compañeros de La Barraca, y José Amorós, quien, desde la muerte de Ignacio, se ha convertido en torero del grupo.[62]

Lorca suele trasladarse directamente desde La Ballena Alegre al teatro Español para asistir a los ensayos de *Yerma*. A menudo lo acompañan Ugarte, Rodríguez Rapún y el pintor José Caballero, a quien ha confiado el cartel. El joven artista onubense trabaja también en una serie de ilustraciones de inspiración surrealista para el *Llanto*. Durante los ensayos le llama la atención la insistencia del poeta sobre el cronometraje exacto de los movimientos de los actores.[63]

El ensayo general de *Yerma*, que tiene lugar el 28 de diciembre, despierta una gran expectación. Asisten numerosas personalidades, entre ellas tres «barbas ilustres»: Ramón del Valle-Inclán, Miguel de Unamuno y Jacinto Benavente. Al día siguiente, José Luis Salado, periodista de *La Voz*, demostraba ser poco amigo de homosexuales:

> García Lorca —con su pipa y una greña sobre la frente— va y viene por el pasillo central. En torno suyo hay unos muchachitos pálidos. (Eso es lo único malo de Lorca: el séquito, que le da, quizá a pesar suyo, un aire de González Marín cuando entra en un café con sus «peregrinitos» a cuestas.)* Eso sí, en las butacas, un público ilustre, como no es dable hallar —al menos íntegramente— en los ensayos generales. Público de auténtica 'première' al estilo francés y tan complejo, que abarca desde Valle-Inclán a la Argentinita, pasando por el bailarín Rafael Ortega. (El maestro Rafael Ortega, que estaba allí.) La Argentinita… ¡Tantas nostalgias, tantas cosas que se fueron! Encarnación es un poco como la única musa femenina del grupo, aunque esto no quiere decir que García Lorca sea un poeta «para hombres solos». (Los ojos más bonitos de España han leído el 'Romancero gitano'.) Al ensayo vinieron algunos de esos ojos: pequeñas luces en la penumbra.[64]

Profundamente disgustado por el artículo, el director artístico de Margarita Xirgu, Cipriano Rivas Cherif —sobre quien la derecha lleva meses haciendo correr la especie de que tiene una relación homosexual con su cuñado Manuel Azaña—, prohíbe al periodista, estando él, volver a pisar el Español.[65]

El estreno tiene lugar la noche siguiente y Unamuno se persona otra vez, gesto insólito que no pasa inadvertido para los periodistas. La obra le había impresionado hondamente. Más tarde dirá que, a su juicio, debía titularse *Yermo*, no *Yerma*. Pues ¿no tenía el marido, Juan, la culpa de todo, por su frialdad, su falta de ganas?[66]

---

* José González Marín, rapsoda profesional muy conocido.

Al levantarse el telón no hay una butaca libre en la sala.[67] ¿Han oído Lorca y sus amigos el rumor de que elementos de extrema derecha maquinan reventar la función, no ya sólo por el contenido de la obra, considerado por ellos de antemano ofensivo, sino por las conocidas simpatías republicanas del poeta y, tal vez más aún, por la estrecha amistad de Margarita Xirgu con Manuel Azaña, que acaba de salir de la cárcel bajo fianza? Es casi seguro que sí. Nada más levantarse el telón, de todas maneras, se comprueba que el rumor tenía fundamento al empezar a proferirse gritos contra Margarita Xirgu y Azaña. Se lanzan también los calificativos de «tortillera» y «maricón» contra la actriz y Lorca.[68] El resto del público reacciona con indignación y los alborotadores son expulsados de la sala. Su identidad —según Carlos Morla Lynch, «un grupo de jóvenes»— no se esclarecería nunca, si bien Eduardo Blanco-Amor, también presente, tenía la convicción de que eran falangistas.[69]

Resulta curioso que Luis Buñuel, que dice en sus memorias haber asistido al estreno, no mencione el barullo: quizá el brote de ciática que le atormentaba aquella noche le borró este recuerdo y explique también su viva irritación ante una obra que, aplicando el rasero surrealista, califica retrospectivamente de aburridísima.[70]

Una vez restablecida la calma, prosigue la representación en medio de escenas de extraordinario entusiasmo, no sólo por la calidad intrínseca del «poema trágico», así subtitulado, sino por la excelencia de los actores y los decorados. Lorca tiene que salir varias veces a saludar, y cuando cae el telón final los aplausos son atronadores. El poeta está eufórico, radiante, como también Margarita Xirgu, cuya encarnación de la protagonista ha conmovido profundamente al público.[71]

Si toda la prensa liberal y progresista elogia *Yerma* y su puesta en escena, los periódicos de derechas se muestran unánimes en rechazar el que consideran, o dicen considerar, su contenido antiespañol y repelente. *El Debate* —el diario católico más leído del país, portavoz de la CEDA y adulador de los regímenes de Hitler y de Mussolini— protesta ante «la odiosidad de la obra», su «inmoralidad» y sus «blasfemias».[72] *Informaciones* —diario del financiero multimillonario Juan March, entre cuyos colaboradores se cuentan varios falangistas— despotrica: «La comedia es francamente mala [...] No cabe nada más soez, grosero y bajo que el lenguaje que el señor García Lorca emplea; se ha contaminado el poeta y ha enfangado su pluma». Refiriéndose a los alborotadores, comenta que «algunos espectadores sintieron sublevado su buen gusto y exteriorizaban su protesta».[73] *La Nación* —ahora bajo la égida de Calvo Sotelo— titula su reseña, en flagrante contradicción con la verdad: «El éxito de *Yerma*, de García Lorca, se circunscribió a un mínimo sector del público del Español». El diario ha sido especialmente ofendido por los «asertos soeces» de la Vieja Pagana, «tipo monstruoso, negación personificada de todo principio ético e intento abominable de explicación metafísica». Y continúa la incoherente diatriba: «García Lorca se retuerce contra toda creencia, cuando paganiza la fuerza de la convicción hispana, que induce a rogativas a la divinidad y que acarrea funestas consecuencias terrenas».[74] *El Siglo Futuro*, órgano carlista, tampoco duda del carácter moralmente peligroso de la tragedia: «Queremos insistir en la condena enérgica de alguna expresión que ofende creencias y sentimientos, para las cuales el autor no tiene el menor respeto, y consignar contra ese proceder insensato la protesta más rotunda y terminante».[75] En cuanto a *ABC*, algo más moderado que los cuatro diarios citados, señala la presencia en la obra del «empleo de crudezas innecesarias y particularmente alguna irreverencia, que hiere el oído y subleva el alma». «Aunque el autor quiera estar al margen de sus personajes y ponga el dicho en boca de una *Vieja pagana* —agrega— no tiene justificación.» Además, el rotativo monárquico encuentra en *Yerma* «muchos momentos de una sensualidad franca y descarada».[76] Finalmente, para *La Época*, también monárquico, propiedad del marqués de Valdeiglesias, el autor «sólo ha conseguido ofrecer a la curiosidad de los espectadores un caso patológico de idea fija, de obsesión, de locura, al que nada aportan, por desdicha, ni el arte, ni la acción dramática, ni una inspiración poética de alto vuelo, ni la descripción científica del caso morboso, presente de continuo con monotonía fatigosa del principio al final de la pieza».[77]

La prensa satírica de la ultraderecha tampoco se iba a parar en barras. Y va más lejos. Para *Gracia y Justicia*, que desde hace dos años la tiene tomada con Lorca, el estreno de *Yerma* marca una fecha luctuosa en la historia del teatro español: «Han pasado al llamado género de versos todas las groserías, ordinarieces y barbaridades que hasta ahora adornaban el llamado género de revista. En esta *Yerma*, ¡se dice cada atrocidad!». La revista no se priva de aludir (como ha hecho Alfredo Muñiz en *La Voz*) a los jóvenes que habitualmente acompañan y jalean a Lorca. Hay en

Yerma, dice, «unas cuantas blasfemias, artísticas y de las otras, que los amigos de García Lorca aplaudieron a rabiar. Porque el señor Lorca —"antes fraile que de Lorca…", dice también el pueblo— es de los escritores que tienen un corro de amigos». La implicación, claro está, es que tales amigos son, como el poeta, homosexuales.[78] En otra página, la misma revista se burla del «Discurso al alimón» de Neruda y Lorca en Buenos Aires, recientemente publicado en la prensa madrileña, comentando: «La novedad acaso consista, nos dijimos, en que Neruda comienza: "Señoras"… y García Lorca continúa: "y señores", y que, luego, en el decurso del discurso, siempre es el primero quien dice: "Porque, ¡ah, señoras…!", y es el segundo quien agrega: "y señores!" Pero fijándose bien vimos que esto era lo más natural del mundo, mejor dicho, de García Lorca».[79]

Otra revista fascista incidió con aún más visceralidad, si cabía, sobre el mismo asunto, bajo el título «La cofradía del apio»:

> En el último estreno del Español, y entre los espectadores de buena fe que acudieron por equivocación a dicho teatro, se había dado cita una cofradía extraña, de la que el autor de «Yerma» es hermano mayor.
>
> En los pasillos, en el "foyer", en el "bar", durante los entreactos, herían los oídos voces atipladas y gritos equívocos, subrayados por el recortado ademán del dedo en la mejilla.
>
> —Estamos todos.
>
> —¡Jesús! ¡Qué cosas!
>
> —¡Ay, es que me troncho!
>
> Era una escena repugnante. Tan repugnante como las frases y las escenas de la obra, repulsivas, soeces, contrarias a la dignidad humana y, por supuesto, al arte mismo.
>
> Ninguna mujer decente puede presenciar la obra, que cae dentro del Código penal, porque con ella se comete un delito de escándalo público.
>
> Hasta que el fiscal intervenga y prohíba su representación, que es un baldón oprobioso para la escena de nuestro teatro oficial y una afrenta para los sentimientos de las personas honradas y decentes.[80]

Unos días después, *Gracia y Justicia* volvió a la carga, recomendando en una sección de «Conocimientos útiles»:

Se ha encontrado una cosa más feroz que la mordedura de la cobra, que estaba conceptuada como la serpiente más venenosa. Se trata de las representaciones de «Yerma», de García Lorca. El único antídoto es no ir.[81]

En Granada el extraordinario éxito de la obra es recogido con júbilo por *El Defensor*, pero ni *Ideal* ni *Noticiero Granadino* (éste ha dado un viraje a la derecha) mencionan el nuevo estreno de su famoso paisano. No cabe duda, la hostilidad hacia el poeta y dramaturgo por parte de las «fuerzas vivas» locales —«la horrible burguesía granadina» en frase de Isabel García Lorca— se va endureciendo.[82]

Comentando unas semanas después el triunfo de *Yerma*, el crítico A. Bazán resaltaba el frescor que suponían para la escena española precisamente aquellas cualidades tan rechazadas por la prensa reaccionaria: «En medio de la cucufrutería y el remilgo insoportables del teatro español, esta obra de sano realismo, de bella desnudez, de sinceridad y de revaloración de nobles funciones del cuerpo humano, representa un paso decisivo hacia nuestra liberación del atraso medieval que sigue oprimiéndonos».[83]

Nada más cierto. En las reseñas de *Yerma* ahí tenemos, ya enfrentadas, a las dos Españas.

1935

Consagración teatral en España

En la entrevista publicada a finales de diciembre en *Heraldo de Madrid* Lorca había dicho que *Yerma* marcaba el «punto central» de la trilogía iniciada con *Bodas de sangre*, y que se completaría con *Las hijas de Lot*.[1] El primer día de 1935 *El Sol* recoge una nueva declaración suya al respecto. A *Las hijas de Lot* le ha devuelto su título original: «Ahora a terminar la trilogía que empezó con *Bodas de sangre*, sigue con *Yerma* y acabará con *La destrucción de Sodoma*». La obra está «casi hecha», «¡avanzadísima!» (alegación imposible de comprobar ya que, como se ha señalado, sólo se conserva la primera página del manuscrito). Y continúa: «Ya sé que el título es grave y comprometedor, pero sigo mi ruta. ¿Audacia? Puede ser, pero para hacer el *pastiche* quedan otros muchos. Yo soy un poeta y no he de apartarme de la misión que he emprendido».[2]

El 18 de enero vuelve a Madrid Lola Membrives después de una ausencia de catorce meses. En Buenos Aires ha cosechado un extraordinario éxito gracias no sólo a *Bodas de sangre* y *La zapatera prodigiosa* sino a *Teresa de Jesús*, de Eduardo Marquina (cada una ha tenido unas doscientas representaciones). Lorca acude a la estación del Norte, con Fontanals, Marquina y otras personalidades, a darle la bienvenida. Pese a lo ocurrido con *Yerma*, su relación con ella es todavía muy cordial, y la actriz espera ser quien ponga en escena *Doña Rosita la soltera*.[3]

Durante los primeros meses del año los madrileños se dirigen masivamente al Español a ver *Yerma* mientras, al otro lado del Atlántico, se estrena *Bodas de sangre*, el 11 de febrero, en el Neighborhood Playhouse de Nueva York (titulada *Bitter Oleander*), con puesta en escena de Irene Lewisohn. La práctica imposi-

bilidad de transformar en inglés viable el español tan de raíz andaluza de *Bodas* dificulta su aceptación por el público neoyorquino,
pese a la estrecha colaboración desde 1933 del poeta, que ha mandado música y sugerencias. La respuesta dista mucho de ser adversa, con todo, y, aunque la mayoría de los críticos quedan algo
perplejos ante la obra, los hay que manifiestan cierto entusiasmo.
Cuando el 2 de marzo se retira de la cartelera, el granadino puede
tener la satisfacción de saber que su nombre comienza a mencionarse en la ciudad que tanto le había marcado cuatro años antes.[4]

El 18 de febrero aparece en *La Voz* otra importante entrevista
suya. El periodista «Proel» (Ángel Lázaro) ha tropezado con el padre del poeta en la portada del edificio de la calle de Alcalá. García
Rodríguez le dice, en tono irónico, que su hijo acaba de levantarse
de la cama, añadiendo que tiene por costumbre escribir hasta
muy tarde. Así puesto en antecedentes, Lázaro sube al piso. Lorca
le parece modesto, teniendo en cuenta sus recientes éxitos y el hecho de estar ganando ya mucho dinero. Tras insistir en que lo que
más valora es la sencillez, evoca su infancia en Fuente Vaqueros y
Lázaro observa que, mientras habla, el entusiasmo ilumina aquella «cara infantil». Es el ademán del Lorca que, en Buenos Aires,
ha dicho que padece «un complejo agrario, que llamarían los psicoanalistas».[5]

Pero no quiere hablar solamente de su infancia. Lo que realmente le preocupa en estos momentos, descubre Lázaro, es su producción escénica: el deseo de escribir obras revolucionarias que
hagan reflexionar a la gente, que provoquen un cambio de actitudes. Hace unas semanas, ante un grupo de actores y de gente de
teatro, había manifestado que los poetas y los dramaturgos debían tener la osadía de expresar «la desesperación de los soldados
enemigos de la guerra».[6] Ahora declara que ha aceptado su propio
reto y piensa escribir una obra antibélica (del proyecto sólo queda
el título: *Carne de cañón. Drama contra la guerra*).[7] En cuanto a
la publicación de su obra, dice que muy pronto saldrán *Llanto por
Ignacio Sánchez Mejías* e *Introducción a la muerte* que, según alega, exagerando, comprende «unos trescientos poemas». No publicará nunca un libro con este título. Hay que suponer que se trata
de las composiciones escritas en su mayoría durante su estancia
en Estados Unidos (la sexta sección del póstumo *Poeta en Nueva
York* la encabezará, precisamente, «Introducción a la muerte. *Poemas de la soledad en Vermont*», eco del título del primero, «Poemas
de la soledad en Columbia University»).[8]

En cuanto al *Llanto*, tanto Federico como Bergamín, que se había comprometido a editarlo en Cruz y Raya, querían que uno de los tres dibujos que preparaba José Caballero (no había dinero para incluir más) fuese un retrato necrológico de Ignacio, confeccionado dentro de la tradición «romántica» taurina, con corona, orlas, nombres de las plazas en que el torero había tenido sus más grandes éxitos, banderillas, ángeles, espadas y demás parafernalia. Para la orla inferior, las instrucciones de Lorca eran tajantes. «Pon —dijo— "Lo recogió la Virgen del Rocío".» A los dos o tres días llamó a Caballero. «¿Has puesto ya lo de que lo recogió la Virgen del Rocío?» Era el último dibujo que tenía que entregar el pintor. «Sí, ya lo he puesto.» «Hay que borrarla.» «Pero hombre, Federico, borrar la tinta en un dibujo de papel es muy difícil, aunque, claro, con grandes esfuerzos, tal vez podría...» Y siguió el poeta: «Pon "Lo recogió la Venus tartesa"». Se trataba todavía de la Virgen del Rocío, pero evocando su nombre antiguo, precristiano. Unos días después, cuando el pintor había logrado con dificultad cambiar la orla, volvió a llamar. La Venus tartesa ya no valía. Había que poner «Lo recogió la Blanca Paloma», su nombre más popular. Caballero estaba desesperado, pero una vez más consiguió el milagro.

¿Por qué eligió Lorca, para recoger el cuerpo de Ignacio, a la Virgen del Rocío, en vez, por ejemplo, de la Virgen de la Macarena, por sevillana especialmente relacionada con Sánchez Mejías? Es posible que tuviese en cuenta, además de la antigüedad del culto a la Virgen del Rocío, con sus raíces míticas, y de su romería, la más universal y popular de Andalucía, el hecho de ser de Huelva José Caballero, y que poco tiempo antes la madre de éste le había regalado una medalla de plata de la Blanca Paloma, con su nombre inscrito al dorso.

Por lo que tocaba a la orla superior del dibujo, Caballero le sugirió que en ella se nombrara al toro responsable del luctuoso acontecimiento. Federico estaba todavía en la cama, con sueño —se había acostado tarde, como siempre—, pero al oír aquello se despertó del todo y se negó rotundamente, sin dar explicaciones, a lo propuesto por su joven amigo. «Pon —dijo— "Lo mató un toro de la ganadería de Ayala".» Sólo unos años después se enteraría el pintor de que el astado que había herido de muerte a Sánchez Mejías se llamaba *Granadino*. La idea de que un toro con este nombre hubiera podido acabar con Ignacio, «el bien nacido», le era intolerable al poeta. Por ello eligió una orla que relegara el animal al más ignominioso anonimato.

En el dibujo de la cornada también hubo cambios. Caballero explicó al poeta que en la moña del toro iba a poner la palabra «Muerte». Lorca insistió en que no, de ninguna manera. «Acuérdate —dijo— de que Pepe Amorós escribió un día la palabra muerte y aquel mismo día le cogió el toro por la boca y le rasgó toda la cara. No pongas la palabra.» Tres horas después llamó Federico. Se trataba de la contraorden más extraordinaria que hubiera podido esperar Caballero, que oyó atónito cómo le decía: «Pon dos veces la palabra muerte». Eran las contradicciones de Lorca, que conocían todos sus amigos. Quizá se trataba de querer imitar la valentía de Ignacio, que no cejó ante su destino:

> No se cerraron sus ojos
> cuando vio los cuernos cerca...

Federico quería saber qué era lo que más le llamaba la atención a Caballero en el *Llanto*. Contestó que los versos:

> ¡Oh blanco muro de España!
> ¡Oh negro toro de pena!

¿Cómo veía Caballero aquel muro, aquel toro? Las preguntas eran insistentes. «Muy blanco, muy blanco, inmenso, larguísimo, donde va un toro caminando...» «Pero ¿cómo es de grande?» «Bueno, es un blanco muro que empieza en Huelva y que termina en Irún. Es un muro inmenso, que no tiene puertas, ni ventanas, ni comunicación con el otro lado.» Y Lorca: «Pero este muro divide a España en dos partes». «Sí, claro.» «Y ¿qué más hay en el muro?» «En el muro hay un toro que no acaba de morir nunca, caminando, lleno de espadas, medio muerto pero sin morir del todo. Y el toro encontrando mujeres enlutadas que coronan el muro interminable...» «Aquí en España los lutos son muy largos», comentó Lorca. Caballero tenía la sensación de que, bajo el embrujo del poeta, iba diciendo exactamente lo que quería o esperaba. En aquel momento el joven pintor no pensaba en absoluto en que aquello pudiera ser una premonición de la muerte, suya o de Federico. Pero después, empezada la guerra, dividida España efectivamente en dos partes, viendo los pueblos llenos de mujeres enlutadas, recordaba aquella conversación —aquellas conversaciones— con estremecimiento.[9]

El 28 de febrero, mientras *Yerma* sigue llenando el Español, Lola Membrives abre su temporada en el Coliseum con la puesta en escena de *Bodas de sangre* que tanto éxito ha cosechado en Buenos Aires. Los críticos se entusiasman, y uno de ellos, recordando el inaugural montaje madrileño de Josefina Díaz de Artigas dos años antes, opina que el de la Membrives es una «revelación».[10] La obra estará en cartel hasta finales del mes. Era práctica habitual entonces en la capital española hacer dos representaciones diarias —una por la tarde y otra por la noche— y el 18 de marzo Membrives representa *Bodas de sangre* en la primera sesión, y, en la segunda, *La zapatera prodigiosa*. Ese día Lorca puede alardear de que se están poniendo tres obras suyas en Madrid al mismo tiempo, hecho tal vez sin parangón en los anales del teatro español.[11] Poco después Membrives añade un fin de fiesta musical a *La zapatera prodigiosa,* basada en el ideado por el poeta en Buenos Aires. La obra se representa veinte veces, y *Bodas de sangre* treinta. En cuanto a *Yerma,* tiene más de 130 representaciones antes de desaparecer del teatro Español el 21 de abril.[12] Todo ello significa no sólo dinero sino prestigio, y Lorca ya puede mirar el futuro con confianza. Ello se aprecia cada vez más en sus declaraciones a la prensa.

Pasa la Semana Santa en Sevilla (que empieza el domingo 14 de abril) invitado por el poeta Joaquín Romero Murube, alcaide del Alcázar, al que había conocido por vez primera en su visita a la capital andaluza en 1927. Están en la ciudad tres amigos con quienes reanuda ahora: José Bello —que vive allí desde hace seis años—, Jorge Guillén y José Antonio Rubio Sacristán, catedrático en la Facultad de Derecho. Romero Murube ha instalado un piano de cola en su jardín, colindante con los del Alcázar, y, agradeciendo el detalle el poeta interpreta canciones populares para ellos, mezclándose la música con el murmullo de las fuentes y el canto de los pájaros. «Allí estuvimos como califas», dirá Rubio Sacristán al rememorar aquellas mágicas noches con Federico al piano.[13] Guillén, por su parte, evocará la lectura que les hizo allí del *Llanto por Ignacio Sánchez Mejías,* tanto más conmovedora por cuanto el torero era sevillano de pura cepa, había agasajado a la «brillante pléyade» de la Generación del 27 y trataba de no perderse nunca la Semana Santa.[14]

Lorca, que desde su infancia adora los desfiles, la liturgia y todo lo ceremonial, vive su visita a la capital andaluza con intensidad, jactándose unos meses después en Barcelona no sólo de que Romero Murube le había conseguido el mejor sitio para ver las procesiones, sino de haber sido agasajado por los gitanos sevillanos como si fuera uno de los suyos. Había leído el *Llanto por Ignacio Sánchez Mejías*, decía, ante un improvisado altar gitano, y dormido en una cama inmensa que olía a manzanas, preparada especialmente para su uso por la gran bailarina flamenca La Malena.[15] ¿Qué había de verdad en todo aquello? Imposible saberlo. Como dijo una vez su hermano, era preferible no fiarse nunca de Federico cuando hablaba de sus aventuras.[16]

No se lo había propuesto, pero se queda para ver la Feria, que, como le cuenta a sus padres el 27 de abril, todavía no conoce.[17] Lo pasa en grande, rodeado de amigos, admiradores y otros escritores, entre éstos, en un almuerzo celebrado en La Venta de los Gatos, en pleno Real, el historiador Santiago Montoto y el periodista, director de la revista madrileña *Ahora*, Manuel Chaves Nogales. En una instantánea poco difundida queda constancia de la efemérides[18]

En otro momento Romero le organizó una cena en un conocido restaurante. No hizo acto de presencia. Más tarde su anfitrión se topó con él en un local del barrio galante. «Perdona —se disculpó— pero esta noche me ha salido una luna en el pecho.» Había conocido a un chico guapísimo y se había ido con él. Se lo contó Romero Murube años después al escritor sevillano Manuel Barrios.[19]

De la estancia ha quedado una pequeña nota del poeta que lo dice todo acerca de su apego a las peripecias nocturnas.

> He estado a buscarte, desasiéndome de mil personas.
> Esta noche te espero de una y media a dos en la Sacristía.
> Lleva a Antonio Torres Heredia o a Pepita o a la niña de los cuernos. Allí estaré. Calla. No faltes. Federico.[20]

La Sacristía era un bar. Antonio Torres Heredia, quizá un guapo gitano a quien había apodado con el nombre del protagonista de sus dos romances. «Pepita», tal vez, era otro amigo gay. ¿Y «la niña de los cuernos»? ¿Significa «quien tú quieras», como se ha propuesto? Lo más divertido del caso es que no tenemos ni idea. Tampoco si el no identificado destinatario de la nota acudió a la cita.[21]

¿Es cierto que Rodríguez Rapún hizo acto de presencia en Sevilla estos días? Joaquín Romero Murube decía que sí y le contó al escritor Marino Gómez Santos que, en los jardines de los Reales Alcázares, vio una tarde cómo Lorca metía su mano debajo de la camisa del muchacho, le acariciaba el pecho y luego le besaba apasionadamente. No se lo pudo creer. No tuvo reparo en admitir que la escena le chocó profundamente: no había «sospechado» nada hasta aquel momento.[22]

El testimonio, fiable o no, recuerda las páginas del primer capítulo de *Sodoma y Gomorra*, de Proust, donde el narrador evoca su asombro al descubrir, desde su escondite, que Charlus es gay, ¡y gay muy activo! Jamás se le había pasado por las mientes.

Desde hace meses los republicanos están convencidos de que en cualquier momento puede producirse un golpe de Estado. El temor parece justificado cuando, el 6 de mayo, José María Gil Robles es nombrado ministro de Defensa. El líder de la CEDA, una de cuyas obsesiones consiste en fortalecer el ejército para hacer frente a una posible revolución marxista, nombra jefe del Estado Mayor al joven general Francisco Franco, gesto deplorado por los progresistas en vista de su fama de antidemócrata. Gil Robles hace otros nombramientos igualmente suspicaces. Durante los meses siguientes su ministerio llevará a cabo una purga implacable de conocidos elementos liberales e izquierdistas del ejército, lo cual añadirá leña al fuego. Años más tarde negaría haber trabajado a favor de un golpe. Aunque tal vez fuera verdad, pocos republicanos se fiaban de él en 1935, y había una creencia muy extendida de que deseaba ver la restauración de la monarquía dentro del marco de un estado corporativista.[23]

El que parecía irresistible avance de Gil Robles coincidió con la inauguración de la Feria del Libro de Madrid, que se celebraba todos los años en el paseo de Recoletos. Estaba en la calle la quinta edición del *Romancero gitano*, que se agotó enseguida, anunciándose pronto la sexta;[24] en mayo había salido *Llanto por Ignacio Sánchez Mejías* (editado por José Bergamín en Ediciones Cruz y Raya), que se vendía bien; el *Retablillo de don Cristóbal* se representaba en medio de las casetas;[25] y, como «tejadillo de oro» (que diría el poeta), *Heraldo de Madrid* anuncia que Ángel del Río acaba de publicar, en la *Revista Hispánica Moderna* de Nueva York, el primer estudio global sobre la obra del poeta. No cabe duda: Lorca está muy de moda.[26]

Para estas fechas su amistad con Pablo Neruda se ha estrechado considerablemente, y cada día se reúnen con sus numerosos amigos en la Cervecería de Correos. Si Federico es la estrella más brillante del grupo, Neruda no deja de tener allí notable relieve. A menudo la pandilla se desplaza al piso del chileno, conocido popularmente como Casa de las Flores, situado en la calle de Rodríguez de San Pedro. Está a dos pasos del mercado de Argüelles, donde el chileno, a quien le encanta comer bien, compra sus legumbres y frutas predilectas. Las fiestas de Neruda duran a veces varios días, y se puede encontrar a gente dormida en cada rincón de la casa, a cualquier hora. A veces el grupo se dedica a «inaugurar monumentos», actos festivos que permiten a los participantes demostrar sus capacidades oratorias. Especialmente sonado es el celebrado ante el erigido, no lejos de la casa de Pablo, en homenaje a la novelista Emilia Pardo Bazán.[27]

En junio Neruda publica una *Oda a Federico García Lorca* que debió de conmover al granadino. Reflejo de la convivencia de ambos en Buenos Aires, y luego de los ratos fraternales compartidos en Madrid, demuestra hasta qué punto el poeta está al tanto del lado oscuro de Federico y de su obsesión con la muerte. En él imagina la llegada a casa de Lorca de una sucesión interminable de presencias humanas y no humanas que buscan el consuelo de hablar un rato con él: entre ellos «el verano con los labios rotos», «muchas personas de traje agonizante», «arados muertos y amapolas» y «una rosa de odio y alfileres». Detrás vienen Pablo y un rosario de amigos suyos y de Federico tanto bonaerenses como madrileños.[28] Casi cuarenta años más tarde el chileno recordaría con intensa nostalgia aquellos meses del Madrid de justo antes de la Guerra Civil: «Fueron los grandes días de mi vida. Era un renacimiento tan espléndido y generoso de la vida creadora española que nunca vi otro semejante».[29]

Se acercan las largas vacaciones veraniegas y, con ellas, la dispersión del bullicioso grupo de la Cervecería de Correos. Sería por estos días, quizá, cuando Jorge Guillén disfruta una memorable conversación en Madrid con el padre de Federico. El terrateniente, que ya tiene setenta y seis años, se muestra orgulloso de los éxitos teatrales de su hijo, cuya faceta económica no le es en absoluto indiferente. Preguntado por Guillén: «¿Y qué me dice usted ahora?», contesta sonriente, recordando anteriores dudas: «¡Ahora sí!». Y sigue Guillén: «En aquel 1935 el dramaturgo nos describía cómo sería la casa que iba a labrarse frente al Mediterráneo. "Porque ahora —exclamaba con más aire de adolescente que nunca— me toca ganar dinero a mí." Sin malgastar un minuto, fiel a sus juegos, iba edificando su vida, delineando rectamente su camino».[30]

Doña Rosita la soltera o el alma de Granada

Poco después el poeta vuelve con la familia a la Huerta de San Vicente. Son, un año más, las fiestas del Corpus. Y es, también un año más, la presencia de Margarita Xirgu, quien, el 28 y 29 de junio, en el incomparable marco del palacio de Carlos V, con su patio circular abierto a las estrellas, representa *Fuenteovejuna* y *El alcalde de Zalamea*. Acaba de anunciar que, en otoño, tras una breve temporada en Barcelona, dará una gira con su compañía por México y otros países latinoamericanos. «Quiero descansar un poco de España y que España descanse de mí», declara a los periodistas. Podemos tener la seguridad de que Lorca le dijo que esperaba terminar para ella, aquel verano, *Doña Rosita la soltera*.[31]

Instalado en la Huerta pone manos a obra «con la vehemente premura con que Federico se entregaba a la creación», según su hermano.[32] Y estimulado, al parecer, por las conversaciones sobre botánica que había tenido en Sevilla con las tías de Romero Murube, expertas horticultoras, así como con los jardineros del Alcázar.[33]

En diciembre de 1934 había explicado que los tres actos de *Doña Rosita la soltera* tenían lugar respectivamente en 1890, 1900 y 1910, y que la obra evocaba «aquella maravillosa época de la juventud de nuestros padres».[34] En enero había sido algo más explícito, al señalar que la obra trataba «de la línea trágica de nuestra vida social: las españolas que se quedaban solteras», y que se recogía en ella «toda la tragedia de la cursilería española y provinciana, que es algo que hará reír a nuestras jóvenes generaciones, pero que es de un hondo dramatismo social, porque refleja lo que era la clase media».[35] Si con estas observaciones parecía dar a entender que *Doña Rosita la soltera* reflejaba una tragedia social de otros tiempos, y ya superada, tardaría poco en subrayar que tenía que ver también con la España contemporánea: «Mejor sería decir el drama de la cursilería española, de la mojigatería española, del ansia de gozar que las mujeres han de reprimir por fuerza en lo más hondo de su entraña enfebrecida... ¿Hasta cuándo seguirán así todas las señoritas Rositas de España?».[36]

Pasarían todavía unos meses antes de que revelara que la acción de la pieza no sólo transcurría en Granada sino, más específicamente, en un carmen típico del Albaicín. El escarpado barrio guardaba pocos secretos para él, como sabemos. En 1924 le había escrito a Melchor Fernández Almagro: «Me gusta Granada con delirio pero para vivir en otro plan, vivir en un carmen, y lo demás es tontería. Vivir cerca de lo que uno ama y siente. Cal, mirto y surtidor».[37] Lo esencial granadino se reduce, pues, al carmen, casita con jardín interior «cerrado para muchos, abierto para pocos», maravilloso escenario para el amor compartido. Podía haber escogido otra planta, pero ha estampado *mirto* —en árabe arrayán—, arbusto de connotaciones amorosas. Sabe que compartir un carmen con la persona amada sería vivir en un paraíso terrenal. Y, también, que estar condenado a habitar uno sin amor equivaldría a la muerte, dada la incomparable belleza de las vistas y la arquitectura recoleta de estas Alhambras en miniatura.

Doña Rosita la soltera es la dramatización, con tintes románticos y sutil distanciamiento, de la *pena negra* del *Romancero gitano,* que Lorca identificó en varias ocasiones con el espíritu de Granada. Es también una reflexión sobre la infancia y juventud del poeta y la «intrahistoria» de su familia. «Quizá en ninguna otra de sus obras se filtran tantos recuerdos de infancia», ha escrito, con conocimiento de causa, su hermano.[38] Las fechas asignadas a los tres actos son altamente significativas en este sentido. Rosita tiene veinte años en 1890, cuando se inicia la acción, y «toda la esperanza del mundo está en ella».[39] Es decir que, como la madre del poeta, ha nacido en 1870. Además, es huérfana, lo cual nos recuerda que el padre de Vicenta Lorca murió antes de que naciera ella. Vicenta había conocido tiempos de penuria, y la familia tuvo que cambiar varias veces de casa, dejando atrás, en una de sus mudanzas, una bonita villa. Cuando, al final de la obra, las tres mujeres, ya arruinadas, tienen que abandonar el carmen —el Tío ha muerto seis años atrás—, puede que Lorca esté recordando algo que le hubiera contado su madre acerca de aquel triste episodio en su vida. Rosita, de hecho, es algo así como una Vicenta Lorca fracasada. Ésta, de familia humilde, consiguió ser maestra a fuerza de tesón (y, como sabemos, nunca dejaría de ser exigente con sus hijos). Rosita, de clase media, no tiene posibilidades de practicar una profesión. Lo único que puede cambiar su situación es casarse con el hombre que ama. Pero su primo se ha marchado al castillo de irás y no volverás: Tucumán. Exactamente como el de la prima Clotilde Gacía Picossi a Rosario.

Lorca sitúa el segundo acto de la obra en 1900, año que reivindica a menudo como el de su nacimiento, y que hasta figura en sus pasaportes como tal (las razones de este empecinamiento no son del todo claras, como dijimos antes, y quizá tienen que ver a la vez con el deseo de distanciarse del «Desastre» de 1898 y el afán de nacer con el nuevo siglo).[40] En cuanto al último acto, que se desarrolla en 1910, se trata del año que el poeta tiende siempre a identificar con la pérdida de su infancia, el traslado de la familia desde la Vega a Granada y su entrada en el mundo tremebundo de los exámenes y de las presiones sociales. Pero hay más, evidentemente. Señaló que el último acto de la obra contiene un presagio de la Primera Guerra Mundial: «Dijérase que el esencial trastorno que produce en el mundo la conflagración se presiente ya en almas y cosas».[41] Quizá podemos vislumbrar también una premonición del colapso de la Segunda República en que tantas esperanzas había depositado.

Rosita no sólo incorpora aspectos de Vicenta Lorca y de la prima Clotilde, sino de Maravillas Pareja (que inspiró el poema «Elegía», en 1918), de otras varias solteras conocidas de la familia, y quizá también de su amiga Emilia Llanos. En cuanto a los otros personajes, don Martín, como vimos en su momento, es un compendio de Antonio Segura Mesa, su profesor de música, y del periodista y maestro del instituto Martín Scheroff y Aví. Incluso, según Francisco García Lorca, la cojera del desafortunado pedagogo puede ser reminiscencia de la «oveja negra» de la familia, el díscolo juglar Baldomero García.[42] El ridículo profesor de Economía («el señor X») se basa en un personaje real, Ramón Guixé y Mexía; el profesor Consuegra existía con este mismo nombre; y el Ama sintetiza a las muchas criadas que se habían ocupado de satisfacer cada veleidad de los niños de la familia García Lorca, sobre todo Dolores Cuesta, la Colorina (o «mae santa»), nodriza de Francisco.

El Ama se merece algunas palabras más. Cuando la prima de Lorca Mercedes Delgado García vio *Doña Rosita la soltera*, reconoció enseguida que la manera de expresarse del personaje procedía de Asquerosa.[43] En el mundo estancado de la pequeña burguesía de Granada, representada por Rosita, su tía y su tío, donde mantener las apariencias es casi una obsesión, el Ama encarna la vida natural que Lorca propone siempre como única salvación de los seres humanos. Pronuncia las palabras más punzantes de la obra cuando la tragedia de Rosita se confirma y la rosa roja se ha vuelto de una blancura espectral:

> Yo no tengo genio para aguantar estas cosas sin que el corazón me corra por todo el pecho como si fuera un perro perseguido. Cuando yo enterré a mi marido lo sentí mucho, pero tenía en el fon-

do una gran alegría…, alegría no…, golpetazos de ver que la enterrada no era yo. Cuando enterré a mi niña…, ¿me entiende usted?, cuando enterré a mi niña fue como si me pisotearan las entrañas, pero los muertos son muertos. Están muertos, vamos a llorar, se cierra la puerta, ¡y a vivir! Pero esto de mi Rosita es lo peor. Es querer y no encontrar el cuerpo; es llorar y no saber por quién se llora, es suspirar por alguien que uno sabe que no se merece los suspiros. Es una herida abierta que mana sin parar un hilito de sangre, y no hay nadie, nadie del mundo, que traiga los algodones, las vendas o el precioso terrón de nieve.[44]

Otros muchos pormenores de la obra proceden de la Granada que había conocido Lorca de joven o de la que le había hablado su madre (al parecer fuente inagotable de datos y anécdotas relativos a la vida de la ciudad en los años anteriores al nacimiento del poeta). El padre de las chicas Ayola, por ejemplo, era realmente «fotógrafo de Su Majestad el Rey» —magnífico, por cierto—,[45] y los Ponce de León y los Pérez de Herrasti pertenecían a la acomodada aristocrácia local. En cuanto a las tres «manolas» que van juntas a la Alhambra en busca del amor, son no sólo las de la conocida copla popular recogida en la obra —según Francisco García Lorca un fandango—,[46] sino tres muchachas inseparables que vivían en la Cuesta de Gomérez (subida principal a la Alhambra) y a quienes, según José Mora Guarnido, «un destino lamentable dispersó más tarde por el mundo».[47]

Con respecto al «lenguaje de las flores», del que el poeta extrae tan sutil juego, viene de las guías ilustradas sobre el tema, popularísimas en toda Europa hasta que la Primera Guerra Mundial acabó con ellas y su sentimentalismo. Francisco da fe de que el romance de las flores procedía de un librito que contenía también el lenguaje de los sellos, del abanico, de los sueños y de otras cosas por el estilo. Librito que tal vez había pertenecido a la propia Vicenta Lorca.[48]

Doña Rosita la soltera es la obra que de manera más sutil expresa la compleja relación de Lorca con Granada, ciudad a la vez amada y temida (por su profunda introspección, su resistencia al cambio, su falta de vitalidad y su burguesía intolerante). Antes del estreno, diría que la había escrito para descansar un poco después de *Bodas de sangre* y *Yerma*, pensando que le saldría «una comedia sencilla y amable». Pero, añadió, tenía más lágrimas que sus dos obras anteriores.[49]

Dada su visión de la ciudad de la Alhambra, difícilmente podría haber sido de otra manera.

Adiós a La Barraca

A primeros de julio ocurre en Granada un incidente lamentable cuando, irritado por un comentario publicado en *El Defensor de Granada*, el presidente de la rama local de la católica Acción Popular, adherida a la CEDA, Francisco Rodríguez Gómez, allana la casa del director del diario, Constantino Ruiz Carnero, y le agrede. Eduardo Blanco-Amor, que acaba de llegar a Granada para visitar otra vez a Lorca, es testigo de la escena. En un artículo publicado en *El Defensor* unos días más tarde llamó la atención sobre el incremento de violencia que estaban auspiciando en todo el país las «partidas de la porra».[50]

Saca durante su estancia unas fotografías excelentes del poeta en la Huerta de San Vicente. Entre ellas algunas sentado al lado de su madre en la chaise longue del recibidor. Vicenta Lorca parece una Dolorosa, no quien ha traído al mundo a un triunfador literario, tal es la tristeza de su semblante (ilustración 35).

Un día Blanco-Amor es testigo de una «cosa de Federico» cuando el poeta, de repente, salta sobre una muralla, «frente a la inmensa Vega», y empieza a declamar, gritando, la *Oda a Walt Whitman*, «como si debajo hubiera una muchedumbre bíblica, mosaicamente escuchando. Estaba traspuesto, transfigurado, enajenado».[51] Según José María García Carrillo, que los acompañaba, el episodio tuvo lugar en el Generalife.[52]

Lorca lleva al gallego al Casino para que pueda observar a sus anchas a la flor y nata de los «putrefactos» granadinos. No le gusta en absoluto el espectáculo y tiene la impresión de que muchos de los allí reunidos envidian al poeta por el dinero que ha traído de Buenos Aires. Uno de ellos hasta les espeta: «¡Dicen que ustedes los poetas sois maricones!». «¿Y qué es POETAS?», contestaría Lorca.[53]

El arabista y terrateniente José Navarro Pardo, ex «rinconcillista» y hombre conservador, consignó en su diario una escena similar, ocurrida en el Hollywood (conocido bar mencionado por Malcolm Lowry en *Bajo el volcán*).[54] Un día, estando allí con unos amigos, entró el poeta. Navarro se levantó para saludarle, charlaron un rato y luego volvió a su mesa. «Pero ¿tú te juntas con ese maricón?», le dice uno de los contertulios.[55] Entre la burguesía local se conocía a Lorca como «el maricón de la pajarita». Así era entonces la mentalidad de la derecha granadina.[56]

El poeta regresa a Madrid alrededor del 10 de julio y lee *Doña Rosita la soltera* a Margarita Xirgu, su marido y empresario Miguel Ortín y Cipriano Rivas Cherif en el parador de Gredos, donde está descansando la actriz. Margarita se queda maravillada. Proyectaba empezar su breve temporada barcelonesa el 10 de septiembre con *Yerma*, y espera ahora poder estrenar *Doña Rosita* antes del 15 de octubre, fecha tope de ésta. La compañía pasará luego unos días en Italia antes de embarcar, a principios de noviembre, para México.[57]

Catorce años más tarde Xirgu relató que, un día después de la «revelación» de *Doña Rosita la soltera* en Gredos, Federico les leyó el primer acto de una obra extremadamente vanguardista, de momento sin título.[58]

Lo tendría unos meses más tarde: *El sueño de la vida*. Es la obra mal llamada, durante años, *Comedia sin título*.

Si la actriz hubiese leído *El público* —y es evidente que no fue el caso— se habría dado cuenta enseguida de que la nueva obra, de la que únicamente se conoce el primer acto, procedía de él tanto desde el punto de vista formal como temático: teatro dentro del teatro —la representación entre bastidores de *El sueño de una noche de verano*—, la confusión de actores y público, una revolución en la calle y, otra vez, el amor que se no se atreve a decir su nombre. Cuando el Autor, que se identifica explícitamente con «el pueblo», explica al aforo que su intención es conmoverlo con la revelación de verdades que no quiere reconocer, resuenan las palabras del Director al final de *El público*;[59] y la reivindicación del derecho de cada persona a amar libremente de acuerdo con su naturaleza es común a ambas obras. Al comentar *El sueño de una noche de verano*, dice el Autor:

> Todo en la obra tiende a demostrar que el amor, sea de la clase que sea, es una casualidad y no depende de nosotros en absoluto. La gente se queda dormida, viene Puk el duendecillo, les hace oler una flor y, al despertar, se enamoran de la primera persona que pasa aunque estén prendados de otro antes del sueño. Así la reina de las hadas, Titania, se enamora de un campesino con cabeza de asno.[60]

Son palabras que siguen casi al pie de la letra los comentarios del Prestidigitador al final de *El público*:

> Si el amor es pura casualidad y Titania, reina de los Silfos, se enamora de un asno, nada de particular tendría que, por el mismo procedimiento, Gonzalo bebiera en el *music-hall* con un muchacho [vestido de] blanco sentado en las rodillas.[61]

El que tanto el Prestidigitador como el Autor expresen la opinión del propio Lorca se confirma por el testimonio de Rafael Martínez Nadal, que ha recordado una conversación con el poeta en 1936 acerca de la escena shakespereana de Titania y el asno: «Lo que Shakespeare nos está diciendo —fueron más o menos sus palabras— es que el amor no depende del individuo y que se impone con igual fuerza en todos los planos».[62]

En el Espectador 2.º Lorca cifra la mentalidad de los que se oponen tanto a la libertad en el amor como a la dignificación de la clase trabajadora. Es decir, la mentalidad de la ultraderecha católica española. Fanatizado hasta la médula, se cree todos los bulos acerca de atrocidades cometidas por los obreros, y se encarga él mismo, sacando una pistola, de matar a uno de ellos en el teatro («¡Buena caza! Dios me lo pagará. Bendito sea en su sacratísima venganza. ¡No hay más que un solo Dios!»).[63] Lorca sabe muy bien a estas alturas quiénes son los enemigos.

El acto fascinó a Margarita y en otro momento del verano Lorca se lo volvió a leer, esta vez en uno de sus locales predilectos de Madrid: el restaurante Casa Pascual (Luna, 16, cerca de la plaza del Calleo), famoso por su cabrito asado y sus vinos. Hoy se buscará en vano.[64]

Durante estos meses pone, por fin, cierto orden en sus poemas de Nueva York, con el propósito de encargar una copia mecanografiada para los editores. Aprovecha el tener que pedir a un amigo —Miguel Benítez Inglott— que le devuelva el manuscrito de uno de los poemas, «Crucifixión», para anunciarle orgullosamente que es la primera vez en su vida que dicta una carta, añadiendo que el amanuense es su «secretario». Es decir, Rafael Rodríguez Rapún.[65]

El 19 de agosto empiezan en la Universidad Internacional de Verano de Santander las actuaciones de La Barraca. Es el tercer año consecutivo que acuden. Allí conoce a Lorca un distinguido crítico teatral italiano, Silvio D'Amico, catedrático de Historia del Teatro en la Universidad de Roma. Quiere saber cómo se financian. El poeta le explica que, si en 1932 arrancaron con una subvención gubernamental anual de cien mil pesetas, se redujo a la mitad al acceder las derechas al poder en 1933 y ahora se acaba de suprimir totalmente. ¿Cómo podrá sobrevivir La Barraca en circunstancias tan desfavorables? Lorca insiste en que, pase lo que pase, seguirán actuando. De algún sitio sacarán el dinero.[66]

Le entrevista en Santander su amigo Miguel Pérez Ferrero, de *Heraldo de Madrid*. Federico hace grandes elogios de Margarita Xirgu y expresa su satisfacción por el inminente viaje de la actriz a Italia, donde Pirandello, uno de los que patrocinan la visita de la compañía, ha manifestado su deseo de verla en *Yerma*. En cuanto a la supresión de la subvención gubernamental, se muestra tajante: no dejarán de representar, aunque sea sin trajes y decorados y luciendo sus monos. Si las derechas tratan de impedir que levanten su tablado, actuarán a pie en las calles y plazuelas de los pueblos. «Y si tampoco nos dejasen así, representaremos en cuevas y haremos teatro oculto.» Cualquier cosa menos renunciar.[67]

Por estos días se está celebrando el tercer centenario de Lope de Vega. Los periódicos prodigan artículos sobre el Fénix de los Ingenios, salen nuevas ediciones de sus obras, se representan obras suyas y Margarita Xirgu está a punto de estrenar en el teatro Español el arreglo lorquiano de *La dama boba*. También de poner *Fuenteovejuna* en… ¡Fuenteovejuna!

Lorca se marcha de Santander antes de que terminen las representaciones de La Barraca para estar con Margarita en el pueblo cordobés el 25 de agosto. Los actores tienen la sensación de que los ha abandonado y, de hecho, se trata del principio del fin. A partir de este verano, cada vez más absorto en su propia obra, empezará a distanciarse paulatinamente del Teatro Universitario que él, más que nadie, ha contribuido a moldear y potenciar. El proceso quedará cerrado aquel invierno, cuando la Federación Universitaria de Estudiantes elija a nuevos representantes para la comisión directora y Rafael Rodríguez Rapún pierda su cargo de secretario. Lorca presentará entonces su dimisión «con carácter irrevocable», refiriéndose a «los asuntos desagradables» que a Rapún «se le han desarrollado en La Barraca». Asuntos nunca del todo aclarados.[68]

La representación por Margarita Xirgu de *Fuenteovejuna* no podía fallar en el lugar donde habían ocurrido, trescientos años antes, los hechos inmortalizados por Lope. Y menos en momentos en que la derecha española está haciendo otra vez oídos sordos ante las legítimas demandas de los campesinos. En la plaza no cabe un alfiler.[69]

Al día siguiente el poeta visita Córdoba, ciudad por la cual siente casi veneración. Allí conoce a Fernando Vázquez Ocaña, director del periódico *El Sur* y diputado socialista. Más tarde uno de los primeros biógrafos del poeta, Vázquez recordaría que durante la conversación de sobremesa, poco antes de que Federico cogiera el tren de Madrid, alguien le preguntó por qué estaba tan obsesionado con la muerte. «Es que no lo puedo remediar. Soy como un bichito de luz debajo de la hierba que teme la horrible pisada», contestaría.[70]

El 8 de septiembre, después de representar *La dama boba* y *Fuenteovejuna* en Madrid, Margarita Xirgu se despide del Español, donde durante cinco años ha reinado suprema, y sale con Lorca para Barcelona.[71] Los periódicos anuncian que, por desgracia, pasará tiempo antes de que la gran actriz pise otra vez un escenario de la capital. Pero nadie, ni siquiera el poeta, con sus presentimientos, habría podido sospechar que jamás volvería.

Reencuentro con Dalí

El 10 de septiembre de 1935, como estaba previsto, Margarita Xirgu abre su temporada en el teatro Barcelona con la *La dama boba* de Lope, en la versión de Lorca. Es tal el éxito que hay que aplazar una semana el estreno de *Yerma*.[72] Dada la hostilidad de la prensa de derechas cuando se puso el pasado diciembre en Madrid, y la admiración que sienten los catalanes por la actriz, reina en el ambiente una expectación insólita.[73]

La noche resulta triunfal, generándose tal emoción durante la representación que mucha gente llora. Como cabía esperar, la reacción de la prensa es parecida a la registrada en Madrid: los periódicos liberales, republicanos y de izquierdas elogian calurosamente la obra —según uno de ellos es «una interpretación poética de la más profunda realidad española»,[74] comentario que debía de complacer a Lorca—, mientras los demás despotrican contra su «inmoralidad», su «vulgaridad», sus «blasfemias», su falta de verosimilitud y su «experimentación ginecológica».[75]

El poeta escribe entusiasmado a sus padres, en la última carta larga a casa que se le conoce, sin dejar de subrayar, para la satisfacción familiar, el aspecto económico del éxito:

El éxito de *Yerma* en Barcelona ha sido *único*. Yo no recuerdo entusiasmo igual ni en Buenos Aires. El teatro está de bote en bote y la butaca cuesta seis pesetas, precio insólito en estos tiempos. Yo gano, como es natural, y no gasto, puesto que vivo con Margarita Xirgu. Ayer di una lectura de versos para todos los Ateneos Obreros de Cataluña, y se celebró en el teatro Barcelona. Había un público inmenso que llenaba el teatro y luego toda la Rambla de Cataluña estaba llena de público que oía por altavoces, pues el acto se radió. Fue una cosa emocionante el recogimiento de los obreros, el entusiasmo, la buena fe y el cariño enorme que me demostraron. Fue una cosa tan verdadera este contacto mío con el pueblo auténtico que me emocioné hasta el punto que me costó mucho trabajo empezar a hablar, pues tenía un nudo en la garganta. Con una intuición magnífica subrayaron los poemas, pero cuando leí el «Romance de la Guardia Civil» se puso de pie todo el teatro gritando «¡Viva el poeta del pueblo!». Después, tuve que resistir más de hora y media un desfile de gentes dándome la mano, viejas obreras, mecánicos, niños, estudiantes, menestrales. Es el acto más hermoso que yo he tenido en mi vida. Cada día se me hace más imposible [ilegible] a la gente fría que ni pincha ni corta y ha resistido el odioso teatro actual, y cierra con cierto cansancio las portezuelas de los automóviles.

Estoy contento y quisiera que vosotros hubierais visto aquello.

Mañana doy una lectura comentada del *Romancero* en la Universidad, organizada por los estudiantes. Ya no queda ni una invitación.

El separatismo de Cataluña es un mito, y una demostración de que son auténticos españoles son estas pruebas grandes de españolismo que me dan, ya que yo soy tan representativo de España.

Claro es que las derechas tomarán estas cosas para seguir en su campaña contra mí y contra Margarita, pero no importa. Es casi conveniente que lo hagan, y que se sepan [de] una vez los campos que pisamos. Desde luego, hoy en España no se puede ser *neutral*.[76]

Tenía toda la razón: en aquella España no se podía ser neutral, y las derechas no le perdonarían su manifiesto y público compromiso con la democracia republicana, que se iría haciendo cada vez más diáfano en el curso de los pocos meses de vida que le quedaban.

Yerma siguió a teatro lleno durante el resto de la temporada de Margarita Xirgu en el Barcelona: veintinueve representaciones en total, intercaladas con veinticinco de *La dama boba*.[77]

El poeta fue entrevistado estos días por *L'hora*, órgano del Bloc Obrer i Camperol, pequeño partido comunista antistalinista que más adelante se integraría en el POUM (Partido Obrero de Unificación Marxista). Manifestó con vehemencia su antifascismo y la admiración que le suscitaba Rusia, por su arte y por su empeño en construir una sociedad más justa. Volvió a afirmar que el teatro tenía una misión social —el deber de «educar a las masas»— y expresó su aprecio por la obra «revolucionaria» del dramaturgo alemán Erwin Piscator. Luego recordó su experiencia en Nueva York durante el crac —los desesperados esfuerzos de los parados por vender manzanas en la calle— y anunció que muy pronto publicaría un libro protestando contra las injusticias de la sociedad contemporánea. ¿Qué libro? Quizá se refería al ciclo neoyorquino.[78]

El 28 de septiembre Lorca y Dalí se volvieron a encontrar tras siete años sin verse. Estaba previsto que aquella noche el poeta asistiera a un concierto que se daba en su honor. Pero para consternación de los organizadores no compareció. La sala estaba a tope, la orquesta a punto, el coro en su puesto... pero nada. Por fin Cipriano Rivas Cherif tuvo que anunciar que se había reunido con Salvador Dalí, a quien no veía desde hacía años, y había ido con él a Tarragona.[79]

Lorca no podía disimular, ni quería, la alegría que le daba estar otra vez en contacto personal con su «hijito». El joven periodista Josep Palau i Fabre notó que no desperdiciaba oportunidad para hablar del pintor, proclamando que iban a escribir algo en colaboración y que diseñarían juntos los decorados. Tal vez se trataba de la ópera que Dalí había mencionado en su postal de un año antes. «Somos dos espíritus gemelos —dice Lorca a Palau—. Aquí está la prueba: siete años sin vernos y hemos coincidido en todo como si hubiésemos estado hablando diariamente. Genial, genial Salvador Dalí.»[80]

A Palau le había llegado el rumor de que Lorca era gay y quiso comprobar por sí mismo si era verdad. Creía tener la respuesta al preguntarle por qué no se había representado nunca *Don Perlimplín* (lo cual no era estrictamente verdad). El poeta contestó que la razón era que ningún actor español quería llevar cuernos. Ni siquiera en el escenario. «¡Qué ridículo! —seguiría— cuando todos los hombres somos cornudos de alguien, de una mujer o... de un amigo.» Al decir «amigo» miró de soslayo a Palau para ver su reacción. Cuando se separaron, el joven tenía ya la convicción de que los rumores eran ciertos.[81]

Es difícil imaginar que Lorca no interrogase a Salvador acerca de *Un perro andaluz* y las obvias referencias a su persona en la cinta. Para que se pudiera renovar ahora con tanto júbilo su relación, de todas maneras, debió de haber perdonado ya aquel velado asalto a su intimidad.

Dalí, sorprendentemente, no menciona el reencuentro en su *Vida secreta* (1942). Lo haría por vez primera en un texto publicado en 1954. Allí, creyendo que había tenido lugar dos meses antes de iniciarse la Guerra Civil, declara que Gala «se había quedado estupefacta (*bouleversée*) ante aquel fenómeno pegajoso y lírico total». «El sentimiento fue recíproco —agrega entre paréntesis—, durante tres días Lorca no me habló, maravillado, sino que de Gala.» Por desgracia la rusa, siempre enigmática y esquiva, no parece haber dejado constancia documental de la impresión que le hiciera el poeta.[82]

Dalí y Gala estaban acompañados aquellos días por su mecenas, el coleccionista de arte y poeta Edward James, excéntrico aristócrata inglés inmensamente rico de quien se decía que era hijo ilegítimo del rey Eduardo VII. A James —con quien Salvador tenía un magnífico contrato exclusivo— le gustaba llevar un *kilt*, excentricidad que en España causaba estupefacción (¡un hombre con faldas!). Cuando conoce a Lorca, sin embargo, no va de hijo de Escocia sino de tirolés, con el típico pantalón corto de cuero. Dalí recordaría que al poeta le encantó el personaje, que le parecía «un colibrí vestido como un soldado de la época de Swift». Según el pintor, James, como Gala, «se quedó prendido en el pegamento de la personalidad» de Federico.[83]

Era cierto. Escribiendo a su amiga Diane Abdy, le dijo que había conocido en Barcelona a muchos amigos de Dalí pero especialmente a García Lorca, que les había leído cosas suyas durante una noche entera. Le consideraba «un poeta realmente grande», tal vez el único realmente grande con quien había coincidido jamás.[84]

Invitados por James, Dalí y Gala estaban a punto de trasladarse a Amalfi, donde el inglés había alquilado una espléndida mansión, Villa Cimbrone. Querían que Federico los acompañara pero, debido a sus múltiples compromisos, fue imposible. Después de la muerte del poeta, Salvador, olvidando que el encuentro había ocurrido nueve meses antes de que empezara la Guerra Civil, lamentaría no haber insistido lo suficiente, toda vez que quizá habría evitado la tragedia que se avecinaba.[85]

Testigo de las apasionadas conversaciones de Dalí y Lorca, celebradas habitualmente en un café de las Ramblas cerca del Barcelona, fue la joven actriz Amelia de la Torre (que había interpretado a la Muerte en la puesta de escena de *Bodas de sangre* por Josefina Díaz de Artigas). Se asombró ante las corbatas de Salvador, hechas con tiras de papel de periódico, y observó la arrobada atención con la cual Lorca le escuchaba. Era evidente que entre ellos había una relación muy especial, muy íntima.[86]

En 1986, Dalí, por su parte, ya muy débil, recordaría con manifiesta tristeza su último encuentro con el poeta, que al parecer tuvo lugar en El Canari de la Garriga, el famoso restaurante bohemio situado enfrente del hotel Ritz, que habían frecuentado juntos en 1925.[87]

Il Duce y Abisinia

Mussolini acababa de invadir Abisinia y los acontecimientos se seguían de cerca en la prensa española, pese a la censura impuesta por el Gobierno derechista que continuaba en el poder. Ante esta situación, la vehemente republicana que era Margarita Xirgu decidió anular su viaje a Italia, gesto consecuente y muy apreciado por sus admiradores. La actriz anunció que, después de actuar brevemente en las provincias catalanas y en Valencia, volvería seguidamente a Barcelona para representar *Bodas de sangre* y estrenar *Doña Rosita la soltera*.[88]

Durante una visita relámpago a Madrid a principios de octubre Lorca participó en una emisión radiofónica para Buenos Aires (ya lo había hecho dos veces). Había preparado una novedad: una «autoentrevista». Quienes le conocían en persona, o seguían sus declaraciones a la prensa, sabían ya de sobra cuánto le preocupaba la situación actual del teatro. Vuelve ahora una vez más sobre la cuestión e insiste en que la escena necesita urgentemente una revitalización. Por lo que toca a su propia obra, se muestra descontento con lo que ha conseguido hasta la fecha y dice que *Don Perlimplín*, de todas sus obras, es la que más le gusta. «El hombre teme a verse retratado en el teatro», declara, repitiendo lo que ha dicho tantas veces:

Aspiro a recoger el drama social de la época en que vivimos y pretendo que el público no se asuste de situaciones y símbolos. Pretendo que el público haga las paces con fantasmas y con ideas sin las cuales yo no puedo dar un paso como autor.[89]

Sin duda tenía presente, al decir esto, no sólo *El público* sino su sucesor, aún sin título, cuyo primer acto, como vimos, había leído en Gredos a Margarita Xirgu y Rivas Cherif.

La actriz termina su temporada en el teatro Barcelona el 14 de octubre y al día siguiente Lorca lee *Doña Rosita la soltera* a la compañía. Ha quedado una fotografía de la ocasión. Entre los que escuchan atentamente al poeta están Rivas Cherif, el escritor Max Aub —de paso por Barcelona— y el crítico teatral Ernest Guasp.[90]

El entusiasmo que suscita la decisión de Margarita Xirgu de no visitar la Italia de Mussolini, añadido a la enorme simpatía que siempre le han profesado los barceloneses, hace que se tome la iniciativa de ofrecerle un gran acto de adhesión popular: una representación de *Fuenteovejuna* en el inmenso Circo Olympia, el recinto más amplio de la Ciudad Condal, en beneficio de los presos políticos.

Acuden, el 23 de octubre, unas ocho mil personas. El presidente de la Generalitat, Lluís Companys, preso en la cárcel de máxima seguridad de Puerto de Santa María, envía un hermoso ramo de flores; llegan adhesiones de todo el país; y hay un mensaje de Manuel Azaña. Al terminar la representación el público arroja centenares de flores rojas sobre el escenario. Margarita no puede reprimir las lágrimas y Lorca, profundamente emocionado ante esta demostración de fervor catalán, exclama, según un testigo: «¡Qué pueblo!».[91]

Unos días después regresa a Madrid, donde el Partido Radical, que comparte el poder con la CEDA de Gil Robles, está involucrado en el escándalo del «estraperlo» (se trata de la licencia concedida por el Gobierno a una variante fraudulenta de ruleta así llamada). Al conocerse los pormenores de la estafa, caen varias cabezas, entre ellas la del primer ministro, Alejandro Lerroux, uno de cuyos sobrinos está al parecer implicado en el timo.[92] La CEDA, viendo las dificultades de sus colegas en el Gobierno, espera acaparar en consecuencia todo el poder. Así las cosas, con las disensiones internas de la derecha expuestas a la vista de todos, se empieza a rumorear que habrá pronto nuevas elecciones a Cortes. En tal ambiente de crispación, Lorca, al lado de Antonio Machado, Fernando de los Ríos y varios distinguidos abogados y políticos, firma un manifiesto contra la invasión italiana de Abisinia. El documento, fechado el 6 de noviembre de 1935, sólo se publica inmediatamente en uno de los muchos periódicos de la capital, el *Diario de Madrid*, ante el temor a represalias gubernamentales.[93]

Valencia y los *Sonetos del amor oscuro*

El 26 de octubre Margarita Xirgu había inaugurado una breve temporada en el teatro Principal de Valencia donde, el 5 de noviembre, ofrece la primera de varias representaciones de *Yerma*. La presencia de Lorca en el estreno había sido anunciada, pero no se personó, según los periódicos locales a causa de una indisposición. Se esperaba, con todo, que vendría para la última representación de la obra, con la que Margarita pensaba despedirse de la ciudad. Y así fue.[94]

La prensa anunció su llegada el 10 de noviembre, en avión. De ser verdad, se trata del único viaje aéreo suyo conocido.[95] Ricardo G. Luengo, de *El Mercantil Valenciano*, le entrevistó durante su breve estancia y le formuló una serie de inteligentes preguntas. Suscitó el tema de la pretendida «vulgaridad» de *Yerma*. Lorca rechazó de plano la imputación, aunque admitió que le gustaba sacudir a su público. «Una de las finalidades que persigo con mi teatro —enfatizó— es precisamente aspaventar y aterrar un poco. Estoy seguro y contento de escandalizar. Quiero provocar revulsivos, a ver si se vomita de una vez todo lo malo del teatro actual.» ¿*Yerma* ha escandalizado a ciertas personas? Pues ¡que tengan paciencia, porque es su intención escribir obras con «temas horribles»! Por ejemplo, una sobre el incesto titulada *La sangre no tiene voz*, en que la crudeza y las pasiones violentas harán que el lenguaje de *Yerma* resulte «arcangélico». Afirma de manera categórica que los únicos temas que ahora tienen posibilidad alguna de interesar al público son los problemas sociales y el sexo... y que personalmente prefiere el último.[96]

Según Cipriano Rivas Cherif, la idea de *La sangre no tiene voz* había surgido en Barcelona (durante el mes anterior, se supone), al enterarse el poeta de un caso de incesto ocurrido entre un hermano y una hermana en la familia de un amigo suyo no especificado, caso no muy diferente del de los bíblicos Tamar y Amnón, cuya violente peripecia había ya inspirado el poema al respecto incluido en el *Romancero gitano*.[97] Otra fuente indica que la relación era la de una madre con su hija.[98] Sea como fuera, seguiría hablando de la proyectada obra durante los próximos meses pero, que sepamos, sin empezar a escribirla. Entretanto le daría un título nuevo: *El sabor de la sangre. Drama del deseo.*[99]

Mauricio Torra-Balari, joven barcelonés que había conocido a Federico por vez primera en 1929, en casa de Carlos Morla Lynch, se trasladó a Valencia a ver *Yerma* y encontró al poeta aguardando con impaciencia la llegada desde Madrid de un «íntimo amigo», que para su contrariedad no apareció a la hora convenida. Es casi seguro que se trataba de Rafael Rodríguez Rapún, que se juntaría con él unos días después en Barcelona.[100]

Hay indicios de que a Lorca le preocupaba hondamente en estos momentos su relación con Rapún, y la infelicidad expresada en dos sonetos compuestos en Valencia parece reflejarlo. Se trata de «El soneto de la carta» (o «El poeta pide a su amor que le escriba») y «El poeta dice su verdad», garrapateados en unas cuartillas dobles de papel de hilo con membrete del hotel Victoria, donde se alojó durante su visita.[101]

Acerca de la composición de «Soneto gongorino», también escrito estos días, contamos con una interesante información. Cuando La Barraca visitó Valencia en 1933 Lorca había tratado brevemente allí a un joven poeta alcoyano, de exquisita elegancia, Juan Gil-Albert, hijo de un rico industrial. Ahora vuelven a verse. Gil-Albert, que está a punto de publicar un libro de sonetos en el que no pretende ni de lejos disfrazar su homosexualidad, escucha arrobado una tarde mientras Federico lee *Doña Rosita la soltera* a Margarita Xirgu y su compañía. Se le ocurre entonces enviarle el regalo de un palomo en una jaula. No sabe nada de Rodríguez Rapún ni de la vida privada del granadino, por lo cual le sorprenderá descubrir la primavera siguiente en Madrid, al encontrarse otra vez ver con el poeta, que ha compuesto un soneto de estilo gongorino en el cual el «yo» le envía a la persona amada un pichón:[102]

> *Este pichón del Turia que te mando,*
> *de dulces ojos y de blanca pluma,*
> *sobre laurel de Grecia vierte y suma*
> *llama lenta de amor do estoy parando...*[103]

El resultado de la revelación es la dedicatoria estampada por Gil-Albert en un ejemplar de su poemario *Candente horror* (1936) regalado a Lorca: «A Federico por mi palomo, por su Yerma, por su recuerdo en Valencia, para nuestra amistad».[104]

No se ha encontrado documento alguno en que Lorca se refiera a sus sonetos amorosos bajo el título genérico de *Sonetos del amor oscuro*. La fuente principal para dicho título, oído al propio poeta, es Vicente Aleixandre, que en 1937 compondría, en pocos párrafos, tal vez la más bella y más profunda evocación de cuantas se dedicasen entonces al poeta asesinado. Evocación que, a diferencia de la de Jorge Guillén, pone el énfasis sobre el Lorca nocturno, lunar:

> Yo le he visto en las noches más altas, de pronto, asomado a unas barandas misteriosas, cuando la luna correspondía con él y le plateaba su rostro; y he sentido que sus brazos se apoyaban en el aire, pero que sus pies se hundían en el tiempo, en los siglos, en la raíz remotísima de la tierra hispánica, hasta no sé dónde, en busca de esa sabiduría profunda que llameaba en sus ojos, que quemaba en sus labios, que encandecía su ceño de inspirado. ¡Qué viejo, qué viejo, qué «antiguo», qué fabuloso y mítico! Que no parezca irreverencia; sólo algún viejo «cantaor» de flamenco, sólo alguna vieja «bailaora», hechos ya estatuas de piedra, podrían serle comparados. Sólo una remota montaña andaluza sin edad, entrevista en un fondo nocturno, podría hermanársele.

Aleixandre, que había visto tantas veces al Lorca enduendado, capaz de hechizar con sus múltiples dones a los públicos más diversos, sabía que, en su fuero interno, Federico era un ser desgarrado. Lo sabía porque era amigo suyo íntimo, por gay él mismo y por haberle oído recitar sus sonetos amorosos:

> Su corazón no era ciertamente alegre. Era capaz de toda la alegría del Universo; pero su sima profunda, como la de todo gran poeta, no era la de la alegría. Quienes lo vieron pasar por la vida como un ave llena de colorido, no le conocieron. Su corazón era como pocos apasionado, y una capacidad de amor y de sufrimiento ennoblecía cada día más aquella noble frente. Amó mucho, cualidad que algunos superficiales le negaron. Y sufrió por amor, lo que probablemente nadie supo. Recordaré siempre la lectura que me hizo, tiempo antes de partir para Granada, de su última obra lírica, que no habíamos de ver terminada. Me leía sus *Sonetos del amor oscuro*, prodigio de pasión, de entusiasmo, de felicidad, de tormento, puro y ardiente monumento al amor, en que la primera materia es ya la carne, el corazón, el alma del poeta en trance de destrucción. Sorprendido yo mismo, no pude menos que quedarme mirándole y ex-

clamar: «Federico, ¡qué corazón! ¡Cuánto has tenido que amar, cuánto que sufrir!». Me miró y me sonrió como un niño.[105]

Cuarenta y cinco años más tarde, poco antes de que se publicaran por fin, juntos, los once sonetos de la serie,[106] Aleixandre declaró que, si bien era indudable que fueron inspirados por un amigo en particular —no estaba dispuesto a decir quién— no creía que la expresión «amor oscuro» tuviera para Lorca una connotación exclusivamente homosexual. En ellos, a su juicio, el amor es «oscuro» por atormentado, difícil, no correspondido ni entendido, no exclusivamente por homosexual.[107] Pero pese a tales escrúpulos parece innegable que, si en los sonetos hay una clara alusión a la «noche oscura del alma» de san Juan de la Cruz (cuya poesía admiraba Lorca profundamente, como bien sabían Dalí y Buñuel),[108] el adjetivo «oscuro», tal como lo utiliza en, y en relación con los poemas, tiene una evidente connotación gay. Connotación, por más señas, ya evidente en el soneto «Adán», compuesto en Nueva York seis años antes (véase p. 428).

Bodas de sangre y Doña Rosita la soltera en Barcelona

Terminadas las representaciones en Valencia, Margarita Xirgu y Lorca regresaron a Barcelona para preparar el estreno de *Bodas de sangre* en el teatro Principal Palacio, programado para el 22 de noviembre. De no ser por una serie de artículos de Cipriano Rivas Cherif sobre Lorca, publicados en México veinte años después de la muerte del poeta, tal vez no se habría sabido nunca que Rodríguez Rapún estuvo con Lorca en Barcelona durante estas semanas. En ellos Rivas relata cómo un día, al no comparecer el poeta para un ensayo, lo fue a buscar y lo encontró solo en un bar, con la cabeza entre las manos. Federico le explicó que el día anterior, tras una noche de juerga en una taberna flamenca, Rapún se había marchado con una gitana y no había regresado al hotel donde se alojaba con él. El poeta, convencido de que le había abandonado, estaba desesperado. Según Rivas Cherif sacó del bolsillo un fajo de cartas de Rapún para demostrarle la naturaleza apasionada de la relación que había entre ellos. Si hemos de dar crédito a la reconstrucción hecha por Rivas Cherif de aquella conversación, en ella Lorca vincularía su condición de homosexual a una experiencia temprana, diciendo que nunca se había repuesto cuando, antes de cumplir los siete años, a su mejor amigo en la escuela de Fuente Vaqueros, un poco más pequeño que él, sus padres se lo habían llevado a otro pueblo. El poeta afirmaría igualmente que su estrecha relación con su madre le había imposibilitado para la pasión heterosexual, afirmación que Rivas Cherif consideraba freudismo de pacotilla pero que el propio Lorca había sugerido públicamente en Montevideo, como vimos, al decir que sus hermanos podían casarse, pero que él pertenecía a su madre.[109]

En otra ocasión, probablemente posterior, le contó a Rivas Cherif el argumento de una obra muy osada que tenía en la cabeza, *La bola negra*, en la primera escena de la cual un hijo revelaba a su padre que le había sido denegada, por homosexual, la solicitud de ingreso en el casino local. «¿Qué te parece para empezar?», diría el poeta con una carcajada.[110] Del manuscrito de esta obra, graciosamente subtitulada *Drama de costumbres actuales*, sólo se conocen cuatro páginas. Las dos primeras contienen la lista de personajes; las restantes, los momentos iniciales de la obra, en que el protagonista, Carlos, es interrogado por su hermana.[111] Más adelante, en una lista de proyectos, Lorca daría otro título a la obra, *La piedra oscura*, con el subtítulo de *Drama epéntico*.[112]

La palabra «epéntico» fue invento del poeta y, como se señaló en su momento, sinónimo de «homosexual» (p. 491). Teniendo en cuenta el sentido que daba al adjetivo «oscuro» en sus sonetos de amor, el título y subtítulo nuevos de la obra subrayaban la naturaleza gay de su temática, la palabra «piedra» indicando a la vez sexualidad sin procreación y el deseo de la sociedad de «apedrear» a muerte a los sexualmente marginados. Miguel Benítez Inglott, de quien se despide en una carta de agosto de 1935, estaba en el ajo, como Martínez Nadal y otros íntimos del poeta. «Nos veremos pronto por Barcelona. Abrazos y epentismo real», le escribe Federico.[113]

Está encantado con la Madre creada por Margarita Xirgu en *Bodas de sangre*, y declara que no habría podido encontrar mejor actriz para el difícil papel. Los decorados de José Caballero le parecen magníficos, y él mismo se ha ocupado de los aspectos musicales de la puesta en escena y, mientras esté en Barcelona, acompañará al piano la conmovedora nana del caballo que no quiere beber. Está convencido de que la obra va a arrasar, y hasta dice que se tratará de «su auténtico estreno». Dado el gran éxito obtenido por Lola Membrives con la obra en Argentina, y su reciente reposición de ésta en Madrid, ensalzada por los críticos, cuesta trabajo entender cómo pudo decirlo. Quizá se había dejado arrastrar por la euforia del momento y por la intensidad del cariño que le suscitaba la Xirgu. Sea como fuera, el comentario, si realmente lo dijo así, fue muy injusto para con Lola.[114]

Bodas de sangre tuvo un clamoroso éxito, de todas maneras, y los críticos se mostraron casi unánimes en sus elogios tanto de la obra como de la puesta en escena.[115]

A Lorca le ocupa sobre todo en estos momentos el estreno, previsto para el 12 de diciembre, de *Doña Rosita la soltera*, dirigida, al igual que *Bodas,* por Cipriano Rivas Cherif. Crece la expectación pública a medida que se va acercando la fecha. Según *Crónica*, el diario madrileño, nunca ha habido en la Ciudad Condal un estreno tan esperado y la gente sólo habla de dos cosas: la nueva obra del poeta granadino y la situación política. Ésta es francamente caótica. El Gobierno se ha derrumbado a primeros de mes y dos distinguidos conservadores, Miguel Maura y Joaquín Chapaprieta, acaban de declinar el ofrecimiento del presidente de la República para formar un nuevo gabinete. El periódico comenta que Lorca es ahora tan famoso como Maura, Chapaprieta y Portela Valladares juntos. Han llegado por avión, para asistir al estreno, los críticos teatrales más distinguidos de Madrid, invitados por la dirección del Principal Palacio, y entre sus colegas de Barcelona están inspirando «cierta admiración mitológica». Con ellos han venido, en representación de la familia, Francisco e Isabel García Lorca.[116]

Doña Rosita la soltera deja asombrado al público que abarrota el Principal Palacio la noche del 12 de diciembre de 1935, y los críticos captan que, lejos de ser una comedia, se trata de una tragedia con temática afín a la de *Bodas de sangre* y de *Yerma,* aunque concebida en distinto registro. Un comentario de María Luz Morales, tal vez la única española que entonces se dedica profesionalmente a la crítica teatral, lo expresaba de manera sucinta: la obra movía «los labios a risa y el corazón a pena».[117] Domènec Guansé creía percibir, no sin razón, la influencia sobre ella de *El jardín de los cerezos*: a su juicio el poeta, como Chejov, dominaba el arte de expresar lo inexpresable.[118] Juan G. Olmedilla opinaba, al igual que María Luz Morales, que era milagroso cómo Lorca conseguía que el público se riera y llorara a la vez,[119] mientras que Eduardo Haro iba más lejos. A su juicio, con *Bodas de sangre*, *Yerma* y, ahora, *Doña Rosita la soltera,* demostraba que en España se podía escribir teatro de primer orden para un público masivo, teatro que combinaba arte de verdad con una preocupación sincera por los problemas sociales actuales.[120]

Al enterarse del gran éxito del estreno, José Moreno Villa, acordándose de aquel día en la Residencia de Estudiantes, once años antes, en que le había comunicado a Federico su descubrimiento de la *rosa mutabilis*, le envía un telegrama desde Madrid: «Te felicita cordialmente el abuelo de doña Rosita».[121]

A Lorca, que no conocía personalmente a María Luz Morales, le conmovió su crítica y fue a verla enseguida para manifestarle su gratitud. Le habló de dos nuevas obras que quería escribir: una tragedia titulada *Los soldados que no quieren ir a la guerra* (probablemente el proyecto que había empezado a mencionar a principios de 1935) y una obra sobre Teresa de Ávila (de la cual no se sabe nada más).[122]

El 19 de diciembre, mientras se representaba *Doña Rosita* a teatro lleno, repitió, para L'Associació de Música de Cambra, su conferencia *Cómo canta una ciudad de noviembre a noviembre*, y dio, a modo de fin de fiesta, su primera lectura pública de *Diván del Tamarit*. Después dijo a un periodista que iba a mandar una copia de su conferencia, con las críticas de prensa correspondientes, al alcalde de Granada, para que se enterara de quién era el *verdadero* representante, en el mundo, de la ciudad de la Alhambra. El periodista, Luis Góngora, que conocía bien al poeta, se dio cuenta de que lo había dicho bastante en serio, y le preguntó si le apreciaban en su patria chica. Lorca le dio a entender que no. Se refería, claro, a la gestora derechista que entonces mandaba y cortaba allí.[123]

Cenas, palmadas en la espalda, artículos en los periódicos, una sesión especial de *Doña Rosita* para las floristas de las Ramblas («la calle más alegre del mundo»),[124] paseos con amigos por el Barrio Gótico de madrugada y, para coronarlo todo, un banquete multitudinario en el hotel Majestic Inglaterra el 23 de diciembre, al que asistió la flor y nata de los artistas e intelectuales catalanes… es probable que nunca, ni siquiera en Buenos Aires, fuera el poeta objeto de tantos agasajos y festejos como en aquellos últimos días pasados en Barcelona antes de regresar a casa para las Navidades.[125]

Margarita Xirgu declaró por esos días que Lorca le iba a acompañar a México, y el propio poeta lo confirmó antes de abandonar Barcelona, añadiendo que, de todos modos, no se quedaría mucho tiempo lejos de España ya que tenía que supervisar la puesta en escena de *Los títeres de cachiporra,* para la cual el compositor filipino Federico Elizalde había creado música.[126] Pero las cosas eran más complicadas de lo que parecían, y sabemos por Rivas Cherif que Margarita se daba perfectamente cuenta de que, si no encontraban la manera de que Rafael Rodríguez Rapún fuera con ellos, sería difícil que Federico embarcara. Pero Rapún se preparaba afanosamente para unos importantes exámenes y de momento no podría viajar. Habría, pues, que esperar.[127]

Francisco García Lorca ha confirmado que en Barcelona su hermano y Federico Elizalde «trabajaban asiduamente» en el piano del hotel Majestic sobre la versión musicalizada de *Los títeres de cachiporra*.[128]

Lorca sale para Madrid el 24 de diciembre en compañía de Rivas Cherif, no sin prometer antes a Margarita que se reunirá con ella en Bilbao a finales de enero, antes de que embarque para Cuba, primera parada de su gira americana.[129]

Entretanto, con el telón de fondo de la guerra de Abisinia y la creciente beligerancia de la Alemania de Hitler, se está extendiendo por toda Europa el miedo a una nueva conflagración bélica. En España, donde la situación política se deteriora de día en día, se han suspendido las sesiones de Cortes hasta el 1 de enero de 1936. El día 7 se disuelve la Cámara y se anuncian nuevos comicios para el 16 de febrero.[130]

En esta situación preelectoral se levanta la censura de prensa y, por vez primera desde los acontecimientos de octubre de 1934, se empiezan a publicar en los periódicos detallados informes sobre los sucesos de Asturias, Cataluña y Euskadi. Todavía se cuentan por millares los presos políticos, y crece el clamor popular para su liberación. Al mismo tiempo se rumorea que se va a formar un Frente Popular electoral, de características semejantes al francés, para hacer frente en las urnas a las derechas. En cuanto a éstas, monárquicos, fascistas y conservadores van ampliando ahora sus contactos y consultas con vistas a la creación de un Frente Nacional. Los periódicos de izquierdas hablan de «la recuperación de la República», y se inventa la etiqueta de Bienio Negro para describir los dos años en el poder de los reaccionarios.[131]

El 6 de enero de 1936 Margarita Xirgu termina su brillante temporada en la capital catalana. Desde su inauguración en septiembre ha representado veintitrés veces *La dama boba,* en la versión de Lorca, treinta y siete *Yerma*, treinta y cinco *Bodas de sangre* y cuarenta y siete *Doña Rosita la soltera*. Ello sin contar las representaciones de las obras de Federico en las provincias catalanas y en Valencia. Para poeta y actriz han sido tres meses, desde el punto de vista profesional y amistoso, espléndidos. Margarita no los olvidará nunca.[132]

ÚLTIMOS MESES EN MADRID (1936)

Margarita Xirgu abandona España

Al no formar una amplia coalición en 1933 las fuerzas progresistas del país habían perdido las elecciones aquel noviembre, con consecuencias desastrosas para la democracia. Dos años después, ante la proximidad de una nueva convocatoria el 16 de febrero, era evidente que no había que cometer el mismo error. Durante el verano de 1935 la Internacional Comunista había optado por una política de colaboración con los partidos democráticos. Ello facilitó que el 15 de enero de 1936 se pudiera crear el Frente Popular (sólo se negaron a participar los anarquistas) con un programa netamente definido: vuelta a la política religiosa, educativa y regional de los dos primeros años de la República; reforma agraria eficiente y rápida; y amnistía inmediata para los treinta mil prisioneros políticos que seguían en la cárcel a raíz de los acontecimientos de 1934.[1]

Las cinco semanas de la campaña electoral se desarrollaron en un ambiente extraordinariamente tenso. José María Gil Robles, aupado por sus seguidores como versión española de Mussolini, confiaba en conseguir una mayoría absoluta que le permitiera poner el país a salvo de la Revolución Roja. En cuanto a los falangistas, ya habían empezado a prepararse para la guerra civil que consideraban inminente.

Lorca, constante objeto de las burlas y del desdén de las derechas durante sus dos años en el poder, y que se ha vuelto más radical en sus planteamientos como consecuencia, apoya enseguida el Frente Popular, como puede comprobar su amigo el periodista argentino Pablo Suero, que llega a Madrid a principios de febrero para tomarle el pulso a la España contemporánea y cubrir las elecciones para su diario. Un día Federico le invita a conocer a su familia. Suero —católico liberal— se queda encantado con ella. «Los padres de Federico son terratenientes ricos de la Vega de Granada —escribe—. No obstante, están con el pueblo español, se duelen de su pobreza y anhelan el advenimiento de un socialismo cristiano.» Toma nota de la admiración que sienten los García Lorca por Azaña y por Fernando de los Ríos. Doña Vicenta, cuya fuerte personalidad le llama la atención, expresa su inquietud ante el posible resultado de las urnas. «Si no ganamos, ¡ya podemos despedirnos de España! —exclama—. ¡Nos echarán, si es que no nos matan!» José Bergamín acaba de publicar *Bodas de sangre*, y la madre del poeta, aludiendo a la lentitud de Federico en publicar, confía al argentino que no se habría editado de no haber insistido José Fernández-Montesinos, el ex «rinconcillista» y hermano del marido de Concha García Lorca. La madre está de acuerdo con Suero: hay que convencer a Federico para que edite todas sus obras.[2]

De hecho —y Suero, al parecer, no lo sabía—, había sacado últimamente dos títulos nuevos. El 27 de diciembre de 1935 se había terminado de imprimir en Santiago de Compostela *Seis poemas galegos*, al cuidado de Eduardo Blanco-Amor. En el prólogo de la exquisita *plaquette*, éste había pasado por alto el papel definitivo desempeñado por Ernesto Guerra da Cal en la elaboración de los poemas, llegando incluso al extremo de suprimir la dedicatoria al mismo de «Cántiga do neno da tenda».[3] A Lorca no debió de gustarle nada tal proceder, y menos aún la supresión del «epílogo» suyo, texto en el cual, cabe suponerlo, explicaba cómo se habían compuesto los poemas.[4]

En cuanto al segundo título, Manuel Altolaguirre había terminado, el 28 de enero, la impresión de *Primeras canciones,* minúsculo volumen de *suites* espigadas entre la ingente cantidad de poemas inéditos de Lorca escritos entre 1920 y 1924 y ofrecido a Altolaguirre y Concha Méndez, como vimos, como regalo de boda.

En enero, además, había comunicado a otro periodista que, además de *Poeta en Nueva York*, tenía listos para la imprenta cinco libros más: *Tierra y luna*, *Diván del Tamarit*, *Odas*, *Poemas en prosa* y *Suites*. Los editores también le reclamaban *Yerma* y otras obras de teatro. Por lo que tocaba a su creación actual, estaba terminando un «drama social», todavía sin título, en el que intervenía el público y una muchedumbre revolucionaria tomaba el teatro por asalto. Se trataba, seguramente, de la pieza, aún sin título, cuyo primer acto había leído a Margarita Xirgu el verano anterior en

Gredos. También trabajaba en una comedia andaluza cuya acción se desarrollaba en la Vega de Granada —presumiblemente *Los sueños de mi prima Aurèlia*— y *La sangre no tiene voz*, la obra sobre el tema del incesto que había iniciado varios meses atrás. Estaba.[5]

Durante enero hizo un viaje relámpago a Zaragoza para entrevistarse con la actriz Carmen Díaz, sevillana de mucha chispa que le parecía la intérprete más idónea para representar la nueva versión de *Los títeres de cachiporra* a la que, como vimos, ponía música Federico Elizalde. La actriz agradeció la propuesta y aceptó poner la obra en Madrid durante su temporada de verano. Cuando Pura Maórtua de Ucelay, directora del Club Teatral Anfistora, se enteró de que había dado la obra a Carmen Díaz se quedó horrorizada: a su juicio la Andalucía de la Díaz era falsa y no tenía nada que ver con la de Federico.[6] No sabemos si se lo dijo así al poeta, aunque no sería sorprendente dada la estrecha amistad que los unía. En cualquier caso, al surgir desacuerdos entre Carmen Díaz y el poeta, éste le retiró la obra y la reservó para su amiga Encarnación López Júlvez, entonces de gira por América del Sur.[7]

A finales de mes, como había prometido, se juntó con Margarita Xirgu en Bilbao, donde el 26 de enero dieron un recital conjunto. Dos días más tarde la actriz se despidió de la ciudad vasca con una representación de *Bodas de sangre* a la que asistió el poeta.[8] Estaba previsto que, el 30, Lorca diese en el Ateneo bilbaíno su conferencia sobre el duende, pero los periódicos de la mañana anunciaron que, debido «a causas imprevistas», había tenido que volver urgentemente a Madrid.[9] ¿Qué había ocurrido? Trece años más tarde, Margarita diría que Federico no había querido acompañarla a Santander, desde donde iba a embarcar con su compañía para América, aduciendo que la despedida habría sido demasiado triste. Quizá, una vez que la actriz ya se había ido, no se sintió capaz de quedarse un momento más en la ciudad.[10]

El 31 de enero Margarita y su compañía abandonan España en el *Orinoco*, rumbo a La Habana.[11] La catalana no volverá a ver nunca a Federico. En los meses siguientes tratará desesperadamente de convencerle para que se reúna con ella en México. Todo inútil. El poeta está inmerso en tantos proyectos que le resulta casi imposible moverse de Madrid. También es probable que la idea de separarse de Rodríguez Rapún le siga pareciendo intolerable.

Después del asesinato le atormentará a Xirgu el recuerdo de su despedida en Bilbao. Y no podrá olvidar los versos que, en di-

ciembre de 1935, le dedicó el poeta en vísperas del estreno de
Doña Rosita la soltera:

> *Si me voy, te quiero más.*
> *Si me quedo, igual te quiero.*
> *Tu corazón es mi casa*
> *y mi corazón tu huerto.*
> *Yo tengo cuatro palomas,*
> *cuatro palomitas tengo.*
> *Mi corazón es tu casa*
> *¡y tu corazón mi huerto!*[12]

Lorca y el Frente Popular

En octubre de 1935, al escribir a sus padres desde Barcelona después del estreno de *Yerma*, Lorca les había dicho: «Claro es que las
derechas tomarán todas estas cosas para seguir en su campaña
contra mí y contra Margarita, pero no importa. Es casi conveniente
que lo hagan, y que se sepan [de] una vez los campos que pisamos.
Desde luego, hoy en España no se puede ser *neutral*».[13] Unos meses
después, menos. Profundamente consciente de la amenaza del
fascismo, y del peligro de un golpe de la ultraderecha, la mayoría
de los creadores e intelectuales proclama sin ambages su apoyo al
Frente Popular.

Entre los jóvenes que militan en este sentido están Rafael Alberti y su esposa María Teresa León, que acaban de regresar a Madrid después de una larga visita a América del Sur y Rusia. El 9 de
febrero, último domingo de la campaña electoral, los numerosos
amigos de la pareja les ofrecen una comida. Durante ésta Lorca lee
a los asistentes, para su aprobación, el borrador de un manifiesto
titulado *Los intelectuales con el Bloque Popular*. El documento apela al sentido común de los votantes y expresa el convencimiento de
que sólo con la colaboración de todas las fuerzas progresistas será
posible recuperar el dinamismo y el idealismo de los primeros años
de la República. Por ello, enfatiza, es imprescindible apoyar a los
candidatos del Frente Popular.

Después del acto posaron juntos Lorca, Luis Buñuel, Eduardo
Ugarte, María Teresa León, Miguel González, director de *Mundo
Obrero* —el diario comunista más importante de España— y el se-
cretario general del PCE, José Díaz.[14]

El documento leído por el poeta se publicó en dicho periódico el 15 de febrero, víspera de las elecciones. Su firma encabezaba una lista de unos treinta nombres con la indicación de que seguían hasta los trescientos.[15]

Nadie podía dudar del compromiso del poeta granadino con la causa de la democracia recuperada tras el Bienio Negro.

En estos momentos, según un bien informado «rumor» publicado por *Heraldo de Madrid*, está terminando el segundo acto de una pieza «ultramoderna» en la cual maneja «los más audaces procedimientos y sistemas teatrales». Se trata de la revolucionaria obra cuyo primer acto ya conoce Margarita Xirgu. Al poeta le habría gustado titularla, informa la nota, *La vida es sueño,* pero, desgraciadamente, ¡Calderón de la Barca se le ha adelantado! En cualquier caso su título será bastante parecido.[16]

Así es. Aquel mayo Lorca anunciará que ha decidido llamarla *El sueño de la vida.*[17] Cuando lee su primer acto a Pablo Suero, el argentino se queda estupefacto. A su juicio se coloca muy por delante de las creaciones de los dramaturgos expresionistas alemanes Georg Kaiser y Ernst Toller. «Le dije a Federico —recordará— que nos situaba con esa obra frente a un teatro nuevo, que confundía escenario, público y calle.»[18]

El 14 de febrero, dos días antes de los comicios, los incansables Rafael Alberti y María Teresa León organizan una función a favor del Frente Popular en el teatro de la Zarzuela de Madrid. Se trata de homenajear a Ramón del Valle-Inclán, fallecido el 5 de enero. Lorca lee dos sonetos de Rubén Darío dedicados al gallego y un extracto del prólogo del nicaragüense a la obra *Voces del gesto* del mismo. Durante la velada se estrena el esperpento antimilitarista de Valle, *Los cuernos de don Friolera.* En un momento en que flotan en el aire rumores de un inminente golpe de Estado, y en que ninguno de los que se encuentran en el coliseo puede tener la seguridad de que el Frente Popular ganará en las urnas, la obra encandila al público.[19] Entre los asistentes está el escritor catalán Ignacio Agustí, que unos meses antes había hablado con Lorca en Barcelona. Le pregunta ahora cuándo se va a reunir con Margarita Xirgu en América. El poeta le contesta que todavía no está decidido.[20]

La actriz inaugura el 15 de febrero su temporada en la capital cubana y la noche siguiente estrena *Yerma.* La obra gusta enormemente a los habaneros, que en absoluto han olvidado la visita de Lorca en 1930, y a partir de este momento Margarita empezará a bombardear al poeta con telegramas en los que le ruega que mantenga su palabra de juntarse con ella en México.[21]

El 16 de febrero los españoles votan. Los resultados dan una estrecha victoria al Frente Popular, pero, debido a las provisiones de la Ley Electoral, que adjudica al bando victorioso una representación parlamentaria proporcionadamente más elevada, obtiene 267 escaños en las nuevas Cortes frente a los 132 de la derecha (lo contrario de lo que había ocurrido en 1933). Los republicanos están eufóricos, y la primera decisión tomada por el nuevo ejecutivo es indultar a los presos políticos. Las escenas a las salidas de las cárceles son delirantes.[22]

El triunfo del Frente Popular siembra el pánico entre las clases adineradas, que ven la amenaza de la revolución marxista a la vuelta de la esquina. Ante el manifiesto fracaso en las urnas de Gil Robles se produce un marcado viraje hacia la extrema derecha, y Falange Española ve notablemente engrosadas sus filas. Con ello habrá un incremento progresivo de provocaciones, asesinatos y represalias.[23]

El partido de José Antonio Primo de Rivera monta ahora, de hecho, una campaña de acción directa cuyo objetivo específico es multiplicar el caos a lo largo y lo ancho del país y hacer inevitable un golpe militar para «salvar la patria». Así las cosas, son detenidos el 14 de marzo por tenencia ilícita de armas varios líderes falangistas, entre ellos el propio Primo de Rivera. Cuatro días más tarde el partido es declarado fuera de la ley.[24] Esta decisión tiene el efecto de radicalizar aún más a la derecha, al igual que la imposición del Estado de Excepción, que otorga poderes especiales a la policía y será renovado mes tras mes hasta el estallido de la sublevación antirrepublicana en julio. Entre bastidores la conspiración militar contra la República cobra nueva vida. Y mientras cada vez más jóvenes de clase media ponderan ingresar en la Falange, el 1 de abril de 1936 se fusionan las organizaciones juveniles comunista y socialista para formar la JSU (Juventudes Socialistas Unificadas). El terreno medio, el de las soluciones de compromiso y del diálogo, se va esfumando.[25]

En Granada, donde han ganado las derechas —los republicanos están convencidos de que debido a sus coacciones en la provincia— la situación es extraordinariamente encrespada. Después de una gigantesca manifestación izquierdista celebrada el 8 de marzo se incendian dos iglesias, se destrozan las oficinas del diario católico *Ideal*, se saquean los centros de las organizaciones de derechas e incluso es pasta de las llamas el teatro Isabel la Católica.[26]

El 31 de marzo las Cortes anulan los resultados electorales granadinos (así como los de Cuenca), al considerar que las alegaciones de atropellos son ciertas, y se convoca una nueva consulta para el 3 de mayo.[27]

Entretanto Lorca mantiene pública y claramente su compromiso con el Frente Popular. Lee poemas en una concentración masiva congregada en la Casa del Pueblo de Madrid a favor del comunista brasileño Luis Carlos Prestes, en peligro de ser fusilado por el dictador Getulio Vargas (entre los poemas está el provocador «Romance de la Guardia Civil española»).[28] Luego se hace socio de la recién constituida Asociación de Amigos de América del Sur (dedicada a combatir sendas dictaduras de Vargas y, en Cuba, de Miguel Gómez)[29] y del Comité de Amigos de Portugal, fundado con el objetivo de informar al público español acerca del régimen fascista de Oliveira Salazar.[30]

El 5 de abril pronuncia ante los micrófonos de Unión Radio, de Madrid, una breve alocución sobre la Semana Santa granadina, ajena en su esencia al «tumulto barroco de la universal Sevilla» y, cuando era joven, «tan interior y tan silenciosa que yo recuerdo que el aire de la Vega entraba, asombrado, por la calle de la Gracia y llegaba sin encontrar ruido ni canto hasta la fuente de la plaza Nueva». Toda vez que había participado a escondidas, en 1928, en la primera salida de la cofradía de Santa María de la Alhambra, llama la atención la vehemencia con la cual pide ahora a sus paisanos que no profanen la Colina Roja, «que no es ni será jamás cristiana, con tatachín de procesiones, donde lo que creen buen gusto es cursilería, y que sólo sirven para que la muchedumbre quiebre laureles, pise violetas y se orinen a cientos sobre los ilustres muros de la poesía».[31]

La alocución, reproducida en primera plana por *El Defensor de Granada* el 9 de abril, debió de ofender a ciertas mentalidades locales, y sobre todo a los cofrades del cabildo de Santa María de la Alhambra, que le habían permitido participar, ocho años antes, en su procesión.

Dos días después *La Voz* publica una importante entrevista con el poeta en la que vuelve sobre su preocupación con el teatro actual, que en su opinión tiene el claro deber, en momentos tan críticos, de afrontar los acuciantes problemas sociales que aquejan a la sociedad. Refiriéndose a *Así que pasen cinco años*, que en estos momentos está ensayando el Club Teatral Anfistora, quiere dejar bien sentado que su «verdadero propósito», como autor dramático, está ahora en su teatro «imposible» o «irrepresentable», y que, si antes ha dado a conocer cosas más convencionales, ha sido para demostrar que tiene personalidad y para que la gente le respete. No añade que también lo ha hecho para ganar el dinero que le permita escribir lo que realmente quiere.[32]

Lorca ha llegado a temer que *Así que pasen cinco años* puede fracasar, por bien montado que esté, y aunque no se lo dice al periodista de *La Voz*, ya le ha convencido a Pura Maórtua de Ucelay para que no la ponga hasta después del estreno madrileño de *Doña Rosita la soltera*, previsto para el otoño, cuando Margarita Xirgu vuelva a España después de su gira americana.[33] Probablemente calcula que, si *Doña Rosita* cosecha en Madrid el éxito que se le augura, *Así que pasen cinco años* tendrá más posibilidades de gustar.

Refiriéndose a su actividad actual, informa a *La Voz* que está escribiendo una nueva obra con tema religioso y socioeconómico:

> Mientras haya desequilibrio económico, el Mundo no piensa. Yo lo tengo visto. Van dos hombres por la orilla de un río. Uno es rico, otro es pobre. Uno lleva la barriga llena, y el otro pone sucio el aire con sus bostezos. Y el rico dice: «¡Oh qué barca más linda se ve por el agua! Mire, mire usted el lirio que florece en la orilla». Y el pobre reza: «Tengo hambre, no veo nada. Tengo hambre, mucha hambre». Natural. El día que el hambre desaparezca, va a producirse en el Mundo la explosión espiritual más grande que jamás conoció la Humanidad. Nunca jamás se podrán figurar los hombres la alegría que estallará el día de la Gran Revolución. ¿Verdad que te estoy hablando en socialista puro?[34]

No está claro si la alusión va por *El sueño de la vida* o alguna nueva obra, empezada o ideada, pero en cualquier caso su compromiso social, otra vez, es patente. En el contexto político del momento, habla, de hecho, «en socialista puro» (pese a no pertenecer al Partido Socialista Obrero Español). Desde el punto de vista de las derechas españolas, en abril de 1936 Federico García Lorca es prácticamente comunista y, de todas maneras, «rojo».

En cuanto a sus libros, declara a *La Voz* que se van a publicar ahora cuatro: los poemas de Nueva York, la «comedia sin título» —casi con toda seguridad *El sueño de la vida*—, otro libro no especificado y, lo más sorprendente, uno de sonetos (molde que en estos momentos despierta el interés de poetas jóvenes como Juan Gil-Albert, Miguel Hernández, Germán Bleiberg y el granadino Luis Rosales).

¿Y Margarita Xirgu? Está esperando un telegrama de la actriz y, probablemente exagerando, asegura que piensa embarcar a finales de abril para Nueva York, donde visitará a algunos conocidos —«yanquis amigos de España»— antes de seguir hasta México («Cinco días de tren. ¡Qué felicidad!»). Allí estará con Margarita en el estreno de sus obras y dará una conferencia sobre Quevedo, «el poeta más interesante de España».[35]

Acompaña al periodista de *La Voz*, Felipe Morales, el famoso fotógrafo Alfonso, cuyo retrato del poeta capta el aspecto de su personalidad caracterizado por Luis Rosales como «machihembrista» —mezcla de fuerza y de debilidad—, término que le gusta al propio Lorca cuando se lo comunica su acuñador (ilustración 39).[36]

Vale la pena volver un momento sobre Anfistora, cuyo montaje de *Así que pasen cinco años* está preparando Pura Maórtua de Ucelay. Lorca, como sabemos, había decidido posponer el estreno, considerando, según parece, que sería menos arriesgado —dada la complejidad de la obra— hacerlo después del de *Doña Rosita la soltera* en el Español aquel otoño, cuyo éxito, con el regreso de Margarita Xirgu, estaba garantizado. «Yo acepté su decisión —le dijo Ucelay en 1956 al investigador Agustín Penón— porque sabía que con Federico nunca se estaba seguro de nada. Por eso no recibí con desilusión la negativa del estreno. Estábamos tan honrados con su amistad que aceptábamos su capricho. A pesar de que, cuando él lo suspendió esa vez, era precisamente cuando estaba más logrado el reparto. El que teníamos era magnífico.» A continuación le hizo una revelación que no se esperaba el investigador: «Un día, al salir del ensayo, Federico me dijo: "Oye, Pura, ¿de dónde sacas tú a estos chicos tan guapos?"». Se refería, en particular, a un actor muy joven llamado Juan Ramírez de Lucas, que fue la última obsesión suya. Era de Albacete, de una buena familia, Federico estaba loco por él. Le prometía que iba a convertirlo en gran actor, que lo llevaría al extranjero, a todos los teatros. Sería el actor más famoso del mundo».[37]

Ucelay había elegido a Ramírez de Lucas —que tenía dieciocho años— para encarnar al Joven. Pero había un problema serio: el Joven, insistía, tenía que ser «delicado, pero varonil», no demasiado guapo «y jamás afeminado». Ramírez de Lucas no encajaba. Parece que la búsqueda de un sustituto aceptable fue lo que había demorado tantos meses el estreno. Finalmente se optó por un chico de nombre Luis Rodríguez-Arroyo Mariscal, muy bien parecido (pero no tanto como Ramírez de Lucas), que sería después, con el nombre de Luis Arroyo, intérprete de cine bastante conocido. A Ramírez de Lucas se le dio el papel del Jugador 1.º.[38]

Entre mayo y julio de 1936 la relación de Lorca y el muchacho se haría intensa. Lo refleja un poemilla, escrito con lápiz azul y titulado «Romance»:

> *Aquel rubio de Albacete*
> *vino, madre, y me miró.*
> *¡No lo puedo mirar yo!*
> *Aquel rubio de los trigos*
> *hijo de la verde aurora,*
> *alto solo y sin amigos*
> *pisó mi calle a deshora.*
> *La noche se tiñe y dora*
> *de un delicado fulgor.*
> *¡No lo puedo mirar yo!*
>
> *Aquel lindo de cintura*
> *antes galán sin amigo*
> *sembró por mi noche obscura*
> *su amarillo jazminero.*
> *Tanto me quiere y le quiero*
> *que mis ojos se llevó.*
> *¡No lo puedo mirar yo!*
> *Aquel joven de la Mancha*
> *vino, madre, y me miró.*
> *¡No lo puedo mirar yo!*[39]

Llama la atención el que no figure en el diario de Carlos Morla Lynch referencia alguna a Ramírez de Lucas. Ello sugiere que el poeta se cuidó mucho de dejarse ver en sociedad con él. Tampoco parecen haber estado al tanto otros amigos íntimos suyos, como Rafael Martínez Nadal, Santiago Ontañón o Vicente Aleixandre, y no ha aparecido ninguna fotografía en que estén juntos o compartan mesa en las muchas veladas literarias que entonces se celebraban en Madrid. Se trataba, según los pocos indicios que tenemos, de un amor secreto, incipiente, truncado antes de tiempo por la muerte. Amor acerca del cual sabremos algo más si un día se publican los cuadernos escritos hacia el fin de su vida por Ramírez de Lucas, que falleció en 2010, a los noventa y tres años, sin haber hablado nunca en público de su relación con el granadino.

Iban pasando las semanas y Lorca no se decidía a embarcar todavía para Nueva York, tal vez debido en primer lugar a su amistad con el joven rubio, a quien quizá había ofrecido llevar consigo si lograba el consentimiento paternal, imprescindible toda vez que no había alcanzado aún la mayoría de edad, entonces de veintiún años. Según los indicios que tenemos, su progenitor, médico de Albacete muy de derechas, en absoluto estaba dispuesto a permitir que su hijo acompañara al poeta.[40]

El 18 de abril Margarita Xirgu inaugura con *Yerma* una temporada triunfal en el teatro Bellas Artes de México y durante las próximas semanas Lorca se irá enterando de que su teatro —después de *Yerma* se representan *Doña Rosita la soltera, La zapatera prodigiosa* y *Bodas de sangre*— está conquistando al público de un país que desea urgentemente conocer. La actriz le mantiene bien informado de todo ello y el poeta sabe, seguramente, que la prensa mexicana ya anuncia con entusiasmo su inminente llegada.[41]

El 20 de abril, para festejar la reciente publicación de *La realidad y el deseo*, de Luis Cernuda, se reúne en un restaurante madrileño la flor y nata de la joven intelectualidad. Federico hace la presentación del libro ante la que llama su «capillita» de poetas, «quizá la mejor capilla poética de Europa», lo cual no dista de ser cierto, pese a la ausencia de Jorge Guillén, Miguel Hernández, Gerardo Diego y algún otro, pues entre los presentes se encuentran, además de Lorca y Cernuda, Manuel Altolaguirre, Pablo Neruda, Rafael Alberti, José Bergamín, Pedro Salinas y Vicente Aleixandre.

El nuevo poemario de Cernuda (muy bellamente editado, en formato pequeño, por Bergamín) ha impresionado hondamente a Lorca por la valentía y la franqueza con las cuales el tímido y atildado sevillano afronta en él su homosexualidad. *«La realidad y el deseo* me ha vencido con su perfección sin mácula —declara—, con su amorosa agonía encadenada, con su ira y sus piedras de sombra.»[42] «A Federico, en su estío desbordado, con un abrazo. Luis. Abril 1936»: así reza, en el ejemplar de éste, la dedicatoria del sevillano.[43]

Por estos días Dalí le manda al poeta, desde Cadaqués, una afable postal. Se queja de que no le haya visitado en París (seguramente le había instado a hacerlo el otoño anterior en Barcelona); le dice que ha visto *Yerma* y que la ha encontrado «llena de ideas *oscurísimas* y surrealistas»; y vuelve a sugerir que colaboren otra vez. «Estaremos siempre contentos de verte adelantar hacia nuestra casa», sigue. Y termina: «Gala te manda su afección y yo te abrazo.» No se sabe si Lorca contestó.[44]

El 1 de mayo, en Madrid, las Juventudes Socialistas Unificadas salen masivamente a la calle para demostrar a sus adversarios con quienes se las tienen que ver. El PSOE está ya trágicamente dividido entre los seguidores del moderado Indalecio Prieto y los del prácticamente revolucionario Francisco Largo Caballero. A pesar de haber apoyado el programa electoral del Frente Popular, el partido se ha negado a participar en el nuevo Gobierno, al igual que los anarquistas, y despilfarra sus energías en una guerra civil dentro de sus propias filas. Todo ello mientras los enemigos de la democracia están ultimando sus planes para acabar con la República.

Para la fiesta obrera Lorca ha redactado un mensaje que se publica en *¡Ayuda!*, la revista de Socorro Rojo Internacional. Dice escuetamente: «Saludo con gran cariño y entusiasmo a todos los trabajadores de España, unidos el Primero de Mayo por el ansia de una sociedad más justa y más unida».[45] Parece que el poeta presenció el desfile desde una ventana del Ministerio de Comunicaciones (luego Correos), situado en la plaza de la Cibeles, y que agitó la corbata roja que llevaba puesta.[46]

Dos días después, el 3 de mayo, hay nuevas elecciones en Granada (además de en Cuenca). Esta vez, con el Frente Popular en el poder, la situación ha cambiado bruscamente para las derechas, cuyos mítines son interrumpidos u obstaculizados. La consecuencia es que las «fuerzas de orden» se abstienen masivamente y ni un solo candidato suyo obtiene escaño. Sin representación parlamentaria alguna la clase media granadina vira aún más hacia la extrema derecha.[47]

La violencia crece en todo el país. El 7 de mayo los fascistas asesinan en Madrid a un oficial republicano, el capitán Faraudo, instructor de las milicias socialistas.[48] El 8, el ex ministro Álvarez Mendizábal, que ha criticado al ejército, casi pierde la vida en un atentado.[49]

El domingo 10 de mayo se celebran elecciones para la presidencia de la República, necesarias porque las Cortes del Frente Popular acaban de destituir a Niceto Álcalá-Zamora —acusado de haber apoyado políticas derechistas durante el Bienio Negro—, con la coartada de que ha disuelto dos veces el Parlamento, proceder que según la Constitución conlleva la destitución automática.

Se elige en su lugar a Manuel Azaña, quien pide inmediatamente al moderado y carismático socialista Indalecio Prieto que forme Gobierno. Prieto está dispuesto a aceptar el reto, pero el dividido PSOE se niega. Es un error político gravísimo porque el corpulento vasco, como hombre de la prensa que es, conoce a todo el mundo en España y está muy al tanto de lo que está pasando en el estamento militar. Se trata, quizá, del único político progresista capaz de hacerse cargo de una situación que exige firmeza, tacto y pragmatismo. Con su negativa, el PSOE casi garantiza de antemano la inviabilidad del nuevo ejecutivo (en el cual, de hecho, no habrá representación socialista alguna). Viendo frustrados sus planes, Azaña nombra presidente del Consejo a Santiago Casares Quiroga, que pertenece a su propio partido, Izquierda Republicana. No es ni mucho menos el hombre idóneo en estos momentos tan sumamente peligrosos: enfermo, testarudo, arrogante y agresivo a la hora de debatir, se negará con tozudez a tomar en serio la información recibida a diario sobre la conspiración militar.[50]

Luis Buñuel, Alfonso Buñuel

Dos días después, el 12 de mayo, se publica en *El Socialista* la convocatoria de un homenaje al pintor Hernando Viñes, íntimo amigo en París, con su mujer Lulu Jourdain, de Luis Buñuel y la suya, Jeanne Rucar. La firman, respectivamente, el cineasta, Lorca, el escultor Alberto Sánchez, el arquitecto Luis Lacasa, Rafael Alberti, Eduardo Ugarte, Rafael Sánchez Ventura, Pepín Bello, Gustavo Durán, Pablo Neruda, María Teresa León, Concha Méndez, Manuel Altolaguirre, Guillermo de Torre, el escultor Ángel Ferrant, José Caballero, Santiago Oñtañón, Alfonso Buñuel —el hermano menor de Luis—, Gabriel García Maroto y el músico chileno Acario Cotapos.

El ágape tiene lugar al día siguiente en la Hostería Cervantes, popular establecimiento de la calle del marqués de Cubas, a dos pasos del Círculo de Bellas Artes. La celebérrima fotografía sacada al irse terminando el homenaje es un elocuente testimonio de la brillantez de una generación que dentro de tres meses será truncada por la guerra civil desencadenada por los militares sublevados.[51]

En la fila de a pie, de izquierda a derecha, apreciamos, entre otros, a José Caballero, Ugarte, Adolfo Salazar, Alfonso Buñuel, Lorca, Juan Vicéns, Luis Buñuel, Acario Cotapos, Alberti, Guillermo de Torre, Miguel Hernández, Pablo Neruda y Sánchez Ventura.

Sentados en la mesa principal están Alberto Sánchez, la argentina Delia del Carril (amante de Neruda), la pianista aragonesa Pilar Bayona, Hernando y Lulu Viñes, María Teresa León y Gustavo Durán.

En primer plano, con otros comensales, están Pepín Bello y Santiago Ontañón.

La fila de a pie llama la atención. La cabeza más erguida, a la izquierda contra la cortina, es la de Alfonso Buñuel. Luis, a dos pasos, no puede ver que una de las manos de su hermano —mano elegante con dedos largos— está posada en el hombro de Lorca (con Adolfo Salazar al lado). Alfonso tiene ahora veinte años, es más alto que Luis, con un físico impresionante, se ha revelado como artista muy dotado... y, para desesperación del cineasta, tan homófobo, es gay y no oculta su condición de tal.

A Max Aub le fascinaba la relación de los dos hermanos. Uno de los que más le informaron al respecto fue Juan Ramón Masoliver, pariente de los Buñuel por la parte de la madre, la hermosa María Portolés. Preguntado por Aub si la homosexualidad de Alfonso «fue un problema público, conocido», no dudó en contestar: «Sí, un caso perdido, tremendo. No sé si influido por Federico, en fin, el origen de la cosa no lo sé. Pero era una cosa desatada, con gran escándalo, vamos, con terrible contrariedad de Luis, para quien realmente era un hijo. Era él quien le había formado y le había metido el virus este del arte y de la literatura y todo eso, ¿no?».[52]

Si, para Masoliver —que trató ampliamente a Alfonso—, éste era «hijo auténtico» de Luis, el calandino trotamundos José Repollés iba más lejos. «Alfonso —le contó a Aub— decía siempre una barbaridad que no sé si la digo porque... es una monstruosidad, y es que resulta que había una diferencia de edades muy grande entre Luis y Alfonso, Luis era el hermano mayor, y Alfonso era el último de los hijos. Había dieciséis o diecisiete años de diferencia, y Alfonso siempre decía, y a esto se reía Luis también, que su padre era Luis. Como su padre, el padre de los Buñuel, era tan mayor, como había tanta diferencia de edad con su esposa, con doña María, pues, en fin, Alfonso decía que Luis era en realidad su padre.»

No era la primera vez que Aub lo oía. Así se lo dice a Masoliver a continuación: «Ya lo sabía. Es una cosa que ha andado por ahí.

En el fondo, los que conocen bien a Luis dicen que tenía un complejo de Edipo evidente, que estaba enamorado de su madre».[53]

Por desgracia no se conoce ningún comentario de Lorca sobre Alfonso Buñuel ni sobre su propia relación con Luis en estos meses en que el aragonés está inmerso en las producciones madrileñas de la empresa Filmófono de Ricardo Urgoiti. Alfonso, que sería arquitecto, murió en 1961, a los cuarenta y siete años, sin dejar atrás, que se sepa, documentación autobiográfica alguna.

Los sueños de mi prima Aurelia

El 29 de mayo de 1936 *Heraldo de Madrid* incluye en la «Sección de rumores» de su muy leída página teatral unas indicaciones valiosísimas relativas a Lorca. Según ellas espera terminar en ocho días *La casa de Bernarda Alba*, «drama de la sexualidad andaluza»; tiene muy avanzado *El sueño de la vida*, calificado de «drama social»; ha aplazado hasta octubre la puesta en escena por Anfistora de *Así que pasen cinco años*; y a la actriz María Fernanda Ladrón de Guevara le ha ofrecido otra obra nueva, *Los sueños de mi prima Aurelia*.

Es la primera referencia periodística a esta pieza que se ha encontrado hasta la fecha. Se trata, sigue el «rumor» del *Heraldo*, de una «elegía de la vida provinciana con todo lo que tenía de fabuloso y de ensueño antes de modernizarla el maquinismo, pugna de mundos patentizada por Lorca entre los tiempos ingenuos de la cría del gusano de seda y los febriles —y fabriles— de las refinerías de azúcar granadinas». El segundo acto «figura ser un ensayo pueblerino de *Mancha que limpia*, y tal como lo cuenta García Lorca es de un humorismo magnífico».* Y el tercero termina con una «bofetada terapeútica» propinada a Aurelia, bofetada «que obra la virtud de transformar, como por magia, el escenario que ella pobló de ensueños en las cuatro paredes reales y verdaderas de su casa».[54]

El anónimo autor de la nota (quizá Miguel Pérez Ferrero, buen amigo del poeta quien, como sabemos, sigue muy de cerca sus proyectos) tal vez no sabía que Aurelia existía realmente. Se trataba de Aurelia González García, una de las primas preferidas de Federico en Fuente Vaqueros... y más ocurrentes.

---

* Famoso «drama trágico» de José Echegaray, estrenado por María Guerrero en 1885.

Aurelia estaba al tanto de que el poeta tenía el propósito de convertirla en protagonista de una comedia. Veinte años después le contó al pintor Gregorio Prieto que quien iba a desempeñar «su» papel en ella era María Fernanda Ladrón de Guevara, lo cual confirma el «rumor» de *Heraldo de Madrid*.[55]

Parece ser que Lorca sólo pudo completar el primer acto de la obra. «La acción en un pueblo el año 1910»: así reza la acotación inaugural del manuscrito, por desgracia no datado. Y la segunda: «Esta comedia pertenece a la serie de crónicas granadinas de la que forma parte *Doña Rosita la soltera*».[56] El último acto de *Doña Rosita* se desarrolla en 1910. Estamos otra vez, pues, ante la fecha clave que el poeta relaciona insistentemente con la pérdida de su infancia y el traslado a la capital de la provincia.

De otra obra que iba a pertenecer a la serie, *Las monjas de Granada,* no queda rastro, y hay que suponer que la muerte intervino antes de que el poeta la pudiera empezar.[57]

Por si pudiera haber alguna duda en cuanto a su intención en *Los sueños de mi prima Aurelia*, el Niño se llama Federico García Lorca y el amor que siente por su prima —que en la obra tiene veinticinco años y en la vida real unos trece más que el poeta— refleja el realmente experimentado. Aurelia, ya lo sabemos, era muy histriónica. Se desmayaba cuando había tormentas con truenos (que conjuraba en su «laboratorio meteorológico»), devoraba novelas, tocaba la guitarra con el talento característico de la familia, cantaba bien y se expresaba en un lenguaje ricamente metafórico.

Es de gran interés constatar que se había casado en abril de 1909, a los veinte años, con un vecino de Asquerosa, José Giménez Fernández, cuatro años mayor que ella. Fue unos pocos meses antes de la mudanza de los García Lorca desde Asquerosa a Granada. ¿Asistió Federico a la boda? Es muy posible y también que tuviera entonces la impresión de que perdía a su adorada Aurelia.[58]

El pueblo donde se sitúa la acción de *Los sueños de mi prima Aurelia* es indudablemente Fuente Vaqueros, aunque no se menciona por su nombre (como tampoco en *La casa de Bernarda Alba* el de Asquerosa). Se están celebrando los carnavales y andan máscaras por la calle.

Llama la atención el énfasis puesto sobre la voraz sed de lecturas que consume a Aurelia y sus amigas, característica de La Fuente. La primera escena se sitúa en una sala baja de la casa de doña María la Reina, de sesenta años, reminiscencia, según señala el hermano del poeta, de una vecina a quien le encantaba leer

en voz alta, para sus amigas, novelas por entregas. «Cuando llegaba a partes descriptivas, o de reflexión social o psicológica, que in-
terrumpían el curso de la acción —escribe Francisco—, la señora
se los saltaba a la torera diciendo: "Esto es broza, esto es broza".
Lo cuento porque Federico gustaba de reproducir esta escena, bor-
dando el relato de mi madre».[59]

La reproduce, además, al inicio del acto primero de la comedia,
donde doña María la Reina, comentando su lectura de una novela
de amores ubicada en París, exclama, impaciente con el autor:
«Broza, todo esto es broza, no sé como lo escriben… ¡Y vengan páginas llenas!».[60]

Los sueños de Aurelia (y sus amigas) son los de quienes, leyendo ficciones, quieren creer, necesitan creer, como don Quijote, que
son historias verídicas. Y ello para evadirse de unas realidades demasiado duras, de una rutina pueblerina aplastante, para disfrutar, aunque sea imaginativamente, estupendas aventuras amorosas. Dice Aurelia: «Pero, ¿usted cree que se puede vivir sin leer
novelas y sin hacer teatro? En este pueblo, sobre todo, que tiene
una baraja de hombres que no los he visto reír nunca. Se echan el
sombrero a la cara y cuando pasa una mujer hacen: ¡juuu!, como si fueran pollinos. Yo no puedo, yo no puedo. ¡He dicho que no puedo!».[61]

Sus palabras parecen un eco de las de la Carbonerita quince
años antes en la pequeña obra teatral sin título protagonizada por
ella: «Necesito mi idilio. Soy un Sueño de amor sin conseguir. Necesito mi idilio».[62]

Aurelia tiene un problema grave. El labrador que la está corte-
jando —el poco enduendado Antonio— es un codicioso que, como
el Padre de *Bodas de sangre* y Juan en *Yerma*, sólo piensa en reunir más y más tierras y está día y noche con sus cuentas. Incluso
ha adquirido el cortijo lindante con el de Aurelia. «Y comprará
todo —comenta ella— , hasta lo poquito que yo tengo.» Le acaba
de confesar que no sabe leer, ¡es el colmo!, y además dice que no le
gusta la música. No es sorprendente que Aurelia esté pendiente
de que llegue un «tipo fino».

El poeta, que ha nacido en el seno de una sociedad obsesionada con la propiedad de las tierras, conoce al dedillo el asunto.
Y sabe, cómo no, que la codicia es uno de los pecados mortales. Su
propio padre, aunque no consta que fuese un codicioso, era un auténtico lince a la hora de comprar y vender.

El sesentón melancólico pero gracioso don Cayetano, si sólo
fuera más joven, sería el «tipo fino» anhelado por Aurelia, con sus

piropos, su simpatía y sus ojos antes tan lindos. Si tuviera veinte años, confiesa Aurelia a sus amigas, «me subo a gatas por las paredes por él». Y venga Cayetano a galantear: «Un viejo verde. Llámamelo. Tu viejo verde, Aurelia. Viejo verde, viejo tierno, viejo de la alegría, viejo que es capaz todavía en su cama de llorar lágrimas de juventud». «Usted es más joven que nadie», insiste Aurelia. «Me basta con que me mires», contesta. Pero, claro, no basta.[63]

El Niño, como incumbe, ¡no por nada es Federico García Lorca!, tiene el don de la música, además de gracia y chispa, y reproduce para Aurelia y sus compañeras el canto que acaba de escuchar a una comparsa de boleros. El diálogo que tiene lugar entre ellos, ya a solas, con el Niño sentado sobre sus rodillas, es uno de los intercambios amorosos más sentidos de todo el teatro lorquiano:

NIÑO.   Prima, qué guapa eres.

AURELIA. Más guapo eres tú.

NIÑO.   Tú tienes cintura y pechos y pelo rizado con flores. Yo no tengo nada de eso.

AURELIA. Pero es que yo soy mujer.

NIÑO.   Eso será.

AURELIA. Tú en cambio tienes lunares como lunas chiquititas de musgo tierno. ¿Por qué no me los das?

NIÑO.   ¡Quítamelos!

AURELIA. Este que tienes aquí, me lo pongo aquí. Y éste, aquí.

(*Lo besa*)

NIÑO.   Y uno en el hombro.

AURELIA. (*Canta*)

> Los lunares que tiene tu cara
> Son lunares que a mí me dislocan.

(*El Niño canta con ella.*)

> Y el que tienes pegado a la boca
> No se puede con calma mirar, lan lan lan.

(*Ríen*)

NIÑO.   Si yo fuera grande sería tu novio, ¿verdad?

AURELIA.   ¡Ojalá!

NIÑO.   ¿Y por qué un niño no puede ser novio de una mujer grande?

AURELIA.   (*Confusa*) Verdaderamente me haces unas preguntas...[64]

Es fascinante la reaparición de Cayetano cuando, enmascarado, irrumpe en la casa la comparsa de gondoleros. Apunta la acotación: «Al fondo aparece una Máscara vestida de trovador con careta de expresión apasionada. En todo momento no deja de mirar a Aurelia». No nos equivocamos al sospechar quién es, pues la canción de la comparsa, como explica una de las amigas de Aurelia, le pertenece, la ha compuesto él. Cubierta la cara por la máscara ya no le da vergüenza al «viejo verde» mirar con deseo, y sin bajar los ojos, a Aurelia. Surge enseguida el recuerdo del desenlace de *Amor de don Perlimplín con Belisa en su jardín.*[65]

No es baladí que prima y primo participen luego en la canción de los gondoleros, canción de amor que no puede ser, de amor «que nuncá vendrá». Estamos otra vez en el mundo de la *juvenilia* del poeta, y Francisco García Lorca considera, no sin razón, que el Niño, más que Aurelia, es el verdadero protagonista de la obra.[66]

Con los 28 folios del manuscrito se incluye un poema dialogado entre el Niño y Aurelia que, basado al parecer en una canción de rueda, cuenta la muerte de una joven de nombre Esmeraldita, otra fracasada.[67]

En resumen, parece evidente, a juzgar por el único acto que tenemos, que en *Los sueños de mi prima Aurelia* el poeta quería resumir la nostalgia del amor perdido o imposible que impregna sus primeros escritos y que nunca ha desaparecido de su obra. Cabe inferir, pues la había prometido a dos actrices (María Ladrón de Guevara y al parecer Carmen Díaz), que tenía el proyecto de terminarla aquel verano, o bien en la Huerta de San Vicente antes de embarcar para Nueva York, o durante la travesía.

Pero no podría ser.

El poeta se sincera en *El Sol*

El 10 de junio, mientras daba los últimos toques a *La casa de Bernarda Alba*, se publicó en *El Sol* de Madrid una entrevista con Lorca de Luis Bagaría, uno de los caricaturistas políticos más brillantes del país. El poeta, que se tomó la precaución de contestar las preguntas por escrito —algo que al parecer nunca había hecho antes— insistió una vez más sobre la misión social del teatro en la sociedad moderna:

> Tengo que decir que este concepto del arte por el arte es una cosa que sería cruel si no fuera, afortunadamente, cursi. Ningún hombre verdadero cree ya en esta zarandaja del arte puro, arte por el arte mismo.
>
> En este momento dramático del mundo, el artista debe llorar y reír con su pueblo. Hay que dejar el ramo de azucenas y meterse en el fango hasta la cintura para buscar las azucenas. Particularmente, yo tengo un ansia verdadera por comunicarme con los demás. Por eso llamé a las puertas del teatro y al teatro consagro toda mi sensibilidad.

Bagaría le preguntó a continuación por su opinión sobre la Toma de Granada en 1492. La respuesta fue contundente:

> Fue un momento malísimo, aunque digan lo contrario en las escuelas. Se perdieron una civilización admirable, una poesía, una astronomía, una arquitectura y una delicadeza únicas en el mundo, para dar paso a una ciudad pobre, acobardada; a una «tierra del chavico», donde se agita actualmente la peor burguesía de España.

Al definir así a la clase media granadina el poeta aludía claramente a las constantes provocaciones de la extrema derecha en la ciudad y la provincia perpetradas a partir del triunfo de los candidatos del Frente Popular en las reconvocadas elecciones de mayo.

Preguntado luego acerca de su concepto de la patria, contesta otra vez con rotundez:

> Yo soy español integral, y me sería imposible vivir fuera de mis límites geográficos; pero odio al que es español por ser español nada más. Yo soy hermano de todos y execro al hombre que se sacrifica por una idea nacionalista abstracta por el solo hecho de que ama a su patria con una venda en los ojos. El chino bueno está más cerca de mí que el español malo. Canto a España y la siento hasta la médula; pero antes que esto soy hombre del mundo y hermano de todos.[68]

Después de entregar sus respuestas le entra cierta inquietud y envía una nota urgente a Adolfo Salazar, que lleva años trabajando en la redacción del diario, para pedirle que, sin que Bagaría se dé cuenta, elimine con cautela su respuesta a una pregunta sobre el fascismo y el comunismo. «Me parece indiscreta —escribe— en este preciso momento, y además está ya contestada antes.»[69] Salazar logra quitar la contestación indicada.

¿A qué venía tanta prevención? Varios testigos han declarado que en estos momentos recibía constantes presiones de diferentes amigos, sobre todo de Rafael Alberti y María Teresa León, para que se afiliase al Partido Comunista o, cuando menos, se identificase más estrechamente con él, y que llegó un día en que se hartó de todo ello.[70] Tal vez temía que su respuesta a la pregunta de Bagaría pudiera dar lugar a nuevas presiones. Se había esforzado durante los meses anteriores para que su opinión del fascismo quedara patente. Hacer lo mismo con el comunismo habría sido más comprometedor. Puede añadirse que, poco antes de la guerra, el joven poeta malagueño José Luis Cano fue testigo de una escena en la que Lorca se negó a firmar un manifiesto comunista y le dijo que no se creía en la obligación de tener que apoyar públicamente el PC. Vicente Aleixandre le confiaría más tarde a Cano que Federico le había dicho a él también que estaba cansado del asunto. El hecho es que, si bien no era anticomunista, tampoco se consideraba compañero de viaje.[71]

La casa de Bernarda Alba

Si *Los sueños de mi prima Aurelia* se puede leer como tributo a Fuente Vaqueros, que el poeta ha visitado en diversas ocasiones desde que la familia lo abandonara en 1907, *La casa de Bernarda Alba* habría que entenderla como intento de reflejar el alma, menos alegre, de Asquerosa. La primera intención del poeta había sido situar su acción en «un pueblo andaluz de tierra seca», definición que cuadra perfectamente con la localidad, donde, a diferencia de Fuente Vaqueros, situado entre dos ríos y rodeado de verdes bosques, están a dos pasos los secanos que bordean la Vega.[72]

La obra se subtitula *Drama de mujeres en los pueblos de España*, señalándose así su intención generalizadora. Al pie de la lista de *dramatis personae* se indica que los tres actos «tienen la intención de un documental fotográfico». Pretensión había, pues, de «informar» sobre la situación rural imperante en toda la España «profunda».[73]

No hay constancia de que Lorca volviera nunca a Asquerosa después de su última estancia veraniega de 1926, y ello, principalmente, por dos razones que hemos visto: la compra por parte del padre de la Huerta de San Vicente y el hecho de que en el pueblo ya tropezaba con cierto rechazo social.[74]

Terminó *La casa de Bernarda Alba* el 19 de junio de 1936 en Madrid.[75] Acerca de su proceso de elaboración no sabemos prácticamente nada. Manuel Altolaguirre recordaba dos años después la insistencia con la cual reiteraba que su meta en ella era una sencillez y una sobriedad absolutas, y que había eliminado cualquier detalle innecesario.[76] «Ninguna literatura, teatro puro», le diría a Guillermo de Torre,[77] y Adolfo Salazar fue testigo de su euforia mientras avanzaba la redacción: «Cada vez que terminaba una escena venía corriendo, inflamado de entusiasmo. "¡Ni una gota de poesía! —exclamaba—. ¡Realidad! ¡Realismo puro!"». Salazar nunca había visto a Federico tan contento con algo suyo. Parecía un niño.[78]

El personaje de Bernarda Alba fue inspirado, como señalamos en su momento (p. 223), por la propietaria Frasquita Alba Sierra, que vivía con su familia frente a la primera vivienda del padre de Lorca en la calle Ancha, al lado de los Delgado García, primos de Federico. Nacida en 1858, había tenido un hijo y dos hijas (José, Prudencia y Magdalena) con su primer marido, José Jiménez López.[79] Al morir éste en 1893 se había casado otra vez, con Alejandro Rodríguez Capilla, siete años mayor que ella, con quien tuvo cuatro hijos más, tres chicas y un chico: Amelia, Consuelo, Marina y Alejandro.

Recordada en el pueblo como mujer de carácter muy fuerte, aunque no tan tiránica como su trasunto lorquiano, murió en 1924 y su segundo marido al año siguiente.[80] La viudedad de Bernarda, que se acaba de producir cuando arranca la obra lorquiana, es licencia, pues, del dramaturgo, así como la composición exclusivamente femenina de la familia.

Los Alba y los Delgado García compartían un pozo dividido por un muro de medianería. Se oía todo lo que se decía allí, con lo cual la prima Mercedes y sus hermanos estaban siempre al tanto de lo que ocurría en la casa colindante (y se supone que al revés).[81] Al Federico niño le habían fascinado los comadreos acerca de los Alba que le transmitían. Cabe inferir que las conversaciones tendrían que ver muchas veces con cuestiones de herencias y de amores como las que se comentan en la obra.[82]

Una de las hijas del primer matrimonio, Amelia, se había casado con José Benavides Peña, vecino del pueblo de Romilla o Roma la Chica, al otro lado del Genil, a cuyos habitantes, como vimos, se les conoce por «romanos». Al morir Amelia, Benavides, un tipo guapo llamado popularmente Pepico el de Roma, se había casado con una hermana de la difunta, Consuelo. Es la semilla que le sirvió a Lorca para crear el papel crucial de Pepe el Romano, aunque no hay pruebas de que las otras hijas de Frasquita estuvieran enamoradas de él.[83] Retiene en el reparto, además, el nombre de Amelia (así como el de otra hermana, Magdalena). En cuanto a los demás personajes, la Poncia existió realmente, aunque nunca trabajó para Frasquita,[84] y la abuela demente de Bernarda, María Josefa, se calca sobre una vieja pariente de los García en Fuente Vaqueros, víctima de alucinaciones eróticas, a quien visitaban Federico y Francisco.[85] Enrique Humanes (el pretendiente rechazado) y Maximiliano (cuya esposa es llevada a rastras al olivar) también fueron personajes de carne y hueso.[86] Con respecto al traje verde de Adela, Lorca se inspiró en el de su prima Clotilde García Picossi, quien, debido a un luto, sólo pudo lucirlo ante las gallinas del corral de su casa.[87]

Además de estos préstamos, *La casa de Bernarda Alba* evoca la manera de hablar de los vecinos de Asquerosa, muy viva pese al carácter suyo algo retraído comparado con el de los de Fuente Vaqueros; los lutos extremadamente largos de entonces; los ojos que espiaban detrás de las cortinas; el apego a los escándalos sexuales; la llegada en verano de los segadores, acontecimiento esperado con impaciencia por las muchachas del pueblo; y el calor implacable de la canícula granadina.

Sin embargo, como en toda la obra de Lorca, los «hechos» no son más que el punto de partida. Bernarda es una magnificación de Frasquita Alba —parece innegable que al ir elaborando su personalidad tenía presente a la Doña Perfecta de Pérez Galdós—, y no es de extrañar que, a juicio de Vicenta Lorca, hubiera sido prudente cambiar el apellido para no ofender a la familia.[88] De haberse montado la obra es posible que le hubiera hecho caso, aunque la supresión del apellido Alba habría supuesto, dadas las connotaciones simbólicas del color, una pérdida seria.

No pudo ser casualidad que concibiera un drama sobre la tiranía doméstica en momentos en que había en España el peligro de un inminente golpe de Estado fascista. Bernarda, «tirana de todos los que la rodean»,[89] con su hipocresía, su catolicismo inquisitorial y su afán dictatorial, expresa una mentalidad que el poeta conoce muy bien. Teniendo en cuenta el contexto en que se escribió la obra, resulta imposible no recordar cómo *El Debate*, el periódico católico más leído del país, había atacado La Barraca y *Yerma*. Por otra parte, al llamar la obra *La casa de Bernarda Alba* y no simplemente *Bernarda Alba*, Lorca subrayaba el espacio en que se mueve la opresora, explicitándolo en el subtítulo *Drama de mujeres en los pueblos de España*. Además, al definirla como «documental fotográfico», dejaba claro que se trataba de una especie de crónica verídica, con ilustraciones en blanco y negro, de la España intolerante y autoritaria siempre dispuesta a aplastar los impulsos vitales del pueblo, representado aquí no sólo por las hijas de la protagonista sino también por las criadas. «Los pobres son como los animales. Parece como si estuvieran hechos con otras sustancias», proclama Bernarda, que, a diferencia de ellos, ha nacido «con posibles» y gusta de manejar la palabra «clase» («una mujer de tu clase», «los hombres de aquí no son de su clase»). De hecho, un elemento importante de la obra es, precisamente, su compromiso en relación con la lucha de clases.[90]

Recurriendo a su propio conocimiento de las lamentables condiciones existentes en el campo español —condiciones ya señaladas en su prosa adolescente *Mi pueblo*—, Lorca debía de ser amargamente consciente del fracaso de la reforma agraria prometida por la República, iniciada durante los dos primeros años de gobierno democrático, paralizada cuando la derecha accedió al poder en 1933 y todavía pendiente cuando terminó la obra.

Es probable que tuviera muy presente a su padre al escribir *La casa de Bernarda Alba*. García Rodríguez era tal vez el único terrateniente de Asquerosa con ideas democráticas y republicanas. Había tenido roces con los otros a lo largo de los años, sobre todo con la familia Roldán Quesada, parientes suyos, y era objeto de amargas críticas porque pagaba bien a los campesinos que trabajaban para él e incluso les había construido casas. Se trataba de una generosidad sin precedentes en la zona, lo que explica que en Asquerosa hubiera —y hay todavía— una calle que lleva su nombre. Era el buen terrateniente del pueblo, mientras Bernarda Alba es exactamente lo contrario.[91]

Sobre el caciquismo imperante entonces en Asquerosa, y su relación con Federico García Rodríguez, conviene tener en cuenta el elocuente testimonio del maestro de escuela Benigno Vaquero Cid, vecino del colindante Pinos Puente:

Como todos sabemos, los caciques, las familias más ricas y pudientes de Asquerosa, como las de todos estos pueblos, generalmente se han distinguido y caracterizado por diversas actitudes y conductas: por su desmedido orgullo y ambición y su preponderante clasismo exclusivista y distanciador, por su excesivo aprovechamiento de los demás y su comportamiento eminentemente reaccionario y conservador, por su falta de generosidad y de amplitud espiritual, una cerrazón mental que se traduce en un fanático radicalismo en cuanto a lo confesional y en un dogmático cerrilismo en cuanto a lo político y social, y todo ello puesto siempre al servicio y en defensa de su patrimonio, intereses y privilegios. Hay quienes afirman que el caciquismo de Asquerosa es uno de los más retrógrados de la provincia, claro es que en esto como en todo habrá sus excepciones. En cambio y en contraposición de tales caciques, Don Federico, padre de nuestro poeta, sin dejar de procurar la posesión de bienes materiales, pues tenía mucha vista y acierto para los negocios, era un hombre que valoraba en mucho la inteligencia y la cultura, un hombre de talento natural, conocedor del mundo, de carácter abierto y campechano, amigo de todos y espléndido y generoso para cuantos le servían y le rodeaban; pero lo que le distanciaba aún más de sus convecinos y caciques, tan ricos como él, era que don Federico en religión se mostraba agnóstico e indiferente, en cuanto a lo social simpatizaba con las justas aspiraciones de los obreros, y en política era liberal y tolerante y amigo de socialistas y de otros elementos progresistas.[92]

Por todo ello tal vez no sea exagerado encontrar en *La casa de Bernarda Alba* un homenaje indirecto a Federico García Rodríguez.

Adela, que al final de la obra rompe el bastón de Bernarda, símbolo de su poderío, es la más revolucionaria de todas las mujeres creadas por Lorca. Rechaza de plano un código de honor basado en el mantenimiento de las apariencias y en la creencia de que los hombres son superiores a las mujeres; reivindica tenazmente su libertad sexual («¡Yo hago con mi cuerpo lo que me parece!»); y, quizá no de manera inesperada —dada la identificación lorquiana con el Jesús sufriente, clarividente en la *juvenilia* y visible en toda la obra posterior— ve su voluntad de ser auténticamente ella en términos cristianos. Cuando la familia descubre que no sólo ama a Pepe el Romano sino que se le ha entregado, la exclamación que profiere Adela encierra una clara alusión a la crucifixión:

> Ya no aguanto el horror de estos techos después de haber probado el sabor de su boca. Seré lo que él quiera que sea. Todo el pueblo contra mí, quemándome con sus dedos de lumbre, perseguida por las que dicen que son decentes, y me pondré delante de todos la corona de espinas que tienen las que son queridas de algún hombre casado.[93]

El programa que ha elaborado Adela para su realización personal es el que Lorca siempre recomendaba a sí mismo y a los demás. «He salido a buscar lo que era mío, lo que me pertenecía», exclama. Al final de su vida —y casi al del poeta— he aquí otra vez la palabra clave, *buscar*. Para todos los protagonistas lorquianos la búsqueda del amor es la raíz de su existencia. En *La casa de Bernarda Alba*, Martirio, al descubrir que Adela es la preferida de Pepe el Romano, lo expresa con la imagen afín a la que vimos en el romance «Reyerta»: «¡Sí! Déjame decirlo con la cabeza fuera de los embozos. ¡Sí! Déjame que el pecho se me rompa como una granada de amargura. ¡Lo quiero!».[94]

¡Una granada de amargura! Muy pronto iban a explotar en la ciudad de la Alhambra granadas de verdad.

«Sea como Dios quiera...»

«Me voy dos días a Granada para despedirme de mi familia», le escribe Lorca a Salazar en la carta citada. Puesto que sus padres y su hermana Isabel siguen en Madrid, se trata, antes de juntarse con Margarita Xirgu en México, de saludar a su hermana, casada con el doctor Manuel Fernández-Montesinos, y a los hijos de éstos, Manuel, Vicenta (Tica) y Concha.[95]

También menciona la breve visita a Morla Lynch, que recoge en su diario que, una vez efectuada, quizás vaya enseguida a América para luego volver para el estreno en Madrid aquel otoño de *La casa de Bernarda Alba*. Lo malo, ha agregado el poeta con un suspiro, «es que todo resulta muy incierto con esta vida que llevamos en España sobre un volcán en ebullición perpetua».[96]

No hay constancia de que tuviera lugar aquella proyectada visita a Granada.

El 28 de junio participa en la madrileñísima verbena de san Pedro y san Pablo con algunos de sus mejores amigos, entre ellos Rodríguez Rapún, José Caballero, Salazar y Eduardo Ugarte, para festejar la recuperación de una cornada en Zaragoza de Pepe Amorós, desde la muerte de Ignacio torero del grupo. En una fotografía sacada a altas horas de la noche aparece un Federico radiante de felicidad. Está acariciando la frente de Rapún.[97]

Otro indicio que tal vez confirme la creciente irritación que ya le producen las presiones de sus amigos comunistas es el hecho de no comparecer, el 30 de junio, en el homenaje a Máximo Gorki (que se acaba de morir) organizado por la Alianza de Intelectuales para la Defensa de la Cultura, filial española —a la que pertenece— de la organización internacional antifascista. Firma, eso sí, con otros escritores, un telegrama de pésame dirigido al Gobierno y al pueblo soviéticos, y los periódicos anuncian su participación en el acto al lado de Dolores Ibárruri y otras destacadas figuras de la izquierda. Pero no se persona en el teatro Español.[98]

Por estas fechas no se puede abrir un periódico madrileño sin tropezar con alguna noticia relacionada con Lorca en alguna de sus múltiples facetas. Es sin la menor duda el joven escritor más conocido del país y es tal su fama que apenas puede ir por la calle sin que numerosas personas se le acerquen.

El 23 de junio *La Voz* ha informado que Margarita Xirgu va a volver a España en septiembre, renunciando a la tercera etapa de su gira por América. *Heraldo de Madrid* confirma la noticia el 1 de julio, añadiendo que el primer estreno de la temporada de la actriz catalana en el Español será *Doña Rosita la soltera*. Lorca —que según su hermano ya ha sacado el billete para México— sabe, pues, que su ausencia será de unos dos meses como máximo. Luego tendrá, en Madrid, su otoño caliente.[99]

El 3 de julio le acompaña el periodista Antonio Otero Seco al juzgado de Buenavista, en el barrio de Salamanca, donde tiene que firmar las últimas diligencias en relación con una inesperada denuncia. Antes de llegar allí Federico le explica:

No lo vas a creer, de puro absurda que es la cosa; pero es verdad. Hace poco me encontré sorprendido con la llegada de una citación judicial. Yo no podía sospechar de lo que se trataba porque, aun cuando le daba vueltas a la memoria, no encontraba explicación a la llamada. Fui al juzgado, y ¿sabes lo que me dijeron allí? Pues nada más que esto, que un señor de Tarragona, al que, por cierto, no conozco, se había querellado por mi «Romance de la Guardia Civil española» publicado hace más de ocho años en el *Romancero gitano*. El hombre, por lo visto, había sentido de pronto unos afanes reivindicatorios, dormidos durante tanto tiempo, y pedía poco menos que mi cabeza. Yo, claro, le expliqué al fiscal minuciosamente cuál era el propósito de mi romance, mi concepto de la Guardia Civil, de la poesía, de las imágenes poéticas, del surrealismo, de la literatura y de no sé cuántas cosas más.

—¿Y el fiscal?

—Era muy inteligente y, como es natural, se dio por satisfecho.[100]

Sigue firmando manifiestos. El más reciente se publica el 4 de julio en *Heraldo de Madrid*. Se trata de una «enérgica protesta» dirigida al dictador Salazar por el Comité de Amigos de Portugal.[101]

Un día después sus padres vuelven a Granada. Federico les despide en la estación de Mediodía con su viejo amigo el antiguo maestro de escuela de Fuente Vaqueros Antonio Rodríguez Espinosa, quien escribirá en sus memorias: «Al preguntarle yo por qué no se marchaba con ellos me dijo: "Tengo citados a unos cuantos amigos para leerles una obra que estoy terminando, llamada *La casa de la Bernarda*, porque me gusta oír el juicio que a mis amigos les merece"».[102]

De hecho lee la obra a todo aquel que se lo pida, cada vez más entusiasmado con lo que ha conseguido, y ya esboza dibujos para los decorados, que muestra a José Caballero.[103] En una de las sesiones se encuentra el escritor alemán Hans Gebser, conocido traductor de poesía española contemporánea. Lorca le está ayudando en estos momentos con una versión española de *El despertar de la primavera* de Wedekind, que Gebser quiere que le monte en el Español.[104]

Otra lectura tiene lugar en el piso de Fernando y Gloria de los Ríos.[105] Y otra en el de Pilar y Encarnación López Júlvez, que acaban de volver a Madrid después de una gira triunfal por Buenos Aires, Santiago de Chile, Lima, Bogotá, Puerto Rico, Cuba y México. Pilar no asiste a la lectura. Cuando regresa a casa por la noche encuentra a su hermana «llorosa, emocionada, conmovida, completamente conmovida, enloquecida con lo que había oído».[106]

Pero no sólo se trataba de *La casa de Bernarda Alba*. Un día lee para unos amigos en el restaurante Buenavista, en la calle de Alcalá, el texto definitivo de *El público*, escrito a máquina en papel tamaño folio, con numerosas correcciones. De creer a Martínez Nadal, de quien procede la información, dijo después: «Es el tipo de teatro que quiero imponer cuando termine la trilogía bíblica que estoy preparando».[107]

Se lo dio a leer a Pura Maórtua de Ucelay, considerando la posibilidad de que lo montara ella en Anfistora. La mujer se quedó consternada. En el Madrid de entonces se podía satirizar a los homosexuales en el teatro, reírse de ellos —allí estaba la zarzuela *La corte de Faraón*— pero en absoluto tratar el tema seriamente y menos, con un afán proselitista. Habría que esperar, quizá mucho tiempo.[108]

Un día acude a casa de Pilar y Encarnación López el periodista Miguel Pérez Ferrero para hacerles una entrevista en el *Heraldo de Madrid*. Está con ellas Federico. Encarnación le dice que *Los títeres de cachiporra* —la versión musicada por Federico Elizalde y ya retirada por el poeta a Carmen Díaz— será uno de los tres ballets que ponga en escena aquel otoño en Madrid.[109]

Una noche, tal vez el 9 de julio, Lorca cena en casa de Carlos Morla Lynch. Asiste Fernando de los Ríos, «visiblemente inquieto». «El Frente Popular se disgrega —manifiesta— y el fascismo toma cuerpo. No hay que engañarse. El momento actual es de gravedad extrema e impone ingentes sacrificios.» Como diputado, aunque ya no ministro, De los Ríos está muy al tanto de los rumores que están circulando acerca de la conspiración ultraderechista. Y sabe, seguramente, que el presidente del Gobierno, Santiago Casares Quiroga, se está negando a tomárselos en serio, al opinar que, caso de producirse un levantamiento, será sofocado con tanta facilidad como el del general Sanjurjo en 1932.[110] Lorca, pese a traer la buena nueva de que su hermano Francisco, en estos momentos secretario de la Legación Española en El Cairo, está sano y salvo —según los periódicos había sido herido por la bala de un asesino—, se muestra deprimido y apenas habla en toda la noche, si no es para decir que él es «del partido de los pobres... *pero de los pobres buenos*».[111]

Una de las razones de su sombrío estado de ánimo aquella noche quizá fuera su angustia ante la violencia y el caos que afligían la vida cotidiana de la capital. El 2 de junio, los anarquistas (Confederación Nacional del Trabajo) y socialistas (Unión General de Trabajadores) habían propiciado una huelga de los obreros del ramo de la construcción, los electricistas y los reparadores de ascensores. Dura todavía. Entre los sindicatos rivales hay cons-

tantes fricciones, al margen de las provocaciones de los falangistas. Los tiroteos son cada vez más frecuentes, y un día, en el piso
de la calle de Alcalá, muestra a José Caballero el impacto de una
bala que se ha incrustado en el dintel de una puerta. «Poco ha faltado para que me encontraras muerto», le asegura.[112]

Uno de estos días acude al despacho de la revista y editorial
Cruz y Raya (Bartolomé Mitre, 5). Se encuentra con que José Bergamín no está. Le deja una nota («He estado a verte y creo que vol-
veré mañana») y, tal vez, el manuscrito de *Poeta en Nueva York*
(que será editado por Bergamín en México en 1940). No regresa al
día siguiente y su amigo no le verá nunca más.[113]

El 11 de julio cena en casa de Pablo Neruda. Por la tarde un
grupo de falangistas, adelantándose a los acontecimientos, ha
tomado Radio Valencia, por cuyos micrófonos anuncian la inminente Revolución Fascista.[114] Madrid es un hervidero de rumores.
Está presente un diputado socialista, Fulgencio Díez Pastor. Lorca, adivinando que sabe más de lo que dice, le acribilla a preguntas. ¿Qué ocurrirá? ¿Va a haber un golpe militar? ¿Qué debe hacer
él? Finalmente estalla: «¡Me voy a Granada!». Díez Pastor le contesta que ni pensarlo, que estará más seguro en Madrid.[115]

Luis Buñuel cuenta en *Mi último suspiro* que, cuatro días antes del golpe, le aconsejó en el mismo sentido, asegurándole que
estaría mucho más seguro en la capital.[116] También el escritor falangista Agustín de Foxá, que en junio le había dedicado su libro
El toro, la muerte y el agua con las palabras: «Para Federico 1.º
Poeta enamorado de España con admiración Agustín». «Si tú quieres marcharte —le diría—, no vayas a Granada, sino a Biarritz.»
«¿Y qué haría yo en Biarritz? En Granada, trabajo», contestaría el
poeta.[117]

La noche del domingo 12 de julio la situación en la capital se
hace explosiva cuando unos pistoleros asesinan al teniente José
Castillo, de la Guardia de Asalto. Desde hace meses Castillo, antifascista militante, ha sido objeto de amenazas de muerte y sabe
que van a por él. Ahora lo han conseguido. En las primeras horas
de la madrugada unos compañeros suyos se toman una venganza
atroz y, tras buscar sin éxito a Gil Robles, asesinan a José Calvo Sotelo, la cabeza más destacada de la facción ultraderechista en las
Cortes, y abandonan su cadáver en el cementerio municipal, donde
no será identificado hasta transcurridas varias horas. Calvo Sotelo
es el mártir que necesitan los conspiradores, y aún más en vista de
que han participado en el asesinato, como se comprueba ensegui-

da, hombres uniformados, lo cual les permite a las derechas presentar la monstruosidad como crimen de Estado. A partir de este momento numerosos militares todavía indecisos deciden unirse a los rebeldes. El asesinato de Calvo Sotelo será utilizado más adelante para justificar la sublevación, aunque en realidad todo estaba a punto antes de que se consumara aquella muerte brutal.[118]

Parece casi seguro que es esta misma y fatídica noche del 12 al 13 de julio de 1936 cuando Lorca da su última lectura madrileña de *La casa de Bernarda Alba* en el piso del doctor Eusebio Oliver, amigo de poetas y médico del padre de Federico, en la calle de Lagasca, 28. Entre los asistentes están Jorge Guillén, Pedro Salinas Guillermo de Torre y Dámaso Alonso. Éste contará en 1948 que, al salir a la calle, estaban enzarzados en una viva discusión sobre cierto escritor muy metido en política (probablemente Rafael Alberti) y que Lorca exclamaría: «¡Ya no va a hacer nada!... Yo nunca seré político. Yo soy revolucionario, porque no hay verdaderos poetas que no sean revolucionarios. ¿No lo crees tú así? Pero político, ¡no lo seré nunca!». Ya anciano, Alonso añadiría que en su lista de poetas revolucionarios Federico había incluido a Jesucristo.[119]

El doble asesinato de Castillo y de Calvo Sotelo sume al poeta en un estado de profunda angustia. «Cuando le vi por última vez, en Madrid estaba, literalmente, espantado —recordaba Juan Gil-Albert—. El asesinato de Calvo Sotelo pareció indicarle que el fin se acercaba. "¿Qué va a pasar?", me dijo, como quien conocedor intuitivo de los suyos espera lo peor».[120]

Se puede inferir que antes de volver a Granada los padres del poeta, el 5 de julio, recibieron su promesa de estar con ellos para celebrar en la Huerta de San Vicente, el 18, como todos los años, el día de san Federico.[121] Su instinto ahora, en un Madrid que se acaba de enterar del asesinato de Calvo Sotelo, es adelantar el viaje sin perder un minuto. Según el pintor granadino Ángel Carretero, que le frecuentaba entonces, creía que, de haber una sublevación militar, sería mucho más cruenta en Madrid que en provincias. Razón de más para huir.[122]

Come aquel día en casa de Rafael Martínez Nadal, que acaba de llegar de Estocolmo. Después cogen un taxi y van a Puerta de Hierro, en las afueras de la ciudad, para tomarse un coñac y seguir comentando la situación. Lorca está muy nervioso y no para un momento de preguntarle qué debe hacer. «Rafael, estos campos se van a llenar de muertos —diría finalmente, aplastando su cigarrillo y levantándose—. Está decidido. Me voy a Granada y sea lo

que Dios quiera.» Se trasladan a continuación en taxi a la Gran
Vía, donde el poeta compra ejemplares de sus libros para amigos
escandinavos, y luego a la agencia Thomas Cook, donde reserva
une *couchette* para el tren de la noche. Ya en el piso familiar de la
calle de Alcalá, y siempre según Nadal, éste le ayuda a hacer las
maletas. Cuando van a salir Federico se vuelve, abre un cajón de
su escritorio, saca un paquete y le dice a Rafael: «Toma. Guárda-
me esto. Si me pasara algo lo destruyes todo. Si no, ya me lo darás
cuando nos veamos».[123]

Antes de ir a la estación del Mediodía, en Atocha, el poeta se
despide de la familia de su amigo. Y, aunque no lo recoge Martínez
Nadal en su relato, también ve a su hermana Isabel y a la gran
amiga de ésta, Laura de los Ríos, internas en la Residencia de Señoritas (ubicada en la calle de Miguel Ángel, 8).[124]

Ya en el tren Rafael le ayuda a instalarse en el coche cama.
Y luego ocurre algo inesperado:

> Alguien pasó por el pasillo del coche cama. Federico, volviéndo-
> se rápidamente de espaldas, agitaba en el aire sus dos manos con
> los índices y meñiques extendidos:
>
> —¡Lagarto, lagarto, lagarto!
>
> Le pregunté quién era.
>
> —Un diputado por Granada. Un gafe y una mala persona.
>
> Claramente nervioso y disgustado, Federico se puso en pie.
>
> —Mira, Rafael, vete y no te quedes en el andén. Voy a echar las
> cortinillas y me voy a meter en cama para que no me vea ni me ha-
> ble ese bicho.
>
> Nos dimos un rápido abrazo y por primera vez dejaba yo a Fe-
> derico en un tren sin esperar la partida, sin reír ni bromear hasta
> el último instante.[125]

No sabemos quién fue el siniestro diputado cuya presencia en
el tren tanto perturbó al poeta. Es probable, de todos modos, que se
tratara de un *ex* diputado, ya que, como hemos visto, todos los par-
lamentarios granadinos de derechas perdieron sus escaños con la
anulación, en marzo, de los resultados de las elecciones, y el Bloque
Nacional se abstuvo en los nuevos comicios de mayo. ¿Pudo tratarse de un diputado del Frente Popular? Cabe la posibilidad pero, si
fue así, desconocemos su identidad.

Lorca vio a otra persona de signo negativo en el tren: según le
contó al llegar a José María García Carrillo, un poeta granadino

que le era muy antipático y que ni siquiera le había saludado. ¿Quién sería? Hay pocos candidatos. ¿Manuel de Góngora? ¿José Sánchez-Reina, joven colaborador del conservador *Noticiero Granadino*? No lo sabemos.[126]

La evocación que hace Martínez Nadal de las últimas horas de Lorca en Madrid, publicada veintisiete años después, no puede considerarse fidedigna en todos sus detalles, toda vez que no se basa, como en su momento diera a entender, en el diario escrito aquella misma noche y nunca recuperado.[127] Nadal equivoca seriamente la fecha de la partida de Lorca —está demostrado que salió de Madrid la noche del 13 de julio, no la del 16, como él dice—, y su relato contiene importantes omisiones. Además, los fragmentos de diálogo citados son demasiado pormenorizados para resultar del todo creíbles casi treinta años más tarde. Hay que preguntarse, sobre todo, por la falta de cualquier referencia a Rodríguez Rapún. ¿Lorca no se despidió de él antes de salir precipitadamente de Madrid? Parece difícil.

Nos falta información acerca de la relación de Lorca con Rapún durante estos últimos meses, ciertamente. Parece ser que, si el poeta no se había marchado todavía a México, era principalmente porque sabía que encontraría insoportable no tener a Rapún a su lado, a un Rapún muy politizado que en estos momentos dedica mucha energía a las Juventudes Socialistas Unificadas.[128]

Varias personas esperan a Lorca la tétrica noche del 13 de julio de 1936 en casa de Carlos Morla Lynch. Entre ellas Luis Cernuda, que dos años después recordará que en el elegante salón del diplomático chileno no se hablaba más que del asesinato de Calvo Sotelo. Para sorpresa de Morla, Federico no aparece. Finalmente llega alguien y anuncia que acaba de despedirse del poeta en la estación. Hay que suponer que se trata de Martínez Nadal.[129]

Aquella noche, si podemos fiarnos de su relato, Nadal abre el paquete que le ha entregado Lorca en el piso de la calle de Alcalá y descubre que contiene un manuscrito de *El público* —el manuscrito original— y «papeles personales». «El encargo de destruirlo todo no podía aplicarse a este manuscrito», escribirá en 1963 (en cuanto a los «papeles personales», fallecido Nadal en 2001 su destino todavía no se ha esclarecido a la hora de escribir estos renglones).[130]

A la mañana siguiente, 14 de julio, el poeta llega a Granada y se instala con su familia en la Huerta de San Vicente. Vicenta Lorca escribe a Isabel al día siguiente para decirle lo contentos que les hace tener a Federico entre ellos.[131]

MARTIRIO DE UN POETA (1936)

Granada: el Terror

La Granada a la que regresa el poeta la mañana del 14 de julio de 1936 ha sido escenario, desde las elecciones de febrero, de constantes disturbios, provocaciones y huelgas. Los resultados de los comicios fueron anulados por las Cortes a finales de marzo, como vimos, y se convocó otra consulta para el 3 de mayo. Esta vez no fue elegido ningún candidato del Frente Nacional. Al quedarse sin representación parlamentaria alguna, la clase media granadina siguió virando hacia la extrema derecha, propiciando con ello la labor de los conspiradores locales.[1]

En Granada, la Falange, aunque todavía numéricamente pequeña, ha cobrado nueva vida debido al fracaso electoral de José María Gil Robles y la CEDA, y se ha hecho aún más fuerte a partir de mayo. Sus afiliados, como en el resto del país, están convencidos de que le queda poco tiempo a la República y se dedican a la propagación de la violencia callejera y a preparar su participación en el golpe que se avecina. Las confrontaciones entre falangistas y obreros hacen cada vez más tensa la vida de la ciudad.

Los falangistas trabajan en estrecha colaboración con los conspiradores militares de la guarnición granadina, algunos de los cuales son «camisas viejas» del partido. Entre éstos el más destacado y activo es el comandante comisario de guerra José Valdés Guzmán. Nacido en Logroño en 1891, hijo de un general de la Guardia Civil, enemigo fanático de la República, lleva siete años en Granada y, además de ser jefe de las milicias falangistas, tiene fuertes vínculos con los representantes locales de la CEDA.[2]

Tres días antes de la vuelta de Lorca ha tomado posesión de la plaza un nuevo gobernador militar, el general Miguel Campins Aura. Tiene un expediente militar excepcional. Aunque se sabe que es buen amigo del general Franco, Valdés y sus cómplices no tardan en enterarse de que se trata de un republicano convencido y que no van a poder contar con su apoyo.[3]

El gobernador civil, el joven abogado gallego César Torres Martínez, se encuentra, al igual que Campins, en una situación de grave desventaja en circunstancias tan difíciles. Sólo lleva un mes en Granada, enviado para resolver una situación complicada tanto en la capital como en la provincia, y ha demostrado su habilidad como negociador al contribuir a la resolución de una huelga de tranvías y basureros que lleva meses. Pero conoce a poca gente para orientarle. Así como al primer ministro, Casares Quiroga, a cuyo partido pertenece, le parece preocupar más el espectro de la anarquía que el del fascismo.[4]

Al llegar a la Huerta de San Vicente, Lorca tiene la agradable sorpresa de descubrir que se acaba de instalar en ella un teléfono. «¡Qué estupendo! —le dice a su prima Isabel Roldán García—. ¡Acabo de hablar con Constantino Ruiz Carnero!» Su viejo amigo, director de *El Defensor de Granada,* se encarga de que el diario anuncie en su primera plana del día siguiente que el poeta ha regresado a la ciudad para pasar «una breve temporada» con su familia. Es de suponer que le ha dicho que piensa reunirse pronto con Margarita Xirgu en México. Su regreso también se consigna en *Ideal* y en *Noticiero Granadino*, pero con menos prominencia.[5]

Los conspiradores saben, pues, que el autor del *Romancero gitano* y de *Yerma* está en Granada.

Aquel mismo día, 14 de julio, o quizá antes de salir de Madrid, Lorca recibe una carta desesperada del «rubio de Albacete», Juan Ramírez de Lucas, que no parece haberse conservado. Sigue teniendo problemas con su padre y Federico trata de infundirle ánimos. Considera que el trance por el que está pasando le servirá para «enriquecer» su espíritu, y sigue:

> En tu carta hay cosas que no debes, que *no puedes* pensar. Tú vales mucho y tienes que tener tu recompensa. Piensa en lo que puedes hacer y comunícamelo enseguida para ayudarte en lo que sea. Pero obra con gran cautela. Estoy muy preocupado contigo pero como te conozco sé que vencerás todas las dificultades porque te sobra energía, gracia y alegría, *como decimos los flamencos,* para parar un tren.
>
> Yo pienso mucho en ti y esto lo sabes tú sin necesidad de decírtelo pero con silencio y entre líneas tú debes leer todo el cariño que

te tengo y toda la ternura que almacena mi corazón. Sólo tengo una obsesión y es, que quisiera meterte en la cabeza la actitud que debes guardar, llena de fuerza y de astucia para contrarrestar la actitud equivocada de tu padre que tú tienes [que] con talento y con hombría y respeto *encauzar*.

Conmigo cuentes siempre. Yo soy tu mejor amigo y que te pide que seas *político* y no dejes que el río te lleve. Juan: es preciso que vuelvas a reír. A mí me han pasado también *cosas gordas* por no decir terribles y las he *toreado* con gracia. No te dejes llevar de la tristeza...[6]

Le informa a continuación que está empezando a trabajar de nuevo. «Con un abrazo cariñoso de este gordinflón poeta que tanto te quiere», se despide. Y añade, debajo de su firma, que está en la Huerta de San Vicente de su padre, que dentro de unos días será su santo, y que, por razones que sólo podemos conjeturar, le conteste a la casa de su cuñado Fernández-Montesinos, situada en la calle de San Antón, número 39.

Es la última carta que se conoce del poeta, quien, por otro lado, no se queda encerrado en la Huerta sino que se pasea por la ciudad, disfrutando, cabe imaginarlo, de su celebridad y saludando a la gente. En una de sus salidas se topa en la plaza del Campillo, antaño sede del Rinconcillo, con Miguel Cerón Rubio, a cuyo lado había colaborado en la organización del Concurso de Cante Jondo en 1922. Mientras conversan se les acercan unas muchachas haciendo una colecta para Socorro Rojo Internacional, la organización comunista, y les piden una aportación. Lorca accede. «¿Qué te parece si hacemos un viaje a Rusia, Miguel?», dice, riéndose. Es un viejo sueño jamás cumplido. Cerón no volverá a verle.[7]

Contento al encontrarse otra vez entre sus amigos granadinos, lee *La casa de Bernarda Alba* para un grupo de ellos en el carmen albaicinero de Fernando Vílchez, donde años atrás John Brande Trend le había oído recitar bajo las estrellas.[8] ¿Se haría allí alguna alusión a su entrevista en *El Sol* unas semanas antes? Es difícil imaginar que nadie se refiriera a su mordaz comentario sobre la clase media de la ciudad, «la peor burguesía de España», con la insinuación, además, de que participaba activamente en la conspiración contra la República.[9]

Al Federico que acaba de llegar de Madrid le encuentra su prima Clotilde García Picossi muy inquieto, muy ensombrecido. El 16 de julio, festividad de la Virgen del Carmen, hay una fiesta en la cercana Huerta del Tamarit para celebrar el santo de la hermana de Clotilde. Invitan al poeta y a varios amigos suyos, entre ellos Luis Rosales (que también ha vuelto hace poco días desde Madrid), pero pese a la proximidad de las dos propiedades no acude, alegando una indisposición.[10]

Cada 18 de julio la familia celebra por todo lo alto la onomástica de padre e hijo. Llegan por docenas amigos y parientes cargados de regalos desde Fuente Vaqueros, Asquerosa y Granada, y la fiesta se prolonga hasta bien entrada la noche. Este año es diferente. Iniciada el día antes en Melilla la temida revuelta antirrepublicana, el general Francisco Franco ha anunciado esta mañana por radio el Movimiento Nacional y pide la colaboración de todos los «españoles patriotas» para «salvar» España.[11]

Nadie puede dudar de la gravedad de lo que está ocurriendo. Sin embargo, en Madrid, el primer ministro Casares Quiroga se muestra incapaz de reaccionar con la energía requerida y, mientras los boletines gubernamentales insisten en que la situación está bajo control, el general Gonzalo Queipo de Llano, niño mimado de la República y ahora su enemigo acérrimo, consigue, esta misma tarde del 18 de julio, hacerse con el mando de la Capitanía General de Sevilla. Al caer la noche las fuerzas rebeldes han ocupado el centro de la capital andaluza y se está preparando el asalto a los barrios obreros. Radio Sevilla es una de las más potentes de España, y el carismático Queipo de Llano decide sacar el máximo partido de tal circunstancia. Sus arengas nocturnas —alucinante mezcla de mentiras, violentas amenazas, humor negro y vesania— se harán pronto famosas y se escucharán en ambas zonas.[12]

César Torres Martínez, obedeciendo órdenes de Casares Quiroga, se niega en redondo a acceder a las demandas de las organizaciones de izquierdas para la distribución de armas. Convencido por el general Campins de que los oficiales permanecen fieles al Gobierno, en absoluto está dispuesto a cejar.[13] Durante la noche dimite Casares Quiroga y, mientras el republicano moderado Diego Martínez Barrio trata desesperadamente de formar un nuevo gabinete para negociar una tregua con los rebeldes, se sigue manteniendo la orden de no repartir armas entre las masas populares. Como es lógico, los republicanos quieren por encima de todo combatir el alzamiento con medios legales, considerando que, una vez armadas las organizaciones de izquierdas, puede sobrevenir la más absoluta anarquía y el derrumbe de las instituciones democráticas. Primero, pues, hay que hacer todo lo posible por llegar a una solución de compromiso con los sublevados. Pero éstos se niegan. Para ellos es una cuestión de todo o nada. Como dirá Franco unos días más tarde al corresponsal de prensa inglés Jay Allen, si hay que eliminar a la mitad de la población española para ganar lo que es ya una guerra civil en toda regla, está dispuesto a hacerlo.[14]

Ante la negativa de los socialistas a cooperar, los esfuerzos de Martínez Barrio para formar un Gobierno de coalición fracasan y el que anuncia a las cinco de la madrugada del 19 de julio nace ya cadáver (tampoco hay representación comunista ni anarquista). El pánico, el miedo y la rabia, alentados por la noticia de que otras guarniciones se han sumado a los rebeldes, se apoderan ahora de la clase obrera madrileña, que rechaza unánimemente el nuevo Ejecutivo, que además sigue con la negación de distribuir armas. Unas horas más tarde Martínez Barrio dimite. Le toma el relevo un nuevo Gobierno encabezado por José Giral, amigo de Azaña, con plena representación de los partidos de izquierdas y el compromiso explícito de armar al pueblo.[15]

La orden de hacerlo no se transmite enseguida a Granada, donde reina una enorme confusión a todos los niveles. El general Campins y Torres Martínez siguen creyendo ingenuamente que la guarnición se mantendrá leal y, a pesar de las constantes demandas por parte de las delegaciones de izquierdas, no se les facilita ni un solo fusil.[16]

La guarnición granadina se alza la tarde del 20 de julio. Campins, incrédulo, es detenido a punta de pistola por los oficiales en que con tanta ceguera ha confiado y forzado a firmar la proclamación de guerra. Enviado a Sevilla será fusilado unos días después por Queipo de Llano. A las cinco los soldados abandonan los cuarteles y, sin que se les oponga resistencia alguna, ocupan los principales edificios oficiales de la ciudad. Detienen a Torres Martínez, tan incrédulo como Campins, en su despacho. Lo mismo ocurre con el alcalde de ocho días, el socialista Manuel Fernández-Montesinos, marido de Concha García Lorca.[17]

Unas horas después los rebeldes tienen en su poder todo el centro de la ciudad y la mayoría de las autoridades republicanas están encarceladas. Tan sólo se ha producido un poco de resistencia en el Albaicín, donde se han levantado barricadas y se ha hecho todo lo posible por impedir que los sublevados puedan subir por el acceso principal al escarpado barrio, la Carrera del Darro y, luego, por la empinada Cuesta del Chapiz. Los rebeldes tardarán tres días en dominar el Albaicín: ninguna proeza teniendo en cuenta que los republicanos están prácticamente sin armas ni municiones y que los militares tienen morteros, granadas de mano y cañones e incluso cuentan con tres o cuatro aviones de caza con ametralladoras.[18]

El 23 de julio toda Granada está en manos de los insurgentes. Saben que su situación está lejos de ser segura. Están rodeados de territorio republicano y, en teoría, de un momento a otro puede producirse una contraofensiva. Es esencial, pues, que consoliden enseguida su supremacía al reforzar las defensas de la ciudad y eliminar cualquier posibilidad de resistencia desde el interior. Con este propósito se establece un régimen de terror que en los próximos meses —y años— llevará a la muerte a miles de hombres y mujeres inocentes. No sólo habrá ejecuciones diarias, a veces masivas, ante las tapias del cementerio, detrás de la Alhambra, sino que, menos oficialmente, actuarán, con la más absoluta impunidad, las llamadas Escuadras Negras, asesinando, torturando y reduciendo a la población civil a un estado de miedo visceral.[19]

Empieza la tragedia

Todo ello lo va sabiendo y padeciendo en sus propias carnes la familia García Lorca, angustiada por la suerte de Manuel Fernández-Montesinos. Según el testimonio de una vecina de la familia, Federico fue a la cárcel con una cesta de comida para su cuñado el primer día del levantamiento, cuando los republicanos todavía resistían en el Albaicín. Volvió a casa llorando y se metió en la cama. No sólo no había podido entregar la cesta, sino que probablemente fue testigo de escenas desgarradoras.[20]

Su amigo Eduardo Rodríguez Valdivieso visitó la Huerta varias veces estos días, pese a recibir un mensaje anónimo que le avisaba de que no lo hiciera. «El dolor y el miedo que atenazaban a la familia García Lorca —escribirá años después— les hacía sentirse incomunicados, realidad que día a día se manifestaba más. Se hallaban aislados.»[21] Normalmente Federico hablaba poco con Eduardo de lo que ocurría, o de lo que pudiera ocurrir. Pero una tarde, cuando se iba, se sinceró:

Me acompañó por el carril de entrada y salida de la huerta. Nos detuvimos. Él meditó y, mirando al cielo, paseó después sus ojos por los arbustos y las flores. Me dijo: «¿Tú crees que yo podría escapar de aquí y ponerme a salvo con los republicanos?». La impresión que me produjo su pregunta me anonadó. Imposible olvidar una mirada como la que Federico me dirigió, acompañando sus palabras. Vi tal desamparo, tan acerba duda, inocencia tanta, que quedé desconcertado. Mi respuesta, tras considerar las dificultades con que pudiera tropezar («Oh mis torpes andares», como él confesó a Estrella la gitana) fue dolorosamente negativa. Pero estaba claro, la resistencia de Federico tocaba su fin.[22]

Otra tarde el poeta bajó de su habitación después de descansar la siesta, o de tratar de descansarla, y les contó que acababa de tener una pesadilla sumamente inquietante. Había soñado que, tumbado en el suelo, estaba rodeado de mujeres enlutadas —vestidos negros, velos negros— que enarbolaban sendos crucifijos, también negros, con los cuales le amenazaban. Rodríguez Valdivieso miró a Vicenta Lorca mientras ésta escuchaba: su expresión revelaba una honda inquietud ante tan escalofriante visión.[23]

Parece ser, además, que Federico ya sabe que le buscan. Su gran amigo José María García Carrillo, que vivía en la Acera del Darro, cerca de la casa de Francisco García Rodríguez (padre de Clotilde García Picossi, prima del poeta), relató en 1955:

Unas noches después de empezar el Movimiento yo me hallaba en el balcón de mi casa. La calle estaba muy oscura, no había nadie. De repente, llegaron dos coches, con fusiles asomando por las ventanillas de ambos lados. Estaban erizados de fusiles. Me entró un miedo terrible pensando que venían por mí. Me quedé allí, mirando. Dieron la vuelta y se pararon ante la casa que estaba al lado de la mía. La oscuridad era muy intensa. Salieron todos de los coches, corriendo. Tuve la sensación de que eran un centenar. Parecía una escena de película cómica en la que sale de un coche mucha más gente de la que puede caber. Con una lámpara que llevaban iluminaron la puerta de mi casa. Oí una voz que dijo: «No, aquí no es». Luego, fueron a la puerta de la casa de Francisco García y llamaron. Intuí enseguida que buscaban a Federico. No contestó nadie. Entonces, con los fusiles, rompieron el cerrojo y entraron. Estuvieron allí cierto tiempo, oía el ruido que hacían dentro destrozando cosas.

Al cabo de unos quince minutos, salieron. Escuché decir a alguien: «Bueno, aquí no es». Cuando se fueron, llamé enseguida a Federico por teléfono. No me atreví a ir yo. Contestó una criada, y al cabo de largo rato se puso Federico. Le temblaba la voz. «¿Quién es? ¿Quién es?», preguntó muy nervioso. «Soy yo, Pepito», contesté. Oí un suspiro de alivio. «No sabes el susto que nos has dado a todos», me dijo. Tuve que hablar con cuidado, porque un amigo mío me había dicho que escuchaban mi teléfono. De modo que le dije: «Unos señores han estado en casa de tu tío Francisco, creo que buscándote a ti». No me atreví a decirle que eran de Falange, con sus camisas azules, porque sabía que escuchaban mi teléfono. Pero Federico se dio cuenta de lo que le quería decir. Me lo agradeció. Se hallaba aterrado.[24]

Y no sin razón. El 6 de agosto un escuadrón llega a la Huerta de San Vicente para practicar un registro. No lo puede dirigir una persona más peligrosa: el capitán Manuel Rojas Feigespán, responsable de la matanza de los anarquistas de Casas Viejas en enero de 1933.[25] Amnistiado por el Gobierno derechista en 1934 —había sido condenado a veintiún años de cárcel—, fue destinado a Granada y ahora es jefe de milicias de la Falange granadina.[26] ¿Qué busca en la Huerta? Circula el rumor persistente, propagado por los enemigos del poeta, de que tiene allí una radio clandestina con la cual está en contacto con «los rusos», nada menos. ¿Quizá espera localizar tan improbable aparato? Al no encontrar nada suspicaz el grupo se retira.[27]

Al día siguiente, 7 de agosto, Alfredo Rodríguez Orgaz, joven amigo del poeta hasta hace poco tiempo arquitecto municipal de Granada, se presenta en la Huerta. Ha permanecido escondido desde el 20 de julio, pero ahora, enterado de que corre extremo peligro, ha decidido tratar de escaparse. El padre de Federico le promete que aquella misma noche unos amigos suyos campesinos le llevarán hasta la zona republicana, situada hacia Sante Fe a tan sólo unos kilómetros. Federico le cuenta que ha estado escuchando los boletines del Gobierno y que está convencido de que la la República ganará pronto. Se niega, pues, a acompañarle en su huida. Justo en aquel momento alguien da la voz de alarma. ¡Se acerca un coche! ¡A lo mejor viene a por Alfredo! Se despide precipitadamente y corre a esconderse entre unos arbustos detrás de la casa. Los del vehículo buscan, en efecto, al arquitecto. Pero como no encuentran rastro suyo, y la familia niega haberle visto, se marchan. Por la noche Rodríguez Orgaz llega sano y salvo a la zona republicana.[28]

Dos días después, el 9 de agosto, las cosas cambian a peor cuando se presentan en la Huerta diez o doce hombres armados que buscan a los tres hermanos del casero de la finca, Gabriel Perea Ruiz, falsamente acusados de haber matado el 20 de julio en Asquerosa a dos tratantes, Daniel y José Linares. Los Perea Ruiz, que llevan diez años cuidando la finca, son vecinos de Asquerosa y conocen, por ello, a la mayoría de los individuos que ahora los amenazan, procedentes de dicho pueblo o de la cercana localidad de Pinos Puente (de la cual Asquerosa es anejo). Entre ellos están Enrique García Puertas, guarda jurado de la Azucarera de San Pascual, apodado el Marranero —tipo violento, cuñado de los hermanos Linares y después alcalde de Pinos—,* y dos hermanos, los terratenientes Miguel y Horacio Roldán Quesada, parientes y enemigos del padre del poeta y militantes de la CEDA.[29] En 1907 Horacio Roldán había sido confirmado el mismo día que Federico en Asquerosa y, en Granada, había estudiado Derecho al lado del poeta y Francisco García Lorca, aunque no tan brillantemente como éste, discípulo aventajado de Fernando de los Ríos.[30] El 20 de julio había «tomado» Pinos Puente, después de un breve intercambio de tiros con la Casa del Pueblo.[31] Según Carmen, la hermana de Gabriel Perea —que nunca pudo olvidar la llegada de «aquel tropel de gente» a la Huerta—, Miguel Roldán (conocido en Asquerosa y Pinos como El Marquesito) iba vestido de militar.[32]

Benigno Vaquero Cid ha dejado constancia, con profundo conocimiento de causa, de que los Roldán Quesada —el parentesco con el padre del poeta se debía al enlace de un tío de ellos, José Roldán Benavides, con su hermana, Isabel García Rodríguez— no podían ver a Federico García Rodríguez. Ello no sólo por los litigios que había habido entre ellos en relación con terrenos, sino por su conocida amistad con Fernando de los Ríos y porque envidiaban «el ambiente de naturalidad, de elevación, de sencillez y de cultura que se respiraba en su casa, los éxitos artísticos y sociales de sus hijos, y el relieve y el constante aumento del prestigio y de la fama nacional e internacional que iba adquiriendo su hijo mayor».[33]

---

* Según Benigno Vaquero Cid, conocido maestro de Pinos Puente: «En Pinos, como en toda la "zona nacional", el caciquismo se hizo franquismo para imponer un terror. Con tal fin pusieron de alcalde a Enrique García Puertas, el Marranero, que luego se revolvía contra los propios caciques del pueblo sin dejar de ser un bestiajo y el terror de este pueblo» (nota al autor de don Benigno Vaquero Cid, 1995).

Hay que tener en cuenta también que una hermana de Horacio y Miguel Roldán Quesada, María, estaba casada con uno de los militares granadinos más implicados en la conspiración antirrepublicana: el capitán Antonio Fernández Sánchez (que moriría un año después en Sierra Nevada persiguiendo a los «rojos»).[34]

El grupo venido de Asquerosa y Pinos Puente rodea la Huerta y registra la casa de Gabriel Perea. Luego empuja a la madre de éste y a sus dos hijas, Carmen y Ana, escaleras abajo. Quieren que les digan dónde están los otros hijos, los presuntos asesinos, dónde se esconden. Viendo que la madre insiste en que no lo sabe, la llevan a rastras, y también al resto de la familia, a la amplia terraza delante de la casa. Tres décadas después la sirvienta de Concha García Lorca, Angelina Cordobilla González, que tenía veintitrés años en 1936,[35] recordaba la escena como si hubiera ocurrido el día antes:

> Ellos eran de Pinos. A la Isabel, la madre de Gabriel, y a él, les pegaron con la culata. Hechos polvo estaban, de rodillas. Entonces fueron a la casa de la señorita Concha, al lado. ¿No ha visto usted que allí hay una gran terraza? Pues allí había un poyo, con muchas macetas y todo. Allí cenaban y comían y todo. Y entonces fueron éstos y azotaron a Gabriel. Y a Isabel, la madre de ellos, le pegaron y la tiraron por la escalera, y a mí. Y luego nos pusieron en la placeta aquella en fila, para matarnos allí. Y, entonces, la Isabel, la madre de ellos, le dice: «Hombre, siquiera mira por la teta que te he dado, que a usted le he criado con mis pechos». Y dice él: «Si me ha criado usted con sus pechos, con tus pechos, ha sido con mi dinero. Vas a tener martirio, porque voy a matar a todos». Al señorito Federico le dijeron allí dentro «maricón», le dijeron de todo. Y lo tiraron también por la escalera y le pegaron. Yo estaba dentro y todo, y le dijeron de maricón. Al viejo, al padre, no le hicieron nada. Fue al hijo.[36]

Según Carmen Perea, hermana de Gabriel, no cabía duda de que los agresores sabían quién era Federico. ¡Cómo no lo iban a saber! Uno de ellos incluso se mofaría, al querer defender el poeta a Gabriel: «¡Ah, mira, el maricón amigo de Fernando de los Ríos!». Lorca contestaría que no sólo era amigo del catedrático socialista, sino de muchas personas de convicciones diversas.[37]

Vale la pena insistir en que Horacio Roldán Quesada era primo de Federico, a cuyo lado, y el de su hermano, había estudiado Derecho en la Universidad de Granada. Además había pretendido sin éxito a Concha García Lorca. Parece indudable que hubo por su parte celos, odio y resentimiento.[38]

¿Estuvieron los Roldán al tanto, por más señas, de que Lorca acababa de terminar una obra de teatro con el título de *La casa de Bernarda Alba*? Es muy probable y que, como parientes de la familia Alba, se sintieran ofendidos. Como hemos visto, la noticia se había publicado en *Heraldo de Madrid*, diario muy leído en todo el país. Es incluso posible que los Roldán estuviesen al tanto de la lectura de la obra dada por el poeta en el carmen de Fernando Vílchez.[39]

Angelina Cordobilla, viendo el peligro que corrían «sus niños» (Vicenta, Manuel y Conchita Fernández-Montesinos García), se las arregló durante el desorden para escaparse con ellos por detrás de la casa y buscar refugio en la colindante Huerta de San Enrique, propiedad de Francisco Santugini López, cuya hija, Encarnación, era muy amiga de la familia e incluso había estudiado en la escuela poemas de Federico (que ya figuraban en los libros de texto).* Desde allí parece ser que alguien pidió socorro, tal vez al cuartel de Falange. Sea como fuera, poco tiempo después llegó otro grupo a la Huerta de San Vicente e impidió que se cometiesen más atropellos.[40]

De aquella visita quedó constancia en *Ideal* al día siguiente, 10 de agosto de 1936:

Detenido por supuesta ocultación

Por sospecharse pudiera ocultar el paradero de sus hermanos José, Andrés y Antonio, acusados de haber dado muerte a José y Daniel Linares, hecho ocurrido en un pueblo de la provincia el día 20 del pasado, un sargento de la Benemérita, retirado, detuvo ayer a Gabriel Ruiz Perea, en su domicilio, callejones de Gracia, huerta de don Federico García. Después de interrogado fue puesto en libertad.[41]

---

* Juan Tamayo y Rubio, *Lengua española. Segundo grado*, Madrid, Librería de Enrique Prieto, Preciados 48, 1936. Tamayo y Rubio reproduce «Baladilla de los tres ríos» y comenta: «Federico García Lorca (Fuentevaqueros, Granada) ha situado su personalidad en el primer plano de nuestro mundo literario como poeta lírico y dramático. Temperamento vibrante a toda manifestación artístico, es un andaluz universal que ha sabido interpretar de maravilloso modo el folclore y el paisaje de su tierra a través de su propia sensibilidad» (p. 259).

Parece ser que, antes de llevarse a Gabriel Perea, el sargento retirado de la Guardia Civil (no identificado) advirtió al poeta que se encontraba a partir de entonces bajo arresto domiciliario y que no podía abandonar la casa por ningún concepto. Pero ello no consta documentalmente.[42]

Federico está ya aterrado. Intuye que la próxima vez vendrán a por él. ¿Dónde buscar refugio? ¿A quién dirigirse? Piensa entonces en su amigo Luis Rosales, dos de cuyos hermanos, José y Antonio, se cuentan entre los falangistas más destacados de Granada. Doce años más joven que él, ¿no admira Luis profundamente su obra y no le considera hasta cierto punto su maestro en poesía? ¿No ha publicado un largo y enjundioso artículo sobre el *Romancero gitano* en *Cruz y raya*, la revista de José Bergamín? Últimamente, en Madrid, se han visto con cierta frecuencia y su amistad se ha hecho más estrecha. ¡Por supuesto que Luis le echará una mano!

Llama enseguida a casa de los padres de Rosales y tiene la suerte de poder hablar con él. Le explica brevemente lo ocurrido y Luis promete ir enseguida a la Huerta. Cumple su palabra y llega allí en coche, quizá acompañado por su hermano menor Gerardo.

Rosales no es «camisa vieja» de Falange, sino más bien monárquico, y sólo ha ingresado en el partido el 20 de julio al considerar que no tenía más remedio. Ha impresionado favorablemente a sus nuevos jefes y en el momento de recibir la llamada de Lorca es «jefe de sector» de Motril, puesto de cierta relevancia. En aquellas circunstancias no es un cualquiera, y menos con los hermanos que tiene.

En la Huerta hay un consejo de familia y se plantean distintas opciones para poner a salvo al poeta. Luis está dispuesto a pasarle a la zona republicana, cosa para él facilísima (aunque personalmente muy comprometida), pero Federico se opone, tal vez temiendo que, si él se fuga, podrán vengarse atropellando a su padre. Tampoco quiere ir a casa de Manuel de Falla. Finalmente se decide que lo mejor será que se instale con la propia familia Rosales en la calle de Angulo, número 1. ¿Dónde podría estar más seguro? Todo el mundo está de acuerdo.[43]

Aquella misma noche se traslada hasta allí en el taxi de Francisco Murillo, chófer de Federico García Rodríguez.[44] Nada sabemos del breve trayecto, erizado de peligros, pero no es difícil imaginar que, al entrar en la casa de los hermanos, experimenta una profunda sensación de alivio. ¿Alivio? Lo estremecedor es que Angulo, 1, está a unos trescientos metros del Gobierno Civil, donde el comandante Valdés Guzmán se ocupa en estos momentos, entre otrs urgentes quehaceres, de limpiar Granada de «rojos».

En casa de los Rosales

El padre de los hermanos Rosales, Miguel Rosales Vallecillos, es dueño de los almacenes La Esperanza, en la animada plaza de Bib-Rambla. Uno de los comerciantes más conocidos de la ciudad, se le respeta por su simpatía personal y por su probidad. Según Luis su padre era «conservador liberal» y decididamente antifalangista. La madre, Esperanza Camacho, en cambio, aprobaba la militancia en la organización dirigida por José Antonio Primo de Rivera de sus hijos Antonio y José y, antes de la sublevación, los había ayudado con sus preparativos, cosiéndoles uniformes e insignias.[45]

Desde 1936 la espaciosa casa de los Rosales en Angulo, 1, ha sufrido tantas transformaciones que hoy, convertido en hotel, es prácticamente irreconocible. Tenía una estructura típicamente granadina: abajo, un patio, con numerosas estancias alrededor, que la familia ocupaba en verano y, en la parte superior del edificio, a la que se llegaba por una ancha escalera, dos plantas. En la segunda, casi independiente, con acceso propio a la calle, vivía la hermana de la señora Rosales, la tía Luisa Camacho. Fue allí donde, por unanimidad, se acordó instalar a Federico.[46]

Poco a poco, gracias a las atenciones de las mujeres —la señora Rosales, su hija Esperanza, la tía Luisa Camacho y una sirvienta poco agraciada de nombre Basilisa— parece que consiguió tranquilizarse un poco, o por lo menos aparentarlo, dedicando horas a hablarles de sus experiencias en Nueva York, Buenos Aires y Cuba o a tocar canciones populares en el piano colocado a propósito en su habitación. En cuanto a los hombres de la familia, los veía poco ya que el padre dedicaba gran parte del tiempo a su tienda, Miguel y José estaban casados y tenían hogar propio, y Luis, Antonio y Gerardo raras veces dormían en casa durante estos días tan sumamente agitados.[47]

Hay que subrayar que, al aceptar dar cobijo a Federico, Miguel Rosales Vallecillos hizo gala de una valentía y de una magnanimidad fuera de lo común. Corrían tiempos peligrosísimos y un bando militar prohibía terminantemente proteger a un «rojo», por muchos atenuantes que se pudiesen aducir, bajo la amenaza de ser pasado por las armas. Rosales Vallecillos tendría luego que pagar, literalmente, por el privilegio de haber hecho lo posible por ayudar al poeta, disfrazándose la fuerte multa impuesta por las autoridades rebeldes de voluntaria contribución al esfuerzo bélico.[48]

Habría sido casi impensable que Lorca pudiera escribir en circunstancias tan adversas. Leía *Ideal*, que Esperanza le subía todas las mañanas y, sobre todo, escuchaba la radio, tanto la republicana como la rebelde.[49] Sacó también partido de la nutrida biblioteca de Luis, redescubriendo *Los milagros de Nuestra Señora* de Gonzalo de Berceo, cuyos versos leía con entusiasmo a Gerardo y a la tía Luisa Camacho.[50] En cuanto a sus proyectos, habló con Luis del libro de sonetos que iba a publicar y de su intención de componer un poema épico, *Adán,* en la línea del *Paraíso perdido* de Milton y en el que ya llevaba pensando varios años.[51]

Los propagandistas del franquismo mantendrían en repetidas ocasiones que, durante su estancia en casa de los Rosales, había trabajado con Luis en la composición de un himno en honor de los caídos de la Falange. No era verdad, y Rosales diría siempre que el proyecto, nunca convertido en realidad —¡no hubo tiempo!— consistía más bien en una elegía conjunta dedicada a todos los que ya habían muerto en la contienda desencadenada un mes antes.[52]

¿Cuánto sabía Lorca acerca de la implacable represión que estaban llevando a cabo en Granada los rebeldes? Pese a no poder tener cabal conocimiento de la magnitud del terror, estaba sin ningún lugar a dudas al tanto de las ejecuciones que se realizaban a diario en el cementerio. Éstas se consignaban a veces en *Ideal*, señalándose abiertamente —el día 11 de agosto, por ejemplo— que algunas se llevaban a cabo en represalia por los bombardeos de la aviación republicana, de acuerdo con el bando publicado a estos efectos.[53] Se sobreentendía que las víctimas eran presos sacados más o menos al azar de la cárcel. Lorca temía, con razón, por la vida de su cuñado Manuel Fernández-Montesinos, y cabe imaginar que suplicaría a los hermanos Rosales que hicieran todo lo que estuviera en su poder por salvarlo.

Entre los compañeros falangistas de los Rosales había varios muy implicados en los asesinatos que se llevaban a cabo diariamente en Granada. Uno de ellos, que además es pariente suyo, se llama Antonio López Font. Una noche se presenta en Angulo, 1. Durante la cena, según testimonio de Esperanza Rosales, Font dice de repente, como si fuera la cosa más normal del mundo: «Esta noche tenemos una redada». Al preguntarle los presentes a quiénes se va a buscar, les contesta que a tres «rojos» denunciados por tener «una radio clandestina» y escuchar la republicana: Manuel López Banús (colaborador de la revista *gallo*), Manuel Contreras Chena y el médico Eduardo Ruiz Chena. López Font no sabe que todos son amigos de Luis, quien, sin inmutarse, se excusa («Lo siento, papá, pero me tengo que ir, me necesitan en el cuartel») y se levanta de la mesa sin terminar de comer. Va inmediatamente a avisar a los tres del peligro que corren, y esta misma noche se las arregla para vestir de falangistas a López Banús y a Contreras Chena y llevarlos a dormir en el cuartel de Falange y ponerlos así, por lo menos provisionalmente, a salvo.[54]

A Lorca se le va cerrando el cerco. El 15 de agosto se presenta en la Huerta otro grupo. Llevan una orden para su detención. Al ser informados de que ya no está allí lo revuelven todo e incluso desmontan el piano de cola, buscando papeles comprometedores... ¡o quizá, todavía, la famosa radio fantasma! Al final, el que encabeza al grupo, un falangista de nombre Francisco Estévez, amenaza a la familia y les dice que, si no revelan el paradero del poeta, se llevará en su lugar al padre (es lo que había temido Federico). Luis Rosales, antes de abandonar la Huerta, había conminado a la familia a que por nada del mundo señalasen el paradero del poeta. Pero ahora no hay más remedio. Parece ser que es Concha quien, aterrada, contesta que su hermano no ha huido sino que está en casa de un amigo falangista, poeta como él. Es posible que incluso le nombrara a Rosales.[55]

Parece lógico deducir que, una vez ido el grupo, la familia avisó enseguida a Federico de lo ocurrido (según Esperanza Rosales, el poeta hablaba a veces con ellos por teléfono: conversaciones breves, cautas, dado el peligro de las escuchas).[56] Un hijo de Gerardo Rosales ha negado que lo hiciesen, alegando que, de haber llamado, los Rosales habrían tenido tiempo para ocultar a Federico en otro sitio. Pero no hay pruebas.[57]

Poco antes del amanecer del día siguiente, domingo 16 de agosto, un pelotón acaba en el cementerio con la vida de Manuel Fernández-Montesinos y otros veintinueve presos. A petición del ex alcalde asiste a su ejecución un sacerdote, conocido suyo, que le acaba de confesar. Tiene ahora la dolorosa obligación de informar a Concha García Lorca de lo ocurrido.[58]

La terrible noticia no tarda en llegar al poeta, probablemente por teléfono. Esperanza, a quien ha apodado su «divina carcelera», estaba con él en aquel momento. Según ella quedó deshecho, anonadado.[59]

Podemos tener la seguridad de que, a partir de este momento, empezó a temer otra vez por su vida. Si los rebeldes eran capaces de matar a una persona tan inocente como Manuel Fernández-Montesinos por el simple hecho de ser socialista y de haber desempeñado un cargo político, ¿qué posibilidades de salvarse había para un famoso poeta «rojo»? ¿Acaso no había hecho repetidas declaraciones antifascistas a la prensa? ¿No acababa de criticar públicamente a la clase media granadina, llamándola «la peor burguesía de España»? ¿No es íntimo amigo y protegido de Fernando de los Ríos, el político de izquierdas más odiado por ésta? ¿No fue *Yerma* objeto de furibundas críticas por parte de la prensa católica? Y el «Romance de la Guardia Civil Española», ¿no había despertado enérgicas protestas? ¿No le desprecian muchos granadinos por su condición de homosexual, como se comprobó en la visita a Huerta de San Vicente de Horacio Roldán y sus compinches energúmenos? ¿No es objeto, por su fama, de inconfesables envidias? Y, para colmo, ¿no es hijo de un terrateniente rico con historial político liberal, hombre con su propia cosecha de enemigos políticos locales?

Tiene, lo debe saber, todo en contra.

La familia Rosales, además, está empezando a inquietarse y a pensar que tal vez estará más seguro en otro sitio. Además, desde el primer momento, Antonio, el falangista más fanático de los hermanos, ha estado en contra de tenerle entre ellos.[60] Pero ¿a dónde trasladarle? Si podemos confiar en la memoria de Esperanza Rosales, la hermana de Luis, veinte años después de los hechos, el propio poeta sugirió la posibilidad de esconderse en el piso de su amiga Emilia Llanos, en Plaza Nueva. Los Rosales, empero, consideraban preferible el carmen de Manuel de Falla. ¿Quién iba a atreverse a violar la casa del maestro, compositor de fama internacional y, para mayor garantía, de conocidas convicciones católicas? Si, ante las primeras amenazas de la semana anterior, el poeta no había querido molestarle, ¿no sería lógico ahora, vista la marcha de los acontecimientos, pedir asilo con él?[61]

Pero los enemigos se mueven más deprisa que la familia Rosales. Buscan al poeta en la Huerta del Tamarit, la de la prima Clotilde García Picossi. Dirige el registro, otra vez, el siniestro capitán Manuel Rojas, el asesino de Casas Viejas.[62] Luego, ya mucho más cerca de su presa, en casa de Miguel Rosales, el hermano de

Luis, situada a dos pasos de Angulo, 1, en la calle Lucena, número 2. Se dan cuenta enseguida de su equivocación.[63]

Hay indicios de que, en este punto, el capitán Rojas le preguntó a bocajarro a Antonio Rosales si el poeta estaba en su casa y que, después de negarlo, acabó admitiendo que sí.[64]

Muchísimos falangistas ya lo sabían, además.

A Lorca le detienen a eso de la cinco de la tarde del 16 de agosto, el mismo día de la ejecución de su cuñado Fernández-Montesinos. «A la hora terrible de los calores», recordaba Esperanza Rosales.[65] Es una operación a gran escala montada desde el Gobierno Civil: se corta la calle de Angulo, rodean la manzana policías y guardias civiles y hasta se apuestan hombres armados en los tejados para evitar que el poeta busque evadirse por aquel camino inverosímil. Existen numerosos testimonios al respecto.[66]

Ramón Ruiz Alonso, el enemigo del infierno

La persona que se presenta en la puerta de Angulo, 1, para llevarse a Lorca es conocidísima en Granada. Se trata del ex diputado de la CEDA por la provincia Ramón Ruiz Alonso, católico fanático, íntimo amigo y compañero de partido de Horacio Roldán, uno de los asaltantes de la Huerta de San Vicente.

Nacido en el pueblo salmantino de Villaflores en 1903, Ruiz Alonso es hijo de un terrateniente acomodado venido a menos. Como Gil Robles se formó con los hermanos salesianos de Salamanca (y luego con los de Barcelona). Trabajó como delineante, antes del advenimiento de la Segunda República en 1931, en la Compañía de Trabajos Fotogramétricos Aéreos de Madrid. Por aquel entonces la vida le sonreía. Además se había casado con una mujer hermosa, Magdalena Penella Silva, hija del famosísimo compositor valenciano Manuel Penella, descubridor de Concha Piquer y autor, entre otras obras de gran éxito, de *El gato montés*. El 2 de marzo de 1930 había nacido en Madrid la primera hija de la pareja, Manuela —nombrada así en honor del abuelo—, que, con el correr de los años, iba a ser la célebre actriz Emma Penella.[67]

Cuando llega la República en 1931 la vida de Ruiz Alonso se fue complicando y pasó a desempeñar el oficio de albañil. No están claras las razones de tan brusco cambio de fortuna, aunque escribió después que estuvo perseguido por sus ideas antimarxistas y que

686 VIDA, PASIÓN Y MUERTE DE FEDERICO GARCÍA LORCA

perdió seis puestos de trabajo por no querer afiliarse a los sindicatos de izquierdas. El proletariado auténtico que rodeaba a Ruiz Alonso despreciaba al *nuevo pobre* antirrepublicano que se negaba a participar en su lucha de clases y se desvivía por recuperar cuanto antes su antigua situación holgada. En aquellos momentos en que el fascismo tomaba cuerpo no nos puede extrañar que un hombre de talante tan agresivo se afiliase, en 1933, a las recién creadas JONS (Juntas de Ofensiva Nacional-Sindicalista), primera organización fascista coherente del país, que más adelante se fusionaría con la Falange Española de José Antonio Primo de Rivera. Por las mismas fechas consiguió un puesto como tipógrafo en el diario *El Debate*, el periódico católico más importante de España, portavoz, en la práctica, de Gil Robles. Éste, al enterarse de la posible utilidad de Ruiz Alonso para los fines de la CEDA (Confederación Española de Derechas Autónomas), propició su traslado a Granada para trabajar en los talleres del nuevo periódico *Ideal*, fundado en 1932 y propiedad, como *El Debate*, de Editorial Católica.[68]

Las cosas ya iban mejorando para Ruiz Alonso. Emprendió en la provincia una intensa campaña de propaganda antirrepublicana —tenía facultades de orador vociferente—, empezó a escribir en *Ideal* —no contento con su trabajo oficial de linotipista— y su satisfacción no conocería límites cuando, tras verse incluido en la lista de la CEDA por Granada en las elecciones de 1933, se vio de pronto convertido en diputado.[69]

El «obrero amaestrado», como pronto sería apodado —se ha dicho que por José Antonio Primo de Rivera—, se ganó enseguida el desprecio de las izquierdas, y no sólo en Granada. Que aquel hombre de orígenes burgueses, petulante, belicoso, fanfarrón, corpulento y bien parecido se arrogase la misión de redimir a la clase obrera española era algo que los republicanos consideraban estomagante. Durante su primer año en las Cortes, por otro lado, no se distinguió como representante de la católica Acción Obrera, cuyo Comité Central entonces presidía, y en 1934 dimitió del partido, aunque negándose a renunciar a su escaño.[70]

Ruiz Alonso detestaba al «judío» Fernando de los Ríos, y hay indicios de que sentía por Lorca —cuya íntima amistad con el catedrático era de dominio público— una peligrosa mezcla de desdén y envidia. Durante la campaña electoral de enero y febrero de 1936, en un ruidoso mitin celebrado en Fuente Vaqueros, se había referido despectivamente tanto al catedrático como a Lorca, llamando a éste «el poeta de la cabeza gorda».[71]

Ruiz Alonso había perdido su escaño en marzo de 1936 al anularse los resultados de las elecciones de febrero. Comentó su indignación, el 5 abril, *El Defensor de Granada* —que no había desperdiciado ocasión desde 1933 para meterse con «el buen obrero, el único simpático a los capitalistas de España»—[72] en unos versos burlescos publicados en primera plana:

> *El obrero 'honoris causa'*
> *en busca va de trabajo,*
> *triste, con mono, sin acta,*
> *ni en Alfacar ya lo quieren*
> *porque ya hicieron la casa.**

Al no conseguir su reelección en mayo de 1936, el odio de Ruiz Alonso hacia las izquierdas granadinas había crecido desmesuradamente. En su libro *Corporativismo* —manual fascista basado en una tesina preparada para la Universidad de Granada y publicado en plena guerra en 1937— confirmaría que a partir de aquel momento se había involucrado del todo en la conspiración antirrepublicana, estableciendo contacto con los falangistas locales (ilustración 40).[73]

El 10 de julio había salido de Madrid en coche para Granada, al tanto, sin duda alguna, de que el alzamiento tardaría pocos días en producirse y con la intención de participar en los acontecimientos. Su viaje se vio interrumpido de forma intempestiva, sin embargo, cuando, en las afueras de Madridejos, chocó contra un camión. Tuvo la suerte de salir del percance con sólo leves magulladuras. Llevado a Granada por unos compañeros políticos estuvo algunos días en cama. Cuando, el 20 de julio, la guarnición salió a la calle se incorporó enseguida a los rebeldes y desempeñó un papel significativo en los primeros días de la represión.[74]

Cuando Ruiz Alonso llama a la puerta de Angulo, 1, la tarde del 16 de agosto va acompañado de tres personas. Dos son compinches suyos de la CEDA: Juan Luis Trescastro, conocido terrateniente de Santa Fe, lejano pariente de Federico García Rodríguez y fanfarrón en la más pura línea machista del señorito andaluz; Luis García Alix, secretario de la CEDA en Granada; y un falangista de nombre Federico Martín Lagos, vecino de los Rosales.[75]

---

* Durante la campaña electoral Ruiz Alonso había ayudado a levantar la casa hundida de un obrero en Alfacar. Véase ilustración 41.

En este momento no hay en casa de los Rosales ningún hombre. Luis y José están en el frente; Antonio, Gerardo y su padre se encuentran en diferentes partes de la ciudad y Miguel está de servicio en el cuartel de Falange. Así es que la señora Rosales tiene que enfrentarse sola con Ruiz Alonso. Se opone rotundamente a que se lleve al poeta. ¿Con qué derecho se presenta en una casa falangista una persona para ella desconocida? ¿Y qué quieren con García Lorca? Según su hija Esperanza, que escucha aterrada la conversación, Ruiz Alonso declaró categóricamente que al poeta le achacaban el contenido de sus escritos. Suponía que las autoridades querrían interrogarlo por este motivo.[76]

Preguntado en 1966 al respecto, el ex diputado alegaría que la Casa del Pueblo de Granada había montado una versión «revolucionaria» de *Bodas de sangre* con el título de... ¡*Bodas de dinamita*! No parece en absoluto probable.[77]

La señora Rosales trató entonces de hablar con sus hijos por teléfono. Consiguió dar con Miguel y le contó lo que ocurría. Se acordó que Ruiz Alonso fuera a verle enseguida en el cuartel de Falange para tomar una decisión. Así se hizo. Al poco rato regresó con él. Rosales, según contó en 1965, quedó atónito al ver que la zona estaba acordonada y atestada de policías y milicias. Comprendió enseguida que no habría más remedio que entregar a Lorca. Ruiz Alonso le había dicho en el coche que el poeta era un «espía de los rusos», que había hecho «más daño con la pluma que otros con la pistola» y que él no hacía más que obedecer órdenes al aceptar escoltarle al Gobierno Civil. Conducía el vehículo su propietario, Juan Luis Trescastro, e iban con Ruiz Alonso Luis García Alix y otros dos individuos desconocidos para él.[78]

Lorca, arriba en el segundo piso de la casa, debió de darse cuenta enseguida de que pasaba algo muy grave. Dada la vehemente personalidad, y la voz estentórea, del ex diputado, cuesta creer que, desde una de las ventanas interiores que daban al patio, no escuchara la conversación. Cabe pensar, además, que veía desde la de su dormitorio el movimiento de guardias y policías en la calle además de la presencia de hombres armados en los tejados. Esperanza Rosales decía recordar, además, que a poco de la llegada de Ruiz Alonso se había deslizado escaleras arriba para ponerle al corriente de lo que estaba ocurriendo.[79]

Cuando volvió Ruiz Alonso con Miguel Rosales ya se había vestido el poeta. Miguel explicó a su madre que, dadas las circunstancias, no podían impedir que el ex diputado llevara a Federico al

Gobierno Civil, pero que él les acompañaría para enterarse de los motivos de la detención. Esperanza fue a buscar a Federico. Sobre el piano había una imagen del Sagrado Corazón de Jesús, del que la tía Luisa Camacho era muy devota. A instancias suyas rezaron los tres un momento delante de la imagen. «Así todo te irá bien», le aseguró Luisa Camacho.[80]

En un descansillo de la escalera colgaba una reproducción del cuadro de san Miguel debido a Guido Reni. Luis Rosales comentaría en 1986 que fue con casi toda seguridad la última pintura vista por el poeta. Qué ironía, dado el hecho de haber elevado al arcángel al rango de patrón gay de Granada.[81]

Rosales le contó en 1956 al investigador Agustín Penón que en aquellos momentos Federico se encontraba en un estado de desmoronamiento total, que temblaba y lloraba.[82]

Años después lo negaría Esperanza, pero no hay razón para dudar del testimonio de su hermano, basado en lo que oiría aquella noche, al volver a casa, de labios de las mujeres.[83]

Al despedirse Federico de Esperanza, murmuró, según ella: «No te doy la mano porque no quiero que pienses que no nos vamos a ver otra vez».[84]

Luego salió a la calle acompañado de Miguel Rosales y del «obrero amaestrado» de la CEDA. El encargado máximo, hoy lo sabemos a ciencia cierta, de la denuncia responsable del asesinato del poeta.

Lorca en el Gobierno Civil

Frente a la casa de los Rosales vivía la familia del dueño del bar Los Pirineos, situado a la vuelta de la esquina en la vecina plaza de la Trinidad. Uno de los hijos, Miguel López Escribano, de doce años, presenció desde una ventana la salida del poeta a la calle. Según decía recordar más de treinta años después, llevaba pantalones color gris oscuro, una camisa blanca con el nudo de la corbata suelto y, al brazo, una americana. El grupo cubrió a pie la corta distancia a la plaza de la Trinidad y dobló la esquina: «Son de estas cosas que se quedan grabadas y se acuerda uno».[85]

Según Miguel Rosales, que iba al lado del poeta, los esperaba en la plaza el coche. Federico no hacía más que rogarle que buscara a su hermano José (Pepiniqui), sabedor de que era uno de los falangistas granadinos de más prestigio.[86]

Cuando llegaron unos segundos después al Gobierno Civil, en la calle Duquesa, Miguel se enteró de que el gobernador, el comandante José Valdés Guzmán, no estaba y que hacía las veces del mismo un teniente coronel de la Guardia Civil, Nicolás Velasco Simarro (jubilado en 1935, cuando mandaba la Benemérita en Granada, por haber cumplido la edad reglamentaria).[87] Velasco le explicó que Valdés había ido temprano aquella mañana a inspeccionar unas posiciones en las Alpujarras (lo cual era verdad), que no volvería hasta la noche y que hasta su vuelta él se hacía cargo del poeta.[88]

Tras un cacheo, Lorca fue encerrado en una de las dependencias del primer piso del edificio. Miguel Rosales diría después que hizo todo lo posible por tranquilizarle, prometiendo que volvería enseguida con José y asegurándole que no le iba a ocurrir nada. Pero estaba sumamente preocupado. Temía sobre todo que fuera sometido a interrogatorio por uno de los más brutales secuaces de Valdés en el Gobierno Civil, un individuo apodado «Italobalbo».[89]

Miguel Rosales volvió a toda prisa a la sede de Falange y trató desesperadamente de hablar por teléfono con su hermano José. No había manera. Tampoco pudo localizar a Luis ni a Antonio. En cuanto a su hermano menor, Gerardo, parece que había ido al cine. No se sabe si habló con su padre.[90]

Cuando Luis y José Rosales llegaron por la noche y se enteraron de lo ocurrido, fueron inmediatamente a confrontar a Valdés, acompañados de otro destacado falangista, Cecilio Cirre. En el Gobierno Civil, Nicolás Velasco insistió en que el gobernador no había vuelto todavía de las Alpujarras —no sabemos si era verdad o no— y le aconsejó a Luis que prestara declaración. Treinta años después dijo Rosales ante una grabadora:

> La noche que yo fui a reclamar a Federico había cien personas en el Gobierno Civil, en una sala inmensa que había allí. ¡Cien personas! Era muy tarde ya y me dijeron que no podía ver a Valdés. Me dijeron que prestara declaración, y la presté ante un teniente coronel de la Guardia Civil, cuyo nombre no recuerdo. Allí, en medio de aquella sala inmensa, presté declaración. Estuvieron conmigo mi hermano Pepe, Cecilio Cirre y alguien más, creo. Íbamos armados. Allí yo no conocía a nadie. En mi declaración dije que un tal Ruiz Alonso, al que yo no conocía, había ido aquella tarde a nuestra casa, a una casa falangista, y había retirado a nuestro huésped, sin una orden escrita ni oral. Después de que yo presté declaración, dije, en fin, con fuerza y despectivamente:

—¿Por qué ha ido un tal Ruiz Alonso a nuestra casa, a casa de hombres de Falange, y se ha presentado allí sin orden escrita ni oral y ha retirado a nuestro huésped?

Yo lo dije un par de veces, «un tal Ruiz Alonso». Entonces —y claro, yo hablaba alto, con pasión, despectivamente—, entonces, pues, éste, que estaba allí, pasó delante y dijo:

—Ese tal Ruiz Alonso soy yo.

Entonces le dije:

—Bueno, ¿has oído? ¿Has oído? ¿Por qué te has presentado en casa de un superior sin una orden y has retirado a mi amigo?

Entonces él dijo:

—Bajo mi única responsabilidad.

Yo le dije, tres veces:

—No sabes lo que estás diciendo. Repítelo.

Porque, claro, éste era un inconsciente, éste creía que se estaba llenando de gloria ante la historia. Lo repitió tres veces, por tres veces lo repitió y cuando terminó, pues yo le dije:

—Cuádrate y vete.

Entonces estuvo muy bien Cecilio Cirre. Cecilio Cirre incluso lo zarandeó, y para evitar, claro, algo más grave, que el que lo zarandeara fuera yo, entonces, pues, Cecilio Cirre le dijo:

—Estás tratando con un superior. Cuádrate y vete.

Entonces, pues, como las otras personas que estaban allí no intervenían, entonces, pues, ya se fue.[91]

Ruiz Alonso negaría tajantemente en 1966 haber estado presente en la escena descrita por Luis Rosales, alegando que, después de dejar al poeta en el Gobierno Civil, volvió a su casa y no regresó al Gobierno Civil hasta la mañana siguiente.[92]

El testimonio de Rosales fue confirmado independientemente por Cecilio Cirre, sin embargo, y no parece haber motivos para dudar de su veracidad.[93]

No se ha encontrado la declaración prestada por Rosales ante Velasco. Decía, según él, que Lorca había sido amenazado en su casa en las afueras de Granada, que había pedido su ayuda y que era políticamente inocuo. Que él, como hombre y como poeta, no podía negar su protección a una persona injustamente perseguida, y que volvería a hacer lo mismo.[94]

Más tarde aquella noche José Rosales se presentó otra vez en el Gobierno Civil y, abriéndose paso a la fuerza, llegó hasta el despacho de Valdés. Según juraría en 1971 delante de un abogado, estaban con el gobernador en aquel momento los hermanos José y Manuel Jiménez de Parga —destacados derechistas granadinos y, según numerosos testimonios, asesores personales de Valdés—, el policía Julio Romero Funes y el abogado José Díaz Pla, jefe local de la Falange.[95]

José Rosales tuvo entonces, según él, una violenta discusión con Valdés Guzmán. Dos días antes de su muerte, en 1978, evocó por última vez aquella escena, afirmando que el gobernador tenía sobre la mesa de su despacho una denuncia contra Lorca, de dos o tres páginas de extensión, firmada por Ramón Ruiz Alonso. Valdés le mostró el documento para leerlo. Decía que Lorca era un escritor subversivo; que tenía una radio clandestina en la Huerta de San Vicente con la cual estaba en contacto con los rusos; que era homosexual y que había sido secretario de Fernando de los Ríos. Los hermanos Rosales, añadía, traicionaban el Movimiento dando cobijo a un rojo notorio. Valdés, al terminar Rosales de leer el documento, habría exclamado: «Si no fuera por esta denuncia, Pepe, yo te dejaría que te lo llevaras, pero no puede ser porque mira todo lo que dice». Agregaría que, si Rosales quería, podía coger a Ruiz Alonso y matarlo, pero que, por lo que tocaba al poeta, el deber suyo como gobernador era investigar la denuncia. Entretanto a Lorca no le pasaría nada.[96]

La denuncia descrita por José Rosales no ha sido encontrada. No cabe la menor duda de que existió realmente y de que llevaba la firma de Ramón Ruiz Alonso. Es más, él mismo se jactaba en Granada, muerto el poeta, de haberla redactado y, poco antes de fallecer en 1976, así se lo confesó a su hija mayor, la actriz Emma Penella. Alegando, eso sí, que la intención no había sido matar al poeta sino hacerle un escarnio por ser amigo de Fernando de los Ríos, a quien, al parecer, los sublevados creían escondido en Granada. El documento se preparó en las oficinas del diario *Ideal*, entonces situadas, provisionalmente, muy cerca del Gobierno Civil en el número 6 de la calle Tendillas de Santa Paula.[97]

José Rosales vio brevemente al poeta, al abandonar el despacho de Valdés, y le dio su palabra de que vendría por él dentro de poco.[98] Pero no le volverá a ver. A la mañana siguiente obtuvo del gobernador militar, coronel Antonio González Espinosa, una orden para su liberación y se fue corriendo con ella al Gobierno Civil. Valdés, furioso, le dijo que llegaba demasiado tarde, que ya se lo habían llevado y que ahora se preocupara de salvarle el pellejo a su hermano Luis, principal culpable de todo el asunto. Rosales le creyó y seguiría afirmando hasta su muerte que aquella mañana del 17 de agosto de 1936 Lorca ya no estaba en el Gobierno Civil. Sin embargo es absolutamente seguro que todavía se encontraba allí.[99]

Luis Rosales tampoco volvería a ver a Federico. Después de la escena ocurrida en la «sala inmensa» del Gobierno Civil, el falangista José Díaz Pla, íntimo amigo de los hermanos, le ayudó a redactar una declaración exculpatoria en la que exponía sus razones por haber protegido al poeta e incorporaba una información detallada sobre las visitas de los distintos grupos a la Huerta. Al proceder así esperaba no sólo ayudar a Federico sino también a su propia familia, ahora en un serio apuro. Envió copias del documento a las diferentes autoridades rebeldes de la ciudad.[100]

Sólo se ha encontrado la mandada al Jefe Provincial de Falange (el doctor Antonio Robles Jiménez). Se trata de un documento importantísimo para poder aproximarnos con cierta garantía de exactitud a los hechos que rodearon la última semana de Lorca. Al leerlo y enjuiciarlo, hay que tener muy presente que el poeta estaba todavía con vida; que Granada vivía momentos de terror; y que Rosales, aconsejado por Díaz Pla, torció ligeramente algún pormenor (insistiendo, por ejemplo, en que había dejado instrucciones en la Huerta para que, en el caso de nuevos registros, dijesen que Lorca estaba con él, lo cual no era verdad):

> Doy para tu conocimiento información exacta de mi conducta en relación con la detención de Federico García Lorca.
>
> En fecha [espacio para poner la fecha una vez averiguada] una escuadra de Falange al mando del Jefe de Milicias* practicó un registro en casa del detenido con resultado infructuoso. Este día le fue comunicado por nuestro Jefe, que no existía acusación alguna contra él.
>
> Al día siguiente y por elementos distintos, se practicó otro registro en dicha casa, para capturar al antiguo arquitecto de Granada, Alfredo Rodríguez Orgaz. El resultado fue también infructuoso.
>
> A los dos días, varios individuos armados irrumpieron en el domicilio del detenido, con la finalidad de aprehender a uno de sus colonos. En este registro se procedió con bastante violencia.
>
> Habida información sobre el caso en la Comisaría, se puso en libertad al acusado.

---

* Es decir, el capitán Manuel Rojas.

Teniendo en cuenta que los que practicaron el segundo y tercer registro no habían presentado la orden necesaria para practicarlos, la insistencia en las molestias, y con la única finalidad de que no pudiera ser violentado por personas que no tuvieran autoridad para ello, le albergué en mi casa a partir del último registro, en que había sido golpeado, hasta el día de su detención, dejando orden en su domicilio para que si había nuevos requerimientos, indicasen el lugar en que se encontraba, para ponerlo inmediatamente a disposición de la justicia.

En apoyo de mi actitud, digo:

1.º – Que no había en aquel momento ninguna clase de requerimiento oficial contra el detenido.

2.º – Que nuestro Jefe de Milicias en el primer registro y dados sus resultados, le había puesto en libertad.

3.º – Que dado el carácter literario de mi relación con el detenido, nunca supuse pudiera ser enemigo para la causa que defiendo.

4.º – Que mi obligación como autoridad era defender al detenido contra cualquier clase de atropello o incorrección.

5.º – Que mi obligación como autoridad era tener al detenido a disposición de la justicia cuando ésta procediera contra él.

6.º – Que no contento con esto y comprendiendo que, si no había orden de detención el primer día, pudo haberla después, pregunté por medio del camarada Jefe de Sector Cecilio Cirre al camarada Jefe de Milicias Manuel Rojas si había alguna clase de denuncia u orden de detención contra él, con la única finalidad de ponerlo a disposición de la autoridad competente.

7.º – Que me fue comunicado, dos horas antes de la detención de García Lorca, que no había nada contra él, por nuestro Jefe de Milicias por mediación de Cecilio Cirre.

8.º – Que durante el tiempo que estuvo en mi casa, no solamente no estuvo oculto, sino que de modo bien ostensible lo han visto y conversado con él cuantos falangistas han pasado por allí: Rojas, Cirre, Serrano, Casas, Reyes y muchísimos más.

9.º – Que cumpliendo mis órdenes, al primer requerimiento, se puso al detenido a disposición de la justicia.

10.º – Que he podido saber, después de practicada la detención, que un día antes la escuadra al mando de Francisco Díaz Esteve se personó con orden de prenderlo en su domicilio, sito en los Callejones de Gracia y allí se le notificó, cumpliendo mis órdenes, que estaba en mi casa.

11.º – Que el mismo día le fue dada orden al Jefe de esta escuadra por el camarada Sánchez Rubio para que se me presentara con la intención de que yo pusiera al detenido a la disposición de la autoridad.

12.º – Que dicho Jefe no cumplió esta orden por lo cual yo no pude saber que se procedía contra el preso.

Tengo que contestar urgentemente ahora de una imputación calumniosa y pido se exijan las responsabilidades derivadas de la conducta observada por quien o quienes hayan ordenado se rodease mi domicilio con fuerza armada, realizando con ello un intolerable atropello, y una notoria vejación hacia mi casa, mi familia y el crédito de mi nombre.

Dejo el cargo que ostento a tu disposición en tanto no tenga un certificado de la legalidad de mi conducta.

¡¡¡Arriba España!!!

LUIS ROSALES[101]

El documento demuestra que había una denuncia, o denuncias, contra Lorca antes de que buscara refugio con los Rosales. El hecho de su traslado a casa de éstos podía servir, tal vez, los intereses de Ruiz Alonso y la CEDA, pero no se podía haber previsto: en primer lugar se iba a por él.

Cuando Ruiz Alonso se llevó a Lorca, acompañado de Miguel, la señora Rosales llamó enseguida por teléfono a la familia del poeta, que el día anterior, después de la violenta escena transcurrida en la Huerta, se había mudado al piso de Concha, ahora viuda, en la calle de San Antón, número 39. También se puso en contacto con su marido, que fue inmediatamente a consultar con ellos y luego acompañó a García Rodríguez al bufete del abogado Manuel Pérez Serrabona. «Nosotros pensábamos que se trataría de un juicio y que habría la posibilidad de una defensa legal», comentaría posteriormente la hermana de Luis. Pero no habría juicio.[102]

Para las horas pasadas por el poeta en el Gobierno Civil de Granada nuestro testigo más fidedigno es Angelina Cordobilla González, niñera de los tres hijos de Concha García Lorca, que estaba con la familia en la Huerta de San Vicente cuando se inició el alzamiento, como sabemos, presenció allí las visitas de los distintos grupos y ahora había venido con ellos al piso de la calle de San Antón.

Entrevistada por Agustín Penón en 1955, diecinueve años después de los hechos, Angelina recordaba con nitidez los pormenores de aquellos trágicos días. Durante casi un mes había ido cada mañana desde la Huerta a la cárcel con comida y ropa limpia para Manuel Fernández-Montesinos hasta que, el 16 de agosto, le dijeron allí que ya no hacía falta. Aquella misma tarde había llegado la noticia de la detención del poeta. «¡¿Cómo lo voy a olvidar?! —exclamaría en 1966—. ¡Don Manuel por la madrugada y el señorito Federico por la tarde!»[103]

Angelina insistió siempre en que había ido al Gobierno Civil tres mañanas seguidas, muerta de miedo, con comida, café y otras cosas para el poeta. Según ella, el primer día, tras discutir entre ellos, los guardias apostados en la entrada del edificio le habían dejado subir al primer piso donde estaba encerrado. Allí arriba —era el 17 de agosto, a las diez u once de la mañana— los hombres que había en la puerta de la improvisada celda le habían registrado la cesta antes de dejarla pasar. En la desnuda habitación no había cama, sólo una mesa con tintero, pluma y papel. «Angelina, Angelina, ¿por qué has venido?», le diría el poeta. «Me manda su madre, es su madre quien me manda», contestaría. La mañana siguiente se encontró con que no había comido nada. El tercer día, cuando salía de la casa de San Antón, le había parado un desconocido. «La persona a quien va a ver usted ya no está», le dijo. Pese a ello siguió hasta el Gobierno Civil. Allí los guardias confirmaron que el poeta ya no estaba, y que podía subir a recoger sus cosas. Lo único que encontró fue un termo vacío y una servilleta. Pensando que quizá le habían trasladado a la cárcel, la aterrada criada se dirigió al otro lado de Granada y entregó la cesta. A los pocos minutos se la devolvieron. El poeta no estaba allí. Casi desmayándose, volvió a la calle de San Antón.[104]

Es imposible cuestionar la veracidad fundamental del relato de Angelina. Se equivocaba, sin embargo, al creer que viera dos días seguidos al poeta. Hoy sabemos que éste ya no se encontraba en el Gobierno Civil la mañana del 18 de agosto.

¿Por qué le mintió José Valdés Guzmán a José Rosales temprano el 17, asegurándole que Lorca ya no estaba en el edificio? Hay indicaciones de que, perfectamente al tanto de la fama del poeta, dudó antes de dar la orden de fusilamiento. Fanático perseguidor de «rojos», Valdés no solía andar con contemplaciones a la hora de condenar a muerte. Pero Lorca era diferente. Podría haber consecuencias negativas. Por ello decidió consultar el caso con el general Queipo de Sevilla en Sevilla, máxima autoridad rebelde en Andalucía. Aquella mañana *Ideal* había anunciado en su primera plana que, según Radio Sevilla, ya quedaban reestablecidas las comunicaciones telefónicas entre Cádiz, Córdoba, Granada, Huelva y la capital andaluza.[105] Aunque no fuera así, y toda vez que el Gobierno Civil carecía al parecer de emisora, la Comandancia Militar sí tenía una y casi seguramente también la Casa-Cuartel de la Guardia Civil, amén de varios particulares adheridos a la sublevación, entre ellos el médico militar Eduardo López Font, estrecho colaborador de Valdés, que poseía en su casa una de onda extracorta.[106]

Queda claro, pues, que el 17 de agosto de 1936 no había ningún problema para que Valdés hablara enseguida con Queipo de Llano.

Según varios testimonios la respuesta del general fue fulminante. Al poeta había que darle «café, mucho café». Era la fórmula que gustaba de utilizar al ordenar una ejecución.[107]

Parece ser que, para tener la seguridad de que había sido cumplida la orden, Queipo de Llano llamó al Gobierno Civil de Granada, hay que suponer que unas horas después. Estuvo en el despacho con Valdés en aquel momento su amigo el comandante médico Antonio Mesa del Castillo. Según éste siempre contaba después a sus íntimos, Queipo, al constatar que el poeta estaba todavía allí, se puso furioso y grito: «¡¡Fuera!!».[108]

Con o sin la implicación de Queipo de Llano debe considerarse a José Valdés Guzmán como el máximo responsable del asesinato del poeta. Pese a las acusaciones mortíferas de Ramón Ruiz Alonso y probablemente de otros, pese a la presunta orden de Sevilla, Valdés habría podido evitar sin dificultad el trágico suceso. Pero no quiso. Cabe pensar que, para él, Lorca era un rojo asqueroso más, su obra subversiva, su vida privada repugnante. Había atacado a la «burguesía» granadina, llamándola la peor de España. Había arremetido contra la Guardia Civil en su famoso romance. ¿Por qué perdonarlo? Además, es probable que tomara en consideración otra cosa. ¿Qué mayor escarmiento, en momentos en que había que aterrorizar a la población civil granadina, que matar a un célebre poeta antifascista? Si ellos eran capaces de liquidar a un ser así, ¿qué no harían con gente desconocida, con un obrero, con un albañil, con un conductor de tranvía?

No sabemos si entre Lorca y Valdés hubo una entrevista, o un enfrentamiento, antes de que se diera la orden fatal. Si tuvo lugar no sería sorprendente que el gobernador usurpador se expresara en términos violentos, entre otras razones por ser hijo de un general de la Guardia Civil, cuerpo que se puede deducir hondamente ofendido por el romance (así como por la *Escena del teniente coronel de la Guardia Civil* y el «Diálogo del Amargo» del *Poema del cante jondo*). Sea como fuera, Valdés, que siempre negaría haber intervenido en la muerte del poeta, se llevó sus secretos a la tumba. Murió el 5 de marzo de 1939, víctima de un cáncer y de una herida recibida en el frente después de ser cesado en 1937 como gobernador civil de Granada.[109]

A Lorca le sacaron del Gobierno Civil esposado con otra víctima: un maestro de primera enseñanza de nombre Dióscoro Galindo González, oriundo de Ciguñuela, en la provincia de Valladolid. Galindo había ejercido su profesión en la provincia de Sevilla entre 1929 y 1934. Después fue trasladado a Íllora, cerca de la Vega de Granada, y luego, en septiembre de 1934, al pequeño pueblo de Pulianas, a seis o siete kilómetros de la capital. Republicano convencido y muy querido de sus alumnos, caía mal al secretario del Ayuntamiento de Pulianas que, al producirse el alzamiento, le denunció como enemigo peligroso de la España «nacional». Fue detenido en su casa por un grupo de falangistas y llevado a Granada. Ya no le vería más su familia.[110]

Quiso el azar que aquella noche un joven amigo de Lorca, Ricardo Rodríguez Jiménez, presenciara su salida del Gobierno Civil, esposado con Galindo González. Rodríguez tenía una mano atrofiada, y unos años antes, al enterarse de que el chico poseía talento musical, Lorca le había comprado un violín pequeño para que pudiera aprender a tocar. Rodríguez no olvidaría jamás el detalle. En 1980 recordaba lo ocurrido aquella noche:

> Yo vivía en la calle de Horno de Haza, cerca de la Comisaría de Policía, y frente al Gobierno Civil, en la calle Duquesa. Entonces, durante las primeras semanas del Movimiento, íbamos yo y un amigo cada noche a la Comisaría a oír el último parte de Queipo de Llano, que daban desde Sevilla a las tres de la madrugada. Jugábamos a las cartas con los policías de guardia hasta oír el parte. Aquella madrugada salí de la Comisaría a las tres y cuarto por ahí y me encontré con que de pronto me llaman por mi nombre. Me vuelvo: «¡Federico!». Me echó un brazo por encima. Iba con la mano derecha cogida de unas esposas con un maestro de la Zubia* con el pelo blanco. «Pero, ¿dónde vas, Federico?» «No sé.» Salía del Gobierno Civil. Iba con guardias y falangistas de la Escuadra Negra, entre

---

* En realidad, como hemos visto, de Pulianas.

ellos uno que era guardia civil, a quien habían expulsado de la Guardia Civil y que se metió en la Escuadra Negra. No recuerdo cómo se llamaba. A mí me pusieron el fusil en el pecho. Y yo les grité: «¡Criminales! ¡Vais a matar a un genio! ¡A un genio! ¡Criminales!». Me detuvieron en el acto y me metieron en el Gobierno Civil. Yo estuve allí encerrado dos horas y luego me soltaron.[111]

Unos segundos después del incidente los esbirros de José Valdés Guzmán introdujeron a Lorca y a Galindo González en el coche que los conduciría hasta el lugar de su calvario. Según varios testimonios iba al volante del vehículo, requisado por el Gobierno Civil, Fernando Gómez de la Cruz, propietario del diario granadino *La Publicidad*.[112]

Ainadamar, «La Fuente de las Lágrimas»

Al pie de la Sierra de Alfacar, a unos nueve kilómetros al noroeste de Granada, hay dos pueblos colindantes: el que da su nombre a la Sierra y Víznar. Ambos han crecido vertiginosamente en los últimos años, debido en gran parte a la construcción de la autovía de Murcia, que facilita el acceso a la capital.

En julio de 1936, al estallar la guerra, los rebeldes se hicieron fuertes en Víznar para poder resistir probables incursiones republicanas procedentes de la zona montañosa colindante. El comandante del sector era un joven militar y destacado falangista, el capitán José María Nestares Cuéllar, que estableció su cuartel general en el espacioso palacio del rico arzobispo Moscoso y Peralta, levantado en el siglo XVII después de su regreso de Cuzco. Allí, en la entrada, una placa colocada bajo el franquismo sigue recordando la proeza de Nestares y sus hombres al resistir con bravura el «ímpetu marxista».[113]

De haber sido tan sólo un puesto militar, Víznar apenas figuraría hoy en los anales de la Guerra Civil. Se recuerda porque el pueblo fue también un calvario para muchos cientos, quizá miles, de hombres y mujeres aniquilados por los rebeldes. Nestares Cuéllar estaba en contacto constante con Valdés Guzmán, y cada noche llegaban coches desde el Gobierno Civil, o de los pueblos de los alrededores, cargados con grupos de «indeseables» a los que luego se les daba el «paseo».

Los vehículos procedentes de Granada tenían que pasar delante del palacio de Moscoso y Peralta, donde habitualmente se detenían para la entrega de papeles justificativos. Luego seguían su camino cuesta arriba en dirección a Alfacar. Parece no caber duda de que el coche en que iban esposados Lorca y Galindo González vino por aquí.

Rebasados los muros del palacio se abre un magnífico panorama. El terreno desciende bruscamente hacia Alfacar y allí abajo, perdiéndose en la lejanía, se extiende la Vega de Granada, hoy cada vez más afeada por naves industriales, carreteras nuevas, casas y otras construcciones, amén del aeropuerto internacional. Enfrente se yergue la pelada Sierra Elvira, cuyas laderas casi desprovistas de vegetación contrastan con el verdor de la llanura.

Quien llegue hasta aquí, ya encima de Víznar, descubrirá, unos metros más adelante, debajo del camino de Alfacar y entre unos árboles, los restos de un edificio. En tiempos de la República era un antiguo molino, Villa Concha, que se utilizaba como residencia de verano para niños granadinos, siendo conocido por los vecinos del pueblo, en consecuencia, como La Colonia. Cuando Víznar se convirtió en bastión militar a finales de julio de 1936, los sublevados transformaron el caserón en cárcel provisional. Aquí, cada día y cada noche, llegaban los coches con los condenados a muerte. El antiguo molino, antes alegre hogar de niños veraneantes, se había transformado en morada de muerte (ilustración 42).

Para abrir las fosas comunes trajeron a Víznar a un grupo de masones granadinos y algún «rojo» más. Algunos de ellos serían ejecutados después. En cuanto a los verdugos, eran en su mayoría guardias de Asalto secundados por voluntarios de la llamada Escuadra Negra del Gobierno Civil, integrada por individuos que mataban por el placer el matar.[114]

Las víctimas eran encerradas en la planta baja del edificio, donde permanecían hasta la «saca». El párroco de Víznar o algún otro cura solía estar a mano para oír las últimas confesiones de los que pidiesen ser espiritualmente atendidos. Luego, antes de rayar el alba, se llevaba «de paseo» a los presos, aunque a veces se fusilaba también de día y hasta de noche (utilizando los faros de los coches). Después llegaban los enterradores, que sepultaban los cadáveres allí donde habían caído. No era raro que, al hacerlo, reconociesen entre las víctimas a algún amigo o pariente suyo.[115]

Sabemos por varios testigos que Lorca pasó sus últimas horas en La Colonia. Resulta especialmente pertinente el testimonio de José Jover Tripaldi. Cuando estalló la guerra éste tenía veintidós años y veraneaba en Víznar. Para intentar evitar ir al frente, pidió al capitán Nestares, amigo de la familia, que le diera algún puesto en el pueblo. Nestares accedió y lo acogió en La Colonia. Jover Tripaldi siempre juraría haber estado de guardia la noche de la llegada de Lorca y el «maestro cojo». Católico ferviente, tenía la costumbre de explicar a las víctimas que a la mañana siguiente irían a trabajar en unas fortificaciones o a reparar carreteras. Luego, al acercarse el momento de la «saca», les comunicaba la terrible verdad, por si acaso no la hubiesen intuido ya. Consideraba que hacerlo era su obligación como católico. En caso de que lo deseasen, los presos podían luego confesarse con el cura y entregar a los guardias un último mensaje para su familia, o alguna prenda.

Según Jover Tripaldi, el poeta, cuando le comunicó que iba a ser fusilado, quiso confesarse. Pero el cura ya se había marchado. El muchacho, viendo la terrible angustia que sus palabras habían provocado, le aseguró que si se arrepentía sinceramente de sus pecados le serían con toda seguridad perdonados. Le ayudó entonces a rezar el *Yo, pecador*, que Lorca sólo recordaba a medias: «Mi madre me lo enseñó todo, ¿sabe usted?, y ahora lo tengo olvidado». Jover Tripaldi, al evocar este episodio años después, insistía en que el poeta pareció más tranquilo después de haber rezado. Pero no podemos saber si fue realmente así.[116]

Acompañaron a Lorca y al maestro Dióscoro Galindo González en su vía crucis dos conocidos banderilleros granadinos, Joaquín Arcollas Cabezas y Francisco Galadí Melgar, anarquistas militantes que habían estado entre quienes con mayor insistencia habían exigido a las autoridades republicanas, inútilmente, armas para el pueblo. Al parecer también se habían encargado, poco antes de la sublevación, de vigilar la casa de Valdés Guzmán. Capturados en el Albaicín, no podían entretener la más mínima esperanza de salvarse.[117]

Desde el emplazamiento de La Colonia la carretera serpentea por el valle en dirección a Alfacar. Antes estaba a la vista la acequia, bordeada de juncos, que movía las piedras del molino, cruzada a trechos por pintorescos puentecillos de piedra. Pero la acequia se ha entubado y cubierto en este tramo y ya no hay atisbo de los puentecillos. En unos pocos minutos la carretera llega a una curva abrupta. Abajo, liberada por fin de su cárcel, la acequia cruza por un estrecho acueducto. Enfrente sube una pendiente de arcilla, embellecida de altos y tupidos pinos, que se pierde más arriba entre los peñascales de la sierra de Alfacar. Éste es el llamado «barranco» de Víznar, de siniestra fama, donde reposan los restos de la mayoría de las víctimas de la máquina de aniquilación instalada en La Colonia. Por toda esta pendiente se abrieron fosas. Cuando Gerald Brenan visitó el lugar en 1949 se encontró con que estaba «salpicado de hoyos de poca profundidad y montículos, sobre cada uno de los cuales se había colocado una piedra pequeña». Se puso a contarlos y descubrió que había varios cientos.[118] Dos o tres años después las autoridades franquistas plantaron los pinos, hoy altísimos, quizá con el propósito de enmascarar las tumbas. Pero no lograron del todo su propósito.

En 2013 la Junta de Andalucía y el Ayuntamiento de Víznar efectuaron unas sondas o catas en el lugar. Se encontraron restos humanos, zapatos, casquillos de un fusil Mauser... El juez se negó a actuar, como viene siendo el caso: los crímenes de la guerra, de acuerdo con la preconstitucional e internacionalmente criticada Ley de Amnistía, han prescrito y por ahora es prácticamente imposible la investigación judicial.[119]

En los primeros meses de la guerra los verdugos no despachaban a sus víctimas en este lugar, sino en los olivares que arropaban las laderas del amplio valle y que hoy han desaparecido en parte para dar paso a chalets y nuevas urbanizaciones. Lorca fue una de las tempranas víctimas del holocausto granadino y, contrariamente a lo que se ha dicho a menudo, no lo mataron en el «barranco» de Víznar.

El poeta y sus tres compañeros de infortunio fueron conducidos, antes del alba, un kilómetro más allá por el camino de Alfacar. El coche o camión se paró donde había entonces un viejo olivar, paraje hoy ocupado por el parque Federico García Lorca. Lorca ni tuvo el consuelo de ver la luna porque, en su último cuarto menguante, se había puesto antes de las dos de la madrugada.[120]

Los verdugos los despacharon cerca de un olivo que todavía existe, no lejos del plinto que recuerda al poeta y todas las víctimas de la contienda.

Poco después llegó un muchacho de diecisiete años, Manuel Castilla Blanco, apodado Manolo el comunista, a quien protegía el capitán Nestares. Forzado a cambio de salvarse la vida a actuar de enterrador, reconoció inmediatamente a los banderilleros y notó que, si uno de los otros muertos tenía una pierna de madera, el cuarto iba con corbata de lazo («de esas que llevan los artistas»). Los enterró en una zanja estrecha, uno encima de otro, con la ayuda de tres presos: los catedráticos de la Universidad de Granada

Jesús García Labella (Derecho Administrativo) y Jesús Yoldi Bereau (Ciencias Políticas) y, al parecer, del concejal granadino Manuel Salinas, que conocían personalmente al poeta (los tres fueron fusilados aquel otoño). Cuando Castilla Blanco volvió a La Colonia le dijeron que el hombre de la «pata» de madera era maestro de escuela de un pueblo cercano y confirmaron que el de la corbata era Federico García Lorca.[121]

Es posible que estuviera presente otro masón, Antonio Henares Rojo, que declaró en 1986 en un programa de Televisión Española que ayudó a enterrar a Lorca después de cerrarle los ojos, «completamente abiertos».[122]

No nos ha llegado ninguna descripción digna de crédito de los últimos momentos del poeta. No hay constancia de que dijera algo, de que hiciera algún encargo. ¿Se dio cuenta acaso del escalofriante paralelismo que ahora se confirmaba entre su destino y el de Mariana Pineda? ¿Pensó en su madre, en Rafael Rodríguez Rapún, en Juan Ramírez de Lucas, en el viaje a México? ¿En los días heroicos de Cuba y de Buenos Aires? ¿En el estreno de *La casa de Bernarda Alba*, previsto para el otoño? ¿En el día en que, de niño, paró con sus «cosas» la feria en Fuente Vaqueros, allá en el corazón de la Vega? ¿En *Doña Rosita la soltera*, todavía sin representar en Madrid? ¿En *Así que pasen cinco años*, terminado casi exactamente cinco años antes, el 19 de agosto de 1931, y al final de la cual muere su el Joven de un pistoletazo? ¿Rezó a la Virgen de las Angustias? ¿Recordó que, en 1925, se había quejado en una carta a Benjamín Palencia de que no le felicitara su día, «San Federico y compañeros mártires, hijos de Santa Filomena»?[123]

Preguntas inútiles pero que forzosamente se agolpan.

Según un testimonio recogido por José Navarro Pardo, amigo de Lorca y contertulio del Rinconcillo, el poeta no murió en el acto y tuvo que ser rematado con un tiro de gracia, o varios, después de incorporarse gritando: «¡Todavía estoy vivo!». No sabemos si fue así. El informante de Navarro, no identificado, decía haber sido quien condujo a Víznar al poeta (quizás el mencionado Fernando Gómez de la Cruz).[124]

A unos pasos del lugar del asesinato se encuentra la Fuente Grande (ilustración 43). Los árabes granadinos, intrigados por las burbujas que suben sin parar a su superficie, la llamaron Ainadamar, La Fuente de las Lágrimas, y en el siglo XI construyeron una acequia para llevar su agua a la ciudad. Mil años después lo sigue haciendo. Cruza, como hemos visto, por Víznar (Lorca oiría su susurro mientras pasaba debajo de La Colonia), desciende por su pie a El Fargue y después discurre por las colinas hasta alcanzar el Albaicín, donde hasta no hace tanto todavía surtía el barrio.

Los árabes admiraban la belleza de los alrededores del manantial y levantaron en ellos palacios veraniegos de los cuales no queda rastro. Pero sí han sobrevivido varias composiciones que cantan las excelencias del paraje, entre ellas una del poeta Abu'l-Barakat al Balafiqi, que murió en el año 1372:

> ¿Es mi alejamiento de Ainadamar, que me detiene el pulso de la sangre, lo que hace brotar un chorro de lágrimas del fondo de mis ojos?
>
> Sus aguas gimen con la tristeza de aquel que, esclavo del amor, ha perdido su corazón.
>
> A su orilla entonan los pájaros melodías comparables a las del mismo Mosuli,* recordándome el remoto pasado en el que entré en mi juventud.
>
> Y las lunas de aquel lugar,** bellas como José, harían abandonar a cualquier musulmán su fe por la del amor.[125]

Resulta apropiado que la Fuente Grande, cantada hace siglos en versos hispanoárabes, siga manando sus lágrimas cerca del lugar donde los fascistas mataron al más excelso de los poetas granadinos.

* * *

Entretanto, Manuel de Falla había tratado de intervenir a favor del poeta. Cuando se inició el alzamiento, se había encerrado en su carmen de Antequeruela Alta. Allí se enteró de la brutal represión que llevaban a cabo los rebeldes en la ciudad, y no pudo evitar oír los disparos procedentes cada madrugada del cercano cementerio. Un día alguien le comunicó que Federico estaba detenido y que corría peligro mortal. Hombre tímido pero, cuando hacía falta, dueño de una voluntad férrea, comprendió enseguida que era su obligación hacer todo lo posible por salvar a su amigo. Reunió a algunos jóvenes falangistas, conocidos suyos, y se dirigió con ellos

---

* Se refiere a Ishaq al-Mawsili (o de Mosul), el más famoso de los músicos árabes.

** Es decir, las mujeres de Ainadamar.

al Gobierno Civil. Encontró el edificio atiborrado de gente yendo y viniendo y se sentó en un banco mientras uno de los muchachos fue a informarse. Cuando volvió, su rostro demudado lo decía todo: era demasiado tarde, aquella misma madrugada se habían llevado al poeta. El compositor, deshecho, fue entonces a la casa de Concha Fernández-Montesinos en la calle de San Antón, a sabiendas de que la familia acababa de instalarse allí. Los padres de Federico no estaban todavía al tanto de la muerte de su hijo y creían que aún se podía hacer algo para salvarlo. Una de las primas del poeta, Isabel Roldán García, le rogó a don Manuel que no les dijera nada.[126]

Aquella misma mañana uno de los pocos concejales republicanos granadinos no fusilados contra las tapias del cementerio, Ángel Saldaña, se encontraba en el bar Pasaje (conocido popularmente como La Pajarera). De repente entró Juan Luis Trescastro, el compinche de Ramón Ruiz Alonso, y anunció en voz alta, para que todos los presentes le oyesen: «Acabamos de matar a Federico García Lorca. Yo le metí dos tiros en el culo por maricón».[127]

El hombre estaba eufórico. En otro café, el Royal, se aproximó al célebre pintor Gabriel Morcillo, que gustaba de retratar a efebos, y le dijo: «Don Gabriel, esta madrugada hemos matado a su amigo, el poeta de la cabeza gorda». «Su amigo», claro, por la vinculación homosexual.[128]

«Poeta de la cabeza gorda» era una de las expresiones despreciativas que utilizaba Ramón Ruiz Alonso, su compañero de partido, al referirse a Lorca en sus mítines.

El talante brutal y machista de Trescastro era muy conocido en Granada. Lo demuestra de manera contundente una carta, fechada precisamente el 18 de agosto de 1936, en la cual José María Bérriz, apoderado de los banqueros Rodríguez Acosta, entonces en Estoril, les puso al tanto de la situación en la ciudad. Habían llegado a Granada rumores de las barbaridades presuntamente cometidas por los «rojos» en el pueblo de Alhama. «Juan Luis Trescastro —escribió Bérriz— está dado de voluntario para cuando la fuerza vaya a Alhama, y dice que está dispuesto a degollar hasta a los niños de pecho.» Y siguió: «Estamos en guerra civil y no se da cuartel, y cuando la piedad y misericordia habla [sic] en nuestra alma la calla el recuerdo de tantos crímenes y de tanto mal hecho por esa innoble y ruin idea que de hermanos nos ha convertido en enemigos».[129]

En la misma carta Bérriz les informa a los Rodríguez Acosta de que acaban de llegar sus hermanos Manuel y Bernabé, que han estado de guardia. Traen la noticia de que «han matado anoche las fuerzas de Falange a Federico García Lorca».[130]

Parece no caber duda alguna acerca de la participación física de Juan Luis Trescastro en el asesinato. Siguió durante años jactándose de ella. Un día, ante la sorpresa de su practicante, Rafael Rodríguez Contreras, exclamó: «Yo he sido uno de los que hemos sacado a García Lorca de la casa de los Rosales. Es que estábamos hartos ya de maricones en Granada. A él por maricón, y a La Zapatera, por puta».[131] La Zapatera era Amelia Agustina González Blanco, admirada por el Lorca adolescente y fundadora del partido El Entero Humanista, con lema de «Paz y alimentación». Claro, había que acabar con ella también.

Las balas de Trescastro hay que suponerlas disparadas antes de acabar con el poeta, no después, para que sufriera más. Incluso parece ser que gustaba de mostrar la pistola con la cual le había martirizado.[132]

Antes de morir, en 1954, ya no se ufanaba tanto el terrateniente de sus fechorías durante la represión de Granada. Es más, según contaba en 1966 Miguel Cerón, en sus tiempos gran amigo de Lorca, falleció atormentado pensando en ellas. Quién sabe. Sus restos yacen en una tumba familiar del cementerio de Santa Fe, sin inscripción alguna que le recuerde.[133]

Se puede añadir que el doctor José Rodríguez Contreras oyó el rumor de que los asesinos ataviaron con cintas al poeta y lo machacaron con sus culatas, riéndose de él, antes de matarlo.[134] Otro médico, Francisco Vega Díez, recibió una versión similar de quien decía haber sido testigo presencial del crimen, forzado a conducir uno de los coches. Según ella la muerte del poeta fue un auténtico martirio, con insultos («maricón rojo», «bolchevique», etc.) y culatazo brutal en la cabeza.[135]

El mismo día del asesinato se presentó en la casa de San Antón un miembro de la Escuadra Negra con una nota garrapateada por Federico. Decía más o menos: «Te ruego, papá, que a este señor le entregues 1.000 pesetas como donativo para las fuerzas armadas». Lo más probable es que el individuo le hubiera obligado a escribir la petición antes de que le sacaran del Gobierno Civil, aunque cabe la posibilidad de que fuera en Víznar. Don Federico entregó el dinero al extorsionador.[136]

Antes de acabar con Lorca los facciosos ya habían fusilado contra las tapias del cementerio de Granada, como absoluto mínimo, a doscientas ochenta personas. Los archivos del cementerio iban a relacionar los nombres de unos 2.000 fusilados para los tres años de la guerra, pero no hay duda de que la cifra total era mucho más elevada, y esto sin tener en cuenta los muchos centenares de asesinatos perpetrados en los pueblos de los alrededores.[137] Vista en el contexto de la represión ejercida en Granada, la muerte del poeta no fue más excepcional que la de los numerosos catedráticos universitarios, concejales, médicos y maestros, además de muchísimos humildes obreros y sindicalistas eliminados sin piedad en la ciudad y en la provincia. Los rebeldes estaban decididos a liquidar a todos sus adversarios, a todos los que no pensaban como ellos, y Lorca era no sólo un «rojo» más sino un «rojo» especialmente odioso.

El guitarrista Ángel Barrios, amigo de Federico desde los tiempos del Rinconcillo, estaba veraneando en Víznar cuando empezó la guerra. Al enterarse de la espantosa noticia del asesinato del poeta hizo unas averiguaciones y se enteró de que fue perpetrado cerca de Fuente Grande. Pocos días después de la tragedia visitó el lugar y se encontró con que se había arrojado cal viva encima. Toda la zona olía a carne podrida.[138]

La prensa republicana tardó tres semanas en enterarse del rumor de que Lorca había sido asesinado por los fascistas. Al principio provocó incredulidad, pero pronto lo confirmaron varias personas que habían logrado huir del infierno granadino. Hubo consternación en todo el mundo de habla española y la noticia se difundió ampliamente en la prensa europea. Casi de la noche a la mañana el poeta se convirtió en mártir de la causa republicana. Síntoma de la creciente preocupación internacional por su suerte fue el telegrama enviado a las autoridades rebeldes de Granada desde Inglaterra el 13 de octubre de 1936. Rezaba: «H. G. Wells, presidente del PEN Club de Londres, desea ansiosamente noticias de su distinguido colega Federico García Lorca y apreciará grandemente amabilidad de respuesta». La contestación, firmada por el coronel Antonio González Espinosa, fue lacónica: «Del gobernador de Granada a H. G. Wells. Ignoro lugar hállase don Federico García Lorca». La comunicación demostraba a las claras que había sido eliminado, pues, de estar vivo, las máximas autoridades rebeldes habrían sido los primeros interesados en demostrarlo.[139]

A partir de agosto de 1936 no se podía hablar de Federico García Lorca en Granada «como no fuera para difamarle y ofenderle, y estaba aún más prohibido publicar algo de lo que escribiera y todo cuanto a él se refiriera».[140] Se corrió una espesa cortina de silencio sobre el poeta y era peligroso poseer sus libros. En vista de los constantes registros domiciliarios, muchas personas se deshicieron de ellos. Lorca era un maldito.[141]

A finales de 1939, nueve meses después de terminada la guerra, su familia inició los trámites para que la muerte constara oficialmente en el Registro Civil. Dos testigos «falsos» aducidos por las autoridades granadinas declararon haber visto el cadáver del poeta al lado de la carretera de Víznar a Alfacar. Y, el 21 de abril 1940, se efectuó la correspondiente inscripción. Decía que García Lorca «falleció» en el mes de agosto de 1936 «a consecuencia de heridas producidas por hechos de guerra». El eufemismo casi daba a entender que había muerto luchando en el campo de batalla.[142]

EPÍLOGO

María Teresa León, comunista militante y esposa de Rafael Alberti, conocía bien a Rafael Rodríguez Rapún y estaba al tanto de la relación que existía entre él y Lorca. Cuando aquel octubre de 1936 se publicó en los periódicos de Madrid la respuesta del coronel González Espinosa al telegrama de H. G. Wells, quedando confirmado con toda certeza que el poeta había sido asesinado, fue a verle. «Nadie como este muchacho silencioso debió sufrir por aquella muerte —escribe en sus memorias—. Terminadas las noches, los días, las horas. Mejor morirse. Y Rapún se marchó a morir al frente del norte. Estoy segura de que después de disparar su fusil rabiosamente se dejó matar. Fue su manera de recuperar a Federico.»[1]

Cipriano Rivas Cherif, detenido por los nazis en Francia y entregado a Franco, oyó una versión parecida cuando salió del penal de El Dueso en 1945. Según ella, Rapún se había alistado voluntariamente en el ejército republicano una vez convencido de la muerte de Federico a manos de los fascistas granadinos. Un día había saltado fuera de la trinchera diciendo que quería morir, y fue abatido por una ráfaga de ametralladora. Rivas Cherif no tuvo nunca ocasión de comprobar la veracidad del caso, y solía decir que podría tratarse muy bien de una leyenda.[2]

Sin embargo, era sustancialmente cierto. Después de hacer un curso de artillería —nada menos que en Lorca (Murcia)— Rapún consiguió la graduación de teniente, y en el verano de 1937 estaba al frente de una batería no lejos de Reinosa. Uno de los hombres a sus órdenes entonces, Paulino García Toraño, lo ha recordado como persona seria, cultivada y que hablaba poco. Eran los días de la ofensiva franquista contra Santander, y la lucha era intensa en toda la zona. La mañana del 10 de agosto la batería entró en acción contra la aviación rebelde, y, alrededor del mediodía, ante un fuerte avance del enemigo, Rapún se adelantó con dos soldados para ocupar una nueva posición. Se apostaron en las afueras de Bárcena de Pie de Concha, donde un ataque aéreo inesperado los sorprendió. A diferencia de sus compañeros, el joven no se echó al suelo, permaneciendo sentado en un parapeto. Una bomba explotó cerca y fue mortalmente herido.[3]

El certificado de defunción de Rafael Rodríguez Rapún establece que murió el 18 de agosto de 1937 en el hospital militar de Santander, debido a heridas de metralla en la espalda y en la región lumbar. Lorca había sido asesinado exactamente el mismo día hacía un año. Nadie en el hospital sabía la edad, el lugar de nacimiento o los nombres de los padres del teniente de artillería fallecido. No hay testimonio alguno acerca de sus últimas horas, de sus últimas palabras. Fue enterrado en el cementerio de Ciriego, junto al mar Cantábrico. Ocho días más tarde Santander cayó en poder de Franco. Aquel junio Rodríguez Rapún había cumplido veinticinco años.[4]

SIGLAS UTILIZADAS EN LAS NOTAS

CMAA   Christopher Maurer y Andrew Anderson, *Federico García Lorca en Nueva York y La Habana. Cartas y recuerdos*, Barcelona, Galaxia Gutenberg / Círculo de Lectores, 2013.

DOH   Robert Descharnes, *Dalí, la obra y el hombre*, Barcelona, Tusquets, 1984.

EC   García Lorca, *Epistolario completo*, edición de Andrew A. Anderson y Christopher Maurer, Madrid, Cátedra («Crítica y Estudios Literarios»), 1997.

FFGL   Archivo de la Fundación Federico García Lorca, Madrid.

FGLNY   *Federico García Lorca escribe a su familia desde Nueva York y La Habana (1929-1930)*, edición de Christopher Maurer, *Poesía. Revista ilustrada de información poética*, Madrid, Ministerio de Cultura, núms. 23-24, 1983.

MUS   Luis Buñuel, *Mi último suspiro*, Barcelona, Plaza y Janés, 1982.

OC, I, II, III, IV   García Lorca, *Obras completas*, edición de Miguel García-Posada, Barcelona, Galaxia Gutenberg / Círculo de Lectores, 4 tomos, 1996.

SDFGL: Rafael Santos Torroella (ed.), *Salvador Dalí escribe a Federico García Lorca [1925-1936]*, *Poesía. Revista ilustrada de información poética*, Madrid, núm. 27-28, abril de 1987.

Epígrafes

1. «Estampa de García Lorca», *La Gaceta Literaria*, Madrid, 15 de enero de 1931; entrevista recogida en *OC*, III, pp. 377-380.

2. *OC*, I, p. 438.

3. *Ibid.*, p. 436.

4. Cernuda, «Notas eludidas. Federico García Lorca», *Heraldo de Madrid*, 26 de noviembre de 1931, p. 12, artículo reproducido en Cernuda, *Prosa*, pp. 1237-1241.

5. García Lorca, [*Pequeña elegía a María Blanchard*], *OC*, III, p. 135.

6. «Conversación con Federico García Lorca», *El Mercantil Valenciano*, 15 de septiembre de 1935; entrevista recogida en *OC*, III, pp. 611-616.

Capítulo 1

1. *OC*, III, pp. 364, 555.

2. *Crónica de Madrid*, Plaza y Janés, Barcelona, 1990, p. 339.

3. *OC*, III, p. 555.

4. Ford (1981), p. 92.

5. Pareja López, etc., I, p. 193.

6. Ford (1955), p. 115; Francisco García Lorca, p. 12.

7. Francisco García Lorca, pp. 11-12.

8. Madoz, XIV (1849), p. 516; «Mi pueblo», *OC*, IV, pp. 862-863.

9. Pareja López., etc., I, p. 193.

10. Pérez de Hita, p. 549.

11. Ford (1955), pp. 115-117.

12. Documento conservado en la iglesia parroquial de Fuente Vaqueros.

13. Ford (1955), pp. 115-117.

14. Hammick, p. 407; Madoz, XIV (1849), p. 516.

15. Hammick, p. 395.

16. Dos de ellos se reproducen en *Richard Ford. Viajes por España (1830-1833)*, catálogo (véase «Fuente consultadas», sección 3), pp. 249-250.

17. *Ibid.*, p. 236, nota 1.

18. Madoz, VIII (1847), p. 224.

19. *Ibid.*

20. *Ibid.*

21. Hammick, pp. 8-9.

22. *Ibid.*, p. 11.

23. *Ibid.*, p? 395.

24. Pareja López, etc., I, p. 196.

25. Hammick, pp. 324-325.

26. Seco de Lucena [y Escalada] (1941), p. 366.

27. Francisco García Lorca, p. 28.

28. *Ibid.*, pp. 12-13

29. *Ibid.*, pp. 28, 30; para el desposorio, Cabrolié, p. 64.

30. Francisco García Lorca, pp. 28-29; conversación nuestra con doña Isabel García Lorca, Madrid, 16 de marzo de 1983.

31. Véase el árbol genealógico incluido por Caballero y Góngora Ayala en *La verdad sobre el asesinato de García Lorca*, pp. 18-19.

32. Francisco García Lorca, p. 29.

33. *Ibid.*

34. Caballero y Góngora, *La verdad sobre el asesinato de García Lorca* (árbol genealógico), pp. 18-19.

35. Francisco García Lorca, pp 30-31.

36. *Ibid.*, p. 32.

37. *Ibid.*

38. *Ibid.*, pp. 32-34.

39. Averiguaciones nuestras en Fuente Vaqueros.

40. Francisco García Lorca, p. 36

41. Copla recogida por nosotros en Fuente Vaqueros, 1983.

42. Cabrolié, p. 65.

43. Conversación nuestra con doña Clotilde García Picossi, Granada, 29 de agosto de 1965.

44. Francisco García Lorca, pp. 36-37.

45. *Ibid.*, p. 37.

46. El librito, de 32 páginas, es extremadamente raro. Le agradezco a mi amigo Rafael Inglada el haberme permitido examinar su ejemplar.

47. Registro Civil de Granada, Distrito Sagrario, Libro 153, folio 253, partida de defunción número 974.

48. Conversación nuestra con doña Clotilde García Picossi, Granada, 1966.

49. *OC,* III, p. 211.

50. *Ibid.* Sobre el lugar de nacimiento de Isabel discrepan los documentos. Cabrolié (p. 62) indica que vino al mundo en Fuente Vaqueros, la partida de nacimiento de Lorca consigna que en Asquerosa.

51. Francisco García Lorca, p. 47.

52. *Ibid.*, p. 47.

53. Victor Hugo, *Los miserables*. [Nueva versión castellana. Enteramente conforme con el primitivo original francés], Madrid, Felipe González Rojas, editor, tres tomos, 1891. Mi agradecimiento a doña María Molino, Buenos Aires, por una fotocopia de la diatriba de Baldomero García Rodríguez.

54. Francisco García Lorca, p. 49; Martín, *Federico García Lorca, heterodoxo y mártir, passim*.

55. Francisco García Lorca, pp. 48-49.

56. Salobreña (1982), p. 95.

57. Watson, II.

58. *Ibid.*

59. Eudo Tonson-Rye, en Watson, I, p. 779.

60. Isabel García Lorca, p. 68.

61. Francisco García Lorca, p. 55; entrevista nuestra con la nieta de Aurelia, señora de Ruiz Roldán, Jaén, 28 de octubre de 1988.

62. Conversación nuestra con don Federico García Ríos, Madrid, 3 de junio de 1983.

63. Francisco García Lorca, p. 422.

64. Ramón Espejo (1986). La zarzuela tenía música de Federico Chueca y libreto de Enrique García Álvarez y Antonio Paso.

65. Francisco García Lorca, p. 68.

66. El ejemplar del libro se conserva en la Casa-Museo de Fuente Vaqueros.

67. Se reproduce en Francisco García Lorca, núm. [1]. También en Gibson (1998), II, núm. 2.

68. Francisco García Lorca, p. 431.

69. *OC*, III, p. 364.

70. Francisco García Lorca, p. 28.

71. Mora Guarnido (1958), p. 18; Francisco García Lorca, p. 56; conversación nuestra con doña Isabel García Lorca, Madrid, 16 de marzo de 1983; *OC*, III, pp. 496-497.

72. Cabrolié, pp. 35-36.

73. *Ibid.*, pp. 37-38, 71.

74. *Ibid.*, pp. 99-102.

75. *OC* III, p. 364.

76. Cabrolié, pp. 99-102.

77. Seco de Lucena [Paradas], pp. 4-5, 35; Francisco García Lorca, pp. 16, 57-58, 60.

78. *OC*, IV, p. 418.

79. Francisco García Lorca, pp. 57-58.

80. Correa Ramón, p. 147; Isabel García Lorca (p. 69) afirma que sus padres se conocieron por primera vez en Granada en una sombrerería de la calle Reyes Católicos, pero no parece verosímil toda vez que Vicenta ya vivía en Fuente Vaqueros.

81. Higuera Rojas (1980), pp. 164-165.

82. Cabrolié, p. 85.

83. *Ibid.*, p. 82.

84. *Ibid.*

85. Hemos consultado el certificado de nacimiento de Bernardo Lorca Alcón en la iglesia arciprestal de Santiago el Mayor, Totana, Murcia.

86. Cabrolié, pp. 76, 77.

87. *Ibid.*, p. 77

88. *OC*, III, p. 487.

89. Cabrolié, p. 81.

90. *Ibid.*, p. 77.

91. Gibson, *Federico García Lorca* (2011), pp. 30-31.

92. Molina Fajardo (1983), p. 20; Gallego Burín, p. 395; Correa Ramón, pp. 140-143.

93. Conversación nuestra con doña Isabel García Lorca, Madrid, 10 de marzo de 1983.

94. *Ibid.*

95. Francisco García Lorca, pp. 73-74; Isabel García Lorca, pp. 89-91.

96. *OC,* II, p. 794.

97. Molina Fajardo (1983), p. 20; el diploma de Vicenta Lorca se conserva en la Huerta de San Vicente, Granada; Cabrolié, p. 83.

98. Cabrolié, p. 83.

99. Conversación nuestra con doña Isabel Carretero, Madrid, 1 de febrero de 1982.

100. Laffranque (1957).

101. Gallego Morell (1954).

102. Conversaciones nuestras con doña Carmen Ramos, Fuente Vaqueros, 1965-1966; conversaciones de Couffon con Carmen Ramos, pp. 17-26; las de Higuera Rojas con la misma (1980), pp. 163-172.

103. Higuera Rojas (1980), pp. 163-172.

104. Valdivielso Miquel, p. 153.

105. *Ibid.*, p. 155.

106. *Ibid.*, p. 153.

107. Martínez Nadal (1942), p. VII.

108. Sáenz de la Calzada (1976), p. 57.

109. Conversación nuestra con doña Isabel García Lorca, Madrid, 18 de marzo de 1983.

110. Molina Fajardo (1983), p. 16.

111. Conversación nuestra con don Alfredo Anabitarte, Madrid, 21 de noviembre de 1983.

112. Moreno Villa, «Recuerdo a Federico García Lorca», p. 23; Francisco García Lorca, p. 61; conversación nuestra con don Santiago Ontañón, Toledo, 15 de mayo de 1979.

113. «Madrigal de verano» (*Libro de poemas*), *OC*, I, p. 96.

114. Conversaciones nuestras con don José Caballero, don Santiago Ontañón y don Rafael Alberti, Madrid, 1978-1986.

115. Martínez Nadal (1942), p. VII.

116. Francisco García Lorca, pp. 61, 302.

117. *Ibid.*

118. Martínez Nadal, en Federico García Lorca, *Autógrafos* I, p. XVI, nota 4.

119. Conversación nuestra con doña Isabel García Lorca, Madrid, 5 de julio de 1982.

120. Francisco García Lorca, pp. 60-61.

121. *Ibid.*

122. *OC*, IV, pp. 858-861.

123. *OC*, III, pp. 523-524.

124. Francisco García Lorca, p. 423.

125. *OC*, III, p. 490.

126. Carta de Lorca a Melchor Fernández Almagro, *EC*, p. 208.

127. José Murciano, en Penón (1990), p. 234.

128. Carta al autor de D. Enrique Roldán, yerno de la hija de Aurelia, fechada en Jaén el 20 de noviembre de 1987.

129. Francisco García Lorca, p. 18.

130. Testimonio de la nieta de Aurelia, Sra. de Ruiz Roldán, conversando con nosotros, Jaén, 5 de febrero de 1988.

131. Francisco García Lorca, p. 68.

132. Conversación nuestra con doña María García Palacios, Fuente Vaqueros, 1966.

133. Francisco García Lorca, p. 39.

134. *OC*, II, pp. 198, 596; conversación nuestra con doña Clotilde García Picossi, Granada, 1966.

135. Higuera Rojas (1980), p. 186.

136. *OC*, III, p. 496.

137. *EC*, pp. 735-736.

138. *OC*, I, pp. 713-714.

139. *EC*, p. 735.

140. *OC*, IV, p. 843.

141. *Ibid.*, p. 844.

142. *Ibid.*, p. 864.

143. Couffon (1962), pp. 23-24.

144. *OC,* III, pp. 526-527.

145. Francisco García Lorca, p. 34.

146. *Ibid.*, p. 35.

147. Para los hallazgos de Daragoleja, véase Gómez-Moreno; la estatuilla de Minerva se reproduce en el catálogo *Los bronces romanos en España* (Madrid, Ministerio de Cultura, 1990), núm. 153.

148. Cabrolié, pp. 87, 89.

149. [«Epitafio a un pájaro»], *OC*, I, pp. 297-298.

150. Registro Civil, Fuente Vaqueros, Nacimientos, Libro 21, Vol. 90, folio 48, núm. 48.

151. *Ibid.*, Libro 22, folio 61, núm. 61.

152. Francisco García Lorca, pp. 31, 71.

153. *Ibid.*, p. 79.

154. Conversación nuestra con doña Isabel García Lorca, Madrid, 24 de junio de 1982.

155. Francisco García Lorca, p. 18.

156. Conversación nuestra con don Enrique González García, Granada, 1966.

157. Conversación con don Manuel Torres López, Madrid, 10 de marzo de 1981.

158. Couffon (1962), p. 24.

159. Higuera Rojas (1980), p. 166.

160. *OC*, III, p. 365.

161. *OC*, IV, p. 855.

162. *Ibid.*, p. 856.

163. Conversación nuestra con doña Adoración Arroyo Cobos, nieta del «compadre pastor», Fuente Vaqueros, 11 de abril de 1984; para la compra de Daimuz, Francisco García Lorca, p. 59.

164. Conversación nuestra con doña Adoración Arroyo Cobos, nieta del «compadre pastor», Fuente Vaqueros, 11 de abril de 1984.

165. *OC*, IV, p. 853.

166. *Ibid.*, p. 622.

167. *Ibid.,* III, p. 528.

168. *Ibid.*, p. 156.

169. Francisco García Lorca, pp. 58-59.

170. *Ibid.*, pp. 35, 304, 426 respectivamente.

171. Se trata de doña Asunción Arroyo Cobos (véase nota 136), que también me proporcionó la fecha de defunción del «compadre pastor».

172. González Guzmán.

173. *Ibid.*

174. Francisco García Lorca, pp. 21, 65.

175. *OC*, IV, p. 848.

176. *OC,* III, p. 201.

177. Francisco García Lorca, p 20.

178. *OC*, III, pp. 526-527.

179. *Ibid.*, pp. 555-556.

180. *Ibid.,* p. 523.

181. Penón (1990), p. 245.

182. Isabel García Lorca, p. 53.

183. Francisco García Lorca, pp. 19-20.

184. *Ibid.*, p. 87.

185. Agradezco a don Eduardo Ruiz Baena, de la Casa-Museo del poeta en Valderrubio, fotocopia de la documentación relativa a la confirmación.

186. González Guzmán, pp. 206-207.

187. Francisco García Lorca, p. 66.

188. González Guzmán, pp. 213, 216.

189. *Ibid.*, pp. 213, 219.

190. Carta de don Manuel del Águila Ortega al autor, Almería, 1 de agosto de 1982.

191. *Ibid.*

192. Rodríguez Espinosa.

193. *OC,* I, p. 423.

194. Francisco García Lorca, p. 67.

195. *EC*, p. 433.

196. *OC*, III, p. 306.

197. Francisco García Lorca, p. 67.

198. Martín Martín, p. 56.

199. Expediente académico de Federico García Lorca en la Universidad de Granada.

200. *Ibid.*

201. *Ibid.*

Capítulo 2

1. Baedeker (1898), p. 332.

2. Baedeker (1908), p. 331.

3. Isabel García Lorca, pp. 27-29; Francisco García Lorca, p. 77.

4. Isabel García Lorca, p. 41.

5. Francisco García Lorca, p. 78.

6. *Ibid.*, pp. 69-71.

7. Isabel García Lorca, pp. 44-45; para la fecha del matrimonio de Isabel García Rodríguez, con José Roldán Benavides, de Asquerosa, véase Caballero y Góngora, p. 19.

8. Francisco García Lorca, pp. 67-68.

9. *Ibid.*, pp. 71-75.

10. Isabel García Lorca, pp. 35-36.

11. Francisco García Lorca, p. 72; Higuera Rojas (1980), p. 33.

12. *OC*, III, p. 117.

13. Francisco García Lorca, pp. 79-80.

14. *Ibid.*, p. 80.

15. Isabel García Lorca, pp. 35-37.

16. Francisco García Lorca, p. 72; Isabel García Lorca, p. 35.

17. Isabel García Lorca, pp. 35-37.

18. *Ibid.*, p. 35.

19. Joan Tomás, «El poeta García Lorca i l'escenògraf Manuel Fontanals vénen de fer una revolució a Buenos Aires», *La Publicitat*, Barcelona, 13 de abril de 1934, p. 1. Traducimos del catalán.

20. Francisco García Lorca, p. 74.

21. Villaespesa, p. 52.

22. Francisco García Lorca, p. 74.

23. *Ibid.*, p. 70.

24. Isabel García Lorca, p. 50.

25. *Ibid.*, p. 34,

26. *Ibid.*, pp. 33, 48.

27. *Ibid.*, p. 76.

28. *Ibid.*

29. *Ibid.*, p. 82.

30. Schonberg (1956), p. 13; (1959), p. 30.

31. Conversación nuestra con el doctor José Rodríguez Contreras, Granada, 23 de agosto de 1978.

32. García Lorca, *Poeta en Nueva York* (edicion de Eutimio Martín), p. 200.

33. *Ibid.*, p. 294.

34. *Ibid.*, p. 85.

35. *OC*, II, pp. 568-569.

36. Francisco García Lorca, p. 84.

37. Mora Guarnido (1958), p. 74.

38. *OC*, III, p. 365.

39. Expediente académico de Lorca en la Universidad de Granada. Copia de éste hecha por Agustín Penón y reproducida fotográficamente en Penón (2009), p. 737.

40. Isabel García Lorca, p. 30; la fotografía se reproduce en Francisco García Lorca, núm. [4].

41. Citado por Krauel Heredia, p. 79.

42. Irving, pp. 56-57.

43. *Ibid.*, I, pp. 87-88.

44. Pedrell, «Glinka en Granada».

45. Falla (1972), p. 69.

46. Francisco García Lorca, p. 55.

47. *OC*, III, pp. 365-366.

48. *Ibid.*, p. 306.

49. Mora Guarnido (1958), p. 75.

50. Conversación nuestra con doña Isabel García Rodríguez, Fuengirola, 15 de julio de 1966.

51. Constantino Ruiz Carnero en *El Defensor de Granada*, 22, 26 de noviembre y 3 de diciembre de 1914.

52. Expediente académico de José Mora Guarnido en la Universidad de Granada.

53. Expediente académico de Lorca en la Universidad de Granada. Copia

de éste hecha por Agustín Penón y reproducida fotográficamente en Penón (2009), p. 737.

54. *EC*, p. 127.

55. Cruz Ebro, pp. 226-227; Esperabé de Arteaga, pp. 44-45.

56. Expediente académico de Martín Domínguez Berrueta en la Universidad de Granada; *El Lábaro*, Salamanca, *passim*.

57. Domínguez Berrueta (1910).

58. Conversaciones nuestras con don Ricardo Gómez Ortega, Ibiza, verano de 1966.

59. Conversaciones con varios antiguos alumnos de Domínguez Berrueta, Granada, 1965-1966.

60. Zapatero, pp. 10-11.

61. *Ibid.*, p. 11.

62. *Ibid.*, p. 13.

63. *Ibid.*, pp. 14-15.

64. *Ibid.*, pp. 15-16.

65. *Boletín del Centro Artístico*, Granada (abril de 1915), p. 2; *La Prensa*, Nueva York, 11 de octubre de 1937.

66. Mora Guarnido (1958), p. 145.

67. Expediente académico de Lorca en la Universidad de Granada. Copia de éste hecha por Agustín Penón y reproducida fotográficamente en Penón (2009), p. 737.

68. Mora Guarnido, p. 81.

69. Véase nota 54.

70. Mora Guarnido (1958), pp. 102-103.

71. Gallego Burín (1946), p. 418.

72. Ford (1845), I, p. 384.

73. *Fantasía simbólica*, *OC*, IV, p. 39.

74. *OC*, IV, pp. 394-399.

75. *OC*, I, pp. 305-306.

76. *OC*, III, p. 138.

77. Gautier, pp. 219-220.

78. Brenan (1958), p. 242.

79. Mora Guarnido (1958), pp. 105-107.

80. Ford (1845), p. 363.

81. Darío, *Tierras solares*, pp. 903, 905.

82. *EC*, p. 245.

83. Francisco García Lorca, pp. 74, 105.

84. *OC*, III, pp. 78-83, *passim*.

85. *Ibid.*

86. Seco de Lucena [y Escalada] (1941), p. 139.

87. Ganivet, I, pp. 83-84.

88. *Ibid.*, p. 61.

89. *OC*, III, p. 623.

90. Francisco García Lorca, p. 118; «Palabras de justificación» de Lorca antepuestas a *Libro de poemas*, *OC*, I, p. 59.

91. Isabel García Lorca, p. 272.

92. Francisco García Lorca, p. 25.

93. El manuscrito se conserva en FFGL.

94. André Belamich, sin conocer el testimonio de Isabel García Lorca, dice

que estas páginas «constituyen muy verosímilmente el primer texto literario de Lorca» (García Lorca, *Oeuvres complètes*, I, p. 1614).

95. Fernández-Montesinos García, p. 97, reproduce la dedicatoria de Ruiz Carnero. El libro fue objeto de recensión en el número de agosto de 1915 del *Boletín del Centro Artístico*, Granada (segunda serie, núm. 5).

96. Transcribimos directamente de una fotocopia del original (FFGL). García-Posada, *OC*, IV, pp. 843-867) «corrige», sin avisar al lector, la puntuación y la ortografía.

97. Francisco García Lorca, p. 60.

98. *OC*, IV, p. 845.

99. *Ibid.*, pp. 845-846.

100. *Ibid.*, p. 847.

101. *Ibid.*

102. *Ibid.*, pp. 856-858.

103. *Ibid.*, p. 848.

104. *Ibid.*, p. 849.

105. Para averiguar la fecha de la muerte de Segura hemos consultado los archivos del cementerio de Granada; el dato referente al propósito de Lorca de estudiar en París procede de una conversación nuestra con don Francisco García Carrillo, Granada, 1 de enero de 1966.

106. *OC*, III, p. 306.

107. *Lucidarium*, Granada, II (enero de 1917), pp. 81-94.

108. *Noticiero Granadino*, 15 de junio de 1916.

109. Las cartas de Martínez Fuset a Lorca se conservan en FFGL.

110. *Diario de Córdoba*, 12 y 13 de junio de 1916; *Diario Liberal*, Córdoba, 12 de jnio de 1916; *OC*, IV, p. 107; *OC*, III, p. 156.

111. *Lucidarium*, Granada, II (enero de 1917), p. 83.

112. Isabel García Lorca, p. 82.

113. Conversaciones nuestras con el doctor José Rodríguez Contreras, Granada, 1966-1967; con don Antonio Jiménez Blanco, Madrid, 3 de marzo de 1984; cartas de Martínez Fuset a García Lorca en FFGL.

114. Carta de Lorca a sus padres desde Medina del Campo, 20 de octubre de 1916, *EC*, pp. 31-32.

115. Carta de Lorca sus padres desde Ávila, 19 de octubre de 1916, *ibid.*, pp. 29-30.

116. *Diario de Ávila*, 20 de octubre de 1916.

117. Conversaciones nuestras con don Ricardo Gómez Ortega, Ibiza, verano de 1966; *Lucidarium*, Granada, II (enero de 1917), p. 92; *EC*, pp. 32-34.

118. *Letras*, Granada, 10 de diciembre de 1917, p. 3.

119. *Diario de Galicia*, Santiago de Compostela, 27 de octubre de 1916.

120. Conversaciones nuestras con don Ricardo Gómez Ortega, Ibiza, verano de 1966.

121. «Un hospicio de Galicia», *OC*, IV, pp. 161-162.

122. Cruz Ebro, pp. 228-229.

123. Carta de Lorca a sus padres, 2 de noviembre de 1916, *EC*, p. 35.

124. *EC*, p. 36; *Noticiero Granadino*, 9 de noviembre de 1916.

125. Seco de Lucena [y Escalada] (1917), 285.

126. *OC*, IV, pp. 39-41.

127. Francisco García Lorca, p. 168.

128. Mora Guarnido (1958), p. 45. Las portadas de los dos números de *Anda-*

lucía. Revista regional se reproducen en el espléndido catálogo *Federico García Lorca y Granada* (1998, véase «Fuentes consultadas», sección 3), p. 226, y en el mismo lugar, pp. 227-231, las de tres números de *Granada. Revista quincenal*, así como unas páginas de ésta.

129. Mora Guarnido (1958), p. 51.

130. Francisco García Lorca, p. 141.

131. *OC*, III, p. 365.

132. Orozco (1966); Francisco García Lorca, pp. 141-143; Molina Fajardo (1983), p. 206; conversación nuestra con el doctor José Rodríguez Contreras, Granada, 23 de agosto de 1978.

133. Francisco García Lorca, p. 146.

134. *EC*, p. 148.

135. Fernández Almagro (1962), pp. 170-171.

136. Gallego Morell (1968), pp. 22, 24-25, 50, 52.

137. *Ibid.*, p. 31.

138. *EC*, p. 79.

139. *OC*, I, p. 390.

140. Mora Guarnido (1958), pp. 58, 116; Gallego Morell, en *Federico García Lorca, Cartas, postales, poema y dibujos*, p. 46.

141. Pizarro, p. 12.

142. Ruiz Carnero y Mora Guarnido, p. 11.

143. Fragmentos de varias cartas sin fecha de José María García Carrillo a Lorca consultados por nosotros en el archivo de Agustín Penón; conversaciones nuestras con don José María García Carrillo, Granada, 1965-66; Orozco (1987).

144. Rodrigo, «Manuel Ángeles Ortiz, que ha olido "la rosa inmortal"», p. 67.

145. *Ibid*, p. 79.

146. Murciano.

147. Para Soriano Lapresa, véase Mora Guarnido (1958), pp. 56-57; para el ejemplar de *De profundis* en la biblioteca de Lorca, véase Fernández-Montesinos García, pp. 119, 170-171.

148. Mora Guarnido (1958), pp. 62-63.

149. *Ibid.*, pp. 60-62; conversación nuestra con don Charles Montague Evans, Londres, 1968.

150. Mora Guarnido (1958), p. 65; *Noticiero Granadino*, 4, 6, 19 de agosto de 1922; 1, 4 y 5 de octubre de 1922.

151. Mora Guarnido (1958), p. 67; Soria Olmedo.

Capítulo 3

1. *OC*, IV, p. 563.

2. *OC*, I, p. 99.

3. *OC*, I, p. 174.

4. FFGL.

5. *OC*, IV, pp. 676-678.

6. *Ibid.*, p. 42.

7. *Ibid.*, pp. 242-243.

8. *Ibid.*, p. 678.

9. *Ibid.*, p. 47.

10. *Ibid.*, pp. 812-815.

11. *Ibid.*, pp. 801-802.

12. *Ibid.*, pp. 680-683.

13. *Ibid.*, pp. 771-790.

14. *Ibid*, p. 541.

15. *Ibid.*, pp. 640-643.

16. *Ibid.*, respectivamente, pp. 659-661 (*Paisaje de oro y pasión*) y pp. 664-665 (*Alegoría: la primavera llega*).

17. *Ibid.* pp. 340-345.

18. *Ibid.*, p. 317.

19. *Ibid.*, pp. 484-486.

20. *Ibid.*, pp. 549-550.

21. *Ibid.*, p. 835.

22. *Ibid.*, p. 523.

23. *Ibid.*, pp. 715-719.

24. *Ibid.*, respectivamente, p. 632 (*Estado sentimental. Canción desolada*) y p. 598 (*Mística de luz infinita y de amor infinito*).

25. *Ibid.*, p. 651

26. *Ibid.*, p. 709.

27. *Ibid.*, p. 566.

28. *Ibid.*, p. 220.

29. *Ibid.*, pp. 237-238.

30. *Ibid.*, p. 553.

31. *Ibid.*, p. 566

32. *Ibid.*, p. 666.

33. *Ibid.*, p. 566.

34. *Ibid.*, pp. 364-367.

35. *Ibid.*, p. 246.

36. *Ibid.*, pp. 244-245.

37. *Ibid.*, pp. 242-244.

38. Véanse especialmente «Crepúsculo espiritual», «Carnaval. Visión interior» y «Los cipreses», todos de febrero de 1918, *ibid.*, pp. 282-283, 287-289 y 289-292 respectivamente.

39. *OC*, I, pp. 73-75.

40. *Libro de poemas*, *ibid.*, pp. 88-90.

41. Mora Guarnido, p. 167; Francisco García Lorca, p. 365. Según Mora, *ibid.*, en el manuscrito original el poema iba dedicado «A M…P…». No la identifica por si acaso estuviera aún viva. Francisco García Lorca la llama, sencillamente, «Maravilla» (sic). En una conversación nuestra con don Manuel Ángeles Ortiz (Madrid, 26 de septiembre de 1982) el pintor nos proporcionó su nombre completo.

42. *OC*, I, p. 88.

43. «Canción erótica con tono de elegía lamentosa», *OC*, IV, p. 252.

44. «María Elena. Canción», *OC*, IV, pp. 827-828.

45. «Elegía», *ibid.*, p. 335.

46. Seco de Lucena (1917), p. 231.

47. Isabel García Lorca, p. 82.

48. *Ibid.*, p. 83.

49. *Ibid.*, p. 98.

50. *Ibid.*, pp. 82-83.

51. *Ibid.*

52. *Ibid.*, pp. 83-84.

53. *Ibid.*, p. 98.

54. *Ibid.*, p. 118; Molina Fajardo (1993, pp. 300-301) reproduce fotográficamente el empadronamiento de 1923.

55. *Ibid.*, p. 119.

56. *Ibid.*, p. 120.

57. *Ibid.*, p. 88.

58. Rodrigo, *Memoria de Granada* (1984), p. 203.

59. «Ayer falleció en Madrid el actor Fernando Granada», *ABC*, Madrid, 17 de octubre de 1965, p. 109.

60. *OC*, I, p. 129.

61. Conversaciones nuestras con doña María del Carmen Hitos Natera, Madrid, marzo-abril 2008. Nuestras indagaciones al respecto en el balneario de Lanjarón no han dado resultado alguno debido a la ausencia de documentación correspondiente a los años que nos interesan.

62. *OC*, IV, p. 666.

63. Agradezco profundamente a don Bartolomé Menor Borrego, párroco de El Sagrario, en Córdoba, la localización de la copia de la partida de bautismo de Luisa Natera.

64. Conversación nuestra con doña Pilar Hitos Natera, Madrid, 23 de agosto de 2008.

65. Reproducimos una fotografía de María Luisa a los quince años en *Lorca y el mundo gay*, ilustración núm. I.

66. Conversación nuestra con doña Pilar Hitos Natera, Madrid, 23 de agosto de 2008.

67. Correo electrónico al autor de doña María del Carmen Hitos Natera, 21 de agosto de 2008.

68. *OC*, IV, p. 632.

69. *Ibid.*, p. 633.

70. *Ibid.*, p. 455.

71. Gibson (2011), 157, 174-175.

72. *OC*, IV, pp. 599-600.

73. Francisco García Lorca, p. 162.

74. Véase capítulo 2, nota 95.

75. *OC*, IV, pp. 215-217.

76. Para el ejemplar de Omar Jayyam perteneciente a Lorca, véase Fernández-Montesinos García, p. 81, que en la nota 34, p. 166, reproduce los pasajes destacados por el poeta; para la cita de la mística, *OC*, IV, p. 541.

77. Alonso (1966), p. 75.

78. Francisco García Lorca, p. 162.

79. Darío (1954), p. 837.

80. Fernández-Montesinos García, pp. 29-30.

81. Mora Guarnido, pp. 57-58; Silverman.

82. Carta de Lorca a sus padres desde Madrid, 16 de julio de 1917, *EC*, pp. 36-38.

83. Carta de Lorca a sus padres desde Burgos, 19 de julio de 1917, *ibid.*, pp. 38-39.

84. Dato aportado en una conversación nuestra con don Ricardo Gómez Ortega, uno de los compañeros de viaje de Lorca, Ibiza, verano de 1966.

85. Carta de Lorca a sus padres desde Silos, 1 de agosto de 1917, *EC*, pp. 41-43.

86. *Ibid.*; *Las monjas de las Huelgas*, en *El Diario de Burgos*, 7 de agosto de 1917, artículo recogido en *OC*, IV, pp. 1080-1082.

87. *OC*, III, pp. 97-98, 100-101.

88. Conversación nuestra con don Ricardo Gómez Ortega, Ibiza, verano de 1966; conversación nuestra con don Miguel Carlón Guirao, Vélez-Rubio (Almería), 1965.

89. *El Diario de Burgos*, 22 de agosto de 1917.

90. *OC*, IV, pp. 42-44.

91. Según su acta de nacimiento (Ayuntamiento de Íllora) vino al mundo, en la finca del duque de Wellington llamada Molino del Rey, el 10 de diciembre de 1893.

92. Cartas sin fecha escritas en el verano de 1917 por José Fernández-Montesinos a Lorca. FFGL.

93. *OC*, IV, p. 608.

94. *Ibid.*, pp. 490-492.

95. *Ibid.*, p. 898.

96. *Ibid.*, pp. 751-752.

97. *Ibid.*, p. 241.

98. *Ibid.*, p. 574.

99. *Ibid.*, p. 575.

100. Se trata de la versión castellana de L. Segalá y Estalella (Barcelona, Tipografía «La Académica», 1910). Véase Fernández-Montesinos García, p. 53, y, para los pasajes subrayados por Lorca, pp. 163-164, n. 18.

101. *OC*, IV, p. 313 y nota, p. 1100.

102. *Ibid.*, I, p. 157.

103. La prosa [*¿Qué hay detrás de mí?*], *OC*, IV, p. 649. Véase también *Estrella de junio*, *ibid.*, pp. 794-795.

104. [*Jehová*], esbozo de obra de teatro empezada el 6 de mayo de 1920, *ibid.*, p. 1010.

105. *Ibid.*, p. 545.

106. *Ibid.*, p. 621.

107. *Ibid.*, p. 461.

108. *Ibid.*, p. 619.

109. *Ibid.*, p. 969; conversación nuestra con doña Carmen Ramos, Fuente Vaqueros, septiembre de 1966.

110. *OC*, IV, pp. 978, 979.

111. *Cristo. Tragedia religiosa*, *ibid.*, p. 970.

112. *OC*, IV, p. 733.

113. *Ibid.*, pp. 734-735.

114. «Canción desolada», *ibid.*, p. 247.

115. «Elegía», *OC*, I, p. 88.

116. «Balada apasionada y dolorosa», *OC*, IV, p. 685.

117. *Mística de luz infinita y de amor infinito, ibid.*, p. 597.

118. «Tarde de abril» (sin fecha), *ibid.*, p. 332.

119. *Ibid.*, p. 318.

120. «Lluvia» (1919), *OC*, I, p. 84.

121. «Balada sensual» (20 de marzo de 1918), *OC*, IV, p. 313.

122. *Ibid.*, pp. 651-652.

123. *Ibid.*, p. 676.

124. Respectivamente, «[¿Qué hay detrás de mí?]», *ibid.*, p. 648 y «[El orden]», *ibid.*, p. 675.

125. *OC*, I, p. 155.

126. *Ibid.*, p. 72.

127. «Los álamos de plata», *ibid.*, p. 152.

128. *OC*, IV, p. 220.

129. *Ibid.*, p. 288.

130. «[Todo será el corazón]», *ibid.*, p. 534.

131. «Oración», *ibid.*, p. 370.

132. «Ángelus», *ibid.*, p. 285.

133. Conversaciones nuestras con don Miguel Cerón Rubio, Granada, 1965-1966.

134. *Historia vulgar*, *OC*, IV, p. 779.

135. *OC*, I, pp. 51-52; Darío (1954), pp. 752-753.

136. Darío, *Obras completas*, II, p. 295.

137. Devoto, «García Lorca y Darío».

138. «Meditación bajo la lluvia. Fragmento» (3 de enero de 1919), *OC*, I, p. 155.

139. *OC*, IV, p. 620 (*Mística en que se trata de Dios*).

140. *Ibid.*, p. 257.

141. Valdivielso Miquel, p. 137.

142. *OC*, IV, pp. 653-654.

143. Francisco García Lorca, p. 99: Fernández-Montesinos García, p. 85 y nota 35, pp. 166-167.

144. *OC*, IV, pp. 257-260.

145. *Ibid.*, p. 693.

146. Conversación nuestra con don Andrés Segovia, Madrid, 19 de diciembre de 1980.

147. Eloy Escobar de la Riva, «Centro Artístico», *Noticiero Granadino*, 18 de marzo de 1918.

148. Murciano.

149. Véase Gibson (2011) , pp. 178-179.

150. *OC*, IV, p. 52.

151. Arciniegas.

152. FFGL.

153. *OC*, IV, p. 64.

154. *Ibid.*, p. 129.

155. *Ibid.*, p. 58.

156. *Ibid.*, p. 128.

157. Carta sin fecha, FFGL.

158. Carta inédita de Martínez Fuset a Lorca, fechada el 8 de julio de 1918, que no hemos podido consultar. Un extracto, del cual tomamos la cita, se reproduce en *EC*, pp. 48-49, n. 79.

159. Domínguez Berrueta (1917).

160. Conversaciones nuestras con don Ricardo Gómez Ortega, Ibiza, verano de 1966; para la descripción de la escultura en *Impresiones y paisajses*, *OC*, IV, pp. 68-69, 72.

161. Conversación nuestra con don Ricardo Gómez Ortega, Ibiza, verano de 1966.

162. Agradezco a mi amigo Bernabé López García una fotocopia de esta dedicatoria.

163. Carta de Domínguez Berrueta a García Lorca (3 de mayo de 1918), FFGL. No se ha podido localizar, por desgracia, ninguna colección de *La Publicidad* correspondiente a estas fechas.

164. Carta al autor del hijo de Domínguez Berrueta, D. Luis Domínguez Guilarte, Salamanca, 12 de enero de 1966.

165. D. Ricardo Gómez Ortega nos dijo (verano de 1966) que Lorca siempre culpó a Mora Guarnido de lo ocurrido; para las referencias del poeta a Domínguez Berrueta, véanse *EC*, pp. 237-238, *OC*, III, p. 366 y Diego (1932), p. 297.

166. Gibson (1969), pp. 22-23.

167. *Ibid.*, p. 23.

168. *Ibid.*, pp. 23-24.

169. Ver, por ejemplo, la obrita teatral *Elenita. Romance* (1921), *OC*, IV, p. 1.037; *Los títeres de cachiporra*, *OC*, II, p. 68; *Mariana Pineda*, *ibid.*, p. 120; *Así que pasen cinco años*, *ibid.*, p. 345; «Gacela del amor que no se deja ver», *OC*, I, p. 594; «Noche (Suite para piano y voz emocionada)», *OC*, I, p. 200.

170. Gibson (1969), p. 26.

171. *Ibid.*, pp, 26-27.

172. «El camino», *OC*, I, 140.

173. Gibson (1969), pp. 27-28.

174. *OC*, I, p. 98.

175. *OC*, IV, pp. 264-265.

176. *Ibid.*, p. 114.

177. *OC*, I, pp. 106-108.

178. Andrés Soria Olmedo, en su edición de García Lorca, *Teatro inédito de juventud*, opina (p. 131, nota) que la obrita es anterior a junio de 1919, «con revisiones posteriores (1919-1920)».

179. *OC*, IV, pp. 909-966.

180. *Ibid.*, p. 910.

181. Gibson (1969), p. 34.

182. *Ibid.*, pp. 34-35.

183. *OC*, IV, pp. 260-262.

184. Gibson (1969), pp. 34-35.

185. *Ibid.*, pp. 35-37.

186. Isabel García Lorca, p. 64.

187. *OC*, I, pp. 77-79.

188. El texto sobre Omar al Khayyam se reproduce en *OC*, IV, pp. 45-48; *Baeza: la ciudad*, *ibid.*, pp. 1071-1073 y *Santiago de Compostela*, *ibid.*, pp. 1086-1087.

189. La carta se conserva en FFGL. Valle Hernández la reproduce, p. 36.

190. La carta se conserva en FFGL; *EC*, pp. 47-51; se reproduce fotográficamente en Valle Hernández, pp. 37-40.

191. Valle Hernández, pp. 47-48, n. 73; para Lorca y Maeterlinck, véase Fernández-Montesinos García, pp. 66-67 y nota 29, pp. 164-165.

192. *OC*, III, p. 306.

193. Fotografía de la dedicatoria publicada por Valle Hernández, p. 43.

194. Carta inédita, FFGL.

195. Penón (1990), *passim*; la dedicatoria se reproduce en Higuera Rojas (1980), p. 71.

196. Llanos.

197. Auclair, p. 248.

198. Penón (1990), pp. 227-229.

199. Francisco García Lorca, p. 161.

200. Fernández-Montesinos García (1985), p. 18.

201. *OC,* IV, pp. 277-278.

202. *Mística que trata de nuestra pequeñez y del misterio de la noche, ibid.,* p. 557.

203. *EC,* p. 53, n.

204. *Ibid.,* pp. 51-54.

205. En una carta a Melchor Fernández Almagro, *EC,* p. 240.

206. *EC,* p. 54.

207. *Divagaciones de un cartujo. La ornamentación.*

208. Gibson (2011), pp. 129-130.

209. *La Gaceta del Sur,* Granada, 15 de febrero de 1919. Se reproduce en *EC,* p. 56, e Inglada, p. 32 (con comentario en p. 225).

210. Molina Fajardo (1983), pp. 297-299, reproduce una fotocopia del documento, fechado el 17 de marzo de 1919.

211. FFGL.

Capítulo 4

1. Citado por García de Valdeavellano, p. 33.

2. *Ibid.,* pp. 13-15; Jiménez Fraud (1971), pp. 435-436.

3. Jiménez Fraud (1971), pp. 437 y ss.

4. *Ibid.,* p. 456.

5. *Ibid.,* pp. 457-458.

6. García de Valdeavellano, pp. 25 y ss.

7. Juan Ramón Jiménez (1926).

8. Santiago.

9. Crispin, p. 41.

10. *Ibid.*

11. Trend (1921), p. 36.

12. *Ibid.,* pp. 37-38.

13. Conversación nuestra con don José Bello, Madrid, 30 de octubre de 1987.

14. Trend (1921), p. 39.

15. Américo Castro, p. 17.

16. Jiménez Fraud (1971), pp. 464-465.

17. Mora Guarnido, p. 117,

18. Jiménez Fraud (1957); carta de la Residencia de Estudiantes al padre del poeta, 22 de julio de 1919, en FFGL; Pérez-Villanueva Tovar, p. 164.

19. Carta de Lorca a su familia, *EC,* pp. 57-58.

20. El lugar de publicación del artículo de Mora Guarnido, titulado «A Madrid ha llegado un poeta», no ha sido aún comprobado. La cita la hemos encontrado en «Crónica granadina», *La Alhambra,* Granada, núm. 508 (31 de mayo de 1919), p. 309.

21. Mora Guarnido (1958), p. 118.

22. García Lorca, *Cartas, postales, poemas y dibujos* (ed. de Gallego Morell), pp. 16-17.

23. *EC,* pp. 57-61, *passim.*

24. *Ibid.,* p. 57.

25. *Ibid.,* pp. 60-61.

26. Reyero Hermosilla, p. 3.

27. O'Connor, p. 31; Borrás, p. 10; Reyero Hermosilla, pp. 19-21.

28. *La Tribuna*, Madrid, 8 de abril de 1917, pp. 7-8.

29. Borrás, pp. 10-16; Abril, p. 24; Reyero Hermosilla, pp. 8-10, 13-16; Rodrigo (1975), pp. 126-128.

30. Juan Ramón Jiménez (1973), p. 105.

31. Mora Guarnido (1958), pp. 118-119; Videla, pp. 1-88, *passim;* Buñuel, *MUS*, pp. 76-77.

32. Introducción a «Los poetas del "Ultra". Antología», *Cervantes*, Madrid, junio de 1919, pp. 84-86.

33. Conversaciones nuestras con don José Bello, Madrid, 1983-1984.

34. *MUS*, p. 64.

35. *Ibid.*, p. 54.

36. *Ibid.*, pp. 56-57.

37. *Ibid.*, pp. 61-62.

38. Unamuno, *Ensayos*, VI, p. 65.

39. *EC*, pp. 52-53.

40. *Ibid.*, p. 61.

41. *La Alhambra*, Granada, 15 de junio de 1919, pp. 333-334; *El Defensor de Granada*, 16 de junio de 1919, p. 1.

42. Mora Guarnido (1958), p. 123.

43. Conversación nuestra con don Miguel Cerón, Granada, 17 de septiembre de 1965.

44. *La Alhambra*, Granada, núm. 509 (15 de junio de 1919), pp. 333-334; núm. 510 (30 de junio de 1919), p. 358.

45. FFGL.

46. Conversaciones nuestras con don Miguel Cerón, Granada, 1965-1966.

47. *OC*, I, pp. 106-108.

48. Isabel García Lorca, pp. 64-65.

49. Véase Rodriguez Marín, I, núm. 189 («La niña que vino de Sevilla...»).

50. *OC*, I, pp. 134-136.

Capítulo 5

1. Detalles en Molina Fajardo (1963), *passim*.

2. *Ibid.*

3. María Martínez Sierra, p. 124.

4. *Ibid.*, pp. 134-136.

5. *El Defensor de Granada*, 27 de junio de 1916, p. 1.

6. Falla (1972), p. 25.

7. Pahissa, pp. 105-107.

8. García Matos, I, pp. 55-56.

9. *Ibid.*, pp. 58-59.

10. *OC*, III, p. 147.

11. Sopeña (1962), p. 61.

12. Cartas de Ángel Barrios a Falla en Archivo Manuel de Falla, Granada; carta de Falla a Ángel Barrios (4 de septiembre de 1919), conservada por la hija del guitarrista, doña Ángela Barrios, y que ha tenido la amabilidad de mostrarnos; la carta siguiente (7 de septiembre de 1919) se reproduce en Sopeña (1962), p. 62.

13. Trend (1921), pp. 237-238.

14. *Ibid*., pp. 240-241.

15. *Ibid*., pp. 243-244.

16. Trend (1922).

17. *OC*, IV, p. 38.

18. Pahissa, p. 126.

19. Cossart, *passim*.

20. Orozco (1966).

21. Cossart, p. 136.

22. Loxa, p. 9.

23. Rodrigo (1984), pp. 169-172.

24. *El Defensor de Granada*, «Ecos de sociedad», 20 de noviembre de 1919; carta de Lorca a Ángel Barrios, *EC*, p. 62.

25. *EC*, p. 64, n. 136.

26. *Ibid*., p. 63, n. 131.

27. *Ibid*., pp. 62-63.

28. *La viudita que se quería casar. Poema trágico*, *OC*, IV, pp. 909-1061.

29. *EC*, p. 63.

30. *Ibid.,* pp. 63-65.

31. Conversación nuestra con don Manuel Ángeles Ortiz, Granada, verano de 1965; Auclair, p. 99.

32. Caffarena, p. 6.

33. Prados, p. 26.

34. *Ibid*., pp. 29-30.

35. Carta de Gregorio Martínez Sierra en FFGL.

36. Mora Guarnido (1958), pp. 126-127.

37. Fernández Almagro (1952).

38. Fernández-Montesinos García, pp. 103-104. La edición de Martínez Lafuente, con un prólogo de Victor Hugo, fue publicada en Valencia por la editorial Prometeo, parece ser que en 1916.

39. «[Yo estaba triste frente a los sembrados]», *OC*, IV, p. 217.

40. *OC,* I, pp. 71-72 y 99 respectivamente.

41. Testimonio del pintor asturiano y «residente» Paulino Ventura en el artículo de Faustino F. Álvarez, «Paulino Ventura, el pintor asturiano del 27», *ABC de las artes*, Madrid, 31 de marzo de 1988, p. 89.

42. Francisco García Lorca, p. 261; J. A., «Los teatros. ESLAVA. 'El maleficio de la mariposa'», *El Sol*, Madrid, 23 de marzo de 1920, p. 11.

43. Gibson, «En torno al primer estreno de Lorca (*El maleficio de la mariposa*)», pp. 72-74.

44. Francisco García Lorca, p. 266.

45. Rodrigo (1984), p. 203; carta al autor de don José Calvo del Ayuntamiento de Íllora, 25 de agosto de 2008.

46. Carta al autor de don José Calvo del Ayuntamiento de Íllora, 25 de agosto de 2008.

47. Gibson, «En torno al primer estreno de Lorca (*El maleficio de la mariposa*)», pp. 72-74.

48. Alberti (1945), p. 28.

49. *OC*, III, p. 558.

50. *EC*, pp. 72-75.

51. *Ibid*., pp. 72-73, notas 161 y 162.

52. *Ibid*., pp. 75-76.

Capítulo 6

1. *EC*, pp. 77-78.
2. Carta de José Fernández-Montesinos a Lorca, FFGL.
3. Mora Guarnido (1958), p. 82.
4. Expediente académico del poeta en la Universidad de Granada. Copia de éste hecha por Agustín Penón y reproducida fotográficamente en Penón (2009), p. 737.
5. *MUS*, p. 64.
6. *Ibid.*
7. *Ibid.*, pp. 54-78, *passim*.
8. Sánchez Vidal (1988), p. 53.
9. *MUS*, pp. 64-65.
10. Moreno Villa (1944), p. 107.
11. *EC*, pp. 84-85; Sánchez Vidal (1988), pp. 88-90.
12. Un ejemplar del programa se conserva en el archivo de la Residencia de Estudiantes. La fotografía se reproduce en Francisco García Lorca, núm. [10].
13. Entrevista nuestra con don Alfredo Anabitarte, Madrid, 21 de noviembre de 1981.
14. *EC*, p. 86.
15. *Ibid.*, p. 87.
16. *Ibid.*, p. 87, n. 203.
17. Le agradezco a mi amigo Bernabé López García la consulta de esta carta inédita. No está fechada, pero por una referencia a la muerte del arzobispo de Granada, José Meseguer y Costa, acaecida el 9 de diciembre de 1920, se puede datar entre aquella fecha y finales del mes. Meseguer había confirmado al joven Federico en Asquerosa.
18. Menéndez Pidal, *Romancero hispánico*, II, pp. 438-439.
19. Mario Hernández, introducción a su edición del *Romancero gitano* (Madrid, Alianza, 1981), pp. 158-159.
20. Fernández-Montesinos García, p. VIII.
21. *Ibid.*, p. 92.
22. Rodríguez Spiteri, «Un recuerdo a Federico».
23. *EC*, p. 97.
24. FFGL.
25. *Ibid.*, p. 46.
26. *Ibid.*, p. 48.
27. *Ibid.*, p. 50.
28. *Ibid.*, p. 52.
29. *Cartas de Vicenta Lorca a su hijo Federico* (ed. Fernández), pp. 54-55.
30. Francisco García Lorca, pp. 160-166.
31. *EC*, p. 109.
32. *Ibid.*, pp. 109-110, n. 286.
33. *Cartas de Vicenta Lorca a su hijo Federico* (ed. Fernández), p. 56 y nota.
34. *EC*, pp. 109-110, n. 286.
35. *Ibid.*, p. 114.
36. *Ibid.*
37. *CMAA*, p. 174.
38. Carta sin fecha, FFGL.

39. Conversación nuestra con don Francisco García Lorca, Madrid, abril de 1973.

40. Francisco García Lorca, pp. 160-166.

41. *OC*, I, p. 59.

42. Francisco García Lorca, p. 194.

43. [Conferencia-recital del *Romancero gitano*], *OC*, III, pp. 180-181.

44. Mora Guarnido (1921).

45. Adolfo Salazar (1921).

46. FFGL.

47. *EC*, p. 121.

48. Rivas Cherif (1921); Guillermo de Torre (1921).

49. Carta de Melchor Fernández Almagro a Lorca (agosto de 1922), FFGL; Guillermo de Torre (1925), pp. 80-81.

50. *EC*, p. 108.

51. *Ibid.*, p. 122.

52. Belamich, introducción a García Lorca, *Suites*, p. 19.

53. *Ibid.*, p. 22.

54. *EC*, p. 119.

55. *OC*, I, pp. 205-206.

56. Sobre el simbolismo del lirio en la poesía de Lorca, véase Gibson (1969).

57. Citamos de la edición de 1998 (véase «Fuentes consultadas», sección 1, *Poema de la feria*, Sección 1).

58. *EC*, p. 125.

59. *OC*, I, pp. 220-221.

60. García Lorca, *Suites*, edición de André Belamich, p. 108, nota.

61. *Ibid.*, p. 221.

62. *EC*, p. 123.

63. Conversaciones nuestras con don Miguel Cerón Rubio, Granada, verano de 1965.

64. *EC*, p. 124.

65. Carta inédita de Adolfo Salazar a Lorca, FFGL.

66. *Índice*, Madrid, núm. 2, 1921; *OC*, I, pp. 196-198.

67. Expediente académico de Lorca en la Universidad de Granada. Copia de éste hecha por Agustín Penón y reproducida en Penón (2009), p. 737.

68. *Ibid.*

69. Francisco García Lorca, pp. 148-149.

70. Mora Guarnido (1958), p. 159.

71. *OC*, III, p. 306.

72. Molina Fajardo (1962), pp. 45-46.

73. *Ibid.*, p. 49-50; conversaciones nuestras con don Miguel Cerón, Granada, 1965-1966.

74. *EC*, p. 125, n. 345; le agradezco a mi amigo Víctor Fernández una copia de esta pequeña carta inédita.

75. *EC*, p. 137.

76. *OC*, I, p. 316.

77. Conversación nuestra con don Miguel Cerón, Granada, 27 de diciembre de 1965.

78. *OC*, I, p. 306.

79. *Ibid.*, p. 315.

80. Para detalles, véase Falla (1922; 1972). Los borradores del folleto se conservan en el Archivo Manuel de Falla, Granada.

81. *OC*, III, pp. 523-524.
82. *Ibid.*, pp. 1298-1300.
83. Molina Fajardo (1962), *passim*.
84. Carta de Vicenta Lorca (14 de abril de 1922) a sus hijos en Sevilla, *Cartas de Vicenta Lorca a su hijo* (ed. Fernández), pp. 65-66; Chacón y Calvo, p. 101.
85. *La Gaceta del Sur*, Granada, 8 de junio de 1922, p. 3; Molina Fajardo (1962), pp. 117-118.
86. Gibson (2011), p. 333.
87. Trend, «A Festival in the South of Spain».
88. Gibson (2011), pp. 332-333.
89. Legendre, p. 152; García Hidalgo; Mora Guarnido (1958), pp. 162-163; Molina Fajardo (1962), pp. 122-124.
90. Molina Fajardo (1962), p. 152.
91. *Ibid.*, pp. 151-159.

Capítulo 7

1. *EC*, p. 138.
2. *Ibid.*, p. 153; carta a Fernández Almagro, finales de julio o comienzos de agosto, 1922, *EC*, p. 155.
3. *OC*, II, p. 46.
4. *EC*, p. 155.
5. *Ibid.*, p. 156.
6. Carta de Fernández Almagro a Lorca, FFGL.
7. Expediente académico del poeta en la Universidad de Granada. Copia de éste hecha por Agustín Penón y reproducida fotográficamente en Penón (2009), p. 737; *EC*, pp. 161-162.
8. *EC*, pp. 161-162.
9. Detalles en Gibson (2011), pp. 341-346.
10. *OC*, III, p. 449.
11. *OC*, II, p. 707.
12. Crichton, p. 54.
13. Orozco (1968), pp. 145-146; Cossart, pp. 136, 147-150.
14. Expediente académico del poeta en la Universidad de Granada. Copia de éste hecha por Agustín Penón y reproducida fotográficamente en Penón (2009), p. 737. Francisco García Lorca, p. 102.
15. *EC*, p. 169.
16. *Ibid.*, p. 179.
17. *Ibid.*, pp. 171-175.
18. Expediente académico de Dalí en la facultad de Bellas Artes, Universidad de Madrid.
19. Ana María Dalí (1949), pp. 81-84.
20. Gibson (1998), pp. 134-138 y ss.
21. *Ibid.*
22. *Vida secreta de Salvador Dalí,* p. 187.
23. *Ibid.*, p. 200.
24. *Ibid.*, p. 188.
25. Molina Foix, p. 13.
26. *Vida secreta de Salvador Dalí,* p. 218.

27. *EC*, pp. 175-176.

28. *Ibid.*, pp. 179-180, n. 520.

29. *Ibid.*, pp. 177-179.

30. María Martínez Sierra, p. 146.

31. Mora Guarnido (1958), p. 86.

32. *EC*, pp. 179-180.

33. FFGL.

34. *EC*, pp. 211-212.

35. Carta de Martínez Sierra en FFGL.

36. Carta de Lorca a José de Ciria y Escalante y Melchor Fernández Almagro, *EC*, pp. 196-197.

37. *OC*, I, p. 853.

38. Belamich, «Presentación» de su edición de García Lorca, *Suites*, p. 13.

39. *OC*, I, p. 281.

40. *Ibid.*, pp. 281-282.

41. *Ibid.*, pp. 284-285.

42. *EC*, p. 200.

43. *Ibid.*, pp. 183, n. 534, y 200, n. 581.

44. Postal de Federico y Francisco García Lorca a Falla desde Málaga (mediados de agosto de 1923), Archivo Manuel de Falla, Granada.

45. *EC*, p. 211.

46. *OC*, III, pp. 358, 359, 375, 480.

47. *EC*, I, pp. 186-187.

48. *Ibid.*, pp. 207-209.

49. FFGL; carta reproducida en Rodrigo (1975), pp. 65-66.

50. Mora Guarnido (1958), p. 131.

51. Lorca asistió a la reunión del PEN Club en Madrid el 13 de noviembre de 1923; véase *El Sol*, Madrid, 14 de noviembre de 1923, p. 5.

52. Fernández Almagro (1923).

53. Gibson (1988), pp. 156-162. Para la versión del pintor, no del todo fiable, véase *Vida secreta de Salvador Dalí*, pp. 210-211.

54. *EC*, pp. 216-217.

55. *Ibid.*, p. 218.

56. Gutiérrez Cuadrado, p. 364, n. 38

Capítulo 8

1. *EC*, p. 220.

2. *Ibid.*

3. *Ibid.*, pp. 228-229.

4. Mora Guarnido (1958), p. 158.

5. *EC*, p. 230, n. 672.

6. Introducción de Gutiérrez Padial a Juan Ramón Jiménez (1969), p. 14.

7. Isabel García Lorca, pp. 138-146.

8. Juan Ramón Jiménez (1969), pp. 65-66.

9. Inscripción sobre la tumba de Francisca Alba en el cementerio de Valderrubio (antes Asquerosa).

10. Isabel García Lorca, pp. 70-73.

11. García Lorca, *Autógrafos* (ed. Martínez Nadal), I, pp. 138-141, para fotografía del manuscrito; Mora Guarnido (1958), pp. 209-210.

12. García Lorca, *Autógrafos* (ed. Martínez Nadal), I, pp. 150-155.

13. *EC*, pp. 244-245.

14. *Ibid.*, pp. 334 (n. 998) y 392.

15. *Ibid.*, pp. 416-418.

16. *Ibid.*, p. 442.

17. *Ibid.*, pp. 437-438.

18. *Ibid.*, pp. 420-422.

19. *OC*, I, p. 415.

20. *EC*, p. 323.

21. *OC*, I, pp. 426-427.

22. Francisco García Lorca, p. 423.

23. Rodríguez Marín, núm. 4014.

24. Se titula «El pajarito verde» y se publicó en enero de 1924 en *La Verdad,* Murcia, donde Lorca lo pudo leer.

25. Juan Ramón Jiménez (1962); Salinas (1951), p. 219.

26. *OC*, III, pp. 179-180.

27. *Ibid.*, p. 182.

28. Guillén, p. L.

29. OC, III, p. 379.

30. *Ibid.*, p. 179.

31. *EC*, p. 334.

32. *Ibid.*, p. 330.

33. *EC*, pp. 241-242.

34. *OC*, II, pp. 703-704.

35. Francisco García Lorca, pp. 121-122, 307-308.

36. Conversación nuestra con don Santiago Ontañón, Madrid, 21 de julio de 1980.

37. Conversación nuestra con doña María Molino Montero, Buenos Aires, 18 de mayo de 1987.

38. *OC*, II, p. 344.

39. Higuera Rojas (1980), pp. 80-82.

40. *EC*, p. 239.

41. El carnet de estudiante de Dalí del año escolar 1924-1925, con fecha 18 de septiembre de 1924, se reproduce en Santos Torroella (1987), p. 118.

42. Buñuel, *MUS*, pp. 72-75.

43. *EC*, pp. 254-255.

44. Alberti, *La arboleda perdida*, pp. 173-174

45. Alberti, «Palabras a Federico», texto citado por Díaz Plaja (1961), p. 128.

46. Aub, p. 549.

47. Alberti, *Imagen primera de*…, pp. 20-21.

48. Moreno Villa (1944), p. 113.

49. *Ibid*.

50. Se reproduce el dibujo en nuestro *Lorca-Dalí, el amor que no pudo ser,* lámina en color número 3.

51. Incluido en una carta de José Bello a Ignacio Sánchez Mejías, 22 de diciembre de 1924. Fuente: *En recuerdo de José Bello*, librito publicado por la Residencia de Estudiantes para el acto del 19 de febrero de 2008. p. 53.

52. Alberti, *La arboleda perdida*, p. 176.

53. Santos Torroella (1987), *passim*.

54. *OC*, I, p. 762.

55. *Ibid.*, pp. 381-382.

56. Jerez Farrán, *Un Lorca desconocido*, pp. 136-137.

57. Moreno Villa (1944), pp. 120-121; *OC*, III, p. 631.

58. Información que nos transmitió amablemente M. André Belamich.

59. Conservado en FFGL.

60. *OC*, III, p. 358.

61. Francisco García Loca, pp. 285-300.

62. *OC*, II, p. 109.

63. *Ibid.*, p. 169.

64. *EC*, p. 264.

65. *Ibid.*, pp. 267-268.

66. *Ibid.*, p. 269.

67. Rodrigo (1981), p. 39.

68. Ana María Dalí, p. 102; *EC*, p. 269.

69. El manifiesto se recoge en Inglada, pp. 39-40.

70. *EC*, p. 270.

71. Rodrigo (1975), pp. 28-29.

72. «Del temps i de la mar», *Sol ixent*, Cadaqués, núm. 46 (2 de mayo de 1925), p. 3: «ventet a garbí fluix, tot lo día».

73. *EC*, p. 269.

74. *Ibid.*, p. 296.

75. *La vida secreta de Salvador Dalí*, p. 304.

76. *Ibid.*

77. Rodrigo (1975), pp. 30-32; *EC*, p. 271; carta de Lorca a sus padres, *ibid.*, pp. 267-268.

78. *EC*, p. 272.

79. *Ibid.*, p. 275.

80. *Ibid.*, p. 297.

81. Rodrigo (1975), p. 29.

82. La secuencia de fotografías se reproduce en el catálogo *Federico García Lorca y Granada* (ver «Fuentes consultadas», sección 3), pp. 162-165; véase también Rodrigo (1983).

83. Carta al autor, desde Salamanca, de don Luis Domínguez Guilarte, 12 de febrero de 1966.

84. Salvador Dalí (1975), p. 17.

85. *EC*, p. 274.

86. Rodrigo (1975), pp. 40-44; Ana María Dalí, pp. 103-104.

87. Rodrigo (1981), p. 61.

88. Santos Torroella (1992), p. 76.

89. Rodrigo (1981), p. 63.

90. *EC*, p. 270.

91. Rodrigo (1981), pp. 63-66.

92. *EC*, p. 318.

93. Aragon, p. 25.

94. Vela.

95. Fernández-Montesinos García, pp. 110-111.

96. Torre, *Literaturas europeas de vanguardia*, pp. 80-81.

97. El retrato está reproducido en el catálogo *400 obras de Salvador Dalí, 1914-1983*, I, p. 53; Buñuel, *MUS*, p. 182.

98. *EC*, pp. 283-284.

99. *SDFGL*, p. 19.

100. *Ibid.*, pp. 22-24.

101. Morris, pp. 134-139.

102. *OC,* II, p. 182.

103. *Ibid.*, p. 183.

104. *Ibid.*, p. 178.

105. *EC*, p. 277.

106. *Venus y un marinero* se reproduce en Gómez de Liaño, p. 112, y en *400 obras de Salvador Dalí, 1914-1983* (catálogo), p. 60; otro cuadro parecido, también de 1925, y con el mismo título, se reproduce en Descharnes (1984), p. 65.

107. *EC*, p. 286.

108. OC, I, 338; *El Defensor de Granada*, 4, 5, 6, 7 de noviembre de 1919; conversación nuestra con don Manuel Ángeles Ortiz, Granada, 27 de agosto de 1965; García Lorca, *Autógrafos* (ed. Martínez Nadal), I, pp. 96-107.

109. *OC*, III, p. 184.

110. *Ibid.*

111. *OC*, I, respectivamente, pp. 343 y 441.

112. *SDFGL*, p. 19.

113. *EC*, p. 286.

114. *Ibid.*, pp. 292-293.

115. *SDFGL*, p. 16.

116. *EC*, pp. 296-297.

117. FFGL.

118. Mario Hernández, introducción a Francisco García Lorca, *Federico y su mundo*, p. xvi.

119. *EC*, pp. 300-301.

120. *SDFGL*, p. 24.

121. *EC*, p. 310

Capítulo 9

1. Fernández Almagro, «El homenaje a Santiago Rusiñol», *La Época*, Madrid, 11 de enero de 1926; «El pulso de Barcelona», *ibid.*, 23 de enero de 1926.

2. *EC,* pp. 318-319, 341.

3. En su imprescindible edición de la obra (véase «Fuentes utilizadas», sección 1), pp. 19 y 25, Margarita Uceley reproduce dos aleluyas del siglo XIX protagonizadas por el personaje (*Historia de D. Perlimplín* y *Vida de Don Perlimplín*).

4. *EC*, pp. 320-322.

5. *OC*, II, pp. 242-243.

6. *Ibid.*, p. 260.

7. *Ibid.*, pp. 262-263.

8. *Ibid.*, p. 263.

9. *SDFGL*, p. 86.

10. *EC*, 346.

11. *Ibid.,* p. 331.

12. FFGL.

13. *EC*, p. 334.

14. Epstein, *La Poésie d'aujourd'hui*, pp. 131, 135, 139; Torre, «Literaturas novísimas. Problemas teóricos y estética experimental del nuevo lirismo»; Torre, «La imagen pura —su valor y sus limitaciones»; *OC*, III, pp. 1314 y 1311, respectivamente.

15. *OC*, III, p. 1314.

16. *Ibid.*, p. 181.

17. *Ibid.*, p. 1319.

18. *Ibid.*, p. 1307.

19. *Ibid.*, I, p. 439.

20. *EC*, p. 336: para el fragmento del poema, *OC*, I, p. 481.

21. *SDFGL*, pp. 16, 20.

22. Las páginas correspondientes de la *Revista de Occidente* (Año IV, número XXXIV, abril de 1926, pp. 52-58), más la portada del número correspondiente de la revista, se reproducen fotográficamente en *SDFGL*, pp. 124-125.

23. *OC*, I, p. 458.

24. *Ibid.*, p. 459.

25. *Ibid.*

26. *Ibid.*, p. 460.

27. Respuesta de don Salvador Dalí a una pregunta nuestra en la rueda de prensa celebrada en el Teatre-Museu del pintor, Figueres, 24 de octubre de 1980.

28. Cassou.

29. *EC*, p. 354.

30. *SDFGL*, pp. 32, 34, 36.

31. *EC*, pp. 340-342.

32. Guillén, pp. li-lvii.

33. Guillermo de Torre (1960), p. 63.

34. *El Norte de Castilla*, Valladolid, 11 de abril de 1926, p. 1; *El Defensor de Granada*, 13 de abril de 1926, p. 1.

35. *Cartas de Vicenta Lorca a su hijo Federico* (ed. Fernández), pp. 67-68.

36. *Vida secreta de Salvador Dalí*, pp. 165-167.

37. *Ibid.*, p. 221; para el viaje, véase Ana María Dalí (1949), pp. 120-121.

38. La foto lleva la indicación manuscrita de Buñuel: «Bombilla —Mayo— 1926». Se reproduce en Gibson, *Luis Buñuel*, ilustración núm. 17.

39. Aub, p. 104.

40. *MUS*, pp. 100-101.

41. Aub, p. 105.

42. Gibson, *Luis Buñuel*, *passim*.

43. Bosquet, p. 52.

44. Gibson, «Con Dalí y Lorca en Figueres».

45. Santos Torroella (1984), pp. 13-43, 206-211.

46. *400 obras de Salvador Dalí, 1914-1983* (catálogo), II, p. 171.

47. *Vida secreta de Salvador Dalí,* p. 218.

48. Gibson (2013), pp. 218-219.

49. *EC*, pp. 350-352.

50. *Ibid.,* pp. 355, 360.

51. *Ibid.*, p. 355.

52. *Ibid.*, p. 359.

53. *Ibid.*, p. 361 y n. 1051.

54. *Ibid.*, p. 419.

55. Gibson, *Poeta en Granada. Paseos con Federico García Lorca*, pp. 32-33.

56. Surroca y Grau, p. 72.

57. *OC*, I, pp. 427-429.

58. *OC*, II, pp. 293-294.

59. *OC*, I, p. 579.

60. *EC*, p. 365.

61. *Ibid.*, p. 365.

62. *Ibid.*, p. 384.

63. *Ibid.*, pp. 390-391.

64. *Ibid.*, pp. 366-367.

65. Isabel García Lorca (2002), p. 261.

66. *Ibid.*, p. 275.

67. *Ibid.*, p. 276.

68. *Ibid.*, p. 261.

69. Rodrigo (1997), *passim*.

70. *Ibid.*

71. Guillén, pp. lxviii-lxx.

72. *EC,* p. 369.

73. *Ibid.*, p. 375.

74. Santos Torroella (1984), *passim*; véase especialmente el diagrama reproducido en las pp. 227-228.

75. En nuestro *Lorca-Dalí, el amor que no pudo ser*, reproducimos, en color, *Composición con tres figuras* (lámina núm. 10) y, en blanco y negro, el cuadro de Picasso (ilustraciones en blanco y negro núm. 18).

76. Santos Torroella (1984), p. 72.

77. *EC*, p. 374.

78. *Ibid.*

79. Beurdeley, p. 84.

80. Savinio, *Nueva enciclopedia,* p. 369.

81. Freud, *Introductory Lectures on Psycho-Analysis,* London, The Hogarth Press, XV, 1975, p.154.

82. *SDFGL*, p. 45.

83. Gibson, *Luis Buñuel*, p. 219.

84. *SDFGL*, p. 42.

85. *Ibid.*, p. [110].

86. Fotografía conservada en FFGL. La reproducimos en nuestro *Lorca-Dalí. El amor que no pudo ser*, ilustración en blanco y negro núm. 25.

87. *SDFGL*, p. 45.

88. *L' amic des arts*, Sitges, 26 de septiembre de 1926, p. 4.

89. Reproducido en color en Gómez de Liaño, núm. 30; y en *Salvador Dalí. Rétrospective 1920-1980*, núm. 33, p. 47.

90. Reproducido en color en Descharnes (1984), p. 49.

91. *OC*, III, pp. 78-87.

92. *EC*, p. 383.

93. *Ibid.*, pp. 383, 391 y nota 1142, 392.

94. *Ibid.*, pp. 384-385.

95. Carta en FFGL reproducida en Rodrigo (1975), p. 83.

96. *EC*, p. 415.

97. FFGL.

Capítulo 10

1. Santos Torroella (1984), p. 223. El cuadro se reproduce en color en *DOH*, p. 69, con el título de *Figura cubista*.

2. Santos Torroella (1984), pp. 223-224. El cuadro se reproduce en color en

DOH, p. 71; en la reproducción en blanco y negro proporcionada por Gómez de Liaño, núm. 31, se aprecia más claramente el perfil de la cabeza de Lorca.

3. El catálogo de la exposición de Dalí se reproduce en *SDFGL*, p. 132.

4. *La vida secreta de Salvador Dalí*, p. 217.

5. FFGL.

6. *SDFGL*, p. 48; *EC*, p. 522.

7. *SDFGL*, p. 48.

8. *EC*, pp. 423-424.

9. La carta de Fernández Almagro (FFGL) se cita en Rodrigo (1975), p. 84.

10. FFGL.

11. *SDFGL*, pp. 52, 54.

12. *EC*, p. 418.

13. *Ibid.*, p. 436.

14. *Ibid.*, p. 426.

15. *Ibid.*, p. 414.

16. *Ibid.*, p. 433.

17. *Ibid.*, pp. 415 y 418.

18. *Ibid.*, p. 418.

19. *Ibid.*, p. 417.

20. *SDFGL*, p. 32 y n. 12.

21. FFGL.

22. *EC*, pp. 424-430.

23. *Ibid.*, p. 430.

24. *Heraldo de Madrid*, 1 de abril de 1927, p. 5; *EC*, pp. 466-467.

25. *EC*, pp. 468-470.

26. *Ibid.*, p. 475.

27. *Canciones* se terminó de imprimir, según su colofón, el 17 de mayo de 1927. Sobre su distribución, véase *EC*, pp. 485-486, n. 202.

28. Gasch, pp. 7-9.

29. *SDFGL*, pp. 58-59.

30. Gasch, p. 10.

31. *Ibid.*, pp. 10-11.

32. *SDFGL*, p. 35.

33. Gasch, pp. 10-11.

34. *EC*, p. 496.

35. *La Noche*, Barcelona, 23 de junio de 1927, p. 3.

36. *EC*, p. 489.

37. *La Veu de Catalunya*, Barcelona, 25 y 30 de junio de 1927.

38. Rodrigo (1975), p. 100.

39. *La Vanguardia*, Barcelona, 26 de junio de 1927, p. 15; *El Diluvio*, Barcelona, 26 de junio de 1927, p. 30.

40. «La obra de un granadino. El éxito de García Lorca en Barcelona», *El Defensor de Granada*, 3 de julio de 1927, p. 1; *La Gaceta Literaria,* Madrid, 1 de julio de 1927, p. 5.

41. *EC*, pp. 485-486.

42. Se reproduce una fotografía del catálogo en Rodrigo (1975), p. 115.

43. *El beso* se reproduce en color en *Libro de dibujos de Federico García Lorca* (véase «Fuentes consultadas», sección 3), p. 193, núm. 115; en Gibson, *Lorca-Dalí, el amor que no pudo ser* (lámina 11); en Gibson, *Lorca y el mundo gay* (lámina III).

44. Comentario de Dalí recogido por Robert Descharnes (1962), p. 21; el dibujo se reproduce en color en *Libro de los dibujos de Federico García Lorca* (véase «Fuentes consultadas», sección 3), p. 10; en Romero, núm. 277, p. 220; en Gibson, *Lorca y el mundo gay*, lámina VI; en Gibson, *Lorca-Dalí, el amor que no pudo ser*, lámina 13.

45. *EC*, pp. 497-498.

46. *La Gaceta Literaria*, Madrid, 1 de septiembre de 1927, p. 2.

47. *Verso y prosa*, Murcia, abril de 1927.

48. Reproducido en Gibson, *Lorca-Dalí, el amor que no pudo ser*, ilustración en blanco y negro número 23.

49. *EC*, p. 492; Romero, núm. 213, p. 172.

50. Santos Torroella (1984), pp. 224-225.

51. La fotografía de *La miel es más dulce que la sangre*, y un primer plano de la cabeza del poeta, se reproducen en nuestro *Lorca-Dalí. El amor que no pudo ser*, ilustraciones en blanco y negro núms. 25 y 26. La cabeza en primer plano también se reproduce en nuestro *Lorca y el mundo gay*, ilustración V.

52. Sánchez Vidal (1988), p. 116.

53. Dalí, entrevista con Lluís Permanyer (véase Dalí, en «Fuentes consultadas»); Dalí (1942, 1975, 1983), *passim*.

54. Reproducimos *Cenicitas*, en color, en nuestro *Lorca-Dalí. El amor que no pudo ser*, lámina 14, y la cabeza de Lorca, en primer plano, en la lámina 15; también reproducimos el cuadro y el primer plano en *Lorca y el mundo gay*, núms. IV y V.

55. Prólogo de Dalí a su novela *Hidden Faces*, 1944, p. XI. Dalí sitúa el augurio de Lorca en 1922, pero en realidad no se conocieron hasta 1923.

56. *SDFGL*, p. 48.

57. *Ibid.*, pp. 46, 93; reproducimos el dibujo en *Lorca-Dalí, el amor que no pudo ser*, ilustración en blanco y negro número 24.

58. Conversación telefónica nuestra desde Madrid con don Rafael Santos Torroella, en Barcelona, febrero de 1987.

59. Ana María Dalí (1949), pp. 122-132; Rodrigo, *FGL, el amigo de Cataluña*, p. 196.

60. Rodrigo (1981), p. 176.

61. *Ibid.*

62. *El Sol*, Madrid, 20 de julio de 1927, p. 2.

63. *L'amic de les arts*, Sitges, núm. 20, 30 de noviembre de 1927, p. 104. Los dos textos se reproducen en el catalán original en Salvador Dalí, *L'alliberament dels dits*, pp. 49-52.

64. *EC*, pp. 498-501. El manuscrito de la carta se conserva en la Fundació Gala-Salvador Dalí, Figueres. Escrita con letra menuda, ofrece varias dificultades de lectura. La reproduce Santos Torroella en facsímil, con comentarios (1992), pp. 177-178.

65. *EC*, pp. 501-502.

66. Conversaciones nuestras con don Rafael Santos Torroella, Madrid y Barcelona, 1987.

67. Mario Hernández (1989), p. 270.

68. «Federico García Lorca», *El Defensor de Granada*, 7 de agosto de 1927, p. 1.

69. *EC*, p. 503.

70. *Ibid.*, p. 508.

71. *Ibid.*, p. 506.

72. *Ibid.*, pp. 511-512 (se trata de una carta que obraba en el archivo de Anna

Maria Dalí, transcrita por Rafael Santos Torroella en 1949 y hoy en paradero desconocido).

73. *EC*, p. 514.

74. *Ibid.*, p. 517.

75. Gasch, «Una exposició y un decorat», *L'amic de les arts*, Sitges, núm. 16 (31 de julio de 1927), p. 56.

76. *EC*, p. 516.

77. *Ibid.*, p. 518.

78. *Ibid.*, pp. 518-519.

79. *Ibid*, p. 520.

80. *Ibid.*, p. 524.

81. *Ibid.*, p. 521. Entre los textos de Dalí de este ciclo conservados en el archivo del poeta (FFGL) figuran «Poema de las cositas» (fechado octubre de 1927) y «Pez perseguido por un racimo de uvas». Véase *SDFGL*, pp. 68-69, 70-71 y notas. También cabe pensar que Lorca conocía *La meva amiga i la platja* antes de su publicación en *L'amic de les arts,* núm. 19 (30 de noviembre de 1927), p. 104.

82. *OC*, I, pp. 487,488, 489 y 493.

83. *Ibid.*, p. 490.

84. Carta de Dalí a Sebastià Gasch consultada por nosotros en la colección de doña Caritat Gasch, viuda del crítico y hoy fallecida.

85. *La Voz de Guipúzcoa*, San Sebastián, 11 de agosto de 1927, p. 5.

86. *OC*, III, p. 359.

87. Alberti, *La arboleda perdida*, pp. 260-261.

88. Conversación nuestra con don Vicente Aleixandre, Madrid, 26 de abril de 1982.

89. *Heraldo de Madrid*, 10 de octubre de 1927, pp. 8-9.

90. *Ibid.*, 20 de octubre de 1927, p. 5.

91. *La Gaceta Literaria*, Madrid, 1 de noviembre de 1927, p. 5; para el telegrama, véase nota siguiente.

92. Dalí, «Mis cuadros del Salón de Otoño», reproducido en *400 obras de Salvador Dalí, 1914-1983*, I, p. 174, documento 8.

93. Fotografía conservada en FFGL. Se reproduce en nuestro *Lorca-Dalí. El amor que no pudo ser*, ilustraciones en blanco y negro número 25.

94. Santos Torroella (1987), pp. 80-81.

95. Miguel Pérez Ferrero, «Films de vanguardia», *La Gaceta Literaria,* Madrid, 1 de julio de 1927, p. 8; Buñuel, *MUS*, pp. 101-102.

96. Sánchez Vidal (1988), p. 158.

97. *Ibid.*, p. 159.

98. *Ibid.*, p. 162.

99. *Ibid.*, p. 167.

100. Documento reproducido en *EC*, p. 529.

101. Carta de Trend a Falla (18 de enero de 1928) en el Archivo Manuel de Falla, Granada.

102. Alberti, *La arboleda perdida*, p. 263.

103. La información sobre Sánchez Mejías procede de las fuentes siguientes: *Heraldo de Madrid*, 19 de junio de 1924, p. 6 y 28 de junio de 1924, p. 4; «Uno al sesgo» (seud.), *passim*; prólogo de Gallego Morell a Sánchez Mejías, *Sinrazón*.

104. Gallego Morell, prólogo a Sánchez Mejías, *Sinrazón*.

105. Auclair (1968), p. 15.

106. Conversaciones nuestras con don José Amorós, Madrid, 1986-1987.

107. Auclair (1968), p. 17,

108. Durán Medina, p. 264; Alberti, *La arboleda perdida*, p. 263.

109. Durán Medina, pp. 198-199; conversaciones nuestras con don José Bello, Madrid, 1978-1984; *Carmen*, Santander, núm. 5 (1928), sin paginación; Alberti, *La arboleda perdida*, p. 264.

110. Alberti, *La arboleda perdida*, p. 264.

111. Alberti (1945), p. 25.

112. Cernuda (1975), p. 1334.

113. *Ibid.*, pp. 1334-1335.

114. Entrevista nuestra con don Jorge Guillén, Málaga, 8 de diciembre de 1979.

115. Alberti, *La arboleda perdida*, pp. 264-266.

116. «Coronación de Dámaso Alonso», en *Lola, amigo y suplemento de Carmen*, Madrid, núm. 5 (1928), pp. 114-116.

117. *Ibid.*

118. Fernández-Montesinos García, *Descripción de la biblioteca de Federico García Lorca*, p. 95.

119. Alonso (1978), pp. 167-168.

120. Conversación nuestra con don Dámaso Alonso, Madrid, 6 de octubre de 1980.

121. «Ecos de sociedad», *El Defensor de Granada*, 23 de diciembre de 1927, p. 1.

122. Conversación nuestra con don Dámaso Alonso, Madrid, 6 de octubre de 1980.

123. Carta de Sebastià Gasch a Lorca (26 de diciembre de 1927) en FFGL.

124. Archivo de doña Caritat Grau Sala, viuda de Gasch y hoy fallecida, Barcelona.

125. *EC*, pp. 542-544.

126. *OC*, I, pp. 264-265.

127. Martín (1986), p. 262.

Capítulo 11

1. *EC*, pp. 546-550.

2. *OC*, III, pp. 189-193.

3. *Ibid.,* p. 302.

4. *EC*, pp. 550-551.

5. «Gallo y contragallo», *La Gaceta Literaria*, Madrid, 1 de abril de 1928, p. 8.

6. Carta sin fecha en FFGL.

7. Adams, p. 78.

8. *Ibid.*

9. «Recepción de *gallo*», gallo, Granada, núm. 2 (abril de 1928); *OC*, III, pp. 338-341; *EC*, p. 557.

10. Para el texto catalán del manifiesto, véase Fornés, p. 16.

11. *EC*, p. 555.

12. Versión de *Parábola* y reproducción fotográfica del manuscrito en Martín (1986), pp. 75-77.

13. Sahuquillo, *Federico García Lorca y la cultura de la homosexualidad masculina*, p. 192.

14. Martínez Nadal, *El público. Amor y muerte en la obra de Federico García Lorca*, p. 158.

15. *OC*, I, p. 578.

16. *Ibid.*, p. 585.

17. Martín (1986), p. 78.

18. Postal en FFGL.

19. El expediente académico de Aladrén se conserva en el archivo de la Facultad de Bellas Artes de la Universidad Complutense de Madrid; en FFGL hay una postal suya a Lorca (verano de 1925) desde El Paular (Madrid), donde la Escuela Especial de San Fernando tenía una sección veraniega. En ella le pide al poeta que le escriba con frecuencia. No sabemos si Lorca accedió a su petición.

20. Conversación nuestra con doña Maruja Mallo, Madrid, 26 de junio de 1982; Martínez Nadal (1980), p. 78.

21. En el expediente académico de Aladrén (véase nota 12) hay un documento, fechado el 10 de marzo de 1926, en que el director de la Escuela Especial le advierte de las consecuencias que le esperan si sigue comportándose tan incorrectamente.

22. Penón (1990), pp. 105-107.

23. *Ibid.*, p. 107.

24. *Ibid.*, p. 29.

25. *Ibid.*, pp. 29-30.

26. Conversación nuestra con don Jorge Guillén, Málaga, 8 de diciembre de 1979.

27. Se reproducen dos fotografías de la cabeza en Gibson (2011), números 52 y 53.

28. Véase, en «Fuentes consultadas», Proust, *El mundo de Guermantes, II, Sodoma y Gomorra I*.

29. Proust, *Sodome et Gomorrhe*, p. 21.

30. *Ibid.*, p. 23.

31. *Ibid.*, p. 37.

32. Para las cartas de Aladrén, véase Gibson (2011), pp. 567-569.

33. *EC*, p. 563.

34. *Ibid.*, p. 565.

35. *Ibid.*, p. 567.

36. Para García-Posada la omisión de «Primer» en la cubierta se debía a que el título íntegro «hubiera atentado contra la armonía de la composición» (*OC*, I, p. 912). Es difícil aceptar este razonamiento. Más bien parece tratarse de una duda por parte del poeta.

37. *EC*, p. 573.

38. Gibson, *Federico García Lorca* (2011), p. 616.

39. *EC*, p. 575.

40. *Ibid.*, pp. 569-570. Parece ser que la carta de Vicente no obra en la FFGL ya que no se incluye en el epistolario *Vicenta Lorca escribe a su hijo* (ed. Fernández).

41. Baeza, «Los *Romances gitanos* de Federico García Lorca».

42. Arconada.

43. *El Defensor de Granada*, 3 de agosto de 1928 p. 1.

44. FFGL.

45. Carta de Aleixandre (7 de septiembre de 1928) desde Miraflores de la Sierra. FFGL.

46. «GARCÍA LORCA. Ha regresado de Madrid el poeta granadino Federico García Lorca. La publicación de su libro Romances gitanos [sic] está obteniendo un gran éxito», *El Defensor de Granada*, 3 de agosto de 1928, p. 1.

47. *EC*, pp. 577-578.

48. Carta sin fecha en FFGL.

49. *EC*, pp. 581-582.

50. *Ibid.*, pp. 582-583.

51. *Ibid.*, p. 579.

52. García Lorca, *Oda y burla de Sesostris y Sardanápolo*, edición de García-Posada, p. 80.

53. *EC*, p. 579.

54. *Ibid.*, p. 582.

55. García Lorca, *Oda y burla de Sesostris y Sardanápolo*, edición de García-Posada, p. 21. Me complace reconocer mi deuda, en mi comentario del poema, para con este penetrante estudio del llorado lorquista.

56. *Ibid.*, pp. 27-28.

57. *Ibid.*, p. 60.

58. *Ibid.*, p. 68.

59. *OC*, I, p. 516.

60. Martínez Nadal (1980), p. 30.

61. García Lorca, *Oda y burla de Sesostris y Sardánapolo*, edición de García-Posada, pp. 33-44.

62. *EC*, p. 580.

63. FFGL.

64. Conversaciones nuestras con don José Caballero, Madrid, 1978-1986; Martínez Nadal (1980), p. 29.

65. *SDFGL*, pp. 88-94.

66. *EC*, p. 585.

67. FFGL.

68. *EC*, pp. 588-589.

69. Santos Torroella (1987), pp. 76-79.

70. *OC*, I, p. 495.

71. Hernández, «García Lorca y Salvador Dalí: del ruiseñor lírico a los burros podridos (poética y epistolar)», p. 298.

72. *EC*, p. 579.

73. *Ibid.*, p. 586.

74. *Ibid.*, p. 589.

75. La carta se reproduce en Sánchez Vidal (1988), pp. 178-180.

76. *EC*, pp. 579, 585; *El Defensor de Granada*, 21 de septiembre de 1928, p. 1.

77. Conversación nuestra con don Manuel López Banús, Fuengirola, 28 de enero de 1984.

78. *EC*, pp. 587-588.

79. *Ibid.*, p. 588.

80. «Federico García Lorca en el homenaje que le tributó Columbia University», *La Prensa*, Nueva York, 12 de febrero de 1930, p. 5. Artículo recogido por Daniel Eisenberg en «Dos conferencias lorquianas». Esta cita, p. 204.

81. *OC*, III, pp. 101-102.

82. *SDFGL*, p. 71.

83. *OC*, III, p. 96.

84. *EC*, p. 579.

85. *Ibid*., p. 576.

86. *Ibid*., pp. 579, 581, 587, etc.

87. *OC*, I, pp. 464-465.

88. Martín (1986), pp. 310-313.

89. FFGL.

90. Conversaciones nuestras con don Miguel Cerón Rubio, Granada, 1965-1966.

91. *OC*, III, p. 117.

92. *Ibid*., pp. 119-120.

93. *Ibid*., p. 366.

94. *Ibid*.

95. Aub, p. 550.

96. *OC*, III, p. 366.

97. *Revista de Occidente*, Madrid, vol. XXII (diciembre de 1928), pp. 295-298.

98. Contracubierta de *Sobre los ángeles* de Alberti, primer libro de la nueva serie.

99. *OC*, III, p. 366.

Capítulo 12

1. Gibson, *Luis Buñuel*, pp. 307-308.

2. Aranda, p. 83; Rodrigo (1981), pp. 214-215; «Buñuel y Dalí en el Cineclub», *La Gaceta Literaria*, Madrid, 1 de febrero de 1929, p. 6.

3. Aranda, p. 65, n. 1.

4. Gibson, *Luis Buñuel*, pp. 316-318.

5. *EC*, pp. 602-603.

6. *Ibid*., pp. 605-606 y n. 562.

7. *Ibid*., p. 605.

8. *Ibid.,* p. 602.

9. *Heraldo de Madrid*, 5 de octubre de 1928, p. 5.

10. *El Sol*, Madrid, 20 de diciembre de 1928, p. 3.

11. *Heraldo de Madrid*, 7 de enero de 1929, p. 6.

12. Programa en FFGL; *El Sol*, Madrid, 3 de febrero de 1929, p. 3 y 5 de enero de 1929, p. 3; conversación nuestra con don José Jiménez Rosado, Madrid, 27 de febrero de 1984; Rivas Cherif (1957); Ucelay; el comentario de Lorca está en Ángel del Río (1941), p. 17, n. 2.

13. El documento se reproduce en Inglada, pp. 54-57.

14. *El Sol*, Madrid, 19 de febrero de 1929.

15. Para la estancia de García Rodríguez en Madrid, carta de Falla al poeta (9 de febrero de 1929) en FFGL; Martínez Nadal (1980), pp. 33-34.

16. Martínez Nadal (1980), pp. 31-32; copia de la partida de matrimonio de Aladrén y Dove obtenida por nosotros en Somerset House, Londres.

17. Bergamín, «El canto y la cal en la poesía de Rafael Alberti», *La Gaceta Literaria*, Madrid, núm. 54 (15 de marzo de 1929), p. 2.

18. Para los detalles acerca de la evolución de los títulos del cuadro, véase Santos Torroella (1984), pp. 224-225.

19. Morla Lynch (1958), pp. 22-28; (2008), pp. 60-66.

20. Fotografía del fragmento en Morla Lynch (2008), pp. 584-585.

21. *OC*, I, pp. 71-72.

22. Dalí, «Luis Buñuel», *L'amic de les arts*, Sitges, 31 de marzo de 1929, p. 16.

23. *El Defensor de Granada*, 27 de marzo de 1929, p. 3.

24. Gómez Montero.

25. *El Defensor de Granada*, 28 de marzo de 1928, p. 3.

26. Gómez Montero.

27. *Ibid.*

28. Gibson, *Luis Buñuel*, pp. 276-277.

29. *La Gaceta Literaria*, Madrid, *passim*.

30. *Ibid.*, 1 de marzo de 1929, p. 1.

31. *Ibid.*, 15 de abril de 1929, p. 1.

32. *El Liberal*, Bilbao, 16 de abril de 1929, pp. 1-2; *El Defensor de Granada*, 23 de abril de 1929, p. 1.

33. *El Defensor de Granada*, 30 de abril de 1929, p. 1.

34. *Ibid.*, 7 de mayo de 1929, p. 1.

35. «En el hotel Alhambra Palace. El homenaje a Margarita Xirgu y a Federico García Lorca», *ibid.*, 7 de mayo de 1929, p. 1; *OC,* III, pp. 195-196.

36. *El Defensor de Granada*, 19 de mayo de 1929, p. 1.

37. «En Fuente Vaqueros. Se agasaja con un banquete a García Lorca», *El Defensor de Granada*, 21 de mayo de 1929, p. 1.

38. Conversación nuestra con doña Rita María Troyano de los Ríos, Madrid, 15 de junio de 1984.

39. *EC*, pp. 611-612; fotografía de la carta en Morla Lynch (2008), pp. 560-561.

40. *El Defensor de Granada*, 9 de junio de 1929, p. 5.

41. Para la salida de Fernando de los Ríos de Granada, *El Defensor de Granada*, 11 de junio de 1929, p. 1; conversación nuestra con don Vicente Aleixandre, Madrid, 4 de abril de 1984.

42. *El Socialista*, Madrid, 13 de junio de 1929, p. 1; *Heraldo de Madrid*, 14 de junio de 1929, p. 2.

43. Eisenberg, introducción a García Lorca, *Songs*, traducido por Philip Cummings, pp. 4-5.

44. Cummings, «August in Eden», pp. 178-179.

45. *CMAA*, p. 159.

46. Conversación nuestra con doña Rita María Troyano, Madrid, 15 de junio de 1984.

47. *Ibid.*

48. Pomès (1967).

49. Para una reproducción de la invitación al pase privado, véase García Buñuel, p. 80; para el estreno, Buñuel, *MUS*, pp. 104-105 y Gibson, *Luis Buñuel,* pp. 338-343.

50. García Posada (1977).

51. Ulacia Altolaguirre, p. 65.

52. Conversación nuestra con doña Rita María Troyano de los Ríos, Madrid, 15 de junio de 1984.

53. *Ibid.*

54. Madariaga (1960), pp. 221-223; Gregorio Prieto, pp. 60-66.

55. Carta de Helen Grant al autor, Oxford, 23 de abril de 1979.

56. *EC*, pp. 613-614.

57. Museo Joan Abelló, Mollet del Vallès (Barcelona).

58. *EC*, p. 606, n. 562 y p. 636, n. 635, respectivamente.

Capítulo 13

1. Carta del poeta a sus padres, 28 de junio de 1929, *EC*, p. 614.

2. *Ibid.*

3. *Ibid.*

4. Ad. S. [Adolfo Salazar]. «Notas críticas. *Manhattan Transfer* y sus perspectivas».

5. Ángel del Río (1955), p. XXXV.

6. Darío (1954), pp. 720-721.

7. *Heraldo de Madrid,* 23 de enero de 1928, p. 6; *ibid.*, 25 de enero de 1928, p. 5; Buñuel, «Metrópolis», *La Gaceta Literaria*, Madrid, 1 de junio de 1927, p. 6; *El Defensor de Granada,* 5 de febrero de 1929, p. 1; *ibid.*, 7 de febrero de 1929, p. 1; *ibid.*, 9 de febrero de 1929, p. 1.

8. *EC*, p. 615.

9. Para Onís, véase Jiménez Fraud (1971), pp. 446-448; para sus alardes celtíberos y suicidio la fuente es Isabel García Lorca (2002), p. 240.

10. Río (1941), p. 204.

11. Eisenberg, *Textos y documentos lorquianos*, p. 22.

12. *EC*, p. 615.

13. Eisenberg, «A Chronology of Lorca's Visit to New York and Cuba», p. 235.

14. *EC*, p. 655.

15. *Ibid.,* pp. 614-617; carta de don Campbell Hackforth-Jones al autor, 25 de junio de 1982.

16. Anderson, «Una amistad inglesa de García Lorca».

17. *Cartas de Vicenta Lorca a su hijo Federico* (ed. Fernández), pp. 72-73.

18. Carta de Vicenta Lorca, 16 de septiembre de 1929. Consultada por nosotros en el archivo de nuestro amigo Bernabé López García. No se reproduce en *Cartas de Vicenta Lorca a su hijo Federico* (ed. Fernández).

19. *Cartas de Vicenta Lorca a su hijo Federico* (ed. Fernández), pp. 77-79.

20. *EC*, pp. 669 y 675, nota 731.

21. *Ibid.,* p. 637, nota 637.

22. Morand, *Nueva York*.

23. *EC,* p. 637.

24. *EC*, pp. 623-624; *CMAA*, p. X.

25. Eisenberg, «Lorca en Nueva York», pp. 17-18.

26. Eisenberg, «Cuatro pesquisas lorquianas», pp. 12-19; *CMAA*, p. 186.

27. Adolfo Salazar, «In memoriam. Federico García Lorca en La Habana», p. 30.

28. La información sobre los objetivos del Instituto de las Españas se extrae de las páginas incluidas al final del ensayo de Federico de Onís, *Disciplina y rebeldía*, publicado por el Instituto en 1929.

29. *CMAA*, p. 183.

30. Bussell Thompson y Walsh, p. 1; Solana, «Federico García Lorca».

31. *La Prensa*, Nueva York, 9 de agosto de 1929, p. 4.

32. *EC,* pp. 632-633.

33. Adolfo Salazar, «El mito de Caimito», citado por *CMAA*, p. 326.

34. Alonso (1937), pp. 260-261.

35. *FGLNY*, p. 54, nota 1; Brickell (1945), pp. 386-387.

36. *EC*, p. 629.

37. Brickell (1937); *CMAA*, p. 262.

38. *EC*, p. 637.

39. *Ibid.*, pp. 626-627; *Cartas de Vicenta Lorca a su hijo Federico* (ed. Fernández), *passim*.

40. *EC*, p. 647.

41. *Ibid.*, p. 673.

42. *Ibid.*, p. 634, nota 629.

43. *Ibid.*, pp. 627-628.

44. *Ibid.*, p. 625 y nota 615; *CMAA*, p. 202.

45. *EC*, pp. 625-626.

46. Eisenberg, «Cuatro pesquisas lorquianas», p. 15.

47. Diers, pp. 33-34; para el ambiente gay, Jerez Farrán (2004), pp. 152-153.

48. *CMAA*, pp. 110 y nota 1, 169.

49. García Lorca, *Poeta en Nueva York. Tierra y luna* (ed. Martín), pp. 138-151.

50. *OC*, III, p. 378.

51. García Lorca, *Poeta en Nueva York. Tierra y luna* (ed. Martín), p. 141.

52. *EC*, p. 631.

53. *OC*, I, pp. 517-518.

54. García Lorca, *Manuscritos lorquianos* (ed. Mario Hernández), p. 48.

55. Martínez Nadal (1980), p. 30.

56. García Lorca, *Manuscritos lorquianos* (ed. Mario Hernández), p. 50.

57. *Ibid.*, p. 54.

58. *OC*, I, pp. 513-515.

59. *Héroe*, Madrid, núm. 4, 1932, sin especificar mes; Millán reproduce esta versión, con la errata de «hombre» por «hombro», en su edición de *Poeta en Nueva York*, pp. 114-115; no así otros editores.

60. García Lorca, *Poeta en Nueva York. Tierra y luna* (ed. Martín), p. 117.

61. *Ibid.*, p. 118.

62. Soria Olmedo, por ejemplo, para quien Menton representa el «lugar paradisíaco y primordial» de la infancia del propio poeta (p. 54, nota 79).

63. Penón (1990), p. 107.

64. Martínez Nadal (1980), pp. 13, 29.

65. Martínez Nadal (1992), p. 83.

66. Gibson, *Luis Buñuel*, p. 600.

67. Binding, edición inglesa, p. 22.

68. *OC*, IV, p. 220.

69. *OC*, I, pp. 547-549.

70. El azul como emblema de celos se aprecia en varias coplas recogidas por Rodríguez Marín en su monumental *Cantos populares españoles*, que Lorca manejaba: «*Días ha que lo verde / Me da inquietudes/ Porque mis esperanzas / Se han vuelto azules*»; «*Aunque de azul me visto, / No soy celosa; / Pero por Dios te pido/ No hables con otra*». Hay también una conocida letrilla de Góngora, que conocía seguramente Lorca: «*Las flores del romero, / Niña Isabel,/ Hoy son flores azules, / Mañana serán miel./ Celosa estás, la niña…*».

71. *OC*, I, pp. 547-549.

72. García-Posada, *Lorca: interpretación*, pp. 130-131.

73. García Lorca, *Poeta en Nueva York. Tierra y luna* (ed. Martín), p. 115.

74. *Ibid.*, pp. 115-116.

75. Conversación telefónica nuestra con don Ángel Flores (en Palenville, Nueva York), 3 de agosto de 1987.

76. *OC*, III, p. 169.

77. T. S. Eliot, *Tierra baldía*, traducida por Ángel Flores, Barcelona, Editorial Cervantes, 1930, p. 25.

78. *OC*, I, p. 512.

79. *CMAA*, p. 32.

80. Eisenberg, *Textos y documentos lorquianos*, pp. 17-19; *EC*, p. 638.

81. *CMAA*, pp. 224-225.

82. *EC*, pp. 638-639.

83. Conversaciones nuestras con don Philip Cummings, Woodstock, Vermont, 4, 5, 6 de abril de 1986.

84. *Ibid*.

85. *EC*, p. 635.

86. Conversaciones nuestras con don Philip Cummings, Woodstock, Vermont, 4, 5, 6 de abril de 1986.

87. *Ibid*.

88. Cummings, «August in Eden. An Hour of Youth», p. 159.

89. *Ibid*., pp. 162-163.

90. Carta de Philip Cummings a Daniel Eisenberg (21 de octubre de 1974), publicada en Eisenberg (1976, p. 181, nota 155).

91. *Ibid*.

92. Conversación nuestra con don Philip Cummings, Woodstock, Vermont, 4 de abril de 1986.

93. La carta a sus hermanas se reproduce en color en *CMAA*, p. 52.

94. *EC*, pp. 642-643.

95. *OC*, III, p. 170; Cummings, «August in Eden. An Hour of Youth», pp. 155-156; visita con don Philip Cummings al lago Eden, Vermont, 5 de abril de 1986.

96. Schwartz, p. 51; Eisenberg, introducción a García Lorca, *Songs*, p. 11; Adams, pp. 107-108; conversación nuestra con don Philip Cummings, lago Eden, 5 de abril de 1986.

97. García Lorca, *Poeta en Nueva York. Tierra y luna* (ed. Martín), p. 203.

98. *Ibid*.

99. Conversación nuestra con don Luis Rosales, Madrid, 25 de mayo de 1985; Alberti (1985).

100. *CMAA*, pp. 228-229.

101. Eisenberg, «A Chronology of Lorca's Visit to New York and Cuba», pp. 237-238.

102. Río (1955), p. XV.

103. *EC*, p. 646.

104. Eisenberg, «Cuatro pesquisas lorquianas», pp. 11-12.

105. García Lorca, *Poeta en Nueva York. Tierra y luna* (ed. Martín), p. 182.

106. Río (1955), p. XXXVII.

107. *Ibid*.; Eisenberg, «Cuatro pesquisas lorquianas», p. 12.

108. *El Defensor de Granada*, 27 de marzo de 1928, p. 1; *OC*, III, p. 171.

109. *OC*, III, pp. 170-171.

110. Río (1955), p. XXXVII.

111. *Ibid*., pp. 43-44.

112. García Lorca, *Poeta en Nueva York. Tierra y luna* (ed. Martín), p. 288.

113. Río (1955), p. XVI.

114. *Ibid*., p. 646; Eisenberg, «A Chronology of Lorca's Visit to New York and Cuba», p. 238.

115. *EC*, p. 636.
116. Rius, p. 161.
117. Tomamos la cita de Rius, p. 156.
118. Rius, «Advertencia preliminar».
119. Rius, p. 160.
120. *Ibid.*, p. 161.
121. Hernández, «Francisco y Federico García Lorca», p. I.
122. *CMAA*, p. 265.
123. Eisenberg, «Lorca en Nueva York», pp. 21-22.
124. Carta en FFGL.
125. García Lorca, *Autógrafos* (ed. Martínez Nadal), I, p. XXXV y nota 16.
126. *Ibid.*, pp. 242-245.
127. Zambrano, p. 189.
128. Crow, pp. 3-8, *passim*.
129. *Ibid.*, p. 7.
130. Bergamín, «Federico García Lorca (la muerte vencida)», p. 20.
131. *EC*, p. 47.
132. *Ibid.*, p. 4.
133. Bussell Thompson y Walsh, p. 1; Adams, p. 122.
134. Villena, «Correspondencia. Hombres públicos, cartas privadas».
135. Conversación telefónica nuestra con don Luis Antonio de Villena (en Madrid), 28 de agosto de 1997.
136. Conversaciones nuestras con don José Antonio Rubio Sacristán, Madrid, 19 de febrero de 1979, 16 de octubre de 1986, 20 de octubre de 1986.
137. *EC*, p. 637.
138. *Ibid.*, p. 662.
139. *OC*, III, p. 438.
140. García Lorca, *Poeta en Nueva York. Tierra y luna* (ed. Martín), p. 159, variante a pie de página.
141. *Ibid.*, p. 162, variante a pie de página.
142. *Mística en que se trata de Dios* (1917), *OC*, IV, p. 613.
143. *OC*, I, p. 562.
144. Facsímil del manuscrito en García Lorca, *Manuscritos neoyorquinos* (ed. Mario Hernández), p. 174.
145. Sahuquillo (1991), p. 173.
146. «Le premier qui, ayant enclos un terrain, s'avisa de dire : Ceci est à moi, et trouva des gens assez simples pour le croire, fut le vrai fondateur de la société civile. Que de crimes, que de guerres, de meurtres, que de misères et d'horreurs n'eût point épargnés au genre humain celui qui, arrachant les pieux ou comblant le fossé, eût crié à ses semblables : Gardez-vous d'écouter cet imposteur; vous êtes perdus, si vous oubliez que les fruits sont à tous, et que la terre n'est à personne.» En la biblioteca del poeta hay dos traducciones españolas del texto de Rousseau (Fernández-Montesinos García, pp. 95-96).
147. *OC*, I, p. 556.
148. Sahuquillo, «"La otra mitad". La pureza homosexual en las cloacas», en *Federico García Lorca y la cultura de la homosexualidad masculina*, pp. 101-166.
149. *EC*, p. 660.
150. *Ibid.*, nota 693.
151. Gibson (2011), p. 700.
152. Montes, «"Un Chien Andalou"» (filme de Luis Buñuel y Salvador Dalí,

estrenado en «Le Studio des Ursulines», París)»; Diers, pp. 33-34; *FGLNY*, p. 82, nota 4; carta a Lorca (20 de diciembre de 1929), de María Antonieta Rivas Mercado desde Los Ángeles, en FFGL. El guión de *Un Chien andalou* se editó en la revista belga *Variétés*, 15 de julio de 1929; en *Revue du cinéma*, París, núm. 5 (noviembre de 1929); y en *La Révolution Surréaliste*, París, 15 de diciembre de 1929.

153. Diers, pp. 34-35.

154. *OC*, II, p. 272.

155. García Lorca, *Dibujos*, núm. 158, p. 167, y comentario por Mario Hernández.

156. *Ibid.*, núm. 159, p. 168.

157. Testimonio de una íntima amiga inglesa de Eleanor Dove, doña Norna Middleton, con quien mantuvimos una larga correspondencia entre 1990 y 1992 (conservada en nuestro archivo en Fuente Vaqueros).

158. *FGLNY*, p. 59.

159. *EC*, p. 657.

160. *Ibid.*, p. 653.

161. *Ibid.*, p. 658.

162. *CMAA*, p. 272.

163. Brickell (1945), p. 392; *FGLNY*, p. 84, nota 4.

164. Maurer, «El teatro», pp. 133-141.

165. *Ibid.*, pp. 134-136.

166. *Ibid.*, p. 136.

167. *Ibid.*; conversación nuestra con don Ernesto Guerra da Cal, Lisboa, 26 de julio de 1986.

168. *FGLNY*, p. 80.

169. Citado por Maurer, «El teatro», p. 137.

170. *FGLNY*, p. 60, nota 6, y Maurer, «El teatro», pp. 137-138.

171. Maurer, «El teatro», p. 139.

172. «Charlando con García Lorca», *Crítica*, Buenos Aires, 15 de noviembre de 1933; entrevista reproducida por Hernández en su edición de García Lorca, *Bodas de sangre*, Madrid, Alianza, 1984, pp. 212-214.

173. García de Valdeavellano, p. 48; Ad. S. [Adolfo Salazar], «La vida musical. Un crítico norteamericano en Europa».

174. Brickell (1945), pp. 390-391.

175. *CMAA*, pp. 156, 287-289; *OC*, III, pp. 283-285.

176. *OC*, I, p. 638.

177. *Ibid.*, p. 637.

178. *Yerma*, edición de García-Posada (Austral), p. 11.

179. Adams, p. 124; véanse también Brickell (1945), p. 391, y *FGLNY*, pp. 85-86.

180. *FGLNY*, p. 8°°6.

181. García Lorca, *Poeta en Nueva York. Tierra y luna*, ed. Martín, pp. 212-213.

182. *OC*, I, pp. 578-579.

183. Eisenberg, «Lorca en Nueva York», p. 22; conversación nuestra con don José Antonio Rubio Sacristán, Madrid, 21 de octubre de 1986.

184. Conversación nuestra con don José Gudiol, Barcelona, 5 de julio de 1985.

185. Eisenberg, «Lorca en Nueva York», pp. 23-25; Anderson (1983).

186. *EC*, p. 675.

187. *Ibid.*, pp. 677-678.

188. *Cartas de Vicenta Lorca a su hijo Federico* (ed. Fernández), pp. 80-82.

189. Eisenberg, «Lorca en Nueva York», pp. 26-29, y «Dos conferencias lor-quianas».

190. Eisenberg, «A Chronology of Lorca's Visit to New York and Cuba», p. 243; *CMAA*, pp. 293-294.

191. Adams, p. 131; *CMAA*, p. 296.

192. Elena de la Torre, «Notas neoyorquinas».

193. *La Prensa*, Nueva York, 14 de febrero de 1930, p. 1; 22 de febrero de 1930, p. 5.

194. *Ibid.*, 25 de febrero de 1930, p. 4; 7 de marzo de 1930, p. 4.

195. Conversación nuestra con don José Antonio Rubio Sacristán, Madrid, 21 de octubre de 1986.

196. Eisenberg, «A Chronology of Lorca's Visit to New York and Cuba», p. 244.

197. *EC*, pp. 681-682 y nota 750.

198. Archivo de Juan Marinello, Biblioteca Nacional José Martí, La Habana.

199. «Barcos llegados ayer» y «Los que llegaron en el *Cuba*», *Diario de la Marina*, La Habana, 8 de marzo de 1930, p. 24.

200. Elena de la Torre, «Notas neoyorquinas».

Capítulo 14

1. Carta de Lorca desde Cuba a su madre, *EC*, p. 686.

2. Marinello (1965), pp. 18-19.

3. *EC*, p. 681.

4. *OC*, III, p. 173.

5. *Ibid.*, p. 438.

6. *Diario Español*, La Habana, 8 de marzo de 1930, p. 2; *Diario de la Marina*, La Habana, 8 de marzo de 1930, p. 24.

7. *Diario de la Marina,* La Habana, 7 de marzo de 1930, p. 68.

8. [Quevedo], p. [16].

9. La información sobre los Quevedo procede de Dobos (1980), pp. 397-398.

10. [Quevedo], pp. [17-18].

11. Impreso de la Institución Hispano Cubana, fechada el 16 de marzo de 1930, en el Archivo Juan Marinello, Biblioteca Nacional José Martí, La Habana.

12. Prensa de La Habana, *passim*; Eisenberg, «A Chronology of Lorca's Visit to New York and Cuba», pp. 244-247; Marinello (1930).

13. [Quevedo], p. [18].

14. *Vicenta Lorca escribe a su hijo Federico* (ed. Fernández), pp. 83-85.

15. *EC*, pp. 685-686.

16. Chacón y Calvo.

17. *Vicenta Lorca escribe a su hijo Federico* (ed. Fernández), pp. 86-88.

18. *EC*, pp. 692-694.

19. *Vicenta Lorca escribe a su hijo Federico* (ed. Fernández), p. 87.

20. «La conferencia de García Lorca», *Diario de la Marina*, La Habana, 9 de abril de 1930, p. 5; Obdulio A. García, «Sobre la mecánica de la poesía, habló García Lorca en Cienfuegos», *Diario de la Marina*, La Habana, 6 de junio de 1930, p. 20; Roque Barreiro.

21. «Un poeta granadino. García Lorca triunfa en Norteamérica y en Cuba», *El Defensor de Granada*, 8 de mayo de 1930, p. 1. El artículo citado apareció en

La Correspondencia, Cienfuegos. Para la segunda visita de Lorca a Cienfuegos, *Diario de la Marina*, La Habana, 6 de junio de 1930, p. 20.

22. [Quevedo], *passim*.

23. Conversación nuestra con doña Dulce María Loynaz, La Habana, 27 de abril de 1987.

24. *Ibid*.

25. «El recuerdo de Flor», en Bianchi Ross, «Federico en Cuba», p. 30.

26. *Ibid*; Dulce María Loynaz, «Yo no destruí el manuscrito de *El público*».

27. Conversación nuestra con doña Dulce María Loynaz, La Habana, 27 de abril de 1987.

28. Pedregosa y Ferreras; Villegas.

29. Francisco García Lorca, p. 357.

30. Mora Guarnido (1958), pp. 31-32; Francisco García Lorca, p. 356; entrevista nuestra con don Benigno Cid, Valderrubio, 18 de noviembre de 1991.

31. Francisco García Lorca, p. 356.

32. Auclair, p. 323; en internet («Moclín») hay numerosas reproducciones.

33. Para la fecha, véase *Poesía*, Madrid, núm. 18-19 (1984) (número especial dedicado a la Residencia de Estudiantes), p. 11.

34. Documento reproducido en Landeira Yrago, *Viaje al sueño del agua*, p. 65.

35. Conversación nuestra con doña Dulce María Loynaz, La Habana, 27 de abril de 1987.

36. Conversación telefónica nuestra con doña Lydia Cabrera (en Miami), 6 de diciembre de 1986.

37. Flor Loynaz, p. 55.

38. Cardoza y Aragón, *El río*, p. 336.

39. Conversación nuestra con don Miguel Barnet, La Habana, 26 de abril de 1987.

40. Cardoza y Aragón, *El río,* p. 328.

41. Para la llegada de Salazar a La Habana, «Del Puerto... El *Alfonso XIII*», *Diario Español*, La Habana, 17 de mayo de 1930, p. 9; Salazar, «Federico en La Habana», citado por *CMAA*, p. 326.

42. Cardoza y Aragón, *El río*, p. 351.

43. *Ibid.*, pp. 352-353.

44. *Ibid.*; véase también Gaudry y Olivares, entrevista con Cardoza y Aragón, p. 61.

45. Para la visita de Chacón y Calvo véase Fernández-Montesinos García, p. 27.

46. Conversación nuestra con doña Dulce María Loynaz, La Habana, 27 de abril de 1987; el artículo de ésta, «Más sobre Lorca».

47. Cardoza y Aragón (1936).

48. Cabrera Infante, pp. 247-248.

49. Anécdota que escuchamos varias veces en La Habana, abril de 1987.

50. *Ibid*.

51. Conversación nuestra con doña Sara Fidelzeit, segunda esposa de Pérez de la Riva, La Habana, 25 de abril de 1987.

52. Entrevista con Antonio Quevedo en Dobos (1980), pp. 47-48.

53. *CMAA*, pp. 315 (fotografía del billete), 317.

54. Adolfo Salazar, «Federico en La Habana», citado en *CMAA*, p. 326.

55. Adolfo Salazar, «El mito de Caimito», citado en *CMAA*, pp. 327-328.

56. *Musicalia*, La Habana, núm. 11 (abril-mayo 1930), pp. 43-44.

57. Marinello (1965), pp. 18-19.

58. Cabrera Infante, p. 245.

59. Auclair, p. 430.

60. Sarabia, p. 58.

61. Flor Loynaz, pp. 54-55; conversación nuestra con doña Dulce María Loynaz, La Habana, 27 de abril de 1987.

62. García Lorca, *El público* y *Comedia sin título*, p. 164.

63. Martínez Nadal, en García Lorca, *El público* y *Comedia sin título*, p. 175.

64. García Pintado, pp. 8-10.

65. Cardoza y Aragón, *El río*, p. 328.

66. *OC*, II, pp. 322-323.

67. *Ibid.*, p. 304.

68. *Ibid.*, p. 288.

69. Martínez Nadal, *El público. Amor y muerte en la obra de Federico García Lorca*, pp. 250, 259 (nota 5) y 280 (nota 9), y García Lorca, *Autógrafos* (ed. Martínez Nadal), II: *El público*, p. IX.

70. García Lorca, *Oeuvres complètes* (ed. Belamich), II, p. 1052, nota 8.

71. Jerez Farrán (2004), p. 57.

72. *OC*, II, p. 305.

73. *Ibid.*, p. 306.

74. *OC*, I, pp. 515-516.

75. *OC*, II, p. 317.

76. *Ibid.*, p. 319.

77. *OC*, III, p. 442

78. *OC*, II, p. 274.

79. *Ibid.*, p. 288.

80. *Ibid.*, p. 293.

81. *Ibid.*, p. 317.

82. *Ibid.*, p. 295.

83. *Ibid.*, p. 304.

84. Jerez Farrán (2004), p. 58.

85. *Ibid.*, p. 57.

86. Manuscrito de la oda reproducida por Martínez Nadal en García Lorca, *Autógrafos*, I, pp. 204-217.

87. *OC*, I, p. 536.

88. *OC*, IV, pp. 764-765.

89. García Lorca, *Poeta en Nueva York. Tierra y luna* (ed. Martín), p. 238; Uceley, introducción a su edición de *Así que pasen cinco años*, p. 96.

90. *OC*, I, p. 468.

91. Manuscrito de la oda reproducida por Martínez Nadal en García Lorca, *Autógrafos*, I, p. 210.

92. *OC*, IV, p. 229.

93. *Ibid.*, I, p. 89.

94. *EC*, p. 587.

95. Sahuquillo, *Federico García Lorca y la cultura de la homosexualidad masculina*, pp. 109-111.

96. García Lorca, *Poeta en Nueva York. Tierra y Luna* (ed. Martín), pp. 231-241.

97. Agradezco a mi amigo Eutimio Martín su interpretación de estos versos, que me ha convencido.

98. Binding, p. 151.

99. Cernuda, «Federico García Lorca (1898-1936)», pp. 211-212.

100. *Cartas de Vicenta Lorca a su hijo Federico* (ed. Fernández), pp. 89-91.

101. Roig de Leuchsenring, *passim*.

102. Francisco García Lorca, ilustración núm. [32].

103. Adolfo Salazar, «In memoriam. Federico en La Habana», p. 30.

104. [Quevedo], p. [23].

105. «Conferencias de García Maroto en la Hispanocubana. Hoy llegará el insigne pintor», *Diario de la Marina*, La Habana, 28 de abril de 1930, p. 1.

106. Conversación nuestra con doña Teresa Babín (a quien Salazar mostró las cartas de Lorca en Puerto Rico), Madrid, 8 de agosto de 1986. El musicólogo Emilio Casares Rodicio, que examinó los papeles de Salazar en México después de su muerte en 1950, nos ha confirmado que no hay una sola carta de Lorca en el archivo (conversación telefónica, 31 de enero de 1987).

107. Adolfo Salazar, «In memoriam. Federico en La Habana», p. 30.

108. Marinello (1939), pp. 18-19.

109. «Comida de "1930"», *1930. Revista de Avance*, La Habana, 15 de junio de 1930, p. 192.

110. *Diario de la Marina*, La Habana, 12 de junio de 1930, p. 13.

111. «El recuerdo de Flor», en Bianchi Ross (1980), p. 30; Bianchi Ross (1986), p. 60; Flor Loynaz, p. 55; conversación nuestra con doña Dulce María Loynaz, La Habana, 27 de abril de 1987.

112. [Quevedo], pp. [38-39].

113. Conversación nuestra con doña Dulce María Loynaz, La Habana, 27 de abril de 1987.

114. La carta de María Muñoz de Quevedo a Vicenta Lorca está en FFGL.

115. Marinello (1965), p. 15.

116. «Noticias marítimas», *La Prensa*, Nueva York, 18 de junio de 1930, p. 8; «Llegada de pasajeros», *ibid.*, 19 de junio de 1930, p. 8.

117. Brickell (1945), pp. 394-395; Adams, p. 137.

118. *CMAA*, p. 332.

119. Adams, p. 137.

120. Aub, p. 105.

121. Carta de Juan Vicéns a León Sánchez Cuesta, 28 de mayo de 1930, conservada en el archivo León Sánchez Cuesta, Residencia de Estudiantes, Madrid.

122. Hernández, «Francisco y Federico García Lorca», p. I.

123. Adolfo Salazar, «La casa de Bernarda Alba».

124. Conversación nuestra con doña Isabel García Lorca, Madrid, 28 de junio de 1987.

Capítulo 15

1. *El Defensor de Granada*, 2 de julio de 1930, p. 1; *Noticiero Granadino*, 4 de julio de 1930, p. 1.

2. *Noticiero Granadino*, 15 de julio de 1930, p. 1; *El Defensor de Granada*, 15 de julio de 1930, p. 1.

3. «Nota biográfica», en Fernando de los Ríos (1976), p. 52. Para el «Pacto de San Sebastián», véase Cabanellas, I, pp. 161-162; Jackson, p. 42; Indalecio Prieto (1967-1969), pp. 55-56.

4. Fragmento reproducido fotográficamente por Martínez Nadal, con transcripción, en *Mi penúltimo libro sobre Federico García Lorca*, pp. 296-299; *EC*, pp. 690-691.

5. Penón (1990), p. 177.

6. *EC*, p. 691.

7. *La Nación*, Madrid, 2 de marzo de 1933, p. 2.

8. Vázquez Ocaña, pp. 269-270.

9. *EC*, pp. 692-693.

10. Dalí (1942), pp. 274-281.

11. Carmona, *passim*.

12. Conversación nuestra con don Rafael Alberti, Madrid, 4 de octubre de 1980.

13. FFGL.

14. R. Ledesma Ramos, *Heraldo de Madrid*, 21 de enero de 1930, p. 13.

15. Pérez Ferrero, «La sombra del Andalus. Fastos de poesía».

16. Pérez Ferrero, «Voces de desembarque».

17. Martínez Nadal, «Lo que yo sé de *El público*», pp. 22-23.

18. *EC*, p. 694 y nota 791.

19. *Ibid.*, pp. 694-696.

20. *Ibid.*, p. 698.

21. *La Voz de Guipúzcoa*, San Sebastián, 5 de diciembre de 1930, p. 9; 6 de diciembre de 1930, p. 2; conversación nuestra con don Rafael Santos Torroella, Madrid, febrero de 1986.

22. *El Noroeste*, Gijón, 14 de diciembre de 1930, p. 2; *Ahora*, Madrid, 16 de diciembre de 1930, p. 14.

23. «El domingo en el Dindorra. Dio su anunciada conferencia Federico García Lorca», *La Prensa*, Gijón, 19 de diciembre de 1930, p. 4.

24. Para un resumen de lo ocurrido en Madrid, véase Cabanellas, I, pp. 167-168.

25. *Cartas de Vicenta Lorca a su hijo Federico* (ed. Fernández), pp. 92-93.

26. «Antes del estreno. Hablando con Federico García Lorca», *La Libertad*, Madrid, 24 de diciembre de 1930, p. 9.

27. «En el Centro Artístico. Conferencia de Rivas Cherif», *El Defensor de Granada*, 7 de abril de 1929, p. 3.

28. «Antes del estreno. Hablando con Federico García Lorca», *La Libertad*, Madrid, 24 de diciembre de 1930, p. 9; *OC*, III, pp. 374-376.

29. *La Libertad*, Madrid, 25 de diciembre de 1930, p. 4.

30. E. D.-C. [Enrique Díez Canedo], en *El Sol*, Madrid, 26 de diciembre de 1930, p. 4.

31. J. G. Olmedilla, en *Heraldo de Madrid*, 25 de diciembre de 1930, p. 7.

32. Página teatral de *Heraldo de Madrid*, 25 de diciembre de 1930, p. 7.

33. *EC*, p. 702.

34. *OC*, III, pp. 502-505.

35. E. Díez Canedo, en *El Sol*, Madrid, 21 de enero de 1931, p. 12.

36. Anuncios de cine en *Heraldo de Madrid* de estas fechas.

37. Carta fechada en Figueres, 16 de enero de 1930 (por 1931) en Santos Torroella (ed.), *Federico García Lorca escribe a Salvador Dalí*, p. 95.

38. Cabanellas, I, pp. 173-177.

39. Alberti, *La arboleda perdida* (1959), p. 309.

40. J. G. Olmedilla, en *Heraldo de Madrid*, 27 de febrero de 1931, p. 5; C. S., en *Heraldo de Madrid*, 27 de febrero de 1931, p. 5; Alberti, *La arboleda perdida*, p. 309.

41. Alberti, *La arboleda perdida* (1959), p. 309.

42. Miguel Pérez Ferrero, en *Heraldo de Madrid*, 6 de marzo de 1931, p. 5.

43. J. G. Olmedilla, en *Heraldo de Madrid*, 28 de marzo de 1931, p. 5.

44. S. [Adolfo Salazar], «Discos. La Voz de su Amo. Un cancionero viviente».

45. Conversación nuestra con don José Jiménez Rosado, Madrid, 4 de noviembre de 1985; para el colegio de monjas, *OC*, III, p. 381.

46. Martínez Nadal, *Federico García Lorca. Mi penúltimo libro sobre el hombre y el poeta*, pp. 149-151.

47. *EC*, pp. 704-706.

48. *Cartas de Vicenta Lorca a su hijo Federico* (ed. Fernández), pp. 94-96.

49. Pomès (1950); para el dibujo, véase García Lorca, *Dibujos*, núm. 177, p. 180.

50. Una de las fotografías se reproduce en Gibson (1998), ilustración 14.

51. Morla Lynch (1958), p. 54; (2008), p. 87.

52. Información facilitada por Martínez Nadal a Marcelle Auclair, en Auclair, pp. 261-262; carta de Vicenta Lorca fechada 6 de julio de 1931 en *Cartas de Vicenta Lorca a su hijo Federico* (ed. Fernández), pp. 97-98.

53. Vega Díaz.

Capítulo 16

1. Pérez Galán, *passim*.

2. *Ibid*.

3. Jackson, p. 47.

4. *Ibid.*, p. 48.

5. *Ibid.*, pp. 48-51.

6. Eugenio Montes, «Poema del 'cante jondo'», *El Sol*, Madrid, 18 de julio de 1931, p. 2.

7. García Lorca, *Autógrafos* (ed. Martínez Nadal), I, p. XIII; Sebastià Gasch, «Un llibre de García Lorca. 'Poema del cante jondo'», *Mirador*, Barcelona, 20 de agosto de 1931, p. 6.

8. «Micrófono», *Heraldo de Madrid*, 26 de febrero de 1931, p. 8.

9. *EC*, pp. 712-713; Morla Lynch (2008), p. 111.

10. Martínez Nadal (1992), pp. 293 y 308, n. 22.

11. Sáenz de la Calzada (1976), p. 189.

12. Entrevista nuestra con don Francisco y don José María García Carrillo, Granada, otoño de 1965.

13. Penón (1990), p. 113.

14. *EC*, p. 803.

15. Enrique Díez-Canedo, «"Poema del cante jondo"», *El Sol*, 28 de junio de 1931, p. 2.

16. «"EL PÚBLICO", para unos pocos», en la sección «Micrófono», *Heraldo de Madrid*, 2 de julio de 1931, p. 9.

17. *Cartas de Vicenta Lorca a su hijo Federico* (ed. Fernández), pp. 97-98.

18. *EC*, p. 716.

19. *OC*, I, pp. 570-571 y 950 (nota de García-Posada).

20. *Ibid.*, III, p. 444.

21. *Ibid.*, II, pp. 360.

22. *Ibid.*, p. 183.

23. *Ibid.*, p. 354.

24. *Ibid.*, p. 365.

25. *Ibid.*, I, p. 171.

26. *Ibid.*, II, p. 380.

27. *Ibid.*, I, pp. 220-221. Para la fecha del poema, *ibid.*, p. 897.

28. *Ibid.*, II, pp. 335, 380.

29. *Ibid*, I, pp. 203-207.

30. Francisco García Lorca, p. 333.

31. García Lorca, *Alocución al pueblo de Fuente Vaqueros* (ed. Fernández-Montesinos y Soria Olmedo), p. 9.

32. *Alocución al pueblo de Fuentevaqueros*, *OC,* III, pp. 201-214.

33. Para la visita de Lorca a las Cortes y una reseña completa del discurso de Ríos, véase Vidarte, pp. 192-195.

34. «Mesa del café», *Bromas y Veras*, Madrid, 24 de noviembre de 1932, p. 13.

35. «La literatura española en 1932», *ibid.*, 5 de enero de 1933, p. 13.

36. Morla Lynch (1958), pp. 127-128; (2008), pp. 147-148.

37. «Patronato de Misiones Pedagógicas», *Residencia. Revista de la Residencia de estudiantes*, Madrid, IV, núm. 1 (febrero de1933), pp. 1-2.

38. Conversaciones nuestras con don Arturo Sáenz de la Calzada y don Pedro Miguel González Quijano, Madrid, 1983.

39. *Ibid.*; conversación nuestra con don Emilio Garrigues, Madrid, 1983.

40. Para Ugarte, véanse Sáenz de la Calzada, p. 184, y Buñuel, *Mi último suspiro, passim.*

41. *OC,* III, p. 494.

42. Morla Lynch (1958), pp. 140-142.

43. V.S., «Estudiantes de la F.U.E...».

44. *El Liberal*, Madrid, 25 de marzo de 1932, p. 11.

45. *Ibid.*

46. Cernuda, «Notas eludidas. Federico García Lorca», *Heraldo de Madrid*, 26 de noviembre de 1931, p. 12, artículo reproducido en Cernuda, *Prosa*, pp. 1237-1241.

47. Emilio Garrigues Díaz-Cañabate, pp. 106-107.

48. Martínez Nadal, *Cuatro lecciones sobre Federico García Lorca*, p. 28.

49. Morla Lynch (1958), p. 276; (2008), p. 277.

50. *EC*, pp. 707-708.

51. Morla Lynch (1958), p. 250: (2008), p. 251.

52. Martínez Nadal, *Españoles en Gran Bretaña. Luis Cernuda*, pp. 232-234; véase también Villena, pp. 85-86.

53. Cano, *Los cuadernos de Velingtonia*, p. 147.

54. Aleixandre, «Luis Cernuda deja Sevilla», en *Los encuentros*, pp. 139-143.

55. Villena (1998), p. 84.

56. Caballero Pérez (2010), *passim.*

57. Gibson (2011), pp. 801-803.

58. «Programa y presupuesto de instrucción pública. Magnífico discurso de don Fernando de los Ríos», *El Liberal*, Madrid, 25 de marzo de 1932, p. 1.

59. Conversación nuestra con doña María del Carmen García Lasgoity, Madrid, 1980.

60. *OC*, III, p. 396.

61. *Ibid.*, pp. 218-219; facsímil de la presentación de Lorca en Sáenz de la Calzada, entre las pp. 124 y 125.

62. Conversaciones nuestras con don Emilio Garrigues Díaz-Cañabate y don Luis Sáenz de la Calzada, Madrid y León respectivamente, 1986.

63. Conversaciones nuestras con don Pedro Miguel González Quijano, don Luis Ruiz-Salinas, don Luis Sáenz de la Calzada, doña María del Carmen García Lasgoity y otros «barracos», Madrid, 1983-1986.

64. *OC*, III, p. 164.

65. Para las fechas de las visitas de Lorca a Galicia, véase Franco Grande y Landeira Yrago (1974).

66. Detalles tomados mayormente de la nota biográfica incluida en Ernesto Guerra da Cal, *Futuro inmemorial (Manual de velhice para principiantes)*, Lisboa, Libraria Sa Da Costa Editora, 1985-1987; conversaciones nuestras con él, Lisboa, 1985-1987.

67. Conversaciones nuestras con don Ernesto Guerra da Cal, Lisboa, 1985-1987.

68. Martínez-Barbeito.

69. Franco Grande y Landeira Yrago (1974), p. 12.

70. Martínez-Barbeito.

71. Conversación nuestra con don Ernesto Guerra da Cal, Lisboa, 4 de enero de 1986.

72. *Ibid.*

73. Para las abundantes referencias periodísticas a este viaje, véase Gibson (2011), n. 39.

74. *EC*, p. 655.

75. Carta al autor de D. Luis Domínguez Guilarte, Salamanca, 12 de enero de 1966.

76. Martínez Nadal (1965), pp. 43-44.

77. *OC*, III, p. 133.

78. Morla Lynch (1958), p. 239; (2008), p. 240.

79. *OC*, III, p. 438.

80. *EC*, p. 741.

81. *Ibid.*, p. 732.

82. *Ibid.*, p. 740.

83. *OC*, I, p. 567.

Capítulo 17

1. Conversaciones nuestras con varios «barracos», especialmente con doña María del Carmen García Lasgoity, don Modesto Higueras, don Pedro Miguel González Quijano y don Arturo Ruíz-Castillo, Madrid, 1978-1987.

2. «"La Barraca" inaugura su actuación en Burgo de Osma», *Noticiero de Soria*, 11 de julio de 1932, p. 3; «La Barraca en Burgo de Osma. El Teatro Universitario que creara don Fernando de los Ríos», *Luz*, Madrid, 12 de julio de 1932, p. 7.

3. *Ibid.*

4. Conversación nuestra con doña María del Carmen García Lasgoity, Madrid, 4 de diciembre de 1980.

5. «El ensayo de "La Barraca" estudiantil. En busca del teatro español», *Luz*, Madrid, 25 de julio de 1932, p. 9.

6. «Teatro Universitario. "La Barraca"», *El Porvenir Castellano*, Soria, 14 de julio de 1932, p. 3; «Teatro Universitario. "La Barraca"», *Noticiero de Soria*, 14 de julio de 1932, p. 3; «La Barraca Universitaria en Soria», *La Voz de Soria*, 15 de julio de 1932, p. 2.

7. C., «Muy lamentable. Lo ocurrido ayer», *El Avisador Numantino*, Soria, 16 de julio de 1932, p. 3.

8. García Lasgoity, 17 de mayo de 1945; conversaciones nuestras, todas en Madrid, con, respectivamente, doña María del Carmen García Lasgoity, 4 de diciembre de 1980; don Pedro Miguel González Quijano, 11 de abril de 1983; y don Emilio Garrigues Díaz-Cañabate, 12 de noviembre de 1985.

9. «El ensayo de "La Barraca" estudiantil. En busca del teatro español», *Luz*, Madrid, 25 de julio de 1932, p. 9.

10. *OC*, III, p. 426.

11. Lanz.

12. Agraz; Sáenz de la Calzada, p. 166; García de Valdeavellano, p. 48.

13. Sobre Delgado Barreto y su labor, véase Gibson, *En busca de José Antonio*, pp. 43-50.

14. «La silueta de la semana. Federico García Loca [sic] o cualquiera se equivoca», *Gracia y Justicia*, Madrid, 23 de julio de 1932, p. 10.

15. «El carro de Tespis», *ibid.*, 23 de julio de 1932, p. 13.

16. En el artículo «Don Fernando de los Ríos, en Estado», por ejemplo, el 17 de junio de 1933, p. 10.

17. Véase, por ejemplo, Cipriano Rivas Cherif, «Apuntaciones. Por el Teatro Dramático Nacional», *El Sol*, Madrid, 22 de julio de 1932, p. 3.

18. Emilio Garrigues Díaz-Cañabate, p. 107.

19. Agraz.

20. *Ibid.*

21. Conversación nuestra con doña Isabel García Lorca, Madrid, 4 de octubre de 1978; Alfredo Mario Ferreiro, «García Lorca en Montevideo», artículo exhumado por Andrew A. Anderson y reimpreso en Anderson (1981), pp. 154-161 (esta cita, p. 156).

22. *Heraldo de Madrid*, 2 de agosto de 1932, p. 9.

23. *OC*, III, p. 450.

24. «Crimen desarrollado en circunstancias misteriosas», *ABC*, Madrid, 25 de julio de 1928, p. 22; el texto se reproduce en Gibson, *Federico García Lorca* (2011), pp. 574-575.

25. *Heraldo de Madrid*, 24-28 y 30 de julio de 1928.

26. *Ibid.*, 27 de julio de 1928, 30 de julio de 1928.

27. *Ibid.*, 30 de julio de 1928.

28. *Ibid.*, 27 de julio de 1928.

29. *Ibid.*, 26 de julio de 1928.

30. *OC*, II, p. 472.

31. *Heraldo de Madrid*, 28 de julio de 1928.

32. Josephs y Caballero, introducción a García Lorca, *Bodas de sangre*, p. 69.

33. *Heraldo de Madrid*, 26 de julio de 1928.

34. *El Defensor de Granada*, 25 de julio de 1928.

35. *OC*, III, p. 526.

36. *El Sol*, Madrid, 15 de marzo de 1921, p. 9, y 16, p. 7.

37. Conversaciones nuestras con don Miguel Cerón Rubio, Granada, 1966.

38. Martínez Nadal, introducción a su edición de García Lorca, *Poems*, Londres, The Dolphin Book Company, 1939, p. VIII.

39. Synge, p. 52.

40. *OC*, II, p. 471.

41. *Ibid.*, p. 556; para la influencia de Synge sobre García Lorca, véanse, en «Fuentes consultadas», Chica Salas y Sainero Sánchez.

42. *OC,* II, p. 455.

43. García Lorca, *Obras completas*, Madrid, Aguilar, 22.ª ed., 1986, III, p. 549.

44. Para la cronología de este viaje véase Franco Grande y Landeira Yrago, pp. 16-20, y Benito Argüelles.

45. Conversaciones nuestras con el hijo de Lola Membrives, doctor Juan Reforzo Membrives, Buenos Aires, 5 de mayo de 1987.

46. *OC*, III, p. 411; conversación nuestra con don Pedro Massa, Buenos Aires, 15 de mayo de 1987.

47. *El Defensor de Granada*, 8 de octubre de 1932, p. 1; *Noticiero Granadino*, 8 de octubre de 1932, p. 1; *Ideal*, Granada, 8 de octubre de 1932, p. 4.

48. *Noticiero Granadino*, 9 de octubre de 1932, p. 1; Sáenz de la Calzada, p. 166.

49. *Noticiero Granadino*, 8 de octubre de 1932, p. 1; conversación nuestra con don Eduardo Rodríguez Valdivieso, Granada, 3 de junio de 1981; *El Defensor de Granada*, 9 de octubre de 1932, p. 1.

50. Indiferencia confirmada por Eduardo Rodríguez Valdivieso, «Un dios gitano», p. 4.

51. Conversación nuestra con don Arturo Sáenz de la Calzada, Madrid, 1 de noviembre de 1985.

52. Para las referencias de las reseñas aparecidas en la prensa, véase Gibson, *Federico García Lorca* (2011), p. 1.240, n. 110.

53. Pérez Ferrero, «Teatro hoy antiguo», *Heraldo de Madrid*, 26 de octubre de 1932, p. 5.

54. Rodríguez Valdivieso, «Un dios gitano», p. 4.

55. Loxá, «Querido Eduardo, querido Eduardito, querido Eduardillo...», p. 8.

56. Juan de Loxa incluye un hermoso fotomontaje del joven al inicio de García Lorca, *Seis cartas a Eduardo Rodríguez Valdivieso*.

57. Seguimos la edición facsímil, con transcripción, incluida en García Lorca, *Seis cartas a Eduardo Rodríguez Valdivieso* (ed. Loxa), pp. 26-29.

58. Byrd, *La Barraca and the Spanish National Theatre*, pp. 47-48; Inglada, pp. 166-167.

59. «Ya no es director del Teatro Lírico Nacional el señor Rivas Cherif», *La Nación*, Madrid, 27 de octubre de 1932, p. 11.

60. *EC*, p. 744.

61. *Ibid.*, p. 748.

62. Conversación nuestra con don José Caballero, Madrid, 27 de noviembre de 1980.

63. «Soneto», *OC*, I, p. 638. Para la visita del poeta a Pontevedra, véase Franco Grande y Landeira Yrago, pp. 2-22, y Landeira Yrago, *Federico García Lorca y Galicia*, pp. 98-103.

64. Para la visita de García Lorca a Lugo, véase Franco Grande y Landeira Yrago, p. 22; Landeira Yrago, *Viaje al sueño del agua*, pp. 13, 23-24; *El Sol*, Madrid, 10 de diciembre de 1932, p. 2.

65. Conversación nuestra con don Josep V. Foix, Barcelona, 31 de octubre de 1986.

66. Díaz-Plaja (1932).

67. Para más detalles, véase Gibson, *Federico García Lorca* (2011), p. 862.

68. Sáenz de la Calzada, p. 166.

69. Para el encuentro de Lorca y Hernández, véase Ifach; Díez de Revenga (1979), pp. 225-230; y Díez de Revenga (1981), pp. 13-14. Para las cartas de Hernández a García Lorca (desconocida la primera), véase Miguel Hernández, *Epistolario*.

70. *EC*, pp. 756-757.

Capítulo 18

1. Cabanellas, I, pp. 236-239; Preston, pp. 140-142; «Medio siglo de la rebelión anarquista de Casas Viejas. Hambre, pasión y muerte», *Diario 16*, Madrid, suplemento dominical, núm. 69, 9 de enero de 1983.

2. Cabanellas, I, pp. 236-239; Jackson, pp. 105-107.

3. Jackson, p. 125.

4. *Ibid.*, p. 128.

5. Francisco García Lorca, p. 335.

6. Conversación nuestra con doña Amelia de la Torre, Madrid, 17 de marzo de 1987.

7. J. G. Olmedilla, en *Heraldo de Madrid*, 8 de marzo de 1933, p. 5.

8. Morla Lynch (1958), p. 330, (2008), p. 328; *La Voz*, Madrid, 9 de marzo de 1933, p. 3.

9. Buenaventura L. Vidal en *La Nación*, Madrid, 9 de marzo de 1933, p. 7, y otros periódicos madrileños del mismo día.

10. Fernández Almagro, en *El Sol*, Madrid, 9 de marzo de 1933, p. 8.

11. *Heraldo de Madrid*, página teatral durante estas semanas.

12. Gibson, *En busca de José Antonio*, pp. 43-56.

13. El manifiesto, con la lista de firmantes, se reproduce en Inglada, pp. 79-81.

14. *Ibid.*, pp. 77-78.

15. Conversación nuestra con doña Margarita Ucelay, hija de Pura Maórtua de Ucelay, Madrid, mayo de 1984; *OC*, III, pp. 407-410.

16. Fernández Almagro, en *El Sol*, Madrid, 6 de abril de 1933, p. 10.

17. Ruiz Silva, p. 10.

18. Casares, p. 342.

19. *Ibid.*, p. 341.

20. *La Gaceta Literaria*, Madrid, núm. 3 (1 de febrero de 1927), p. 3, y núm. 13 (1 de julio de 1927), p. 3.

21. El ejemplar de Díez-Canedo de los *Romances galegos* con dedicatoria de Blanco-Amor está en la Biblioteca Nacional, Madrid, signatura HA/29183.

22. Conversación telefónica nuestra con don Ernesto Guerra da Cal (en Lisboa), 5 de enero de 1986.

23. Santos Torroella (1984), p. 20, nota 9.

24. *Voz de Guipúzcoa*, San Sebastián, 23 de abril de 1933, p. 15; 26 de abril de 933, p. 6; *La Libertad*, Vitoria, 27 de abril de 1933, p. 6; conversación nuestra con el doctor Juan Reforzo Membrives, Buenos Aires, 5 de mayo de 1987.

25. M.P.F. [Miguel Pérez Ferrero], en *Heraldo de Madrid*, 5 de mayo de 1933, p. 5; Miguel Pérez Ferrero, *Heraldo de Madrid*, 8 de mayo de 1933, p. 5; Pérez-Doménech, en *El Imparcial*, Madrid, 7 de mayo de 1933, p. 2; conversación nuestra con don Modesto Higueras, Madrid, 31 de enero de 1981.

26. Morla Lynch (1958), p. 83; (2008), p. 115.

27. Morla Lynch (1958), p. 294; (2008), p. 295.

28. Morla Lynch (1958), p. 87; (2008), p. 118.

29. Morla Lynch (1958), p. 348; (2008), p. 344.

30. P. B., «Poliorama. 'Bodas de sangre', poema tràgic de Federico García Lorca», *La Veu de Catalunya*, Barcelona (2 de junio de 1933), 7; «Estrenos en Barcelona. 'Bodas de sangre' por la compañía Díaz de Artigas-Collado», Heraldo de Madrid (3 de junio de 1933), 4; Ignacio Agustí, «Teatre poètic. Sobre F. García Lorca», *La Veu de Catalunya*, Barcelona (4 de junio de 1933), 6; José Martín Díaz, «Postales de Barcelona. El naufragio municipal. El granadino García Lorca en las Ramblas», *El Defensor de Granada* (7 de junio de 1933), 1.

31. Pérez Ferrero, *Heraldo de Madrid,* 30 de mayo de 1933, p. 6.

32. *EC*, p. 759.

33. S. [Adolfo Salazar], *El Sol*, Madrid, 16 de junio de 1933, p. 10.

34. Conversación nuestra con don Pedro Miguel González Quijano, Madrid, 11 de mayo de 1983; conversaciones nuestras con don Luis Sáenz de la Calzada y otros miembros de la Barràca, 1978-1986.

35. Morla Lynch (1958), p. 351; (2008), p. 345.

36. Sáenz de la Calzada (1976), pp. 187-191.

37. Conversación nuestra con don Modesto Higueras, Madrid, 31 de enero de 1981.

38. Sobre la puesta en escena lorquiana de *Fuenteovejuna,* véase Byrd (1984).

39. *El Mercantil Valenciano*, 1 de julio de 1933, p. 7.

40. Conversación nuestra con don Luis Sáenz de la Calzada (1976), León, 31 de julio de 1986.

41. «La Barraca en Albacete. "Fuenteovejuna" y "La guarda cuidadosa" en el teatro Circo», *Vanguardia. Semanario del socialismo y de la UGT de Albacete*, 8 de julio de 1933, p. 4; Luis Escobar, «La barraquera de un "camarada". "La Barraca"», *Diario de Albacete*, 20 de julio de 1933, p. 1.

42. *OC*, III, p. 437

43. *Los Cuatro Vientos*, Madrid, junio de 1933, pp. 61-78.

44. *OC*, III, pp. 418-419.

45. «Yerma», en la sección «Mercurio literario», *Heraldo de Madrid*, 3 de agosto de 1933, p. 7.

46. *OC*, III, p. 565.

47. Juan G. Olmedilla, «Se va a crear un Teatro-Escuela de Arte Experimental», *Heraldo de Madrid*, 21 de noviembre de 1933, p. 13.

48. *OC*, III, p. 364.

49. Luengo.

50. *OC*, II, p. 489.

51. Agradezco a mi amigo Eutimio Martín esta precisión.

52. Carta de Juan Reforzo a Lorca, 4 de agosto de 1933, FFGL.

53. *La Nación*, Buenos Aires, 31 de julio de 1933, p. 10; 2 de agosto de 1933, p. 11; 3 de agosto de 1933, p. 12; 7 de agosto de 1933, p. 10; 9 de agosto de 1933, p. 9.

54. Hernández, introducción a su edición de *Bodas de sangre* (1984), p. 46.

55. Carta de Juan Reforzo a García Lorca, 4 de agosto de 1933. FFGL.

56. *Ibid*.

57. Para la cobertura periodística de este viaje, véase Gibson, *Federico García Lorca* (2011), p. 1.248, nota 132.

58. «Nuevo carro de Tespis», García Lorca, *Obras completas* (Madrid, Aguilar, 1986), III, pp. 529-532.

59. *El Cantábrico*, Santander, 9, 12, 13, 18, 20 de agosto de 1933; Valbuena Morán, pp. 7-19; Morla Lynch (1958), pp. 364-365, (2008), pp. 359-360; Brickell (1945), pp. 395-397.

60. Morla Lynch (1958), pp. 366-367, (2008), pp. 361-362.

61. Sáenz de la Calzada (1976), pp. 142-143.

62. *El Defensor de Granada*, 26 de septiembre de 1933, p. 1.

63. *La Nación*, Buenos Aires, 2 de octubre de 1933, p. 16.

64. Morla Lynch (1958), pp. 371-372, (2008), p. 366.

65. Margarita Xirgu entrevistada por Valentín de Pedro en *¡Aquí Está!*, Buenos Aires, 26 de mayo de 1949, citado en Rodrigo (1975), pp. 314-315.

66. FFGL.

Capítulo 19

1. *EC*, pp. 765-766 y notas 990 y 992.

2. *Ibid.*, pp. 768-769.

3. *Ibid.*, p. 769; Suero, «Crónica de un día de barco con el autor de *Bodas de sangre*», *OC*, III, p. 438; según el colofón del libro, publicado por la editorial Alcancía, se terminó de imprimir el 15 de agosto de 1933.

4. Suero, «El autor de *Bodas de sangre* estuvo hoy en Montevideo», *El Plata*, Montevideo, 13 de octubre de 1933, p. 4.

5. *OC*, III, pp. 436-439.

6. *Noticias Gráficas*, Buenos Aires, 2 de octubre de 1933, p. 16; 13 de octubre de 1933, p. 18.

7. *EC*, pp. 773-774; conversación nuestra con doña María Molino Montero y su esposo, don Antonio Alcaraz, Buenos Aires, 18 de mayo de 1987. Todos los periódicos importantes de Buenos Aires registraron la llegada del poeta a la ciudad.

8. De la Guardia (1961), p. 93.

9. Villarejo, p. 33.

10. *OC*, III, pp. 458-461; *Correo de Galicia*, Buenos Aires, 19 de noviembre de 1933, p. 1.

11. *Noticias Gráficas*, Buenos Aires, 14 de octubre de 1933, p. 10; *Crítica*, Buenos Aires, 14 de octubre de 1933, p. 12.

12. *EC*, pp. 772-773.

13. *Ibid.*, pp. 773-774.

14. González Carbalho, p. 34; para la promoción de Lorca por parte de Amado Villar, véase *Crítica*, Buenos Aires, 14 de octubre de 1933, p. 10: para su encuentro con Lorca en Madrid, Jascalevich, p. 14.

15. *EC*, p. 770.

16. Citado en Villarejo, p. 69.

17. FFGL. La información relativa al encuentro de García Lorca con Gardel procede del compositor Ben Molar y nos fue amablemente comunicada por don Antonio Carrizo, Buenos Aires, mayo de 1987.

18. *La Nación*, Buenos Aires, 14 de octubre de 1933, p. 9. La entrevista está reproducida en *OC*, III, pp. 441-445, pero contiene tantas erratas que hemos tomado la cita del diario mismo.

19. Juan G. Olmedilla, «Al margen de la escena consuetudinaria. Se va a crear un Teatro-Escuela de Arte Experimental. Anverso y reverso del curso dramático 1933-34, en el teatro Español», *Heraldo de Madrid*, 21 de noviembre de 1933, p. 13.

20. *EC*, p.690.

21. *OC*, III, p. 447.

22. «"Vengo de torero herido y a dar 4 conferencias", dice García Lorca», *Crítica*, Buenos Aires, 14 de octubre de 1933, p. 10.

23. *EC*, p. 770.

24. González Carbalho, p. 33.

25. De la Guardia (1961), p. 93.

26. Jascalevich, p. 14.

27. *Cartas de Vicenta Lorca a su hijo Federico* (ed. Fernández), p. 100.

28. Carta sin fecha en FFGL.

29. *Crítica*, Buenos Aires, 14 de octubre de 1933, p. 10.

30. Conversación nuestra con don Federico de Elizalde, hijo de Bebé Sansinena de Elizalde, Buenos Aires, 12 de mayo de 1987.

31. *OC*, III, pp. 159-162.

32. *Correo de Galicia*, Buenos Aires, 22 de octubre de 1933, 2.ª sección, p. 1.

33. Luis Echavarri, «Desde Buenos Aires. La visita de un poeta español y su duende», *El Sol*, Madrid, 10 de diciembre de 1933, p. 10.

34. *EC*, p. 777.

35. *Correo de Galicia*, Buenos Aires, 29 de octubre de 1933, p. 18.

36. *Crítica*, Buenos Aires, 27 de octubre de 1933, p. 16.

37. *EC*, p. 778 y nota 1020.

38. *Ibid.*, p. 778.

39. *Diario Español*, Buenos Aires, 27 de octubre de 1933, p. 2; *La Nación*, Buenos Aires, 1 de noviembre de 1933, p. 1; *La Nación*, Buenos Aires, 9 de noviembre de 1933, p. 6.

40. Conversación nuestra con el doctor Juan Reforzo Membrives, Madrid, 22 de febrero de 1988.

41. FFGL.

42. *EC*, p. 786.

43. *Ibid.*, p. 788.

44. *Ibid.*, p. 782.

45. *Ibid.*, p. 784.

46. *Diario Español*, Buenos Aires, 15 de noviembre de 1933, p. 5.

47. FFGL.

48. Conversación nuestra con don Modesto Higueras, Madrid, 31 de enero de 1981.

49. *EC*, p. 790.

50. Para el encuentro de Lorca y Victoria Ocampo en Madrid, véase Morla Lynch (1958), pp. 115-117, (2008), pp. 138-139.

51. «Cronología de Pablo Neruda» en Neruda (1957), pp. 9-15.

52. Neruda (1974), p. 163; conversación nuestra con doña María Molino Montero, Buenos Aires, 17 de mayo de 1987.

53. *OC*, III, pp. 228-230.

54. Véase, por ejemplo, «Al público de Buenos Aires», *OC*, III, p. 226.

55. Los dibujos están reproducidos en García Lorca, *Dibujos*, pp. 224-227.

56. Neruda (1974), p. 157.

57. Cambours Ocampo, pp. 136-137.

58. Burgin, pp. 112-114.

59. Brenan, «El Bienio Negro», en Brenan (1985), pp. 280-283; *EC*, pp. 779, 781, 786, 790, 794.

60. «La velada de mañana en honor de García Lorca», *La Nación*, Buenos Aires, 20 de noviembre de 1933, p. 19; «Las 100 representaciones de 'Bodas de sangre'. Concurrió el señor presidente de la República», *Correo de Galicia*, Buenos Aires, 26 de noviembre de 1933, 2.ª sección, p. 1.

61. FFGL.

62. *OC*, III, p. 471.

63. Páginas teatrales de la prensa porteña durante estos meses.

64. *OC*, III, pp. 481-485.

65. *EC*, p. 788.

66. *OC*, III, pp. 486-489.

67. Novo, pp. 203-204.

68. Declaración de José María García Carrillo a Agustín Penón, Granada, 1956. La leímos entre los papeles del investigador que nos confió William Layton.

69. Nin Frías, *Alexis*, pp. 181-182.

70. Nin Frías, *Ensayos sobre tres expresiones del espíritu andaluz*, p. 5.

71. Nin Frías, *Homosexualismo creador*, p. 367.

72. FFGL.

73. Nin Frías, *Ensayos sobre tres expresiones del espíritu andaluz*, p. 57.

74. Conversación nuestra con don Ricardo Molinari, Buenos Aires, 18 de mayo de 1987.

75. Conversaciones nuestras con Lidia, hija de Maximino Espasande, Buenos Aires y Madrid, 1987.

76. Conversaciones nuestras en Buenos Aires con don Antonio Carrizo y otros, abril de 1987; Mario Hernández, «Federico García Lorca y la ciudad de Buenos Aires», p. 19.

77. Véase García Lorca, *Dibujos*, pp. 222-223, 228-229.

78. García Lorca, *Retablillo de don Cristóbal y doña Rosita* (ed. Hernández), p. 126.

79. *EC*, p. 789, nota 1054.

80. Para la proyectada gira de conferencias de Lorca, véase *Crítica,* Buenos Aires, 17 de noviembre de 1933; para el viaje a Rosario, véase Correas.

81. *EC*, p. 778 y nota 1020, pp. 782-784 y nota 1036, pp. 787-788 y nota 1050, pp. 791-792.

82. Edmundo Guibourg, «Calle Corrientes», *Crítica*, Buenos Aires, 1 de marzo de 1934, p. 11.

83. De la Guardia (1961), pp. 84-86.

84. *Noticias Gráficas*, Buenos Aires, 13 de enero de 1934, p. 14; *Crítica*, Buenos Aires, 10 de enero de 1934, p. 20.

85. *OC*, III, p. 493.

86. *Noticias Gráficas*, Buenos Aires, 14 de enero de 1934, p. 15; *EC*, pp. 794-795; Molina Foix (1995), p. 13.

87. *La Prensa*, Buenos Aires, 13 de enero de 1934, p. 15.

88. *Noticias Gráficas*, Buenos Aires, 19 de enero de 1934.

89. *El Diario Español*, Buenos Aires, 19 de enero de 1934, p. 10.

90. *EC*, pp. 191, 193.

91. *La Nación*, Buenos Aires, 21 de enero de 1934, p. 12; *La Prensa*, Buenos Aires, 22 de enero de 1934, p. 15.

92. *OC*, III, p. 496.

93. *La Nación*, Buenos Aires, 22 de enero de 1934, p. 11.

94. Anderson (1981), p. 169.

95. Datos de las facturas oficiales del teatro 18 de Julio y de la transferencia telegráfica al padre del poeta, amablemente facilitados por don Bernabé López García.

96. *EC*, p. 799.

97. Mora Guarnido (1958), p. 108.

98. *EC*, p. 796.

99. Comentarios reproducidos, sin indicar las fuentes, en la solapa de *Trece de Nieve*, Madrid, 2.ª serie, núms. 1-2, 1976.

100. Conversación nuestra con el doctor Juan Reforzo Membrives, hijo de Lola Membrives, Buenos Aires, 5 de mayo de 1987.

101. FFGL.

102. *La Mañana*, Montevideo, 6 de febrero de 1934; reproducido parcialmente en García-Posada (1982), pp. 84-86, de donde procede la cita.

103. Mora Guarnido (1958), pp. 212-213.

104. *EC*, pp. 799-800.

105. *La Nación*, Buenos Aires, 16 de febrero de 1934, p. 9; *La Prensa*, Buenos Aires, 17 de febrero de 1934, p. 15.

106. *Noticias Gráficas*, Buenos Aires, 5 de marzo de 1934, p. 12.

107. Irma Córdoba entrevistada por Antonio Carrizo, Buenos Aires, mayo de 1987 (grabación facilitada amablemente por el señor Carrizo).

108. *Crítica*, Buenos Aires, 2 de marzo de 1934, p. 10; *La Nación*, Buenos Aires, 2 de marzo de 1934, p. 13; *Correo de Galicia*, Buenos Aires, 10 de marzo de 1934, p. 8.

109. *Correo de Galicia*, Buenos Aires, 10 de marzo de 1934, p. 8.

110. *Noticias Gráficas*, Buenos Aires, 12 de marzo de 1934, p. 12.

111. Diario de Agustín Penón, 5 de julio de 1955, citado en Gibson (2011), p. 3.

112. Salazar, «In memoriam», p. 30.

113. Morla Lynch (1958), p. 39, (2008), p. 74.

114. *OC*, III, pp. 523-529.

115. *La Nación*, Buenos Aires, 4 de marzo de 1934.

116. Sáenz de la Calzada, p. 201.

117. «En honor de Lola Membrives», *OC*, III, pp. 242-246.

118. Reproducción de cartel y programa de mano en García Lorca, *Retablillo de don Cristóbal y doña Rosita* (ed. Hernández), pp. 140-141.

119. A. Guibourg, «Hubo títeres en el teatro Avenida. El regalo antes de la partida. Una concurrencia formada por intelectuales llenó la sala del teatro», *Crítica*, Buenos Aires, 26 de marzo de 1934, p. 10.

120. García Lorca, *Retablillo de don Cristóbal y doña Rosita* (ed. Hernández), p. 47.

121. Conversación nuestra con doña María Molino Montero, Buenos Aires, 18 de mayo de 1987.

122. Véanse fotografías incluidas en García Lorca, *Retablillo de don Cristóbal y doña Rosita* (ed. Hernández), pp. 137-138.

123. *OC*, III, p. 247.

124. Cruz.

125. *Crítica*, Buenos Aires, 27 de marzo de 1934, p. 11.

126. Jascalevich, p. 85.

127. Páginas teatrales de *La Nación*, Buenos Aires, para todo este período.

128. *OC*, III, p. 541.

Capítulo 20

1. José Tomás, «Un andaluz i un català de tronc. El poeta García Lorca i l'escenògraf Manuel Fontanals vénen de fer una revolució a Buenos Aires», *La Publicitat*, Barcelona, 13 de abril de 934, p. 1.

2. *La Vanguardia*, Barcelona, 12 de abril de 1934, p. 20; *Diario de Barcelona*, 12 de abril de 1934, p. 26; Miguel Pérez Ferrero (1934).

3. Conversaciones nuestras con don Luis Sáenz de la Calzada, Madrid, 1986-1987.

4. Jackson, pp. 165-166; Preston, pp. 184-188.

5. Santos Torroella (1987), p. 96.

6. *El Defensor de Granada*, 22 de abril de 1934, p. 3; Darío Fernández.

7. Higuera-Rojas, p. 26; conversación nuestra con el hijo del pintor don Miguel Ruiz del Castillo, Granada, 1981.

8. Moreiro (1971), p. 23.

9. Zalamea.

10. Eduardo Blanco-Amor, «Evocación de Federico»; en «¡Juventud, divino tesoro!», *La Nación*, Buenos Aires, 2.ª sección, 15 de julio de 1934, p. 2, Blanco-Amor se refiere someramente a su visita a Granada pero sin alusión alguna a Lorca.

11. Blanco-Amor, «¡Juventud, divino tesoro!», véase nota previa.

12. Conversaciones nuestras con doña Clotilde García Picossi, Huerta del Tamarit, Granada, verano de 1966; Auclair, p. 349.

13. Conversación nuestra con don Eduardo Rodríguez Valdivieso, Granada, 30 de julio de 1980; carta de éste, 18 de enero de 1989.

14. Conversación nuestra con don Ernesto Guerra da Cal, Lisboa, 27 de julio de 1986.

15. *Heraldo de Madrid*, 14 de junio de 1934, p. 5.

16. *OC*, III, p. 536.

17. «No hay crisis teatral», *El Duende*, Madrid, 10 de febrero de 1934, p. 15.

18. «La Barraca», *FE*, Madrid, 5 de julio de 1934, p. 11.

19. *El Defensor de Granada*, 22 de julio de 1934, p. 1.

20. Necrología de Soriano Lapesa en *El Defensor de Granada*, 18 de julio de 1934, p. 2; carta de Lorca a Rafael Martínez Nadal reproducida por éste en *Mi penúltimo libro sobre Federico García Lorca*, p. 303; *EC*, pp. 802-803.

21. Conversación nuestra con don Luis Jiménez, que asistió a la lectura, Granada, 22 de marzo de 1987.

22. Cossío (1980), p. 880; Cossío (1967), p. 975.

23. *Heraldo de Madrid*, 13 de agosto de 1934, p. 6.

24. Morla Lynch (1958), p. 396; (2008), p. 402; Auclair, p. 22.

25. Santainés, pp. 190-192.

26. *Heraldo de Madrid*, 13 de agosto de 1934, p. 6; 14 de agosto de 1934, pp. 2 y 16.

27. *El pueblo manchego*, Ciudad Real, 13 de agosto de 1934, p. 1; Antonio Garrigues y Díaz-Cañabate, p. 234.

28. *Heraldo de madrid*, 13 de agosto de 1934, p. 6.

29. *Ibid.*, pp. 4, 16; Bergamín, p. 73.

30. *Heraldo de Madrid*, 13 de agosto de 1934, p. 16.

31. Antonio Garrigues y Díaz-Cañabate, p. 24.

32. Auclair, p. 30.

33. *OC*, I, p. 624.

34. Auclair, p. 24; *OC*, I, p. 618; Martínez Nadal entrevistado por Radio Nacional de España, abril de 1997; según la hermana de la Argentinita, Pilar López, ésta ni trató de entrar en la clínica, sabiendo la escena que le esperaba (conversaciones nuestras con doña Pilar López, Madrid, 1986-1987).

35. Auclair, pp. 22-25.

36. *Ibid.*, p. 25.

37. *Ibid.*, p. 27.

38. *Ibid.*, pp. 28-29.

39. Conversación nuestra con don Modesto Higueras, Madrid, 31 de enero de 1981.

40. *OC*, III, pp. 538-540.

41. *EC*, pp. 803-804.

42. «El teatro universitario. García Lorca y La Barraca», *El Defensor de Granada*, 5 de septiembre de 1934, p. 1.

43. «Comida íntima. En honor de Federico García Lorca», *El Defensor de Granada*, 28 de septiembre de 1934, p. 3; «Retablillo», *El Defensor de Granada*, 30 de septiembre de 1934, p. 1.

44. Hernández, «Francisco y Federico García Lorca», p. XVII.

45. García Gómez, pp. 139-140.

46. *OC*, III, p. 542.

47. Conversación nuestra con don Eduardo Rodríguez Valdivieso, Granada, 3 de septiembre de 1982.

48. El prólogo de Emilio García Gómez está reproducido en García Gómez, pp. 139-145.

49. Jackson, pp. 146-148.

50. *Ibid.*

51. *Ibid.*, pp. 166-167. El texto se reproduce en Inglada, pp. 83-85.

52. Ximénez de Sandoval, pp. 231-234; Payne, p. 67.

53. Jackson, pp. 144-160, *passim*. Para los antecedentes de la rebelión de octubre, véase también el capítulo de Gerald Brenan, «El bienio negro» en Brenan (1960), pp. 280-309.

54. Sáenz de la Calzada (1976), p. 167.

55. Morla Lynch (1958), pp. 424-425; (2008), pp. 433-436.

56. Rodrigo (1974), p. 203.

57. *OC*, III, p. 541.

58. *Ibid.*, p. 545.

59. García Lorca, *Teatro inconcluso*, p. 117; fragmento de una carta de Martínez Nadal a García Lorca (agosto de 1931) en Maurer (1987), p. 76.

60. Sáenz de la Calzada (1976), pp. 156-157.

61. Cardoza y Aragón, *El río*, p. 352.

62. *Heraldo de Madrid*, 26 de diciembre de 1934, p. 4.

63. José Caballero (1984).

64. Salado.

65. Rivas Cherif, «Poesía y drama del gran Federico» (13 de enero de 1957), p. 4.

66. Declaración escuchada en Santander por el «barraco» Luis Ruiz Salinas y transmitida a nosotros por él mismo, Madrid, 22 de junio de 1982.

67. *Heraldo de Madrid*, 31 de diciembre de 1934, p. 4.

68. Conversación nuestra con don José Frank, Madrid, 14 de enero de 1988.

69. Morla Lynch (1958), pp. 434-435, (2008), pp. 447; Blanco-Amor, «Federico otra vez», p. VI.

70. *MUS*, p. 101.

71. *El Pueblo*, Madrid, 31 de diciembre de 1934, p. 3; Morla Lynch (1958), pp. 434-435, (2008), pp. 447-448.

72. «El estreno de "Yerma" y de "Estudiantina"», *El Debate*, Madrid, 3 de enero de 1935, p. 6.

73. José de la Cueva, «"Yerma", de Federico García Lorca», *Informaciones*, Madrid, 31 de diciembre de 1934, p. 8.

74. *La Nación*, Madrid, 31 de diciembre de 1934, p. 11.

75. «Español: *Yerma*», *El Siglo Futuro*, Madrid, 30 de diciembre de 1934. Citamos de Hernández, «Cronología y estreno de *Yerma*», p. 302.

76. A.C., «Informaciones y noticias teatrales. En Madrid. Español: *Yerma*», *ABC*, Madrid, 30 de diciembre de 1934, p. 54.

77. Luis Araujo Costa, «Veladas teatrales. Español. Estreno del poema trágico...», *La Época*, Madrid, 31 de diciembre de 1934, p. 5.

78. Dimitri Escalpelhoff, «La temporada teatral», *Gracia y Justicia*, Madrid, 5 de enero de 1935, p. 8.

79. «Antena literaria», *ibid.*, 5 de enero de 1935, p. 14.

80. Recorte sin identificar (se conserva en nuestro archivo en el Museo-Casa Natal del poeta en Fuente Vaqueros).

81. *Gracia y Justicia*, Madrid, núm. 160, 12 de enero de 1935, p. 9.

82. Isabel García Lorca, p. 161.

83. A. Bazán, «"Yerma", de García Lorca, en el Español», *Tiempo presente*, Madrid, núm. 1, marzo de 1935.

Capítulo 21

1. *OC*, III, pp. 547-549.

2. *Ibid.*, p. 552 (donde se fecha, por equivocación, «1 de diciembre de 1935»).

3. *Heraldo de Madrid*, 11 de enero de 1935, p. 4; 18 de enero de 1935, p. 7.

4. *La Prensa*, Nueva York, 13 de febrero de 1935, p. 5; 14 de enero de 1935, p. 4; 22 de febrero de 1935, p. 5; 1 de marzo de 1935, p. 1. Para la reacción del resto de la prensa neoyorquina, véase Mario Hernández (1984), pp. 56-62.

5. *OC*, III, p. 527.

6. *Ibid.*, p. 254.

7. García Lorca, *Teatro inconcluso*, p. 157.

8. *OC*, III, pp. 554-558.

9. Testimonio de don José Caballero grabado por nosotros en magnetófono, Madrid, 6 de noviembre de 1980.

10. Arturo Mori en *El Liberal*, Madrid, 1 de marzo de 1935, p. 1.

11. *El Liberal*, Madrid, 19 de marzo de 1935, p. 7; *El Sol*, Madrid, 19 de marzo de 1935, p. 2; *La Voz*, Madrid, 19 de marzo de 1935, p. 3.

12. Nos ha permitido establecer el número de representaciones la consulta

de las páginas teatrales de *El Sol* y de *Heraldo de Madrid* correspondientes a estas semanas.

13. Conversación nuestra con don José Antonio Rubio Sacristán, Madrid, 21 de octubre de 1986.

14. Guillén, p. l (p. 50).

15. Ernest Guasp, «"Yerma" y su autor en la plaza de Cataluña», *El Mercantil Valenciano*, Valencia, 22 de septiembre de 1935, p. 9.

16. Conversación nuestra con don Francisco García Lorca, Nerja, verano de 1966.

17. *EC*, p. 811.

18. José María Rondón y Eva Pérez, «El día que Lorca estuvo en la Feria», *El Mundo*, Sevilla, 25 de abril de 2015.

19. Conversación nuestra con don Manuel Barrios, Sevilla, 4 de octubre de 1985.

20. *EC*, p. 810.

21. *Ibid.*, notas 1107 a 1109.

22. Conversación nuestra con don Marino Gómez Santos, Madrid, 14 de marzo de 1987.

23. Preston, pp. 257-266.

24. *Ciudad*, Madrid, 3 de abril de 1935, p. [28]; *Heraldo de Madrid*, 12 de abril de 1935, p. 9; 27 de junio de 1935, p. 5.

25. *La Libertad*, Madrid, 11 de mayo de 1935, p. 6; *Heraldo de Madrid*, 11 de mayo de 1935, p. 2.

26. *Heraldo de Madrid*, 24 de mayo de 1935, p. 6.

27. Sendas conversaciones nuestras con don José Caballero, Madrid, 6 de noviembre de 1980, y doña Maruja Mallo, Madrid, 3 de marzo de 1984.

28. Neruda, *Oda a Federico García Lorca*, en *Obras completas*, pp. 223-226.

29. Neruda (1971).

30. Guillén, p. LXX.

31. *Heraldo de Madrid*, 21 de junio de 1935, p. 7.

32. Francisco García Lorca, p. 346.

33. Conversación nuestra con don José Caballero, Madrid, 6 de noviembre de 1980.

34. *OC*, III, p. 541.

35. *Ibid.*, p. 552.

36. *Ibid.*, pp. 620-621.

37. *EC*, p. 245.

38. Francisco García Lorca, p. 363.

39. *OC*, III, p. 620.

40. En el pasaporte tramitado para su visita a Estados Unidos y Cuba en 1929, el poeta declaró que había nacido el 5 de junio de 1900 (FFGL); cuando en 1933 se inscribió en la embajada española de Buenos Aires dijo que tenía treinta y tres años (documento en FFGL).

41. *OC*, III, pp. 620.

42. Francisco García Lorca, pp. 43-44.

43. Higuera Rojas (1980), p. 189.

44. *OC*, II, p. 567.

45. Ortiz de Villajos, p. 130.

46. Francisco García Lorca, p. 364.

47. Mora Guarnido (1958), p. 171.

48. Francisco García Lorca, introducción a García Lorca, *Three Tragedies*, Harmondsworth, Penguin, 1961, p. 22.

49. *OC*, III, p. 619.

50. Blanco-Amor, «Apostillas a una barbaridad».

51. Pérez Coterillo, «En Galicia con E. Blanco-Amor», p. 18.

52. Penón (1990), p. 113.

53. Pérez Coterillo, «En Galicia con E. Blanco-Amor», pp. 17-18.

54. Lowry, p. 45.

55. Anécdota que nos transmitió amablemente la hija de José Navarro Pardo, señora de Benito Jaramillo, Madrid, 7 de noviembre de 1984.

56. Conversación nuestra con don Fernando Nestares, Madrid, 12 de enero de 1988.

57. «Tópicos», *Heraldo de Madrid*, 16 de julio de 1935, p. 8; «Margarita Xirgu irá a Italia para rendir un homenaje a Lope de Vega», *Heraldo de Madrid*, 19 de julio de 1935, p. 8.

58. Valentín de Pedro, «El destino mágico de Margarita Xirgu», *¡Aquí Está!*, Buenos Aires, 26 de junio de 1949, citado en Rodrigo (1975), pp. 358-361.

59. *OC*, II, pp. 322-327.

60. *Ibid.*, p. 776.

61. *Ibid.*, p. 323.

62. Martínez Nadal (1970), p. 100.

63. *OC*, II, p. 783.

64. Suero (1943), pp. 181-184.

65. *EC*, p. 813.

66. *OC*, III, p. 571.

67. *Ibid.*, p. 578.

68. Sáenz de la Calzada (1976), pp. 157-158; conversaciones nuestras con don Luis Sáenz de la Calzada, Madrid, 1986-1987; conversación telefónica nuestra con doña María del Carmen Lasgoity, 1 de febrero de 1987; *EC*, p. 820.

69. *Heraldo de Madrid*, 24 de agosto de 1935, p. 8; 26 de agosto de 1935, p. 8; Rivas Cherif, «Poesía y drama del gran Federico» (6 de enero de 1957), pp. 1 y 4.

70. Vázquez Ocaña, p. 338.

71. *Heraldo de Madrid*, 28 de agosto de 1935, p. 8; 29 de agosto de 1935, p. 9; 1 de septiembre de 1935, p. 8; *El Sol*, Madrid, 8 de septiembre de 1935, p. 2; 11 de septiembre de 1935, p. 2.

72. *La Publicitat*, Barcelona, 8 de septiembre de 1935, p. 10; 11 de septiembre de 1935, p. 6; *La Vanguardia*, Barcelona, 12 de septiembre de 1935, p. 9.

73. *La Publicitat*, Barcelona, 15 de septiembre de 1935, p. 6; *El Diluvio*, Barcelona, 15 de septiembre de 1935, p. 10.

74. Domènec Guansé, en *La Publicitat*, Barcelona, 19 de septiembre de 1935, p. 6.

75. Para un resumen más pormenorizado de la reacción de la prensa ante *Yerma* en Barcelona, véase Gibson (2011), pp. 1028-1029.

76. *EC*, p. 816.

77. Páginas teatrales de *La Publicitat* y *La Vanguardia* en estas fechas.

78. «Federico García Lorca parla per als obrers catalans», *L'hora*, Barcelona, 27 de septiembre d 1935, p. 1; entrevista recogida en Cobb, pp. 281-286.

79. *La Humanitat*, Barcelona, 1 de octubre de 1935, p. 1.

80. *OC*, III, p. 604; preferimos nuestra propia traducción del catalán.

81. Entrevista grabada en magnetófono a don Josep Palau i Fabre, a instancias nuestras, por don Samuel Abrams, Barcelona, 7 de abril de 1987.

82. Dalí, «Les morts et moi».

83. *Ibid.*

84. Carta de Edward James a Diane Abdy fechada el 20 de octubre de 1935. Conservada en el Edward James Foundation, West Dean, Chichester, Inglaterra.

85. Dalí, «Les Morts et moi».

86. Conversación nuestra con doña Amelia de la Torre, Madrid, 3 de abril de 1987.

87. Gibson, «Con Dalí y Lorca en Figueres».

88. *Heraldo de Madrid*, 5 de octubre de 1935, p. 9; *El Día Gráfico*, Barcelona, 12 de octubre de 1935, p. 17.

89. *OC*, III, pp. 566-568.

90. Publicada primero por Rivas Cherif, «Poesía y drama del gran Federico» (27 de enero de 1957), p. 3; hay otra fotografía, dedicada por García Lorca a Guasp, en Rodrigo (1975), p. 359.

91. *La Publicitat*, Barcelona, 24 de octubre de 1935, p. 1; *Diario de Madrid*, 24 de octubre de 1935, p. 7; *Diario de Tarragona*, 25 de octubre de 1935, p. 1.

92. Jackson, pp. 166-168.

93. El documento se reproduce en Inglada, pp. 91-92.

94. *El Mercantil Valenciano*, 30 de octubre de 1935, p. 4; 6 de noviembre de 1935, p. 7; 9 de noviembre de 1935, p. 9.

95. *Ibid.*, 10 de noviembre de 1935, p. 4.

96. Luengo.

97. Rivas Cherif, «Poesía y drama del gran Federico» (27 de enero de 1957), p. 3.

98. Nicolas Barquet, «Lorca à Barcelone», *Opéra. Le Journal de la vie parisienne*, París, 9 de enero de 1952. Citado por Rodrigo (1975), pp. 398-389.

99. García Lorca, *Teatro inconcluso*, p. 344.

100. Conversación nuestra con don Mauricio Torra-Balari, Barcelona, 22 de enero de 1987.

101. *OC*, I, pp. 629-630; nota de García-Posada, *ibid.*, p. 963.

102. Gil-Albert, pp. 244-251; conversación nuestra con don Juan Gil-Albert, Valencia, 12 de julio de 1987.

103. *OC*, I, p. 631.

104. Fernández-Montesinos García, pp. 42-43. El libro fue publicado en Valencia por Ediciones Nueva Cultura.

105. García Lorca, *Obras completas*, Madrid, Aguilar, 1986, II, pp. IX-XI.

106. En *ABC*, Madrid, 17 de marzo de 1984. Se incorporaron posteriormente al primer tomo de las *Obras completas* de Aguilar (1986) bajo la discreta rúbrica de *Sonetos de amor* (pp. 937-949).

107. Conversación nuestra con don Vicente Aleixandre, grabada en magnetófono, Madrid, 26 de abril de 1982.

108. Dalí, *Diario de un genio*, p. 24.

109. Rivas Cherif, «Poesía y drama del gran Federico» (13 de enero de 1957, p. 4; 27 de enero de 1957, p. 3).

110. *Ibid.*, 27 de enero de 1957, p. 3.

111. García Lorca, *Teatro inconcluso*, pp. 220-227.

112. *Ibid.*, pp. 344-345.

113. *EC*, p. 813.

114. *OC*, III, p. 617; *La Vanguardia*, Barcelona, 22 de noviembre de 1935, p. 4.

115. Gibson, *Federico García Lorca* (2011), pp. 1049-1050 y notas.

116. G.T.B. [G. Trillas Blázquez], en *Crónica*, Madrid, 22 de diciembre de 1935; Francisco García Lorca, p. 276.

117. *La Vanguardia*, Barcelona, 14 de diciembre de 1935, p. 9.

118. *La Publicitat*, Barcelona, 14 de diciembre de 1935, p. 9.

119. *Heraldo de Madrid*, 13 de diciembre de 1935, p. 8.

120. *La Libertad*, Madrid, 19 de diciembre de 1935, pp. 1-2.

121. Moreno Villa (1944), p. 121.

122. Morales.

123. *OC*, III, pp. 623; véase también *L'Instant*, Barcelona, 20 de diciembre de 1935, p. 6.

124. *OC*, III, p. 269.

125. *Ibid.*, pp. 622-624.

126. *Ibid.*, p. 624.

127. Rivas Cherif, «Poesía y pasión del gran Federico» (27 de enero de 1957), p. 3.

128. Francisco García Lorca, p. 276.

129. *L'Instant*, Barcelona, 24 de diciembre de 1935, p. 6.

130. *Heraldo de Madrid* y *El Sol*, Madrid, *passim*, para estas semanas.

131. *Ibid.*

132. Cifras que resultan de la consulta de las páginas teatrales de la prensa barcelonesa de estos tres meses.

Capítulo 22

1. Jackson, pp. 173-176.

2. Suero, «Los últimos días con Federico García Lorca».

3. En *Viaje al sueño del agua* José Landeira Yrago reproduce en facsímil los *Seis poemas galegos*, con el prólogo de Blanco-Amor incluido.

4. Fernández del Riego, pp. 106-107; Landeira Yrago, *Viaje al sueño del agua*, p. 58.

5. Otero Seco (1937).

6. *Heraldo de Madrid*, 15 de enero de 1936, p. 9; *El Heraldo de Aragón*, Zaragoza, 21 de enero de 1936, p. 2; para la reacción de Pura Maórtua, conversación nuestra con su hija, doña Margarita Ucelay, Madrid, 4 de febrero de 1987.

7. *Heraldo de Madrid*, 17 de marzo de 1936, p. 9; 9 de julio de 1936, p. 9.

8. *El Liberal*, Bilbao, 28 de enero de 1936, p. 1; 29 de enero de 1936, p. 10.

9. *Ibid.*, 28 de enero de 1936, p. 10; 30 de enero de 1936, p. 12.

10. Valentín de Pedro, *¡Aquí Está!*, Buenos Aires, 30 de abril de 1949, citado en Rodrigo, *Margarita Xirgu y su teatro*, p. 234.

11. *El Cantábrico*, Santander, 1 de febrero de 1936, p. 7.

12. *OC,* I, p. 767.

13. *EC*, p. 817.

14. Reproducimos la fotografía en *Luis Buñuel, la forja de un cineasta universal*, ilustración núm. 32.

15. «Los intelectuales con el Bloque Popular», *Mundo Obrero*, Madrid, 15 de febrero de 1936, p. 3, reproducido en Inglada, pp. 99-100.

16. «Sección de rumores», *Heraldo de Madrid*, 12 de enero de 1936, p. 9.

17. *Heraldo de Madrid*, 29 de mayo de 1936, p. 9.

18. Suero, «Los últimos días con Federico García Lorca».

19. Gibson (2005), pp. 33-34.

20. Agustí, p. 94.

21. *Diario de la Marina*, La Habana, 16 de febrero de 1936, p. 6; 18 de febrero de 1936, p. 6; 7 de marzo de 1936, p. 3; y el resto de marzo y abril.

22. Brenan (1985), p. 310; *Heraldo de Madrid* para estas fechas.

23. Southworth, p. 9.

24. *Heraldo de Madrid*, 14 de marzo de 1936, p. 16; 18 de marzo de 1936, p. 3.

25. Jackson, p. 192.

26. Gibson (2005), pp. 73-77.

27. *Ibid.*, p. 80.

28. *Ibid.*, pp. 39-43, 415-419.

29. *Ibid.*, pp. 42, 421-422, 424-425.

30. *Ibid.*, pp. 51, 422, 426-429.

31. *Semana Santa en Granada*, *OC*, III, pp. 271-274.

32. *OC*, III, p. 631.

33. *La Voz*, Madrid, 23 de junio de 1936; *Heraldo de Madrid*, 1 de junio de 1936, p. 9.

34. *OC*, III, p. 632.

35. *Ibid.*, p. 633.

36. Conversación nuestra con don Luis Rosales, Madrid, 16 de enero de 1979; Luis Rosales, «La Andalucía del llanto (al margen del *Romancero gitano*)».

37. Penón (1990), p. 188.

38. Entrevista nuestra con doña Margarita Ucelay, Madrid, mayo de 1984; introducción a su edición de *Así que pasen cinco años* (véase «Fuentes consultadas»), p. 355.

39. Transcripción publicada por vez primera en *El País*, Madrid, 10 de mayo de 2012, pp. 15-16. La fotografía en color de los trece primeros versos del manuscrito, que acompaña la transcripción, demuestra que ésta contiene varios errores que hemos corregido.

40. Conversaciones nuestras con el sobrino de Ramírez de Lucas, don Jorge Martínez Ramírez, Madrid, otoño de 2015.

41. *Excelsior*, México, abril-junio de 1936, *passim*; 18 de mayo de 1936, pp. 5 y 8, para el anuncio de la llegada del poeta.

42. *OC*, III, p. 288.

43. Fernández-Montesinos García, p. 23.

44. Santos Torroella, *Salvador Dalí escribe a Federico García Lorca,* p. 97.

45. *¡Ayuda!*, Madrid, 1 de mayo de 1936, p. 1.

46. Información de Carlos Gurméndez, citada por Santa Cecilia, p. XI.

47. Gibson (2005), pp. 81-83.

48. *Heraldo de Madrid*, 9 de mayo de 1936, p. 16; Ximénez de Sandoval, p. 548; Gibson, *La noche en que mataron a Calvo Sotelo*, pp. 60-61.

49. *El Socialista*, Madrid, 9 de mayo de 1936.

50. Jackson, pp. 191-195.

51. La reproducimos en *Luis Buñuel, la forja de un cineasta universal*, ilustración núm. 33.

52. Aub (1984), p. 205.

53. *Ibid.*, p. 215.

54. *Heraldo de Madrid*, 29 de mayo de 1936, p. 9.

55. Prieto, *Lorca en color*, p. 29.

56. *OC*, II, p. 787.

57. García-Posada, nota a *Los sueños de mi prima Aurelia*, *OC*, II, p. 878.

58. La boda se celebró en Fuente Vaqueros el 2 de abril de 1909. Si no se equivoca el Registro Civil (conservado en el ayuntamiento), Aurelia tenía veinticuatro años y José veintiocho. No hemos podido localizar en Fuente Vaqueros su partida de nacimiento. Según la familia vino al mundo en 1888 (conversación telefónica con don Enrique Roldán, marido de la nieta de Aurelia, 5 de febrero de 1988).

59. Francisco García Lorca, p. 48.

60. *OC*, II, p. 788.

61. *Ibid.*, p. 792.

62. *OC*, IV, p. 1026.

63. *OC*, II, pp. 796-797.

64. *Ibid.*, pp. 799-800.

65. *Ibid.*, p. 804.

66. Francisco García Lorca, p. 374.

67. *OC*, II, pp. 805-807.

68. *OC*, III, p. 637.

69. *EC*, pp. 823-824.

70. Conversación nuestra con don Fulgencio Díez Pastor, Madrid, 11 de junio de 1980.

71. Conversación nuestra con don José Luis Cano, Madrid, 9 de mayo de 1979.

72. Manuscrito de la obra en FFGL.

73. *Ibid.*

74. *EC*, p. 355.

75. FFGL.

76. Altolaguirre (1937), p. 36.

77. Guillermo de Torre, «Indicación de fuentes», al final de su edición de García Lorca, *La casa de Bernarda Alba*, Buenos Aires, Losada, 4.ª ed., 1957, p. 182.

78. Adolfo Salazar, «*La casa de Bernarda Alba*», p. 30.

79. La inscripción sobre la tumba de Francisca Alba en el cementerio de Valderrubio (Asquerosa) declara que murió el 22 de julio de 1924 a la edad de 66 años; la información sobre sus hijos procede de los vecinos del pueblo, de la carta de un pariente, Antonio Rodríguez Roldán, publicada en *Ideal*, Granada, 4 de octubre de 1986, p. 2; y de una conversación telefónica nuestra con don Horacio Roldán (en Fuengirola), 2 de febrero de 1988.

80. Según la inscripción sobre la tumba de Rodríguez Capilla en el cementerio de Valderrubio murió el 23 de diciembre de 1925 a la edad de setenta y cuatro años.

81. Agustín Penón sacó en 1955 una interesante fotografía del pozo (2000, p. 332).

82. Información procedente de Mercedes Delgado García en Higuera Rojas (1980), pp. 187-189; también Ramos Espejo, «En Valderrubio, Granada. La casa de Bernarda Alba», p. 61.

83. Conversación nuestra con don José Arco Arroyo, Valderrubio, 17 de agosto de 1986.

84. Ramos Espejo, «En Valderrubio, Granada. La casa de Bernarda Alba», p. 62.

85. Francisco García Lorca, pp. 377-378.

86. Ramos Espejo, «En Valderrubio, Granada. La casa de Bernarda Alba», p. 63.

87. Rodrigo (1980), p. 4; Ramos Espejo, «En Valderrubio, Granada. La casa de Bernarda Alba», p. 60.

88. Rodrigo (1980), p. 4.

89. *OC*, II, p. 585.

90. *Ibid.*, pp. 588, 591, 592, 593.

91. Gibson (2011), pp. 1116-1117.

92. Vaquero Cid, «Federico en Valderrubio», segunda entrega.

93. *OC*, II, p. 631.

94. *Ibid.*

95. *EC*, p. 823 y nota 1144.

96. Morla Lynch (1958), p. 489; (2008), p. 535.

97. Conversación nuestra con don José Amorós, Madrid, 24 de enero de 1986; la fotografía se reproduce en Gibson, *Federico García Lorca* (1998), II, núm. 59.

98. *Heraldo de Madrid*, 22 de junio de 1936, p. 2; 29 de junio de 1936, p. 9.

99. *La Voz*, Madrid, 23 de mayo de 1936, p. 4; *Heraldo de Madrid*, 1 de julio de 1936, p. 9; para el testimonio de Francisco García Lorca, carta inédita de Juan Larrea a Mario Hernández (10 de febrero de 1978), que éste ha tenido la amabilidad de mostrarnos.

100. Otero Seco, «Una conversación inédita».

101. Documento reproducido por Inglada, pp. 113-115.

102. Véase, en «Fuentes consultadas», Rodríguez Espinosa.

103. Conversación nuestra con don José Caballero, Madrid, 15 de febrero de 1987.

104. «Por primera vez se traduce Novalis al castellano», *Heraldo de Madrid*, 16 de junio de 1936, p. 13; Gebser, pp. 14-16.

105. Gibson (2011), p. 1104.

106. Conversación telefónica nuestra con doña Pilar López, Madrid, 12 de febrero de 1987.

107. Martínez Nadal, «Lo que yo sé de *El público*», p. 23.

108. Conversación telefónica nuestra con doña Margarita Ucelay, Madrid, 4 de febrero de 1987.

109. *Heraldo de Madrid*, 7 de junio de 1936, p. 8; *ibid.*, 9 de junio 1936, p. 9.

110. Para una apreciación particularmente hostil de Casares Quiroga desde el punto de vista de un político socialista militante, véase Largo Caballero, pp. 157-158.

111. Morla Lynch (1958), pp. 491-492; (2008), pp. 537-538.

112. Jackson, pp. 203-205; información facilitada por José Caballero a Marcelle Auclair, en Auclair, p. 367.

113. *EC*, p. 825 y nota 1149.

114. *La Libertad*, Madrid, 12 de julio de 1936, p. 3; *Heraldo de Madrid*, 13 de julio de 1936, p. 2.

115. Información de Fulgencio Díez Pastor en Auclair, pp. 368-369; conversación nuestra con don Fulgencio Díez Pastor, Madrid, 10 de octubre de 1978.

116. *MUS*, p. 154.

117. Para la dedicatoria, Fernández-Montesinos García, p. 40; para su consejo, Auclair, p. 369.

118. Gibson, *La noche en que mataron a Calvo Sotelo*, passim.

119. Alonso (1978), pp. 160-161; Alonso (1982), p. 13.

120. Gil-Albert, p. 250.

121. Rodríguez Espinosa, p. 110.

122. Conversación de Agustín Penón con Ángel Carretero, Madrid, 1956 (apuntada en un papel suelto de Penón consultado por nosotros en su archivo); Molina Fajardo, *Los últimos días de García Lorca*, p. 102.

123. Martínez Nadal, «El último día de Federico García Lorca en Madrid».

124. Conversaciones nuestras con doña Isabel García Lorca y doña Laura de los Ríos, Madrid, septiembre de 1978.

125. Martínez Nadal, «El último día de Federico García Lorca en Madrid».

126. Penón (1990), p. 178.

127. Martínez Nadal, «El último día de Federico García Lorca en Madrid»; el 19 de diciembre de 1977 el señor Martínez Nadal, contestando una pregunta nuestra sobre el paradero del diario, nos escribió: «No. Todavía no he logrado encontrar mi diario de bolsillo correspondiente al año 1936. Pero no desespero».

128. Conversación nuestra con don Luis Sáenz de la Calzada, Madrid, 31 de enero de 1987; con don Arturo del Hoyo, Madrid, 6 de enero de 1987.

129. Cernuda (1975), p. 1337.

130. Martínez Nadal, «El último día de Federico García Lorca en Madrid».

131. Parte de la carta, fechada el 15 de julio de 1936, se reproduce en Mario Hernández, «Francisco y Federico García Lorca», p. XXVI.

Capítulo 23

1. Gibson (2005), pp. 68-80.

2. *Ibid*.

3. *Ibid*., p. 92.

4. *Ibid*., pp. 83-84.

5. Conversación nuestra con Dª Isabel Roldán García, Chinchón (Madrid), 1 de febrero de 1982; la hermana del poeta nos confirmó luego que el teléfono fue instalado justo antes de la guerra (conversación con doña Isabel García Lorca, Madrid, 23 de mayo de 1984); «Carnet mundano», *Ideal*, Granada, 16 de julio de 1936, p. 6; *Noticiero Granadino*, 17 de julio de 1936, p. 1.

6. Las tres hojas de la carta fueron reproducidas en color, sin la debida autorización de los herederos tanto del poeta como de Ramírez de Lucas, por *El País*, Madrid, 12 de mayo de 2012, pp. 44-45. La primera y tercera, a diferencia de la segunda —de la que citamos— son en gran parte ilegibles. A la hora de escribir todavía no hay acuerdo para la publicación de los papeles de Ramírez de Lucas, que murió en 2010. Según nuestros informes, consigna en ellos que recibió la contestación de Lorca el 16 de julio de 1936.

7. Conversación nuestra con don Miguel Cerón Rubio, Granada, 1966.

8. Conversación nuestra con don José Fernández Castro, Granada, 11 de febrero de 1987.

9. Conversación nuestra con don Miguel Rosales Camacho, Granada, 1966.

10. Penón (1990), p.160.

11. Gibson (2005), p. 95.

12. *Ibid*., pp. 96-99; Gibson, *Queipo de Llano, passim*.

13. Gibson (2005), p. 97.

14. Declaraciones de Franco a Jay Allen publicadas en el *News Chronicle* de Londres, 29 de julio de 1936.

15. Martínez Barrio, pp. 360-361.

16. Gibson (2005), pp. 79-80.

17. *Ibid.*, pp. 108-119.

18. *Ibid.*, pp. 119-122.

19. *Ibid.*, pp. 122-128.

20. Entrevista nuestra con doña Aurora de la Cuesta de Garrido, Granada, 8 de agosto de 1987. En 1936 vivía en la Huerta de la Virgencica, cerca de la Huerta de San Vicente, y era muy amiga de los García Lorca. Recibió de Angelina Cordobilla, criada de la familia, una descripción detallada de la vuelta del poeta a casa después de su visita a la cárcel.

21. Rodríguez Valdivieso, «Horas en la huerta de San Vicente».

22. *Ibid.*; se refiere al poema «Madrigal de verano», *OC*, I, pp. 96-97.

23. Conversación nuestra con don Eduardo Rodríguez Valdivieso, Granada, 30 de julio de 1980.

24. Penón (1990), pp. 60-61.

25. Documento exculpatorio de Luis Rosales, 17 de agosto de 1936, reproducido por Eduardo Molina Fajardo (1983), p. 347.

26. Ramos Espejo, «El capitán Rojas en la muerte de García Lorca».

27. Gibson (2005), p. 219.

28. Conversación nuestra con don Alfredo Rodríguez Orgaz, Madrid, 9 de octubre de 1978.

29. Gibson (2005), pp. 170-174; conversación nuestra con doña Isabel Roldán García, Chinchón (Madrid), 1 de febrero de 1982; con doña Carmen Ruiz Perea, Valderrubio, 22 de agosto de 1986; véase también el documento exculpatorio de Luis Rosales del 17 de agosto de 1936, en Eduardo Molina Fajardo (1983), p. 347.

30. Para la fecha de confirmación del futuro poeta le agradezco a mi amigo Enrique Ruiz Baena una copia del documento correspondiente; para Horacio Roldán, véase Caballero Pérez, *Las trece últimas horas en la vida de García Lorca*, pp. 17-18.

31. Conversación nuestra con don Benigno Vaquero Cid, Pinos Puente, 17 de agosto de 1986.

32. Ramos Espejo, *El 5 a las cinco con Federico García Lorca*, p. 192.

33. Vaquero Cid, «¿Por qué mataron a García Lorca?», p. 5.

34. Conversación nuestra con doña Isabel Roldán García, Chinchón (Madrid), 1 de febrero de 1982; con doña Carmen Perea Ruiz, Valderrubio, 22 de agosto de 1986; esquela del capitán Fernández, *Ideal*, Granada, 1 de septiembre de 1937.

35. Según el empadronamiento municipal granadino de 1935 correspondiente al piso de Manuel Fernández-Montesinos en la calle de San Antón, 39, 2.ª dcha., Angelina nació en el pueblo de Padul el 11 de marzo de 1913.

36. Conversación nuestra con doña Angelina Cordobilla González, grabada en magnetófono, Granada, 1966.

37. Conversación nuestra con doña Carmen Perea Ruiz, la hermana de Gabriel, testigo de los hechos ocurridos en la Huerta de San Vicente (Valderrubio, 22 de agosto de 1986); véanse también las entrevistas de Antonio Ramos Espejo con ella en 1986, recogidas en Ramos Espejo, *El 5 a las cinco con Federico García Lorca*, pp. 188-194.

38. Caballero, *Las trece últimas horas en la vida de García Lorca*, pp. 17-18.

39. Carta de Antonio Rodríguez Roldán publicada en *Ideal*, Granada, 17 de septiembre de 1986, p. 2; conversación nuestra con don Horacio Roldán, Fuengirola, 28 de enero de 1988.

40. Conversación nuestra con doña Isabel Roldán García, grabada en magnetófono, Chinchón (Madrid), 22 de septiembre de 1978; conversación nuestra con doña Encarnación Santugini Díaz, Granada, 1975.

41. *Ideal*, Granada, 10 de agosto de 1936, p. 4.

42. Conversación nuestra, grabada en magnetófono, con don Luis Rosales, Cercedilla (Madrid), 2 de septiembre de 1966, y posteriores conversaciones con él en Madrid.

43. Conversación nuestra, grabada en magnetófono, con don Luis Rosales Camacho, Cercedilla (Madrid), 2 de septiembre de 1966.

44. Higuera Rojas, «Habla el chófer de García Lorca».

45. Gibson (2005), p. 231.

46. *Ibid.*, pp. 234-235.

47. *Ibid.*, pp. 236-238.

48. *Ibid.*, p. 308.

49. *Ibid.*, pp. 240-241.

50. *Ibid.*, pp. 239-240.

51. *Ibid.*, pp. 241-242.

52. *Ibid.*, p. 242.

53. *Ibid.*, p. 241.

54. Conversación nuestra, grabada en magnetófono, con don Luis Rosales Camacho y su hermana Esperanza, Madrid, 7 de noviembre de 1978; sendas conversaciones nuestras con don Manuel Contreras Chena, Madrid, 26 de octubre de 1928 y don Manuel López Banús, Fuengirola, 8 de diciembre de 1979; sobre López Font, véase también Eduardo Molina Fajardo (1983), p. 95 (testimonio de Luis Jiménez Pérez).

55. Los detalles de esta visita proceden del documento exculpatorio de Luis Rosales, fechado el 17 de agosto de 1936, reproducido por Eduardo Molina Fajardo (1983), p. 347. Por lo que le toca a Concha, Couffon fue el primero el recoger esta posibilidad, dada por cierta por Luis Rosales en numerosas declaraciones.

56. Conversación nuestra con doña Esperanza Rosales, Madrid, 7 de septiembre de 1978.

57. Gerardo Rosales Jaldo, autor de la novela *El silencio de los Rosales*, en el documental de Emilio Ruiz Barrachina, *El mar dejó de moverse* (ver detalles en «Fuentes consultadas», sección 5).

58. Gibson (2005), p. 243.

59. *Ibid.*, p. 242.

60. Testimonio de Gerardo Rosales Jaldo, hijo de Gerardo, el hermano de Luis, en el documental de Emilio Ruiz Barrachina, *El mar dejó de moverse* (ver detalles en «Fuentes consultadas», sección 5).

61. Declaraciones de Esperanza Rosales a Agustín Penón, Madrid, 2 de junio de 1956, recogidas en Penón (1990), pp. 303-305. Doña Esperanza Rosales las confirmó en una conversación con nosotros, Madrid, 7 de septiembre de 1978.

62. Gibson (2005), pp. 225-227.

63. Conversación nuestra con don Antonio Jiménez Blanco, testigo de la llegada del grupo a casa de Miguel Rosales para llevarse a Lorca, Madrid, 24 de marzo de 1986; me había ya contado casi exactamente lo mismo, de forma independiente, don José Mercado Ureña, Málaga, 4 de junio de 1985.

64. Testimonio de Gerardo Rosales Jaldo, hijo de Gerardo, el hermano de Luis, en el documental de Emilio Ruiz Barrachina, *Y el mar dejó de moverse* (ver detalles en «Fuente consultadas», sección 5).

65. Higuera Rojas (1980), p. 198.

66. Gibson (2005), pp. 245-248.

67. Gibson (2007), pp. 11-23.

68. *Ibid.*, pp. 13-14.

69. *Ibid.*, pp. 15-19.

70. *Ibid.*, pp. 23-32.

71. *Ibid.*, pp. 68-69; conversación nuestra en Fuente Vaqueros (diciembre de 1986) con don José Martín Jiménez, presente en el mitin de Ruiz Alonso en el pueblo.

72. «Retablillo», *El Defensor de Granada*, 18 de marzo de 1934, p. 1.

73. Ruiz Alonso, *Corporativismo*, pp. 249-250.

74. Gibson (2007), pp. 106-108.

75. Gibson (2005), pp. 256, 257; Gibson (2007), pp. 127-128; Eduardo Molina Fajardo (1983), pp. 41 y nota 2, 48, 76-77, 188, 196-198.

76. Gibson (2005), pp. 256-257; conversación nuestra con doña Esperanza Rosales, Madrid, 7 de septiembre de 1978.

77. Entrevista nuestra con don Ramón Ruiz Alonso, Madrid, primavera de 1966.

78. Gibson (2005), pp. 256-257.

79. *Ibid.*, pp. 258- 259.

80. *Ibid.*, p. 259.

81. Conversación nuestra con don Luis Rosales, Madrid, 29 de mayo de 1986.

82. Penón (1990), p. 201.

83. Conversación nuestro con doña Esperanza Rosales, Madrid, 7 de septiembre de 1978.

84. *Ibid.*

85. Conversación nuestra con el testigo de esta escena, don Miguel López Escribano, Granada, 29 de septiembre de 1980.

86. Conversaciones nuestras con don Miguel Rosales Camacho, Granada, 1965-1966.

87. «A la reserva. Jubilación el teniente coronel Velasco», *Noticiero Granadino*, 2 de enero de 1935, p. 3; más detalles en Caballero, *Las trece últimas horas en la vida de García Lorca*, pp. 39-68.

88. Conversaciones nuestras con don Miguel Rosales Camacho, Granada, 1965-1966

89. *Ibid.*

90. *Ibid.*

91. Conversación nuestra con don Luis Rosales Camacho grabada en magnetófono, Cercedilla (Madrid), 2 de septiembre de 1966.

92. Conversación nuestra con don Ramón Ruiz Alonso, grabada en magnetófono, Madrid, 3 de abril de 1967.

93. Conversación nuestra con don Cecilio Cirre, Granada, septiembre de 1966.

94. Conversación nuestra con don Luis Rosales Camacho, grabada en magnetófono, Cercedilla (Madrid), 2 de septiembre de 1966.

95. Vila-San-Juan, pp. 190-193.

96. Conversación nuestra con don José Rosales Camacho, grabada en magnetófono, Granada, 26 de agosto de 1978.

97. Pozo, pp. 147, 329-336.

98. Gibson (2005), p. 267.

99. Vila-San-Juan, p. 152; conversación nuestra grabada en magnetófono con don José Rosales, Granada, 26 de agosto de 1978.

100. Gibson (2005), p. 267; conversación nuestra con don Luis Rosales Camacho, Cercedilla (Madrid), 15 de agosto de 1986.

101. Eduardo Molina Fajardo (1983), p. 347.

102. Conversación nuestra con doña Esperanza Rosales Camacho, Madrid, 7 de noviembre de 1978.

103. Agustín Penón entrevistó a Angelina Cordobilla González en El Padul, Granada, el 19 de mayo de 1955 (1990, pp. 84-91); la cita procede de nuestras conversaciones con ella en Granada, grabadas en magnetófono durante el verano de 1966 y en presencia de su hija.

104. Conversación nuestra con doña Angelina Cordobilla González, Granada, verano de 1966.

105. «Ya hay teléfono entre las provincias andaluzas unidas al Movimiento», *Ideal*, Granada, 17 de agosto de 1936. La plana se reproduce en Vila-San-Juan, p. 127.

106. Caballero, *Las trece últimas horas en la vida de García Lorca*, pp. 81-83.

107. Gibson (2005), pp. 274-274.

108. Esta información me fue facilitada amablemente desde Granada por doña María Luisa Mesa Martín, sobrina del comandante, el 16 de enero de 1996 y ratificada, igualmente por teléfono, el 11 de octubre de 2006.

109. Gibson (2005), p. 278.

110. Conversaciones nuestras con don Antonio Galindo Monge, hijo de Dióscoro Galindo González, Madrid, 1977-1978; Gibson (2005), pp. 288-292.

111. Conversación nuestra con don Ricardo Rodríguez Jiménez, grabada en magnetofón, Granada, 28 de julio de 1980.

112. Testimonio de don Antonio Jiménez Blanco en conversación con nosotros, Granada, 3 de mayo de 1985. Hemos recibido otros testimonios en el mismo sentido.

113. Se reproduce una fotografía de la placa en Federico Molina Fajardo, *García Lorca y Víznar*, p. 301, seguida de otras de detalles decorativos del interior del palacio y de sus jardines.

114. Para las personas que participaron en el fusilamiento de Lorca y sus compañeros de infortunio, véase Caballero, *Las trece últimas horas de la vida de García Lorca*, pp. 175-207.

115. Esta descripción del funcionamiento de La Colonia procede primordialmente de las muchas conversaciones que sostuvimos en Granada (1965-1966) con un superviviente de aquellos días, el masón Antonio Mendoza Lafuente, albañil forzado a trabajar de enterrador en Víznar.

116. Penón (1990), pp. 53-57, *passim*. Penón se entrevistó repetidas veces con Jover Tripaldi en Granada en 1955. Sorprendentemente no siguió la pista del «maestro cojo», a quien nosotros logramos identificar diez años después (y también localizar a su familia). El señor Jover confirmó lo esencial de su relato en la conversación que mantuvimos con él en Granada el 13 de abril de 1984. Miguel Caballero afirma que Jover no pudo estar en Víznar aquella noche y deshace absolutamente su testimonio, pero su documentación no nos convence (*Las trece últimas horas de la vida de García Lorca*, p. 173).

117. Gibson (2005), pp. 287-288.

118. Brenan (1950), p. 145.

119. Véase Sánchez Marcos, *passim*.

120. Comunicación del Real Observatorio de Greenwich, 29 de octubre de 1986.

121. Conversaciones nuestras con don Manuel Castilla Blanco en Alfacar y Granada, 1966; Penón (2000), p. 586; declaraciones del hijo de Jesús Yoldi en el documental *La maleta de Penón* (véase «Fuentes consultadas», sección 5), donde cuenta que lo vivido por su padre en Víznar, y no es sorprendente, casi lo enloqueció («se le fue yendo la cabeza»). Según el mismo, Yoldi fue fusilado el 23 de octubre de 1936, en el cementerio de Granada, con otros cuarenta y tres «rojos».

122. Se reproduce el testimonio de Antonio Henares Rojo en el documental *La maleta de Penón* (véase «Fuentes consultadas», Sección 5). Molina Fajardo (1983) le incluye entre los masones que llegaron a Víznar el 24 de julio de 1936 (p. 59).

123. *EC*, p. 288.

124. Detalles que nos proporcionó amablemente, el 7 de noviembre de 1984, la hija de Navarro Pardo, señora de Benito Jaramillo. Según ella su padre dejó escrita una descripción, todavía hoy inédita, de la muerte del poeta. Sería de enorme interés conocerla.

125. Estoy muy en deuda con mi amigo el arabista escocés el doctor James Dickie por sus valiosas investigaciones sobre Ainadamar. La traducción de este poema es suya. Sus versiones de otros textos árabes referentes a Ainadamar pueden encontrarse en Gibson (2005), Apéndice X, pp. 469-472.

126. Gibson (2005), pp. 300-301.

127. Entrevista nuestra con don Ángel Saldaña, Madrid, 27 de mayo de 1966.

128. El testimonio de Gabriel Morcillo fue recogido por el médico y escritor granadino Manuel Orozco, que nos lo transmitió amablemente en 1967.

129. Titos Martínez, p. 117.

130. *Ibid.*, p. 122.

131. Conversación nuestra con don Rafael Rodriguez Contreras, Granada, 1971.

132. Sorel, p. 222.

133. Entrevista nuestra con don Miguel Cerón Rubio, Granada, 1967.

134. Conversaciones nuestras con el doctor José Rodríguez Contreras, Granada, 1966.

135. Vega Díez, «Muerto cayó Federico».

136. Descripción que nos facilitó doña Angelina Cordobilla González, testigo ocular de los hechos, Granada, 1966, confirmada por la prima de Lorca, doña Isabel Roldán García (Chinchón, 22 de septiembre de 1978). Don Manuel Martín Forero nos contó que Federico García Rodríguez le mostró la nota de su hijo en Granada (Madrid, 26 de septiembre de 1978).

137. Gibson (2005), Apéndice II, pp. 430-434.

138. Testimonio de doña Ángela Barrios, hija del guitarrista, que acompañó a su padre en aquella lúgubre ocasión (conversación nuestra con ella, Madrid, 17 de septiembre de 1983).

139. Gibson (2005), pp. 342-343.

140. Vaquero Cid, «El franquismo contra García Lorca», segunda entrega.

141. Conversaciones nuestras con don Miguel Cerón Rubio, Granada, 1965-1966.

142. Agustín Penón logró fotocopiar la declaración de los dos «testigos»: Emilio Soler Fernández y Alejandro Flores Garzón. Se reproduce en su libro póstumo *Miedo, olvido y fantasía*, p. 416. En relación con la redacción de dicha declaración tuvimos la suerte de poder conversar con don Juan de Dios Moya, que colaboró en ella, Granada, 22 de septiembre de 1997. Penón también se hizo con el auto o

matriz de la inscripción de la muerte del poeta en el Registro Civil. Se reproduce en Penón (1990), ilustraciones 28 y [29].

Epílogo

1. León, p. 214.

2. Rivas Cherif, «Poesía y drama del gran Federico», 27 de enero de 1957, col. 3.

3. Detalles del pormenorizado relato que amablemente nos transmitió el señor García Toraño, que luchaba al lado de Rapún cuando ocurrió el fatal episodio.

4. Fotocopia del certificado de defunción de Rodríguz Rapún generosamente facilitada por su hermano Tomás.

FUENTES CONSULTADAS

1. Principales ediciones de las obras de Federico García Lorca consultadas o aludidas, en orden alfabético de títulos

Alocución al pueblo de Fuente Vaqueros, transcripción de Manuel Fernández-Montesinos y Andrés Soria Olmedo, Fuente Vaqueros, Museo-Casa Natal Federico García Lorca, 1996.

Amor de Don Perlimplín con Belisa en su jardín. Edición de Margarita Ucelay, Madrid, Cátedra («Letras Hispánicas»), 1990.

Antología comentada, edición de Eutimio Martín, Madrid, Ediciones de la Torre, 2 tomos, 1988.

Así que pasen cinco años. Leyenda del Tiempo, edición de Margarita Ucelay, Madrid, Cátedra («Letras Hispánicas»), 1995.

Autógrafos. I. Facsímiles de ochenta y siete poemas y tres prosas. Prólogo, transcripción y notas de Rafael Martínez Nadal, Oxford, The Dolphin Book Co. Ltd, 1975.

Autógrafos. II. «El público». Facsímil del manuscrito. Prólogo, versión depurada y transcripción por Rafael Martínez Nadal, Oxford, The Dolphin Book Co. Ltd, 1976.

Autógrafos. III. Facsímil de «Así que pasen cinco años», Transcripción, notas y estudio por Rafael Martínez Nadal, Oxford, The Dolphin Book Co. Ltd, 1979.

Dibujos, catálogo, proyecto y catalogación de Mario Hernández, Madrid, Ministerio de la Cultura, Fundación para el Apoyo a la Cultura, etc., 1986.

Granada, paraíso cerrado y otras páginas granadinas, edición, introducción y notas de Enrique Martínez López, Granada, Miguel Sánchez, 1971.

Libro de los dibujos de Federico García Lorca, edición de Mario Hernández, Madrid, Tabapress / Fundación Federico García Lorca, 1990.

Libro de poemas (1921), edición crítica de Ian Gibson, Barcelona, Editorial Ariel, 1982.

Manuscritos neoyorquinos. Poeta en Nueva York y otras hojas y poemas, edición, transcripción y notas de Mario Hernández, Madrid, Tabapress / Fundación Federico García Lorca, 1990.

Mi pueblo, preliminar de Francisco García Lorca, Fuente Vaqueros, Museo-Casa Natal Federico García Lorca. Esta hermosa edición incluye en apéndice copias facsimilares de las partidas de nacimiento de Federico, Luis, Francisco y Concepción (Concha) García Lorca.

Obras completas, edición de Miguel García-Posada, Barcelona, Galaxia Gutenberg / Círculo de Lectores, 4 tomos, 1996. Sigla en las notes: *OC,* I, II, etc.

Oda y burla de Sesostris y Sardanápolo, edición de Miguel García-Posada, Ferrol, Esquio, 1985.

Poema de la Feria, edición facsímil, Igualada, Edicions Delstre's, 1998.

Poesía inédita de juventud, edición de Christian de Paepe, Madrid, Cátedra («Letras Hispánicas»), 1994.

Poeta en Nueva York. Tierra y luna, edición crítica de Eutimio Martín, Barcelona, Ariel, 1981.

Poeta en Nueva York, edición de María Clementa Millán, Madrid, Cátedra («Letras Hispánicas»), 1986.

Prosa inédita de juventud, edición de Christopher Maurer, Madrid, Cátedra («Letras Hispánicas»), 1994.

El público, edición de María Clementa Millán, Madrid, Cátedra («Letras Hispánicas»), 1987.

El público y Comedia sin título. Dos obras teatrales póstumas, introducción, transcripción y versión depurada de R. Martínez Nadal y Marie Laffranque, Barcelona, Seix Barral, 1978.

Songs, translated by Philip Cummings, with the assistance of Federico García Lorca, edited by Daniel Eisenberg, Pittsburgh, Duquesne University Press, 1976.

Suites, edición de André Belamich, Barcelona, Ariel, 1983.

Teatro inconcluso. Fragmentos y proyectos inacabados. Estudio y notas de Marie Laffranque, Universidad de Granada, 1987.

Teatro inédito de juventud, edición de Andrés Soria Olmedo, Madrid, Cátedra («Letras Hispánicas»), 1994.

Trip to the Moon. A Filmscript, translated by Bernice C. Duncan, introductory note by Richard Diers, *New Directions,* Norfolk, Conneticut, vol. 18 (1964), pp. 33-41.

Viaje a la luna (guión cinematográfico), edición e introducción de Marie Laffranque, Loubressac, Braad Editions, 1980.

2. Epistolario, en orden cronológico

Cartas a sus amigos, prólogo de Sebastián Gasch, Barcelona, Ediciones Cobalto, 1950.

Cartas, postales, poemas y dibujos, edición, introducción y notas por Antonio Gallego Morell, Madrid, Moneda y Crédito, 1968.

Federico García Lorca escribe a su familia desde Nueva York y La Habana [1929-30], edición de Christopher Maurer, *Poesía. Revista ilustrada de información poética*, Madrid, núms. 23-24, 1986. Sigla en las notas: *FGLNY*.

Salvador Dalí escribe a Federico García Lorca [1925-1936], edición de Rafael Santos Torroella, *Poesía. Revista ilustrada de información poética*, Madrid, núm. 27-28, abril de 1987. Sigla en las notas: *SDFGL*.

Epistolario completo, al cuidado de Andrew A. Anderson y Christopher Maurer, Madrid, Cátedra («Crítica y Estudios Literarios»), 1997. Sigla en las notas: *EC*.

Cartas de Vicenta Lorca a su hijo, edición de Víctor Fernández, prólogo de Lluís Pasqual, Barcelona, RBA, 2008.

Cartas a Eduardo Rodríguez Valdivieso, edición de Juan de Loxa, Fuente Vaqueros, Museo-Casa Natal Federico García Lorca, 2013.

Querido Salvador, querido Lorquito. Epistolario completo 1925-1936, edición de Víctor Fernández y Rafael Santos Torroella, Barcelona, Elba, 2013.

3. Catálogos, en orden cronológico

Salvador Dalí. Rétrospective. 1920-1980. París, Centro Georges Pompidou, Museo Nacional de Arte Moderno, 1979.

La Vie publique de Salvador Dalí, catálogo, París, Centro Georges Pompidou, 1980.

—, *Salvador Dalí. Rétrospective 1920-1980*, catálogo, París, Centro Georges Pompidou, 2.ª ed., 1980.

Alberto Jiménez Fraud (1883-1964) y la Residencia de Estudiantes (1910-1936), Madrid, Ministerio de Cultura/Fundación Banco Exterior, 1983.

Salvador Dalí: The Early Years, Londres, South Bank Centre, 1994; *Dalí joven [1918-1930]*, Madrid, Museo Nacional Centro de Arte Reina Sofía, 1994; *Dalí: els anys joves [1918-1930]*, Barcelona, Palau Robert, 1995.

La Sociedad de Artistas Ibéricos y el arte español de 1925, Madrid, Museo Nacional Centro de Arte Reina Sofía, 1995.

¿Buñuel! La mirada del siglo, al cuidado de Yasha David, Madrid, Museo Nacional Centro de Arte Reina Sofía, 1996.

El ultraísmo y las artes plásticas. Comisarios: Juan Manuel Bonet y Carlos Pérez, Valencia, IVAM Centre Julio Gónzalez / Generalitat Valenciana, 1996.

Federico García Lorca y Granada, Granada, Centro Cultural Gran Capitán, 23 de octubre al 29 de noviembre de 1998.

Francisco García Lorca, 1902-1976, edición de Juan Pérez de Ayala, Madrid-Granada, 2003.

Dalí. The Centenary Retrospective, edición de Dawn Ades, Londres, Thames and Hudson, 2004.

Gallo, interior de una revista, 1928, Madrid-Granada, Sociedad Estatal de Conmemoraciones Culturales/Patronato de la Alhambra y del Generalife, 2008.

Un perro andaluz: 80 años después, Madrid, Sociedad Estatal de Conmemoraciones Culturales (SECC), tres tomos, 2009.

«Un perro andaluz», ochenta años después. Luis Buñuel y Salvador Dalí, Madrid, Sociedad Estatal de Conmemoraciones Culturales/La Fábrica Edtorial («Biblioteca BlowUp Libros Únicos»), 2009.

La Generación del 27. ¿Aquel momento es ya una leyenda?, edición de Andrés Soria Olmedo, Madrid-Sevilla, Sociedad Estatal de Conmemoraciones Culturales/Junta de Andalucía/Residencia de Estudiantes, 2010.

Dalí, Lorca y la Residencia de Estudiantes, Madrid, Sociedad Estatal de Conmemoraciones Culturales (SECC), dos tomos, 2010.

Ángel Barrios. Creatividad en la Alhambra, Granada, Patronato de la Alhambra y Generalife, 2014.

Richard Ford. Viajes por España (1830-1833), edición a cargo de Francisco Javier Rodríguez Barberán, Madrid, Real Academia de Bellas Artes de San Fernando/Fundación Mapfre, 2014.

4. Artículos, libros y otras referencias

AA.VV, *Hommage à Federico García Lorca*, Université de Toulouse-Le Mirail, 1982.

—, *La imagen romántica del legado andalusí*, Almúñécar, El legado andalusí (Granada), Ministerio de Cultura, etc., 1995.

—, *Libro de Granada*. Facsímil de la primera edición, Granada, Imp. Lit. Vda. e Hijos de P.V. Sabatel, 1899. Textos de Ángel Ganivet, Gabriel Ruiz de Almodóvar, Matías Méndez Vellido y Nicolás María López, Granada, Comares, 1997

—, *Ola Pepín! Dalí, Lorca y Buñuel en la Residencia de Estudiantes*, Madrid, Residencia de Estudiantes, 2007.

Abril, Manuel [sin título, sobre el teatro de Martínez Sierra], en Martínez Sierra (1925, véase abajo), sin paginación.

Adams, Mildred, *García Lorca: Playwright and Poet*, New York, George Braziller, 1977.

Agraz, Antonio, «El Teatro Universitario. La primera salida y lo que hará, según García Lorca, en su próxima campaña. La experiencia de la excursión: Cervantes y Calderón no están anticuados y sus obras son jubilosamente recibidas por todo el público sano», *Heraldo de Madrid*, 25 de julio de 1932, p. 5.

Agustí, Ignacio, *Ganas de hablar*, Barcelona, Planeta, 1974.

Alberti, Rafael, *Sobre los ángeles*, Madrid, Compañía Ibero-Americana de Publicaciones, 1929.

—, «Encuentro en la Nueva España con Bernal Díaz del Castillo», *El Sol*, Madrid, 15 de marzo de 1936, p. 5, 1945.

—, *Imagen primera de...*, Barcelona, Losada, 1945.

—, *La arboleda perdida. Libros I y II de memorias*, Buenos Aires, Fabril Editora, 1959; *La arboleda perdida*, Barcelona, Galaxia Gutenberg/Círculo de Lectores, 2 tomos, 2003.

—, *Teatro*, Buenos Aires, Losada, 3.ª ed., 1959.

—, «De las hojas que faltan», *El País*, Madrid, 29 September 1885, p. 13.

Aleixandre, Vicente, «Federico», *El mono azul*, Madrid, núm. 19 (10 de junio de 1937), p. 1; *Hora de España*, Valencia, VII (agosto de 1937), pp. 43-45; García Lorca, *Obras completas*, Madrid, Aguilar, 1986, II, pp. IX-XI.

—, *Los encuentros*, Madrid, Guadarrama, 1958.

—, «Héroe», introducción a la edición facsímil de la revista *Héroe*, Vaduz, Liechtenstein, Topos Verlag, 1977, pp. VII-XII.

—, *Epistolario*, selección, prólogo y notas de José Luis Cano, Madrid, Alianza, 1986.

Almanaque Bailly-Baillière, o sea Pequeña enciclopedia popular de la vida práctica, Madrid, Bailly-Baillière, 1936.

Alonso, Dámaso, «Federico García Lorca y la expresión de lo español» [1937], en *Poetas españoles contemporáneos*, Madrid, Gredos, 3.ª ed., 1978, pp. 257-265.

—, «Una generación poética (1920-1926)» [1948], *ibid.*, pp. 155-157.

—, *La poesía de san Juan de la Cruz (desde esta ladera)*, Madrid, Aguilar, 4.ª ed., 1966.

—, «Federico en mi recuerdo», en García Lorca, *Llanto por Ignacio Sánchez Mejías*, edición facsímil del manuscrito original, Institución Cultural de Cantabria/Diputación Regional de Cantabria, 1982, pp. 7-13.

Altolaguirre, Manuel, «Nuestro teatro», *Hora de España*, Valencia, núm. IX (septiembre de 1937), pp. 27-37.

—, *Obras completas*, ed. crítica de James Warrender, Madrid, Ediciones Istmo, 1986.

Álvarez Cienfuegos, Alberto, «El *Romancero gitano* de Federico García Lorca», *El Defensor de Granada*, 8, 11, 15 de septiembre de 1928.

Álvarez de Miranda, Ángel, *La metáfora y el mito*, Madrid, Taurus («Cuadernos Taurus»), 1936.

Anderson, Andrew, «García Lorca en Montevideo: un testimonio desconocido y más evidencia sobre la evolución de "Poeta en Nueva York"», *Bulletin Hispanique*, Bordeaux, LXXXIII (1981), pp. 145-161.

—, «García Lorca at Vassar College. Two Unpublished Letters», *García Lorca Review*, New York, XI (1983), pp. 100-109.

—, «On Broadway, Off Broadway: García Lorca and the New York Theatre, 1929-1930», *Gestos*, Irvine, University of California, núm. 16 (noviembre 1983), pp. 135-148.

—, «Una amistad inglesa de García Lorca», *Insula*, Madrid, núm. 462 (1985), pp. 3-4.

—, «García Lorca en Montevideo: una cronología provisional», *Bulletin Hispanique*, Bordeaux, LXXXVII (1985), pp. 167-179.

—, «*El público, Así que pasen cinco años* y *El sueño de la vida*: tres dramas expresionistas de García Lorca», en *El teatro en España entre la tradición y la vanguardia(1918-1939)*, coordinación y edición de Dru Dougherty y María Francisca Vilches de Frutos, Madrid, Consejo Superior de Investigaciones Científicas, Fundación Federico García Lorca y Tabacalera, 1992, pp. 215-226.

[Anónimo], «"La Barraca" en Burgo de Osma. El teatro universitario que creara don Fernando de los Ríos», *Luz*, Madrid, 12 de julio de 1932.

[Anónimo], «El ensayo de "La Barraca" estudiantil. En busca del teatro español», *Luz*, Madrid, 25 de julio de 1932, p. 9.

[Anónimo], *Extracto de la memoria del Teatro Universitario «La Barraca»*, folleto editado por la Unión Federal de Estudiantes Hispanos en 1933, reproducción facsmilar en Sáenz de la Calzada (1976, véase abajo), entre las páginas 42 y 43.

[Anónimo], *El poeta en La Habana. Federico García Lorca,* 1898-1936, véase [Quevedo, Antonio] abajo. Apperley, G. O. W., *G. O. W. Apperley (1884-1960), Óleos y acuarelas*, Madrid, Galería Heller, 1984.

Aragon, Louis, «Fragments d'une conférence», *La Révolution surréaliste*, Paris, núm. 4 (15 de julio de 1929), pp. 23-25.

Aranda, J. F., *Luis Buñuel. Biografía crítica*, Barcelona, Lumen, 2.ª ed., 1975.

Arciniegas, Germán, «Federico García Lorca», *Diario de la Marina*, La Habana, 1 de abril de 1979, p. 16.

Arconada, César M., «En la Residencia de Estudiantes. Mujeres, árboles y poetas», *La Gaceta Literaria*, Madrid, 15 de agosto de 1928, p. 2.

Arrarás, Joaquín, *Historia de la Segunda República Española*, 4 vols., Madrid, Editora Nacional, 5.ª ed., 1968-1970.

Asín Palacios, Miguel, *Contribución a la toponimia árabe de España*, Madrid-Granada, Consejo Superior de Investigaciones Científicas, etc., 2.ª ed., 1944.

Aub, Max, *La gallina ciega. Diario español* [agosto-noviembre de 1969], México, Joaquín Mortiz, 1971.

—, *Conversaciones con Buñuel, seguidas de 45 entrevistas con familiares, amigos y colaboradores del cineasta aragonés*, Madrid, Aguilar, 1985.

—, *Luis Buñuel, novela*, edición de Carmen Peire, Granada, Comares, 2013.

Auclair, Marcelle, *Enfances et mort de Garcia Lorca*, Paris, Seuil, 1968.

[Autores varios], *Homenaje a Alberto Jiménez Fraud en el centenario de su nacimiento (1883-1983)*, Madrid, Ministerio de Cultura y Fundación del Banco Exterior de España, 1983.

Azcoaga, Enrique, «"La Barraca" de Federico García Lorca», *Tiempo de historia*, Madrid, I, núm. 4 (abril de 1975), pp. 56-69.

Baedeker, Karl, *Spain and Portugal. Handbook for Travellers*, Leipzig, Karl Baedeker, 1898, 3.ª ed., 1908.

Baeza, Ricardo, «Marginalia. De una generación y su poeta», *El Sol*, Madrid, 21 de agosto de 1927, p. 1.

—, «Marginalia. Los *Romances gitanos* de Federico García Lorca», *El Sol*, Madrid, 29 de julio de 1928, p. 2.

—, «Marginalia. Poesía y gitanismo», *El Sol*, Madrid, 3 de agosto de 1928, p. 1.

Bal y Gay, Jesús, «Tambor y pregón de «La Barraca»», *El Pueblo Gallego*, Vigo, 26 de agosto de 1932, p. 12.

—, «La música en la Residencia», *Residencia*, Mexico, número conmemorativo, diciembre de 1963, pp. 77-80.

Barga, Corpus, «Una teoría antigua del amor», *Revista de Occidente*, Madrid, núm. 15 (septiembre de 1924), pp. 380-385.

Barrero, Amparo, «Otros testimonios acerca de la visita de Lorca a Santiago de Cuba», *El caserón*, Santiago de Cuba, núm. 3 (junio de 1989), pp. 40-45.

Belamich, André, introducción («Envergure de Lorca») y notas a Lorca, *Oeuvres complètes*, París, Gallimard («Bibliothèque de la Pléiade»), 1981.

—, *Lorca*, París, Gallimard, 1983.

Benito Argüelles, Juan, «Itinerario asturiano de "La Barraca"», *Los Cuadernos de Asturias*, Oviedo, III, núm. 15 (1982), pp. 88-91.

Bentley, Eric, «El poeta en Dublín (García Lorca)», *Asomante*, Puerto Rico, 1953, pp. 44-58.

Bergamín, José, «Federico García Lorca (la muerte vencida)», prólogo a García Lorca, *Poeta en Nueva York*, México, Séneca, 1940, pp. 15-27.

—, «Muerte perezosa y larga», in *La música callada del toreo*, Madrid, Ediciones Turner, 1981, pp. 71-81.

Beurdeley, Cécile, *L'Amour Bleu*, traducido por Michael Taylor, Nueva York, Rizzoli, 1978.

Bianchi Ross, «Federico en Cuba», *Cuba Internacional*, La Habana, núm. 9 (1980), pp. 23-31.

—, «Federico García Lorca. Su último día en La Habana», *Cuba Internacional*, La Habana, núm. 200 (julio 1986), pp. 58-61.

Binding, Paul, *Lorca. The Gay Imagination*, London, GMP Publishers, 1985; *García Lorca o la imaginación gay*, Barcelona, Laertes, 1987.

Blanco-Amor, Eduardo, «Guía para un estudio integral del renacimiento gallego», conferencia dictada en Montevideo el 17 de marzo de 1928 y publicada en un folleto por el Centro Gallego de la ciudad.

—, *Romances galegos*, Buenos Aires, Editorial Céltiga, 1928.

—, «Cateo y denuncia de un posible arte gallego», conferencia dictada el 30 de noviembre de 1929 en el Centro Gallego de Montevideo, publicada por éste en 1930.

—, «Apostillas a una barbaridad», *El Defensor de Granada*, 7 de julio de 1935, p. 1.

—, «Nueva obra teatral de García Lorca», *La Nación*, Buenos Aires, 24 de noviembre de 1935, p. 3.

—, prólogo a García Lorca, *Seis poemas galegos*, Santiago de Compostela, Editorial «Nós», 1935.

—, «Evocación de Federico», *La Nación,* Buenos Aires, 21 de octubre de 1956.

—, «Los poemas gallegos de Federico García Lorca», *Insula*, Madrid, núms. 151-153 (1959), p. 9.

[—], Carlos Casares, «Leria con Eduardo Blanco-Amor», *Grial*, Vigo, núm. 4 (1973), pp. 337-344.

[—], Moisés Pérez Coterillo, «En Galicia con· E. Blanco-Amor y al fondo… Lorca», *Reseña*, Madrid, núm. 73 (1974), pp. 14-18.

—, «Apuntes sobre el teatro de Federico García Lorca», redactados para el programa de la puesta en escena de *Así que pasen cinco años* por el TEC (Teatro Estable Castellano), Madrid, otoño de 1978.

—, «Federico, otra vez; la misma vez», *El País*, Madrid, «Arte y Pensamiento», Año II, núm. 51 (1 octubre 1978), pp. I, VI-VII.

—, *Romances galegos*, Galaxia, «Colección Dombate», Vigo, 1980 (comprende *Romances galegos, Poema en catro temps, Cancioneiro*).

—, X. G. [Xoel Gómez], «La última entrevista con Eduardo Blanco Amor», *Galicia-80,* Ourense, núm. A (1980), pp. 13-16.

Bonet, Juan Manuel, *Diccionario de las vanguardias en España, 1907-1936,* Madrid, Alianza Editorial, 1995.

Borrás, Tomás [sin título, sobre el teatro de Martínez Sierra], véase Martínez Sierra, Gregorio (1925, abajo), pp. 9-14.

Borrow, George, *Los Zincali (Los gitanos de España),* traducción de Manuel Azaña, Madrid, Ediciones Turner, 1979.

Bosquet, Alain, *Entretiens auec Salvador Dalí,* París, Pierre Belfond, 1966; *Dalí desnudado,* Buenos Aires, Paidos, 1967.

Bravo, Francisco, *José Antonio. El hombre, el jefe, el camarada,* Madrid, Ediciones de la Vicesecretaría de Educación Popular, Madrid, 1941.

Brenan, Gerald, *The Face of Spain,* London, The Turnstile Press, 1950.

—, *South from Granada,* Londres, Readers Union/Hamish Hamilton, 1958.

—, *Al sur de Granada,* Madrid, Siglo XXI, 8.ª ed., 1983.

—, *El laberinto español,* Barcelona, Plaza & Janés, 2.ª ed., 1985.

Brickell, Herschel, «Six Poems of García Lorca done into English Bring Home Anew his Murder by Fascists» (reseña de García Lorca, *Lament for the Death of a Bullfighter and Other Poems,* traducido por A. L. Lloyd, Oxford, 1937), *New York Evening Post,* 22 de septiembre de 1937, p. 19.

—, «A Spanish Poet in New York», *The Virginia Quarterly Review,* XXI (1945), pp. 386-398.

Buñuel, Luis, *Mon dernier soupir,* Paris, Robert Laffont, 1982; *Mi último suspiro,* Barcelona, Plaza y Janés, 1982; Barcelona, DeBolsillo, 2012 [por fin, después de treinta años, con índice onomástico].

—, *Obra literaria,* introducción y notas de Agustín Sánchez Vidal, Zaragoza, Ediciones de Heraldo de Aragón, 1982.

Burgin, Richard, *Conversaciones con Jorge Luis Borges,* Madrid, Taurus, 1974.

Byrd, Suzanne W., *García Lorca: «La Barraca» and the Spanish National Theater,* New York, Ediciones Abra, 1975.

—, *La «Fuente Ovejuna» de Federico García Lorca,* Madrid, Editorial Pliegos, 1984.

Caballero, José, *El taller de José Caballero. 1931-1977,* Madrid, Galería Multitud, 1977.

—, «Con Federico en los ensayos de "Yerma"», *ABC (Sábado Cultural),* Madrid, 29 de diciembre de 1984, p. I.

Caballero, Miguel y Pilar Góngora Ayala, *La verdad sobre el asesinato de García Lorca. Historia de una familia.* Prólogo de Ian Gibson. Madrid,

Ibersaf, 2007. Incluye un DVD del Documental de Emilio Ruiz Barrachina (véase abajo), *El mar deja de moverse*.

Caballero, Miguel, *Lorca en África. Crónica de un viaje al Protectorado Español de Marruecos, 1931*, Granada, Diputación de Granada/Patronato Cultural Federico García Lorca, 2010.

—, *Las trece últimas horas en la vida de García Lorca*, prólogo de Emilio Ruiz Barrachina, Madrid, La Esfera de los Libros, 2011.

Cabanellas, Guillermo, *La guerra de los mil días. Nacimiento, vida y muerte de la II República Española*, 2 vols., Buenos Aires, Editorial Heliasta, 1975.

Cabrera Infante, Guillermo, «Lorca hace llover en la Habana», *Cuadernos hispanoamericanos*, Madrid, núms. 433-434 (1986), pp. 241-248.

Cabrolié, Martine, *Enquête sur le milieu socio-économique de la famille de Federico García Lorca*, tesis universitaria inédita, Université de Toulouse-Le Mirail, 1975.

Caffarena, Ángel, «Federico García Lorca y las distintas ediciones del *Romancero gitano*», *La Estafeta Literaria*, Madrid, núm. 362 (28 de enero de 1967), pp. 8-9.

Cambours Ocampo, Arturo, *Teoría y técnica de la creación literaria. (Materiales para una estética del escritor)*, Buenos Aires, Editorial Pena Lillo, 1966.

Campoamor González, Antonio, «*La Barraca y su primera salida por los caminos de España*», *Cuadernos hispanoamericanos*, Madrid, núms. 435-436 (1986), pp. 778-790.

Campodónico, Luis, *Falla*, Paris, Seuil, 1959.

Cano, José Luis, «Últimos meses de García Lorca», *Asomante*, Puerto Rico, 1962, pp. 88-93.

—, *García Lorca Biografía ilustrada*, Barcelona, Ediciones Destino, 1962.

—, *Los cuadernos de Velintonia*, Barcelona, Seix Barral, 1986.

Cañas, Dionisio, «Lorca/Cummings: una amistad más allá del bien y del mal», *Los Cuadernos del Norte*, Oviedo, núm. 52 (diciembre 1988-enero 1989), pp. 27-29.

Cardoza y Aragón, Luis, «Federico García Lorca», *El Nacional*, Mexico, 30 de septiembre de 1936.

—, entrevistado por F. Gaudry y J. M. Oliveras en «Artaud en México. El grito y la decepción. Entrevista con Luis Cardoza y Aragón», *Quimera*, Barcelona, núms. 54-55 (1986), pp. 59-61.

—, *El río. Novelas de caballería*, México, Fondo de Cultura Económica, 1986.

Carmona, Darío, «Anecdotario», introducción a la edición facsimilar de *Li-*

toral, Frankfurt, Detlev Avvermann, and Madrid, Ediciones Turner, 1975.

Caro Baroja, Julio, *Los moriscos del reino de Granada. Ensayo de historia social*, Madrid, Ediciones Istmo, 2.ª ed., 1976.

Casares, Carlos, «Leria con Eduardo Blanco-Amor», *Grial*, Vigo, núm. 41 (1973), pp. 337-344.

Cassou, Jean, «Lettres espagnoles», *Mercure de France*, París, CLXXXIX, núm. 673 (1 de julio de 1926), p. 235.

Castro, Américo, «Homenaje a una sombra ilustre», en [Varios], *Homenaje a Alberto Jiménez Fraud*, pp. 15-17.

Castro, Eduardo, «Leyenda y literatura de "la romería de Yerma"», *Diario de Granada*, 6 de octubre de 1982, p. 7.

Cernuda, Luis, «Notas eludidas. Federico García Lorca», *Heraldo de Madrid*, 26 de noviembre de 1931, p. 12; reproducido en Cernuda, *Prosa II* (véase abajo), pp. 40-43.

—, «Elegía a un poeta muerto», *Hora de España*, Valencia, VI (junio de 1937), pp. 33-36; para la versión completa, titulado «A un poeta muerto (F.G.L.)», véase abajo Cernuda, *Poesía completa*, pp. 254-258.

—, «Federico García Lorca (Recuerdo)», *Hora de España*, Barcelona, XVIII (julio de 1938), pp. 13-20. Fechado «Londres, abril 1938». Recogido en *Prosa completa* (véase abajo), pp. 1334-1341.

—, «Federico García Lorca (1898-1936)», recogido en *Prosa I* (véase abajo), pp. 206-214.

—, *Estudios sobre poesía española contemporánea*, Madrid, Ediciones Guadarrama, 1957.

—, *Epistolario inédito*, ed. de Fernando Ortiz, Sevilla, Compás, 1981.

—, *Poesía completa*, edición de Derek Harris y Luis Maristany, Madrid, Siruela, 5.ª ed., 2005.

—, *Prosa completa*, ed. de Derek Harris y Luis Maristany, Barcelona, Barral Editores, 1975.

—, *Prosa I, II*, edición de Derek Harris y Luis Maristany, Madrid, Siruela, 2.ª ed., 2002.

Chacón y Calvo, José María, «Lorca, poeta tradicional», *1930. Revista Avance*, La Habana, 15 de abril de 1930, pp. 101-102.

Chesterton, Gilbert, *Charles Dickens*, London, Methuen, 8.ª ed., 1913.

Chica Salas, Susana, «Synge y García Lorca: aproximación de dos mundos poéticos», *Revista Hispánica Moderna*, Nueva York, april de 1961, pp. 128-137.

Cierva, Ricardo de la, *Historia de la guerra civil española. Perspectivas y antecedentes*, Madrid, Librería Editorial San Martín, 1969.

Clara, Josep, «Salvador Dalí, empresonat per la dictadura de Primo de Rivera», *Revista de Girona*, núm. 162 (enero-febrero 1993), pp. 52-55.

Cobb, Christopher H., *La cultura y el pueblo. España 1930-1939*, Barcelona, Editorial Laia, 1980.

Cocteau, Jean, *Orphée. Théâtre et cinéma*, ed. de Jacques Brosse, París, Bordas, 1973.

Comincioli, Jacques, *Federico García Lorca. Textes inédits et documents critiques de Jacques Comincioli*, Lausanne, Rencontre, 1970.

Correa Ramón, Amelina, «Mater y magister: Reconstrucción de la trayectoria profesional de Vicente Lorca, con la aportación de unos documentos inéditos», *Analecta Malacitana. Revista de la Sección de Filología de la Facultad de Filosofía y Letras*, Málaga, xxxvi, 1-2 (2013), pp. 135-160.

Correas, Horacio, «Imagen de García Lorca en Rosario», *La Capital*, Rosario (¿?), 13 de agosto de 1961 (recorte sin identificar).

Cossart, Michael de, *The Food of Love. Princesse Edmond de Polignac (1865-1943) and her Salon*, London, Hamish Hamilton, 1978.

Cossío, José María de, «Sánchez Mejías», en *Los toros. Tratado técnico e histórico*, Madrid, Espasa-Calpe, 8.ª ed., 1980, vol. III, pp. 875-881.

—, «Breve semblanza de Ignacio Sánchez Mejías», en *Los toros. Tratado técnico e histórico*, Madrid, Espasa-Calpe, 2.ª ed., 1967, vol. IV, pp. 973-977.

Couffon, Claude, *A Grenade, sur les pas de García Lorca*, París, Seghers, 1962.

—, *García Lorca y Granada*, Buenos Aires, Losada, 1967.

Crespo, Ángel, *Estudios sobre Pessoa*, Barcelona, Bruguera, 1984.

Crichton, Ronald, *Falla*, London, BBC Music Guides, 1982.

Crispin, John, *Oxford y Cambridge en Madrid. La Residencia de Estudiantes, 1910-1936 y su entorno cultural*, Santander, La Isla de los Ratones, 1981.

Crow, John A., *Federico García Lorca*, Los Ángeles, University of California, 1845.

Cruz, Chas de, «Han pasado dos poetas. El español Federico García Lorca y el chileno Pablo Neruda, viajeros del mundo, regaron con su lirismo las calles de nuestra ciudad», *El Suplemento. Primer Magazine Argentino*, Buenos Aires, xv, núm. 562, 25 de abril de 1934; reproducido en *Cuadernos hispanoamericanos*, Madrid, núms. 433-434 (1986), pp. 33-36.

Cruz Ebro, María, *Memorias de una burgalesa, 1885-1931*, Burgos, Diputación Provincial, 1952.

Cuadrado Moure, Bernardo, «Federico García Lorca, en Compostela», *Hoja de lunes*, La Coruña, 15 de marzo de 1982.

Cummings, Philip, introducción, fechada el 31 de agosto de 1929, a García Lorca, *Songs*, traducido por Philip Cummings con la ayuda de Federico García Lorca, ed. de Daniel Eisenberg, Pittsburgh, Duquesne University Press, 1976, p. 23.

—, «August in Eden. An Hour of Youth», fechado 15 de septiembre de 1929, en García Lorca, *Songs* (véase arriba), pp. 125-166.

—, «A Glimpse of a Man», «The Mind of Genius», «The Poems», [¿1955?], en García Lorca, *Songs* (véase arriba), pp. 167-184.

—, «Corrected Chronology of my Relationship with Federico García Lorca», cinco folios mecanografiados, 1986.

«Curioso Parlanchín, El», véase abajo Roig de Leuchsenring, Emilio.

Custodio, Álvaro, «Recuerdo de "La Barraca". Santillana del Mar y "Así que pasen 40 años"», *Primer Acto*, Madrid, octubre de 1972, pp. 63-66.

Dalí, Ana María, *Salvador Dalí visto por su hermana*, Barcelona, Juventud, 1949.

—, *Noves imatges de Salvador Dalí*, prólogo de Jaume Maurici, Barcelona, Columna, 1988.

Dalí, Salvador, *En el cuartel numeru 3 de la Residencia d'Estudians. Cunciliambuls d'un grup d'avanguardia*, manuscrito de dos páginas, ¿1923?, Fundació Municipal Joan Abelló, Mollet del Vallès (Barcelona).

—, *Sant Sebastià*, en *L'amic de les arts*, Sitges, núm. 16 (31 de julio de 1927), pp. 52-54.

—, *Dues proses. La meva amiga i la platja. Nadal a Brussel.les (conte antic)*, ibid., núm. 20 (30 de noviembre de 1927), p. 104.

—, «Federico García Lorca: Exposiciò de dibuixos colorits (Galeries Dalmau)», *La Nova Revista*, Barcelona, iii, núm. 9 (septiembre de 1927), pp. 84-85.

—, «Realidad y sobrerrealidad», *La Gaceta Literaria*, Madrid, 15 de octubre de 1929, p. 7.

—, *The Secret Life of Salvador Dalí* [1942], London, Vision Press, 1968.

—, *Hidden Faces* [1944], London, Picador, 1975.

—, «Les Morts et moi», *La Parisienne*, París, mayo de 1954, pp. 52-53.

—, *Journal d'un génie*, París, Editions de la Table Ronde, 1964.

—, *Confesiones inconfesables*, con André Parinaud, Barcelona, Editorial Bruguera, 1975.

—, entrevista con Monica Zerbib, «Salvador Dalí: «Soy demasiado inteligente para dedicarme sólo a la pintura»», *El País*, Madrid, «Arte y pensamiento», II, núm. 42 (30 de julio de 1978), pp. I, VII.

—, entrevista con Lluís Permanyer, *Playboy*, Barcelona, núm. 3, enero 1979.

—, *Vida secreta de Salvador Dalí*, Figueres, Dasa Edicions S.A., 1981.

—, *400 obras de Salvador Dalí, 1914-1983*, catálogo de la exposición madrileña de 1983, 2 tomos, Madrid-Barcelona, Ministerio de Cultura/ Generalitat de Catalunya, 1983.

—, *Diario de un genio*, Barcelona, Tusquets Editores, 1983.

—, entrevista con Ian Gibson, «Con Dalí y Lorca en Figueres», *El País*, Madrid («Domingo»), mayo de 1987, pp. 10-11.

—, *Salvador Dalí escribe a Federico García Lorca [1925-1936]*, ed. de Rafael Santos Torroella, *Poesía. Revista ilustrada de información poética*, Madrid, Ministerio de Cultura, núms. 27-28, 1987.

—, *¿Por qué se ataca a La Gioconda?* Edición a cargo de María J. Vera, traducción de Edison Simons, Madrid, Ediciones Siruela, 1994.

—, *Un diari: 1919-1920. Les meves impressions i records íntims,* edición de Fèlix Fanés, Fundació Gala-Salvador Dalí/ Edicions 62, Barcelona, 1994.

—, *L'alliberament dels dits. Obra catalana completa*. Presentació i edició de Fèlix Fanés, Barcelona, Quaderns Crema, 1995.

—, *La Vie Secrète de Salvador Dalí. Suis-je un génie?* Édition critique établie par Frédérique Joseph-Lowery, Lausanne, DSA Éditions, N.V., 2006.

Darío, Rubén, *Los raros*, Barcelona, Maucci, 2.ª ed., corregida y aumentada, 1905.

—, *Obras completas*, 5 tomos, Madrid, Afrodisio Aguado, 1950-1953.

—, *Tierras solares*, en *Obras completas* (véase arriba), III, pp. 847-978.

—, *Poesías completas*, edición, introducción y notas de Alfonso Méndez Plancarte, Madrid, Aguilar, 1954.

Delgado, Santiago, «El encuentro (Federico y Miguel)», *Semanario Murciano y de Información General*, Murcia, 15 de diciembre de 1935, pp. 4-6.

Descharnes, Robert, *Dalí de Gala*, Lausanne, Denoël, 1962.

—, *Dalí. La obra y el hombre*, Barcelona, Tusquets, 1984.

Devoto, Daniel, «"Doña Rosita la soltera": estructura y fuentes», *Bulletin Hispanique*, Bordeaux, lxix (1967), pp. 407-435.

—, «García Lorca y Darío», *Asomante*, Puerto Rico, XXIII (1967), pp. 22-31.

Díaz-Plaja, Guillermo, «Romanticismo y actualidad del teatro lorquiano», *Heraldo de Madrid*, 13 de enero de 1931, p. 5.

—, «Notas para una geografía lorquiana», *Revista de Occidente*, Madrid, XXXIII (1931), pp. 353-357.

—, «García Lorca y su "Nueva York"», *Luz*, Madrid, 28 de diciembre de 1932, p. 3.

—, *Federico García Lorca. Su obra e influencia en la poesía española*, Madrid, Espasa-Calpe («Austral»), 3.ª ed., 1961.

Diego, Gerardo (ed.), *Poesía española contemporánea. Antología 1915-1931*, Madrid, Editorial Signo, 1932.

—, «El teatro musical de Federico García Lorca», *El Imparcial*, Madrid, 16 de abril de 1933, p. 8.

Diers, Richard, «Introductory note» a García Lorca, «Trip to the Moon. A Filmscript», *New Directions*, Norfolk, Connecticut, vol. 18 (1964), pp. 33-35.

Díez-Canedo, Enrique, «Espectáculo de "El Caracol": *La zapatera prodigiosa*, de F. García Lorca; *El príncipe, la princesa y el destino*, diálogo de la China medieval», *El Sol*, Madrid, 26 de diciembre de 1930, p. 4.

Díez de Revenga, Francisco Javier, *Revistas murcianas relacionadas con la Generación del 27*, Murcia, Academia Alfonso X el Sabio, 1979.

—, *El teatro de Miguel Hernández*, Universidad de Murcia, 1981.

Dobos, Erzsebet, *Documentación del viaje de Federico García Lorca por Cuba en el año 1930*, tesis doctoral, Budapest, 1978.

—, «Nuevos datos sobre el viaje de Federico García Lorca por Cuba en el año 1930», *Acta Litteraria Academiae Scientiarum Hungaricae*, Budapest, núm. 11 (1980), pp. 392-405.

Domingo Loren, Victoriano, *Los homosexuales ante la ley. Los juristas opinan*, Barcelona, Plaza y Janés, 1977.

Domínguez Berrueta, Martín, *La Universidad española*, Salamanca, 1910.

—, «La cabeza de San Bruno», *La Esfera*, Madrid, 25 de agosto de 1917.

Donato, Magda, «En Madrid hay un club infantil», *Ahora*, Madrid, 16 de enero de 1936, pp. [18-19], 23.

Dos Passos, John, *Manhattan Transfer*, traducción y prólogo de José Robles, Madrid, Editorial Cenit, 1929.

Durán Medina, Trinidad, *Federico García Lorca y Sevilla*, Excma. Diputación, Seville, 1974.

Eisenberg, Daniel, «A Chronology of Lorca's Visit to New York and Cuba», *Kentucky Romance Quarterly*, xxiv (1975), pp. 233-250.

—, introducción a García Lorca, *Songs*, traducido por Philip Cummings con la ayuda de García Lorca y al cuidado de Daniel Eisenberg, Pittsburgh, Duquesne University Press, 1975, pp. 3-20.

—, «Lorca en Nueva York», en Eisenberg, *Textos y documentos lorquianos*, véase abajo, pp. 17-36.

—, *Textos y documentos lorquianos*, Tallahassee, Florida, impreso particularmente, 1975.

—, «Cuatro pesquisas lorquianas», *Thesaurus. Boletín del Instituto Caro y Cuervo*, Bogotá, xxx (1975).

—, «Dos conferencias lorquianas (Nueva York y La Habana, 1930)», *Papeles de son armadans*, Madrid, Palma de Mallorca (noviembre-diciembre 1975), pp. 197-212.

—, *«Poeta en Nueva York»: historia y problemas de un texto de Lorca*, Barcelona-Caracas-México, Editorial Ariel, 1976.

—, «Un texto lorquiano descubierto en Nueva York. La presentación de Sánchez Mejías», *Bulletin Hispanique*, Bordeaux, lxxx (1978), pp. 134-137.

Epstein, Jean, *La Poésie d'aujourd'hui. Un nouvel état d'intelligence. Lettre de Blaise Cendrars,* París, Éditions de la Sirène, 1921.

Esperabé de Arteaga, Enrique, *Diccionario enciclopédico ilustrado y crítico de los salmantinos ilustres y beneméritos*, Madrid, Gráficas Ibarra, 1952.

Falla, Manuel de, *El «Cante Jondo» (canto primitivo andaluz). Sus orígenes. Sus valores musicales. Su influencia en el arte musical español*, Granada, Editorial Urania, 1922.

—, *Escritos sobre música y músicos. Debussy, Wagner, el cante jondo*, introducción y notas de Federico Sopeña, Madrid, Espasa-Calpe («Austral»), 3.ª ed., 1972.

Felipe, León, *Obras completas*, Buenos Aires, Losada, 1963.

Fernández, Darío, «Desde Argentina. El triunfo magnífico de Federico García Lorca», *El Defensor de Granada*, 9 de marzo de 1934, p. 1.

Fernández, Nicolás Antonio, *Federico García Lorca y el grupo de la revista* gallo. *La vanguardia literaria en la Granada de los años veinte,* Diputación de Granada, prólogo de Andrés Soria Olmedo, 2012.

Fernández, Víctor (ed.), *Cartas de Vicenta Lorca a su hijo Federico*, Barcelona, RBA, 2008.

Fernández Almagro, Melchor, «El mundo lírico de Federico García Lorca», *España*, Madrid, núm. 391 (13 de octubre de 1923), pp. 7-8.

—, «Primeros versos de García Lorca», *ABC*, Madrid, 15 de octubre de 1949, p. 3.

—, «El primer estreno de Federico García Lorca», *ABC*, Madrid, 12 de junio de 1952, p. 3.

—, *Viaje al siglo xx*, Madrid, Sociedad de Estudios y Publicaciones, 1962.

Fernández-Montesinos García, Manuel, *Descripción de la biblioteca de Federico García Lorca (catálogo y estudio),* tesina (inédita) para la licenciatura presentada por el autor en la Universidad Complutense, Madrid, 13 de septiembre de 1985.

Fernández-Montesinos García, Vicenta, *Notas deshilvanadas de una niña que perdió la guerra*, prólogo de Antonina Rodrigo, introducción de Marie Laffranque, Granada, Editorial Comares, 2007.

Fernández del Riego, Francisco, *Anxel Casal e o libro galego*, La Coruña, Ediciós do Castro, 1983.

Ferreres, Rafael, *Verlaine y los modernistas españoles*, Madrid, Editorial Gredos («Biblioteca Románica Hispánica»), 1975.

Ford, Richard, *A Hand-book for Travellers in Spain and Readers at Home*, 2 vols., London, John Murray, 1845.

—, *Granada. Escritos con dibujos inéditos del autor*, texto español e inglés, traducción y notas de Alfonso Gámir, Granada, Publicaciones del Patronato de la Alhambra, 1955.

—, *Manual para viajeros por Andalucía y lectores en casa. Reino de Granada*, traducción de Jesús Pardo, revisada por Bernardo Fernández, Madrid, Turner, 2.ª ed., 1981, pp. 92-164.

Fornés, Eduard, *Dalí y los libros*, Barcelona, Mediterrània, 1985.

Franco Grande, Xosé Luis (con José Landeira Yrago), «Cronología gallega de Federico García Lorca y datos sincrónicos», *Grial*, Vigo, núm. 45 (1974), pp. 1-29.

Franco Grande, Xosé Luis, «Nin misterio nin segredos. O galego de García Lorca-Guerra da Cal», *Faro de Vigo*, 8 de noviembre de 1985, p. 52.

Freud, Sigmund, *Psicopatología de la vida cotidiana (olvidos, equivocaciones, torpezas, supersticiones y errores)*, traducido del alemán por Luis López-Ballesteros y de Torres, Madrid, Biblioteca Nueva, 1922.

—, *Una teoría sexual y otros ensayos. Una teoría sexual. Cinco conferencias sobre psicoanálisis. Introducción al estudio de los sueños. Más allá del principio del placer*, traducido del alemán por Luis López-Ballesteros y de Torres, Madrid, Biblioteca Nueva, 1922.

—, *La interpretación de los sueños*, traducido del alemán por Luis López-Ballesteros y de Torres, Madrid, Biblioteca Nueva, 2 vols., 1923.

Gallego Burín, Antonio, *Guía de Granada*, Granada, 1946.

—, *Granada, guía artística e histórica de la ciudad* [1946], edición actualizada por Francisco Javier Gallego Roca, Granada, Comares, 1987.

—, prólogo [1955] a Ángel Ganivet, *Granada la bella*, Granada, Miguel Sánchez, Editor, 1993, pp. 7-39 (véase abajo).

Gallego Morell, Antonio, «Treinta partidas de bautismo de escritores granadinos», *Boletín de la Real Academia Española*, Madrid, enero-abril de 1954.

—, *Antonio Gallego Burín (1895-1961)*, Madrid, Moneda y Crédito, 1968.

gallo, edición facsímil de los dos números de la revista vanguardista publicada en Granada por Lorca y sus amigos en 1928. Reproduce además el único número de *Pavo* y otros varios documentos relacionados con ambas revistas, Granada, Comares, 1988.

Ganivet, Ángel, *Obras completas*, 2 vols., Madrid, Aguilar, 1961-1962.

—, *Los trabajos del infatigable creador Pío Cid*, en *Obras completas, ibid.*, I, pp. 7-575.

—, *Granada la bella* [1896], prólogo de Antonio Gallego Burín, Granada, Miguel Sánchez, 1993.

García Buñuel, Pedro Christian, *Recordando a Luis Buñuel*, Excma. Diputación Provincial de Zaragoza/Excmo. Ayuntamiento de Zaragoza, 1965.

García Escudero, José María, *El pensamiento de «El Debate»*, Madrid, Biblioteca de Autores Cristianos, 1983.

García Gómez, Emilio, *Silla del moro y nuevas escenas andaluzas*, Madrid, Revista de Occidente, 1948.

García Hidalgo, J., «Pintoresco relato de una vida extraordinaria. A los setenta y dos años, campeón del "cante jondo"» (entrevista con Diego Bermúdez Calas, el Tenazas), *Heraldo de Madrid*, 15 de octubre de 1928, pp. 8-9.

García Lasgoity, María del Carmen, «Yo estuve con García Lorca en la Barraca», entrevista con Valentín de Pedro, *¡Aquí Está!*, Buenos Aires, núm. 938 (14 de mayo de 1945), pp. 2-4; núm. 939 (17 de mayo de 1945), pp. 20-22, 25; núm. 940 (21 de mayo de 1945), pp. 2-4.

—, «Recuerdos de «La Barraca»», in Saénz de la Calzada, véase abajo, pp. 168-171.

García Lorca, Francisco, *Federico y su mundo*, edición y prólogo de Mario Hernández, Madrid, Alianza, 2.ª ed., 1981.

García Lorca, Isabel, *Recuerdos míos*, edición de Ana Gurruchaga, prólogo de Claudio Guillén, Barcelona, Tusquets, 2002.

García Maroto, Gabriel, *La nueva España 1930. Resumen de la vida artística española desde el año 1927 hasta hoy*, Madrid, Ediciones Biblos, 1930 [sic, por 1927].

García Matos, M., «Folclore en Falla», *Música. Revista trimestral de los conservatorios españoles y de la sección de Musicología del CSIC*, Madrid, núms. 3-4 (enero-febrero 1953), pp. 41-68 y núm. 6 (noviembre-diciembre 1953), pp. 33-52.

García Pintado, Ángel, «19 razones para amar lo imposible», *Cuadernos El Público*, Madrid, núm. 20 (1987), pp. 7-11.

García-Posada, Miguel, «Un documento lorquiano: El pasaporte que utilizó Federico García Lorca en su viaje a Estados Unidos y Cuba», *Ínsula*, Madrid, núms. 368-369 (1977), p. 25.

—, *Lorca: interpretación de «Poeta en Nueva York»*, Madrid, Akal, 1981.

—, «García Lorca en Uruguay», *Triunfo*, Madrid, 6.ª serie, números. 21-22 (julio-agosto 1982), pp. 82-88.

—, «Realidad y transfiguración artística en *La casa de Bernarda Alba*», en Ricardo Domenech (ed.), *«La casa de Bernarda Alba» y el teatro de García Lorca*, Madrid, Cátedra/Teatro Español, 1985, pp. 149-170.

—, «Exclusiones y acusaciones», *El País*, Madrid («Tribuna»), 9 de marzo de 2000.

García Rodríguez, Baldomero, *Siemprevivas. Pequeña colección de poesías religiosas y morales*, Granada, Imprenta La Lealtad, 1882.

García de Valdeavellano, Luis, «Un educador humanista: Alberto Jiménez Fraud y la Residencia de Estudiantes», introduccion a Alberto Jiménez Fraud, *La Residencia de Estudiantes. Visita a Maquiavelo*, Barcelona, Ediciones Ariel, 1972.

García Valdés, Alberto, *Historia y presente de la homosexualidad. Análisis crítico de un fenómenos conflictivo*, Madrid, Akal, 1981.

García Venero, Maximiano, *Madrid, julio 1936,* Madrid, Ediciones Tebas, 1973.

Garcilaso de la Vega, *Poesía castellana completa*, edición de Consuelo Burell, Madrid, Cátedra («Letras Hispanicas»), 1990.

Garrigues y Díaz-Cañabate, Antonio, *Diálogos conmigo mismo*, Barcelona, Planeta, 1978.

Garrigues y Díaz-Cañabate, Emilio, «Al teatro con Federico García Lorca», *Cuadernos hispanoamericanos*, Madrid, núm. 340 (1978), pp. 99-117.

Gasch, Sebastià, «Mi Federico García Lorca», prólogo a García Lorca, *Cartas a sus amigos*, ed. de Sebastià Gasch, Barcelona, Ediciones Cobalto, 1950, pp. 7-14.

Gautier, Théophile, *Voyage en Espagne*, París, Bibliothèque Charpentier, 1899.

Gebser, Jean, *Lorca. Poète-dessinateur*, París, GLM, 1949.

Gibson, Ian, «Lorca's *Balada triste*: Children's Songs and the Theme of Sexual Disharmony in *Libro de poemas*», *Bulletin of Hispanic Studies*, Liverpool, xlvi (1969), pp. 21-38.

—, *La represión nacionalista de Granada en 1936 y la muerte de Federico García Lorca*, París, Ruedo Ibérico, 1971.

—, crítica de Rafael Martínez Nadal, '*El público': amor, teatro y caballos en la obra de Federico García Lorca*, en *Bulletin of Hispanic Studies*, Liverpool, XLIX (1972), pp. 311-314.

—, *En busca de José Antonio*, Barcelona, Editorial Planeta, 1980.

—, *Un irlandés en España*, Barcelona, Editorial Planeta, 1981.

—, *El asesinato de García Lorca*, Barcelona, Plaza y Janés, 1985.

—, «En torno al primer estreno de Lorca *(El maleficio de la mariposa)*», en Ricardo Domenech (ed.), *«La casa de Bernarda Alba» y el teatro de García Lorca*, Madrid, Cátedra/Teatro Español, 1985, pp. 57-75.

—, *Federico García Lorca. I. De Fuente Vaqueros a Nueva York (1898-1929)*, Barcelona, Editorial Grijalbo, 1985; nueva edición corregida, Barcelona, Crítica, Grijalbo Mondadori, 1998.

—, *Granada en 1936 y el asesinato de Federico García Lorca*, Barcelona, Editorial Crítica, 6.ª ed., 1986.

—, «Con Dalí y Lorca en Figueres», *El País*, Madrid, «Domingo», 26 de enero de 1986, p. 10.

—, *La noche en que mataron a Calvo Sotelo*, Barcelona, Plaza y Janés, 1986.

—, «Los últimos días de Federico García Lorca», *Historia-16*, Madrid, núm. 123 (julio de 1986), pp. 11-21.

—, *Queipo de Llano. Sevilla, verano de 1936 (con las charlas radiofónicas completas)*, Barcelona, Editorial Grijalbo, 1986.

—, *Federico García Lorca. II. De Nueva York a Fuente Grande (1929-1936)*, Barcelona, Editorial Grijalbo, 1987; nueva edición corregida, Barcelona, Crítica, Grijalbo Mondadori, 1998.

—, «El insatisfactorio estado de la cuestión», *Cuadernos El Público*, Madrid, núm. 20 (1987), pp. 13-17.

—, «Los amores oscuros de García Lorca», *Diario 16*, Madrid, «Culturas», núm. 356 (4 de julio de 1992), pp. VI-VIII.

—, *La vida desaforada de Salvador Dalí*, Barcelona, Anagrama, 1998.

—, *Lorca-Dalí. El amor que no pudo ser*, Barcelona, Plaza y Janés, 1999.

—, *El asesinato de Garcí a Lorca*, Madrid, Punto de Lectura, 2005.

—, *El hombre que detuvo a García Lorca. Ramón Ruiz Alonso y la muerte del poeta*, Madrid, Aguilar, 2007.

—, *«Caballo azul de mi locura». Lorca y el mundo gay*, Barcelona, Planeta («EspañaEscrita»), 2009.

—, *La fosa de Lorca. Crónica de un despropósito*, Alcalá la Real, Alcalá Grupo Editorial, 2010.

—, *Federico García Lorca*, Barcelona, Crítica, 2011.

—, *Luis Buñuel. La forja de un cineasta universal, 1900-1936*, Madrid, Aguilar, 2013; edición de bolsillo, misma editorial («Punto de Lectura»), 2015.

—, *Poeta en Granada. Paseos con Federico García Lorca* (Barcelona, Ediciones B, 2015).

Gide, André, *Corydon*, traducido por Julio Gómez de la Serna con un diálogo antisocrático del doctor Marañón, Madrid, Ediciones Oriente [1929], 3.ª ed., 1931.

—, *Journal. 1889-1939*, París, Gallimard («Bibliothèque de la Pléiade»), 1955.

Gil-Albert, Juan, *Memorabilia (1934-1939)*, en *Obras completas en prosa*, Institución Alfonso el Magnánimo, Diputación Provincial de Valencia, vol. 2, 1982.

Gómez de Liaño, Ignacio, *Dalí*, Barcelona, La Polígrafa, 1982.

Gómez Montero, Rafael, «Federico García Lorca fue cofrade nativo de Santa María de la Alhambra», *Ideal*, Granada, 17 de mayo de 1973; *ABC*, Madrid, 18 de mayo de 1973.

Gómez-Moreno, Manuel, «Monumentos arquitectónicos de la provincia de Granada», en *Misceláneas. Historia, arte, arqueología (dispersa, emendata, inédita)*, Madrid, Consejo Superior de Investigaciones Científicas, Instituto Diego Velázquez, 1949, pp. 347-390.

González Carbalho, José, *Vida, obra y muerte de Federico García Lorca (escrita para ser leída en un acto recordatorio)*, Santiago de Chile, Ediciones Ercilla, 2.ª ed., 1941.

González Guzmán, Pascual, «Federico en Almería. Nuevos datos para la biografía de García Lorca», *Papeles de son armadans*, Madrid-Palma de Mallorca, núm. civ (noviembre de 1964), pp. 203-220.

Granell, Eugenio, estudio preliminar de su edición de García Lorca, *Así que pasen cinco años* y *Amor de Don Perlimplín con Belisa en su jardín*, Madrid, Taurus, 2.ª ed., 1981, pp. 7-31.

Grigson, Geoffrey, *The Goddess of Love. The Birth, Triumph, Death and Return of Aphrodite,* Londres, Constable, 1976.

Guardia, Alfredo de la, «La primera obra dramática de Federico García Lorca», *La Nación*, Buenos Aires, 17 de noviembre de 1940, p. 4.

—, *García Lorca. Persona y creación*, Buenos Aires, Editorial Schapire, 4.ª ed., 1961.

Gubern, Román, «Las fuentes de *Un perro andaluz* en la obra de Dalí», en AA.VV. (2007, véase arriba), *Ola Pepín! Dalí, Lorca y Buñuel en la Residencia de Estudiantes*, pp. 79-136.

— y Paul Hammond, *Los años rojos de Luis Buñuel*, Madrid, Cátedra, 2009; *The Red Years, 1929-1939*, Madison, Wisconsin, The University of Wisconsin Press, 2012.

Guerra de Cal, Ernesto, «Evocaçom e testemunho. Quem foi Serafim Ferro», *A Nosa Terra*, Vigo, 25 de abril de 1985.

—, «Federico García Lorca (1898-1936)», en *Rosalía de Castro. Antología poética. Cancioneiro rosaliano*, organizaçao de Ernesto da Cal, Guimaraes Editores, Lisbon, 1985, pp. 193-199.

Guillén, Jorge, «Federico en persona», en García Lorca, *Obras completas*, Madrid, Aguilar, 22.ª edición, 1986, 3 tomos («Edición del Cincuentario»), I, pp. xiii-lxxxiv.

Guillén, Mercedes, *Artistas españoles de la Escuela de París*, Madrid, Taurus, 1960.

Gutiérrez Cuadrado, Juan, «Crónica de una recepción: Pirandello en Madrid», *Cuadernos hispanoamericanos*, Madrid, núm. 333, (1978), pp. 347-386.

Hammick, Horacio., *The Duke of Wellington's Spanish Estate. A Personal Narrative*, London, Spottiswoode and Co., 1885.

Harris, Derek, *Federico García Lorca. «Poeta en Nueva York»*, Londres, Grant & Cutler Ltd en asociación con Tamesis Books Ltd, 1978.

Hernández, Mario, «Cronología y estreno de *Yerma, poema trágico*, de García Lorca», *Revista de Archivos, Bibliotecas y Museos*, Madrid, lxxxii (1979), pp. 289-315.

—, introducción a García Lorca, *La casa de Bernarda Alba*, Madrid, Alianza, 1981, pp. 9-46.

—, «Francisco y Federico García Lorca», prólogo a Francisco García Lorca, *Federico y su mundo*, Madrid, Alianza, 2.ª ed., 1981, pp. i-xxxvii.

—, introducción a García Lorca, *Romancero gitano*, Madrid, Alianza, 1981, pp. 7-46.

—, introducción a García Lorca, *Poema del cante jondo*, Madrid, Alianza, 1982, pp. 11-53.

—, introducción a García Lorca, *La zapatera prodigiosa*, Madrid, Alianza, 1982, pp. 9-44.

—, introducción a García Lorca, *Canciones, 1921-1924,* Madrid, Alianza, 1982, pp. 11-25.

—, introducción a García Lorca, *Bodas de sangre*, Madrid, Alianza, 1984, pp. 9-64.

—, «Un dibujo de Lorca: autorretrato en Nueva York», *Ideal*, Granada, 29 de mayo de 1986, p. 26.

—, «Ronda de autorretratos con animal fabuloso y análisis de dos dibujos neoyorquinos», in García Lorca, *Dibujos*, Madrid, 1986, pp. 85-115.

—, «García Lorca y Salvador Dalí: del ruiseñor lírico a los burros podridos (poética y epistolario), en *L'imposible / posible di Federico García Lorca*, a cura di Laura Dolfi, Nápoles, Edizioni Scientifiche Italiane, 1989, pp. 267-319.

—, «Luz de vida y memoria», prólogo a José Mora Guarnido, *Federico García Lorca y su mundo*, edición facsimilar, Granada, Fundación Caja de Granada, 1998, pp. i-xxx.

Hernández, Miguel, *Epistolario*, introducción y edición de Agustín Sánchez Vidal, prólogo de Josefina Manresa, Madrid, Alianza, 1986.

Hesíodo, *La Teogonía*, con la versión directa y literal por Luis Segalá y Estalella [e ilustraciones de Juan Flaxman], Barcelona, Tipografía «La Académica», 1910.

Higuera Rojas, Eulalia-Dolores de la, «Habla el chófer de García Lorca», *Gentes*, Madrid, núm. 37 (24 de abril de 1979), pp. 30-33.

—, *Mujeres en la vida de García Lorca*, Editora Nacional/Excma. Diputación Provincial de Granada, 1980.

HOMENAJE al poeta García Lorca contra su muerte (Antonio Machado, José Moreno Villa, José Bergamín, Dámaso Alonso, Vicente Aleixandre, Emilio Prados, Pedro Garfías, Juan Gil Albert, Pablo Neruda, Rafael Alberti, Manuel Altolaguirre, Arturo Serrano Plaja, Miguel Hernán-

dez, Lorenzo Varela, Antonio Aparicio). Selección de sus obras (poemas, prosas, teatro, música, dibujos) por Emilio Prados, Ediciones Españolas, Valencia-Barcelona, 1937; reimpresión facsimilar, Granada, 1986.

Hugo, Victor, *Oeuvres poétiques*, 2 vols., París, Gallimard («Bibliothèque de la Pléiade»), 1967-1968.

Ifach, María de Gracia, «Federico y Miguel», *Revista Nacional de Cultura*, Caracas, núms. 148-149 (1961), pp. 98-106.

Iglesias Corral, Manuel, «El arca de los recuerdos», *La Voz de Galicia*, La Coruña, 23 de agosto de 1983, p. 3.

—, «Rafael, recuerdos históricos», *La Voz de Galicia*, La Coruña, 11 de septiembre de 1983, p. 3.

Inglada, Rafael, *Federico García Lorca. Manifiestos, adhesiones y homenajes (1916-1936)*, prólogo de Ian Gibson, Diputación de Granada / Patronato Cultural Federico García Lorca/Museo-Casa Natal Federico García Lorca, Fuente Vaqueros, 2015.

Irving, Washington, *Cuentos de la Alhambra*, traducción, prólogo y notas de Ricardo Villa-Real, introducción de Andrés Soria, Granada, Miguel Sánchez, Editor, 1980.

Izquierdo, Francisco, *Guía secreta de Granada*, Madrid, Al-Borak, 1977.

Jackson, Gabriel, *La República española y la Guerra Civil*, Barcelona, Crítica, 1981.

James, Edward, *Swans Reflecting Elephants. My Early Years*, a cargo de George Melly, London, Weidenfeld and Nicolson, 1982.

Jascalevich, Enrique, «El amigo de Federico García Lorca. «Después de la fiesta, a las cinco de la mañana, escuchaba misa en San Carlos», nos dice Amada Villar», *El Hogar*, Buenos Aires (recorte sin fecha).

Jerez Farrán, Carlos, *Un Lorca desconocido. Análisis de un teatro «irrepresentable»*, Madrid, Biblioteca Nueva, 2004.

—, *La pasión de san Lorca y el placer de morir*, Madrid, Visor, 2006.

Jiménez, Juan Ramón, «Chopos», en *Residencia*, Madrid, I, núm. 1 (1926), p. 26.

—, «El romance, río de la lengua española», in *El trabajo gustoso (conferencias)*, Madrid, Aguilar, 1962, pp. 143-187.

—, *Olvidos de Granada*, introducción de Juan Gutiérrez Padial, Granada, Padre Suárez, 1969.

—, *Diario de un poeta reciencasado*, edición de A. Sánchez Barbudo, Madrid, Editorial Labor, 1970.

—, *Selección de cartas (1899-1958)*, Barcelona, Picazo, 1973.

Jiménez Fraud, Alberto, «Lorca y otros poetas», *El Nacional*, Caracas, 13 de septiembre de 1957.

—, *Historia de la universidad española*, Madrid, Alianza, 1971.

—, «Cincuentenario de la Residencia», en *La Residencia de Estudiantes. Visita a Maquiavelo*, Barcelona, Ariel, 1972, pp. 62-85.

Jiménez-Landi, Antonio, *La Institución Libre de Enseñanza y su ambiente. Los orígenes,* Madrid, Taurus, 1973.

Josephs, Allen y Juan Caballero, introducción a García Lorca, *Bodas de sangre*, Madrid, Cátedra, 1985, pp. 9-90.

Krauel Heredia, Blanca, «Peregrinación británica a la Alhambra», en *La imagen romántica y el legado andalusí* (véase arriba, AA.VV), pp. 79-84.

Lacasa, Luis, «Recuerdo y trayectoria de Federico García Lorca», *Literatura Soviética*, Moscú, núm. 9 (1946), pp. 38-46.

Laffranque, Marie, «Un Document biographique: l'extrait de naissance de Federico García Lorca», *Bulletin Hispanique*, Bordeaux, lix (1957), pp. 206-209.

—, *Federico García Lorca*, París, Seghers («Théâtre de Tous les Temps»), 1966.

—, *Les Idées esthétiques de Federico García Lorca*, París, Centre de Recherches Hispaniques, 1967.

—, «Pour l'étude de Federico García Lorca. Bases chronologiques», *Bulletin Hispanique*, Bordeaux, lxv (1963), pp. 333-377.

—, introducción a García Lorca, *Comedia sin título*, en García Lorca, *El público y Comedia sin título. Dos obras teatrales póstumas*, introducción, transcripción y versión depurada de R. Martínez Nadal y Marie Laffranque, Barcelona, Seix Barral, 1978, pp. 275-316.

—, «Equivocar el camino. Regards sur un scénario de Federico García Lorca», en AA.VV., *Hommage à Federico García Lorca* (véase arriba), pp. 73-92.

Landeira Yrago, José y José Luis Franco Grande, «Cronología gallega de Federico García Lorca y datos sincrónicos», *Grial*, Vigo, núm. 45 (1974), pp. 1-29.

Landeira Yrago, José, «Con Federico García Lorca por Galicia. Viaxe da letra ao sangue», *Grial*, Vigo, núm. 76 (1982), pp. 155-164.

—, «Proceso a García Lorca», carta en *La Voz de Galicia*, La Coruña, 3 de septiembre de 1983.

—, «O encontro de Eduardo Blanco-Amor con García Lorca», *Grial*, Vigo, núm. 83 (1984), pp. 82-92.

—, «Galicia e o momento estelar de "La Barraca"», *Grial*, Vigo, núm. 87 (1985), pp. 76-88.

—, *Viaje al sueño del agua. El misterio de los poemas gallegos de García Lorca*, Vigo, Ediciós do Castro, 1986.

—, *Federico García Lorca y Galicia*, Vigo, Ediciós do Castro, 1986.

Lanz, Hermenegildo, «Misioneros del arte. "La Barraca"», *El Defensor de Granada*, 5 de octubre de 1932, p. 1.

Largo Caballero, Francisco, *Mis recuerdos. Cartas a un amigo*, México, Ediciones Unidas, 1976.

Larrea, Juan, «Asesinado por el cielo», *España peregrina*, México, I (1940), pp. 151-256.

Legendre, Maurice, «La Fête-Dieu à Grenade en 1922. Le "cante jondo"», *Le Correspondant*, París, 10 de julio de 1922, pp. 148-155.

León, María Teresa, *Memoria de la melancolía*, Barcelona, Editorial Laia/ Ediciones Picazo, 1977.

Llanos, Emilia, «Suspiros del pasado», recuerdos inéditos de su relación con García Lorca, extractos en Penón (1990, véase abajo), pp. 238-243.

Lowry, Malcolm, *Under the Volcano* (1947), Harmondsworth (Inglaterra), Penguin Books, 1979.

Loxa, Juan de (ed.), *Federico del Sagrado Corazón de Jesús / Manuel María de los Dolores Falla Matheu*, Fuente Vaqueros, Granada, Comisión Organizadora del Hermanamiento Falla-Lorca, 1982.

—, «Querido Eduardo, querido Eduardito, querido Eduardillo...», prólogo a García Lorca, *Seis cartas a Eduardo Rodríguez Valdivieso* (véase arriba, Sección 1), pp. 7-23.

Loynaz, Dulce María, «Yo no destruí el manuscrito de "El público"», *ABC*, Madrid, 30 de abril de 1987, p. 42.

—, «Más sobre Lorca», ABC, Madrid, 16 de septiembre de 1989, p. 30.

Loynaz, Flor, «Mis recuerdos de Lorca», entrevista con Ángel Rivero, *Revolución y cultura*, La Habana, 1984.

Luengo, Ricardo G., «Conversación de Federico García Lorca», *El Mercantil Valenciano*, Valencia, 15 de noviembre de 1933.

Machado, Antonio, *Obras. Poesía y prosa*, Buenos Aires, Losada, 1964.

Madariaga, Salvador, «Tres estampas de Federico García Lorca», en *De Galdós a Lorca*, Buenos Aires, Sudamericana, 1960, pp. 217-223.

—, *España. Ensayo de historia contemporánea*, Madrid, Espasa-Calpe, 12.ª ed., 1978.

Madoz, Pascual, *Diccionario geográfico-estadístico-histórico de España y sus posesiones de ultramar*, 16 vols., Madrid, Imprenta del Diccionario geográfico-estadístico-histórico de don Pascual Madoz, 1847-1849.

Madrid, Francisco, «Conversaciones a 1.000 metros de altura. Propósitos de Margarita Xirgu», *Heraldo de Madrid*, 9 de septiembre de 1930, p. 7.

Maeso, David Gonzalo, *Garnata Al-Yahud (Granada en la historia del judaísmo español)*, Universidad de Granada, 1963.

Malefakis, Edward, *Reforma agraria y revolución campesina en la España del siglo XX*, Barcelona, Ariel, 1971.

Marañón, Gregorio, *Los estados intersexuales en la especie humana*, Madrid, Javier Morata, 1929.

Marcilly, C., *Ronde et fable de la solitude à New York. Prélude à «Poeta en Nueva York» de F. G. Lorca*, París, Ediciones Hispano-Americanas, 1962.

Marinello, Juan, «Las conferencias de García Lorca en la Hispano-Cubana de Cultura», *1930. Revista de Avance*, La Habana, 15 de abril de 1930, p. 127.

—, «García Lorca, gracia y muerte», en *Momento español. Ensayos*, La Habana, Imprenta «La Verónica», 2.ª ed., 1939, pp. 17-23.

—, *García Lorca en Cuba*, La Habana, Ediciones Belic, 1965.

—, «García Lorca en Cuba. El Poeta llegó a Santiago», *Bohemia*, La Habana, 31 de mayo de 1968, pp. 23-27.

Martín, Eutimio, «Un testimonio olvidado sobre García Lorca en el libro *España levanta el puño*, de Pablo Suero», *Trece de Nieve*, Madrid, 2.ª serie, núm. 3 (mayo de 1977), pp. 74-88.

—, *Federico García Lorca, heterodoxo y mártir. Análisis y proyección de la obra juvenil inédita*, Madrid, Siglo XXI, 1986.

—, *El 5.º Evangelio. La proyección de Cristo en Federico García Lorca*, Madrid, Aguilar, 2013.

Martín Díaz, José, «Postales de Barcelona. Los dos Federicos. Un triunfo de García Lorca», *El Defensor de Granada*, 24 de diciembre de 1932, p. 1.

Martín Martín, Jacinto, *Los años de aprendizaje de Federico García Lorca*, Excmo. Ayuntamiento de Granada, 1984.

Martín Recuerda, José, *Análisis de «Doña Rosita la soltera o El lenguaje de las flores» (de Federico García Lorca), tragedia sin sangre*, Universidad de Salamanca, 1979.

Martínez Barbeito, Carlos, «García Lorca, poeta gallego. Un viaje a Galicia del cantor de Andalucía», *El Español*, Madrid, 24 de marzo de 1945, p. 4; reimpreso en *Grial*, Vigo, núm. 43 (1974), pp. 90-98.

Martínez Barrio, Diego, *Memorias*, Barcelona, Planeta, 1983.

Martínez Laseca, José María, «El viaje premonitorio», capítulo de su estudio «En el cincuentenario de la República y de las Misiones Pedagógicas. Un sendero hacia el pueblo», editado en *Memoria*, Premios Numancia, Soria, 1981.

Martínez López, Emilio, «Federico García Lorca, poeta granadino», en García Lorca, Federico, *Granada, paraíso cerrado y otras páginas granadinas*, edición, introducción y notas de Enrique Martínez López, Granada, Miguel Sánchez, 1971, pp. 15-69.

Martínez Nadal, Rafael, introducción a García Lorca, *Poems*, versión inglesa de Stephen Spender y J. L. Gili, Londres, The Dolphin Book Company, 1942, pp. vii-xxviii.

—, «El último día de Federico García Lorca en Madrid», en *Residencia. Re-*

vista de la Residencia de Estudiantes, México, número conmemorativo, 1963, pp. 58-61.

—, «Don Miguel de Unamuno. Dos viñetas», *Los sesenta*, México, núm. 4 (1965), pp. 39-51.

— *«El Público». Amor, teatro y caballos en la obra de Federico García Lorca*, Oxford, The Dolphin Book Company, 1970.

—, *Lorca's The Public. A Study of His Unfinished Play (El público) and of Love and Death in the Work of Federico García Lorca*, London, Calder and Boyars in association with Lyrebird Press, 1974.

—, «Lo que yo sé de *El público*», en García Lorca, *El público y Comedia sin título* (1978, véase arriba, sección 1), pp. 22-24.

—, *Cuatro lecciones sobre Federico García Lorca*, Madrid, Fundación Juan March/Cátedra, 1980.

—, *Españoles en Gran Bretaña. Luis Cernuda. El hombre y sus temas*, Madrid, Hiperión, 1983.

—, *Federico García Lorca. Mi penúltimo libro sobre el hombre y el poeta*, Madrid, Editorial Casariego, 1992.

—, «Dalí-Lorca a la luz de los nuevos inéditos», en *Estudios de literatura y lingüística españolas* (ed. de Irene Andres-Suárez, Germán Colón, Antonio Lara y Ramón Sugranyes), ¿Ginebra?, Publicaciones de la Sociedad Suiza de Estudios Hispánicos, 1992, pp. 431-442.

Martínez Sierra, Gregorio, *Granada. Guía emocional*, Paris, Garnier Hermanos, n.d. [1911].

— (ed.), *Un teatro de arte en España. 1917-1925*, Madrid, Ediciones de la Esfinge, 1925.

Martínez Sierra, María, *Gregorio y yo. Medio siglo de colaboración*, Barcelona y México, Grijalbo, 1953.

Mata, Juan, *Apogeo y silencio de Hermenegildo Lanz*, Granada, Los Libros de la Estrella, 2003.

Maurer, Christopher, «Buenos Aires, 1933. Dos entrevistas olvidadas con Federico García Lorca», *Trece de Nieve*, Madrid, 2.ª serie, núm. 3 (mayo de 1977), pp. 64-73.

—, «El teatro», en *Federico García Lorca escribe a su familia desde Nueva York* (véase arriba, sección 1), pp. 134-141.

—, «Los negros», *ibid.*, pp. 140-151.

—, «De la correspondencia de García Lorca: datos inéditos sobre la transmisión de su obra», *Boletín de la Fundación Federico García Lorca*, Madrid, I, núm. 1 (1987), pp. 58-95.

Maurer, Christopher y Andrew Anderson, *Federico García Lorca en Nueva York y La Habana. Cartas y recuerdos*, Barcelona, Galaxia Guterberg / Círculo de Lectores, 2013.

Menéndez Pidal, Ramón (ed.), *Romancero hispánico (hispano-portugués, americano y sefardí,* 2 vols., Madrid, Espasa-Calpe, 2.ª ed., 1968.

Milla, Fernando de la, «Diálogos actuales. Eduardo Marquina, el teatro internacional de París y los autores nuevos, proyectos y sugestiones», *La Esfera,* Madrid, 31de julio de 1926, pp. 5-6.

—, «Teatro. Retorno a la escena de Josefina Díaz de Artigas», *Crónica,* Madrid, 25 de septiembre de 1932, pp. [9-10].

Millán, Clementa, «La verdad del amor y del teatro», *Cuadernos El Público,* Madrid, núm. 20 (1987), pp. 19-27.

Mira, Alberto, *Para entendernos. Diccionario de cultura homosexual, gay y lésbica,* Barcelona, Ediciones de la Tempestad, 1999.

—, «Foreward» (prólogo) a Ángel Sahuquillo, *Federico García Lorca and the Culture of Male Homosexuality,* North Carolina, McFarland & Company, 2007, pp. 3-9.

Molina Fajardo, Eduardo, *Manuel de Falla y el «cante jondo»,* Universidad de Granada, 1962.

—, «Llegada de Falla a Granada», en Rafael Jofré García (ed.), *Manuel de Falla en Granada,* Granada, Centro Artístico, 1963, p. [25].

—, *El flamenco en Granada. Teoría de sus orígenes e historia,* Granada, Miguel Sánchez, 1974.

—, *Los últimos días de García Lorca,* Barcelona, Plaza y Janés, 1983.

Molina Fajardo, Federico, *García Lorca y Víznar. Memorias del general Nestares,* Granada, Ultramarina, 2012.

Molina Foix, Vicente, «La edad de oro. José Bello, animador de la Generación del 27. "No soy nadie: un enlace entre gente de talento"», *El País,* Madrid, «Domingo», 23 de junio de 1995, pp. 12-13.

—, «Entiéndame usted», *El País,* Madrid, 17 de noviembre de 1999, p. 54 [comentario al recientemente publicado libro de Alberto Mira, *Para entendernos,* véase arriba].

Montanyà, Lluís, «*Canciones* de F. García Lorca», *L'amic de les arts,* Sitges, núm. 16 (31de julio de 1927), pp. 55-56.

Montes, Eugenio, «"Un Chien Andalou" (Film de Luis Buñuel y Salvador Dalí, estrenado en Le Studio des Ursulines, París)», *La Gaceta Literaria,* Madrid, III, núm. 60 (15 de junio de 1929), p. 1.

Mora Guarnido, José, «El primer libro de Federico García Lorca», *Noticiero Granadino,* 1 de julio de 1921, p. 1.

—, «Crónicas granadinas. El teatro "cachiporra" andaluz», *La Voz,* Madrid, 12 de enero de 1923. Reproducida por Inglada, pp. 126-128.

—, *Federico García Lorca y su mundo. Testimonio para una biografía,* Buenos Aires, Losada, 1958; edición facsímil, prólogo de Mario Hernández, Granada, Fundación Caja de Granada, 1998.

Morales, María Luz, «La poesía popular de Federico García Lorca», *La Vanguardia*, Barcelona, 22 de septiembre de 1935, p. 3.

Morand, Paul, *Nueva York*, traducción de Julio Gómez de la Serna, Madrid, Ediciones Ulises, 1930.

Moreiro, José María, «Viaje a García Lorca. Reencuentro con sus personajes vivos», *Los domingos de ABC*, Madrid, 1 de agosto de 1971, pp. 18-25.

Moreno Villa, José, «La exposición de "Artistas Ibéricos"», *La Noche,* Barcelona, 12 de junio de 1925, p. 4.

—, «Recuerdo a Federico García Lorca», en *Homenaje al poeta García Lorca contra su muerte* (véase arriba), pp. 23-24.

—, *Vida en claro. Autobiografía*, México, Colegio de México, 1944.

—, *Los autores como actores y otros intereses literarios de acá y de allá*, México, Fondo de Cultura Económica, 1976.

Morla Lynch, Carlos, *En España con Federico García Lorca (Páginas de un diario íntimo, 1928-1936)*, Madrid, Aguilar, 1957; 2.ª ed., 1958; nueva edición ampliada, con prólogo de Sergio Macías Brevis, Sevilla, Renacimiento («Biblioteca de la Memoria»), 2008.

Morris, C. B., *This Loving Darkness. The Cinema and Spanish Writers, 1920-1936*, Oxford University Press, 1980.

Murciano, José, «En el Centro Artístico. Ismael. Federico García Lorca», *El eco del aula*, Granada, 27 de marzo de 1918, p. 5.

Neruda, Pablo, *Residencia en la Tierra*, 2 vols., Madrid, Cruz y Raya, 1935.

—, *Homenaje a Pablo Neruda*, Madrid, Plutarco, 1935. [El tomo anticipa «Tres poemas materiales», incluidos poco después en *Residencia en la Tierra* (1935).]

—, «Federico García Lorca», *Hora de España*, Valencia, III (marzo de 1937), pp. 65-78, conferencia incluida en *Obras completas* (1957), pp. 1828-1832.

—, *Obras completas*, Buenos Aires, Losada, 1957.

—, entrevista con André Camp y Ramón Luis Chao, «Neruda por Neruda», *Triunfo*, Madrid, núm. 476 (13 de noviembre de 1971), pp. 17-23.

— *Confieso que he vivido*, Barcelona, Seix Barral, 1974.

Nicholson, Helen, *Death in the Morning*, Londres, Loval Dickson, 1937.

Nin Frías, Alberto, *Alexis o el significado del temperamento urano*, Buenos Aires, 1932.

—, *Homosexualismo creador*, Madrid, Javier Morata, 1933.

—, *Ensayos sobre tres expresiones del espíritu andaluz. Juan F. Muñoz Pabón (la ciudad); Pedro Badanelli (el agro); Federico García Lorca (los gitanos)*, Buenos Aires, 1935.

Nordau, Max, *Dégénérescence*, traduit de l'allemand par Auguste Dietrich, París, Felix Alcan, éditeur, dos tomos, 1894.

Novo, Salvador, *Continente vacío (viaje a Sudamérica)*, Madrid, Espasa-Calpe, 1935.

O'Connor, Patricia Walker, *Gregorio and María Martínez Sierra*, Nueva York, Twayne, 1979.

O[lmedilla], J. G. «En el Español, ayer tarde. Una función experimental del teatro "Caracol"», *Heraldo de Madrid*, 25 de diciembre de 1930, p. 7.

Onís, Federico de, *Disciplina y rebeldía*, Nueva York, Instituto de la Españas, 1929.

—, «Lorca folclorista», en Río, *Federico García Lorca (1899-1936). Vida y obra* (véase abajo), pp. 113-115; reproducido por Hernández en su edición de García Lorca, *Primeras canciones. Seis poemas galegos. Poemas sueltos. Canciones populares*, Madrid, Alianza, 1981, pp. 147-153.

—, *Antología de la poesía española e hispanoamericana (1882-1932)*, Madrid, Junta para Ampliación de Estudios e Investigaciones Científicas, Centro de Estudios Históricos, 1934.

Ontañón, Santiago, «Semblanza de García Lorca», in García Lorca, *Dibujos*, Madrid, 1986, pp. 19-25.

— y José María Moreiro, *Unos pocos amigos verdaderos*. Prólogo de Rafael Alberti, Madrid, Fundación Banco Exterior, 1988.

Orozco, Manuel, «La Granada de los años veinte. En torno a unas fotos inéditas de Federico», *ABC*, Madrid, 6 de noviembre de 1966.

—, *Falla*, Barcelona, Destino, 1968.

—, «José María García Carrillo», *Ideal*, Granada, 23 de agosto de 1987, p. 4.

Ortega, Jesús, *Álbum. Una historia visual de la Huerta de San Vicente*, Granada, Delegación de Cultura del Ayuntamiento, 2015.

Ortega y Gasset, José, *La deshumanización del arte*, Madrid, Revista de Occidente, 1925.

Ortiz de Villajos, Cándido G., *Crónica de Granada en 1937. II Año Triunfal*, Granada, 1938.

Otero Seco, Antonio, «Una conversación inédita con Federico García Lorca. Índice de las obras inéditas que dejó el gran poeta», *Mundo Gráfico*, Madrid, 24 de febrero de 1937; reproducido en *OC*, III, pp. 625-627.

— «Sobre la última "interview" de García Lorca», *La Torre. Revista general de la Universidad de Puerto Rico*, XII (1964), pp. 55-63.

Pahissa, Jaime, *Vida y obra de Manuel de Falla*, Buenos Aires, Ricordi Americana, 1956.

Palacio, Carlos, «Una tarde con la viuda de Prokofiev», *Ritmo*, Madrid, núm. 532 (abril de 1983), pp. 31-32.

Palau de Nemes, Graciela, *Vida y obra de Juan Ramón Jiménez,* Madrid, Gredos (Biblioteca Románica Hispánica), 1957.

Papini, Giovanni, *El libro negro*, Barcelona, Luis de Caralt, 1960.

Pareja López, Luis, Francisco Ortega Alba, etc., *Granada*, 4 tomos, Granada, Excelente Diputación Provincial, 1982.

Payne, Stanley G., *Falange. A History of Spanish Fascism*, Stanford and Oxford Universities, 1962.

Pedemonte, Hugo Emilio, «El primer monumento a Federico García Lorca», *Nueva Estafeta*, Madrid, núm. 1 (diciembre de 1978), pp. 58-63.

Pedregosa y Ferreras, «Moclín: El Cristo del Paño convocó a miles de romeros. Leyenda y literatura de "la romería de Yerma"», *Diario de Granada*, 6 de octubre de 1982, p. 7.

Pedrell, Felipe, *Cancionero musical popular español*, 4 vols., Valls, Eduardo Castells, 1918-1922.

—, «Glinka en Granada», *ibid.*, II, 75-78.

Pedro, Valentín de, «El destino mágico de Margarita Xirgu», *¡Aquí Está!*, Buenos Aires, 28 de abril a 30 de mayo de 1948.

Penón, Agustín, *Diario de una búsqueda lorquiana (1955-1956)*, edición de Ian Gibson, Barcelona, Plaza & Janés, 1990.

—, *Miedo, olvido y fantasía. Crónica de la investigación de Agustín Penón sobre Federico García Lorca (1955-1956)*, edición de Marta Osorio, Granada, Editorial Comares, 2000, 2.ª ed., 2009.

Pérez Coterillo, Moisés, «En Galicia con E. Blanco-Amor y al fondo... Lorca», *Reseña*, Madrid, núm. 73 (1974), pp. 14-18.

—, «Culto cubano a Federico García Lorca. El manuscrito de "Yerma" encontrado en La Habana», *Blanco y Negro*, Madrid, 6-12 de febrero de 1980, pp. 46-48.

—, «La Habana: donde Lorca escribió "El público", *El Público*, Madrid, núms. 10-11 (julio-agosto de 1984), pp. 39-43.

Pérez-Doménech, J., «Hablan los jóvenes autores. Eduardo Ugarte dice que el teatro actual es de pura receta. La política y las tendencias en las obras de hoy. Hay que crear un teatro de ensayo», *El Imparcial*, Madrid, 2 de mayo de 1933, p. 4.

Pérez Ferrero, Miguel, «La sombra del Andalus. Fastos de poesía. La civilización de "Las mil y una noches" en España», *Heraldo de Madrid*, 14 de agosto de 1930, p. 8.

«Voces de desembarque. Veinte minutos de paseo con Federico García Lorca», *Heraldo de Madrid*, 9 de octubre de 1930, p. 11; reproducido en *OC*, III, pp. 368-373.

—, «Los españoles fuera de España. Federico García Lorca, el gran poeta del "Romancero gitano", ha sido durante seis meses embajador intelectual de nuestro país en la Argentina...», *Heraldo de Madrid*, 14 de abril de 1934, p. 4; reproducido en *OC*, III, pp. 530-534.

Pérez Galán, Mariano, *La enseñanza en la Segunda República Española*, Madrid, Cuadernos para el Diálogo, 2.ª ed., 1977.

Pérez de Hita, Ginés, *Guerras civiles de Granada*, Madrid, Atlas, Biblioteca de Autores Españoles, 1975, vol. III, pp. 33-694.

Pérez Turrent, Tomás y José de la Colina, *Buñuel por Buñuel,* Madrid, Plot, 1993.

Pérez de Urbel, Fray Justo, «Mi recuerdo de Emilio Aladrén», en catálogo *Exposición homenaje en memoria del escultor Emilio Aladrén*, Madrid, Museo Nacional de Arte Moderno, junio 1945.

Pérez Villanueva Tovar, *La Residencia de Estudiantes. Grupos Universitarios y de Señoritas, Madrid, 1910-1936*, Madrid, Ministerio de Educación y Ciencia, 1990.

Permanyer, Lluís, *Los años difíciles de Miró, Llorens Artigas, Fenosa, Dalí, Clavé, Tàpies*, Barcelona, Lumen, 1975.

Pessoa, Fernando, *Poesía*, selección, traducción y notas de José Antonio Llardent, Madrid, Alianza, 2.ª ed., 1984.

Pittaluga, Gustavo, *La romería de los cornudos*, Madrid, Unión Musical Española, n.d.

Pizarro, Miguel, *Versos*, Málaga, Meridiano, 1961.

Pomès, Mathilde, «Une Visite à Federico García Lorca», *Le Journal des Poètes*, Bruselas, núm. 5 (mayo de 1950), pp. 1-2.

—, «Españoles en París (XIV). Federico García Lorca», *ABC,* Madrid, 22 de noviembre de 1967.

Pozo, Gabriel, *Lorca, el último paseo*, Granada, Ultramarina, 2009.

Prados, Emilio, *Diario íntimo*, Málaga, El Guadalhorce, 1966.

Predmore, Richard L., *Lorca's New York Poetry. Social Injustice, Dark Love, Lost Faith*, Duke University Press, Durham, NC, 1980.

Preston, Paul, *La destrucción de la democracia en España. Reacción, reforma y revolución en la Segunda República*, Madrid, Ediciones Turner, 1978.

Prieto, Gregorio, *Lorca en color*, Madrid, Editora Nacional, 1969.

Prieto, Indalecio, *Convulsiones de España*, 3 vols., México, Ediciones Oasis, 1967-1969.

—, *Discursos fundamentales*, introducción y edición de Edward Malefakis, Madrid, Ediciones Turner, 1975.

Pritchett, V. S., *Midnight Oil*, Harmondsworth, Penguin, 1974.

Proust, Marcel, *À la recherche du temps perdu. I. Du Côté de chez Swann,* París, Gallimard, 1954.

—, *À la recherche du temps perdu. IV. Sodome et Gomorrhe*, París, Gallimard, 1992.

—, *El mundo de Guermantes II, Sodoma y Gomorra I*, traducidos por José María Quiroga Pla, Madrid, Espasa-Calpe, 1932.

[Quevedo, Antonio], *El poeta en La Habana. Federico García Lorca. 1898-1936*, La Habana, Consejo Nacional de Cultura, Ministerio de Educación, La Habana, 1961.

Ramos Espejo, Antonio, «García Lorca se inspiró en un suceso periodístico. Los protagonistas de "Bodas de sangre" viven en el Campo de Nijar», *Triunfo*, Madrid, 25 de agosto de 1979, pp. 52-55.

—, «En Valderrubio, Granada. La casa de Bernarda Alba», *Triunfo*, Madrid, 6.ª series, núm. 4 (febrero de 1981), pp. 58-63.

—, «El capitán Rojas en la muerte de Federico García Lorca», *Diario de Granada*, 16 de febrero de 1984, pp. 16-17.

—, *El 5 a las cinco con Federico*, Sevilla, Editoriales Andaluzas, 1986.

Réau, Louis, *Iconographie de l'art chrétien*, París, Presses Universitaires de France, 1958.

Reina, Manuel Francisco, *Los amores oscuros*, Barcelona, Planeta («Temas de hoy»), 2012.

Reyero Hermosilla, Carlos, *Gregorio Martínez Sierra y su Teatro de Arte*, Madrid, Fundación Juan March, 1980.

Ridruejo, Dionisio, *Casi unas memorias*, Barcelona, Planeta, 1976.

Río, Ángel del, «La literatura de hoy. El poeta Federico García Lorca», *Revista Hispánica Moderna*, Nueva York y Buenos Aires, I (1935), pp. 174-184.

—, «Federico García Lorca (1899-1936)», *Revista Hispánica Moderna*, Nueva York y Buenos Aires, VI (1940), pp. 193-260.

—, *Federico García Lorca (1899-1936). Vida y obra*, Nueva York, Hispanic Institute in the United States, 1941.

—, «*Poet in New York*»: *Twenty-Five Years After*, introduction to García Lorca, *Poet in New York*, translated by Ben Belitt, Nueva York, Grove Press, 1955, pp. ix-xxxix.

—, «*Poeta en Nueva York*»: *pasados veinticinco años*, Madrid, Taurus, 1958.

Ríos, Fernando de los, *Escritos sobre democracia y socialismo*, edición de Virgilio Zapatero, Madrid, Taurus, 1975.

—, *El sentido humanista del socialismo*, edición notas de Elías Díaz, Madrid, Castalia, 1976.

Rius, Luis, *León Felipe, poeta de barro*, México, Colección Málaga, 1974.

Rivas Cherif, Cipriano [C.R.C.], «Federico García Lorca. *Libro de poemas*», *La Pluma*, Madrid, núm. 15 (agosto de 1921), pp. 126-127.

—, «La ascensión de La Argentinita», *El Sol*, Madrid, 26 de noviembre de 1932, p. 8.

—, «Poesía y drama del gran Federico. La muerte y la pasión de García Lorca», *Excelsior*, «Diorama de la Cultura», México, 6 de enero de 1957, pp. 1 y 4; 13 de enero de 1957, pp. 1 y 4; 27 de enero de 1957, p. 3.

—, *Un sueño de la razón*, en *Cipriano Rivas Cherif. Retrato de una utopía*, monografía núm. 42 de *El público*, Madrid, Ministerio de Cultura, diciembre de 1989, pp. 63-99.

Rivero Taravillo, Antonio, *Luis Cernuda. Años españoles (1902-1938),* Barcelona, Tusquets, 2008.

Roa, Raúl, «Federico García Lorca, poeta y soldado de la libertad», *Revista de las Indias*, Bogotá, núm. 5 (marzo de 1937), pp. 42-45.

Rodrigo, Antonina, *Mariana de Pineda*, Alfaguara, Madrid, 1965.

—, *Margarita Xirgu y su teatro*, Barcelona, Planeta, 1974.

—, *García Lorca en Cataluña*, Barcelona, Planeta, 1975.

—, «La auténtica "Doña Rosita la soltera"», *El País*, Madrid, «Miscelánea», 17 de agosto de 1980, pp. 4-5.

—, «Manuel Ángeles Ortiz, que ha olido "la rosa inmortal"», en *Manuel Ángeles Ortiz. Exposición homenaje*, Madrid, Ministerio de Cultura, 1980, pp. 65-66.

—, *Lorca-Dalí. Una amistad traicionada*, Barcelona, Planeta, 1981.

—, «"La historia del tesoro" según Lorca», *El País*, Madrid, 20 de marzo de 1983, p. 38.

—, *Memoria de Granada: Manuel Ángeles Ortiz y Federico García Lorca,* Barcelona, Plaza y Janés, 1984; 2.ª ed., Fuente Vaqueros, Granada, Casa-Museo Federico García Lorca, 1993.

—, *García Lorca, el amigo de Cataluña*, Barcelona, Edhasa, 1984.

—, «Lorca y su compromiso con la mujer», *Ideal*, Granada, 19 de agosto de 1986, p. 2.

—, *La Huerta de San Vicente y otros paisajes y gentes*, Granada, Ediciones Miguel Sánchez, 1997.

Rodríguez Espinosa, Antonio, «Souvenirs d'un vieil ami», extracto de las memorias del maestro de Fuente Vaqueros traducido por Marie Laffranque e incluido en su libro *Federico García Lorca*, Paris, Seghers, 1966, pp. 107-110.

Rodríguez Marín, Francisco, *Cantos populares españoles*, 5 tomos, Sevilla, Francisco Álvarez y Compañía, 1882-1883.

R [odríguez] Rapún, Rafael, «El teatro universitario. La Barraca», en *Almanaque literario*, 1935, editado por Guillermo de Torre, Miguel Pérez Ferrero y E. Salazar Chapela, Madrid, Editorial Plutarco, 1935, pp. 275-277.

Rodríguez Spiteri, Álvaro, «Un recuerdo a Federico», *Ínsula*, Madrid, núm. 155 (octubre de 1959), p. 11.

Rodríguez Valdivieso, Eduardo, «Un dios gitano. La deslumbrante irrupción de García Lorca en un mundo provinciano, rutinario y conformista», *El País*, Madrid, «Babelia», 12 de junio de 1993, pp. 4-5.

—, «Horas en la Huerta de San Vicente. Una dolorosa mirada en los últimos días de Federico García Lorca», *ibid.*, 26 de agosto de 1995, p. 8.

Roig de Leuchsenring, Emilio [El Curioso Parlanchín], «Federico García Lorca, poeta ipotrocasmo», *Cartelas*, La Habana, XV, núm. 17 (27 de abril de 1930), pp. 30, 46-47.

Romero, Luis, *Todo Dalí en un rostro*, Barcelona, Blume, 1975.

Roque Barreiro, Amelia, «Lorca en Cienfuegos», *Revolución y cultura*, La Habana, 1985.

Ros, Samuel, «Ecos de sociedad. Marcha nupcial», *Heraldo de Madrid*, 9 de junio de 1932, p. 7.

Rosales, Luis, «La Andalucía del llanto (al margen del *Romancero gitano*)», *Cruz y Raya*, Madrid, mayo de 1934, pp. 40-69.

—, *El contenido del corazón*, Madrid, Centro Iberoamericano de Cooperación, 2.ª ed., 1978.

Rowse, A. L., *Homosexuals in History. A Study of Ambivalence in Society, Literature and the Arts*, Londres, Weidenfeld and Nicolson, 1977.

Rucar de Buñuel, con Marisol Martín del Campo, *Memorias de una mujer sin piano*, Madrid, Alianza, 1990.

Ruiz Alonso, Ramón, «Actividades sociales en ocho meses», *Ideal*, Granada, 1 de enero de 1933, p. 24.

—, *Corporativismo*, prólogo de Gil Robles, Salamanca, Ediciones Ruiz Alonso, 1937.

Ruiz Carnero, Constantino y José Mora Guarnido, *El libro de Granada. Primera parte. Los hombres*, Granada, Paulino V. Traveset, 1915.

Ruiz Castillo Basala, José, *Memorias de un editor*, Madrid, Ediciones de la Revista de Occidente, 1972.

Ruiz Silva, Carlos, «La figura y la obra de Eduardo Blanco-Amor», prólogo a Eduardo Blanco-Amor, *La parranda*, Madrid, Ediciones Júcar, 1985, pp. 9-36.

Sabourín, Jesús, «Federico García Lorca en Santiago de Cuba», *Revista de la Universidad de Oriente*, Santiago de Cuba, marzo de 1962, pp. 1-10.

Saénz de la Calzada, Luis, *La Barraca. Teatro Universitario*, Madrid, Revista de Occidente, 1976.

—, *La Barraca. Teatro Universitario*, seguido de *Federico García Lorca y sus canciones para La Barraca,* en transcripción musical de Ángel Barja, edición revisada y anotada por Jorge de Persia, Madrid, Residencia de Estudiantes y Fundación Sierra-Pambley, 1998.

Sahuquillo, Ángel, *Federico García Lorca y la cultura de la homosexualidad. Lorca, Dalí, Cernuda, Gil-Albert, Prados y la voz silenciada del amor homosexual*, University of Stockholm, 1986; edición española, *Federico García Lorca y la cultura de la homosexualidad masculina. Lorca, Dalí, Cernuda, Gil-Albert, Prados y la voz silenciada del amor homosexual*, Alicante, Instituto de Cultura Juan Gil-Albert, 1991.

—, *Federico García Lorca and the Culture of Male Homosexuality*, translated by Erica Frouman-Smith, foreword by Alberto Mira, North Carolina, McFarland & Company, 2007.

Sainero Sánchez, Ramón, *Lorca y Synge, ¿un mundo maldito?*, Madrid, Universidad Complutense, 1983.

Sainz Rodríguez, Pedro, *Testimonio y recuerdos*, Barcelona, Planeta, 1978.

Salado, José Luis, «En el ensayo general de "Yerma", la comedia de García Lorca, se congregaron, entre otros ilustres rostros rasurados, las tres barbas más insignes de España: las de Unamuno, Benavente y Valle Inclán», *La Voz*, Madrid, 29 de diciembre de 1934, p. 3.

Salazar, Adolfo, «Un poeta nuevo. Federico G. Lorca», *El Sol*, Madrid, 30 de julio de 1921, p. 1.

—, [Ad. S.], «Notas críticas. *Manhattan Transfer* y sus perspectivas», *ibid.*, Madrid, 21 de junio de 1929, p. 2.

—, [Ad. S.], «La vida musical. Un crítico norteamericano en Europa», *ibid.*, 21 de junio de 1929, p. 8.

—, «Discos. La Voz de su Amo. —Un cancionero viviente», *ibid.*, 13 de marzo de 1931, p. 2.

—, «Discos. Una colección de canciones españolas antiguas», *ibid.*, 27 de noviembre de 1931, p. 2.

—, «In memoriam. Federico García Lorca en La Habana», *Carteles*, La Habana, 23 de enero de 1938, pp. 30-31.

—, «In memoriam. El mito de Caimito», *ibid.*, La Habana, 20 de febrero de 1938, p. 24.

—, «*La casa de Bernarda Alba*», *ibid.*, 19 de abril de 1938, p. 30.

—, *Epistolario 1912-1958*, edición de Consuelo Carredano, Madrid, Fundación Scherzo / Publicaciones de la Residencia de Estudiantes / Instituto Nacional de las Artes Escénicas de la Música, 2008.

Salazar, María José, «Aproximación a la vida y a la obra de María Blanchard», en *María Blanchard (1881-1932)*, catálogo, Ministerio de Cultura, Madrid, 1982, pp. 14-24.

Salinas, Pedro, «Nueve o diez poetas» [1945], en *Ensayos completos*, ed. de Solita Salinas de Marichal, Madrid, Taurus, 1983, vol. III, pp. 308-321.

— «El romancismo y el siglo xx» (1951), *ibid.*, pp. 219-47.

Salobreña García, José, *Pequeña historia de un pueblo: Fuente Vaqueros, «cuna de García Lorca»*, Granada, Gráficas Monachil, sin fecha [1977].

— *Tierra natal de Federico García Lorca*, Granada, Excma. Diputación Provincial, 1982.

Sánchez Marcos, Iván (coord.), *Proyecto indagación, localización y delimitación de las fosas comunes de Víznar (Granada)*, Junta de Andalucía,

Dirección General de Memoria Democrática (Sevilla) y Ayuntamiento de Víznar (Granada), 2013.

Sánchez Mejías, Ignacio, *Teatro*, con prólogo y bibliografía de Antonio Gallego Morell, Madrid, Ediciones del Centro, 1976.

Sánchez Vidal, Agustín, introducción a Luis Buñuel, *Obra literaria*, Zaragoza, Ediciones de Heraldo de Aragón, 1982, pp. 13-79.

— *Buñuel, Lorca, Dalí: el enigma sin fin*, Barcelona, Planeta, 1988.

—, «La nefasta influencia del García», en Laura Dolfi (edición), *L'imposible / posible di Federico García Lorca,* Nápoles, Edizione Scientifiche Italiane, 1989, pp. 219-228.

Santa Cecilia, Carlos G., «La insoportable levedad de Federico», *El País*, Madrid, suplemento «Lorca. La memoria viva (1936-1986)», 19 de agosto de 1986, pp. x-xi.

Santainés, Antonio, *Domingo Ortega. 80 años de vida y toros*, prólogo de Luis Calvo, Madrid, Espasa-Calpe, 1986.

Santiago, Magda, «García Lorca», *Excelsior*, México, 6 de enero de 1957.

Santos Torroella, Rafael, *La miel es más dulce que la sangre. Las épocas lorquiana y freudiana de Salvador Dalí*, Barcelona, Seix Barral, 1984.

— (ed.), *Salvador Dalí escribe a Federico García Lorca [1925-1936], Poesía. Revista ilustrada de información poética*, Madrid, Ministerio de Cultura, núms. 27-28, 1987.

—, *Dalí residente,* Madrid, Publicaciones de la Residencia de Estudiantes, 1992.

—, *Dalí. Época de Madrid. Catálogo razonado,* Madrid, Residencia de Estudiantes, 1994.

—, «Salvador Dalí en la primera exposición de la Sociedad de Artistas Ibéricos. Catalogación razonada», en *La Sociedad de Artistas Ibéricos y el arte español de 1925* (catálogo, 1995, véase arriba Sección 2), pp. 59-66.

—, «*Los putrefactos» de Dalí y Lorca. Historia y antología de un libro que no pudo ser,* Madrid, Residencia de Estudiantes, 1998.

Sarabia, Nydia, «Cuando García Lorca estuvo en Santiago», *Bohemia*, La Habana, 10 de septiembre de 1965, pp. 58-61.

Savinio, Alberto, *Nueva enciclopedia,* Barcelona, Seix Barral, traducción de Jesús Pardo, 1983.

Schindler, Kurt, *Folk Music and Poetry of Spain and Portugal. Música y poesía popular de España y Portugal*, prólogo de Federico de Onís, Nueva York, Hispanic Institute in the United States, 1941.

Schonberg, Jean-Louis [pseud. Louis Stinglhamber-Schonberg], *Federico García Lorca. L'Homme-L'Oeuvre*, prefacio de Jean Cassou, París, Plon, 1956.

—, *Federico García Lorca. El hombra-la obra*, México, Compañía General de Ediciones, 1959.

Schwartz, Kessel, «García Lorca and Vermont», *Hispania*, Appleton, Wisconsin, xlii (1959), pp. 50-5.

Seco de Lucena [y Escalada], Luis, *Anuario de Granada. Décima quinta edición, publicada en enero de 1917,* Granada, Tip. de *El Defensor de Granada*, 1917.

—, *Mis memorias de Granada (1857-1933)*, Granada, Imp. Luis F. Piñar, 1941.

Seco de Lucena [Paradas], Luis, *Topónimos árabes [de Granada] identificados*, Universidad de Granada, 1974.

Serna, José S., «Federico, en tres momentos», Karcarola, Albacete, agosto de 1982, pp. 183-185.

Serrano Morente, E., «Desde Nueva York. Impresiones de un granadino. Lo grande en Norte América. Los "secos" y los "húmedos". Los contrabandistas de licores. Los hombres de "negocios". El folletín de los millones», *El Defensor de Granada*, 16 de marzo de 1929, p. 1.

Sierra Serrano, Francisco, «Apuntes para una lección olvidada: Lorca y Valderrubio», *Ideal*, Granada, «Arte y Letras», 8 de septiembre de 1986, p. 31; 15 de septiembre de 1986, p. 31.

Silverman, Joseph H., «José F. Montesinos», en José F. Montesinos, *Ensayos y estudios de literatura española*, edición, prólogo y bibliografía de Joseph H. Silverman, Madrid, Revista de Occidente, 1970, pp. 21-24.

Solana, Daniel, «Federico García Lorca», *Alhambra*, New York, I, núm. 3 (agosto de 1929), p. 24.

Sopeña, Federico, *Atlántida. Introducción a Manuel de Falla*, Madrid, Taurus, 1962.

—, introducción a Manuel de Falla, *Escritos*, Madrid, Espasa-Calpe («Austral»), 3.ª ed., 1972.

Sorel, Andrés, *Yo, García Lorca*, Bilbao, Zero, 1977.

Soria Olmedo, Andrés, «El poeta don Isidoro Capdepón», *Cuadernos Hispanoamericanos*, Madrid, núm. 402 (diciembre de 1983), pp. 149-152.

—, *Fábula de fuentes. Tradición y vida literaria en Federico García Lorca*, Madrid, Residencia de Estudiantes, 2004.

—, «La "Oda a Salvador Dalí"», en AA.VV., *Ola Pepín! Dalí, Lorca y Buñuel en la Residencia de Estudiantes* (véase arriba), pp. 175-211.

Soto de Rojas, Pedro, *Paraíso cerrado para muchos, jardines abiertos para pocos. Los fragmentos de Adonis*, edición de Aurora Egido, Madrid, Cátedra, 1981.

Southworth, Herbert Routledge, «The Falange: An Análisis of Spain's Fascist Heritage», in Paul Preston (ed.), *Spain in Crisis. The Evolution and Decline of the Franco Regime*, Hassocks, Sussex, The Harvester Press, pp. 1-22.

Stainton, Lesley, *Lorca. A Dream of Life*, London, Bloomsbury, 1998.

Stefano, Onofre di y Darlene Lorenz, «Conversations with Three Emeritus Professors from UCLA: John A. Crow, John E. Englekirk, Donald F. Fogelquist», *Mester*, University of California, viii, núm. 1 (1979), pp. 29-42.

Suero, Pablo, «Crónica de un día de barco con el autor de *Bodas de sangre*», *Noticias Gráficas*, Buenos Aires, 14 de octubre 1933, artículo incluido por Suero en su libro *Figuras contemporáneas* (véase abajo). Reproducido en *OC*, III, pp. 436-440.

—, «Hablando de La Barraca con el poeta García Lorca», Buenos Aires, *Noticias Gráficas*, 15 de octubre de 1933. Artículo reproducido en *OC*, III, pp. 448-453.

—, «Los jóvenes poetas están con la España Nueva», artículo reproducido en *España levanta el puño* (véase abajo).

—, «Los últimos días con Federico García Lorca. El hogar del poeta», artículo reproducido en *España levanta el puño* (véase abajo).

—, *España levanta el puño*, Buenos Aires, Noticias Gráficas, 1936.

—, *Figuras contemporáneas*, Buenos Aires, Sociedad Impresora Americana, 1943.

Surroca y Grau, José, *Granada y sus costumbres. 1911*, Granada, Tip. de «El Pueblo», 1912; edición facsímil, con estudio preliminar de David Martínez López, Granada, Comares, s/f [¿2015?].

Synge, J. M., *The Playboy of the Western World and Riders to the Sea*, London, Unwin Paperbacks, 1985.

Thomas, Hugh, *The Spanish Civil War*, Harmondsworth, Penguin Books, 10.ª ed., 1986.

Thompson, B. Bussell y J. K. Walsh, «Un encuentro de Lorca y Hart Crane en Nueva York», *Ínsula*, Madrid, núm. 479 (1986), pp. 1, 12.

Tinnell, Roger D., *Federico García Lorca. Catálogo-discografía de las «Canciones españolas antiguas» y de música basada en textos lorquianos*, University of New Hampshire/Plymouth State College, 1986.

—, «Epistolario de Emilio Prados a Federico García Lorca», *Boletín de la Fundación Federico García Lorca*, Madrid, núms. 21-22 (diciembre de 1997), pp. 25-72.

—, «Epistolario de Emilio Aladrén a Federico García Lorca. Conservado en la Fundación Federico García Lorca», en AA.VV., *Federico García Lorca. Estudios sobre las literaturas hispánicas en honor a Christian De Paepe*, Leuven, Leuven University Press, 2003, pp. 219-229.

Titos Martínez, Manuel, *Verano del 36 en Granada. Un testimonio inédito sobre el comienzo de la guerra civil y la muerte de García Lorca,* Granada, Editorial Atrio, 1995.

Torre, Elena de la, «Notas neoyorquinas. Un gran poeta», *La Prensa*, Nueva York, 3 de marzo de 1930, p. 18.

Torre, Guillermo de, «Hermeneusis y sugerencias. Un poeta energético [Mauricio Bacarisse]», *Cervantes*, Madrid, diciembre de 1918, pp. 70-81.

—, «Literaturas novísimas. Problemas teóricos y estética experimental del nuevo lirismo» [reseña de Jean Epstein, *La Poésie d'aujourd' hui: Un nouvel état d'intelligence*], *ibid.*, núm. 32 (agosto 1921), pp. 585-607.

—, «*Libro de poemas*, por F. García Lorca», Madrid, *Cosmópolis*, núm. 35 (noviembre de 1921), pp. 528-529.

—, *Hélices. Poemas (1918-1922)*, Madrid, Editorial Mundo Latino, 1923.

—, «La imagen pura. —Su valor y sus limitaciones», [fechado al final «Madrid, 1923»], *Alfar,* La Coruña, núm. 45 (diciembre 1924), pp. 218-224.

—, *Literaturas europeas de vanguardia*, Madrid, Rafael Caro Raggio, 1925.

—, «Las ediciones Héroe. Poesía en alud», *El Sol*, Madrid, 1 de abril de 1936, p. 2.

— «Federico García Lorca», en *Tríptico del sacrificio. Unamuno, García Lorca, Machado*, Buenos Aires, Losada, 2.ª ed., 1960.

—, *Apollinaire y las teorías del cubismo*, Barcelona, Edhasa, 1967.

Trend, J. B., *A Picture of Modern Spain, Men and Music*, London, Constable and Company, 1921.

—, «A Poet of "Arabia"», *Nation and the Athenaeum*, London, 14 de enero de 1922, pp. 594-595.

— «A Festival in the South of Spain», *ibid.*, 8 de julio de 1922, p. 516.

—, *Lorca and the Spanish Poetic Tradition*, Oxford, Basil Blackwell, 1956.

Ucelay, Margarita, «*Amor de don Perlimplín con Belisa en su jardín*, de Federico García Lorca. Notas para la historia de una obra: textos, ediciones, fragmentos inéditos», en *Essays on Hispanic Literature in Honour of Edmund L. King* (ed. Molloy and Cifuentes), London, Támesis Books, 1983, pp. 233-239.

—, introducción a García Lorca, *Amor de Don Perlimplín con Belisa en su jardín,* Madrid, Cátedra («Letras Hispánicas»), 1990.

—, introducción a García Lorca, *Así que pasen cinco años. Leyenda del Tiempo,* Madrid, Cátedra («Letras Hispánicas»), 1995.

Ulacia Altolaguirre, Paloma, *Concha Méndez. Memorias habladas, memorias armadas*, presentación de María Zambrano, Barcelona, Mondadori, 1990.

Umbral, Francisco, *Lorca, poeta maldito*, Madrid, Biblioteca Nueva, 1968.

—, «Análisis y síntesis de Lorca», *Revista de Occidente*, Madrid, XXXII, núm. 95 (1971), pp. 221-229.

Unamuno, Miguel de, *Ensayos*, Madrid, Residencia de Estudiantes, seis tomos, 1916-18.

—, «Hablemos de teatro», *Ahora*, Madrid, 19 de septiembre de 1934, p. 1.

«Uno al Sesgo», *Los ases del toreo. Estudio crítico de los principales diestros de la actualidad* [sobre Ignacio Sánchez Mejías], Madrid, Alfa, sin fecha [1922].

Valbuena Morán, Celia, *García Lorca y «La Barraca» en Santander*, Santander, 1974.

Valdivielso, Emilio, *El drama oculto. Buñuel, Dalí, Falla, García Lorca y Sánchez Mejías*, Madrid, Ediciones de la Torre, 1992.

Valente, José Ángel, «Pez luna», *Trece de nieve*, Madrid, 2.ª serie, núms. 1-2 (1976), pp. 191-201.

Valle Hernández, Adriano del, *Adriano del Valle. Mi padre*, Sevilla, Renacimiento, 2006.

Vaquero Cid, Benigno, «El franquismo contra García Lorca», *Ideal*, Granada, 28 de julio de 1986, p. 4.

—, «¿Por qué mataron a García Lorca?», artículo inédito, fechado 17 de noviembre de 1986 (copia regalada por el autor a Ian Gibson y hoy conservada en la Casa-Museo del poeta en Fuente Vaqueros).

—, «Federico en Valderrubio», *El Semanario*, Granada, 4 de junio de 1988, p. 10; 11 de junio de 1988, p. 14; 17-24 de junio de 1988, p. 12; 24-30 de junio de 1988, p. 13.

Vázquez Ocaña, Fernando, *García Lorca. Vida, cántico y muerte*, Mexico, Grijalbo, 2.ª ed., 1962.

V. S., «Estudiantes de la F.U.E. se echarán a los caminos con 'La Barraca'. Un carromato como el de Lope de Rueda. Teatro clásico gratuito por las plazas de los pueblos», *El Sol*, Madrid, 2 de diciembre de 1931, p. 1.

Vega Díaz, Francisco, «Una anécdota del poeta en la calle», *El País*, Madrid, 5 de junio de 1980, p. 34.

—, «"Muerto cayó Federico". Un testigo presencial relata una versión inédita del asesinato del poeta», *El País*, Madrid, 19 de agosto de 1990.

Vela, Fernando, «El suprarrealismo», *Revista de Occidente*, Madrid, vi (diciembre de 1924, pp. 428-434.

Verlaine, Paul, *FIESTAS GALANTES, Poemas saturnianos, La buena canción, Romanzas sin palabras, Sabiduría, Amor, Parábolas y otras poesías*. Precedidas de un Prefacio de François Coppée, traducidas al castellano por Manuel Machado, prólogo de Enrique Gómez Carrillo, Madrid, Francisco Beltrán, ¿1908?

Vidarte, Juan-Simeón, *Las Cortes Constituyentes de 1931-1933. Testimo-*

nio del *Primer Secretario del Congreso de los Diputados*, Barcelona-Buenos Aires-México, Grijalbo, 1976.

Videla, Gloria, *El ultraísmo. Estudios sobre movimientos poéticos de vanguardia en España*, Madrid, Gredos, 1963.

Vigueras Roldán, Francisco, *Granada, 1936. Muerte de un periodista. Constantino Ruiz Carnero (1887-1936)*, Granada, Comares, 2015.

Vila-San-Juan, José Luis, *García Lorca, asesinado: toda la verdad*, Barcelona, Planeta, 1975.

Villaespesa, Francisco, *El alcázar de las perlas*, Madrid, Biblioteca Renacimiento, 1912.

Villarejo, Pedro, *García Lorca en Buenos Aires. Una resurrección anterior a la muerte*, Buenos Aires, Libros de Hispanoamérica, sin fecha [1986].

Villegas, R., «La romería de Moclín, deslucida por la lluvia», *El Día*, Granada, 5 de octubre de 1986.

Villena, Luis Antonio de, «Cernuda recordado por Aleixandre. (Notas de vida y literatura)», en *A una verdad. Cernuda*, edición de Andrés Trapiello y Juan Manuel Bonet, Sevilla, Universidad Internacional Menéndez Pelayo, 1988, pp. 82-89.

—, «Correspondencia. Hombres públicos, cartas privadas», *El Mundo* («La Esfera»), Madrid, 14 de enero de 1995.

—, «La casa del poeta, la casa de la vida», *El Mundo*, Madrid, 7 de mayo de 1995, p. 66.

—, «Los males del mito», *ibid.*, 8 de mayo de 1995, p. 63.

Watson, J. N. P., «In Honour of Sal*amanca. The Duke of Wellington's Andalusian Estate-I*», *Country Life*, Londres, 4 de septiembre de 1980, pp. 779-781.

—, «Some "Near Run Things". The Duke of Wellington's Andulusian Estate-II», *Country Life*, London, 12 de septiembre de 1980.

Whitman, Walt, *Poemas*, versión de Armando Vasseur, Valencia, F. Sempere y Ca. Editores, sin fecha [El prólogo de Vasseur está fechado «San Sebastián, Febrero 1912».]

Wilde, Oscar, *De profundis, El alma del hombre. Máximas. Traducción de A. A. Vasseur. Preceden unos Recuerdos de André Gide, traducidos por J. García Monje. Obra inédita en castellano,* Madrid, Editorial América («Biblioteca de Autores Célebres»), 1919.

Wilson, E. M., «John Brande Trend. 1887-1958», *Bulletin of Hispanic Studics*, Liverpool, xxv (1958), pp. 223-227.

Ximénez de Sandoval, Felipe, *José Antonio (biografía apasionada),* Barcelona, Editorial Juventud, 1941.

Zalamea, Jorge, «Federico García Lorca, hombre de adivinación y vaticinio», *Boletín cultural y bibliográfico*, Bogotá, núm. 9 (1966), pp. 1507-1513.

Zambrano, María, «El viaje: infancia y muerte», en *Trece de Nieve*, Madrid, 2.ª serie, núms. 1-2 (diciembre de 1976), pp. 181-190. ·

Zapatero, Virgilio, introducción a Fernando de los Ríos, *El sentido humanista del socialismo* (véase arriba).

5. Documentales

El mar deja de moverse, un documental de Emilio Ruiz Barrachina, Ircania Producciones, S. L., 2006. Se incluye con el libro de Miguel Caballero y Pilar Góngora, *La verdad sobre el asesinato de García Lorca. Historia de una familia* (véase arriba).

La maleta de Penón, TVE («Documentos TV»), emitido por primera vez el 3 de mayo de 2009. Guión: Carmen Tinoco. Realización: Miguel Santos. Una producción de Sagrera Audiovisual para TVE.

AGRADECIMIENTOS (1985)

Federico García Lorca, I **(Barcelona, Grijalbo, 1985)**

Por «biografía autorizada» se suele entender, en el mundo de las letras anglosajonas, un estudio para cuya redacción los herederos del biografiado ponen los archivos completos de éste a disposición exclusiva de un autor que ellos aceptan como persona idónea para llevar a cabo la tarea que se propone. Quiero hacer constar que el libro presente no pertenece a tal categoría de obras: no he tenido acceso exclusivo al archivo de los herederos del poeta granadino ni han influido éstos, de manera alguna, en el enfoque de este trabajo, del cual soy el único responsable. Dicho esto, me apresuro a aclarar que nunca habría emprendido la labor de escribir una biografía de Lorca sin haber podido contar con el apoyo previo de su familia, apoyo que me fue amablemente garantizado por Isabel García Lorca en el verano de 1978. Radicado yo poco después en Madrid, puso a mi disposición, fiel a su palabra, cuantos manuscritos, cartas y otros papeles y documentos del archivo familiar iba solicitando ver durante mis investigaciones, además de aclararme numerosos puntos relacionados con la vida y obra de su hermano. A ella le expreso desde aquí mi sincera gratitud, que hago también extensiva a su sobrino Manuel Fernández-Montesinos García.

¿Cómo olvidar a Francisco García Lorca y a su mujer, Laura de los Ríos, tristemente fallecidos? Tanto de Laura como de Francisco —pienso no sólo en mis conversaciones con éste, sino, especialmente, en su libro póstumo *Federico y su mundo* (1980), hecho posible gracias a la eficaz colaboración de su viuda y Mario Hernández— procede no poca información recogida en esta obra.

La lista de aquellos otros amigos, colegas, estudiosos, lorquistas y conocidos del poeta cuya aportación a este primer tomo de mi biografía ha sido, de una manera u otra, valiosa, es larguísima. El nombre de Marie Laffranque merece ocupar, sin duda, el puesto de honor: sin sus extraordinarios trabajos sobre Lorca, es probable que nunca se me hubiera ocurrido la idea de escribir el libro. También es una obligación, así como un placer, expresar mi gratitud a Arturo del Hoyo por su magnífica labor pionera al compilar, ampliar y anotar, edición tras edición, las *Obras completas* de Lorca publicadas, a partir de 1954, por Aguilar, que a todos nos han servido de punto de partida para nuestras investigaciones. Eutimio Martín, autor de una importante tesis doctoral, todavía inédita, sobre los primeros escritos lorquianos, ha sido, entre tantos amigos, seguramente quien más me ha colmado de favores de todo tipo, entre ellos el de leer las pruebas compaginadas de este libro: a él mi más profundo agradecimiento. Maribel Falla, heredera del gran compositor, me atendió siempre con generosidad, abriéndome el archivo de su tío, tan amorosamente conservado y clasificado. Lluís Permanyer fue, en Barcelona, el perfecto amigo, contestando mis cartas con una rapidez insólita por tierras hispanas. Tica Fernández-Montesinos García me alentó en mi labor, abriéndome importantes puertas, al igual que lo hizo Fina de Calderón. Francisco Giner de los Ríos y su esposa María Luisa me hicieron apreciar mejor que nadie lo que había sido el espíritu que animaba el Instituto Escuela, hijo de la Institución Libre de Enseñanza. Eduardo Carretero y su mujer Isabel Roldán García me evocaron, en numerosas conversaciones, el ambiente de la Granada de la preguerra. Y Ángel Carrasco y Ana Rodríguez Cortezo demostraron ser, en momentos para mí difíciles, amigos de verdad.

Entre los lorquistas —esta Internacional cada vez más nutrida—, además de a los ya mencionados, vaya mi gratitud especial, por su obra y su colaboración, a Andrew Anderson, André Belamich, José Luis Cano, Claude Couffon, Daniel Eisenberg, José Luis Franco Grande, Miguel García-Posada, Mario Hernández, Eulalia-Dolores de la Higuera, José Landeira Yrago —que, como el amigo señalado antes, tuvo la amabilidad de leer las pruebas compaginadas de este libro—, Piero Menarini, Helen Oppenheimer y Antonina Rodrigo. Que conste también mi aprecio por la labor de Christopher Maurer, cuya ordenación cronológica del epistolario de Lorca (tarea nada fácil), que sigue el precedente establecido por André Belamich, me ha sido sumamente útil.

El poeta Vicente Aleixandre, recientemente fallecido, con quien pasé horas inolvidables, me autorizó amablemente a reproducir el texto íntegro de su emocionante evocación de Lorca, publicada por vez primera en 1937.

El Instituto de Cooperación Iberoamericana me otorgó en 1980 una pequeña beca para sufragar algunos gastos relacionados con mis investigaciones, siendo entonces director de la casa José María Álvarez Romero. Fue un detalle que agradecí entonces y que no olvido ahora.

¿Me perdonarán las otras muchas personas con las que estoy en deuda —entre ellas, numerosos amigos— si sólo cito aquí sus nombres, sin especificar la naturaleza de su aportación a mi trabajo? Espero que sí, pues para hablar puntualmente de ésta en cada caso harían falta muchas páginas. Ruego asimismo a aquellos cuyo nombre olvide estampar a continuación que me disculpen: dados los muchos años que uno lleva indagando sobre Lorca y su mundo, es inevitable que se produzcan algunas lagunas:

Rafael Abella, Manuel del Águila Ortega, Francisca Aguirre, Rafael Alberti, Dámaso Alonso, Alberto Anabitarte, Manuel Ángeles Ortiz (†), Cayetano Aníbal, Archivo de la Escuela Superior de Bellas Artes de San Fernando (hoy Facultad de Bellas Artes de la Universidad Complutense), Antonio Arribas, Adoración Arroyo Cobos, Arxiu Històric de la Ciutat, Manresa; Peter G. Ashton, Marcelle Auclair (†), Enrique Azcoaga, Jesús Bal y Gay y Rosa García Ascot, Mariano Balaguer, Pío Ballesteros, Juan Antonio Bardem, Ángela Barrios, Antonio Barrios, José Luis Barros, José Bello, José Bergamín (†), Biblioteca General de la Universidad de Granada, Biblioteca Nacional de España, Eduardo Blanco Amor (†), Carlos Bousoño, Gerald Brenan, Andrew Budwig, José y María Fernanda Caballero, Antonio de Casas, Eduardo Castro, Josefina Cedillo, Miguel Cerón Rubio (†), Jacques Comincioli, Miguel y Carola Condé, Evaristo y María Correal, Natalia Jiménez de Cossío (†), Falina Cristóbal, Manuel Chaves Ruiz, José Choín Castro, Anna Maria Dalí, Salvador Dalí, José Delgado Delgado, Nigel Dennis, Ernesto Dethorey, José Díaz, James Dickie, Gerardo Diego, Luis Domínguez Guilarte, Gervasio Elorza, Antonio Escudero, José Ángel Ezcurra, José Fernández Berchi, José Fernández Castro, José García Ladrón de Guevara, Francisco García Majado, Isabel García Palacios, María García Palacios (†), Clotilde García Picossi, Federico García Ríos (†), Alfonso García Valdecasas, J. M. Gasol, Julia Gómez Arboleya, Emilio Gómez Orbaneja, María Luisa González, viuda de Vicéns, Luis González Arboleya, Antonio

González Herranz, Jaime Gorospe, Félix Grande, Helen Grant, Caritat Grau Sala, viuda de Gasch, Günter y Susanna Grossbach, José Luis Guerrero, Jorge Guillén (†), Cristóbal Halffter, Ernesto Halffter, David Henn, Francisco Hernández, Gloria Ibáñez, Antonio Jiménez Blanco, Paz Jiménez Encina, viuda de Marquina, Enrique Jiménez Maicas, José Jiménez Rosado, Rafael Jofré García, Ignacio Lassaletta, Manuel López Banús, Pilar López Júlvez, Juan de Loxa, María José Lozano, Cristino Mallo, Maruja Mallo, Antonio Manjón-Cabeza Sánchez, Francisco Martín, Jacinto Martín, Ángel Mateos, Antonio Mendoza Lafuente, Miguel Molina Campuzano, Charles Montagu-Evans, Francisco Montes Valero, José María Moreiro, Carlos Olmos, Santiago Ontañón, Manuel Orozco Díaz, Ernesto Ortega Lupiáñez, Matilde Palacios García, Mariano Peña, Juan Pérez de Ayala, Antonio Pérez Férez, Antonio Pérez Funes (†), Adoración Pérez García, Editorial Planeta (laboratorio fotográfico), Gonzalo Pontón, Manuel Rivera, Manuel Robles, Antonio Rodrigo, José Rodríguez Contreras (†). Antonio Rodríguez Valdivieso, Eduardo Rodríguez Valdivieso, Manuel Romero Olabarrieta, los hermanos Rosales Camacho (Esperanza, Gerardo, José, Luis y Miguel), José Antonio Rubio Sacristán, José Ruiz-Castillo, Arturo Sáenz de la Calzada; Luis Sáenz de la Calzada, Regino Sainz de la Maza (†), Melchor Saiz Pardo, Clara Sancha, viuda de Alberto Sánchez, Alcaín Sánchez, Juan Pedro Sánchez, Rafael Sánchez Ventura (†), Rafael Santos Torroella, Andrés Segovia, Leslie Sheil, Sanford y Helen Shepard, Jaume Sobrequés, Ramón Sol, Margarita Ucelay, María del Reposo Urquía, Rafael Utrera, Agustín Valdivieso, Pilar Varela, Roger Walker, Anthony Watson, Jane Wellesley, el duque de Wellington, John Wolfers. Y también Miguel Ángel Furones, James Hourihan, William Layton, Robert McCrum y Padraic Collins.

Finalmente, para cerrar esta larga relación, quiero dejar constancia de la paciencia con la cual mis hijos Tracey y Dominic me han aguantado durante tantos años de investigaciones lorquianas y, concretamente, mientras trabajaba en este libro. Libro que, sin la fe y el apoyo constante de mi mujer, a quien va dedicado, jamás habría visto la luz.

IAN GIBSON,
Madrid, agosto de 1984

AGRADECIMIENTOS (1987)

Federico García Lorca, II (Barcelona, Grijalbo, 1987)

La siguiente lista de agradecimientos es forzosamente incompleta, ya que sería imposible recordar a todos los que me han ayudado en unas investigaciones que han durado más de veinte años. Además, he decidido no reproducir aquí los nombres ya mencionados en mis libros sobre la muerte del poeta, donde podrá encontrarlos el lector interesado.

Quisiera repetir lo que dije al principio del primer tomo de esta biografía: que sin la labor de otros numerosos investigadores —y especialmente de Marie Laffranque— me hubiera sido difícil, tal vez imposible, llevar a cabo mi tarea. Soy muy consciente de que este libro está en deuda con muchísima gente y de que, en cierto modo, es una obra colectiva.

¿Cómo decidir entre la relativa importancia de las aportaciones hechas a mi trabajo por tantas personas? Sería una tarea ingrata, además de imposible. Por ello, después de los agradecimientos a las instituciones, he decidido poner todos estos nombres juntos en orden alfabético. Espero no ofender con ello a nadie.

La investigación de la cual es resultado el presente tomo ha sido muy costosa económicamente, y no hubiera sido factible sin el apoyo de varias entidades. Además de la editorial Grijalbo, que ha atendido estoicamente mis frecuentes peticiones monetarias, me han ayudado generosamente con becas y bolsas de viaje el Comité Conjunto Hispano-Norteamerica para la Cooperación Culturas y Educativa, el Instituto de Cooperación Iberoamericana, la Consejería de Cultura de la Junta de Andalucía, el Ministerio de Asuntos Exteriores, la Unión de Escritores y Artistas Cubanos (UNEAC) y, a través de la Irish National Comission, la UNESCO Participation Programme 1984-1985. También debo un agradecimiento muy especial a Siemens, S. A., y a Baldur Oberhauser, que, con el asombroso regalo de un ordenador —conocido familiarmente con el nombre de Horacio—, aligeraron enormemente mi trabajo y hasta me salvaron muchas veces de la desesperación.

Mi querido amigo Eutimio Martín, lorquista de pro, ha tenido la amabilidad de leer las galeradas del libro y de señalar, con su discreción habitual, además de erratas e imperfecciones estilísticas, algunas deficiencias del texto. Por su constante respaldo desde que emprendí mi tarea biográfica le debo a este generoso palentino más de lo que pudiera expresar aquí.

¿Y cómo no dar las gracias a todos los que, durante años, me han sacado cientos de libros y de periódicos en las distintas bibliotecas y hemerotecas donde he tenido el privilegio de trabajar? Vaya mi más sincero reconocimiento al personal de la Biblioteca Nacional de Madrid; de la Casa de l'Ardiaca, Barcelona; de la Casa de los Tiros, Granada; y de la Hemeroteca Municipal de Madrid.

Con todo los siguientes, que acrecientan notablemente la lista incluida en el primer tomo de esta biografía, estoy profundamente en deuda:

Sam Abrams, Francisca Aguirre, Rafael Alberti, Antonio y María Alcaraz, José María Alfaro (†), Javier Alfaya, Dámaso Alonso, Frederico Amat, José Amorós, Antón Arrufat, Enrique Azcoaga (†), Jesús Bal y Gay, Pío Ballesteros, Miguel Barnet, Juan Benito Argüelles, José Bergamín (†), Ciro Bianchi Ross, Enrique Blanco, Eduardo Blanco-Amor (†), Norah Borges (†), José y María Fernanda Caballero, Lidia Cabrera, Antonio Campoamor, Francisco Caracuel, Antonio Carrizo, Emilio Casares Rodicio, Jim y Maisie Casey, Manuel Castilla Blanco, José Castilla Gonzalo, José Miguel Castillo Higueras, Josefina Cedillo, Arturo Cuadrado Moure, Bernardo Cuadrado Moure, Aurora de la Cuesta de Garrido, Philip Cummings, Dardo Cuneo, Álvaro Custodio, Manuel Chapa, Salvador Dalí, Santiago Delgado, José Delgado Delgado, Nigel Dennis, José Díaz, James Dickie, Gerardo Diego (†),Fulgencio Díez Pastor, Francisco Javier Díez de Revenga, Elizabeth Disney, Luis Domínguez Guilarte, Ernesto Durán (†), Fernando de Elizalde, Gervasio Elorza, Lidia Espasande, José Ángel Ezcurra, José Luis Fajardo, Jorge Feinsilber, Carlos Fernández, José Fernández Berchi, José Fernández Castro, Ángel Flores, J. V. Foix (†), David Galadí Enríquez, Antonio, Nieves y María Galindo Monge, Patrick Gallagher, José Carlos Gallardo, Rosa García Ascot, María del Carmen García Lasgoity, José García Ladrón de Guevara, Francisco García Lorca (†), Isabel García Palacios (†), Federico García Ríos (†), Clotilde García Picossi (†), Paulino García Toraño, Alfonso García Valdecasas (†), Emilio Garrigues, Juan Gil-Albert, Ernesto Giménez Caballero, Francisco Giner de los Ríos, Nigel Glendinning, Julia Gómez Arboleya, José Antonio Gómez Marín, Emilio Gómez Orbaneja, María Luisa González, Alejandro González Acosta, Luis González Arboleya, Rafael Hernández, Antonio González Herranz, Pedro Miguel González Quijano, Jaime Gorospe, Félix Grande, Helen Grant, José Gudiol, Campbell Hackforth-Jones, Eulalia-Dolores de la Higuera Rojas, Modesto Higueras (†), James Hourihan, Rafael Inglada, Aurelia Jiménez González, Luis Jiménez Pérez, José Jiménez Rosado, José Jover Tripaldi, Richard Kidwell, Ute Körner, William Layton, Manuel y Mercedes López Banús, Miguel López Escribano, Bernabé López García, Matilde López García, Pilar López Júlvez, José López Rubio, Juan de Loxa, Dulce María Loynaz, William Lyon, Manuel Marín Forero, Robert Marrast, Agenor Martí, Francisco Martín, José Martín Jiménez, Carlos Martínez Barbeito, Luis Martínez Cuitiño, Pedro Massa, Blas Matamoros, Ángel Mateos, Javier Maycas, Gonzalo Menéndez Pidal, José Mercado Ureña, Thomas Middleton, César Antonio Molina, Ricardo Molinari, Maricarmen Montero, José María Moreiro, Francisco Moreno Gómez, Roger Mortimore, Rosemary y Sean Mulcahy, Mary Carmen Muñoz, Ricardo Muñoz Suay, William Ober, Amalia Olmedo, Carlos Olmos, Santiago Ontañón, Manuel Orozco, Roberto Otero, Mariano de Paco, Fernando Pajares, Josep Palau i Fabre, Carmen Perea (†), Moisés Pérez Coterillo, Juan Antonio Pérez Millán, Antoni Pitxot, Ana María Prados, Jesús Prados Arrarte (†), Orlando Quiroga, Antonio Ramos Espejo, Manuel Ravina Martín, Juan Reforzo Membrives, Álvaro Restrepo, Enrique de Rivas, Pablo Robredo, Guenny Rodewald, Ricardo Rodríguez Jiménez, Alfredo Rodríguez Orgaz, Tomás Rodríguez Rapún, Antonio Rodríguez Valdivieso, Eduardo Rodríguez Valdivieso, Horacio Roldán, Alfredo Rollano, Ramón Ruiz Alonso, Arturo Ruiz-Castillo, José Ruiz-Castillo Basala, Miguel Ruiz del Castillo, Enrique Ruiz Roldán, Luis Ruiz-Salinas Martínez, Carlos Ruiz Silva, Arturo Sáenz de la Calzada, Luis y Maruja Sáenz de la Calzada, Pedro Sainz Rodríguez, Luis Saiz, Melchor Saiz Pardo, Horacio Salas, Emilio Santiago Simón, Andrés Segovia, Antonio de Senillosa, Francisco Sierra, Philip Silver, Jaume Sobrequés, Andrés Soria Ortega, Herbert Southworth, Coen Stork, Daniel

Sueiro (†), Hugh Thomas, Mauricio Torra-Balari, Amelia de la Torre (†), César Torres Martínez, Javier Torres Vela, Rafael Utrera, Felipe Vallejo, Benigno Vaquero Cid, Pilar Varela, Roberto Villayandre, Luis Antonio de Villena, John Wolfers, Héctor Yanover, Alberto Zalamea, Julio Oscar Zolezzi y Ofelia Zuccoli Fidanza.

IAN GIBSON,
Madrid, julio de 1987

ÍNDICE ONOMÁSTICO

(Para entradas sobre Federico García Lorca, *véase*
Índice analítico de Federico García Lorca)

Las cifras en cursiva remiten a las páginas de ilustraciones

ÍNDICE ANALÍTICO DE FEDERICO GARCÍA LORCA

ÍNDICE

Papel certificado por el Forest Stewardship Council®